Beth Greenfield et
Robert Reid

New York City

Top 5 des lieux incontournables

***1** Bryant Park **2** Étal de photographies **3** Musiciens de rue, Union Square **4** Policiers, Times Square*

***1** Great Hall, Immigration Museum (p. 83)* ***2** Statue de la Liberté (p. 82)* ***3** Financial district, Wall St (p. 83)* ***4** Battery Park (p. 86)*

__1__ Radio City Music Hall (p. 114)
__2__ Stadue d'Atlas, Rockefeller Center (p. 115) __3__ Fifth Ave (p. 113)
__4__ Flatiron Building (p. 107)

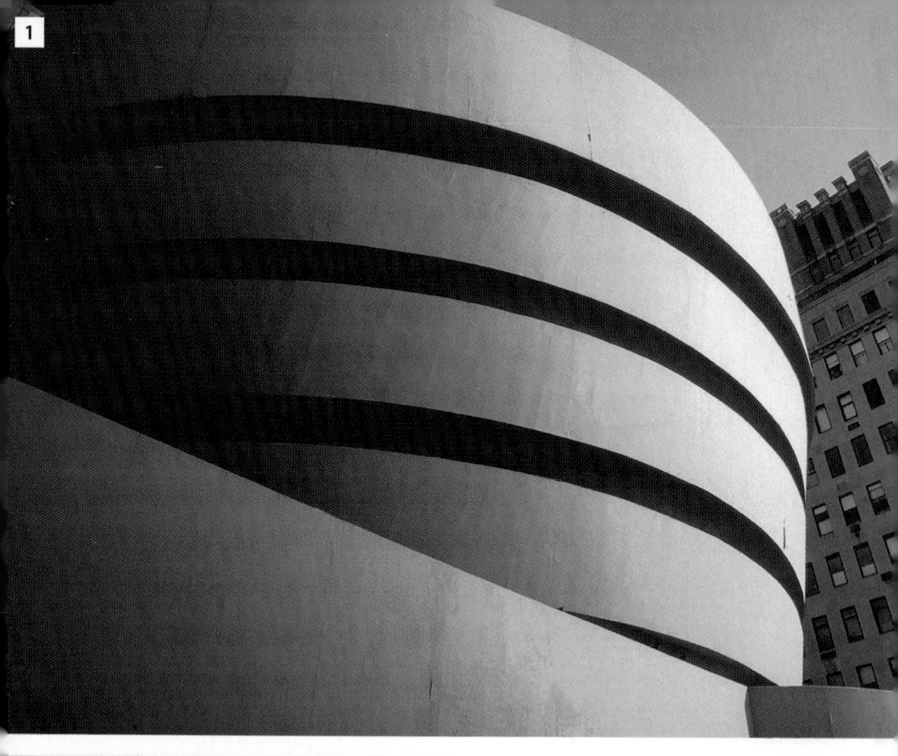

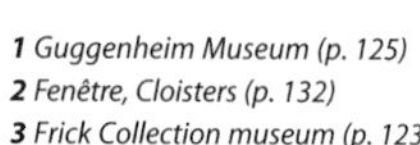

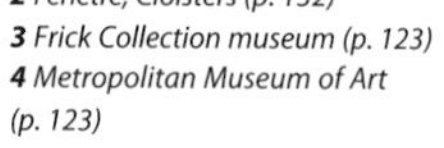

1 *Guggenheim Museum (p. 125)*
2 *Fenêtre, Cloisters (p. 132)*
3 *Frick Collection museum (p. 123)*
4 *Metropolitan Museum of Art (p. 123)*

__1__ Children's Museum of Manhattan (p. 120)
__2__ Bouddha, Jacques Marchais Center of Tibetan Art (p. 151)
__3__ PS1 Contemporary Art Center (p. 143) __4__ Cooper-Hewitt National Design Museum (p. 122)

***1** Horloge, Grand Central Terminal (p. 112) **2** Chrysler Building (p. 111) **3** New York Public Library (p. 112) **4** Stanford White Arch (p. 102), Washington Square Park*

Sommaire

Traduit de *New York 4*, février 2005

Traduction française : © Les Presses-Solar-Belfond
12 avenue d'Italie, 75627 Paris cedex 13,
☎ 01 44 16 05 00,
bip@lonelyplanet.fr
www.lonelyplanet.fr

Dépôt légal
Mars 2005
ISBN 2-84070-260-6

Photographies © Andrew Shennan (en haut)/Getty Images) et Kim Grant (en bas)/Lonely Planet Images et comme mentionnées (p. 341), 2005

Imprimé en France par Hérissey, Évreux, France

Les auteurs

BETH GREENFIELD

Originaire d'Eatontown, dans l'État du New Jersey, Beth Greenfield a très tôt multiplié les visites dans la ville de ses rêves. Elle s'installe à Chelsea après le collège et suit des cours de journalisme à la New York University (NYU). Elle écrit ensuite pour des magazines et des journaux locaux (dont *Time Out New York*, auquel elle collabore toujours), donne des cours d'écriture axés sur les guides de voyages à la NYU et rédige le chapitre sur New York et les États mid-atlantiques du dernier Lonely Planet sur les États-Unis, tout en déménageant régulièrement dans l'espoir de trouver l'appartement idéal. Après un passage dans l'East Village et à Brooklyn, elle a finalement opté pour l'Upper West Side, non loin de Central Park et de l'Hudson River Park, et à deux pas de quelques traiteurs juifs épatants et de l'express qui la dépose en un clin d'œil dans ses quartiers de prédilection.

ROBERT REID

En 1992, après avoir gagné par hasard un billet pour un concert de Keith Richards, Robert Reid quitte l'Oklahoma pour New York, et s'installe dans l'East Village. La journée, il collabore au magazine *House Beautiful* et le soir, il coproduit des événements interactifs à Manhattan. En 1997, il part pour San Francisco et travaille pour Lonely Planet en tant que rédacteur et directeur de publication des guides shoestring. En 2003, après une parenthèse londonienne de quelques mois, il s'installe à New York pour se consacrer à l'écriture, chez lui, à Brooklyn.

ONT ÉGALEMENT CONTRIBUÉ

KATHLEEN HULSER

Historienne à la New York Historical Society, Kathleen est spécialisée dans l'histoire de New York et enseigne l'histoire de l'urbanisme et de la société à la New York University. Elle organise des expositions, notamment "German New York", et des conférences sur divers sujets, tels que "Before the World Trade Center: Terror in the City" (avant le World Trade Center : terreur sur la ville). Elle a rédigé le chapitre *Histoire* (p. 63) du présent ouvrage.

GLENN KENNY

Glenn a écrit dans *Village Voice*, *New York Times* et *Playboy*. Dans les années 1990, il rédigeait la rubrique Pop du *New York Daily News*. Il est aussi critique de cinéma pour le magazine *Premiere*. Il a rédigé l'encadré *La musique new-yorkaise au XXI*e *siècle* (p. 37).

KATY MCCOLL

Katy s'est installée à New York en 1999 après son diplôme au Smith College pour rejoindre l'équipe de Style.com, le site des magazines *Vogue* et *W*. Elle écrit des articles pour le mensuel *JANE Magazine*, pour lesquels elle se doit d'essayer les dernières excentricités du moment. Elle a rédigé l'encadré *Question de mode* (p. 22).

JOYCE MENDELSOHN

Joyce enseigne l'histoire de l'architecture new-yorkaise à la New School University et écrit des livres sur ses quartiers préférés et des articles originaux sur la ville. Elle lutte pour la préservation des immeubles et des quartiers historiques qui font toute l'originalité de New York. On lui doit le chapitre *Architecture*. (p. 47).

Lonely Planet réalise ses guides en toute indépendance et n'accepte aucune publicité. Tous les établissements et prestataires mentionnés dans l'ouvrage le sont sur la foi du seul jugement des auteurs, qui ne bénéficient d'aucune rétribution ou réduction de prix en échange de leurs commentaires.

Introduction

Montez dans une rame du métro new-yorkais et observez autour de vous. Notez tout d'abord les chaussures de vos compagnons de voyage : mocassins, cuissardes, Nike ou encore escarpins classiques ? Élargissez ensuite votre champ d'observation : un ado à dreadlocks et son inévitable iPod, un banlieusard plongé dans le *New York Times*, une jeune mère fatiguée penchée sur son bébé. Enfin, détaillez chaque visage : chinois, jamaïcain, indien, irlandais, dominicain, polonais ou mexicain. Peut-être que le lien entre des personnalités aussi différentes ne vous sautera pas aux yeux, mais il existe bel et bien.

Le sentiment d'être tous dans le même bateau est là, bien enfoui, chez tous les New-Yorkais, même si une certaine réserve les empêche de le reconnaître d'emblée. Cet inconscient collectif qui s'exprime de manière très subtile sous les histoires individuelles les plus diverses, pourrait bien constituer la principale caractéristique de cette ville.

Pour le reste, le registre de la subtilité n'est pas le fort de New York ! Du quai du métro bondé que vous venez de quitter jusqu'aux divers quartiers et communautés que vous rejoignez au niveau de la rue, tout est frappé d'audace et de démesure. Une constante qui se vérifie quel que soit l'aspect de la ville que l'on aborde : l'architecture intrépide, la

De New York et des New-Yorkais

Population 8 millions
Fuseau horaire Eastern Standard
Chambre 3 étoiles 250 $
Café 1 $
Ticket de métro 2 $
Part de pizza 1,75 $
Boisson indispensable Cosmopolitan 6 à 12 $
À ne pas faire Marcher lentement

circulation agressive, la culture bouillonnante, la vie politique intense et un passé riche, marqué par l'immigration. Ce flux constant de nouveaux arrivants conserve à la ville toute sa fraîcheur et son insolence. New York sait à merveille accueillir et accepter les nouveaux venus. Une qualité essentielle pour le visiteur, évidemment.

La ville se prête à toutes sortes de découvertes et d'explorations. Ses influences internationales vous donneront l'impression de parcourir le monde en restant au même endroit. Vous pouvez ainsi prendre un petit déjeuner mexicain et plonger à Bollywood dans un cinéma indien. Ou tout simplement visiter la statue de la Liberté et déjeuner d'une portion de pizza, deux produits importés, que les New-Yorkais adorent. La simple vie quotidienne est à elle seule toute une aventure : il suffit d'écouter toutes les langues parlées dans la rue, de dîner dans un restaurant grec et de porter son linge dans une blanchisserie chinoise. Ou encore d'apercevoir quelques-uns des innombrables microcosmes de la ville : yogis en pleine méditation, adeptes des pratiques wiccanes (magiques) en plein Central Park, amateurs de courses de carlins, végétariens convertis au régime sans gluten, branchés de Chelsea et leur indispensable canette de boisson protéinée.

Outre la simple flânerie curieuse, New York offre au visiteur une kyrielle d'activités variant largement en fonction des saisons. Les parcs se réveillent au printemps, lorsque cyclistes, joggeurs et simples promeneurs animent allées et pelouses. C'est le moment de louer des rollers pour profiter de la ville en plein air. Le printemps marque aussi le début de la nouvelle saison artistique et sportive, de la floraison des cerisiers, des nombreuses expositions florales et de la très populaire Fleet Week. Les matins frisquets et les tons roux de l'automne annoncent l'US Open, le New York Film Festival et la Halloween Parade qui traverse West Village. Ne vous y trompez pas, les autres saisons ont leur charme également. L'hiver, on préfèrera arpenter les musées, fréquenter les théâtres et s'attarder dans les magasins et les cafés. Et si la neige recouvre soudain la ville, vous verrez les New-Yorkais excités comme des enfants. Enfin, l'été, les habitants se ruent vers Long Island, les Catskills ou le New Jersey pour de longs week-ends et tout Manhattan, soudain plus calme, s'offre aux seuls visiteurs.

Le rythme bien marqué des saisons ne signifie toutefois en aucun cas que l'on peut tout prévoir. Au contraire, tout change en permanence. Les attentats du 11 septembre 2001, qui ont entraîné un renforcement des mesures de sécurité et exacerbé le sentiment de vulnérabilité de la population, ont prouvé qu'il fallait pouvoir s'adapter à tout. Ce fut un événement lourd d'enseignement pour une population qui se lasse rapidement de tout sans jamais revenir en arrière. Ce fut également la preuve ultime que les New-Yorkais sont tous logés à la même enseigne, aussi froids et distants soient-ils en apparence.

UNE JOURNÉE IDÉALE SELON BETH

Tout d'abord une grasse matinée, puis un bon petit déjeuner ! J'adore le brunch à base de tofu du petit restaurant végétarien de mon quartier, **Mana** (p. 191). Idéal pour attaquer un après-midi culturel. Je commence par un quartier ethnique, au choix **Little India** (p. 142) à Jackson Heights, dans le Queens, ou **Little Italy** (p. 147) à Belmont dans le Bronx, où je sillonne les allées des marchés d'alimentation, m'enivre de langues étrangères et et joue au touriste. S'il fait beau, je m'offre un footing autour du charmant **Jacqueline Onassis Reservoir** (p. 119) ou une balade en vélo dans l'**Hudson River Park** (p. 105). La soirée débutera avec un martini dans un endroit délicieux, la terrasse de l'**Esperanto** (p. 205) ou le flamboyant **xl** (p. 209), par exemple, et se poursuivra peut-être par un festin indien, au **Tabla** (p. 185). Elle s'achèvera par une petite visite au 102e étage de l'**Empire State Building** (p. 108) pour admirer les lumières de la ville.

Coups de cœur

- **Empire State Building** (p 108). Vue panoramique sur la ville
- **Central Park** (p. 117). Oasis de verdure en plein cœur de la ville, peuplée de personnages étonnants
- **Barney's** (p. 261). Pour les soldes annuels, où l'on trouve des Armani ou des Oscar de la Renta à moitié prix
- **East Village** (p. 97). Gargotes et boutiques ethniques et créatures piercées
- **Florent** (p. 183). Pour un steak-frites à 4 h du matin avec la faune des noctambules

La ville au quotidien

La ville au quotidien

NEW YORK AUJOURD'HUI

Les visiteurs arrivant à New York s'attendent encore à découvrir la ville telle qu'elle était dans les années 1970. D'où leur surprise devant l'absence de graffitis dans le métro, d'individus louches dans les rues ou de prostituées exhibant leurs charmes. Très largement médiatisé, le grand nettoyage effectué par Rudy Giuliani, l'ex-maire de la ville, a indéniablement porté ses fruits. Même si les choses se sont de nouveau quelque peu dégradées depuis que Bloomberg a repris le flambeau, la reprise en main radicale de la ville a donné des résultats incontestables. Le taux de criminalité, dont celui des assassinats, s'affiche en baisse depuis une dizaine d'années. Les néons et les enseignes de Times Square et de la célèbre 42nd Street continuent toujours à scintiller dans une atmosphère bon enfant, mais leurs anciens cinémas porno ne seront bientôt plus qu'un lointain souvenir. Les touristes les plus méfiants n'hésitent plus à emprunter le métro la nuit, rassurés par une signalisation claire et des rames flambant neuves. Les quartiers périphériques ne présentent quasiment plus aucun danger une fois la nuit tombée. La grande panne de courant d'août 2003 a parfaitement illustré ce changement radical. Ni pillages ni émeutes (contrairement à 1977), mais d'innombrables fêtes pacifiques à la lumière des bougies. Cette ambiance paisible, quasi commémorative, prouvait que les New-Yorkais avaient finalement retenu quelque chose du 11 septembre 2001.

Il va sans dire toutefois que la ville souffre encore de bien des maux. Tout d'abord, la situation des sans-abri est désastreuse. Entre 2003 et 2004, les foyers d'accueil ont recensé quelque 38 400 personnes, un record absolu pour la ville. Et ce chiffre ne tient pas compte de tous ceux qui dorment dans la rue, les stations de métro ou les halls d'immeuble.

Les polémiques du moment

- Bloomberg est un vrai bonnet de nuit !
- Les chaînes de magasins défigurent la ville.
- Crois-tu que le projet de développement du West Side finira par voir le jour ?
- Est-ce que vous êtes allé au **Time Warner Center** (p. 110) ? C'est un vulgaire grand centre commercial
- Organiser les JO ici serait un vrai cauchemar
- Le mariage gay pourrait être autorisé dans combien de temps à New York ?
- Je vais rester coincé à vie dans mon appartement à loyer stable
- Dommage que A-Rod ne joue pas aussi pour les Knicks
- On voudrait acheter à Brooklyn. Qu'est-ce qui est le plus abordable : Prospect Heights ou Kensington ?
- Le métro de Second Avenue sera-t-il un jour terminé ?

Sur le plan économique, la ville a été touchée de plein fouet par la récession consécutive aux événements du 11 septembre 2001. En dépit des projets immobiliers lancés par les promoteurs, elle a perdu plus de 206 500 emplois entre 2001 et 2003. Toutefois, les autorités municipales affirment que la situation va en s'améliorant, et plus de 4 000 emplois auraient été créés, non sans mal, au dernier trimestre 2003.

Au chapitre de la santé, New York a connu des périodes plus fastes, en particulier en ce qui concerne le sida, que beaucoup considère comme éradiqué. Or, New York présente le plus fort taux de malades du sida par habitant du pays et compte à elle seule plus de cas que les quatre villes américaines les plus touchées. Selon les dernières statistiques (2002), le taux de contamination par le virus HIV chez les gays continue d'augmenter. Les problèmes posés par la consommation du crystal meth (sorte d'amphétamine) par la communauté homosexuelle accentuent encore les risques d'infection.

Autre sujet de discussion dans les soirées chics : l'embourgeoisement, redouté mais inéluctable, de la ville. Les New-Yorkais rendent parfois la politique de Giuliani responsable de ce problème, parce qu'elle a entraîné une hausse des prix du logement et l'exclusion des plus démunis. Il faut cependant souligner que les plus critiques en la matière sont ceux qui, précisément, ont contribué à instaurer cet état de fait : les populations de classe moyenne, aisées et très enclines à suivre les modes, qui ont quitté la grande banlieue pour vivre en ville. À les entendre, Starbucks, Barnes & Noble et les magasins Target déshumaniseraient la ville et l'embourgeoisement rapide des quartiers excentrés ferait disparaître leur aspect multi-ethnique. L'urbanisation à outrance, notamment la construction frénétique de tours d'habitations et le projet démesuré d'un stade gigantesque à Hell's Kitchen, marquerait la fin du New York cher à leur cœur. Cependant, tout le monde boit le fameux décaféiné au lait de soja (decaf soy lattès), achète des livres à prix cassé, déménage à Bedford-Stuyvesant, investit dans un appartement au bord de l'eau et se réjouit en silence du nouvel environnement sportif. Voilà de quoi rendre un séjour dans la ville particulièrement animé et passionnant. Les New-Yorkais ne s'en lassent pas, parions que vous non plus !

AGENDA

New York semble être le théâtre permanent de toutes sortes de festivités. Les jours fériés, les manifestations religieuses ou les simples week-ends constituent autant d'occasions d'organiser des animations dans les rues. Citons tout particulièrement l'annuelle Lesbian & Gay Pride March, le Caribbean Day Parade de Brooklyn et Halloween, pendant laquelle une foule joyeusement costumée déferle en soirée dans les rues de West Village.

Les horaires d'ouverture et de circulation des transports publics changent parfois pendant les jours fériés. Mieux vaut éviter les démarches administratives ces jours-là. Pour davantage de détails sur les programmes de la ville, consultez le site www.nycvisit.com.

JANVIER

L'année démarre par une grasse matinée pour se remettre du réveillon et du feu d'artifice tiré dans Central Park. Martin Luther King est fêté le troisième lundi du mois. Pendant ces journées froides et souvent enneigées qui suivent Noël, les New-Yorkais se jettent frénétiquement dans les salles de remise en forme et fréquentent assidûment cinémas et boutiques.

LUNAR NEW YEAR FESTIVAL

☎ 212-966-0100

La célébration new-yorkaise du Nouvel An chinois est l'une des plus importantes du pays. Les amateurs d'exotisme se pressent dans les rues de Chinatown, mises en effervescence par les feux d'artifice, les dragons ondulants et les chars extravagants. La date varie chaque année en fonction du calendrier lunaire, entre fin janvier et début février.

THREE KINGS PARADE

☎ 212-831-7272

Le 5 janvier, des écoliers, des ânes et des moutons défilent dans les rues de Spanish Harlem, de Fifth Ave à 116th St, pour célébrer l'Épiphanie.

WINTER RESTAURANT WEEK

☎ 212-484-1222 ; www.nycvisit.com

Cette semaine qui se déroule traditionnellement en juin, se reproduit désormais une deuxième fois, fin janvier. C'est l'occasion de découvrir le luxe des restaurants de vos rêves : quelque 200 établissements proposent à cette occasion un déjeuner à 20 $ et un dîner à 30 $.

FÉVRIER

Le temps est au froid, à la neige et aux bourrasques de vent. Les rigueurs de l'hiver ne donnent guère envie de traîner dehors, mais on trouve largement de quoi s'occuper à l'intérieur. Lors du Presidents' Day, le troisième lundi du mois, la plupart des administrations municipales et fédérales sont fermées.

FASHION WEEK

La deuxième semaine de février, la haute couture investit les rues de Manhattan pour présenter les nouvelles collections. Une autre semaine de la mode se déroule la deuxième semaine de septembre.

LA SAINT-VALENTIN

Cette fête vous paraît peut-être bêtement commerciale, mais les New-Yorkais ont souvent à cœur de la célébrer dignement et n'hésitent pas, pour l'occasion, à débourser 65 $ dans un restaurant à la mode. Vous pouvez parfaitement vous contenter d'une part de pizza et offrir une balade au clair de lune à votre dulcinée !

MARS

Le temps se fait de plus en plus doux et ensoleillé et les températures atteignent facilement les 10°C. L'air printanier attire les New-Yorkais dans les parcs et dans les rues pour assister aux grands défilés du mois.

ST PATRICK'S DAY PARADE

☎ 718-793-1600

Les amateurs de bière, le visage peinturluré en vert pour certains, se pressent en nombre le long de Fifth Ave pour assister le 17 mars à cet immense défilé qui rassemble joueurs de cornemuse, chars d'un vert éclatant et personnalités politiques irlandophiles. Un petit groupe d'homosexuels proteste bruyamment chaque année en début de parcours, au niveau de la 42nd St, contre la décision des organisateurs d'interdire le défilé à la communauté gay.

AVRIL

C'est le mois des arbres en fleurs et des averses passagères. Les températures se réchauffent nettement et avoisinent les 15°C l'après-midi. Le printemps est vraiment installé, saison idéale pour visiter la ville.

ORCHID SHOW

☎ 212-632-3975 ; www.rockefellercenter.com

Cette gigantesque exposition d'orchidées, qui se déroule depuis 25 ans, au milieu du mois, est devenue au fil du temps la plus grosse manifestation mondiale du genre. Elle comprend des concours de fleurs et de parfums.

MAI

Un mois idéal à New York : il fait doux (aux alentours de 20°C) et une certaine excitation pré-estivale règne partout. C'est aussi le mois du Bike Month, avec visites de la ville à vélo, et bien d'autres manifestations organisées autour de la petite reine. Consultez le site www.bikemonthnyc.org pour davantage de détails. Memorial Day, à la fin du mois ou début juin, marque l'arrivée officielle de l'été.

CHERRY BLOSSOM FESTIVAL

☎ 718-623-7200 ; www.bbg.org

Sakura Matsuri en japonais, cette fête annuelle célèbre le premier week-end de mai les magnifiques fleurs roses des cerisiers qui bordent la fameuse esplanade du Garden. Elle s'accompagne de diverses animations.

TRIBECA FILM FESTIVAL

☎ 846-941-3378 ; www.tribecafilmfestival.com

Robert DeNiro co-organise ce festival cinématographique qui se déroule la première semaine de mai et jouit d'une cote grandissante. Des films américains et étrangers sont projetés en avant-premières dans divers lieux du quartier.

BIKE NEW YORK

☎ 212-932-2453 ; www.bikemonthnyc.org

Principale manifestation du *Bike Month*. Des milliers de cyclistes participent à cette course de 67 km qui emprunte des rues fermées à la circulation et qui traverse les cinq *boroughs* (arrondissements) de la ville.

NINTH AVENUE INTERNATIONAL FOOD FESTIVAL

☎ 212-541-8880

L'une des plus anciennes et des plus grandes foires gastronomiques de la ville. Des étals répartis sur Ninth Ave, entre 42nd et 57th St, proposent à la mi-mai des spécialités culinaires du monde entier.

FLEET WEEK

☎ 212-245-0072 ; www.intrepidmuseum.com

À la fin du mois, Manhattan semble se replonger une semaine durant au cœur des années 1940. Des marins en uniforme débarquent chaque année du monde entier.

JUIN

Le premier mois de l'été voit se succéder les défilés, les festivals de rues et les concerts en plein air, notamment les spectacles du *Concerts gratuits à Central Park* (p. 231) qui rassemble un étonnant mélange de groupes pop, rock et de world-music. Les températures dépassent alors régulièrement les 20°C.

PUERTO RICAN DAY PARADE

☎ 718-401-0404

La deuxième semaine du mois, des milliers de personnes suivent le grand défilé organisé depuis 45 ans par la communauté porto-ricaine, à l'extrémité de Fifth Ave, de 44th à 86th St.

RESTAURANT WEEK

☎ 212-484-1222 ; www.nycvisit.com

Pour la deuxième fois de l'année, les meilleurs restaurants de la ville offrent pendant une semaine des déjeuners à 20 $ et des dîners à 30 $.

LESBIAN, GAY, BISEXUAL & TRANSGENDER PRIDE

☎ 212-807-7433 ; www.heritageofpride.org

La Gay Pride dure tout le mois et s'achève par un immense défilé sur Fifth Ave (le dernier samedi du mois), véritable spectacle de 4 à 5 heures rassemblant danseurs, drag-queens, policiers gays, adeptes du SM, parents et autres représentants des diverses communautés homosexuelles. Parmi les autres manifestations, citons la Dyke March, qui démarre à 17h devant la **New York Public Library** (p. 112) la veille du défilé, la foire en plein air sur **Christopher Street Pier** (p. 100) et les innombrables fêtes organisées dans les bars et les discothèques. Avant le week-end final, d'autres défilés se déroulent à **Brooklyn** (☎ 718-670-3337) et dans le **Queens** (☎ 718-429-5648). Ils sont souvent considérés comme plus amusants et moins communautaristes que la parade de Manhattan.

MERMAID PARADE

☎ 718-372-5159 ; www.coneyisland.com

Le dernier samedi après-midi du mois, des jeunes femmes revêtent leurs plus beaux atours de sirène pour défiler sur la promenade de Coney Island. Il n'est pas rare de les revoir un peu plus tard dans la Dyke March, qui démarre peu après à Manhattan.

JVC JAZZ FESTIVAL

☎ 212-501-1390 ; www.festivalproductions.net/jvcjazz.htm

Les différents clubs de la ville proposent plus d'une quarantaine de concerts de jazz en milieu de mois, avec de grandes pointures comme Abbey Lincoln, João Gilberto ou Ornette Coleman.

SHAKESPEARE IN THE PARK

☎ 212-539-8500 ; www.publictheater.org

Le Public Theater parraine chaque année une pièce de Shakespeare jouée par des stars au Delacorte Theater, à Central Park. Les places sont gratuites, mais il faut venir de bonne heure et attendre la distribution des billets, qui commence à 13h.

JUILLET

L'arrivée des fortes chaleurs (parfois plus de 30°C) correspond aux feux d'artifice du 4 juillet et aux escapades du week-end sur les plages voisines. Ceux qui restent dans la ville désertée peuvent alors profiter tout à loisir des bars et des restaurants.

Spécialités new-yorkaises

Ces fêtes attirent une foule nombreuse :

- **Annual Village Halloween Parade** (p. 18)
- **Howl! Festival** (voir ci-dessous)
- **Lesbian, Gay, Bisexual & Transgender Pride** (voir ci-contre)
- **Mermaid Parade** (voir ci-contre)
- **West Indian American Day Carnival Parade** (p. 18)

FEU D'ARTIFICE DU 4 JUILLET

☎ 212-494-4495

Le feu d'artifice tiré sur East River pour l'*Independence Day* commence à 21h. On le voit très bien depuis le parc en bordure du fleuve de Lower East Side, les pubs qui surplombent Williamsburg, Brooklyn et toutes les terrasses en hauteur. Orchestré par le célèbre artificier Grucci, le spectacle est époustouflant.

PHILHARMONIC IN THE PARK

☎ 212-875-5656 ; www.newyorkphilharmonic.org

Les concerts nocturnes du New York Philharmonic Orchestra constituent une expérience unique. Prévoyez pique-nique et couverture et optez pour Central Park, Prospect Park à Brooklyn, ou les parcs du Queens, du Bronx ou de Staten Island. L'orchestre joue un concert différent dans chaque lieu, au début du mois.

AOÛT

Malgré la chaleur, les touristes affluent tandis que les New-Yorkais vont trouver refuge sur les plages ou en montagne. Réjouissez-vous, car de nombreuses animations et fêtes de rues vous attendent.

FRINGE FESTIVAL

☎ 212-279-4488 ; www.fringenyc.org

Ce festival de théâtre qui se déroule au milieu du mois permet de découvrir les nouveaux talents de la scène avant-gardiste de New York.

HOWL! FESTIVAL

☎ 212-505-2225 ; www.howlfestival.com

Relativement récente, cette manifestation célèbre pendant une semaine les différentes formes d'art dans l'East Village, avec notamment le Charlie Parker Jazz Festival au Tompkins Square Park, l'Avenue A Processional, l'Art Around the Park, l'Allen Ginsberg Poetry Festival et plusieurs autres spectacles et lectures publiques.

TOURNOI DE TENNIS DE L'US OPEN

☎ 914-696-7000 ; www.usopen.org

L'un des quatre tournois du grand chelem du tennis professionnel. Les matches se déroulent à l'**US Tennis Center** (p. 243), dans le Queens.

SEPTEMBRE

C'est la rentrée scolaire. Avec le retour à des températures plus supportables en journée et des soirées plus fraîches, c'est un mois propice aux visites.

WEST INDIAN AMERICAN DAY CARNIVAL PARADE

Le *Labor Day* (1er lundi de sept) annonce la fin de l'été pour les New-Yorkais. En revanche, pour les 2 millions d'américano-antillais, c'est le jour du grand carnaval qui se tient sur Eastern Parkway à Brooklyn, avec costumes chatoyants, délicieuses spécialités culinaires et musique en continu.

FASHION WEEK

Deuxième round pour les créateurs, les passionnés de mode et autres personnalités de la jet-set, qui viennent découvrir les tendances du printemps suivant.

SAN GENNARO FESTIVAL

www.sangennaro.org

Une foule joyeuse envahit Little Italy pour participer au carnaval, se gaver de sandwiches à la saucisse et au poivre, de beignets et de bien d'autres délices italiens. Ne manquez pas cette fête, qui existe depuis 75 ans.

11 SEPTEMBRE

Cette date anniversaire replonge la ville dans le deuil. Des commémorations organisées par la municipalité se déroulent sur le site de ground zero.

NEW YORK FILM FESTIVAL

www.filmlinc.com

Depuis plus de quarante d'ans, la Film Society of Lincoln Center propose des avant-premières dans un cinéma luxueux.

OCTOBRE

Le dernier jour du mois est consacré à Halloween et à tout le folklore qui l'accompagne, citrouille orange dans tous les *délis*, décorations spéciales et soirées déguisées dans les bars et les clubs. Les températures fraîchissent (10°C environ) et les parcs prennent de jolis tons d'automne. Côté base-ball, c'est le début de la saison des Yankees.

D.U.M.B.O. ART UNDER THE BRIDGE FESTIVAL

www.dumboartscenter.org

Les artistes du Dumbo (voir p. 137) ouvrent leurs ateliers et galeries et organisent des spectacles et des expositions dans la rue.

HALLOWEEN

www.halloween-nyc.com

Toutes sortes de créatures et de monstres déferlent dans les rues pour une longue nuit de fête. Les spectateurs ne se lassent pas d'admirer les costumes, du plus sophistiqué au plus décadent.

NOVEMBRE

Ce mois symbolise l'entrée dans l'hiver, le retour du froid, mais aussi les grands repas familiaux de Thanksgiving. Les vacances commencent dès le lendemain et ce *Black Friday* est traditionnellement le jour où s'effectuent le plus d'achats dans l'année.

MARATHON DE NEW YORK

www.nycmarathon.org

Ce grand marathon (42 km) qui traverse les rues des cinq *boroughs,* attire chaque année, la première semaine de novembre, des milliers de coureurs du monde entier et presque autant de spectateurs venus les encourager.

THANKSGIVING DAY PARADE

www.macys.com

Ce défilé de chars et de ballons multicolores traverse Broadway, depuis W 72nd St jusqu'à Herald Square. Dès la veille au soir, les curieux se rendent à l'angle sud-ouest de Central Park pour assister au gonflage des ballons.

DÉCEMBRE

Tout au long du mois de décembre, les préparatifs de Noël sont la grande affaire partout dans la ville. Les rues et les immeubles se parent de guirlandes lumineuses et pas un magasin n'échappe à la tradition des cantiques de Noël. Le froid s'installe (températures voisines de 0°C) et il peut commencer à neiger.

ARBRE DE NOËL DU ROCKEFELLER CENTER
☎ 212-632-3975
Des centaines de New-Yorkais se rassemblent devant le Rockefeller Center à Midtown pour admirer les illuminations du plus grand arbre de Noël du monde.

RÉVEILLON DE LA NOUVELLE ANNÉE
☎ 212-883-2476 ; www.visitnyc.com
Décompte des dernières secondes de l'année à Times Square, course à pied du **Midnight Run in Central Park** (☎ 212-860-4455) et feux d'artifices tirés à minuit à Central Park, Prospect Park et dans South Street Seaport.

CULTURE

LES NEW-YORKAIS

Les New-Yorkais ont du caractère et aiment à le démontrer. Il ne faudrait pourtant pas les croire mal élevés, contrairement à ce qu'ont longtemps pensé les visiteurs. Disons plutôt qu'ils sont tout à la fois inflexibles, intrépides, blasés, débordés et extrêmement sérieux. Prenons l'exemple du métro : chacun évite soigneusement de croiser le regard de son voisin, préférant "éviter d'engager la conversation avec un dingue" ou "ne pas perdre son temps à échanger des banalités avec des inconnus". Cependant, demandez-leur votre chemin, ils se lanceront aimablement dans des explications détaillées, voire vous accompagneront s'ils vont dans la même direction. De même, les personnes (très) âgées et les femmes (très) enceintes se voient généralement offrir un siège. Les New-Yorkais n'ont, de fait, jamais été aussi sympathiques. Le 11 septembre 2001, en révélant leur vulnérabilité, a sans doute du même coup, révélé leur côté chaleureux et leur capacité à compatir aux difficultés d'autrui. Cela peut se manifester à travers un simple sourire adressé à un inconnu, ou par quelques dollars glissés à un mendiant.

Ils n'en conservent pas moins une attitude blasée et fermée. Cette apparence est toutefois bien souvent guidée par la nécessité. Comment réussir en effet à garder son sang-froid en croisant tous ces sans-abri affamés, comment parvenir à s'en sortir dans cette ville hors de prix, comment éviter de penser à un nouvel attentat terroriste lorsqu'une partie d'un immeuble en construction s'effondre ? Les New-Yorkais doivent sans cesse composer avec leur énergie débordante et ce sentiment de stress permanent. Certes, ils en font parfois un peu trop. Tous ces gens qui hurlent dans leur téléphone portable en pleine rue ne sont pas tous les VIP qu'ils s'imaginent être. Ils mettent un point d'honneur à crouler sous le travail et s'inventent volontiers des responsabilités infernales ou des délais intenables dignes d'un jeu télévisé. Néanmoins, la plupart sont effectivement très occupés, voire débordés, et très préoccupés par leur carrière. Le fameux "si je réussis ici, je réussirai n'importe où" pourrait constituer leur devise. Dans la mesure où il s'agit précisément de la ville où il *faut* réussir, le succès ne s'obtient pas facilement. Si San Francisco est la ville cool par excellence, New York symbolise tous les rêves des acharnés du travail, qu'elle contraint à se dépasser sans cesse ou à partir. Ceci ne va pas évidemment sans de très fortes pressions et donne le sentiment de poursuivre éperdument un but inaccessible. Malgré tout, la course continue parce que la vie dans cette ville extraordinaire vaut vraiment la peine d'être vécue.

Autant de raisons de devenir cinglé ou, en tout cas, passablement névrosé ! D'où l'autre obsession des New-Yorkais : les psychothérapies. Bien que légèrement caricaturaux, Woody Allen et les personnages de ses films (généralement en analyse depuis une bonne vingtaine d'années) ne sont finalement pas si éloignés de la réalité. Le nombre de New-Yorkais qui voient un psychothérapeute bat sans doute des records statistiques. Ils veulent tout comprendre et tout expliquer, y compris eux-mêmes, et pas forcément en suivant la voie spirituelle chère à la côte Ouest (ce mouvement prend toutefois de l'ampleur ici aussi). Ils veulent des réponses et des solutions pratiques et assument parfaitement leur quête en la matière. Ainsi ils n'hésiteront pas à vous dire qu'ils ne sont pas libres tel soir parce qu'ils voient leur psy.

Les New-Yorkais sont aussi à l'affût des dernières tendances et s'en détournent dès qu'elles commencent à se généraliser. Ainsi, les scooters Razor ont fait fureur il y a quelque temps. Qu'il fût *trader* à Wall Street, éditeur, secrétaire de Midtown ou écolier, tout un chacun semblait posséder le sien et, d'un seul coup, s'en être séparé car tous ces scooters ont disparu quasiment du jour au lendemain. Ils avaient fait leur temps. Nombre de choses "incontournables" ont déjà connu le même sort : les Vespas, les *mojitos* (cocktail cubain), la méthode Pilates, les bottes Ugg, les casquettes de camioneur, les jeans Seven,

À New York, faites comme les New-Yorkais

- Hélez un taxi uniquement si la lumière centrale est allumée.
  Les lumières latérales signifient qu'il n'est pas en service.
  Si elles sont toutes éteintes, c'est qu'il transporte déjà un passager.
  Il n'y a bien que les touristes pour héler un taxi dont toutes les lumières sont éteintes !
- N'attendez pas le signal lumineux "walk" pour traverser.
  Lancez-vous sur la chaussée dès que la circulation vous paraît moins dense.
- Dites "How-sten Street" et pas "Hew-sten". C'est compris ?... Bien !
- Imposez-vous poliment mais fermement dans le métro.
  Si vous attendez patiemment votre tour pour entrer dans la rame, vous risquez fort de rester sur le quai.
- Quand vous marchez sur le trottoir, comportez-vous comme si vous étiez en voiture : ne vous arrêtez pas brutalement, veillez à respecter les limitations de vitesse et garez-vous soigneusement sur le côté pour regarder un plan ou fouiller dans votre sac.

les Rollerblades, les tatouages tribaux, les piercings, l'Ecstasy, et ce phénomène a sûrement encore de beaux jours devant lui.

Une tendance encore toute récente pourrait peut-être faire exception à la règle : la généralisation des services de livraison. Les New-Yorkais étant stressés et toujours pressés (et peu patients de surcroît), ils manquent de temps pour les tâches de la vie quotidienne aussi élémentaires que faire ses courses, préparer un repas ou laver son linge. Les multiples et toujours plus nombreux services en la matière se révèlent donc tout particulièrement prisés par les plus aisés. Les supermarchés et les boutiques d'alimentation livrent à domicile, les blanchisseries viennent prendre le linge et le rapportent propre et repassé.

Ces grandes caractéristiques ne peuvent bien sûr pas s'appliquer à tous les New-Yorkais. La ville est en effet avant tout célèbre pour son extrême diversité, un melting-pot que l'on ne retrouve nulle part ailleurs. Si toutes les communautés ne s'entendent pas à la perfection, elles réussissent tout de même à cohabiter relativement bien. New York compte 8 millions de personnes qui présentent d'énormes différences économiques, culturelles et religieuses.

Promener les chiens est aussi une affaire de professionnels

Difficile donc de généraliser. C'est une ville jeune, où la moyenne d'âge est de 34 ans. Elle rassemble 62% de Blancs, 16% de Noirs (12% au niveau national), 15% de latino-américains (12% au niveau national) et 5,5% d'asiatiques. Le revenu moyen par ménage dans toute l'agglomération est de 42 000 $ (légèrement plus à Manhattan) et 19% de la population vit au-dessous du niveau de pauvreté. Quelque 32% sont d'origine étrangère (46% dans le Queens) et parlent des dizaines de langues différentes. Enfin, environ 73% de la population a fait des études secondaires, et parmi ces derniers, 27% ont poursuivi ensuite des études supérieures.

Sur le plan des pratiques religieuses, New York compte beaucoup plus de juifs que le reste du pays, 12% contre 2% au niveau national. D'après des statistiques récentes, la communauté juive serait toutefois passée au-dessous la barre du million (972 000 personnes) pour la première fois depuis le début du XXe siècle, nombre de familles juives préférant habiter en banlieue. Près de 70% des New-Yorkais sont chrétiens, catholiques pour la plupart. Les autres sont de confession musulmane ou hindouiste. Soulignons toutefois qu'environ 14% de la population ne revendiquent aucune appartenance religieuse. Ce chiffre, deux fois plus élevé qu'il y a dix ans, apparaît davantage comme une force que comme une défaite. Les habitants cherchent désormais leurs réponses en eux-mêmes et cette introspection ne peut que renforcer la convivialité du New-Yorkais nouveau !

MODE DE VIE

On repère vite le comportement des New-Yorkais en société, ils sont toujours pressés et toujours en mouvement, mais comment vivent-ils dans l'intimité ?

Il faut savoir tout d'abord que la question du logement représente une véritable obsession, essentiellement en raison de la pénurie des appartements. Le taux de logements vides ne dépasse jamais les 4% et les loyers figurent parmi les plus élevés du pays. Le marché de la location est en outre soumis à une kyrielle invraisemblable de lois. Ces lois concernent les New-Yorkais moyens qui consacrent près des trois-quarts de leur salaire à la location de leur appartement. La majorité occupe un logement à loyer stable (fixé en 1947), c'est-à-dire que les autorités municipales décident chaque année de leur taux d'augmentation (généralement de 3 à 6%). Ces loyers peuvent être déréglementés si le locataire déménage ou si le propriétaire entreprend de gros travaux de rénovation dans l'appartement. Il peut ensuite augmenter le loyer jusqu'à ce que l'on appelle le "prix du marché", généralement un niveau particulièrement élevé qui peut s'avérer trois fois supérieur au montant initial. C'est pourquoi ceux qui ont la chance d'habiter un logement à loyer stable affirment souvent y être "coincés". Ils n'en retrouveront certainement pas un s'ils déménagent à moins de connaître quelqu'un qui souhaite lui-même partir en cours de bail par exemple. Il existe aussi des appartements à loyer contrôlé, mis en place dans les années 1930 mais qui tendent à disparaître, et des logements publics subventionnés par l'État et réservés à ceux qui vivent au-dessous du seuil de pauvreté. Enfin, la propriété est un luxe réservé aux catégories les plus fortunées, un studio à Manhattan coûtant en moyenne dans les 500 000 $.

Les New-Yorkais qui occupent un emploi (le taux de chômage est d'environ 7%) travaillent généralement dans l'un des quatre principaux secteurs de la ville : la santé, les services aux entreprises (comptabilité, publicité, finance, relations publiques), les médias et le spectacle (télévision, édition, industrie du film et du disque) et le tourisme (qui emploie à lui-seul 400 000 personnes). Si le revenu moyen avoisine les 42 000 $, il varie grandement en fonction des postes. Le rédacteur en chef d'un grand magazine peut gagner dans les 100 000 $ alors qu'un fonctionnaire ne dépassera pas les 30 000 $ (tout en bénéficiant toutefois d'une excellente couverture maladie). Tous travaillent beaucoup, au moins 40 heures par semaine. Si la plupart suivent les horaires de bureau classiques, comme dans le reste du pays, beaucoup de ceux qui exercent une profession créative au sens large travaillent en free-lance, à leurs propres horaires et souvent à domicile. C'est sans doute pourquoi les discothèques font salle comble tous les soirs ou que l'on rencontre du monde à la laverie ou au café, à toute heure du jour.

Qu'ils soient influencés par la publicité ou par la réputation de leur ville d'initier toutes les tendances (de la mode à la restauration), les New-Yorkais accordent en tout cas une importance extrême à leur statut social. Quel que soit leur revenu, ils se plaignent toujours de manquer d'argent. De fait, ils veillent scrupuleusement à arborer la bonne tenue, la bonne coiffure et suivent le mouvement pour décorer leur intérieur, choisir le dernier portable, réserver une table dans le restaurant du moment. Il en va de même pour la location de vacances ad hoc, l'adhésion dans le bon club de sport, la poussette dernier cri, le bon PDA (agenda électronique), le bon mobile, voire le bon chien (absolument, il y a des bons et des mauvais chiens ! ceux qui ont un pedigree figurent bien sûr parmi les bons, les teckels nains ou les carlins ayant particulièrement la cote en ce moment). La plupart ne possèdent pas de voiture, en raison du faible nombre de places de stationnement dans les rues, du prix exorbitant des parkings (environ 300 $ par mois) et de l'excellente organisation des transports en commun régionaux. Néanmoins, ils de plus en plus nombreux à sacrifier à la

Question de mode *Katy McColl*

Contrairement à ce que laissent croire Carrie Bradshaw et ses copines dans la série new-yorkaise *Sex and the City*, on peut très bien vivre à Manhattan sans une paire de Manolo Blahniks. Si un nombre incroyablement élevé de femmes et d'hommes se sont effectivement offert ces chaussures à 500 $, il est tout de même plutôt rassurant de voir que la plupart des photos de Sarah Jessica Parker, la star de la série qui réside à Greenwich Village, la montrent généralement habillée très simplement (avec un sac hyper tendance, certes…). Dans la mesure où les États-Unis ont enseigné au reste du monde l'usage du jean et où les plus grands couturiers américains, Calvin Klein, Ralph Lauren, Michael Kors et Donna Karan, ont bâti leurs empires grâce à leurs collections sportswear, on ne s'étonnera pas qu'à New York, chic rime avec informel. Porter des tenues trop habillées ou suivre la mode de trop près constitue la faute de goût suprême en la matière.

Si les ados qui traînent sur St Mark's Place ou les danseurs de Broadway, qui s'entassent à six dans le même appartement, ne se préoccupent guère de la mode, c'est un sujet qui intéresse quasiment tout le monde à New York. La définition que chacun en donne varie selon les quartiers. Le très classique et conservateur Upper East Side (Diane Sawyer) n'appréciera pas le chic industriel de Tribeca (Robert DeNiro). Les employés de Wall St ne s'habilleront pas de la même façon que ceux de Williamsburg, et inversement.

Si jeans et baskets sont couramment de mise, les accessoires font l'objet du plus grand soin pour composer un look finalement très étudié. Il faut tout d'abord posséder le bon jean (Seven, Habitual) et les bonnes chaussures (Puma, Adidas) et glisser un iPod blanc ou rose dans sa poche. Cependant, attention, tous les gadgets ne se valent pas ... Ainsi, les tours de cou Blackberry constituent avant tout l'apanage des amateurs de SM. N'espérez pas non plus vous en sortir simplement avec un Levi's de base et un quelconque petit haut.

Ce culte de la tenue décontractée peut surprendre des Londoniens, beaucoup plus hardis en matière de mode et sujets à des tocades vestimentaires, ou des Parisiens, pour qui la haute-couture est une affaire sérieuse. L'anonymat étant l'une des clés de la vie urbaine, les New-Yorkais préfèrent mélanger quelques articles de créateurs à leurs tenues habituelles afin de ne pas se faire remarquer ou se transformer en vitrine vivante.

Ils sont en revanche d'une exigence rare en ce qui concerne les soins physiques. Le vrai métrosexuel ne se repère pas à la couleur de sa cravate mais à ses ongles parfaitement manucurés et à sa coiffure faussement négligée. C'est tout un art de donner ainsi l'illusion que cela n'est que le fruit du hasard. La ville comptera néanmoins toujours des créatures sophistiquées qui se font leur couleur tous les 15 jours ou se maquillent les jambes pour paraître bronzées en plein hiver. Cependant, à Manhattan, après des années de brushing acharnés et des tentatives désastreuses de soins japonais ou autres à 1 000 $ la séance, les femmes ont fini par reconnaître les bienfaits d'une coupe simple et facile à vivre.

À l'instar des starlettes et des rédactrices de mode, certains fréquentent assidûment les défilés de la Fashion Week, qui se déroulent en février et en septembre sous des tentes installées dans Bryant Park. La plupart des grands couturiers et des magazines américains étant installés à New York, il n'est pas surprenant que la ville soit à l'origine des dernières tendances. Les collections présentées pendant la Fashion Week se diversifient de plus en plus depuis quelques années, en s'ouvrant notamment au monde du hip-hop, avec Sean "Puffy" Combs et Beyoncé Knowles dans le rôle des créateurs et des muses. Toutefois, la plupart des New-Yorkais ne se précipitentpas dans ces défilés et se contentent d'en découvrir les temps forts sur Style.com.

Pour acheter des articles de créateur, les New-Yorkais attendent les soldes, qui tout en tournant souvent à la foire d'empoigne, offrent aussi des réductions de 30 à 90%. Vous saurez tout sur www.nysale.com ou sur www.dailycandy.com. On peut aussi faire de bonnes affaires chez **Century 21** (p. 249), un grand magasin qui vend des articles de créateurs à prix réduit. Souvent fréquenté par des stylistes insupportables, il mérite tout de même une visite. Si vous ne pouvez pas attendre les soldes pour acheter le sac de vos rêves, vous devriez trouver votre bonheur dans Canal St. Vérifiez quand même que votre soi-disant Louis Vuitton ne soit pas un Looey Vitawn !

Un dernier conseil : n'essayez pas de vous habiller à la mode en venant à New York. Les tendances changent très vite et l'on peut rapidement paraître totalement démodé, faute de goût impardonnable. En cas de doute, tenez-vous en au bon vieux cliché : le noir est toujours très chic.

mode du 4x4 qui s'est abattue sur le pays, peut-être pour bien montrer que cette tendance-là, elle non plus, ne leur a pas échappé !

Il suffit souvent de désirer un objet ou un service pour qu'il apparaisse miraculeusement, moyennant une certaine somme, évidemment. Vous voulez faire livrer vos courses à domicile ? Connectez-vous au nouveau service de livraison de produits d'alimentation, Fresh Direct, remplissez votre panier virtuel et vous recevrez vos victuailles dans les 2 heures. Vous vous êtes laissé surprendre par la pluie ? Pas de problème, des vendeurs proposant des parapluies à 5 $ vont surgir à chaque coin de rue en moins de temps qu'il n'en faut pour le dire. Vous êtes pressé ? Levez la main, un taxi viendra à votre rescousse dans la minute.

Pour les New-Yorkais qui ont des enfants, la question du statut social ne se limite pas au choix de la poussette (sachez toute de même que la dernière Maclaren est un must dans l'Upper West Side). Il faut aussi envoyer ses chers petits dans une bonne école privée, les habiller correctement et dénicher la perle des nounous.

Tout en s'interrogeant en permanence sur la meilleure marque du moment, les New-Yorkais cherchent aussi par tous les moyens à évacuer leur stress. Les cours de yoga et de remise en forme remportent un succès croissant, de même que les instituts de beauté qui proposent massages et soins relaxants. On frise cependant l'absurde dans nombre de cas. En effet, certains ont du mal à se départir totalement de tout esprit de compétition, même dans un cours de yoga ("est-ce que je réussis ma "salutation au soleil" aussi bien que la blonde là-bas ?"), d'autres courent à leur rendez-vous massage, entre une grosse journée de travail et un dîner bien arrosé. À en croire le nombre des supermarchés Whole Foods qui ouvre ces temps-ci, les mêmes recherchent aussi des produits bio et sains. Là encore, il y a un certain paradoxe à vouloir prendre soin de son corps et de la Terre en continuant à se plier aux excès du consumérisme.

Les paradoxes constituent à n'en point douter un élément essentiel de la vie à New York, la ville où se côtoient et se heurtent différentes communautés et divers modes de vie. Les passionnés de vélo ne supportent pas les automobilistes. Ils réclament davantage de pistes cyclables, la fermeture aux voitures des rues et insultent copieusement les conducteurs qui ouvrent inopinément leur portière. Les propriétaires de chien défendront coûte que coûte les droits de leur animal favori sans oublier de demander la création de davantage d'espaces réservés dans les parcs. Les "sans chien" haïssant ouvertement la population canine, qu'ils jugent envahissante, soulignent notamment les problèmes posés par les déjections en pleine rue. Certains ne supportent pas l'idée que des chaînes de magasins s'installent en plein centre, les accusant de détruire l'âme de la ville, tandis que d'autres s'en réjouissent, ravis de pouvoir enfin bénéficier des mêmes rabais que les banlieusards.

SPORTS

New York est bien sûr la ville des banques, de l'avant-garde artistique, de la presse internationale, des créateurs excentriques, du punk rock et des rats dans le métro. Mais c'est aussi la ville du sport, et les New-Yorkais encouragent chaleureusement leurs équipes et adorent jouer.

Les sports traditionnellement pratiqués dans la rue se sont souvent adaptés au manque d'espaces verts. Ainsi, le *stickball* est la version urbaine du base-ball, avec les plaques d'égout en guise de bases et des manches à balai à la place des habituelles battes. Toute l'année, Central Park attire toutes sortes de sportifs, coureurs, patineurs, cyclistes, skieurs de fond et footballeurs. Et nombre de petites ligues sportives (foot, hockey, *soft-ball*, *flag-football*, basket) se classent très honorablement. L'été, les vétérans des équipes de soft-ball (en grande tenue) ne manquent pas une rencontre à Central Park et des spectateurs enthousiastes se pressent autour des matches de base-ball en plein air. Le sport occupe à New York une place si importante que lorsqu'une ancienne jetée, construite par les architectes de Grand Central Station, fut menacée de fermeture, la municipalité décida de la transformer en un gigantesque complexe sportif (voir p. 105).

Quand les New-Yorkais ne pratiquent pas eux-mêmes un sport, ils regardent les matches dans les stades, sur les courts ou à la télévision dans les bars. Les saisons sportives s'enchaînent et alimentent les passions en permanence. Avant et après les matches, chacun se plonge dans les chroniques sportives des journaux (les dernières pages du *New York*

2012 ou jamais

Malgré plusieurs candidatures, New York demeure l'une des rares grandes villes internationales à n'avoir jamais accueilli les Jeux olympiques. Aussi la municipalité est-elle cette fois bien décidée à obtenir les Jeux d'été de 2012. La ville a déjà réussi à s'imposer au plan national en 2001, devant San Francisco et Washington, DC, et attend désormais la décision du comité olympique qui doit trancher en 2005 entre Londres, Paris et Moscou, également en lice. La candidature de New York a donné lieu à une bataille municipale portant sur l'approbation du projet de développement du West Side de Manhattan, évalué à 2,8 milliards $, qui permettrait d'agrandir le Jacob Javits Convention Center et de construire un stade de football américain de 75 000 places pour les Jets, l'élément central du village olympique (voir *West Side Story*, p. 110). Le projet olympique comprend en outre la construction d'un autre stade à Brooklyn, la mise en place d'un vaste système de transport en commun destiné aux athlètes et aux spectateurs qui prolongerait la ligne de métro n°7 et la création de plus de 35 sites sportifs dans les cinq *boroughs* (arrondissements).

La conception de ce projet (et les chances d'accueillir les JO) repose largement sur le député-maire chargé du développement économique, Daniel Doctoroff. Il a créé le groupe de pression à but non lucratif NYC 2012 (www.nyc2012.com) avant même de se lancer en politique et a coordonné les différents projets. Selon lui et les autres partisans de la candidature new-yorkaise (et plus largement, du programme olympique), dont George Pataki, gouverneur de l'État de New York, les Jeux doperaient considérablement les finances de la ville en générant près de 3,1 milliards $ de recettes publicitaires, parrainages d'entreprises et ventes de billets. En prévoyant 2,2 milliards $ pour le fonctionnement des Jeux, il reste donc 1,2 milliard pour les infrastructures. En outre, les stades et toutes les activités connexes créeraient de nombreux emplois, sans parler de l'afflux de touristes qui viendrait fort à propos dans une ville toujours traumatisée par les attentats du 11 Septembre. Le projet de développement, que ses défenseurs veulent mener à bien, que la ville obtienne ou non les JO, est loin d'être adopté. Il doit tout d'abord obtenir l'approbation des députés de l'État, largement opposés à l'utilisation des 350 millions $ versés par la Battery Park City Authority pour la construction des infrastructures (les autres financements viendront de divers fonds de la ville et de l'État et des entreprises, notamment Verizon and Time Warner). Le conseil municipal doit également approuver certains aspects du projet. Plusieurs de ses membres ont déjà vivement critiqué son montant exorbitant, surtout au regard des difficultés financières du système éducatif et de bon nombre des programmes sociaux de la ville.

Enfin, il faut également tenir compte de l'avis des habitants actuels des futurs quartiers olympiques. Beaucoup d'entre eux sont farouchement opposés à la construction de stades ou d'autres infrastructures qui les placeraient au cœur de l'enfer logistique des JO. Des mouvements d'opposition se sont formés à Hell's Kitchen et Brooklyn, pour lesquels les stades et les JO n'apporteront à la ville qu'embouteillages et pollution. Ils ont désormais un allié de poids, Cablevision, propriétaire du Madison Square Garden, des Knicks et des Rangers. Le cablo-opérateur s'oppose à la construction du stade en raison de la concurrence qu'il représenterait ensuite pour ses propres infrastructures. Les différents détracteurs ont promis de lutter jusqu'au bout et d'aller devant les tribunaux si nécessaire. Les JO ne sont pas gagnés !

Daily par exemple), souvent très critiques à l'encontre des entraîneurs : une défaite est tout simplement impensable.

New York a favorisé l'essor de nombreux sports professionnels dans le pays. Le premier match de base-ball s'est joué à Hoboken, de l'autre côté de l'Hudson, en 1846. C'est une équipe de Brooklyn qui a fait connaître ce sport sur le plan national en organisant des matches parmi les soldats de l'Union pendant la guerre de Sécession. De même, les premiers matches de ping-pong ont eu lieu à Brooklyn et aujourd'hui encore, l'équipe de New York arrive régulièrement en finale. Enfin, vous verrez certainement plus de casquettes New York Yankee (l'équipe de base-ball de la ville) que de tee-shirts "I love NY".

En matière de football américain, les Giants et les Jets sont les deux équipes professionnelles locales. En 1990, leurs joueurs furent les premiers du pays à reprendre leurs tenues des années 1960, tradition oblige.

Il semblerait qu'aujourd'hui le basket devienne le sport le plus prisé à New York (aux abords de Madison Square Garden). Les New-Yorkais, et pas seulement Spike Lee, leur fan le plus connu, soutiennent ardemment les Knicks, malgré leur insuccès ces trente dernières années. Si les Nets du New Jersey viennent à Brooklyn comme prévu, ils représenteront la première grande équipe du *borough* depuis le départ pour Los Angeles des Dodgers en 1957. À quand un match Brooklyn Nets/LA Lakers ?

Pour savoir où pratiquer un sport, reportez-vous au chapitre *Sports, santé et fitness* (p. 235).

MÉDIAS

Avec tous ses magazines, ses chaînes télé et ses maisons d'édition, New York peut facilement prétendre au titre de capitale mondiale des médias. Elle jouit en outre dans ce domaine d'un passé particulièrement riche. C'est là que le concept de "liberté de la presse" a pris son sens pour la première fois. Si William Bradford fonda le premier journal new-yorkais, le *New York Gazette*, c'est toutefois le *New York Weekly Journal*, créé en 1733 par John Peter Zenger, qui influença nettement la pratique du journalisme. Zenger publia des informations polémiques sur le gouverneur de la colonie, une attitude audacieuse à une époque où les journaux étaient à la solde du gouvernement. Arrêté et jeté en prison pour acte séditieux, Zenger fut sauvé par son avocat qui défendit ardemment le principe de la liberté et de la vérité. Déclaré innocent, Zenger a joué ainsi un grand rôle dans l'éthique des journalistes.

Si ces principes qualité et intégrité, ont largement fluctué depuis cette époque, la ville a néanmoins continué de voir fleurir des journaux toujours plus nombreux et influents. Si l'offre de quotidiens a diminué par rapport à la fin du XIXe siècle (on comptait alors vingt parutions quotidiennes ; en 1940 il en restait encore huit), on ne peut pas dire qu'il y ait pénurie de journaux aujourd'hui. Les tabloïds, le *Daily News* et le *New York Post*, qui font leurs choux gras avec des titres à sensation et des accidents dramatiques, et le *New York Times*, quotidien de référence pour les professionnels et les intellectuels, figurent parmi les plus connus. Citons aussi le *New York Newsday*, cousin du *Long Island Newsday*, qui reparaît après une longue interruption. Longtemps surnommé "la dame grise" pour son approche sans fioritures et souvent ennuyeuse de l'actualité, le *Times* a fait peau neuve ces dernières années afin de convaincre des lecteurs tentés de lui préférer la télévision ou le Net. Il reste aujourd'hui le quotidien le plus lu de la ville, même si l'on se moque désormais volontiers du changement incessant de ses rubriques ou de ses soucis d'éthique avec le récent scandale Jayson Blair (récompensé pour des articles inventés de toutes pièces, il a été licencié et s'enrichit aujourd'hui grâce à la publication de son aventure, *Burning Down My Master's House : My Life At The New York Times*). Il est suivi de près par le quotidien économique (et extrêmement bien écrit) *Wall Street Journal*.

La presse alternative et ethnique connaît une forte explosion. Avec les quelque 275 journaux new-yorkais vendus actuellement en kiosque, autant dire que toutes les opinions peuvent trouver à s'exprimer. Les hebdomadaires *The New York Press* et le *Village Voice* occupent le terrain du journalisme d'investigation anti-establishement. Hebdomadaire également, le *New York Observer*, de couleur saumon, s'adresse davantage aux classes les plus fortunées. Enfin, divers titres ethniques, notamment *Haitian Times, Polish Times, Jewish Forward, Korea Times, Pakistan Post, Irish Echo, El Diario* ou *Amsterdam News*, proposent des reportages sous des angles différents, en fonction de leur lectorat.

La presse

Outre les grands éditeurs de livres, New York regroupe aussi nombre d'éditeurs de magazines. L'un des plus grands, Condé Nast, installé à Times Square, publie *Gourmet, Vogue, Vanity Fair* et le *New Yorker*. Citons aussi Hearst (*Cosmopolitan, Marie Claire, Esquire, Town and Country*), propriétaire également de plusieurs quotidiens nationaux (tels que le *Seattle-Post Intelligencer* et le *San Francisco Chronicle*) et Hachette Filipacchi (*Premiere, Elle, Woman's Day, Metropolitan Home*). Enfin, des magazines régionaux traitent plus spécifiquement des loisirs et des restaurants, comme *New York Magazine, Paper* et *Time Out New York* (pour davantage de détails à ce sujet, reportez-vous p. 330).

Peu d'acteurs, une poignée à peine, règnent sur ces innombrables publications. On risque fort par conséquent de limiter ses informations à une ou deux sources différentes si l'on ne fait pas l'effort de chercher une presse alternative. News Corporation, par exemple, détient entre autres le réseau Fox News, Fox Sports Net, National Geographic Channel, le Madison Square Garden Network, le *New York Post*, la 20th Century Fox et 35 stations de radio dans tout le pays. Time Warner, plus vaste conglomérat du secteur au monde, possède des kyrielles de sociétés, dont CNN, HBO, Warner Books, *Time* magazine, *Life* magazine, *In Style, Entertainment Weekly*, Time Warner Cable, AOL, le Warner Music Group (avec les labels Maverick, Elektra et Rhino), Fine Line Features, pour ne citer que les plus importantes tant la liste est vertigineuse. Il est même propriétaire de la chaîne de télé locale New York 1, dont le ton décalé et impertinent enchante les New-Yorkais.

Ces groupes nuisent à la diversité des opinions ou des analyses et les passionnés d'actualité apprécient d'autant plus les titres du type *Village Voice* ou *Jewish Forward*. Difficile toutefois de déterminer le réel succès de cette presse. Il faudra sans doute attendre encore quelques années pour savoir quels titres indépendants ont réussi à tirer leur épingle du jeu.

LANGUE

Les chiffres suivants donnent une idée de la diversité linguistique de New York : 48% de la population âgée de plus de 5 ans parlent une autre langue que l'anglais chez eux, soit une hausse de 7% par rapport à 1990. Le nombre de New-Yorkais d'origine étrangère, soit 2,9 millions d'individus, n'a jamais été aussi élevé et pas moins de 1,7 millions d'habitants ne parlent pas couramment anglais. Ils sont 52% à parler espagnol, 27%, une langue indo-européenne (français, allemand, suédois, etc.) et 18%, une langue asiatique (essentiellement coréen, japonais ou hindi). Les kiosques à journaux illustrent bien cette multiplicité : des centaines de journaux en langues étrangères sont publiés à New York, aussi bien en hébreu, en arabe, en allemand ou en russe, qu'en croate, italien, polonais, grec ou hongrois. De même, selon les quartiers, les DAB et les automates Metrocard proposent leur mode d'emploi en espagnol, chinois, russe ou français.

Cette diversité linguistique constitue une véritable aventure au quotidien. Tendez bien l'oreille dans la rue ou dans le métro, vous repérerez certainement au moins cinq langues différentes en moins d'une heure, sans parler des sabirs mêlant l'anglais et d'autres langues : dialecte jamaïcain émaillé de tournures typiquement new-yorkaises, "Spanglish", mélange d'espagnol portoricain et d'américain ou "Desi", l'anglais américain enrichi de mots hindi

Petit vocabulaire new-yorkais

Ces termes typiquement new-yorkais vous aideront à mieux vous faire comprendre, ou à tout au moins, à mieux comprendre ce qu'on vous dit.

- **Bridge-and-Tunnel** Terme méprisant désignant les habitants du New Jersey, de Long Island ou d'autres banlieues situées de l'autre côté des ponts et des tunnels de la ville qui viennent faire la fête à New York, par exemple : "Yuk, that club's crowd is so bridge-and-tunnel now!" (quelle horreur, cette boîte n'attire plus que des banlieusards !).
- **Hizzoner** Mot d'argot désignant le maire, souvent employé par le *New York Post*
- **Regular** Café avec un sucre et une tombée de lait, utilisé pour passer commande
- **Schmear** Petite quantité de fromage à tartiner, terme souvent employé pour commander un bagel, par exemple : "I'll have a sesame bagel with a schmear" (un bagel au sésame avec du fromage).
- **Slice** Portion de pizza, par exemple : "Let's get a slice" (et si on mangeait une pizza ?).
- **Straphangers** Passagers du métro

parlé par les jeunes d'origine indienne. Et l'accent des chauffeurs de taxi : pakistanais, sri-lankais, russe ou arabe ? Si vous vous rendez dans certains districts des boroughs, vous découvririez des enclaves où l'on ne parle quasiment jamais anglais. C'est le cas des quartiers dominicain dans la partie sud du Bronx, coréen à Flushing, dans le Queens, chinois à Sunnyside, Brooklyn ou russe à Brighton Beach.

L'anglais américain a bien sûr évolué au gré des différentes vagues d'immigrants débarqués à New York. Les Allemands ont ainsi apporté leur *hoodlums* (truands). On doit au yiddish des mots comme *schmuck* (idiot) et au gaélique, l'expression *galore* (en abondance). N'oublions pas le vieux dialecte Noo Yawk parlé par les New-Yorkais pur jus et que les autres comprennent toujours avec difficultés (voir l'encadré *Petit vocabulaire new-yorkais* ci-après).

ÉCONOMIE ET COÛT DE LA VIE

Au printemps 2004, Bloomberg, le maire de la ville, a déclaré que New York était sortie de la récession et dévoilé dans le même temps un budget prévisionnel de 46,9 milliards $ pour 2005. Il comprend des allègements fiscaux pour les propriétaires de logement et des augmentations de salaires pour tous les employés municipaux. Cette nouvelle a mis fin à la morosité qui entourait jusqu'alors la présentation budgétaire. Depuis sa prise de fonction en 2002, le maire a supprimé 18 000 postes municipaux, privé les agences municipales de 3 milliards $ et augmenté les impôts fonciers de 18,5%. La ville s'est ainsi efforcée de se redresser immédiatement après les attentats du 11 septembre 2001. Cette année-là, le déficit budgétaire atteignait 6,7 milliards $. Les pertes consécutives aux attentats ont été estimées à 750 millions $ en 2002 et 1,3 milliard en 2003.

Cependant, si la ville semble avoir résisté à la tempête, la reprise reste fragile. Nombre de secteurs, en particulier la finance et le tourisme, retrouvent une certaine prospérité, mais beaucoup d'autres demeurent sinistrés, tels que l'industrie manufacturière ou l'information, et beaucoup de gens connaissent encore des difficultés financières. Le coût de la vie augmente rapidement. En outre, après le 11 Septembre, de nombreuses grandes entreprises ont quitté Manhattan pour s'installer de l'autre côté de l'Hudson, dans le New Jersey, ou plus au nord, à Westchester.

Autrement dit, un séjour à New York revient cher. Il existe cependant bien des manières de découvrir la ville, en fonction de ses goûts et de son budget, et avec un peu d'organisation et d'inventivité, on peut même dénicher de bonnes affaires.

À moins de pouvoir loger chez des amis ou parents sur place, il faut dans un premier temps prévoir votre budget hébergement. La nuit dans un hôtel revient en moyenne à 200 $, 75 $ dans les établissements les moins chers et même 25 $ dans les auberges de jeunesse. Si le cœur vous en dit, vous pouvez évidemment vous offrir une chambre à 300 $, voire bien davantage encore pour les plus luxueuses avec vue exceptionnelle et équipement ultramoderne. Les sites de réservation en ligne offrent de nombreuses réductions et concurrence oblige, les prix s'avèrent souvent intéressants (voir p. 274).

Vient ensuite le poste alimentation. Pour dépenser le moins possible, préparez vous-même tous vous repas (si vous avez une cuisine) sans jamais aller au restaurant ou contentez-vous des repas tout préparés vendus dans les supermarchés. Les traiteurs, omniprésents, vendent des sandwiches œuf et fromage pour le petit déjeuner (2 $ en moyenne) et divers sandwiches le reste de la journée, du type pain de seigle avec salade et œuf (4 $) ou pain rond au rosbif (5 $). Les marchands ambulants permettent aussi de nourrir économiquement (à défaut de se régaler), avec un hot dog à 1,50 $ ou un chiche-kebab à 2,50 $ par exemple. Pour des produits plus sains, essayez l'un des **Greenmarket Farmers Markets** (www.cenyc.org) de la ville, où vous pourrez acheter fruits, pain et fromages pour préparer vous-même vos sandwiches. Les restaurants reviennent évidemment plus cher, mais la gamme de prix varie considérablement. La catégorie petits budgets (voir *Où se restaurer* p. 173) propose des repas copieux, généralement de cuisine exotique, pour moins de 10 $. Dans les restaurants de catégorie moyenne avec service à table, comptez de 10 à 15 $ par personne pour le dîner. Dans la catégorie supérieure, tout est possible. Un dîner de trois plats avec une bouteille de vin dans un cinq-étoiles peut facilement revenir à 100 ou 200 $ par personne. En famille, privilégiez les *diners* et autres établissements bon marché qui proposent des menus enfants très avantageux.

La gamme de prix est tout aussi large en ce qui concerne les achats, toutes catégories confondues. Pour les vêtements, faites un tour chez Daffy's, Century 21, Loehmann's et H&M qui divisent souvent au moins par deux les prix pratiqués dans les magasins classiques (voir p. 249). Downtown regorge de boutiques vintage et d'objets d'occasion, où il faut savoir dénicher la perle rare. Les magasins de Fifth Ave figurent parmi les plus chers. Si vous avez des envies de luxe, passez donc chez Bergdorf Goodman, Barney's, Saks Fifth Avenue, Bloomingdale's et terminez par une visite chez un grand couturier, Marc Jacobs ou Giorgio Armani, par exemple. Vous trouverez un grand choix d'appareils électroniques à prix raisonnable dans les innombrables magasins des avenues de Midtown. Ne tergiversez pas trop longtemps toutefois, ils disparaissent souvent du jour au lendemain. **J&R Music & Computer World** (p. 249), sur Park Row, face au City Hall dans Lower Manhattan, propose pour sa part, de façon permanente, d'excellentes affaires.

Combien ça coûte ?

- 1 bouteille d'eau (250 ml) : 1 $
- 1 bagel au fromage : 1,50 $
- Poulet et brocolis à emporter chez le traiteur chinois : 7 $
- 1 café : 1 $
- 1 hot dog : 1,75 $
- le tee-shirt "I Love New York" : 10 $
- 1 place de cinéma : 10 $
- 1 Levi's 501 : 45 $
- 1 pinte de Brooklyn Lager : 4 $
- le trajet en taxi de Midtown à East Village : 10 $
- 1 place pour un match des Yankees : 50 $

Les loisirs et les sorties coûtent cher. L'entrée des musées revient en général à 12 $, mais il est possible de faire des économies en choisissant les jours et les heures "pay-what-you-wish" (participation libre). Les étudiants et les seniors bénéficient généralement de tarifs réduits. On peut dénicher des places à moitié prix pour un spectacle de Broadway (prix courant 100 $), dans l'un des deux kiosques TKTS de Manhattan (p. 220). Une multitude de salles (concerts, cabaret, danse, théâtre) offrent régulièrement des représentations gratuites. Elles sont annoncées dans les journaux spécialisés comme *Time Out New York* ou dans la rubrique *Loisirs* du *Village Voice* par exemple. Vous pouvez aussi vous procurer le formidable *Cheap Bastard's Guide to New York City: A Native New Yorker's Secrets of Living the Good Life – For Free!* de Rob Grader (Globe Pequot Press, 2002).

INSTITUTIONS POLITIQUES

Dotée d'institutions politiques avant les États-Unis eux-mêmes, New York peut se targuer de posséder un passé politique riche et mouvementé, marqué notamment par William "Boss" Tweed, Fiorello LaGuardia, Nelson Rockefeller et Edward Koch. Traditionnellement démocrate, la ville compte néanmoins quelques bastions conservateurs dans les quartiers ouvriers du Queens et de Brooklyn. Staten Island est quasiment exclusivement républicaine. Cette tendance fortement démocrate n'empêche toutefois pas les New-Yorkais de voter parfois en faveur de républicains réformateurs, comme Rudy Giuliani, élu maire à deux reprises. Transformé par certains en héros après le 11 septembre 2001, il a surtout marqué la ville par ses mesures sécuritaires, qui, selon ses nombreux détracteurs, ont fini par la rendre moins agréable et moins tolérante.

Le maire actuel, Michael Bloomberg, sans doute moins charismatique que le précédent, a été élu en 2001 dans un contexte difficile. Il a été vivement critiqué pour sa politique fiscale draconienne et ses mesures à l'égard du système scolaire public, embourbé dans de nombreux problèmes. La ville regroupe par ailleurs des présidents de borough, qui gèrent leur quartier avec leur propre budget et leur propre équipe. Ce sont souvent des mercenaires de la politique ou de potentiels futurs candidats au poste de maire. Le gouvernement municipal comprend aussi un contrôleur (administrateur et auditeur du budget), un avocat (sollicité essentiellement pour la défense des consommateurs) et un conseil de 51 membres. Ces élus, rétribués plus de 70 000 $ par an, représentent les différents quartiers de la ville et contrôlent théoriquement les décisions du maire. Très peu occupent toutefois réellement leur poste. Chaque borough rassemble en outre des comités municipaux (59 au total), constitués de personnes non rémunérées nommées par le président du borough. Ils jouent un rôle consultatif pour toutes les questions d'urbanisation, de projets et de services municipaux ou de prévision budgétaire. Leurs réunions mensuelles, ouvertes à tous mais fréquentées essentiellement par les activistes les plus puissants, peuvent se révéler passionnantes ou désespérément ennuyeuses, selon le sujet du jour (sans-abri, courses de chiens, éclairage public, construction d'une nouvelle résidence, etc.).

New York abrite nombre de consulats étrangers. La France, l'Espagne et les Pays-Bas s'installèrent les premiers, peu après la Révolution américaine, afin de défendre leurs intérêts. Il en existe aujourd'hui 85, pour la plupart dans l'Upper East Side. La ville met un point d'honneur à entretenir de bonnes relations avec les diplomates, en leur accordant notamment de nombreux privilèges, sous la forme d'exonération fiscale par exemple. Leur présence contribue largement à sa réputation de pôle international et lui rapporterait de surcroît près d'1 milliard $ par an. Le siège des Nations unies se situe dans la partie est de Manhattan. Bien que ce site ne fasse pas officiellement partie des États-Unis, il attire 500 000 touristes par an et accroît de manière substantielle les recettes de la ville.

Dans le passé, les visiteurs n'avaient en général guère l'occasion de traiter avec les autorités locales, en dehors du services des douanes et de leur propre ambassade ou consulat en cas de problème. Les choses ont changé après septembre 2001 et depuis septembre 2004, la mise en place de nouvelles mesures de sécurité a encore renforcé les contrôles. On exige en effet désormais les empreintes et une photo des ressortissants de 27 pays à leur arrivée dans le pays, ou en l'occurrence, dans la ville.

Cinq ouvrages sur la vie politique new-yorkaise

- *Eyes on City Hall: A Young Man's Education in New York Political Warfare* (2001), Evan Mandery et Fran Reiter
- *The Great Mayor: Fiorello LaGuardia and the Making of the City of New York* (2003), Alyn Brodsky
- *The Power Broker: Robert Moses and the Fall of New York* (1975), Robert Caro
- *Power Failure: New York City Politics and Policy Since 1960* (1993), Charles Brecher
- *Rudy Giuliani: Emperor of the City* (2001), Andrew Kirtzman

CADRE DE VIE

Géographie

Bien que l'on s'en rende difficilement compte aujourd'hui, la géologie de New York offre un tableau précis du processus d'évolution de la Terre. Sa formation remonte à plus d'1 milliard d'années. Né de la transformation de glaciers et de l'érosion de rochers de quartz, de feldspath et de mica, le sol, traversé par de nombreuses fissures, s'est profondément modifié pendant l'ère glaciaire. Les mouvements de l'océan, l'érosion permanente et les déplacements de terrain continuent aujourd'hui à transformer la côte.

Les cours d'eau ont largement favorisé le développement et la croissance de la ville. Le port de New York occupe environ 100 km2 de côte fluviale et plus de 1 000 km2 de côte maritime. La mer assurait la subsistance des Amérindiens et des premiers colons. L'importance stratégique de cette côte s'imposa aux Britanniques. Un nombre croissant de bateaux y abordèrent au fil des ans et le port devint l'un des plus importants du monde. Ce trafic incessant, ainsi que le rejet des eaux usées et de certains déchets toxiques, pratiques désormais interdites, ont considérablement pollué les eaux et tué la faune marine (rassurez-vous, l'eau du robinet provient de réservoirs situés dans les terres). Les mesures prises dans les années 1970 et 1980 pour contrôler le système d'assainissement des eaux et les programmes récents destinés également à diminuer la pollution atmosphérique ont quelque peu amélioré la situation.

La qualité de l'air à Lower Manhattan fait depuis le 11 septembre 2001 l'objet de débats houleux. L'Environmental Protection Agency (EPA), la mairie, des groupes privés et des mouvements de citoyens mènent en effet respectivement des tests afin de tenter d'évaluer la pollution atmosphérique. Leur interprétation se révèle particulièrement délicate dans la mesure où certaines particules ne sont pas réglementées, même si le ministère du Travail a fait savoir que toutes les poussières dégagées lors de l'effondrement des tours peuvent contenir de l'amiante. Une proportion importante du personnel des services d'urgence souffrent de ce que l'on appelle la "toux du World Trade Center" et la Federal Emergency

Management Agency (FEMA) a payé aux habitants du quartier de puissants purificateurs d'air. Enfin, en mars 2002, Clinton et Bloomberg ont fondé la Lower Manhattan Air Quality Task Force, dotée d'un service téléphonique sur la qualité de l'air (☎ 212-221-8635).

Écologie

Grâce aux différentes réformes environnementales, bars, aloses, perches et crabes bleus peuplent de nouveau l'Hudson et l'East River et seraient même parfaitement comestibles. La réhabilitation du Brooklyn's Gowanus Canal s'avère encore plus spectaculaire. Après la rupture de son système d'alimentation il y a une trentaine d'années, il s'était transformé en un cloaque d'une couleur brunâtre peu ragoûtante. Nettoyé et restauré de fond en comble, il abrite de nouveau depuis quelques années crabes bleus, vairons et méduses et fait la joie des amateurs de canoë (voir *Le canal Gowanus*, p.137). Enfin, au chapitre des belles histoires écologiques, citons aussi le retour des pygargues à tête blanche à Inwood Hill Park, à l'extrémité de Northern Manhattan (voir *les aigles se sont posés à Manhattan*, p. 134).

Bien que la politique environnementale ne soit aucunement comparable à ce qui se pratique dans d'autres grandes villes, sur la côte Ouest par exemple, il faut tout de même souligner que les mentalités évoluent. La suspension du programme de recyclage des déchets, une décision de Bloomberg au début de son mandat pour réduire les frais municipaux avait suscité de vives protestations. Il a finalement été remis en place en avril 2004 et connaît depuis un succès mitigé, les New-Yorkais ayant vite perdu l'habitude de trier leurs ordures. La population semble finalement surtout prête à se mobiliser pour les espaces verts. Le programme Community Gardens, lancé pendant la Grande Dépression avec la mise à disposition des habitants des terrains municipaux, connut un nouvel essor après la Seconde Guerre mondiale, puis dans les années 1970, lorsque des communautés menées par des activistes écologiques comme les Green Guerrillas entreprirent de transformer des terrains vagues ou des décharges. L'Operation Green Program offre également des lopins de terre aux jardiniers moyennant 1 $ par an. Certains disparaissent toutefois dans les projets d'urbanisme, notamment à East Village, touché depuis quelque temps par une urbanisation intensive. Le goût pour les produits biologiques s'est accentué ces dernières années, comme en témoigne l'apparition de plusieurs magasins bio (dont l'immense Whole Foods du Time Warner Center, prochainement rejoint par un autre à Brooklyn). On peut aussi se faire livrer chaque semaine ses produits par l'un des groupes de la CSA (Community Supported Agriculture) ou appartenir à la **Park Slope Food Coop** (www.foodcoop.com), magasin indépendant d'alimentation naturelle qui existe depuis 1969.

Le **Council on the Environment of New York City** (www.cenyc.org), organisation de citoyens vivant de fonds privés et siégeant au cabinet du maire, intervient sur quasiment toutes les questions environnementales de la ville. Il soutient notamment le programme Open Space Greening (jardins communautaires), le Greenmarket & New Farmer Development Project (qui prévoit l'ouverture de 42 marchés dans la ville), ainsi que les programmes Environmental Education et Waste Prevention & Recycling, qui encouragent la mise en place de pratiques durables dans les écoles et les diverses institutions publiques.

Cinq pauses nature pour changer de Central Park

- Observer les oiseaux dans les marais de **Jamaica Bay National Wildlife Refuge** (p. 147), dans le Queens.
- Arpenter les sentiers de **Inwood Hill Park** (p. 134), à l'extrémité nord de Manhattan.
- Méditer dans le **New York Chinese Scholar's Garden** (p. 152), au Staten Island Botanical Garden.
- Se balader dans la **New York Botanical Garden Forest** (p. 149), 20 ha de forêt de conifères, de chênes et de noyers blancs au cœur du Bronx.
- Flâner sur la côte de **City Island** (p. 148) dans le Bronx.

Arts

Arts

Quelques jours à New York en quête d'émotions artistiques vous convaincront que la diversité en terme de productions est au moins égale à celle que vous avez déjà constatée dans le domaine humain. On peut passer sans transition de la contemplation extasiée face à un chef-d'œuvre impressionniste au sursaut électrisé devant une installation hérissée de tubes de dentifrice usagés. On peut frissonner d'extase en écoutant le Philharmonic se surpasser dans Beethoven, et se déhancher l'heure suivante sur les sonorités stridentes d'un orchestre du Luna Lounge, subir les quolibets d'un travesti se pavanant sous les feux de la rampe d'un cabaret ou danser jusqu'au petit matin dans une discothèque géante sur la musique d'un des meilleurs DJ mondiaux. Côté culture, rien, ici, n'est inconcevable, pas même l'idée de survivre après une catastrophe.

C'est qu'en effet, les arts comme tous les autres aspects de la vie new-yorkaise ont eu du mal à se rétablir économiquement après le 11 septembre 2001, peut-être plus que d'autres, d'ailleurs, étant donné qu'en période de difficultés économiques certains ont tendance à faire passer l'art au second plan. Ainsi faut-il déplorer la dissolution récente du New York Chamber Orchestra, la réduction de la programmation du Brooklyn Philharmonic, la baisse de fréquentation des spectacles de danse et de théâtre, et une diminution des subventions privées destinées à des groupes aussi prestigieux que le Metropolitan Opera.

Metropolitan Museum of Art (p. 123)

Néanmoins, l'avenir s'annonce sous les meilleurs auspices, surtout pour les grosses institutions. Nombre d'entre elles se sont agrandies ou rénovées, ou projettent de le faire ; c'est le cas du Metropolitan Museum of Art (le Met), du Guggenheim, de Carnegie Hall, du Brooklyn Museum, de la Brooklyn Academy of Music et du Museum of Modern Art. Même le Lincoln Center va faire peau neuve : le lancement d'un plan de rénovation de 325 millions de dollars, comprenant un restaurant vitré avec jardin en terrasse, des panneaux d'affichage électronique à défilement et des bâtiments réaménagés, est prévu pour

Cinq musées à ne pas manquer

Le Met et le MoMA sont des institutions mondialement connues, et l'architecture du Guggenheim mérite à elle seule le détour, mais d'autres lieux tout aussi exceptionnels présentent en outre l'avantage d'être moins fréquentés :

- **Brooklyn Museum** (p. 138) Joyeux après-midi en perspective dans ce lieu relooké pour plaire aux familles (on a notamment enlevé le mot "Art" de son nom !)
- **Cloisters** (les "Cloîtres", p. 132) Un charmant cousin du Met, en plein air au nord de Manhattan.
- **Frick Collection** (p. 123) Des merveilles de peinture ancienne, sans la foule.
- **Isamu Noguchi Garden Museum** (p. 143) Château sculpture de grand prix qui fera oublier le temps que l'on met pour y aller
- **Neue Galerie** (p. 125) La folie viennoise sur tous les murs

2006. En outre, si Manhattan est devenu trop cher pour les jeunes artistes, la ville garde son pouvoir d'attraction grâce à son énergie inépuisable (et la présence de ses incontournables mécènes). Les stars de demain ont émigré à la périphérie en quête de nouveaux entrepôts. C'est ainsi que sont apparues des communautés artistiques dynamiques à Long Island City, Queens, Williamsburg, Dumbo et Brooklyn.

On trouve encore, dans toute la ville, des musiciens jouant à guichet fermé, des night-clubs bondés et des nouveautés théâtrales drainant un public qui dépasse largement celui de la seule ville de New York. Avec un peu de chance, la crise financière appartient au passé. Car pour de nombreux New-Yorkais, l'art est bel et bien une nécessité vitale. Ne vivent-ils pas, après tout, dans l'une des capitales mondiales de la culture ?

LITTÉRATURE

L'histoire littéraire la plus glorieuse de New York est sans conteste celle de Greenwich Village. À la fin du XIXe siècle, de grandes figures des lettres telles que Henry James, Herman Melville et Mark Twain habitaient aux abords de Washington Square, et vers 1912, un clan très soudé de dramaturges et de poètes comprenant, entre autres, John Reed, Mabel Dodge Luhan, Hutchins Hapgood et Max Eastman écrivit la chronique de la vie de bohême. Littérature et alcool faisaient alors bon ménage dans les cafés du Village. Mais lorsque la prohibition fit affluer dans leurs bistrots du Downtown une foule d'assoiffés venus des autres quartiers, la bande se dispersa et la vie retrouva son calme quelque temps, jusqu'à l'arrivée d'Eugene O'Neill et de ses comparses, suivis peu après par les romanciers Willa Cather, Malcolm Cowley, Ralph Ellison et les poètes Edward Estlin Cummings, Edna St Vincent Millay, Frank O'Hara et Dylan Thomas, qui serait mort au Village après avoir avalé un verre de trop à la White Horse Tavern en 1953.

Le quartier est encore étroitement associé à la vie littéraire de la fin des années 1950 et des années 1960, lorsque William Burroughs, Allen Ginsberg, Jack Kerouac donnaient le ton à la sauvage et magnifique Beat generation. Ces poètes et romanciers rejetaient les formes d'écriture traditionnelles pour adopter les rythmes du langage américain de base et du jazz. Ginsberg s'est rendu célèbre avec *Howl*, une attaque contre les valeurs américaines parue en 1956. La prose de Kerouac, celle du moins de *Sur la route*, *Les Souterrains* et *Les Clochards célestes*, analogue à celle de Burroughs (*Le Festin nu*), traduit un mépris du conformisme et une soif d'aventure.

En 1966, Ginsberg participa à la création du Poetry Project à St Mark's Church-in-the-Bowery (131 E 10th St) dans l'East Village, un forum et centre de documentation littéraire – et une sorte de centre social polyvalent – à destination des écrivains new-yorkais. Géré par des poètes, il est toujours en activité. Ginsberg y fit une célèbre lecture en compagnie de Robert Lowell. Des écrivains renommés y ont lu leurs textes, parmi lesquels Adrienne Rich, Patti Smith et Frank O'Hara.

Que ce centre ait pu prendre racine dans l'East Village est bien la preuve que l'activité intellectuelle et l'inspiration littéraire n'ont jamais été confinés dans la seule enceinte du légendaire Greenwich Village. Harlem, par exemple, s'honore d'une longue histoire littéraire. James Baldwin, fils de pasteur, noir et homosexuel, était originaire de ce quartier du nord

New York en littérature

- *Le Temps de l'innocence* d'Edith Wharton (1920). La vie d'une famille de la bourgeoisie new-yorkaise, avec ses règles sociales étouffantes.
- *L'Aliéniste* de Caleb Carr (1994) Une histoire criminelle ayant pour cadre le Lower East Side sordide de la fin du XIXe siècle.
- *Le Bûcher des vanités* de Tom Wolfe (1987). Après une carrière de critique littéraire, l'auteur, qui se fit le chroniqueur des Acid Tests des années 1960 et de l'histoire d'amour entre la haute société et le Black Power, a revisité les années fric (1980) avec ce roman passionnant sur les démêlés d'un banquier d'affaires avec le monde noir du South Bronx.
- *Petit Déjeuner chez Tiffany* de Truman Capote (1958). Avant qu'Audrey Hepburn ne fasse de l'histoire de Holly Golightly un classique du cinéma américain, Capote l'avait fait dans la littérature avec cette merveilleuse histoire d'un esprit libre, excentrique et attachant aux prises avec la grande ville.
- *Bright Lights, Big City* de Jay McInerney (1984). Confronté à la mort de sa mère et à son attirance pour la drogue, un parfait yuppie de Manhattan ayant tout pour réussir est emporté dans une spirale infernale.
- *L'attrape-cœurs* de J. D. Salinger (1951). Cette histoire d'angoisse adolescente suit le narrateur Holden Caulfield dans sa quête de lui-même à travers Manhattan après son exclusion de l'école. Une œuvre devenue à juste titre un classique.
- *Les Élus du Seigneur* de James Baldwin (1953). Ce roman dense, plein de lyrisme et d'émotion, raconte une journée de la vie d'un adolescent de 14 ans, John Grimes, fils d'un pasteur de Harlem, et l'éveil désespéré de sa conscience pendant la Dépression.
- *Gatsby le Magnifique* de F. Scott Fitzgerald (1925). Un classique de la grande époque du jazz mettant en scène les amoureux de la vie facile et autres parasites des années 1920.
- *Jazz* de Toni Morrison (1992). Lauréate du Prix Pulitzer, Morrison explore le Harlem de l'époque du jazz à travers l'histoire de 3 vies tragiques et entremêlées.
- *Marjorie Morningstar* de Herman Wouk (1955). Situé dans le New York de la Dépression, ce classique raconte les luttes épiques d'une femme juive qui se rebelle contre les valeurs bourgeoises de sa famille en tentant de devenir actrice.
- *Martin Dressler* de Stephen Millhauser (1997). Prix Pulitzer. Grandeur et décadence d'un hôtelier new-yorkais ambitieux dans le monde doré du début du XXe siècle, saisi avec un soin minutieux du détail.
- *Les Orphelins de Brooklyn* de Jonathan Lethem (1999). Histoire étrange et captivante devenue le roman culte de Brooklyn nord : à la faveur d'une enquête sur la mort de son patron, Lionel Essrog, orphelin et détective affligé du syndrome de Tourette, explore les histoires et les zones d'ombre des quartiers de Brooklyn, que ses occupants récents sont loin de soupçonner.
- *Nanny : Journal d'une baby sitter* d'Emma McLaughlin et Nicola Kraus (2002). Dans ce roman hilarant, les auteurs, toutes deux anciennes baby-sitters, entraînent le lecteur dans le monde à part des mères de Park Avenue. La condescendante Mme X régente la vie de la narratrice, baby-sitter/étudiante à la New York Universityqui a la garde d'un enfant de 4 ans passablement déluré.
- *La Trilogie new-yokaise : Cité de verre, Revenants, La Chambre dérobée* de Paul Auster (1985). Tryptique d'histoires policières sombres et bizarres plongeant dans la psyché des personnages et de l'auteur. Un art inédit de la narration qui mélange le roman et le polar.
- *Push* de Sapphire (1996). Le calvaire d'une jeune fille de Harlem de 16 ans, Precious Jones, est difficile à supporter, mais la prose honnête et somptueuse fait tout passer, y compris les abus sexuels, le sida et la grossesse consécutive à un viol par le père.
- *Molly Mélo* de Rita Mae Brown (1973). Roman culte de la littérature lesbienne dont l'héroïne Molly Bolt chassée du collège pour immoralité après avoir séduit une majorette, vivra une aventure tourbillonnante à Greenwich Village.
- *Esclaves de New York* de Tama Janowitz (1986). Série d'histoires narquoises imprégnées de l'obsession immobilière du Downtown des années 1980 qui restitue avec nostalgie une époque où des artistes complètement fauchés pouvaient encore se débrouiller pour faire leur nid dans un loft illégal ou un atelier délabré.
- *The Story of Junk* de Linda Yablonsky (1997). Des années après sa sinistre période junkie vécue dans le Lower East Side au milieu des artistes clochards, Yablonsky en rapporte, avec une clarté implacable, tous les détails sordides et révoltants, vus à travers les yeux d'un narrateur anonyme.
- *Le Lys de Brooklyn* de Betty Smith (1943). L'histoire poignante de Francie Nolan, une jeune fille vivant dans la misère à Williamsburg, témoin des relations complexes dans une famille désunie.
- *Outremonde* de Don DeLillo (1997). Épopée élégiaque où se mêlent le Bronx, les fêtes sur les toits, les grands moments de baseball et la fin du XXe siècle.

de la ville. Ses romans, publiés dans les années 1950 (*Les Élus du Seigneur* et *La Chambre de Giovanni*) traitent des conflits raciaux, de la pauvreté et des problèmes d'identité. Audre Lorde, une lesbienne caribéenne-américaine, activiste et écrivaine, a grandi à Harlem et fréquenté la Columbia University. Sa poésie, écrite surtout dans les années 1970, et ses mémoires, *Zami : une nouvelle façon d'écrire mon nom* (1982), abordent les questions de classe, de couleur de peau et d'homosexualité féminine et masculine. Bien avant, dans les années 1920, Dorothy Parker réunissait une cour d'adorateurs dans ses fameux rendez-vous littéraires de l'Algonquin Round Table –un groupe d'amis écrivains qui passaient leur temps à boire et à discuter de culture, de politique et de littérature. Ces conversations auxquelles participaient, parmi tant d'autres, Harold Ross, le fondateur du *New Yorker*, l'écrivain journaliste Robert Benchley, les dramaturges George S. Kaufman, Edna Ferber, Noel Coward et Marc Connelly, ainsi que divers critiques, tournèrent rapidement au divertissement national. Des histoires circulaient et les touristes venaient s'extasier devant ces beaux esprits.

Dans les années 1980, le critique littéraire Tom Wolfe passa à la fiction avec un épais roman, *Le Bûcher des vanités*, brocardant la vie narcissique et consumériste de l'Upper East Side. D'autres romanciers ont illustré cette période, sa fascination pour l'argent et la cocaïne : Bret Easton Ellis (*American Psycho*), Jay McInerney (*Bright Lights, Big City*) et Tama Janowitz (*Esclaves de New York*), qui dépeint les bouffonneries de l'Uptown (quartiers au nord de New York). À la même époque, parmi les écrivains célèbres de l'East Village (où habitait Allen Ginsberg) figurent Eileen Myles, dont la poésie et le roman non conformiste *Chelsea Girls* entraînaient le lecteur dans le monde artistique rebelle du Downtown (quartiers au sud de l'île de Manhattan), et les poètes Gregory Masters et Michael Scholnick. Linda Yablonsky a consigné ses souvenirs de cette époque longtemps après l'avoir vécue, dans *The Story of Junk*, publié en 1997.

Bien avant tous ceux-ci, Walt Whitman, natif de Long Island, avait écrit ses *Feuilles d'herbe* dans sa maison de Brooklyn en 1855, ouvrant la voie aux futurs écrivains de ce *borough* (arrondissement), tels Betty Smith (*le Lys de Brooklyn*, 1943) et la coqueluche actuelle des médias, Jonathan Lethem, dont *Les Orphelins de Brooklyn* (1999) suscita un regain d'intérêt pour le quartier de Cobble Hill et Brooklyn Heights. D'autres Brooklyniens ont fait parler d'eux en ce siècle et à la fin des années 1990, comme Rick Moody (*Purple America, Tempête de glace*), qui mêle la ville et la banlieue dans ses aventures, Sapphire (*Push*), qui raconte les violences inouïes infligées à une jeune fille, Paul Auster (*la Trilogie new-yorkaise, Mr Vertigo, Tombouctou*), qui met en scène le New York d'aujourd'hui ; Meera Nair (*Video*), qui se concentre sur la culture indienne et ses heurts avec les idéologies occidentales, et Jonathan Safran Foer (*Tout est illuminé*), qui suit la trace de ses origines ukrainiennes dans un roman qui l'a fait connaître.

DANSE

Tous les chemins de la danse mènent à New York même si ce monde est scindé en deux moitiés qui s'ignorent : le classique et le moderne. Cette double personnalité en fait l'une des capitales les plus célèbres en ce domaine. La coexistence de ces deux esprits sautera aux yeux en feuilletant les programmes, qu'on soit un amateur éclairé ou non, et à plus forte raison si l'on cherche à prendre un cours de danse. La plupart des écoles de la ville, de Steps dans l'Upper West Side à Dance Space à Soho, offrent un large éventail de cours soit de danse moderne, jazz ou un mélange des deux, soit de danse classique. En général, les amateurs choisissent leur camp et ne le quittent plus, à l'instar des professionnels et de leur public. Au chapitre *Où sortir*, on trouvera les références des compagnies de danse, des studios et des centres artistiques (p. 221).

Tout a commencé dans les années 1930 avec la création d'un ballet classique américain, point de départ des futurs American Ballet Theatre et New York City Ballet de renommée mondiale. Le désir de Lincoln Kirstein était de constituer un corps de ballet autochtone formé par les plus grands maîtres mondiaux et ayant son propre répertoire. En 1933, Kirstein rencontra le danseur et chorégraphe russe George Balanchine à Londres et, la même année, ils décidèrent d'ouvrir leur école aujourd'hui légendaire, le New York City Ballet. Plus tard, Jerome Robbins les rejoindra en tant que directeur artistique adjoint. En

1964, les deux fondateurs ouvrirent le New York State Theater dont le New York City Ballet est depuis lors le corps de ballet attitré. Les plus grands noms de la danse, notamment Balanchine, Robbins et Peter Martins, ont écrit des chorégraphies pour cette formation qui a compté des stars comme Maria Tallchief, Suzanne Farrell et Jacques d'Amboise.

Pendant ce temps, l'American Ballet Theatre (ABT) suivait son propre chemin. Il avait été fondé en 1937 par Lucia Chase et Rich Pleasant et rendu célèbre grâce aux chorégraphies de Balanchine, Antony Tudor, Jerome Robbins (*Fancy Free*), Alvin Ailey, et Twyla Tharp (*When Push Comes to Shove*). Transfuge de l'Union Soviétique, Mikhaïl Barychnikov retrouva la gloire avec l'ABT dont il fut le danseur étoile de 1974 à 1978 et son directeur artistique de 1980 à 1989, avant de fonder son propre groupe, le White Oak Dance Project.

À la même époque, Martha Graham, Charles Wiedman et Doris Humphrey posaient les bases du mouvement moderne new-yorkais, consolidées après la Seconde Guerre mondiale par Merce Cunningham, Paul Taylor, Alvin Ailey et Twyla Tharp. De nos jours, danse classique et danse moderne jouissent d'un rayonnement mondial, avec en outre une scène expérimentale d'avant-garde en constante évolution où l'on peut voir à peu près n'importe quoi, des femmes tout en muscles insérant des numéros de trapèze dans leur spectacle, jusqu'à des troupes entièrement nues faisant des cabrioles sur une scène vide.

Aujourd'hui, les danseurs d'avenir continuent d'innover, montrant le fruit de leurs recherches sur les petites scènes du Downtown comme le **Kitchen**, le **Joyce Theater** et le **Danspace Project** (voir information sur les salles, p. 221). Les troupes modernes, grandes ou petites, continuent d'investir de nouveaux lieux dans toute la ville, que ce soit Mark Morris et son nouveau centre proche de la **Brooklyn Academy of Music** (BAM ; p. 136) à Brooklyn, ou le tout récent et ultra-moderne foyer de l'**Alvin Ailey American Dance Theater** (p. 221) qui vient d'ouvrir dans le Theater District. Les danseurs eux-mêmes, souvent obligés de travailler à l'extérieur pour subvenir à leurs besoins dans une ville aussi chère, ont acquis un sens de l'entraide remarquable. Ils peuvent demander des bourses, des espaces dans des studios et d'autres moyens d'aide à la création par le biais d'organismes tels que le Field, le Movement Research, le Pentacle, la New York Foundation for the Arts et le Dance Theater Workshop où se tient chaque année la prestigieuse cérémonie des Bessies couronnant les meilleurs danseurs, du nom de Bessie Schönberg, professeur très estimé, décédée en 1997).

Pour connaître les derniers développements du monde de la danse, il faut lire de préférence les critiques du *Village Voice* et du *New York Times*. Pour avoir la liste complète des salles et des organismes, et être au courant des derniers événements, on consultera le site www.dancenyc.org.

MUSIQUE CLASSIQUE

Si le Downtown attire la création contemporaine -groupes de rock indépendants, spectacles de travestis intelligents, installations dernier cri et danse expérimentale - l'Uptown est le refuge des activités plus classiques. On s'en aperçoit rapidement en se promenant dans l'Upper West Side, un quartier d'artistes de la vieille école où il n'est pas rare, à la sortie de la station de la 96th St, de croiser des instrumentistes portant leur violon, contrebasse et hautbois dans de grandes mallettes aux formes bizarres. À un moment ou un autre de leur carrière, tous ont joué soit au **Lincoln Center** (p. 121), soit au **Carnegie Hall** (p. 231), comme tous, ou presque, ont dû étudier ou assister à une classe dans l'une des plus prestigieuses écoles de musique classique et d'opéra du pays : la **Juilliard School** ou la **Manhattan School of Music**, où ont lieu également des concerts de premier plan.

Construit dans les années 1960, le Lincoln Center faisait partie d'un plan de rénovation urbaine piloté par Robert Moses qui a entraîné la disparition de tout un quartier déshérité (où l'on avait d'ailleurs tourné *West Side Story*). Controversé au départ, ce projet a su conquérir les New-Yorkais grâce à la richesse incomparable de son offre culturelle. Cet immense complexe agrémenté de fontaines, de miroirs d'eau et de vastes esplanades abrite non seulement les grandes salles de concert Alice Tully et Avery Fisher, le Metropolitan Opera House (la plus luxueuse de toutes) et le New York State Theater, mais encore la Juilliard School, la Fiorello La Guardia High School for the Performing Arts, et les théâtres Vivian Beaumont et Mitzi Newhouse. Les formations résidentes comprennent, entre autres, le Metropolitan Opera et le New York City Opera, le New York Philharmonic, le New

La musique new-yorkaise au XXIe siècle *Glenn Kenny*

Tin Pan Alley. Carnegie Hall. The Great White Way. Birdland. The Village Vanguard. The Apollo. Fillmore East. CBGB. Studio 54. Tous ces noms et surnoms de salles évoquent la vitalité musicale de New York, et si la scène de la musique vivante ne s'est enrichie d'aucun nom légendaire depuis le Studio 54 qui ouvrit ses portes à la fin des années 1970, cela ne signifie pas pour autant que la musique ne fait pas partie intégrante de la culture new-yorkaise.

Mais il est vrai que la vie nocturne, ces derniers temps, a changé. L'interdiction de fumer dans les lieux publics, y compris dans les night-clubs, promulguée par le maire Michael Bloomberg en 2003 a transformé l'atmosphère de New York après le coucher du soleil, même pour les non-fumeurs. S'il est certes plus agréable de rentrer chez soi sans traîner l'odeur du tabac froid, il n'a jamais été dit que sortir la nuit devait obligatoirement être une activité hygiénique. De sorte que le bénéfice pour la santé s'accompagne d'un léger décrochage cognitif. Ensuite, il y a le fait que si New York est bien un centre de l'industrie musicale, celle-ci traverse actuellement une crise, avec des profits en berne et des dirigeants de plus en plus dépassés par les événements, contraints de prendre des postures à la fois défensives et offensives face à la vague du téléchargement. Il reste que la ville possède encore une myriade de lieux fabuleux offrant la possibilité, tous les jours, d'entendre de la musique vivante. Mais l'augmentation vertigineuse des loyers à Manhattan a fait surgir un certain nombre de lieux à la périphérie obligeant les amateurs à traverser les ponts de Williamsburg et de Brooklyn.

Rock

New York a vécu une sorte de mini-renaissance du genre au cours des dernières années, des groupes tels que The Strokes, Yeah Yeah Yeahs, The Rapture, Radio 4, The Fever, The Stills, Stellastarr, The Furnaces et TV on the Radio ayant réussi à faire parler d'eux hors des frontières. Les esprits chagrins objecteront que certains sont des copies conformes, ou tout du moins des émanations directes d'ancêtres de New York et d'ailleurs. Il faut bien reconnaître que, de ce lot, seuls The Furnaces et TV on the Radio se distinguent par un son vraiment particulier (et difficile à cerner). Il reste que tous ont sorti des disques dont la qualité varie entre le moyen et l'excellent et que certains, en fait, ont des comportements violents en public.

CBGB, autrefois en pointe pour révéler les nouveaux talents, n'est plus aujourd'hui qu'une vitrine de choix pour tous les combos désireux de montrer combien ils sont jeunes, bruyants et crâneurs. Ceci dit, la plupart des groupes cités plus haut ont enfilé son étroit corridor jusqu'à la petite scène construite, selon la légende, par les membres de Television qui préparaient leur premier concert ici, mais un concert en ce lieu tient davantage désormais du rite de passage que de l'événement qui fait date. Les groupes sont davantage dans leur élément dans une salle du Lower East Side telle que **Pianos** (p. 231), ou un club de Brooklyn tel que **North Six** (p. 230) ou **Southpaw** (p. 231), où ils jouent devant des rangées de casquettes de camionneurs. Le chemin de la réussite pour un New-Yorkais prometteur ou un combo provincial passe en premier lieu par le **Pianos** ou le **Mercury Lounge** (p. 230) ou une première partie de concert à la **Knitting Factory** (p. 233). Ensuite, il jouera un week-end à guichet fermé au **Bowery Ballroom** (p. 229), puis passera à l'**Irving Plaza** (p. 230), ou, s'il est vraiment bon et vraiment chanceux, ou si la maison de disque a un service promo vraiment à la hauteur (ou un mélange des trois), au **Hammerstein Ballroom** ou au **Roseland**. Suivent ensuite les concerts en plein air, la tête d'affiche au festival de Coachella, une rupture sanglante, dix ans de chômage et un retour triomphal en tête d'affiche à Coachella... ou bien, si tout est vraiment fichu, retour au Mercury Lounge, boissons non payées. C'est pour ça qu'on aime le rock !

Jazz et musique "free"

Il est vraiment dommage de voir cette ville –celle du Minton's et du Birdland, berceaux du jazz et d'un nombre incalculable de ses légendes– encaisser de tels coups dans ce domaine musical. Au cours des dernières années, le Sweet Basil, au programme si intelligent, et le Smalls, un haut lieu de jam-sessions, ont dû fermer leurs portes, et depuis que le cofondateur de la Knitting Factory, Michael Dorf, est parti, on n'y entend quasiment plus de jazz créatif. Curieusement, le club de Times Square, **Iridium** (p. 233), essaye de rallumer le flambeau –récemment, le chamanique pianiste Cecil Taylor et son big band y ont donné un concert. Réjouissons-nous également de l'existence du **Tonic** (p. 234), dans le Downtown, où John Zorn a trouvé une famille d'accueil et qui s'ouvre également à des hôtes de passage comme Derek Bailey et Peter Brotzman. Remercions également la providence pour le **Village Vanguard** (p. 234), dont l'infatigable Lorraine Gordon préside aux destinées et qui offre en matière de jazz les expériences les plus intimes (et somme toute, d'un prix des plus raisonnables). Le **Blue Note** (p. 232), avec son entrée exorbitante et sa consommation minimum à l'avenant, reste le Blue Note – l'endroit où l'on entend les musiciens qu'on ne peut se passer d'entendre. Et il est encore trop tôt pour dire si le jazz au **Lincoln Center** (p. 231), une idée du musicien/entrepreneur/gourou du jazz Wynton Marsalis, sera, dans son nouvel emplacement de Columbus Circle, une bénédiction ou un piège à touristes.

Classique

Récemment, le monde classique fut mis en émoi à la nouvelle que le mythique New York Philharmonic allait déménager de l'Avery Fisher Hall, à l'acoustique déplorable, pour s'installer au **Carnegie Hall** (p. 231), d'une acoustique beaucoup plus favorable depuis sa rénovation des années 1990. Mais le projet n'a pas abouti. Le Lincoln Center a annoncé en 2004 qu'il allait revoir l'acoustique de la salle, mais la date des travaux n'a pas été fixée. Espérons que l'orchestre, qui devra passer au moins une saison hors résidence, élira domicile... au Carnegie Hall ! Ce dernier vient d'ouvrir une salle au sous-sol, le Zankel Hall, où malgré des bruits de métro parfois gênants, on pourra entendre d'aventureux programmes de world music et de musique contemporaine. Le Lincoln Center reste fidèle à sa réputation, tandis que le Merkin Hall voisin offre des concerts classiques éclectiques et audacieux.

Hip-hop

Au bon vieux temps (mais n'était-ce pas plutôt le mauvais ?), certaines salles avaient une connotation raciale... ce n'est plus autant le cas aujourd'hui. Au printemps 2004, Morrissey, l'un des musiciens de rock les plus blancs de ce siècle et du précédent, a fait un triomphe à l'Apollo, et il n'est pas rare de voir un ou deux membres du Wu-Tang Clan distraire les ados blasés de Williamsburg au North Six. Le hip-hop, actuellement la forme dominante de la musique populaire, a fait du chemin depuis ses origines dans le South Bronx à la fin des années 1970, l'époque de Grandmaster Flash, "Rapper's Delight" et des 33-tours rayés. De nos jours, c'est plutôt dans des concerts en plein air, annoncés à grand renfort d'affiches, que vous entendrez les stars du genre comme Jay-Z.

Divers

Si vous voulez entendre du rock de la vieille école, du blues, du reggae et ainsi de suite, vous ne serez pas mal servi au **BB King's Joint** (p. 232) dans la 42nd St, où défilent soir après soir Toots and the Maytals, John Mayall, Blue Oyster Cult, Al Stewart, etc. Le cabaret est toujours vivant et même bien vivant malgré la retraite prochaine de la vedette de saloon Bobby Short. Quelques salles tentent de renouveler un style new-yorkais vénérable, comme le **Joe's Pub** (p. 230) dans le Public Theater du Village et le Westbeth Theater.

Dix grands noms de la musique new-yorkaise *

- **Irving Berlin** Des dizaines de compositeurs de chansons ont fait la gloire de la Great White Way, comme George M. Cohan, Rodgers et Hart, et les frères Gershwin. Originaire de Russie, Berlin est l'un des plus illustres et des plus prolifiques : *What'll I Do, There's No Business Like Show Business, Blue Skies, Puttin' on the Ritz*, et *Always* ne sont que le sommet d'un iceberg monumental.
- **Miles Davis** Tandis que Charlie Parker et d'autres architectes du be-bop ont élaboré leurs styles dans des bastringues de province comme Kansas City, le génie de Miles s'est vraiment éveillé lorsque ce jeune prodige de la trompette monta de St Louis à New York pour étudier à la Juilliard School. Son amour du jazz se doublait d'une fascination pour Stravinsky et ses émules. Il passa ensuite dans l'orchestre de Parker, avant d'inventer le "cool" jazz, le hard bop, le jazz orchestral, la fusion, etc.
- **Philip Glass** Ce compositeur inventa son propre style de minimalisme – fort, bourré de répétitions et de déplacements qui donnent le vertige, et extrêmement difficile à jouer – dans les lofts de Soho. Ensuite, il adoucit et popularisa ce son et devint un compositeur de musiques de films très demandé. Récemment encore, il vivait dans une maison du East Village.
- **Thelonious Monk** Autre architecte du be-bop qui n'a jamais eu à changer les styles ou inventer de nouveaux genres, parce que sa propre façon de jouer du piano (qui sonne avec lourdeur au premier abord, mais qui s'avère pétri d'humour, de confiance en soi, de discrète anxiété et d'une vive intelligence musicale), en a fait un genre à lui tout seul.
- **The New York Dolls** et **The Ramones** *Invasion of the Outer Boroughs, Volumes Un et Deux*. Dans le premier, quelques garçons d'Astoria et de Staten Island décident de conquérir St Mark's Place en étant encore plus trash que ce quartier trash. Et encore plus bruyants. Glam rock le plus dur et le plus chic. Dans la suite, encore meilleure, une foule bigarrée de marginaux du Queens adoptent le même nom et inventent le punk (en fait).
- **Run-DMC** *Invasion of the Outer Boroughs, Volume Trois*. Originaires de Hollis, Queens, à 100 %. Le hip-hop a eu ses novateurs avant et après ce trio, mais personne ne l'a assemblé comme eux, faisant du "rock sans orchestre" et créant un paradigme hip-hop encore indépassable.
- **Beverly Sills** La diva de Brooklyn fit une carrière de 25 ans au New York City Opera. Sa voix de soprano n'est qu'un de ses talents. En tant qu'artiste et administrateur, elle est l'une des plus grandes ambassadrices de l'opéra dans le monde.

- **Sonic Youth** Mêlant attitude et volume punk avec une connaissance approfondie de l'avant-garde, et réussissant à se maintenir alors que tant de leurs compatriotes ont soit explosé soit implosé, ce groupe va bientôt franchir son quart de siècle d'existence et il fait toujours de la musique dérangeante, immédiate et pétrie d'émotions.
- **Sarah Vaughan** La voix la plus virtuose que le jazz ait produite est née à Newark, New Jersey, et a fait ses débuts lors d'un concert d'amateurs au légendaires Apollo Theater de Harlem. Personne n'a jamais chanté *Lullaby of Birdland* comme elle. En fait, personne n'a jamais rien chanté comme elle.
- **Le Velvet Underground** Ces expérimentateurs du Downtown fusionnaient le folk et le drone rock à des niveaux sonores dangereux lorsqu'ils furent adoptés par Andy Warhol qui leur imposa un mannequin allemand comme chanteuse. C'est ainsi qu'ils finirent par incarner le cool new-yorkais même s'ils ne vendaient pas beaucoup de disques. Comme le note Brian Eno, tous ceux qui ont acheté leur premier album ont, semble-t-il, constitué leur propre groupe, tellement leur influence fut grande.

* Ceux qui s'étonneraient de ne pas trouver le nom de Sinatra dans cette liste doivent se rappeler que ce dernier appartient plutôt à Hoboken...

York City Ballet et la Chamber Music Society of Lincoln Center. La programmation est très diversifiée, avec quelques événements gratuits comme les populaires Concerts in the Parks, une série de concerts estivaux donnés par le Philharmonic, le premier orchestre d'Amérique, fondé en 1842, et actuellement dirigé par Lorin Maazel. Le Metropolitan Opera est la compagnie la plus prestigieuse, tandis que le New York City Opera, plus réaliste, est aussi plus original et plus imaginatif.

Le Carnegie Hall, plus petit, n'en est pas moins apprécié à l'égal des précédents, surtout depuis l'ouverture, sous la grande salle Isaac Stern, du Zankel Hall réservé à des concerts éclectiques de world music et de jazz. C'est ici que l'on pourra entendre les orchestres étrangers en tournée et les solistes internationaux, mais aussi des séries de grands concerts comme les New York Pops.

New York compte bien d'autres institutions classiques. L'une des plus intéressantes est la **Brooklyn Academy of Music** (p. 136), la plus ancienne académie du pays pour les arts du spectacle. Le Brooklyn Philharmonic y donne une saison d'opéras et de concerts, et cet orchestre joue gratuitement en été dans le Prospect Park voisin. (Pour d'autres salles, voir p. 231). Pour écouter de la musique classique sans débourser un dollar, on a le choix entre deux chaînes de radio, la WQXR sur 96.3 FM, vieille de 75 ans et entièrement classique, ou la WNYC sur 93.9 FM, la branche locale de la NPR, qui diffuse de la musique classique à 14h et 19h en semaine, et à 20h le week-end.

COMÉDIE, CABARET ET PERFORMANCE

Si vous visitez New York, et surtout si vous y vivez, il est préférable de savoir rire, de soi, des autres et des situations exceptionnellement éprouvantes ou tragiques. Dans les mois et les années qui ont suivi le 11 septembre 2001, les New-Yorkais ont dû se poser ces difficiles questions : Y a-t-il des sujets tabous ? Combien de temps attendre avant de pouvoir rire à nouveau ? L'ironie est-elle morte ? À la première question, ils répondirent : heureusement très peu, à la seconde : un an environ, et à la troisième : absolument pas. Si la vie est trop dure, et à New York elle peut l'être, le rire la rend supportable, et la ville ne manque pas de gais lurons dont c'est la spécialité. Le maire actuel s'est même joint au club de comédie **Carolines on Broadway** (p. 224) pour annoncer le premier festival du genre à New York (du 9 au 14 novembre 2004), avec une série de spectacles dans toute la ville, servis par les meilleurs talents du pays.

Les artistes célèbres de la comédie ont souvent été découverts à New York. C'est le cas de Jerry Seinfeld, Eddie Murphy et Chris Rock, qui débutèrent au Carolines on Broadway. Quant à Jim Belushi, Dennis Miller, Joe Piscopo, Kevin Nealon et Dana Carvey (parmi tant d'autres), ils ont été lancés par la fameuse émission télévisée new-yorkaise *Saturday Night Live*.

À l'instar d'autres formes de divertissement, la scène de la comédie est nettement divisée entre les clubs où l'on paye cher pour voir des célébrités et les lieux plus expérimentaux et plus obscurs, offrant souvent, néanmoins, les meilleurs spectacles, qui ajoutent parfois au traditionnel "one man show" des sketches musicaux, burlesques ou comiques. Pour voir ce genre de spectacles polymorphes, voici une bonne adresse : l'**Upright Citizens Brigade Theater** (p. 225), spécialisé dans les improvisations. Les séries **Eating It** du Luna Lounge (171 Ludlow St), les lundis, dans le Lower East Side, et **Automatic Vaudeville**, les jeudis à l'Ars Nova Theater (511 W 54th St), réservent également de très bonnes surprises. Si, toutefois, vous voulez rire de vous-mêmes, entendre des sarcasmes sur l'état du pays ou de la ville, ou sur la boisson à 12 $ que vous êtes en train de siroter, il faut s'en tenir à la stand-up comedy" standard. Outre le Carolines, qui est sans doute le club le plus connu de la ville, on pourra aussi se distraire au **Boston Comedy Club**, au **Comedy Cellar**, au **Stand-Up NY** et au **Gotham Comedy Club** (renseignements sur les salles p. 217). Le Gotham programme une série mensuelle de comédie homo, intitulée Homocomicus.

Les spectacles de cabaret se classent également dans le registre humoristique, mais sur un mode beaucoup plus subtil. L'artiste, au piano ou au micro, divertit son auditoire dans un cadre intime, mais les saillies intelligentes ou les anecdotes ont simplement pour but de mettre en valeur le sujet principal : la musique. Jazz et variété composent l'essentiel du menu, bien que dans le Theater District – au **Danny's Skylight Room**, ou au **Don't Tell Mama** – vous entendrez beaucoup d'airs de comédies musicales de Broadway. Les styles varient également selon le prix et selon que l'endroit est considéré comme "classique", par exemple l'**Oak Room, Feinstein's** ou le **Carlyle**, et reçoit des stars du cabaret telles que Bobby Short, Woody Allen, Betty Buckley, Karen Akers et Ann Hampton Callaway. Si l'humour gay infiltre tout spectacle de cabaret par sa tendance kitsch naturelle, il est plus marqué au **Duplex**, dans Christopher St, où les artistes seront souvent des travestis. Les bars gays se transforment au besoin en scènes de cabaret ; c'est le cas notamment du **Barracuda Lounge**, du **Bar d'O** (p. 207) et du **xl** (p. 209).

Certains spectacles de clubs gay confinent à la performance, mais divers autres lieux leurs font concurrence. Le style le plus chaud du moment s'inscrit dans la veine burlesque. Des danseurs et exhibitionnistes se sont emparés du concept en lui donnant une note sexuelle et contemporaine qui plaît aux amateurs de nostalgie kitsch. Le Va Va Voom Room, un des spectacles les plus anciens du genre, se donne au **Fez** (p. 205), une adresse fiable pour toutes sortes d'excentricités, telle la série Cause Celeb, des lectures théâtrales tirées des autobiographies des monstres les plus connus de l'extravagance. Le nouveau théâtre **Marquee** (356 Bowery), au premier étage du bar gay Slide dans l'East Village, propose toutes sortes de spectacles farfelus et bien écrits, comptant toujours au moins un travesti. Le **Galapagos Art and Performance Space** (70 N 6th St) à Williamsburg, **La MaMa ETC** (74A E 4th St) et le cabaret féminin **WOW Café Theater** (59 E 4th St), tous deux dans l'East Village, sont aussi de bonnes adresses pour trouver du burlesque, des revues musicales étranges, des soap operas live et de l'esprit tous azimuts.

THÉÂTRE

Les pièces à gros budget et les comédies musicales tape-à-l'œil sont intimement associées à New York et à ce lieu mythique : Broadway. Mais les spectacles de Broadway, s'ils constituent une part importante de la scène théâtrale locale désignent *stricto sensu* les productions des 38 théâtres officiels de Broadway, de splendides bâtiments du début du XXe siècle entourant Times Square. L'opinion du public sur l'état de la Great White Way change complètement tous les deux ou trois ans environ, certains se plaignant constamment qu'avec la multiplication des reprises il ne soit plus possible de voir du bon théâtre original. Cependant, la toute dernière vague d'oeuvres musicales novatrices – *Avenue Q*, *The Boy From Oz* et *Wicked* – en a convaincu plus d'un, et des reprises de succès cinématographiques comme *The Producers* et *Hairspray* ont même conquis la ville entière.

Les succès foudroyants sont du reste une caractéristique du théâtre new-yorkais. Le Theater District tel que nous le connaissons aujourd'hui a vu le jour en 1893 lorsque Charles Frohman ouvrit l'Empire Theater dans la 40th St, entamant le déplacement du quartier des trentièmes rues vers ce qui allait devenir Times Square. La même année, les machinistes formaient le premier syndicat de toute l'histoire industrielle américaine : le National Alliance of Theatrical Stage Employees. En 1901, devant le flot de lumière déversé par les façades des théâtres, le designer O. J. Gude surnommait Broadway "la grande voie blanche" (the Great White Way). Peu après, commençait la longue et glorieuse histoire des succès montés par la Theater Guild, écrits par Eugene O'Neill, George Bernard Shaw et bien d'autres. Les comédies musicales, quant à elles, augmentèrent considérablement en qualité et en popularité. Le premier Tony Awards fut organisé en 1947, le Theater Development Fund fut créé 20 ans plus tard, et à la fin des années 1980, quasiment tous les théâtres de Broadway furent classés monuments historiques.

Mais le théâtre ne se réduit pas à Broadway. Le Off-Broadway – des pièces plus risquées et moins coûteuses montées dans des théâtres de 200 à 500 places – et le Off-Off-Broadway – des spectacles encore plus marginaux et plus abordables pour des publics de moins de 100 spectateurs – font aussi de grosses recettes. Ces salles sont souvent l'occasion pour des acteurs plus établis de se défouler un peu, et elles offrent des tremplins à des spectacles qui passent ensuite à Broadway (*Rent*, par exemple, a commencé au Downtown New York Theater Workshop, *Angels in America* au Public Theater et *The Vagina Monologues* au minuscule HERE à Soho). Pour voir beaucoup de pièces expérimentales en peu de temps, on profitera du **Fringe Festival** (p. 17 ; www.fringenyc.org), qui a lieu tous les mois d'août dans plusieurs salles du Downtown. En été également, le festival Shakespeare in the Park produit par le Public Theater se déroule en général à partir du mois juin dans le Delacorte Theater à Central Park. Les billets sont gratuits, mais il faut les retirer à jours et heures fixes.

Pour acheter des billets pour tout autre spectacle, vous pouvez soit vous rendre au guichet du théâtre, soit avoir recours aux services d'une agence spécialisée en commandant par téléphone ou Internet. **Broadway Line** (☎ 212-302-4111 ; www.broadway.org) fournit un descriptif des pièces et comédies musicales qui se jouent sur Broadway et en dehors, et vous permet de payer avec une carte de crédit. **Telecharge** (☎ 212-239-6200 ; www.telecharge.com) vend des billets pour la plupart des spectacles de Broadway et Off-Broadway (moyennant une commission par billet) ; pour Off-Broadway uniquement, essayez **SmartTix.com**, **Theatermania.com**, **Ticketcentral.com** ou **Ticketmaster.com**.

Les amateurs de bonnes affaires peuvent essayer d'obtenir des places debout, le jour du spectacle, s'il n'y a plus de places assises, pour environ 15 $. La visibilité est très bonne, et vous trouverez peut-être des places vides à l'entracte. À Times Square, le **kiosque TKTS** (Plan p. 220 ; ☎ 212-768-1818 ; Broadway et W 47th St), tenu par le Theater Development Fund, vend des billets pour le soir même, de pièces et de comédies musicales de Broadway et off-Broadway. (On trouvera un autre **guichet TKTS**, plus petit et avec moins d'affluence, au South Street Seaport, mais ce dernier prend une commission de 3 $ par billet.) Le kiosque affiche la liste des spectacles pour lesquels il reste des places. Le mercredi et le samedi, les billets pour les matinées sont en vente à partir de 10h. Le dimanche, les guichets ouvrent à 11h pour les spectacles de l'après-midi. Pour les soirées, la vente des billets commence à 15h tous les jours, et une file d'attente se forme parfois une heure avant l'ouverture du kiosque. TKTS n'accepte que le liquide ou les chèques de voyage.

ARTS PLASTIQUES

La population des artistes et de ceux qui les aiment est toujours nombreuse bien que le coût de la vie et des loyers ait chassé les plus pauvres d'entre eux. En témoigne le nombre de grands musées (25), de galeries privées (environ 600), d'installations d'art public et d'expositions moins formelles de créations allant de l'accrochage ponctuel dans les bars et les restaurants aux graffitis couvrant les façades d'immeubles et les couloirs du métro. Chelsea est le centre du monde des galeries, avec près de 200 espaces dans ce seul quartier, parmi lesquels Matthew Marks et Barbara Gladstone (voir p. 161). Certaines parties du Lower East Side et de Williamsburg à Brooklyn gagnent également en notoriété, mais il n'en a pas toujours été ainsi et la situation pourrait évoluer rapidement.

La scène artistique a toujours été mouvante. Les premières galeries s'installèrent sur la 57th St et aux abords du très populaire **Museum of Modern Art** (MoMA, p. 115). Ouvert en 1929 pour contrecarrer les politiques conservatrices des musées traditionnels (comme le Met), le MoMA vit éclore dans son sillage une pléiade de petits espaces telles les galeries de Julien Levy et Peggy Guggenheim, qui exposèrent les travaux d'artistes avant-gardistes comme Mark Rothko et Jackson Pollock. Durant le mouvement pop art des années 1950, la scène se déplaça vers l'Uptown, avant de redescendre dans l'East Village (East 10th St) pour accompagner la seconde génération des expressionnistes abstraits. C'était l'époque, au début des années 1960, où Andy Warhol devint célèbre avec sa boîte de soupe Campbell et sa Marilyn Monroe, avant d'ouvrir sa sulfureuse Factory.

Cependant, en 1969, une femme dynamique du nom de Paula Cooper déplaça le mouvement à Soho en ouvrant une galerie dans Wooster St, point de départ d'une transformation radicale du quartier. Les artistes occupèrent des lofts où ils travaillaient et habitaient en même temps, et une multitude de galeries s'y installèrent. À partir de 1980, la scène revint pour un temps dans l'East Village où une cinquantaine de galeries ouvrirent dans le sillage de la Fun Gallery, proposant un art à dominante ironique et entraînant le rapide embourgeoisement du quartier. Le mouvement s'interrompit aussi brutalement qu'il avait commencé, avec une brève renaissance de Soho qui s'acheva en 1993, lorsque l'augmentation des loyers poussa la clientèle artistique vers West Chelsea, une zone délaissée qui ne demandait qu'à être investie.

Aujourd'hui, c'est encore là que palpite le cœur des galeries. Les jeudi et vendredi soir, une foule branchée erre de vernissage en vernissage. C'est là que les artistes les plus en pointe se vendent et s'achètent, et que les collectionneurs se bousculent. Mais tous les anciens quartiers à la mode –surtout Soho et son célèbre **New Museum of Contemporary Art** (p. 92), le haut des cinquantièmes rues, et à un moindre degré, l'East Village– sont encore pleins de ressources. Les nouvelles galeries du Lower East Side comme **Rivington Arms** et **Maccarone Inc** font parler d'elles, de même que Pierogi et d'autres espaces très réactifs de Williamsburg. **White Columns**, installée dans le West Village est une galerie très admirée, unique en son genre, montrant, depuis son ouverture en 1969, un art plus audacieux et dérangeant. Les soirs de vernissage sont des rendez-vous de jeunes branchés. Le meilleur moyen de ne pas passer à côté de ce qui vous intéresse est de consulter le *Gallery Guide*, un petit fascicule distribué dans toutes les galeries.

Hors de Manhattan, les autres endroits à visiter sont l'ouest du Queens, surtout Astoria et Long Island City, et Dumbo à Brooklyn. Depuis des années, le Queens clignote sur l'écran radar artistique à cause de la présence du **PS 1 Contemporary Art Center** (p. 143), un espace d'art contemporain gigantesque affilié au MoMA depuis 2000, du **Socrates Sculpture Park** (p. 144), une ancienne zone d'enfouissement de déchets, transformée en parc au bord de l'eau parsemé d'œuvres de grandes tailles de Mark di Suvero, entre autres, et de l'**Isamu Noguchi Garden Museum** (p. 143) dont les sculptures sont présentées dans un paisible jardin (en rénovation jusqu'à la fin 2004). Ce coin de New York attira l'attention à partir de 2002 lorsque le **MoMA** s'y installa (devenant le MoMA Queens) afin de poursuivre ses activités le temps que les travaux qui doivent doubler la taille du site du Midtown soient achevés.

Dumbo, quant à lui, est un quartier que les artistes ont investi dans les années 1970 et 1980, attirés par son atmosphère de zone industrielle à l'abandon. À la fin des années 1990, tout ce qui se prétendait artiste avait découvert l'endroit, et était tombé amoureux de ses deux ou trois gargotes, de son petit parc au bord de l'eau et de ses rues pavées. Depuis lors, le quartier s'est évidemment embourgeoisé entraînant l'apparition de grands restaurants, de boutiques et de résidences de haut standing, mais les artistes sont restés. Le **Dumbo Arts Center** (30 Washington St entre Plymouth St et Water St) expose les artistes locaux et finance le festival annuel d.u.m.b.o. Art Under the Bridge (p. 18) qui a lieu en octobre.

Il va sans dire que les musées classiques de la ville méritent, plus que jamais, une visite. Le **Metropolitan Museum of Art** (p. 123), qui abrite de riches collections d'art américain, européen, asiatique, africain, égyptien et gréco-romain, ainsi que des salles consacrées à la mode, au mobilier, aux armures médiévales, au vitrail, aux bijoux et aux manuscrits, entre autres, est en cours d'agrandissement. Un réaménagement complet d'un coût de 155 millions de dollars a débuté en 2004. Il devrait permettre d'exposer une part importante des réserves (notamment un chariot étrusque), de rénover les galeries du XIXe siècle et d'art moderne, et d'ajouter une cour romaine (ouverture prévue en 2007) qui devrait faire passer de 2500 à 7500, le nombre d'œuvres d'art romaines et hellénistiques exposées.

D'autres institutions classiques, comme le **Brooklyn Museum** (p. 138), la **Frick Collection** (p. 123), le **Solomon R. Guggenheim Museum** (p. 125), l'**American Folk Art Museum** (p. 114) et le **Whitney Museum of Art** (p. 126), sont en eux-mêmes des monuments d'architecture, remplis d'œuvres de qualité aussi bien classiques que modernes. Tous les deux ans, le Whitney fait la une de l'actualité avec sa Biennale où sont rassemblées toutes les étoiles montantes de l'art. Cette manifestation est parfois tournée en dérision, avec plus ou moins de raison, mais il lui arrive de faire l'unanimité, comme lors de son édition de 2004 où 108 artistes exceptionnels avaient été choisis par 3 commisaires de la jeune génération. De nouveaux musées continuent d'ouvrir leurs portes, comme la superbe **Neue Gallerie** (p. 125), à proximité du Met, spécialisée dans l'art allemand et autrichien de la fin du XIXe et du début du XXe siècles, un régal pour les amateurs de Gustav Klimt et d'Egon Schiele.

Enfin, les collectionneurs se feront une obligation de visiter les foires d'art qui ont lieu au printemps et qui tendent à devenir des événements très courus. La plus en vogue est l'**Armory Show** (www.thearmoryshow.com), une foire internationale d'art moderne qui se tient en mars dans des espaces portuaires surplombant l'Hudson. L'édition 2004 regroupait plus de 200 galeristes venus du monde entier.

ART PUBLIC

L'art public –autrement dit, l'art qui orne les espaces publics– n'est pas une découverte récente comme en témoignent les mosaïques couvrant les murs de nombreuses stations de métro, ou les innombrables sculptures agrémentant l'espace urbain.

Cet art est financé et promu par deux grands programmes : le Public Art Fund et le Percent for Art du service des Affaires culturelles (Department of Cultural Affairs) de la ville. Percent for Art, lancé par l'ancien maire Edward Koch en 1982, impose que chaque projet immobilier municipal consacre 1% de son budget à l'art. Depuis son lancement, environ 200 programmes en ont bénéficié, touchant des écoles publiques, des bibliothèques, des parcs et des commissariats de police, jusqu'à une station de transfert maritime de déchets située sur l'Hudson à la 59th St, qui fut enrubannée de néons rose, vert et bleu (s'allumant au coucher du soleil) par l'artiste Stephen Antanakos en 1990. On pourra également vérifier la pertinence du *Percent for Art* au quartier général de la police (mosaïque de granit et de brique de Valerie Jaudon), au centre de détention de White St (*Jugement*, une pièce en grillage de Kit-Yin Snyder), et au East Harlem Artpark au croisement de Sylvan Place et E 120th St (fleur orange en acier de Jorge Luis Rodriguez).

Les 5 meilleures œuvres d'art public

- *Alamo* de Tony Rosenthal (Astor Place)
- *Figure couchée* de Henry Moore (Lincoln Center)
- *Roméo et Juliette* de Milton Hebald (Delacorte Theater dans Central Park)
- *La Sphère* de Fritz Koenig (Battery Park City à Bowling Green)
- Série sans titre de Tom Otterness (station de métro A, C, E 14th St)

Le Public Art Fund, quant à lui, est une organisation à but non lucratif qui travaille avec des artistes célèbres ou peu connus, en vue de présenter des œuvres de grande dimension au public. Le fonds passe des commandes, travaille avec les musées pour leur permettre de s'étendre au-delà de leur enceinte (ainsi avec le Whitney afin d'installer des sculptures dans Central Park durant sa Biennale), distingue chaque année des œuvres novatrices, et organise des *Tuesday Night Talks*, des conférences sur l'art public. Pour connaître l'emplacement des œuvres commandées par le fonds, on consultera le site www.publicartfund.org.

Un programme sans lendemain a néanmoins laissé quelques belles traces dans quantité de stations de métro : c'est le projet *Creative Stations* de la Metropolitan Transit Authority (MTA). On pourra admirer un mur vitré et une installation murale à la station 28th St de la ligne 6, des mosaïques de céramique colorées à la station Bowling Green ligne 4 et 5 ; et une pièce sonore de musique synthétisée, suspendue au-dessus du quai de la station 34th St N, ligne R.

En février 2005, la ville sera momentanément transformée en une gigantesque œuvre d'art public grâce aux *Portes* de Christo et Jeanne-Claude, un duo qui s'est rendu célèbre avec l'emballage du Pont-Neuf à Paris, et la plantation de 3100 parasols en Californie et au Japon. Cette fois-ci, les artistes vont dresser 7500 portes au-dessus des allées de Central Park drapées de 300 km de tissu jaune safran. Ce projet financé par des fonds privés devrait rester en place pendant 10 semaines. On lui a reproché la gêne qu'il va occasionner pour le public et la commercialisation dont le parc fait l'objet. Mais les artistes, qui sollicitaient une autorisation depuis 1979, ont fini par avoir gain de cause après la promesse d'un don de 3 millions de dollars, rien de moins, à l'administration du parc.

Pour voir quelques exemples permanents du meilleur art public, on ne manquera pas les insolites sculptures en bronze de Tom Otterness, dont le *Monde réel*, dans Battery Park, et l'installation sans titre de la station 14th St de la ligne A, C, E, montrent de gentils personnages de BD qui ont fait glousser les New-Yorkais les plus blasés. Dans Battery Park également, on verra la *Sphère* de Fritz Koenig, déplacée ici après l'effondrement du World Trade Center, en tant que monument à la mémoire du 11 septembre 2001 (voir p. 88).

Galerie d'art, Soho

Dans d'autres parties de la ville, ne ratez pas pas également, sur Astor Place, le légendaire *Alamo*, un cube de Tony Rosenthal, que l'on peut faire pivoter à la force des bras, au Lincoln Center, la *Figure couchée* et le miroir d'eau de Henry Moore, et au Delacorte Theater de Central Park, la *Tempête* et le *Roméo et Juliette* de Milton Hebald. Le Socrates Sculpture Park à Long Island City, dans Queens, avec ses imposantes sculptures permanentes de Mark di Suvero et une rotation constante d'œuvres d'artistes invités, ravira les amateurs d'art public. On peut facilement occuper un après-midi à pique-niquer à l'ombre des sculptures, à grimper dessus et à admirer la vue sur l'East River et le flanc est de Manhattan.

CINÉMA ET TÉLÉVISION

Aussi bien en tant que sujet que lieu de l'action, New York peut se prévaloir d'une longue et honorifique histoire dans la télévision et le cinéma. Au moins une douzaine de films y sont tournés en permanence, une vingtaine d'émissions de prime time y sont produites (*Law & Order, Without a Trace, Queer Eye for the Straight Guy*), une quarantaine d'autres pour les programmes de journée et de nuit (*All My Children, The Today Show, Saturday Night Live*) ainsi qu'une trentaine d'émissions de chaînes câblées (*The Sopranos, Chapelle's Show, Inside the Actors Studio*). Si certaines séries sont censées se dérouler à New York alors qu'elles sont tournées à Los Angeles (comme *Seinfeld, Friends* et *Mad About You*, toutes en rediffusion), elles ont incontestablement contribué au charme de la ville. D'innombrables studios de télévision sont installés à New York (NBC, ABC, CNN, la chaîne d'informations locales NY1, ainsi que Food Network et Oxygen), mais aussi quelques majors de la production cinématographique : New Line Cinema (une filiale de Time Warner), New Yorker Films, Miramax et Tribeca Productions (propriété de Robert DeNiro), toutes deux logées dans le Tribeca Film Center créé il y a 14 ans. C'est dire que tout le cinéma ne se fait pas à Hollywood. Des émissions câblées locales (il existe deux câblo-opérateurs, Time Warner et Cablevision) sont devenues très populaires, notamment celles de la chaîne publique Manhattan Neighborhood Network (MNN) qui diffuse en permanence des programmes culturels et accorde des temps d'antenne à toute personne, ou presque, qui le désire, ce qui donne des résultats parfois extravagants. La chaîne New York Metro (Cablevision 60, Time Warner 70), qui dépend du magazine *New York*, diffuse des émissions chic et chauvines (mode, divertissement, téléréalité et talk-shows).

Le service municipal du cinéma, du théâtre et de la télévision (Mayor's Office of Film, Theater & Broadcasting, MOFTB) travaille sans relâche au succès de l'industrie locale (qui

New York au cinéma

- *Angels in America* (2003) de Mike Nichols, avec Al Pacino, Meryl Streep, Jeffrey Wright. Cette magnifique version filmée pour le câble d'une pièce de Tony Kushner montée à Broadway nous replonge dans le Manhattan de 1985 : les relations sont tendues, le sida fait des ravages et un Roy Cohn qui cache son homosexualité - et tombe malade lui-même - reste totalement inactif, comme une partie de l'administration Reagan.
- *Annie Hall* (1977) de Woody Allen, avec Woody Allen et Diane Keaton. Pour beaucoup, *le* film sur New York et le meilleur de Woody Allen. Celui-ci joue le personnage d'Alvy Singer, comédien juif névrosé qui tombe amoureux d'une "wasp" écervelée.
- *Basketball Diaries* (1995) de Scot Kalvert, avec Leonardo DiCaprio et Lorraine Bracco. DiCaprio avec son visage poupin incarne l'écrivain Jim Carroll dans cette fascinante histoire autobiographique de dépendance à l'héroïne qui se passe dans l'East Village.
- *Big* (1988) de Penny Marshall, avec Tom Hanks et Elizabeth Perkins. L'histoire qui fait chaud au cœur d'un petit garçon qui voit s'exaucer son rêve de devenir grand. Hanks joue le faux adulte qui occupe un poste important dans une société de jouets, et qui provoque des scènes merveilleuses dans les lofts, chez FAO Schwarz, dans les restaurants chics et autres endroits célèbres du New York des années 1980.
- *Chasing Amy* (1997) de Kevin Smith, avec Ben Affleck et Joey Lauren Adams. Le film qui a révélé Affleck, bien qu'on soit loin du chef-d'œuvre, a aussi fait sortir de l'ombre Meow Mix et d'autres aspects du Manhattan lesbien.
- *Crossing Delancey* (1988) de Joan Micklin Silver, avec Amy Irving et Peter Riegert. Isabelle est installée avec Sam le vendeur de cornichons, par sa grand-mère. Une comédie sentimentale qui met en scène le Lower East Side avant qu'il ne devienne à la mode.
- *Do the Right Thing* (1989) de Spike Lee, avec Ossie Davis, Danny Aiello et Ruby Dee. Le film qui a révélé Spike Lee. Dans un quartier italo-noir de Brooklyn, une histoire typiquement new-yorkaise de tensions raciales qui atteignent le point d'ébullition. À voir absolument.
- *Fatal Attraction* (1987) d'Adrian Lyne, avec Michael Douglas, Glenn Close et Anne Archer. Thriller psychologique. Une aventure d'un soir va transformer la vie d'un homme heureux en mariage en enfer. Aperçus intéressants sur le Meatpacking District avant sa rénovation (célèbre scène de l'ascenseur).
- *The French Connection* (1971) de William Friedkin, avec Gene Hackman. Un policier marginal traque les chefs d'un gang de trafiquants d'héroïne ; l'une des meilleures poursuites en voitures du cinéma, sous les lignes du métro aérien du Queens (mémorable séquence avec un landau).
- *Kids* (1995) de Larry Clark, avec Leo Fitzpatrick, Chloë Sevigny et Rosario Dawson. Tourné sous forme de documentaire avec de jeunes acteurs inconnus à l'époque. De jeunes privilégiés de Manhattan livrés à eux-mêmes et pris dans le tourbillon du sexe, de la drogue et du sida.
- *Manhattan* (1979) de Woody Allen, avec Woody Allen, Diane Keaton et Mariel Hemingway. Un New-Yorkais divorcé donne rendez-vous à une étudiante (l'adorable Hemingway à la petite voix enfantine) et tombe amoureux de la maîtresse de son meilleur ami. Une véritable déclaration d'amour à la ville de New York.
- *Midnight Cowboy* (1969) de John Schlesinger, avec Dustin Hoffman et Jon Voight. Oscar du meilleur film en dépit de son interdiction aux mineurs pour son contenu jugé provocateur à l'époque, montrant la misère humaine dans la grande ville. Un témoignage unique sur une époque révolue de Times Square.
- *Moscow on the Hudson* (1984) de Paul Mazursky, avec Robin Williams et Maria Conchita Alonso. Après être passé à l'Ouest dans le grand magasin Bloomingdale's, un musicien russe découvre que la vie à New York n'est pas aussi facile qu'il l'escomptait. Un très bel aperçu sur l'immigration locale, en dépit du style hollywoodien.
- *On the Town* (1949) de Stanley Donen et Gene Kelly, avec Gene Kelly, Frank Sinatra et Ann Miller. Un classique de la comédie musicale. "The Bronx is up and the Battery down. New York, New York: it's a wonderful town!" Les aventures romantiques de trois marins en goguette durant une permission de 24 heures dans la Grosse Pomme.
- *Paris Is Burning* (1990) de Jennie Livingston. Étonnant documentaire sur la sous-culture des bals travestis et des familles que tentent de former les drag queens noires et pauvres. Madonna a pu chanter "Vogue", mais c'est avec ces divas qu'elle a compris le sens de ses paroles.
- *Party Girl* (1995) de Daisy von Scherler Mayer, avec Parker Posey, Anthony DeSando et Guillermo Diaz. Mary, une fille insouciante, dotée d'une fabuleuse garde-robe et qui aime s'amuser, est durement ramenée à la réalité alors qu'elle doit travailler comme bibliothécaire.
- *Saturday Night Fever* (1977) de John Badham, avec John Travolta et Karen Lynn Gorney. Travolta, en gosse élevé dans les rues de Brooklyn, devient le roi des pistes de danse. Il est irrésistible dans ses pantalons à pattes d'éph.

- *Summer of Sam* (1999) de Spike Lee, avec John Leguizamo, Mira Sorvino et Jennifer Esposito. Sordide histoire, une des meilleures de Spike Lee, racontant l'été 1977 d'un couple de Brooklyn amateur de discothèques, avec, en toile de fond, les meurtres du tueur en série Son of Sam, la panne d'électricité et les tensions raciales.
- *Taxi Driver* (1976) de Martin Scorsese, avec Robert DeNiro, Cybill Shepherd et Jodie Foster. DeNiro en vétéran de la guerre du Vietnam déséquilibré, en proie à de violentes pulsions avivées par le contexte urbain. Un brillant classique, à la fois amusant et déprimant, où New York apparaît beaucoup plus abrasive qu'elle n'est à l'heure actuelle.
- *Vous avez un message* (1998) de Nora Ephron, avec Tom Hanks et Meg Ryan. Comédie romantique qui lève le voile sur l'Upper West Side, à travers l'amour en ligne de deux personnes qui ne réalisent pas qu'elles sont ennemies en affaires. L'une possède une librairie indépendante tandis que l'autre dirige une grande chaîne de magasins qui poussera la première à la faillite.

pèse maintenant plus de 5 milliards de dollars et emploie 75 000 personnes) grâce à l'octroi d'autorisations gratuites, de lieux gratuits, d'assistance policière gratuite et à l'exemption de taxes sur la vente des produits de consommation. D'après une récente étude du Département américain du commerce, New York est désormais le deuxième centre de production du pays. Le visiteur s'en aperçoit très vite, car il est impossible de ne pas tomber, au coin d'une rue, sur un tournage qui vous oblige à faire un détour.

En ce qui concerne la distribution, là aussi, New York est à la pointe. De nombreuses salles ont vu le jour ces dernières années, la plupart de très grande capacité, dotées de grands écrans et d'aménagements luxueux tels que des snack-bars gastronomiques. En outre, le nombre de festivals se déroulant à New York est en constante augmentation : on en compte actuellement une trentaine. Citons, entre autres, le Dance on Camera (janvier), le Jewish Film Festival (janvier), le New York Film Festival (janvier), l'African-American Women in Film Festival (mars), le Williamsburg Film Festival (mars), le Tribeca Film Festival (mai), le Lesbian & Gay Film Festival (juin) et le Human Rights Watch Film Festival (juin).

New York abrite quelques-unes des meilleures écoles de cinéma du pays : la Tisch Film School de la New York University, la New York Film Academy, la School of Visual Arts, la Columbia University et la New School. Les étudiants sont fortement aidés par le MOFTB qui offre des autorisations de tournage gratuites à tout étudiant qui utilise un bâtiment public. Mais il n'est pas nécessaire d'être un étudiant pour apprendre : les musées, parmi lesquels l'**American Museum of the Moving Image** (p. 145) à Astoria, dans le Queens, et le **Museum of Television & Radio** (p. 114), organisent des projections et des séminaires sur des productions anciennes et actuelles.

Enfin, si vous avez envie de voir les lieux de tournage de vos séries et films préférés, comme le Dakota building (à l'angle de Central Park West et de la 72nd St), qui a servi de cadre à *Rosemary's Baby*, ou Tom's Diner (à l'angle de Broadway et de la 112th St), dont la façade apparaît régulièrement dans la série *Seinfeld*, vous pouvez suivre une visite guidée spécialisée. On peut essayer **Kenny Kramer**, le modèle dans la vie réelle du personnage de *Seinfeld*, qui offre un tour humoristique de 3 heures sur les lieux de tournage de la télévision, ou **On Location Tours**, qui passe en revue les lieux de tournage d'émissions à succès (entre autres, *Sex and the City*, *Sopranos* et *Friends*). (Pour les visites guidées, voir p. 81.)

Architecture

Architecture *Joyce Mendelsohn*

Du point de vue de la création architecturale, New York est redevenue une ville tout à fait excitante à visiter. La construction est en plein essor, très souvent confiée à des architectes de renom international comme le Français Christian de Portzamparc ou l'Anglais Norman Foster. Les ennuyeuses tours commerciales cubiques en verre appartiennent au passé ; elles ont été supplantées par des tours aux formes géométriques originales et aux façades fragmentées. Les immeubles résidentiels élégants des Américains Philip Johnson et Michael Graves surgissent un peu partout. Le concours pour la réalisation du village Olympique du Queens (voir *2012 ou jamais* p. 24) a vu les candidatures affluer du monde entier. La réhabilitation du site du **World Trade Center** (p. 89) prévoit la construction de tours de bureaux spectaculaires au centre d'un quartier vivant jour et nuit, comprenant des habitations, des boutiques, des parcs et des aménagements culturels.

Les quartiers de New York rajeunissent tandis que les zones plus anciennes, menacées de délabrement, telles que Harlem, Carroll Gardens à Brooklyn et Mott Haven dans le Bronx, suscitent l'intérêt et le désir de restaurer leurs logements anciens. Depuis la loi sur les monuments historiques (Landmarks Law) de 1965, les associations de défense du patrimoine se battent non sans succès contre les promoteurs sans scrupules tandis que les urbanistes essayent de maintenir l'équilibre entre conservation et progrès sous l'œil désormais vigilant des New-Yorkais.

LA SIMPLICITÉ HOLLANDAISE

Aucune des maisons à pignon à redents de New Amsterdam n'a survécu, mais quelques fermes coloniales hollandaises sont encore debout et accessibles aux visiteurs. La Pieter Claesen **Wyckoff House** (☎ 718-629-5400 ; 5816 Clarendon Rd ; entrée libre ; 🕑 mar-dim 10h-16h) à Brooklyn, est la plus ancienne maison de la ville. Son premier corps de bâtiment, construit en 1652, est facilement reconnaissable à son extérieur couvert de bardeaux et à son toit pointu aux avant-toits évasés. Plus récente, mais d'un style analogue, la **Dyckman House** (p. 133) de 1785 est la dernière ferme conservée de Manhattan.

LA DISTINCTION GÉORGIENNE

La tutelle britannique entraîna l'importation des styles en vigueur sous les quatre rois George de la dynastie de Hanovre (1714-1830). Les constructions étaient rectangulaires et symétriques avec des toits pourvus d'arêtiers, de cheminées à haute extrémité et parfois,

Les cinq plus belles transformations

- **American Folk Art Museum** (p. 114) Une façade fragmentée de huit étages en panneaux d'un alliage de bronze, jouant avec la lumière et les textures, par l'équipe Tod Williams et Billie Tsien, associés dans la vie et en affaires.
- **Maritime Hotel** (p. 279) Un ancien siège de syndicat de la marine troué de 120 hublots, transformé en hôtel de luxe qui se donne des airs de navire de croisière.
- **Prada Soho** (p. 92) Le concept de shopping revisité par l'architecte hollandais Rem Koolhaas dans un espace high-tech produisant des effets visuels étonnants et doté d'un ascenseur circulaire.
- **Rose Center.** Un cube de verre de 7 étages que son architecte James Stewart Polshek décrit comme une "cathédrale cosmique", remplace l'ancien planétarium de l'American Museum of Natural History. Il contient une sphère géante revêtue d'aluminium.
- **Time Warner Center** (p. 110) Deux grandes tours jumelles de verre cristallin, par David Childs/Skidmore, Owings et Merrill, posées sur un socle incurvé de 6 étages, incluant le plus grand mur vitré sur résille de câbles du monde.

coiffées de coupoles. Les modèles anglais étaient construits en pierre de qualité, les mitations coloniales en brique ou en bois. Une maquette de l'hôtel de ville anglais érigé en 1703 et plus tard démoli, est exposée au **Federal Hall National Memorial** (p. 84). **Fraunces Tavern** (p. 84), 1907, est une copie du pub original où George Washington a dit au revoir à ses officiers.

La **Morris-Jumel Mansion** (p. 133), 1765, la plus ancienne maison de Manhattan, est aussi l'un des plus beaux vestiges de l'Amérique coloniale. Elle est couverte de planches à clin et de bardeaux peints en blanc, et s'orne d'une colonnade à deux étages et d'une très belle entrée. **St Paul's Chapel** (p. 88), 1766–94, est une copie de St Martin-in-the-Fields à Londres, mais en pierre brute et grès brun local. À l'intérieur, le Français Pierre L'Enfant dessina le maître-autel couronné d'un soleil doré.

LE RAFFINEMENT FÉDÉRAL

Après la guerre d'indépendance, les formes lourdes et compactes de la période géorgienne cédèrent la place au style fédéral délicat de la nouvelle république, s'appuyant sur les créations architecturales et décoratives des frères Adam, des architectes écossais inspirés par l'Antiquité romaine.

Des noms à retenir

- **Frederick Law Olmsted et Calvert Vaux** Créateurs de Central Park dans les années 1870. Ils s'emparèrent de 340 ha de terrains vagues pour en faire une oasis de beauté naturelle.
- **McKim Mead et White** Grands architectes du XIXe siècle. Ils conçurent des hôtels particuliers, des clubs privés, des églises et des monuments qui introduisirent la splendeur européenne à New York.
- **Les Rockefeller** Ils sont à l'origine du Rockefeller Center, du Lincoln Center, et du Museum of Modern Art, et ils ont fait don du terrain pour le siège de l'ONU.
- **Skidmore, Owings et Merrill** Célèbre agence d'architecture spécialisée dans les tours de bureaux. Leur savoir-faire dans la conception et la technologie de la construction a modifié l'horizon de la ville.
- **Donald Trump** Les New-Yorkais sont béats d'admiration devant ses luxueuses résidences, et les investisseurs étrangers se bousculent pour entrer dans son empire.

Le petit **City Hall** (p. 86), 1812, doit sa forme française à l'architecte émigré Joseph François Mangin et ses détails de style fédéral à l'Américain John McComb Jr. La façade était revêtue à l'origine de marbre blanc, et l'arrière de grès brun par souci d'économie. L'intérieur renferme une rotonde spacieuse et un escalier incurvé à consoles. **Gracie Mansion** (p. 123), 1799, la résidence officielle du maire depuis 1942, fut d'abord une villa à la campagne. Cette maison en bois de couleur crème s'orne de balustrades en Chippendale chinois, d'une porte à imposte semi-circulaire, de fenêtres latérales à verre cathédrale et d'une véranda qui longe toute la façade donnant sur la rivière. La James Watson House, devenu le **Sanctuaire de la bienheureuse Elizabeth Seton** (p. 88), 1792 et 1806, est le dernier vestige d'une rangée d'élégantes maisons en brique rouge. La partie la plus récente est garnie d'une fine colonnade ionique haute de deux étages et de détails dans le style d'Adam.

Les maisons alignées de style fédéral sont reconnaissables à leur petite taille, à leur appareil flamand typique (alternance de briques longues et courtes), à leurs toits pointus percés de lucarnes et à leurs portes ouvragées. Les **Harrison Houses** (p. 90), 1796–1820, une rangée de neuf habitations modestes, ont été restaurées et regroupées. La **Merchant's House** (p. 101), 1832, associe un extérieur fédéral tardif à des ferronneries et un décor intérieur de style néo-grec. C'est la seule demeure de la ville qui soit restée intacte depuis le XIXe siècle et dont le mobilier est d'origine.

LES PRÉCIEUX VESTIGES NÉOGRECS

L'engouement pour la Grèce se répandit à travers les États-Unis dans les années 1820 dans le sillage de la présidence populiste d'Andrew Jackson que l'on rapprocha de la démocratie grecque. Des architectes et des maçons qui n'avaient jamais mis un pied en Grèce s'inspirèrent de recueils de motifs. Églises et édifices publics se déguisèrent en temples grecs avec des colonnes supportant un entablement horizontal et un fronton classique. Deux des meilleurs exemples sont encore debout. La **St Peter's Church** (plan p. 370), 1838, en granit gris, remplaça la première église catholique romaine de la ville, érigée en 1785 et détruite dans un incendie. Le **Federal Hall National Memorial** (p. 84), 1842, en marbre blanc, est l'ancien hôtel de la douane devenu un musée. D'étroites maisons alignées en brique rouge furent agrémentées d'éléments architecturaux et décoratifs grecs. Le **Row** (plan p. 372), une rangée de 13 maisons néogrecques bordant le côté nord de Washington Square, dans Greenwich Village, fut construit en 1833 pour la haute société de l'époque. C'est le plus bel alignement de façades du XIXe siècle de la ville.

LES SPLENDEURS GOTHIQUES

Dans les années 1840, le néogrec païen fut abandonné au profit du gothique jugé plus spirituel, en écho à l'architecture religieuse anglaise et française de la fin du Moyen Âge. Le raffinement des techniques de construction (voûte sur croisée d'ogives et arcs-boutants) avait permis d'ouvrir les murs et de faire pénétrer la lumière par des fenêtres en arc brisé garnies de vitraux. Les églises étaient aussi hérissées de gargouilles et couronnées de tours et de flèches.

Richard Upjohn lança le néogothique à New York avec sa **Church of the Ascension** (plan p. 372), 1841, une église de campagne anglaise à tours carrées, revêtue de grès brun. L'architecte Stanford White réunit un groupe d'artistes en 1888 afin de redécorer l'intérieur avec des peintures, des sculptures et des vitraux. Le projet suivant d'Upjohn, **Trinity Church** (p. 85), 1842, également en grès brun, faisait appel aux formes et au décor gothiques mais avec des techniques de construction modernes masquées par de faux arcs-boutants et un plafond en plâtre. James Renwick Jr conçut deux des plus belles églises de la ville. **Grace Church** (p. 100), 1846, se caractérise par une flèche gothique française, une splendide rose garnie de vitraux, et un travail de la pierre d'une grande délicatesse. La façade de **St Patrick's Cathedral** (p. 115), 1878, inspirée de la cathédrale de Cologne, s'ordonne autour d'un gâble central flanqué de deux flèches identiques, très décoré. Vieux monuments emblématique de la ville, le **pont de Brooklyn** (p. 87), 1883, avec ses tours gothiques en pierre et sa résille de câbles d'acier, est l'œuvre un ingénieur prussien, John Roebling.

L'IMPÉRIALISME ITALIANISANT

Au milieu du XIXe siècle, un nouveau style évocateur de richesse et de puissance s'inspirant des palais imposants de la Renaissance italienne envahit New York. McKim Mead et White dessinèrent des demeures privées dignes des Médicis, tels le **Metropolitan Club** (plan p. 379), 1894, et l'**University Club** (plan p. 376), 1899.

Le **magasin AT Stewart** (plan p. 370), 1846, agrandi en 1884, et désormais reconverti en bâtiment municipal, fut le premier grand magasin construit aux États-Unis, et le premier édifice commercial de style italianisant de la ville. Il est couvert de marbre blanc, avec des colonnes en fonte. Le palais de justice du comté de New York, surnommé **Tweed Courthouse** (p. 156), 1881, s'inspire du Capitole de Washington. Un escalier majestueux mène à un intérieur éblouissant occupé par le ministère de l'Éducation et fermé au public.

Les **Villard Houses** (plan p. 376), 1884, conçues par McKim Mead et White sur le modèle de la Cancelleria de Rome, sont six hôtels particuliers splendides en grès brun, regroupés en un seul palais autour d'une cour centrale. Elles font maintenant partie du Palace Hotel ; on peut admirer certaines pièces, aménagées par Stanford White et ses amis artistes, dans le restaurant Le Cirque 2000. Les familles plus modestes s'installèrent dans des rangées de *brownstones* également d'inspiration italienne, formant des rues entières de couleur chocolat dans les quartiers de Chelsea et Murray Hill.

L'ÉLÉGANCE "BEAUX-ARTS"

Au début du XXe siècle, la mode délaissa le grès brun au profit du blanc éclatant, à la suite de l'Exposition universelle de Chicago de 1893, qui s'était tenue dans une ville imaginaire créée par les meilleurs architectes américains formés à l'École des beaux-arts de Paris. Dans tous les États-Unis, les bâtiments publics se faisaient passer pour des palais, surchargés de matériaux, d'ornements et de sculptures somptueux. **Grand Central Terminal** (p. 112), 1913 (ingénieurs : Reed et Stem, façade et intérieur : Warren et Wetmore), s'orne d'une horloge géante et d'un groupe sculpté de Jules Coutan. Le hall gigantesque est couronné d'un plafond voûté recouvert d'une fresque de Paul Helleu représentant les constellations célestes. Des figures allégoriques rehaussent la façade de la **New York Public Library** (p. 112) (bibliothèque publique) 1911, de Carrere et Hastings. Deux lions de marbre ajoutés en 1920 par Edward Clark Potter, surnommés la Patience et la Force, encadrent l'escalier. La **US Custom House** (Douane), 1907, devenue Museum of the American Indian, de Cass Gilbert, est un hommage au commerce. Les figures de l'imposant grenier représentent les nations commerçantes, et celles du rez-de-chaussée, de Daniel Chester French, les quatre continents. Le **Metropolitan Museum of Art** (p. 123) fut construit en plusieurs étapes, la façade de Fifth Ave en 1902, par Richard Morris Hunt, et les ailes latérales en 1926, par McKim Mead et White. Trois arcs romains géants séparés par des paires de colonnes corinthiennes sont surmontés de blocs de pierre qui auraient dû, selon le plan d'origine, être transformés en sculptures.

LES GRATTE-CIEL

L'architecture en fonte

Avant que les gratte-ciel à charpente en acier ne voient le jour, on construisit en fonte. Les techniques étaient certes d'avant-garde, mais les façades étaient choisies dans les livres. Au début, on se contenta d'ajouter une façade en fonte à des murs porteurs conventionnels en brique. Ensuite, les immeubles devinrent des cages primitives à armature et colonnes de fonte. Le **Haughwout Building** (p. 92), 1856, de style vénitien, possède le premier ascenseur à passagers installé aux États-Unis. Soho, qui avant de devenir un quartier de lofts pour millionnaires était une zone industrielle, abrite la plus grande concentration d'immeubles en fonte du monde.

Les immeubles de bureaux

Après le perfectionnement de l'ascenseur par Elisha Otis en 1853 et l'invention de la charpente en acier par William Le Baron Jenney, à Chicago, en 1885, les gratte-ciel purent sortir de terre. Le problème pour l'architecte était de trouver une façon élégante de couvrir ces squelettes d'acier. On choisit de les habiller à la mode ancienne. Le **Flatiron Building** (p. 107), immeuble de 21 étages construit en 1902 par Daniel Burnham, doit sa forme de fer à repasser à son emplacement triangulaire. La section médiane, légèrement ondulée, est recouverte de terre cuite blanche décorée de motifs Renaissance. Cass Gilbert, l'architecte du **Woolworth Building** (plan p. 370), 1913, a pris modèle sur le Parlement de Londres en accentuant le mouvement ascendant de sa tour de bureaux au moyen de longues bandes verticales, inserrant les fenêtres. Le bâtiment est revêtu de terre cuite crème et d'ornements gothiques. Son hall très décoré n'est pas accessible aux visiteurs.

L'Art déco

Dans les années 1930, les architectes, las de puiser leur inspiration dans les modèles du passé, créèrent une architecture originale, dotée de décrochements imposés par les nouveaux règlements de zonage et décorée de motifs novateurs. En 1929, le **Chanin Building** (plan p. 376), de Sloan et Robertson, ouvre la marche avec sa silhouette chantournée, sa décoration extérieure aux formes de végétaux exotiques et d'animaux marins, et son remarquable hall d'entrée. Le **Chrysler Building** (p. 111), 1930, de William Van Alen, siège de la société automobile, s'élève en décrochements successifs jusqu'à sa couronne d'acier offertes aux rayons du soleil. Des bouchons de radiateur font office de gargouilles et des voitures font la course dans la frise de brique. Avec son marbre coloré et ses marqueteries, le hall étincelle sous un plafond peint à la gloire du progrès technologique. L'**Empire State**

Building (p. 108), 1931, de Shreve, Lamb et Harmon, fut conçu pour être l'immeuble le plus haut du monde et offrir le maximum de surface locative. Les lignes pures exigent un minimum d'ornement. Couronnant une série de décrochements, la pointe de la tour perce le ciel avec son mât argenté.

Le style international

Les architectes Mies van der Rohe, Walter Gropius et Marcel Breuer qui débarquèrent en Amérique au début des années 1930 étaient porteurs de la vision et du savoir-faire de l'avant-garde allemande du Bauhaus. Ils rejetaient le passé et imaginaient des cités futuristes de tours de verre fonctionnelles. Le siège des **Nations Unies** (p. 113), 1947-1952, est le résultat des efforts conjoints de nombreux architectes : le Français Le Corbusier, le Brésilien Oscar Niemeyer, le Suédois Sven Markelius et des représentants de 10 autres pays, coordonnés par l'Américain Wallace K. Harrison. Le parallélépipède du Secrétariat, premier immeuble new-yorkais entièrement vitré, domine de toute sa hauteur la courbe concave de l'Assemblée générale. **Lever House** (plan p. 376), 1953, de Gordon Bunshaft/Skidmore, Owings et Merrill, se compose d'une tour en verre, de couleur verte et juchée sur un socle horizontal posé sur des colonnes, au-dessus d'une esplanade. Elle donne l'impression de flotter au-dessus de Park Avenue. Le **Seagram Building** (plan p. 376), 1958, conçu par Mies Van der Rohe, est un étonnant bloc ambré de bronze et de verre posé sur une plaza. Van der Rohe, dont le budget était illimité, a produit un chef-d'œuvre

Le chantier de Lower Manhattan

Une fois passé le choc initial du 11 septembre 2001, on commença à penser à la reconstruction des 6,5 ha du site du World Trade Center de manière à faire un lieu de commémoration des victimes tout en récupérant les 930 000 m² de bureaux perdus. Les parties intéressées à l'affaire sont la New York and New Jersey Port Authority, qui construisit le World Trade Center, et le promoteur Larry Silverstein qui venait juste de reprendre le bail les tours jumelles pour 99 ans, six semaines avant l'attentat. D'autres groupes ont aussi leur mot à dire, notamment les représentants des familles des victimes et des sauveteurs, et toute personne ayant un avis sur l'architecture des gratte-ciel, la qualité de l'air et les transports. La Lower Manhattan Development Corporation (LMDC), qui coordonne le projet, organisa des forums, ouvrant le processus de planification au débat public.

Après que le public eut rejeté, durant l'été 2002, six projets ennuyeux commandés par la LMDC, un concours international fut organisé pour la reconstruction du site, avec obligation de préserver l'empreinte des tours, d'inclure un monument commémoratif, de créer un nouvel horizon audacieux et de remplacer les espaces de bureaux perdus. Le projet retenu parmi 406 propositions fut celui de Daniel Libeskind, un architecte renommé internationalement pour la qualité spirituelle de ses constructions, né en Pologne de parents rescapés de l'holocauste et qui a grandi dans le Bronx. Son plan prévoyait la création d'un espace de méditation à 21 m sous terre réutilisant les murs en béton retenant l'eau de l'Hudson qui avaient résisté aux effondrements. Une flèche terminée par des jardins devait s'élever à 533 m de hauteur. Elle était flanquée de 4 tours et de 2 centres culturels environnés de parcs. Les applaudissements à peine retombés, on apporta des correctifs au projet. La Port Authority mit son veto sur les 21 m en sous-sol parce que le mémorial gênait ses projets de parking, mais elle autorisa une profondeur de 9 m. Le promoteur fit appel à la vedette des gratte-ciel, l'architecte David Childs, pour redessiner la flèche, surnommée Tour de la Liberté ; une indemnité d'assurance lui étant refusée, il ne lui resta que la perspective de construire des boutiques à la place des tours envisagées.

Le lauréat du concours pour le mémorial qui reçut 5201 propositions du monde entier, fut un architecte de 34 ans, Michael Arad, qui avait travaillé pour le service du logement de New York. Son concept minimaliste se développait entièrement à ras de terre et prévoyait de remplacer les deux trous béants par des bassins avec cascades, agrémentés de quelques arbres. Très vite, on décida d'enrichir les plantations en faisant intervenir le paysagiste Peter Walker, et d'ajouter un mémorial souterrain accessible par une rampe mettant à nu les murs de béton. L'espace serait occupé par des objets récupérés sur le site et une sorte de coffre en pierre destiné à recevoir les restes non identifiés des victimes.

Sur le site, les travaux avancent. Les trains roulent à nouveau sur des rails neufs. Une gare temporaire doit céder la place à un grand centre de communications en verre et acier, conçu par l'architecte espagnol Santiago Calatrava, doté d'ailes en verre et d'une sorte de toit de cathédrale rétractable. On estime que la reconstruction du site sera achevée en 2011 pour un coût total de 9 milliards de dollars.

Cinq grandes réalisations dans les quartiers périphériques

- **Brooklyn Bridge** (p. 87), 1883. Un chef-d'œuvre d'art et d'ingénierie, avec ses grosses tours de granit reliées par une résille de câbles en acier. La réussite suprême de la famille Roebling : John, son fils Washington et sa femme Emily. De la voie piétonne, Manhattan apparaît sous son angle le plus photogénique.
- **Enid A Haupt Conservatory**, 1902. Dans le jardin botanique de New York (p. 149), cette grande serre de William R. Cobb inspirée de la Palm House de Kew Gardens (Londres), est la plus grande serre victorienne d'Amérique.
- **Green-Wood Cemetery Gate** (p. 139), 1865. Une entrée de cimetière néogothique spectaculaire réalisée par Richard Upjohn en grès brun avec des gâbles et des tours très ouvragés rehaussés de scènes de mort et de résurrection.
- **Sailor's Snug Harbor** (p. 152) Extraordinaire ensemble de bâtiments néogrecs construits au milieu du XIXe siècle pour des marins âgés et pauvres, devenu un centre culturel.
- **TWA Flight Center** au JFK International Airport (p. 319), 1962. Le grand architecte moderniste finlandais Eero Saarinen a conçu ce terminal tout en béton et en verre, aux formes incurvées qui évoquent l'envol.

du style international. Les tours en verre construites par la suite à moindres frais n'ont pas réussi à l'égaler.

Le postmoderne

Lassés des boîtes en verre, les architectes des années 1980 se sont brièvement replongés dans les styles d'époques antérieures. Philip Johnson, qui dessina le siège en granit rose de AT&T, aujourd'hui propriété de **Sony** (plan p. 376), 1984, combine trois époques dans un même édifice : une immense base néoromane, une section médiane en gratte-ciel de Chicago, couronnée par un fronton néogéorgien. Ce style a été largement décrié depuis, et l'architecture a repris sa marche en avant.

LA SCÈNE ARCHITECTURALE ACTUELLE

New York ne peut plus être taxée de résistance à l'innovation architecturale. Les constructions récentes sont à la pointe du progrès notamment grâce à la conception assistée par ordinateur. Les architectes choisis sont parmi les leaders mondiaux, comme Yoshio

Appartements dans Harlem

Taniguchi pour l'agrandissement du **Museum of Modern Art** (p. 115) et Fumihiko Maki pour l'extension en cours du siège des **Nations Unies** (p. 113). On attend pour bientôt la tour spectaculaire de Renzo Piano pour le *New York Times*, et l'on murmure le nom de Frank Gehry pour le nouveau stade de Brooklyn (voir p. 134). Les propositions du service municipal de l'urbanisme chargé de la réhabilitation des quartiers industriels excentrés et sur le déclin devraient introduire une mixité d'usages associant logements et activités commerciales. Naturellement, certains ne voient pas d'un bon d'œil la disparition de leur ancien mode de vie. La lutte entre l'attachement au passé et la construction de l'avenir continue.

La cuisine new-yorkaise

La cuisine new-yorkaise

HISTOIRE

À New York, un dîner au restaurant est un événement qui rivalise d'intensité avec une sortie à l'opéra, au théâtre ou au concert. Il s'agit d'un loisir à part entière qui suffit à remplir une soirée. Et si l'on peut admettre qu'il n'en a pas toujours été ainsi, la tradition remonte tout de même à plus de 175 ans.

Le premier restaurant des États-Unis, le luxueux Delmonico's, fut inauguré à Lower Manhattan en 1827 en tant que confiserie et devint rapidement le lieu de rendez-vous de la haute société. Sa carte de 100 pages, en anglais et en français, comportait alors des plats tel le Lobster Newburg ou le Baked Alaska de son invention. Sa cave était riche de quelque 16 000 bouteilles. L'établissement changea d'adresse à plusieurs reprises, notamment après sa destruction lors du grand incendie de 1835, et s'installa à l'angle de Fifth Ave et de 44th St. La Prohibition le contraint à la fermeture en 1923. En1999 il réapparaît enfin sous une enseigne de steakhouse, dans Lower Manhattan. Au début de son histoire, Delmonico's servit de modèle à nombre de tables huppées comme le Café Martin, Sherry's et le **Waldorf-Astoria** (p. 285) qui offraient aux classes aisées saumon au court-bouillon, soufflés, côtelettes de mouton, charlotte russe et autres mets européens.

Pendant ce temps, les New-Yorkais anonymes s'attablaient dans de petits restaurants bon marché ou commandaient auprès de marchands ambulants (25 000 en 1900) des plats du monde entier – rien d'étonnant dans une ville portuaire où débarquait alors un flot ininterrompu d'immigrants et de denrées en provenance de l'étranger. Les bars à huîtres, les cafétérias, les delis casher, les premiers vendeurs de hot dogs et les pizzerias (le premier **Lombardi's** vit le jour en 1905 ; voir encadré p. 182) s'installaient en nombre, ainsi que les restaurants chinois et allemands, ce qui finalement donnait un juste reflet des multiples composantes ethniques de la population. Très en vogue également, les restaurants de homards pratiquaient des prix beaucoup plus abordables qu'aujourd'hui. Ils offraient un mélange, à la fois chic et rustique, qui séduisait une clientèle aisée, émoustillée à l'idée de s'encanailler un peu.

Destinées tout d'abord aux communautés d'immigrants, les cuisines exotiques sont devenues un must et les amateurs se sont pris d'un engouement devenu aujourd'hui quasi obsessionnel pour les cuisines du monde. Ainsi, les New-Yorkais ne sauraient attendre avant de goûter telles nouvelles *masala-dosas* indiennes (fines crêpes de riz, fourrées d'un curry de pommes de terre et de petits pois) ou tels *arepas* colombiennes (épaisses galettes de maïs nappées de fromage fondu). La scène gastronomique se concentrait alors autour des tables haut de gamme, mais une autre tendance se manifestait déjà avec la prolifération d'adresses plus abordables. Aujourd'hui, ce sont les petits restos économiques de Chinatown et d'East Village qui drainent les gastronomes à petit budget. Puis vint l'époque des Automats, où des machines délivraient des sandwiches (le dernier, dans 42nd St, a fermé en 1991), des cafétérias incluant la chaîne Child's, les établissements allemands qui offraient de déjeuner pour 45 ¢, les pubs irlandais de Manhattan et les "penny restaurants" de Brooklyn (en particulier sur le rivage de Coney Island).

L'Exposition universelle de 1939 contribua largement à la mondialisation de la cuisine new-yorkaise. S'il ne s'agissait pas *a priori* d'une foire gastronomique, les pays invités ne manquèrent pas cette occasion de présenter leurs spécialités nationales et une large palette de saveurs exotiques. Certains cuisiniers venus pour l'occasion s'installèrent définitivement et ouvrirent des restaurants, dont Le Pavillon qui lança la vogue de la cuisine française, toujours d'actualité. Des plats originaires du Japon, de Turquie et de Belgique firent également leur apparition. Après cette période et jusque dans les années 1960, les tables grecques et moyen-orientales poussèrent comme des champignons dans Greenwich Village, proposant à des prix abordables nouvelles saveurs. La cuisine française brillait de tous ses feux avec des adresses comme La Côte Basque ou La Grenouille, et tenait le haut du pavé auprès d'une vague de restaurants américains (Four Seasons, "21" Club...) qui servaient de somptueuses côtes de bœuf.

Au même moment, James Beard entreprenait de révolutionner depuis chez lui à New York, l'idée même de cuisine américaine. Il débuta en 1937 à la tête d'une petite boutique d'alimentation, Hors d'Œuvre Inc, et écrivit par la suite une ribambelle de livres de cuisine, dont *Paris Cuisine* et *Fowl and Game Cookery*, avant d'apparaître dans la première émission culinaire de télévision. Enfin, il fonda la James Beard Cooking School pour y enseigner les préceptes de la bonne cuisine à base de produits locaux frais et sains. Après sa mort en 1985, sa *brownstone* à Greenwich Village fut transformée, sur une idée de Julia Child, en James Beard Foundation, seul centre d'histoire culinaire d'Amérique du Nord. Celui-ci propose des cursus d'enseignement et des repas préparés par de grands chefs, et remet chaque année des prix aux principales figures de la restauration.

CULTURE

Contrairement à la Californie ou au Sud, voire au Sud-Ouest des États-Unis, New York n'est pas associée à une cuisine caractéristique. Demandez par exemple un "plat new-yorkais" et vous trouverez dans votre assiette aussi bien un hot dog qu'une pizza, une spécialité chinoise ou une recette aux marrons et aux baies de genièvre élaborée par une grande toque locale comme Wylie Dufresne. Ici, la cuisine est mondiale par nature et en perpétuelle évolution. Elle satisfait tous les goûts et tous les budgets, tous les régimes et toutes les envies. Toutefois, si le paysage bio, diététique et végétarien a pris de l'ampleur et connu une véritable mutation ces dernières années, l'univers de la restauration (tout du moins à son sommet) tend frénétiquement vers toujours plus d'exotisme. On voit en effet émerger une kyrielle de chefs célèbres qui n'hésitent pas à accommoder les viandes de toutes les manières possibles et imaginables.

Les toques étoilées, de renommée locale ou nationale ne manquent pas. Mario Batali (de l'empire Babbo), David Bouley (French Danube, et **Bouley** p. 175), Daniel Boulud (DB Bistro Moderne, Café Boulud, et **Daniel**, p. 192), Tom Colicchio (Craft, et **Gramercy Tavern**, p. 185), Wylie Dufresne (71 Clinton Fresh Food et **WD 50**, p. 180, tous deux dans Lower East Side) et Thomas Keller (**Per Se**, un nouveau restaurant américain d'influence française, situé dans le Time Warner Center, voir encadré p. 188), comptent parmi les plus en vue. Ces dernières années, ils ont fait de la gastronomie new-yorkaise un grand spectacle avec célébrités, prix vertigineux, délais de réservation interminables et, bien entendu, une cuisine qui suscite un respect béat. En 2004, l'équipe des James Beard Awards a récompensé une majorité de chefs new-yorkais, notamment dans les trois catégories les plus prestigieuses ("meilleur nouvel établissement ", "meilleur restaurant" et "meilleur chef").

Dans un tel contexte, on ne dîne plus en ville dans le seul dessein de bien manger mais aussi pour vivre une expérience complète. Décors design, lumières étudiées et cartes savamment tentatrices contribuent à créer une ambiance qui transporte les convives. Impossible de passer outre, dans une ville où la clientèle s'enthousiasme pour l'adresse à la mode du moment (**Nobu**, qui a connu l'apogée de son succès au milieu des années 1990, en est un parfait exemple ; p. 175) avant de s'en lasser en l'espace de quelques mois pour s'enticher de la dernière nouveauté. Voilà qui produit en permanence des inaugurations en grande pompe et modifie la physionomie des quartiers. Ainsi, la récente émergence de l'Upper West Side, devenu un quartier où l'on dîne, grâce à des restaurateurs comme Tom Valenti, dont les établissements **'Cesca** (p. 191) et **Ouest** (p. 191) ont servi de locomotives. Revers de la médaille, des fermetures retentissantes provoquent des regrets nostalgiques mais néanmoins de courte durée. Parmi les dernières victimes en date : Grange Hall. Cet ancien bar clandestin devenu un classique, servait depuis 12 ans une nourriture copieuse dans une rue tranquille de West Village ; Lutece, une table française réputée, établie dans l'East Side de Manhattan depuis 43 ans ; et Gage and Tollner, steakhouse à l'ancienne avec des lampes à gaz, qui fonctionnait à Brooklyn depuis 1879. La presse locale a longuement commenté ces fermetures et les habitués ont certes protesté, mais finalement personne ne s'est précipité pour sauver les intéressés. L'eau, depuis, continue de couler sous les ponts.

SAVOIR-VIVRE AU RESTAURANT

De grâce, éteignez votre portable avant de passer à table. Certains restaurants arborent des pancartes qui l'interdisent, d'autres non. Quoi qu'il en soit, dès que retentit l'horripilante sonnerie, tout patron qui n'a pas encore procédé à une telle recommandation, le regrette ! Montrez-vous également respectueux du personnel : s'exprimer poliment, accompagner d'un "s'il vous plaît" une demande inhabituelle ou de dernière minute, et se signaler en levant simplement la main (sans siffler ni interpeller le serveur) peut faire des miracles. N'oubliez pas non plus de laisser un pourboire décent – 15% de la note pour un service moyen, un peu moins quand la prestation laisse à désirer et 20% minimum si vous êtes satisfait. En cas de manque d'égards ou d'erreur majeure de la part du serveur ou du chef, un bon restaurant vous fera souvent cadeau d'une petite partie du repas – un verre de vin, un dessert ou un hors-d'œuvre, par exemple. Vous plaindre avec courtoisie augmente bien sûr vos chances.

Réservations

Afin d'éviter les déconvenues, partez du principe qu'il faut réserver, en particulier le week-end quand cette précaution s'impose pratiquement à coup sûr. Les petits restaurants bon marché font exception car leurs clients ne s'attardent pas (outre le fait que la plupart ne pratiquent pas de réservations). Les tables les plus cotées nécessitent de réserver, parfois des semaines à l'avance. Si vous prévoyez de dîner au **WD 50** (p. 180), par exemple, effectuez votre réservation avant même d'arriver en ville ou, du moins, dès le tout début de votre séjour. Bien que les New-Yorkais aiment gloser sur les lieux soi-disant inaccessibles, il y a toujours un moyen de contourner la difficulté. Le truc consiste à réserver pour une heure peu fréquentée – avant 19h ou après 22h30 –, et vous êtes quasiment assuré d'avoir de la place. Bien sûr, le service sera moins fastueux, mais il s'agit d'une façon décontractée de découvrir un restaurant.

USAGES À TABLE

La manière de tenir son couteau et sa fourchette à New York ne devrait guère changer vos habitudes. En revanche vous observerez un engouement certain pour les baguettes, qui sont bien sûr la règle dans les établissements chinois, japonais ou thaïs mais que l'on va expressément demander pour déguster un plat asiatique dans un restaurant américain. Qu'il s'agisse d'une pose ou d'une marque de respect culturel, c'est de toute façon la norme locale.

PLATS DE BASE ET SPÉCIALITÉS

Les cuisines établies de longue date à New York déclinent tout un éventail de saveurs. Les spécialités italiennes et juives d'Europe de l'Est, qui correspondent aux vagues d'immigration les plus anciennes, font ainsi partie intégrante du paysage culinaire.

Un *pastrami* sur du pain de seigle ou une tranche de pizza, ne sont que des exemples parmi d'autres classiques incontestés. Le Reuben, sandwich grillé à base de pain de seigle, de corned-beef, de choucroute, de fromage suisse et de moutarde fut inventé à NYC en 1914 par Arnold Reuben dans sa sandwicherie Reuben's, aujourd'hui disparue ; on le trouve à présent dans la plupart des delis.

Les steakhouses, une tradition qui débuta avant l'introduction d'influences étrangères par l'Exposition universelle, offrent un aperçu de l'atmosphère d'antan. **Peter Luger Steakhouse** (p. 196), dans Williamsburg, compte parmi les meilleures institutions du genre. Cependant, le terme de "steak new-yorkais" n'a plus guère de sens dans une ville où ces établissements servent tout aussi bien un bon vieux châteaubriant qu'un filet de bœuf frotté à l'ail.

Et puis il y a les Chinois. Depuis la fin du XIXe siècle, époque à laquelle le chop suey aurait été inventé par les cuisiniers de l'ambassadeur de Chine en visite à New York pour répondre au goût américain, les habitants ont adopté la cuisine de l'Empire du milieu (en particulier les juifs pour qui elle avait l'avantage d'être disponible le dimanche, jour de repos des chrétiens). De nos jours, le chop suey figure rarement au menu, mais on peut en revanche déguster des recettes chinoises plus raffinées – généralement du Hunan ou du Sichuan – presque à chaque coin de rue de Manhattan. D'ailleurs, "chinois" est pratiquement devenu synonyme de "plat à emporter".

HOT DOG

La longue histoire du hot dog connaît de multiples versions. Ce dérivé de la saucisse, une des formes les plus anciennes de produit alimentaire industriel, arriva à New York par l'intermédiaire de bouchers européens au XIXe siècle. L'un d'eux, l'Allemand Charles Feltman, fut apparemment le premier à vendre des hot dogs (le nom lui-même a des origines contestées) dans des charrettes le long du rivage de Coney Island. Ce fut toutefois Nathan Handwerker, un autre immigrant allemand, qui les rendit célèbres. D'abord employé par Feltman, cet entrepreneur avisé économisa assez d'argent pour monter sa propre boutique. Il s'installa en face de son concurrent et vendit sa marchandise deux fois moins cher, vantant ses dogs sur de larges panneaux. Son affaire prospéra et, à l'ouverture de la station de métro Stilwell Avenue dans les années 1920, sa popularité explosa, obligeant Feltman à mettre la clé sous la porte dans les années 1950. Bien que son empire commercial ait pris une ampleur nationale, le **Nathan's** d'origine (p. 196) se tient aujourd'hui encore dans Coney Island, à l'angle de Stillwell Avenue et de Surf Avenue où il accueille le 4 juillet un concours de mangeurs de hot dogs. Il a également des émules à presque tous les coins de rue. Si certains habitants n'y toucheraient pour rien au monde, leur préférant les nouvelles enseignes spécialisées prétentieuses comme **F&B** (p. 186) ou **Dawgs on Park** (p. 182), d'autres ne jurent que par eux. Savourez le vôtre avec tous les ingrédients requis : une bonne dose de moutarde brune relevée, des pickles, de la choucroute et des oignons.

PIZZA

La pizza n'est certes pas née ici, mais sa version new-yorkaise s'avère très spécifique. Par ailleurs, c'est à New York que **Lombardi's** (p. 182), la première pizzeria des États-Unis, a accroché son enseigne en 1905. Contrairement aux pizzas de Chicago et de Californie qui se caractérisent respectivement par une pâte épaisse et une pâte légère peu cuite, celle de New York possède la pâte la plus fine, nappée d'une couche de sauce encore plus mince. Elle se présente sous forme de *slices* (tranches) triangulaires (ou carrées dans le cas de la *slice* sicilienne). La pizza s'est imposée à New York au début du XIXe siècle avec l'arrivée des immigrants italiens et son adaptation locale a rapidement connu le succès (dans cette ville toujours pressée, la minceur de la pâte permettait une cuisson plus rapide). Actuellement, il existe des échoppes spécialisées environ tous les dix pâtés de maisons, notamment à Manhattan et dans la majeure partie de Brooklyn où une portion revient autour de 1,50 $. Le style varie peu – pizzas ultra fines, ou plus épaisses et difficiles à mastiquer – mais la gamme des nouvelles garnitures va des crevettes aux cerises. Parmi les enseignes les plus réputées, citons La Famiglia, **Grimaldi's** (p. 196) et Ray's (les diverses variantes du nom, le plus souvent sans rapport avec l'original, constituent une source de confusion permanente – vous verrez ainsi des Ray's Famous, Famous Ray's, Original Ray's et Famous Original Ray's partout en ville ; pas de panique, ils sont tous bons !). Quel que soit l'endroit où vous achetez votre slice, vous devrez apprendre à la manger proprement tout en marchant : pliez-la en deux dans le sens de la longueur, tenez-la d'une seule main et dévorez-la à belles dents.

Egg cream

Contre toute attente, ce breuvage mousseux d'antan ne contient pas d'œufs, simplement du lait, de l'eau de seltz et du sirop de chocolat (de préférence le classique Fox's U-Bet fabriqué à Brooklyn) en abondance. Quand Louis Auster de Brooklyn, qui possédait des buvettes dans le Lower East Side, l'inventa en 1890, il utilisait du sirop aux œufs et ajoutait de la crème pour épaissir la préparation. Malgré la modification des ingrédients, le nom resta et le produit fut bientôt disponible dans toutes les buvettes de New York. À l'époque, Auster le vendait 3 cents pièce. De nos jours, il coûte entre 1,50 à 3 $ suivant que vous l'achetez dans une boutique à l'ancienne, telle **Lexington Candy Shop** (p. 193) dans l'Upper East Side, ou dans un *diner* kitsch à la mode comme **Empire Diner** (p. 185). Il fut un temps où l'on en trouvait difficilement, mais il a fait son retour à la faveur d'une vague de nostalgie.

BAGEL

Inventé en Europe, le bagel a été amélioré à New York au tournant du XIXe siècle. Lorsque vous l'aurez goûté ici, vous aurez du mal à l'apprécier ailleurs. En substance, il s'agit d'un anneau de pâte levée, bouilli puis cuit au four et éventuellement saupoudré de graines de sésame, de pétales d'oignons séchés ou d'autres ingrédients. Le plus souvent, les "bagels" fabriqués dans d'autres coins des États-Unis sont uniquement cuits au four et ressemblent par conséquent à de vulgaires petits pains ronds percés d'un trou. Et même quand ils sont bouillis, leur goût diffère car, au dire des spécialistes, l'eau de New York confère à la préparation une saveur sucrée unique. Le matin, on peut acheter dans la rue des bagels pour 50 ¢ à condition de ne pas être regardant sur la qualité. Quel boulanger fabrique les meilleurs bagels ? La réponse est sujette à maintes controverses. Cependant, la plupart des gens classent **H&H Bagels** (enseignes dans Manhattan) dans le haut du panier. Les New-Yorkais commandent traditionnellement un "bagel and a schmear", c'est-à-dire recouvert d'une épaisse couche de fromage à tartiner. On peut toutefois y ajouter du saumon fumé dont les marchands ambulants juifs vendaient de fines tranches dans le Lower East Side au début du XXe siècle. Cousins des bagels en moins populaires, les *bialys*, autre spécialité locale, sont des sortes de petits pains avec une croûte. **Kossar's** (p. 180), dans le Lower East Side, vend sans conteste les plus savoureux.

LE CHEESE CAKE NEW-YORKAIS

Certes, il existe en Europe, sous une forme ou une autre, depuis le XVe siècle, mais les New-Yorkais se sont approprié sa recette et l'ont modifiée à leur façon comme de nombreuses autres spécialités étrangères. Immortalisé par le restaurant **Lindy's** (Broadway, 50th St), que Leo Lindemann inaugura à Midtown en 1921, ce gâteau à base de fromage frais, de crème épaisse, d'un soupçon de vanille et de cookies écrasés a commencé à connaître un grand succès dans les années 1940. **Junior's** (p. 196), ouvert dans Flatbush Ave à Brooklyn en 1929, sert sa propre version réputée dont le dessus se compose de biscuit à la farine complète. Aujourd'hui, le cheese cake figure fréquemment sur les cartes des desserts, que vous soyez dans un restaurant grec ou dans un fief de la haute cuisine.

BOISSONS

VIN

Si l'histoire de la viticulture dans l'État de New York remonte au XIXe siècle, ce n'est qu'en 1976 que l'industrie du vin connut son véritable essor. À cette époque, une loi autorisa en effet l'établissement de chais dans les petites exploitations, permettant aux agriculteurs de planter des vignobles partout où le sol et le climat étaient propices. Parmi les principaux producteurs, la région des Finger Lakes, dans l'intérieur de l'État, abrite plus de 60 caves. Plus proches de la ville, celles de Long Island se concentrent surtout à North Fork, mais il en existe aussi à South Fork (les Hamptons ; voir p. 292). **Vintage New York**, avec une grande boutique à **Soho** (482 Broome St) et une autre dans l'**Upper West Side** (2492 Broadway), vend exclusivement des crus locaux. L'enseigne offre des dégustations gratuites et des conseils avisés. Surtout, elle a pour atout majeur d'ouvrir le dimanche quand les autres magasins de vins et spiritueux baissent leur rideau (affiliée à une cave du nord de l'État, elle bénéficie d'un statut à part). L'engouement des New-Yorkais pour le vin en général ne cesse de croître. Il y a quelques années encore, New York ne comptait qu'une douzaine de bars à vins contre une cinquantaine à présent. Nous vous conseillons en particulier **Rhône** (p. 208) et **Il Posto Accanto** (p. 205).

BIÈRE

S'il faut parler de bières locales, NYC se classe largement derrière la plupart des autres grandes villes américaines. La **Brooklyn Brewery** (p. 214), à Williamsburg (79 N 11th St), première brasserie enregistrant une réussite commerciale depuis la fermeture, en 1976, de Schaefer et de Rheingold, fait toutefois exception à la règle. Fondée en 1987, elle a inauguré en 1996 des locaux de 70 000 m^2 et produit depuis plus d'une douzaine de bières primées très prisées. Son produit phare, la Brooklyn Lager, est largement diffusée dans les bars et les magasins de la ville. Vous pouvez visiter l'usine et profiter le vendredi de son happy hour (18h-22h) qui

Le martini américain à la new-yorkaise

Les New-Yorkais apprécient les martinis américains classiques, mais la mode les porte davantage vers les versions plus créatives de ce cocktail. Le *Cosmopolitan* – vodka glacée, airelles et jus de pamplemousse, le tout servi sur le champ avec du citron vert – a été le précurseur. Même si sa popularité subsiste, les habitués des clubs et des lounges souhaitent désormais voir dans les verres triangulaires des mélanges plus inédits et plus fous. On rencontre ainsi des *lycheetinis* et des *chocolatinis*, voire des *saketinis* (où la vodka est remplacée par du saké) et des *tablatinis* (**Tabla**, p. 185), additionnés d'un mélange piquant d'ananas frais et de *lemon-grass*.

attire beaucoup de monde. Signalons aussi deux autres brasseries plus modestes : **Heartland Brewery** (p. 211) et **Chelsea Brewing Company** (p. 104). Pour goûter les différentes productions, vous aurez l'embarras du choix car nombre de bars offrent désormais une sélection étendue de pressions et de bières en bouteille. **D.B.A.** (p. 205), notamment, propose une kyrielle de marques.

CAFÉ

Il n'y a pas si longtemps, il fallait se rendre sur la côte Ouest pour siroter un bon café. Mais depuis cinq ans (et l'invasion de la ville par la chaîne Starbucks), les adresses abondent à New York. Parmi elles, **Dean & DeLuca** (carte p. 372 ; University Pl), **Jack's** (carte p. 372 ; 136 W 10th St) et **Porto Rico Importing Co** (trois enseignes à Downtown) qui préparent un excellent *latte*. Les conservateurs s'en tiennent toutefois au café à 1 $ servi dans une tasse à emporter décorée d'une colonne romaine bleue . Commander un "regular", équivaut en langage new-yorkais à demander un café avec du lait et un morceau de sucre. Les maisons de thé commencent aussi à se développer. Ainsi **Teany** (p. 180) et **Franchia** (p. 187) où la carte est aussi épaisse qu'un livre.

REPAS DE FÊTE

Comme tout le monde, les habitants de New York aiment se réunir autour d'une table de temps à autre. Hélas, la nature pressée des citadins, ajoutée à l'exiguïté des logements, rend rares, voire inexistantes, les occasions de manger ensemble. Dîner dehors est donc devenu la solution pour célébrer les grandes occasions, y compris les fêtes familiales comme Thanksgiving et Noël qui se déroulent traditionnellement à la maison dans le reste du pays. Les restaurants de NYC profitent bien sûr de l'aubaine. Récemment, certains proposaient des menus pour la Pâque juive (en lieu et place du *séder*) comprenant, par exemple, une soupe de légumes avec des boulettes de *matzo* au *chipotle* (dans un restaurant mexicain tenu par un juif lituanien né à Mexico) en guise d'entrée ou un dessert à base de matzo, de guimauve de chocolat et de groseilles (dans un endroit couru de l'Upper West Side). Même le 4 Juillet, les New-Yorkais vont au restaurant pour déguster des côtelettes et du poulet, sauf ceux qui vivent dans les *boroughs* périphériques et peuvent allumer leur barbecue devant la maison.

OÙ SE RESTAURER ET BOIRE UN VERRE

Les restaurants se déclinent sous maintes formes. Les plus courants offrent des tables élégantes avec des nappes, un code vestimentaire tacite (pas de jeans coupés ni de soutien-gorge en guise de corsage, par exemple) et des prix élevés. Des lieux plus décontractés offrent un service moins empressé et pratiquent des prix moyens. Les restaurants grecs, sans prétention aucune, ont des tables compartimentées, des serveuses à l'ancienne, des plateaux tournants pour les desserts et une carte où la moussaka figure toujours en bonne place. Les *delis*, un peu comme les *diners*, mais en plus rapide, proposent des spécialités juives comme le *pastrami* sur du pain de seigle ou la soupe aux boulettes de *matzo* ; enfin, les cafés, présentent un choix réduit et sont peu onéreux.

Si vous souhaitez simplement prendre un verre, vous pourrez hanter divers types d'établissements : les bars minables, sombres et fréquentés par une faune d'alcooliques patentés et de branchés venus s'encanailler ; les pubs, généralement irlandais, avec de la Guinness à la pression et des barmen joviaux ; les bars sportifs, remplis de mâles chahuteurs et d'écrans de télévision, où la bière coule à flot ; les bars à vins stylés qui proposent une vaste sélection de crus au verre ; et les lounges, lieux en vogue s'il en est, arborant souvent un cadre design avec canapés, musique douce et lumières tamisées.

Katz's Deli (p. 180)

CUISINE VÉGÉTARIENNE

Longtemps restée en deçà de la Californie et des autres régions de la côte Ouest, la scène végétarienne new-yorkaise continue de susciter la moquerie des gastronomes purs et durs. Toutefois, si NYC n'a pas l'équivalent d'Alice Waters, on note ces dernières années un mouvement majeur dans ce sens qui se traduit par un boom des restaurants de cuisine diététique et végétarienne. East Village en regroupe le plus grand nombre – au moins une douzaine – avec notamment des tables branchées comme **Sanctuary** (p. 181), **Angelica Kitchen** (p. 181) et **Counter** (p. 181). En raison de la tradition bouddhiste, Chinatown recèle depuis longtemps des adresses qui remplacent la viande par d'autres produits, la **Vegetarian Dim Sum House** (p. 178) en est le parfait exemple. Mais désormais, peu importe le quartier car Chelsea, West Village et même Harlem ou l'Upper East Side abritent leur lot de restaurants, bons de surcroît. Par ailleurs, si les magasins diététiques ont toujours existé, la demande semble en hausse. **Whole Foods** (carte p. 376), une chaîne nationale de supermarchés bio, a ouvert avec succès une enseigne à Chelsea il y a deux ans et vient d'inaugurer en fanfare une nouvelle très grande surface dans le **Time Warner Center**. Une autre devrait voir le jour dans Park Slope, à Brooklyn.

ENFANTS

De prime abord, difficile de savoir quels restaurants accueillent volontiers les enfants. Reste donc à faire preuve de bon sens. Par exemple, si votre bébé risque de se mettre à hurler en se réveillant dans sa poussette, ne l'emmenez pas chez Babbo, ni d'ailleurs dans aucun établissement haut de gamme. Les gens qui prennent la gastronomie au sérieux n'ont aucune envie de supporter des bambins qui s'agitent autour d'eux. Les *diners*, animés et bruyants, conviennent en revanche parfaitement aux petits, tout comme la plupart des *delis*. En outre, beaucoup d'endroits courtisent la clientèle enfantine en affichant des menus élaborés pour les moins de 12 ans et leur proposent de quoi s'occuper ; essayez **Bubby's** (p. 175) et **Two Boots Pizzerias** (p. 182) dans East Village.

SUR LE POUCE

Pour manger en vitesse, NYC ne manque pas de possibilités. Des marchands ambulants de hot dogs, tacos, soupes maisons et autres falafels aux traiteurs coréens présentant d'immenses buffets de salades et des comptoirs de sandwiches, vous ne risquez pas de mourir de faim. En outre, toute la ville, en particulier les quartiers de Downtown comme East et West Village, regorge de minuscules échoppes spécialisées proposant crêpes, plats thaïlandais, curries, sandwiches grecs, pizzas, sushis ou pommes frites – vraiment de tout – en moins de 5 minutes et pour moins de 5 $. C'est aussi cela New York.

Histoire

 Kathleen Hulser

LE PASSÉ RÉCENT

LES FOLLES ANNÉES 1990

En 1990, le magazine *Time* titrait : "New York : The Rotting Apple"("New York : la pomme pourrie"). Toujours convalescente après le krach immobilier de la fin des années 1980, la ville devait faire face à la décrépitude de ses infrastructures, à la fuite des emplois et à l'installation en banlieue de nombreuses grandes sociétés. Survint alors le marché de l'Internet qui transforma des hurluberlus en millionnaires et la bourse de New York en haut lieu de la spéculation. Maintenue à flot par les revenus des introductions en bourse, la ville se lança alors dans une frénésie de construction, d'activités commerciales et de fiestas, qui n'avait pas connu un tel degré depuis les années 1920.

Favorable aux milieux d'affaires et au maintien de l'ordre, le maire Rudy Giuliani entreprit de faire migrer vers des quartiers éloignés les populations les plus démunies de Manhattan qui laissèrent la place aux yuppies pressés de dépenser leurs revenus astronomiques. Caustique et agressif, l'implacable édile fit les gros titres des journaux avec sa campagne énergique d'éradication de la criminalité, allant jusqu'à chasser les sex-shops de la 42e rue. Il cibla les quartiers les plus touchés, utilisa les statistiques pour répartir la présence policière et appliqua une politique de "tolérance zéro" envers les délits mineurs, parvenant ainsi à faire de New York la métropole la plus sûre des États-Unis. Dans les années 1990, la chute impressionnante de la criminalité provoqua dans la ville qui ne dort jamais un immense appétit de vie nocturne. New York ayant refait peau neuve, les restaurants poussèrent comme des champignons, la Semaine de la mode connut un succès international et la série *Sex and the City* diffusa dans le monde entier l'image des célibataires new-yorkaises, sophistiquées, perchées sur des talons aiguilles Manolos.

Pendant ce temps, pour le plus grand bonheur des métiers du bâtiment, les prix de l'immobilier augmentèrent, entraînant la construction de nouveaux gratte-ciel, la reconversion d'entrepôts et la rénovation de logements. Libérés de l'incertitude qui avait régné sous le mandat du prudent David Dinkins, leur premier maire afro-américain, les New-Yorkais affichèrent leur récente richesse. Des secteurs du Lower East Side qui abritaient des galeries d'artistes dans les années 1970 et 1980 se métamorphosèrent du jour au lendemain en blocks bourgeois, bardés de systèmes d'alarmes, et dont les seules charges équivalaient au salaire de bien des gens. Dans les bars, on se mit à servir des bières exclusives à 9 $ et des mixtures branchées, à base de vodka (cocktail *cosmopolitan*).

Le maire n'a pas semblé se préoccuper outre mesure des laissés-pour-compte de la prospérité. Les gens ordinaires eurent, dès lors, non seulement du mal à trouver de nouveaux logements mais assistèrent en outre au rétrécissement du marché de la location, de nombreux appartements étant transformés en copropriétés. En parallèle, la population de la ville ne cessa d'augmenter avec l'afflux de jeune diplômés ambitieux dans le centre dédié à la finance. À l'aéroport JFK, le nouvel Ellis Island, continuent de débarquer en nombre des candidats à l'immigration, originaires d'Asie du Sud-Est ou d'Amérique du Sud, prêts à s'entasser dans des logements exigus de la périphérie. Washington Heights compte un si grand nombre de Dominicains que les politiciens de la République dominicaine ont mené campagne à New York pour les élections dans leur pays. Pour les résidents de Manhattan,

Chronologie

vers 1500	1625–1626
Environ 15 000 Indiens vivent sur 80 sites de l'île de Manhattan	La Cie hollandaise des Indes occidentales fait débarquer onze esclaves à la Nouvelle-Amsterdam

Brooklyn et le Queens représentent désormais des enclaves ethniques fascinantes, où l'on se rend pour assouvir sa soif d'exotisme.

NEW YORK ET LE 11 SEPTEMBRE

L'attaque terroriste du 11 septembre 2001 précipita une période de chômage et de restrictions économiques que le dégonflement de la bulle financière de l'électronique avait déjà anticipée. Il fallut des mois au centre de Manhattan pour émerger des ruines fumantes du World Trade Center, les photos des personnes disparues dans la tragédie se délitant lentement sur les murs de brique. Pendant que les équipes de déblaiement se frayaient un chemin à travers les décombres, la ville affronta courageusement les alertes terroristes et la menace de l'anthrax pour pleurer ses morts. Le traumatisme et le deuil rassemblèrent, dans une même volonté de ne pas succomber au désespoir, des citoyens habituellement divisés. Avant la fin de l'année, des groupes se formaient déjà dans les ateliers "Imagine New York", afin d'élaborer des projets de reconstruction incluant un mémorial à l'emplacement de Ground Zero.

DEPUIS LES ORIGINES

LES AMÉRINDIENS

Le rivage caractéristique de New York a été sculpté par les glaciers, il y a entre 75 000 et 17 000 ans. La fin de l'ère glaciciaire y a laissé des collines de débris glaciaires, les actuelles Hamilton Heights et Bay Ridge, et de nombreuses anses et vallées inondées, telles que Long Island Sound, East River et Arthur Kill. En érodant la roche tendre, les glaciers ont fait apparaître sur le site de Manhattan une base composée de gneiss et de schiste. Environ 11 000 ans avant que les premiers Européens ne traversent les Narrows à la voile, les Indiens Lenapes occupaient le territoire. La découverte de pointes de lances et de flèches, ainsi que des amoncellements d'ossements et de coquilles, a permis d'attester leur présence. Quelques-uns de leurs sentiers ont subsisté jusqu'à nos jours ; c'est le cas de Broadway qui, à l'origine, était un chemin qui permettait de relier Manhattan à Albany, lieu de commerce des peaux de castors. Le nom de "Manhattan" dériverait du

Quelques ouvrages historiques

En furetant chez les bouquinistes et libraires, vous tomberez peut-être sur l'un ou l'autre de ces ouvrages anciens ou nouveaux.

- *NewYork : Chronique d'une ville sauvage*, Jerome Charyn (Gallimard Découvertes, 1994). Parcourez l'histoire et les rues de Manhattan aux côtés d'un écrivain new-yorkais de grand talent. Une rencontre nécessaire pour qui aime la littérature et veut approcher l'âme de New York.
- *Histoire de New York*, François Weil (Fayard, 1999). Une brillante synthèse des composantes économique, politique, sociale et culturelle qui ont façonné cette mégapole américaine au fil de quatre siècles d'histoire mouvementée.
- *11 septembre. Rapport de la commission d'enquête* (Ed.des Equateurs, 2004). Le rapport final de la commission américaine sur l'attaque terroriste advenue au cours de cette terrifiante journée, passe au crible "les faits et les circonstances liés aux attaques terroristes". Un formidable outil d'analyse géopolitique qui se lit comme un récit d'espionnage.
- *Gotham. A History of New York City to 1898* – Edwin G Burrows et Mike Wallace (non traduit). Vingt ans de travail ont abouti à cet ouvrage historique magistral, salué par un prix Pulitzer. Une somme de 1 000 pages qui se déguste aisément en petites portions.

Années 1690	1788–1790
Le gouverneur Benjamin Fletcher distribue d'immenses domaines à ses amis ; il accueille les pirates dans le port de New York	New York, capitale des États-Unis

vocabulaire munsee, la langue des Lenapes, et pourrait signifier "île vallonnée" ou encore "lieu d'enivrement général".

Les Lenapes ne se considéraient pas comme une nation, mais coexistaient sous la forme de petits groupes dont les noms désignent aujourd'hui des rivières, des villes et des baies. Les Hackensacks résidaient sur la rive de l'Hudson où se trouve Jersey. Les Raritans occupaient les mêmes abords ainsi que Staten Island. Les Massepequas, Rockaways et Matinecocks vivaient en bordure du Long Island Sound. L'île de Manhattan était investie par les Wiechquaesgecks, les Rechgawanches et les Siwanoys. Les pelleteuses, à l'occasion de travaux, exhument parfois leurs campements.

LES EXPLORATEURS

En 1524, le Florentin Giovanni da Verrazzano explora la baie de New York qu'il qualifia de "très beau lac". Aujourd'hui, les visiteurs qui arrivent par voie maritime abordent ces mêmes lieux en passant sous le magnifique Verrazzano Bridge (on peut l'admirer chaque automne, vu d'hélicoptère, lors du départ du marathon de New York). Un an plus tard, le Portugais Esteban Gomez, un ancien timonier de Magellan, remonta le cours de l'Hudson. Pendant son bref séjour dans le Nouveau Monde, il captura 57 Amérindiens qu'il vendit comme esclaves à Lisbonne. Lorsque Henry Hudson, employé par la Compagnie hollandaise des Indes occidentales, débarqua en 1609, les rencontres avec les tribus autochtones commençaient déjà à susciter deux types de témoignages contrastés, certains évoquant des "bons sauvages" là où d'autres ne voulaient voir que des "brutes primitives".

L'ARRIVÉE DES EUROPÉENS

À l'image des autres avant-postes coloniaux européens, le minuscule port de la Nouvelle-Amsterdam grouillait du meilleur et du pire des réprouvés de la société du XVIIe siècle. Avec ses tavernes prisées des marins, cette ville marchande où résonnaient tant de langues diverses, était le fief de la Compagnie hollandaise des Indes occidentales. Différentes monnaies s'y côtoyaient, dont les *wampums* indiens, les pièces de huit espagnoles, les doublons d'or, l'argent, et d'autres valeurs d'échange comme les fourrures et le tabac. Peter Minuit, le gouverneur de la compagnie, avait probablement réalisé l'opération immobilière du millénaire en "achetant" l'île de Manhattan aux tribus locales pour 60 florins (l'équivalent de 24 €.). Du côté des Indiens, peu accoutumés au transfert de propriété définitif, on croyait alors que le marché concernait seulement la location des terres et le droit de chasse, de pêche et de commerce.

D'emblée, les gouverneurs de la Nouvelle-Amsterdam montrèrent davantage de dispositions pour l'enrichissement personnel que pour l'administration du territoire. Les colons se plaignaient de l'approvisionnement insuffisant et des mauvaises conditions de logement tandis que les murs du "fort"croulaient sous les assauts du bétail errant. Dans le même temps, le gouverneur Willem Kieft s'aliéna les Indiens au point que leurs tribus se coalisèrent contre les Européens agresseurs. Lorsqu'en 1647 Peter Stuyvesant débarqua pour remettre de l'ordre, la population atteignait environ 700 âmes et Kieft s'était retiré pour profiter de ses gains bien mal acquis.

LA PROSPÉRITÉ

Peter Stuyvesant s'employa à remettre sur pied la colonie déprimée. Il établit des marchés et une ronde de nuit, fit réparer le fort, creuser un canal (sous l'actuelle Canal St) et aménager un quai de marchandises municipal. De son expérience d'ancien

1795	1864
Épidémie de fièvre jaune ; les riches se réfugient à la campagne	Complot des confédérés pour incendier New York

gouverneur de Curaçao, il avait la vision d'un port de commerce prospère et ordonné. D'ailleurs, l'économie florissante du sucre dans les Caraïbes inspira l'investissement dans le commerce des esclaves si bien que cette main-d'œuvre forma bientôt 20% de la population de la Nouvelle-Amsterdam. Au bout de longues années de service, certains furent partiellement affranchis et se virent attribuer des "Negroe Lots" près des actuels Greenwich Village, Lower East Side et City Hall. (Des vestiges de leur **cimetière africain** ont récemment été mis au jour dans Reade St, p. 84). La Compagnie hollandaise des Indes occidentales encouragea sur les îles une économie de plantations fructueuse, fit la promotion du territoire et accorda des avantages aux marchands pour les attirer dans le port en expansion. Si la liberté de culte pour les juifs et les quakers ne figurait pas au programme, les colons affluèrent néanmoins. Dans les années 1650, des entrepôts, des ateliers et des maisons à pignon s'étendaient déjà au-delà du centre dense situé dans Pearl St le long de l'East River.

Le commerce actif des fourrures, du tabac et du bois permettait aux colons et aux Amérindiens de se fournir en alcools, armes à feu, bouilloires et tissus. La mémoire de ce commerce subsiste aujourd'hui encore dans le sceau de la ville, des bâtiments et des documents municipaux. Sise à la pointe de l'île, la Nouvelle-Amsterdam bénéficiait d'une position stratégique pour superviser le trafic des peaux descendant l'Hudson et arrivant par le fleuve Connecticut, mais cela même la rendait vulnérable. Le "mur"érigé le long de Wall Street avait ainsi pour fonction de protéger la ville des Indiens et des Anglais.

Sur le long terme, la prospérité prit le pas sur l'appartenance nationale et lorsque les navires de guerre anglais se montrèrent en 1664, Stuyvesant se rendit sans même livrer bataille. La colonie fut rebaptisée New York en l'honneur du duc d'York, frère du roi Charles II, et la couronne octroya de vastes terres à ses favoris. Les lois et coutumes hollandaises coexistèrent néanmoins avec leurs équivalents anglais.

L'Apollo Theater (p. 127)

1882	1883
L'Oriental Exclusion Act interdit l'immigration chinoise et limite les droits	Inauguration du pont de Brooklyn le 24 mai ; 150 000 personnes le traversent

LA LUTTE POUR LE CONTRÔLE DE NEW YORK

Les forces en présence étaient promptes à se quereller. Ainsi, la révolte de Leisler s'acheva en 1691 avec l'exécution de ses meneurs à l'emplacement de l'actuel City Hall Park. Dans les années 1730, l'opposition à la férule coloniale anglaise pouvait s'exprimer à travers le *Weekly Journal* de Peter Zenger. Traduit en justice après avoir critiqué le roi et le gouverneur, il fut acquitté à l'issue d'un procès qui reconnut le droit à la liberté d'expression et à la représentation démocratique des colons. Parallèlement, quelque 2 000 esclaves tentaient de résister à leur condition. Lors du *grand complot de* 1741, des esclaves noirs et leurs complices blancs furent accusés de préparer un incendie criminel et une insurrection dans une taverne non loin du site choisi plus tard pour édifier le World Trade Center. Les édiles firent exécuter 64 personnes, dont 17 sur le bûcher. Deux dépouilles découvertes dans le cimetière africain pourraient être celles de condamnés.

L'intensification du commerce avec les Caraïbes se traduisit par la construction de quais le long de l'East River, destinés à accueillir les nombreux navires marchands. Au XVIIIe siècle régnait une économie florissante que les habitants s'employaient de leur mieux à détourner de Londres. La contrebande destinée à esquiver les taxes portuaires était habituelle et la côte déchiquetée se prêtait parfaitement aux activités illégales (comme l'ont également découvert les trafiquants de drogue du XXe siècle). Foyer de têtes brûlées et de fraudeurs, New York fut le théâtre d'une confrontation fatale entre les colons et le roi George III.

LA GUERRE D'INDÉPENDANCE

De la fraude portuaire à leur déclaration formelle d'indépendance, en passant par le droit de port d'armes, les colons avaient déjà fait, dans les années 1760, un grand pas sur le chemin de la révolution. L'épisode de la "Tea-party" de Boston (1773), contestation contre les lois fiscales sur les importations de thé, se répercuta dans le port de New York.

Les patriotes américains et les *tories* fidèles au souverain britannique s'affrontèrent dans l'arène publique, les premiers dressant des poteaux de la liberté que les seconds arrachaient. À New York, le général George Washington mena quelques modestes batailles suivies d'une fuite nocturne de l'autre côté de l'East River. Après avoir remporté la bataille de Long Island et repoussé les troupes populaires de Washington à Washington Heights en 1776, les Britanniques occupèrent la ville pendant le reste de la révolution américaine. Les patriotes s'enfuirent et le pouvoir monarchique bénéficia de l'aide des esclaves qu'il avait pris soin d'affranchir. En quittant le port de New York en 1783, la flotte anglaise emmena d'ailleurs avec elle près de 3 000 anciens esclaves pour peupler le Canada et d'autres colonies. À **Fraunces Tavern**, Washington fit un adieu en grande pompe à ses officiers et se retira de ses fonctions de commandant en chef.

Mais en 1789, à sa grande surprise, le général à la retraite fut proclamé président de la nouvelle République au **Federal Hall** (qui existe toujours à Wall Street. Se distinguant par sa simplicité et son patriotisme, il portait pour l'occasion un costume en drap fin de fabrication américaine et alla prier après la cérémonie sur un banc que l'on peut encore voir de nos jours dans la **St Paul's Chapel** voisine. La proximité du Capitole avec le centre financier des marchands de Wall St suscitait toutefois la méfiance du peuple si bien que le siège de la présidence fut rapidement transféré à Philadelphie.

LES DÉBUTS D'UNE GRANDE MÉTROPOLE

Après quelques déboires au début du XIXe siècle, la ville en plein essor économique trouva les ressources nécessaires pour mener à bien de grands chantiers publics. Les immigrants irlandais participèrent au percement du canal Érié, long de 584 km, entre

1904	1907
Ouverture du Luna Park à Coney Island, suivi du parc d'attractions Dreamland ; le métro IRT transporte ses premiers passagers	Premier rassemblement à Times Square pour célébrer la nouvelle année

l'Hudson et Buffalo. Principal instigateur du projet, le gouverneur Clinton l'inaugura en versant cérémonieusement un tonneau d'eau du lac Érié dans la mer (le fût en question est exposé à la **New-York Historical Society**, (p. 121). Le Croton Water System, un impressionnant réseau d'aqueducs, acheminait l'eau à New York, soulageant la soif des habitants et apportant une meilleure hygiène. La menace du choléra s'éloigna définitivement dès lors que la population n'était plus contrainte de boire l'eau saumâtre de la rivière et les eaux souterraines polluées.

Un autre projet, l'aménagement d'un immense parc de 341 ha, contribua également à l'amélioration sanitaire des New-Yorkais qui s'entassaient dans de minuscules *tenements* (immeubles d'habitation précaires). Commencé en 1855, dans une zone si excentrée que des immigrants y élevaient des porcs, des moutons et des chèvres, **Central Park** (p. 69) constitua à la fois une première écologique et une aubaine pour la spéculation immobilière. Tout en offrant un lieu de loisirs aux masses populaires, il permit aussi de créer des emplois quand la crise de 1857 (une des débâcles financières qui touchèrent

Cinq événements clés du XVIIIe au XXe siècle

En histoire comme en physique, chaque action provoque une réaction :

- **L'incendie de New York** (21 septembre 1776). Qui mit le feu à NYC au cours de la révolution américaine ? Les Britanniques triomphants, qui venaient de prendre le port la veille, accusèrent les rebelles. Les patriotes américains démentirent, affirmant que les vainqueurs avaient incendié la ville par vengeance. Observant les ruines fumantes de 500 habitations depuis son QG de Harlem Heights, le général George Washington fit la remarque suivante : " La providence ou quelque brave gars honnête a fait davantage pour nous que nous n'étions disposés à le faire nous-mêmes." Ce fut un revers pour les patriotes, mais l'événement les obligea à fuir sur un territoire où leurs tactiques de guérilla allaient finalement mettre en déroute le pouvoir colonial.
- **Le Commissioners Plan de 1811**. Net mais sans caractère, nivelant le relief vallonné de Manhattan, ce projet imposa un plan d'urbanisme en damier à une ville qui ne s'était pas encore développée au-dessus de Houston St. S'il facilita l'orientation, il empêcha la diversité, sous prétexte de créer des parcelles immobilières plus ordonnées et commercialisables avec des blocks, strictement rectangulaires et de tailles identiques.
- **L'incendie de la Triangle Shirtwaist Company** (25 mars 1911). Un mégot allumé provoqua probablement le feu infernal qui embrasa le dernier étage d'un atelier de confection clandestin rempli de jeunes immigrantes. Les patrons avaient verrouillé la porte pour dissuader le chapardage. En quelques minutes, des dizaines d'ouvrières se précipitèrent du 9e étage. Le nombre des victimes, 146, bouleversa l'opinion et de nouvelles mesures de sécurité furent mises en place pour éviter qu'une telle tragédie se renouvelle.
- **Le départ des Dodgers de Brooklyn** (1957). La célèbre équipe de baseball doit son nom aux fans qui esquivaient les tramways près de ses terrains de jeu. Lorsque le propriétaire du club, Walter O'Malley, installa ses affaires à Los Angeles, les habitants de Brooklyn firent entendre leur tristesse et leur colère. Cela annonçait-il la fin des vaillantes équipes sportives des grandes métropoles ? Deux ans auparavant, les Dodgers avaient pourtant fini par remporter les World Series contre les Yankees, leurs adversaires de toujours. Depuis le transfert des Dodgers (et des Manhattan's Giants) en Californie, beaucoup de clubs ont été déplacés dans des stades de la périphérie dotés de vastes parkings et beaucoup menacent de partir ailleurs pour obliger les autorités municipales à construire de nouvelles infrastructures. Actuellement, le projet d'un stade de football dans le Far West Side est en discussion pour la candidature de New York aux Jeux olympiques de 2012.
- **La démolition de Pennsylvania Station** (1963). En dépit du tollé, cette gare grandiose, bâtie en 1910 par McKim, Mead et White sur le modèle des thermes de Caracalla à Rome, fut démolie et remplacée par le dédale du métro. L'historien de l'architecture Vincent Scully a résumé les critiques en une phrase : "on entrait dans la ville comme un dieu… on y pénètre désormais comme un rat". Cette défaite de la protection du patrimoine conduisit à la promulgation à New York de la Landmarks Law en 1965. Jacqueline Kennedy Onassis était membre de la Landmarks Commission quand celle-ci empêcha la démolition du **Grand Central Terminal** (p. 112).

1918	1931
Le joueur de base-ball Babe Ruth intègre l'équipe des Yankees au grand dam des fans du Red Sox	Construction de l'Empire State Building (381 m) en 410 jours

périodiquement New York) ruina le système financier du pays. Après plusieurs hivers de gel soulignant les déficiences de la ligne de ferries entre Brooklyn et Downtown Manhattan, John Roebling, un ingénieur d'origine allemande, conçut au-dessus de l'East River un pont monumental harmonieux fait de câbles d'acier et d'arches gothiques, le **Brooklyn Bridge** (p. 87). Ce dernier accéléra la fusion de New York avec les villes voisines et Brooklyn, qui approchait déjà le million d'habitants, dut se résigner à abandonner sa chère indépendance. En 1898, les cinq *boroughs* (arrondissements) furent finalement réunis en une seule entité administrative.

BUSINESS ET CORRUPTION

Le boom de la construction suscita la convoitise d'hommes politiques malhonnêtes. William Tweed dit le "Boss", politicien véreux issu de l'importante communauté irlandaise et immortalisé par les caricatures acerbes de Thomas Nast dans les années 1870, monta un cercle puissant de fonctionnaires et d'entrepreneurs corrompus pour bâtir un palais de justice dont les travaux coûtèrent près de douze millions de dollars et durèrent vingt ans. (Élégamment restauré dans le **City Hall Park**, p. XX, il abrite à présent le Department of Education du maire Michael R. Bloomberg.) Dirigeant la politique en sous-main, le fameux Tammany Hall, association caritative et patriotique démocrate, distribuait des prébendes et des cadeaux en nature dans des quartiers tels que Five Points et Little Germany. Les méthodes de Tweed, illustrées dans le film de Martin Scorsese *Gangs of New York* (2002), incluaient l'escroquerie, la corruption, la fraude électorale, le copinage et quantité de projets municipaux subventionnés à des fins clientélistes. De temps à autre, ces travaux pharaoniques attirèrent des génies de la finance déterminés à profiter de la manne par des manœuvres plus ou moins légales.

Autres dispensatrices de pots-de-vin, les compagnies de métro privées en concurrence pour obtenir des franchises. Au tournant du XXe siècle, les *elevated trains* (*els*) transportaient chaque jour un million de passagers entre le centre et la périphérie. Le métro rendit accessibles des zones du Bronx et de l'Upper Manhattan, entraînant de mini booms de la construction aux abords de ses lignes. À ce stade, la métropole absorba un énorme flot d'immigrés en provenance d'Italie et d'Europe de l'Est, qui fit passer la population à quelque trois millions d'habitants. Débarquant à Castle Garden et à Ellis Island, les nouveaux arrivants se retrouvaient directement dans le Lower East Side, un quartier dont les inscriptions en yiddish, italien, allemand et chinois des devantures reflétaient la mosaïque ethnique. Dans ces enclaves, les immigrants pouvaient se sentir chez eux, pratiquer leur langue, acheter auprès des marchands ambulants des produits de leur pays et pratiquer leur culte. Le **Tenement Museum** (p. 97), dans le Lower East Side, donne un aperçu des logements exigus dans lesquels ils vivaient.

LES CONFLITS SOCIAUX

Au XIXe siècle, les mouvements politiques radicaux et le militantisme ouvrier new-yorkais dénonçant le système social inégalitaire défrayèrent la chronique. À maintes reprises, les travailleurs se mirent en grève pour réclamer la journée de huit heures et un salaire leur permettant de vivre décemment. Dans le cadre d'une économie en dents-de-scie, les périodes de récession et les fermetures d'usines créaient une pauvreté indicible. Certains hivers, la ville enregistra 100 000 licenciements et autant d'hommes faisant la queue en grelottant devant la soupe populaire ou pelletant la neige en échange de quelques sous. Afin d'améliorer le revenu familial, les enfants collectaient des chiffons et des bouteilles, les garçons devenaient crieurs de journaux et les filles vendaient des fleurs. Dans des appartements déjà étriqués, une table de cuisine ou deux chaises côte à côte pouvaient servir

1939
RCA exhibe la première télévision à l'Exposition universelle organisée à Flushing (Queens)

1961
Le jeune chanteur folk Bob Dylan débarque à NYC et se produit le premier soir au Cafe Wha?

de lit à un hôte payant. Pendant la journée, des familles entières assemblaient des fleurs en papier ou cousaient des manches de chemises pour quelques précieux pennies. Les budgets étaient si maigres, qu'il était courant de mettre les draps en gage pour acheter de quoi se nourrir en attendant le jour de la paye.

Ces conditions de vie misérables ajoutées à la concurrence sur un marché de l'emploi déprimé produisirent des flambées de violence à intervalles réguliers. L'esclavage fut finalement aboli à New York en 1827, mais beaucoup de travaux ouvriers excluaient les Afro-Américains. Des gangs de jeunes s'en prenaient régulièrement aux églises noires et harcelaient leurs fidèles. Parallèlement, la ville comptait de nombreux écrivains et polémistes dévoués à la cause de l'émancipation des esclaves dont certains écrivaient dans les colonnes du *Freedom's Journal,* premier journal noir des États-Unis (installé successivement dans Church St et dans Lispenard St). La colère de la population se retournait parfois contre les quartiers noirs et des spectacles populaires ridiculisaient les Afro-Américains. Les choses empirèrent avec l'instauration de la conscription par le président Lincoln. Durant l'été 1863, des immigrants irlandais déclenchèrent des "émeutes de la conscription" en raison d'une clause qui permettait aux plus riches d'échapper aux combats de la guerre de Sécession moyennant la somme de 300 $. Le jour arriva où les émeutiers s'attaquèrent aux Noirs, les accusant d'être la cause de la guerre et leurs principaux concurrents sur le marché du travail. Onze hommes furent lynchés, les maisons des abolitionnistes détruites et l'on mit le feu aux bureaux de conscription et à un orphelinat noir de 42nd St. Des troupes furent rappelées du front pour réprimer des exactions similaires dans les grandes villes de l'Union.

L'ÂGE D'OR

À l'issue de la guerre de Sécession, l'aristocratie implantée de longue date se retira dans le centre, loin des immigrants européens, tandis que les nouveaux riches se faisaient construire de somptueux hôtels particuliers dans 5th Ave. Inspirées des châteaux du vieux continent, ces demeures atteignaient des sommets d'opulence, à l'instar de la maison Vanderbilt (angle de 52nd St et 5th Ave), et servaient de cadre à des réceptions éblouissantes. Mrs Astor et ses amies du vieux New York tentèrent en vain de repousser les épouses des requins de l'industrie, impatientes de s'introduire dans le beau monde. Cependant, leur snobisme ne pouvait rien contre les fortunes considérables amassées par Rockefeller dans le pétrole, Gould dans les chemins de fer ou Carnegie dans l'acier. Parmi les nouveaux venus figuraient aussi un groupe important de juifs allemands comme Jacob Schiff, Otto Kahn, Solomon Guggenheim, et Felix et Paul Warburg, qui formaient leur propre société élitiste désignée sous le nom de "our crowd".

LES FEMMES DANS LA RUE

Au début du XXe siècle, les récits piquants sur les manies des riches rivalisaient dans la brillante presse new-yorkaise avec des incitations à la révolte adressées aux masses. Joseph Pulitzer et William Randolph Hearst se disputaient l'intérêt du public à grand renfort d'histoires osées, d'une avalanche d'illustrations et de bandes dessinées alors du dernier cri. C'est à cette époque que les femmes commencèrent à s'immiscer au sein du Quatrième Pouvoir. Nellie Bly, une jeune journaliste audacieuse, se fit interner dans un asile d'aliénés pour écrire un article sur le sujet puis voyagea "autour du monde en 80 jours", commentant son périple au moyen du télégraphe.

L'émancipation féminine se manifesta aussi dans Manhattan quand 20 000 ouvrières de l'habillement marchèrent sur l'hôtel de ville. Les suffragettes organisaient des rassemblements à l'angle des rues pour obtenir le droit de vote des femmes et Margaret Sanger ouvrit

1976–1977

Le tueur en série David Berkowitz dit "Son of Sam" abat six personnes

1977

Le Studio 54 ouvre à l'apogée de la fièvre disco ; John Travolta se pavane dans *La fièvre du samedi soir* à Brooklyn la première clinique de contrôle des naissances où elle fut rapidement arrêtée par la police des mœurs. Il faut dire que les New-Yorkaises avaient toutes les raisons de se plaindre compte tenu de leurs salaires et de leurs conditions de travail misérables dans les ateliers clandestins et les usines.

LA GRANDE ÉPOQUE DU JAZZ

L'emploi industriel entraîna malgré tout une augmentation des revenus qui permit aux gens de profiter de nouveaux loisirs comme le cinéma et les **parcs d'attractions** de Coney Island (p. 142). Dans les années 1920, la "Grande Migration" venue du Sud fit de Harlem le centre de la culture et de la société afro-américaines, produisant un élan artistique et littéraire, ainsi qu'une attitude novatrice dont l'influence et l'inspiration se manifestent encore de nos jours. L'**Apollo Theater** (p. 127), dans 125th St, inaugura sa fameuse *Amateur Night* en 1934 ; il devait par la suite lancer la carrière d'artistes comme Ella Fitzgerald et, plus tard, James Brown et les Jackson Five. Attirant les jeunes filles délurées et les buveurs de gin, la vie nocturne débridée du Harlem des années 1920-1930 témoigna de l'échec cuisant de la Prohibition. Plus encore, la grande époque du jazz semble avoir joué un rôle dans l'émancipation des femmes et préfiguré les folles nuits new-yorkaises d'aujourd'hui. Que la conjoncture soit bonne ou mauvaise, Broadway prospéra toujours, fournissant des choristes aux longues jambes pour les comédies musicales de Busby Berkeley, dont une cyniquement intitulée *Les Chercheuses d'or de 1933*, et des mots d'argot à foison qui imprègnent encore la langue américaine.

LA CRISE ET LA DEUXIÈME GUERRE MONDIALE

New York traversa la crise de 1929 avec un mélange de courage, d'endurance, de ruptures, de militantisme et, surtout, grâce à la mise en place d'importants projets de travaux publics. Les cabanes des nécessiteux, ironiquement baptisées Hoovervilles (du nom du président Hoover), occupaient alors Central Park. Le maire Fiorello LaGuardia trouva cependant un allié en la personne du président Franklin Roosevelt et fit jouer ses relations à Washington pour obtenir des subsides. **Riverside Park** (p. 122) et **Triborough Bridge** (carte p. 386) ne sont que deux exemples de constructions issues de la politique du New Deal réalisée à New York par ce Texan d'origine italienne parlant yiddish.

La Deuxième guerre mondiale provoqua un afflux de soldats prêts à dépenser jusqu'à leur dernier dollar dans Times Square avant d'embarquer pour l'Europe. Reconverties dans l'industrie de guerre, les usines locales continuèrent de tourner en embauchant des femmes et des Afro-américains qui, jusqu'alors, n'avaient pas eu accès à ces emplois syndiqués. L'explosion de l'activité de guerre déboucha sur une énorme crise du logement qui conduisit New York à instaurer une loi pour la régulation des loyers, souvent imitée depuis.

Dans la période d'après-guerre, les gratte-ciel poussèrent comme des champignons tandis qu'aucun contrôle ne s'exerçait sur les milieux d'affaires. Le centre financier se déplaça vers le nord, alors même que le banquier David Rockefeller et son frère, le gouverneur Nelson Rockefeller, imaginaient les Twin Towers pour revitaliser Downtown.

L'APRÈS-GUERRE ET LA BEAT GENERATION

Dix ans à peine après que Jackie Robinson ait rejoint les Brooklyn Dodgers, brisant ainsi la barrière raciale, le patron du club, Walter O'Malley, transféra l'équipe de baseball à Los Angeles et fendit du même coup le cœur de Brooklyn. La population de ce borough venteux avait atteint les 2,7 millions d'habitants à peu près au moment où sa fameuse

1980

Un déséquilibré, Mark David Chapman, tue John Lennon d'un coup de revolver sur les marches du Dakota, 1 West 72nd St

1982

Un million de personnes manifestent dans Central Park contre la course à l'armement nucléaire

Le New York de la Mafia

Romancé par Hollywood et par la culture populaire, le milieu du crime organisé new-yorkais s'illustra surtout au XXe siècle. Fuyant le marasme économique du sud de l'Italie et de la Sicile, les immigrants italiens se trouvaient confrontés à la discrimination et à la désagrégation sociale dans leur pays d'accueil. Cette marginalisation stimula une nouvelle économie souterraine qui commença à se manifester avant la Première Guerre mondiale. À l'époque, la Society of The Black Hand (*société de la main noire*), une bande d'escrocs à la petite semaine, jetaient des cocktails Molotov sur les devantures des magasins dont les propriétaires refusaient de payer pour leur protection.

La Prohibition, qui interdisait la vente d'alcool, offrit à la Mafia l'occasion d'un trafic lucratif et c'est ainsi qu'elle prit son véritable essor. Acheminant du rhum canadien par le lac Champlain, détournant des chargements de camions, organisant les tripots clandestins, l'usure et la prostitution, les grands noms de la pègre – Lucchese, Genovese, Anastasia, Costello, Bonanno, Gambino et Castellano – essayèrent de s'imposer dans les divers secteurs du divertissement qui faisaient de New York la capitale des noceurs. Une concurrence farouche, libre de toute règle, fit en sorte que les différents clans familiaux s'infligèrent les uns aux autres plus de dommages que n'y était parvenu l'application de la loi.

Lucky Luciano reçut son surnom après avoir survécu, en 1929, à un égorgement commandité par ses "amis" Meyer Lansky et Bugsy Siegel à qui il disputait le rôle de chef. En 1952, Crazy Joe Gallo tua Albert Anastasia chez le barbier avant d'être criblé de balles vingt ans plus tard chez Umberto's Clam House (toujours dans Mulberry St, à quelques numéros de son emplacement d'origine). Joe Colombo fut abattu sous les yeux de milliers de témoins lors d'un rassemblement en 1971, démentant ainsi ses déclarations publiques sur l'inexistence de la Mafia. Pour défier le pouvoir de la famille Gambino, John Gotti ordonna l'assassinat de Paul Castellano devant la Sparks Steakhouse en 1985. Avant d'être condamné à la prison, Vincent Gigante était connu dans les années 1970 et 1980 pour déambuler en peignoir dans le Village afin de simuler la folie ; c'est ainsi qu'il échappa aux poursuites judiciaires jusqu'en 2002.

Il est parfois difficile de distinguer la fiction des faits. De *Sur les quais* au *Parrain*, Marlon Brando a incarné de façon mythique l'affection de la société pour les hors-la-loi, les outsiders et les truands, phénomène que perpétuent des films tel que *Les Affranchis* ou encore la série *Tony Soprano*.

En se développant, la Mafia a diversifié ses activités. Elle est ainsi passée de la petite extorsion de fond au trafic de drogue à grande échelle dans les années 1960. À l'époque de la *Pizza Connection*, une opération qui utilisait les pizzerias comme couverture pour distribuer de la cocaïne et de l'héroïne dans les années 1970, les activités mafieuses avaient atteint un niveau de sophistication élevé. Puis, en 1986, le procureur général des États-Unis Rudolf Giuliani poursuivit avec succès Gaetano Badalamenti, qui fut condamné à 45 ans d'emprisonnement. La *Pizza Connection* se contenta dès lors de dénommer un jeu vidéo populaire.

brasserie envisagea de fermer ses portes. (La classique Rheingold a fait son retour dans les années 1990.) Mais aux abords du pont de Brooklyn, un mouvement artistique était en gestation qui allait détrôner la suprématie des Français. L'expressionnisme abstrait, un courant local de grande ampleur lancé par des peintres américains, déroutait le public par ses formes incompréhensibles, mais charmait par ses couleurs et l'énergie qu'il dégageait. Des artistes comme Willem de Kooning, Mark Rothko et Helen Frankenthaler se firent remarquer autant par leur style de vie que par leurs œuvres. Le grand maître du *dripping*, Jackson Pollock, et ses amis fréquentaient assidûment la **Cedar Tavern** (carte p. 372), toujours en activité sur University Place, mais désormais célèbre pour ses piliers de bar.

Ce courant culturel ne tarda pas à déboucher sur le vaste mouvement de société des années 1960 qui transforma le défi artistique en modes de vie urbains anticonformistes. Les poètes de la Beat generation comme Allen Ginsberg firent du Village une capitale mondiale pendant que les gays émergeaient en tant que force politique en se battant

1988	1990
Émeutes de Tompkins Square : affrontements entre la police et les squatters d'East Village	Ouverture du musée de l'Immigration d'Ellis Island

contre un raid policier au **Stonewall Bar** (p. 208). La communauté homosexuelle fleurit dans l'atmosphère de tolérance d'un quartier où les magasins n'ouvraient pas avant 10h ou 11h et proposaient des jouets sexuels et des accessoires pour les fumeurs de joints.

LA CRISE DES SEVENTIES ET LA CULTURE UNDERGROUND

La crise fiscale du milieu des années 1970 rétrograda le maire Abraham Beame au rang de figurant, livrant le véritable pouvoir financier de New York au gouverneur Carey et à ses délégués. Le message du président à la ville résumé par un titre de tabloïd – *Ford to City, Drop Dead!* (Ford à New York : Crève !) – sonna le glas des relations entre la Grosse Pomme et le reste d'un pays qui ne la portait pas dans son cœur. La vague de licenciements massifs qui toucha la classe ouvrière et la négligence où tombèrent les infrastructures

Le bon, la brute et le mordant Giuliani

Dans une ville ravagée par le crack, tourmentée par son déficit budgétaire et minée par l'incurie, Rudolf Giuliani, le maire de New York élu en 1994, accéda à un poste difficile dans un contexte troublé. En tant qu'ancien procureur général des États-Unis, la liste des condamnations pour lesquelles il avait œuvré, était considérable. Responsable de l'emprisonnement des financiers Ivan Boesky et Michael Milkin dans les années 1980, on lui devait aussi la mise sous les verrous de plusieurs clans mafieux, ainsi que l'inculpation de vieux briscards corrompus de la politique comme Stanley Friedman, le président du *borough* du Bronx, ou le député Mario Biaggi. La politique municipale nécessitant d'autres capacités que celles de ce bras vengeur, que pouvait donc bien faire ce politicien novice dans une ville aussi ingouvernable ?

Neveu de quatre policiers et élu au terme d'une campagne prônant la loi et l'ordre, le maire déclara immédiatement la guerre à la criminalité. Il réussit son pari en focalisant ses efforts sur les zones les plus sensibles, en se servant des statistiques pour concentrer la présence policière sur des lieux ciblés et en réprimant les petits délits dits de "qualité de vie" afin de créer une atmosphère de sécurité. Un effet statistique vint lui prêter main forte : les actes violents étant principalement le fait de jeunes hommes entre 16 et 18 ans, il se trouva que cette tranche d'âge – hasard des taux fluctuants de natalité – fut tout à coup moins représentée, ce qui se traduisit aussitôt par une chute de la délinquance, à New York comme ailleurs aux États-Unis.

Le maintien de l'ordre par des moyens agressifs fit toutefois craindre des brutalités policières et la disparition des droits civils. Les patrouilles du NYPD effectuaient des contrôles si fréquents sur les voitures conduites par des membres des minorités que le maire adjoint afro-américain (Rudy Washington) dut se voir attribuer un laissez-passer spécial pour éviter d'être sans cesse importuné. Les citoyens observèrent avec stupéfaction le maire affecter des agents à l'arrestation des laveurs de pare-brise qui proposaient leurs services aux feux rouges pour vingt-cinq cents.

New York allait-elle tomber sous la coupe de brutes en uniforme inspirant la terreur à des citoyens tremblants ? Les incidents qui se produisirent sous le mandat de Giuliani confirmèrent cette appréhension. Ainsi, le cas d'Amadou Diallo, un émigré africain, abattu par des policiers parce qu'il n'avait pas compris instantanément leurs ordres, ou celui d'Abner Louima, un Haïtien interpellé dans une discothèque et amené au poste pour y subir un interrogatoire des plus musclés. Ces événements ternirent la popularité du maire et exaspérèrent la communauté afro-américaine déjà mécontente de son exclusion du gouvernement municipal. L'interdiction de faire partir les manifestations des marches de l'hôtel de ville, lieu traditionnel des contestataires exerçant leur droit à la liberté d'expression, ne contribua guère à redorer son blason.

Toutefois, ces aspects négatifs furent balayés le 11 septembre 2001 quand Giuliani, bravant la fumée et le chaos sur les ruines du World Trade Center, répondit à un journaliste qui l'interrogeait sur le nombre de victimes : "les pertes iront au-delà de ce que nous pouvons supporter". Il lui fut alors beaucoup pardonné.

1994	1997–1999
Rudolf Giuliani est élu maire de New Yok City	Les affaires Abner Louima et Amadou Diallo mettent en lumière les méthodes violentes du NYPD

urbaines annoncèrent des temps difficiles. La dette de la municipalité avait en effet atteint un niveau alarmant.

Mais l'économie désastreuse des seventies entraîna pour une fois la baisse des loyers et contribua à alimenter une culture alternative bouillonnante qui se traduisit par des performances artistiques tous azimuts dans des lieux désaffectés. L'argent tiré du tournage du film *Fame* au PS 122, à l'angle de 10th St et de Second Ave, aida par exemple à financer la rénovation de ce lieu de spectacle toujours populaire. Des punks aux cheveux bleus convertirent des entrepôts en hauts-lieux de la vie nocturne, métamorphosant ainsi les anciennes zones industrielles de Soho et de Tribeca. Immortalisé par le célèbre travail photographique de Nan Goldin, *The Ballad of Sexual Dependency*, cette renaissance des milieux interlopes effectua un brouillage des genres sexuels et transforma East Village en capitale américaine du tatouage et du cinéma indépendant.

LA CULTURE HIP-HOP

Dans le South Bronx, une vague d'incendies criminels réduisit en cendres des immeubles d'habitation entiers. Mais sur ces décombres naquit dans le Bronx et à Brooklyn une culture hip-hop influente, alimentée par les rythmes de la salsa portoricaine. Le groupe

Grand Central Terminal (p. 112)

Rock Steady Crew, mené par Richie "Crazy Legs" Colon, fut le pionnier de la breakdance. Revisitant sa formation musicale jamaïcaine avec des rythmes appropriés, DJ Cool Herc animait aux platines des soirées qui se prolongeaient jusqu'au bout de la nuit. Afrika Bambaataa, autre DJ fondateur du hip-hop, forma Zulu Nation pour mobiliser DJ, danseurs de breakdance et graffiteurs non-violents. Les réalisations graphiques audacieuses de cet ensemble étonnèrent le public. L'une des plus célèbres, *Merry Christmas, New York*

2003

Remplacement des derniers jetons de métro par des Metrocards

2004

Le projet de l'architecte Daniel Libeskind , incluant un mémorial et une tour de la liberté, est retenu pour le site dévasté du WTC peint sur une rame de train par Lee 163 et l'équipe de Fab 5, fit mentir la réputation de vandales des tagueurs. Certains de ces virtuoses de la bombe aérosol parvinrent même à s'imposer dans le monde de l'art. Dans les années 1980, Jean-Michel Basquiat, d'abord remarqué pour son tag *Samo*, se lia d'amitié avec Andy Warhol et vendit ses œuvres dans les galeries du monde entier.

Une partie de l'argent facile récolté sur les marchés financiers florissants des années 1980 s'épancha dans l'art, mais plus encore, il servit à bourrer de cocaïne les narines des golden boys. Pendant que les quartiers de Manhattan devaient lutter contre la consommation massive de crack, l'ensemble de la ville subissait les conséquences de la drogue, de la criminalité et de l'épidémie de sida qui décimaient les communautés. Le maire Ed Koch avait toutes les peines du monde à maintenir le contrôle. La conversion des hôtels bon marché en appartements de luxe par leurs propriétaires avait jeté dans la rue quantité de sans-abri. En 1988 éclatèrent les émeutes de Tompkins Square, dans East Village, provoquées par l'affrontement de squatters avec les forces de police venues les déloger. Difficile d'imaginer que quelques années plus tard, Manhattan allait redevenir le symbole flamboyant de la prospérité.

2004

New Yok pose son candidature pour les Jeux Olympique de 2012

New York par quartier

New York par quartier

Les quartiers jouent un rôle prépondérant dans la vie des New-Yorkais. Posée systématiquement (juste après "que faites-vous dans la vie ?"), la question "où habitez-vous ?" leur permet de mieux cerner leur interlocuteur : Lower East Side ? Branché. Upper West ? Yuppie. Chelsea ? Gay. Chacun connaît bien évidemment les subtilités de chaque quartier, et sait pertinemment que se revendiquer d'un quartier donné est une nécessité aussi vitale que réconfortante. Une fois qu'un nouvel arrivant est accoutumé à son quartier et à ses habitants, du voisin de palier à l'épicier du coin, les frontières de son univers familier sont celles d'un petit village.

Il n'est pas rare d'entendre parler de New York comme d'une juxtaposition de petites villes. Le moyen de différencier les quartiers les uns des autres varie toutefois considérablement en fonction des critères retenus. Selon un agent immobilier, par exemple, West Village commence uniquement à l'ouest de Sixth Ave. La partie est, jusqu'à la portion de Third Ave qui touche East Village, s'appelle Greenwich Village. Pour n'importe quel New-Yorkais en revanche, West Village s'étend à l'est de Third Ave et le terme "Greenwich" est totalement dépassé. La délimitation précise des quartiers suscite bien des polémiques et de nouveaux acronymes apparaissent sans cesse, Soha (South of Harlem) ou Bococa (Boerum Hill, Cobble Hill et Carroll Gardens à Brooklyn), par exemple. Au-delà de ces questions de toponymie et de topographie, finalement assez dérisoires, c'est bien sûr l'atmosphère de chacun de ces quartiers qui présente un intérêt.

Un détail important toutefois au sujet du *borough* principal : pour la plupart des visiteurs et des habitants, le quartier de Manhattan (1,5 million d'habitants) incarne "la ville" de New York à lui seul, et vous attirerez sur vous des regards surpris si vous exprimez le désir d'aller dans le Queens. (Brooklyn fait cependant aujourd'hui exception à cette règle, il possède à présent la réputation d'un quartier beaucoup plus agréable que Manhattan, en particulier auprès de ses nombreux jeunes habitants.) Les quartiers périphériques – le Bronx, Brooklyn, le Queens et Staten Island – présentent chacun leurs particularités, qu'il s'agisse de bars ou

Le City Hall (p. 86)

de parcs, de plages ou de stades, de restaurants réputés ou de musées célèbres. N'hésitez pas à vous "décentraliser", vous découvrirez de petites merveilles dont nombre de New-Yorkais n'ont jamais entendu parler !

ITINÉRAIRES

Un jour

Après un petit déjeuner chez **Balthazar** (p. 176), choisissez un quartier – les rues sinueuses de **West Village** (p. 99) ou le très branché **Lower East Side** (p. 95) – pour vous balader pendant une bonne heure, juste pour un aperçu sur les boutiques, les parcs et pour humer l'atmosphère générale. Passage obligé : la **plate-forme de visite du World Trade Center** (p. 89), puis mettez le cap sur **Chelsea** (p. 103) pour visiter quelques galeries. En début de soirée, prenez un verre au **Campbell Apartment** (p. 210) dans l'imposante Grand Central Terminal. Selon vos moyens, offrez-vous un dîner luxueux chez **Tabla** (p. 185) ou plus raisonnable chez **Cho Dang Goi** (p. 187). Enfin, montez au sommet de l'**Empire State Building** (p. 108), illuminé jusqu'à minuit.

Trois jours

Dès le premier matin, pour profiter d'une vue d'ensemble et découvrir tranquillement les sites les plus touristiques, rejoignez une visite guidée, à bord du **ferry Circle Line** (p. 80), par exemple, ou en vous installant dans un bus à impériale. En fin d'après-midi, octroyez-vous un goûter bien mérité à la **City Bakery** (p. 185), faites éventuellement vos courses au **Greenmarket Farmers' Market** (p. 107) et visitez une ou deux galeries à **Chelsea** (p. 161). Dînez chez **Florent** (p. 183) ou **Paradou** (p. 184), puis prenez un verre dans le très chic **Rhône** (p. 208) ou dans un autre bar du quartier. Le 2e jour, suivez l'itinéraire proposé pour une journée unique, sans les galeries. Allez plutôt écouter un concert. Enfin, le 3e jour, visitez un autre quartier. Optez pour une promenade au **Prospect Park** (p. 139) de Brooklyn, et visitez juste à côté le **Brooklyn Botanic Garden** (p. 138) et le **Brooklyn Museum** (p. 138) tout juste rénové. Dînez dans un lieu branché de Fifth Ave (Park Slope) comme le **Blue Ribbon Brooklyn** (p. 195) ou prenez le train n°7 pour rejoindre l'**Astoria** (p. 144), dans le Queens, où vous attendent musées des beaux-arts et du cinéma et plusieurs restaurants grecs.

Une semaine

Vous pouvez prolonger d'une journée le programme de 3 jours ci-dessus, en prenant davantage votre temps. Prévoyez une excursion en dehors de la ville : une journée à **Jones Beach** (p. 297) l'été par exemple ou deux jours à **Hamptons** (p. 292), en toute saison. À votre retour, suivez l'un des **circuits pédestres** proposés dans cet ouvrage (p. 153) afin de vous imprégner de l'atmosphère d'un quartier. Prenez le temps de vous attarder au **Tompkins Square Park** (p. 99) dans East Village ou d'observer les passants, attablé dans un **café de Chelsea** (p. 208). Vous n'aurez que l'embarras du choix pour dîner. Le dernier jour, visitez le **Met** (p. 123) ou le musée **Guggenheim** (p. 125), à moins que vous ne préfériez acheter une place moitié-prix au **kiosque TKTS** (p. 117) pour un spectacle de Broadway. Prenez un verre dans un bar prestigieux, comme le **Church Lounge** (p. 201) à Tribeca Grand avant d'aller finir la nuit en boîte.

CIRCUITS ORGANISÉS

Aventure

BIKE THE BIG APPLE

☎ 212-201-837-1133 ; www.bikethebigapple.com ; environ 65 $

Circuits nocturnes en vélo, pendant 3 heures environ, à Central Park et dans les boroughs périphériques.

BITE OF THE APPLE TOURS

☎ 212-541-8759 ; www.centralparkbiketour.com ; adulte/enfant à partir de 35/20 $

Les différentes options ont été bien conçues : Vous opterez, au choix, pour le Central Park Bike Tour ou pour le Movie Scenes Bike Tour, de 2 heures, (adulte/enfant 35/20 $) à moins de préférer le Manhattan Island Bike Tour de 3 heures (45 $, 10h, sam-dim uniquement).

MANHATTAN KAYAK COMPANY
Plan p. 376
☎ 212-924-1788 ; circuits 25-65 $
Plusieurs circuits de longueur et de prix différents en fonction du niveau de kayak de chacun, au départ de New York Harbor ou d'East River.

NEWROTIC NEW YORK CITY TOURS
☎ 718-575-8451 ; www.newroticnewyorkcitytours.com ; adulte/enfant 199/99 $
Excursions uniques et "non touristiques" portant sur des thèmes très variés, de la cuisine à l'architecture.

Avion

LIBERTY HELICOPTER TOURS Plan p. 370
☎ 212-967-6464 ; www.libertyhelicopters.com ; 12th Ave à hauteur de W 30th St ; 5 min/30 min 56/275 $ par pers, pour un couple vol de 15 min (Romance Over Manhattan) 849 $; 🕒 9h-19h
Si vos moyens vous le permettent, offrez-vous New York vu du ciel, bien au-dessus des gratte-ciel.

Bateau

BEAST Plan p. 376
☎ 212-630-8855 ; 16 $/pers
Le *Beast* vous conduit au pied de la statue de la Liberté en 30 min chrono. Pour une traversée plus lente, prenez place à bord du **Staten Island Ferry** (☎ 718-815-2628; www.siferry.com, gratuit).

CIRCLE LINE TOURS Plan p. 376
☎ 212-563-3200 ; 24 $/pers ; 🕒 mars-déc
Cette croisière de 3 heures autour de Manhattan démarre du Pier 83, à hauteur de W 42nd St, sur l'Hudson. Agrémentée de commentaires très détaillés, elle attire une foule nombreuse, surtout par beau temps (signalons néanmoins que les bateaux sont couverts et chauffés). Des croisières plus courtes sont proposées également, mais celle-ci vaut vraiment la peine.

NEW YORK WATERWAY Plan p. 370
☎ 800-533-3779 ; www.nywaterway.com ; adulte/senior/enfant 11/10/6 $
Croisière de 50 min au départ du Pier 17.

PIONEER SAIL Plan p. 370
☎ 212-748-8786 ; adulte/senior/enfant 25/20/15 $; 🕒 mar-sam
Excursions estivales en bateau à voile sur l'East River, ainsi que croisières au déjeuner, au coucher du soleil et de nuit.

Spécial enfants

- **Bronx Zoo** (p. 148). Lions, tigres et ours au programme
- **New York Aquarium** (p. 141). Poissons, dauphins et lamantins
- **Brooklyn Children's Museum** (p. 138).Une mine de trésors, pour les plus petits
- **Central Park** (p. 165). Pour se défouler
- **Children's Museum of Manhattan** (p. 120). Entièrement consacré aux enfants
- **Coney Island** (p. 142). La grande roue et les attractions foraines
- **Firehouse Museum** (p. 92). Pour glisser le long de la perche comme de vrais pompiers et monter dans un camion
- **Museum of Natural History** (p. 120). Ossements, étoiles et papillons
- **New York Unearthed** (p. 88). Pour découvrir des trésors enfouis

Bus

Les circuits en bus peuvent vous donner un bon aperçu de la ville. Sachez toutefois que les guides ne connaissent pas toujours bien New York.

GRAY LINE Plan p. 218
☎ 212-397-2620 ; 35-71 $/pers
La compagnie Gray Line propose une trentaine de circuits bien conçus au départ de son terminal principal, à Port Authority, notamment un tour de Manhattan. Les circuits les plus courts, à bord de bus à impériale rouges, démarrent à 35 $ et le circuit complet "Essential New York" coûte 71 $.

Thématique

FOODS OF NEW YORK
☎ 212-239-1124 ; 36 $/pers
Découverte en 3 heures des restaurants de Chelsea et de West Village.

KENNY KRAMER Plan p. 376
☎ 212-268-5525, 800-572-6377 ; 358 W 44th St ; 38 $/pers ; 🕒 sam et dim 12h ; réservation obligatoire
Kenny Kramer, qui a inspiré le personnage de *Seinfeld*, propose des visites de 3 heures autour des sites de cette série culte des années 90 aux États-Unis.

MUNICIPAL ART SOCIETY
☎ 212-935-3960 ; 10 $/pers
Plusieurs circuits centrés sur l'architecture et l'histoire. Le lieu de rendez-vous varie en

fonction du thème du jour, sur un quai de métro ou au Grand Central Terminal, par exemple.

ON LOCATION TOURS
☎ 212-209-3370 ; 15-35 $/pers
Découverte en 2 ou 3 heures des lieux de tournage de célèbres séries TV (*Sex and the City*, *Sopranos*, *Friends*, etc.).

WILDMAN STEVE BRILL
☎ 914-835-2153 ; www.wildmanstevebrill.com ; 10 $/pers
Naturaliste urbain, Steve vous emmène à Central Park et dans les parcs des boroughs périphériques pour vous montrer les baies, les plantes et les champignons comestibles (consultez le site pour les horaires).

À pied

ADVENTURE ON A SHOESTRING
☎ 212-265-2663 ; à partir de 5 $/pers
Circuits très bon marché à Chinatown, Gramercy, Little Italy et Lower East Side.

ALFRED POMMER'S CULTURAL WALKING TOURS
☎ 212-979-2388 ; 10 $/pers
Pour tout savoir sur l'architecture, la petite et la grande histoire.

BIG APPLE GREETERS PROGRAM
☎ 212-669-8198
Proposés par des bénévoles souvent polyglottes, ces circuits, tout particulièrement ouverts aux handicapés, traversent des quartiers moins connus. Dans la mesure où ils sont gratuits, mieux vaut réserver au moins deux jours à l'avance.

BIG ONION WALKING TOURS
☎ 212-439-1090 ; 12 $/pers
Circuits très prisés et assez originaux, spécialisés dans le New York ethnique. Toute l'année.

RADICAL WALKING TOURS
☎ 718-492-0069 ; 10 $/pers
Circuits historiques très complets dans plusieurs quartiers, notamment Lower East Side, West Village et Upper West Side.

LOWER MANHATTAN

Promenades p. 154, Où se restaurer p. 174, Où prendre un verre p. 201, Shopping p. 249, Où se loger p. 276

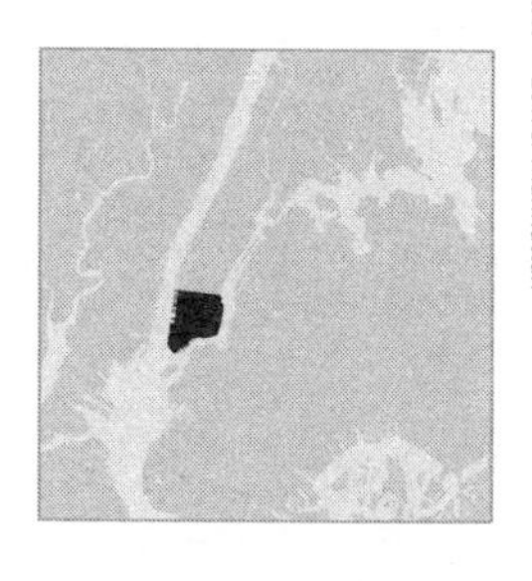

Avant le 11 Septembre, les images de Lower Manhattan suscitaient généralement une certaine admiration : traders se hâtant dans Wall Street, hommes politiques gravissant les marches du City Hall, vues somptueuses du New York Harbor flanqué de la statue de la Liberté et des tours du World Trade Center (WTC). Aujourd'hui, elles demeurent associées aux attentats, en particulier dans l'esprit des visiteurs, qui découvrent brutalement un paysage radicalement différent. Si une grande partie du quartier vit toujours au rythme des monuments commémoratifs et des travaux de construction, il a retrouvé aussi son dynamisme d'autrefois. En semaine, on observe immanquablement des files d'immigrants patienter avec espoir devant l'INS (services de l'immigration et de la naturalisation), des avocats et des familles intimidées pénétrer dans les tribunaux, des traders discuter âprement au téléphone et des touristes curieux flâner d'un site à l'autre.

Les mesures de sécurité demeurent toutefois très strictes, avec de fréquents contrôles des sacs et la fermeture de certains sites. Lors de la rédaction de cet ouvrage, le New York Stock Exchange était ainsi toujours fermé pour une période indéterminée.

L'**Alliance for Downtown New York** (plan p. 370 ; ☎ 212-566-6700 ; www.downtownny.com ; 120 Broadway, Ste 3340) édite des cartes et des brochures. Déployées du City Hall à Battery Park City, ses équipes très serviables, reconnaissables à leur veste rouge, peuvent fournir toutes sortes d'informations sur le quartier.

Transports

Métro 1, 9, E, N, R, W, J, M, Z et 4, 5, 6.
Bus M1, M6, M15, M9, M22 ou M103.
Ferry Le New York Water Taxi (☎ 212-742-1969) effectue la liaison entre Midtown, Brooklyn, Chelsea et l'Upper East Side.

Orientation

Lower Manhattan s'étend de Canal St (qui comprend également une petite partie de Chinatown) à Battery Park et couvre le Financial District et Tribeca, le "Triangle Below Canal St" ("triangle en deçà de Canal St") délimité par Canal St au nord, West St à l'ouest, Chambers St au sud et Broadway à l'est. Il comprend aussi South Street Seaport et New York Harbor, qui abrite la statue de la Liberté et Ellis Island.

Top 5 de Lower Manhattan

- **African Burial Ground** (p. 84). Un hommage aux anciens esclaves
- **Ellis Island** (page suivante). Sur les traces des premiers immigrants
- **Federal Hall** (p. 84). Plongez dans l'histoire et remontez le temps
- **Fraunces Tavern Museum** (p. 84). Restaurant-musée ancré dans le passé
- **National Museum of the American Indian** (p. 85). Une architecture étonnante et des collections passionnantes

NEW YORK HARBOR

Qu'ils arrivent simplement du New Jersey ou de la lointaine Australie, les visiteurs effectuent souvent un pèlerinage sur les traces des premiers immigrants. Le port mérite le détour, non seulement pour la statue de la Liberté et Ellis Island, mais aussi pour les magnifiques pelouses et pistes cyclables de Battery Park, les concerts en plein air de Castle Clinton et le vertige que l'on éprouve devant ce panorama époustouflant.

STATUE DE LA LIBERTÉ

Plan p. 368

☎ 212-363-3200 ; www.nps.gov/stli ; ferries toutes les 30 min de 9h30 à15h30 ; adulte/senior/enfant 10/8/4 $ avec Ellis I ; métro 4, 5 jusqu'à Bowling Green

Symbole le plus marquant de New York et du Nouveau Monde, la statue de la Liberté a été imaginée par l'activiste politique Edouard René Lefebvre de Laboulaye et le sculpteur Frédéric-Auguste Bartholdi, qui décidèrent en 1865 de construire un monument pour promouvoir le républicanisme français. Bartholdi consacra ensuite 20 ans de sa vie à transformer ce rêve en réalité.

Vive la Liberté !

L'intérieur de la statue de la Liberté, la couronne et le musée sont restés fermés pendant près de deux ans après le 11 Septembre. Ils ont rouvert en grande pompe en juillet 2004, après des travaux de rénovation de plusieurs millions de dollars. L'intérieur de la statue demeure fermé au public, mais on peut visiter le musée et apercevoir la structure intérieure par un plafond de verre. La passerelle panoramique est également rouverte. Les contrôles de sécurité sont encore plus stricts qu'avant et les sacs à dos ou autres sacs volumineux peuvent être interdits. La traversé en ferry ne dure pas plus de 15 min, mais il faut bien prévoir une journée complète pour la visite de la statue et d'Ellis Island. L'été, il n'est pas rare de devoir attendre une heure avant d'embarquer sur les immenses ferries de 800 places.

New York fut choisie pour accueillir le monument et on leva 250 000 $ pour couvrir le coût de la construction. Bartholdi s'affaira ensuite à réaliser la statue, inspirée du Colosse de Rhodes et dotée d'une ossature métallique exécutée par l'ingénieur des chemins de fer français Gustave Eiffel. En 1883, la poétesse Emma Lazarus publia un poème intitulé *The New Colossus* lors d'une campagne d'appel aux fonds pour la construction du piédestal. Ses vers, gravés sur le socle en 1901, sont depuis indissociables du monument : "Donne-moi tes pauvres, tes exténués, qui en rangs pressés aspirent à vivre libres, le rebut de tes rivages surpeuplés, envoie-les moi, les déshérités, que la tempête me les rapporte, de ma lumière, j'éclaire la porte d'or". Le 28 octobre 1886, la Liberté éclairant le monde était enfin dévoilée dans le port de New York.

Plus de 100 millions de dollars furent consacrés à la restauration de la statue à l'occasion de son centenaire dans les années 1980. On remit en état son enveloppe de cuivre et on installa une nouvelle torche plaquée or, la troisième de son histoire. La première, en verre colorée, est aujourd'hui exposée dans le hall d'entrée. L'exposition montre aussi comment la statue a, depuis toujours, été exploitée à des fins commerciales.

La Circle Line a d'ailleurs su profiter de l'aubaine avec le **ferry Statue of Liberty** (plan p. 370 ; ☎ 212-269-5755 ; www.statueoflibertyferry.com) qui emmène chaque année plus de 4 millions de visiteurs jusqu'à la statue et sur Ellis Island, tandis que des millions d'autres passagers effectuent la traversée d'une heure et demie qui permet de découvrir tout Manhattan. Un spectacle qui surpasse la vue depuis la statue elle-même. Si la foule vous effraie, essayez plutôt le **ferry Staten Island** (☎ 718-815-2628 ; www.siferry.com). Sans accoster, il offre des vues somptueuses sur la statue, ainsi qu'un beau panorama sur Downtown Manhattan, et tout cela gratuitement ! (Pour des détails supplémentaires, reportez-vous à l'encadré consacré au ferry de Staten Island, p. 151.)

ELLIS ISLAND Plan p. 368

☎ 212-363-3200 ; www.nps.gov/elis ; ferries toutes les 30 min de 9h30 à 15h30 ; adulte/senior/enfant 10/8/4 $ avec la statue de la Liberté ; métro 4, 5 jusqu'à Bowling Green

Les ferries qui desservent la statue de la Liberté font une seconde escale à Ellis Island, le poste d'immigration de New York de 1892 à 1954. Plus de 12 millions de personnes passèrent ici avant l'abandon de ce poste, qui voyait défiler près de 12 000 immigrants par jour.

Quelque 160 millions de dollars de travaux ont transformé l'immense bâtiment de briques rouges en **musée de l'Immigration**, qui retrace l'histoire de l'île. Les expositions commencent dans la salle des bagages et se poursuivent au 2e étage, où avaient lieu les examens médicaux et les opérations de change.

Contredisant le mythe, le musée insiste sur le fait que toutes les formalités d'immigration se déroulaient en 8 heures, dans des conditions généralement saines et sûres (surtout pour les passagers des 1re et 2e classes, qui remplissaient les formalités sur le bateau ; les immigrants de 3e classe effectuaient toutes les procédures d'enregistrement sur l'île). La salle d'enregistrement, longue de 103 m et dotée d'un magnifique plafond voûté recouvert de mosaïques, regroupait tous les immigrants refoulés par les autorités, polygames, pauvres, criminels ou anarchistes. Aujourd'hui, ce hall "lumineux et spacieux", selon les termes de la brochure du musée, ne ressemble en rien à celui qui pouvait accueillir jusqu'à 5 000 personnes, inquiètes et fatiguées, attendant de subir l'interrogatoire des employés de l'immigration et la visite médicale. Les médecins devaient diagnostiquer toute une liste de maladies en quelques secondes et refouler les malades contagieux.

On peut effectuer la visite avec un audioguide de 50 min, pour 6 $, et écouter dans divers endroits du musée des témoignages d'immigrants enregistrés dans les années 1980.

Si le sujet vous intéresse, vous pouvez assister à **Embracing Freedom** (☎ 212-883-1986, poste 742 ; adulte/senior et enfant de plus de 14 ans 3/2,50 $), une pièce de 30 min jouée 5 fois par jour, de 10h30 à 15h30. Enfin, nous vous conseillons aussi le film gratuit d'une demi-heure relatant l'expérience des immigrants, *Island of Hope, Island of Tears*, ainsi que l'exposition montrant l'importance de l'immigration jusqu'à la Première Guerre mondiale.

Rendez-nous Governor's Island !

Strictement réservée à l'armée pendant 2 siècles, **Governor's Island** (plan p. 83 ; ☎ 212-514 -8285 ; www.nps.gov/gois ; accès libre ; 2 visites/j mar-sam ; métro 4, 5 jusqu'à Bowling Green) a été rouverte au public en 2003. Le Governor's Island National Monument a mis fin au mystère qui entourait depuis si longtemps cet îlot verdoyant à 5 min de bateau de Manhattan en proposant des visites guidées d'une heure et demie. On découvre ainsi deux citadelles du XIXe siècle, Fort Jay et Castle Williams, un bâtiment de 3 étages construit en granit, de belles pelouses ombragées et de magnifiques panoramas sur la ville. L'île a joué un rôle prépondérant dans l'histoire : occupée dès la Révolution, elle servit de base de recrutement à l'armée pendant la guerre de Sécession, puis de piste de décollage pour le tout premier vol de Wilbur Wright en 1909. Enfin, en 1998, elle accueillit le sommet Reagan-Gorbatchev qui amorça la fin de la Guerre froide. Elle pourrait connaître encore d'autres transformations. Les défenseurs de la nature espèrent toutefois que le vaste plan d'aménagement, actuellement en cours et qui doit aboutir en 2006, prévoira des espaces verts et des activités pour les visiteurs.

FINANCIAL DISTRICT

Délimité par Wall St, qui doit son nom à la barricade érigée en 1653 par les colons hollandais pour marquer la limite nord de la Nouvelle-Amsterdam, ce quartier historique a accueilli la première réunion du Congrès américain et intronisé le premier président des États-Unis, George Washington. Il dissimule un lacis de rues bordées de bâtiments administratifs, de temples néoclassiques, d'églises gothiques, de palais Renaissance et de gratte-ciel du tout début du XXe siècle. Enfin, le New York Stock Exchange (fermé au public depuis le 11 Septembre) et la Federal Reserve Bank se chargent de rappeler aux passants qu'ils se trouvent au cœur du capitalisme américain.

AFRICAN BURIAL GROUND Plan p. 370

☎ 337-2001 ; 290 Broadway entre Duane et Elk St ; ⏲ lun-ven 9h-16h ; métro TK

Lors des travaux de fondation d'un immeuble à Downtown en 1991, on découvrit plus de 400 cercueils en bois, à quelques mètres à peine sous le niveau du sol. Ils contenaient les ossements d'esclaves noirs (le cimetière de Trinity Church, non loin de là, était interdit aux Africains). On entreprit alors de vastes fouilles et, à la suite d'une très forte mobilisation de la population et du maire de l'époque, ce lieu fut finalement déclaré site historique national.

BOWLING GREEN Plan p. 370

Angle Broadway et State St ; métro 4, 5 jusqu'à Bowling Green

C'est dans ce minuscule parc, le plus ancien de New York, que le colon hollandais Peter Minuit aurait versé quelques florins aux Amérindiens pour acheter l'île de Manhattan. À partir de 1733, la couronne britannique loua pour une somme symbolique ce triangle de verdure aux New-Yorkais. En 1776, la population, stimulée par la Déclaration d'Indépendance prononcée non loin de là par George Washington, se précipita dans le parc pour renverser la statue du roi George III qui s'y dressait alors (on l'a remplacée par une fontaine). Apparu mystérieusement devant le New York Stock Exchange en 1989, 2 ans après le Krach boursier, le gros taureau en bronze d'Arturo Di Modica domine désormais l'extrémité nord du parc.

FEDERAL HALL Plan p. 370

☎ 212-825-6888 ; www.nps.gov/feha ; 26 Wall St ; ⏲ lun-ven 9h-17h ; entrée libre ; métro 2, 3, 4, 5 jusqu'à Wall St, J, M, Z jusqu'à Broad St

Se distinguant par une gigantesque statue de George Washington, le Federal Hall est érigé sur le site où se réunit le Premier Congrès américain et où Washington prêta serment lors de son investiture en tant que premier président des États-Unis, le 30 avril 1789. Le bâtiment initial fut remplacé en 1842 par celui de style néoclassique que l'on voit aujourd'hui, considéré comme l'un des premiers exemples de cette architecture dans le pays. Il abrita le service des douanes jusqu'en 1862 et renferme à présent un petit musée consacré à l'histoire post-coloniale de New York.

Le Federal Hall marque le point de départ de quatre circuits pédestres proposés par l'Heritage Trail dans ce quartier historique. Vous verrez les plans des circuits et les bornes descriptives des différents sites sur les trottoirs de Lower Manhattan. Vous pouvez aussi demander une carte à l'**Alliance for Downtown New York** (plan p. 370 ; ☎ 212-566-6700) et vous faire accompagner par un Junior Ranger Guide.

FEDERAL RESERVE BANK Plan p. 370

☎ 212-720-6130 ; 33 Liberty St à hauteur de Nassau St ; entrée libre ; métro J, Z jusqu'à Fulton St–Broadway Nassau

Le principal intérêt de la Réserve fédérale réside dans sa chambre forte, enfouie 25 m sous terre et contenant plus de 10 000 tonnes d'or. Les visites guidées (toutes les heures de 9h30 à 14h30 du lun au ven, sur réservation uniquement) présentent le fonctionnement de la Banque centrale. On peut voir également une exposition de pièces et de faux billets.

FRAUNCES TAVERN MUSEUM Plan p. 370

☎ 212-425-1778 ; www.frauncestavernmuseum.org ; 54 Pearl St ; adulte/senior, étudiant et enfant 3/2 $; ⏲ mar, mer, ven 10h-17h, jeu 10h-19h, sam 11h-17h ; métro 4, 5 jusqu'à Bowling Green, 2, 3 jusqu'à Wall St

Ce musée-restaurant se trouve dans un block de bâtiments historiques, qui, comme Stone St, toute proche, et le South Seaport, sont des vestiges du New York du XVIIIe siècle.

Cette demeure, propriété du négociant Stephan Delancey, fut rachetée par Samuel Fraunces en 1762, qui la nomma Queen's Head Tavern après la victoire américaine lors de la guerre d'Indépendance. C'est dans la salle à manger de l'étage, le 4 décembre 1783, que George Washington fit ses adieux aux officiers de la Continental Army après que les Britanniques eurent cédé le contrôle de New York. Au XIXe siècle, la taverne ferma ses portes. Le bâtiment fut laissé à l'abandon, puis endommagé par plusieurs incendies qui ravagèrent le quartier, détruisant une grande partie des bâtisses coloniales et presque tous les édifices construits par les Hollandais. En 1904, la société historique des Fils de la Révolution acheta le bâtiment et entreprit de le faire restaurer pour lui redonner son aspect d'origine. Il s'agissait de la première tentative de conservation historique aux États-Unis. En 1975, l'explosion d'une bombe placée par un groupe radical de Porto Rico (Fuerzas Armadas de Liberación Nacional), y fit 5 morts. Certains jours de la semaine, le musée organise à 12h30 des conférences sur divers sujets, de la gastronomie traditionnelle américaine à l'archéologie. Programme sur demande auprès du musée.

En face de la taverne, vous verrez les vestiges exhumés de l'ancienne Stadt Huys hollandaise qui, de 1641 à la prise de la ville par les Britanniques en 1664, servit de centre administratif, de tribunal et de prison à la Nouvelle-Amsterdam. Le bâtiment, détruit en 1699, se situait à l'origine au bord de l'eau, jusqu'à l'édification de nouvelles constructions. Les fouilles archéologiques qui se déroulèrent ici de 1979 à 1980, les premières de cette envergure à New York, mirent au jour de nombreux objets anciens (dont certains sont exposés dans des vitrines).

NATIONAL MUSEUM OF THE AMERICAN INDIAN Plan p. 370

☎ 212-514-3700 ; www.si.edu/nmai ; 1 Bowling Green ; entrée libre ; 🕒 ven-mer 10h-17h, jeu 10h-20h ; métro 4, 5 jusqu'à Bowling Green

Affilié à la Smithsonian Institution, ce musée, consacré à l'art des Amérindiens et fondé par le magnat du pétrole George Gustav Heye en 1916, occupe depuis 1994 le spectaculaire bâtiment de l'ancienne douane, dans Bowling Green. Le centre d'information se trouve dans l'ancien bureau de recouvrement des taxes.

Les galeries se situent à l'étage, derrière une vaste rotonde ornée de statues de navigateurs célèbres et de fresques commémorant l'histoire maritime.

Le musée s'intéresse davantage à la culture amérindienne et au savoir-faire des artisans qu'à l'histoire proprement dite des Amérindiens. Les bornes interactives offrent des images de la vie quotidienne et des croyances de ces différents peuples et les artistes, qui travaillent sur place, expliquent volontiers leurs techniques.

NEW YORK STOCK EXCHANGE
Plan p. 370

☎ 212-656-5168 ; www.nyse.com ; 8 Broad St, guichet 20 Broad St ; métro 1, 2, 4, 5 jusqu'à Wall St, J, M, Z jusqu'à Broad St

Bien que Wall St soit le symbole du capitalisme américain, la Bourse elle-même se trouve en fait dans Broad St. Avant qu'il soit fermé au public par mesure de sécurité, ce bâtiment aux allures de temple romain où s'échangent chaque jour près de 44 milliards de dollars attirait plus de 700 000 visiteurs par an.

En vous postant quelques minutes à l'extérieur, vous apercevrez sûrement des dizaines de traders en train de fumer une cigarette ou d'avaler un hot-dog entre deux opérations.

Près de Vesey St, le **New York Mercantile Exchange** (☎ 212-299-2499 ; www.nymex.com ; 1 North End Ave ; métro A, C, 4, 5 jusqu'à Fulton St–Broadway Nassau) est la bourse des matières premières, de l'or, du gaz et du pétrole. À l'instar du NYSE, elle est fermée au public, mais nous vous conseillons de vérifier si ces mesures de sécurité n'ont pas été levées.

TRINITY CHURCH Plan p. 370

☎ 212-602-0800 ; www.trinitywallstreet.org ; angle Broadway et Wall St ; 🕒 lun-ven 8h-18h, sam 8h-16h, dim 7h-16h ; métro 2, 3 4, 5 jusqu'à Wall St, N, R jusqu'à Rector St

Fondée par le roi William III en 1697, l'ancienne paroisse anglicane comprenait plusieurs lieux de culte, dont St Paul's Chapel, à l'angle de Fulton St et de Broadway. L'étendue des propriétés de la paroisse dans Lower Manhattan en fit l'une des églises les plus riches et les plus influentes au XVIIIe siècle. L'actuelle Trinity Church, troisième église du nom bâtie sur le site, fut construite en 1846 par l'architecte anglais Richard Upjohn, qui lança ainsi le mouvement néo-gothique aux États-Unis. Son clocher, haut de 85 m, dominait alors toute la ville.

Trinity Church (p. 85)

La longue et sombre nef de l'église aboutit à un magnifique vitrail surmontant l'autel. À l'arrière, un petit cimetière paisible renferme quelques tombes polies par les siècles. Trinity Church, comme d'autres églises anglicanes aux États-Unis, adhéra à la foi épiscopale après l'indépendance du pays. Visitez-la de préférence à midi, pendant les offices en semaine ou pendant les "Concerts at One" donnés à l'heure du déjeuner (ils se déroulent aussi dans la **St Paul's Chapel**, voir p. 88) moyennant une participation de 2 $. Pour connaître le programme des concerts, appelez le ☎ 212-602-0747.

QUARTIER DU CIVIC CENTER ET DU CITY HALL

C'est le quartier des administrations, soumis aux assauts perpétuels de la modernité et des transformations permanentes. Les membres du conseil municipal vont déjeuner dans les restaurants voisins, des journalistes se rassemblent dans le City Hall Park pour une conférence de presse, les camions de télévision stationnent devant les tribunaux, notamment le tribunal du comté de New York et la cour suprême, où siègent tous les après-midi des jurys populaires. Dominant tout le quartier, l'imposant **Municipal Building** (100 Centre St) renferme aussi bien le Marriage Bureau (bureau des mariages) municipal que la station de radio locale WNYC. En découvrant soudain une pile du Brooklyn Bridge, l'on se souvient que Manhattan n'est pas une île. Au sud du City Hall commence Park Row, surnommé Newspaper Row de 1840 aux années 1920, lorsqu'il regroupait toute la presse new-yorkaise (il est devenu une artère commerçante où se trouve notamment l'excellent magasin d'informatique et d'électronique **J&R Music World**, voir p. 249). À l'ouest se dresse le magnifique Woolworth Building, d'une hauteur de 241 m, édifié par Cass Gilbert en 1913. Il fut à cette époque le gratte-ciel le plus haut de la ville.

CITY HALL Plan p. 370

☎ 212-788-6865 ; Park Row ; entrée libre, visites sur rendez-vous ; métro 4, 5, 6 jusqu'à Brooklyn Bridge–City Hall, J, M, Z jusqu'à Chambers St

L'hôtel de ville, face à l'entrée du Brooklyn Bridge, abrite le gouvernement municipal depuis 1812. Fidèles à la tradition d'une planification urbaine approximative typique des projets architecturaux new-yorkais, les responsables décidèrent de laisser la façade nord inachevée, n'imaginant pas que la ville s'étendrait de ce côté. On remédia à ce manque de clairvoyance en 1954 et l'édifice fut enfin complètement terminé. La critique d'art Ada Louise Huxtable le qualifia de "symbole de goût, d'excellence et de qualité, pas toujours égalé par la politique qui se décide en son sein".

À l'intérieur, on peut voir l'endroit où fut exposé pendant quelque temps le cercueil d'Abraham Lincoln en 1865 (à l'étage, en haut de l'escalier). La Governor's Room, la salle de réception, renferme 12 portraits des pères fondateurs de la nation peints par John Trumbull, la table de travail de George Washington ainsi que d'autres éléments de mobilier historique, et les vestiges d'un drapeau déployé par le premier président des États-Unis lors de son investiture en 1789. Si vous assistez quelques minutes aux délibérations du conseil, peut-être suivrez-vous un débat sur les noms de rue de la ville, un thème qui occupe une grande partie du temps du gouvernement municipal !

Pendant des années, les marches du City Hall furent le théâtre de discours politiques et de manifestations de protestation. Désapprouvant ces pratiques, Giuliani, l'ancien maire, les interdit purement et simplement. Bloomberg autorise de nouveau les manifestations, à condition d'en avoir été informé au préalable. Le bâtiment a été fermé au public après le 11 Septembre, mais des visites sont possibles sur rendez-vous. Téléphonez pour davantage de renseignements.

Totalement rénové et réaménagé, le City Hall Park, désormais pourvu de jolis réverbères, de fontaines, de tables d'échecs et de bancs, offre un moment de détente agréable, en particulier les week-ends d'été, lorsqu'il accueille des concerts de jazz et de R&B.

BATTERY PARK CITY

Si vous pénétrez dans Battery Park par un bel après-midi ensoleillé, octroyez-vous une pause au calme sur l'épaisse pelouse North Lawn, au bord de l'eau. Allongez-vous, fermez les yeux et tout le vacarme de la ville vous paraîtra soudain à des années lumières. Vous comprendrez sans doute alors pourquoi les New-Yorkais aiment tout particulièrement ce havre de verdure. Ce quartier d'une quinzaine d'hectares qui s'étend le long de l'Hudson, de Chambers St au Pier 1 à l'extrémité sud de l'île, et regroupe Rockefeller Park, Battery Park City

Brooklyn Bridge

Véritable emblème de New York, le **Brooklyn Bridge** (plan p. 370 ; métro 4, 5, 6 jusqu'à City Hall) fut le théâtre de multiples démonstrations de joies et de maintes tragédies. C'est là qu'en 1997 la population manifesta sa révolte contre les méthodes policières après les sévices infligés à un immigrant haïtien. Au printemps 2004, gays et lesbiennes défilèrent pour réclamer la légalisation des mariages homosexuels. Le pont accueille plusieurs marathons et des courses cyclistes ainsi que les feux d'artifice du 4 juillet. Le pont, qui a aussi vu passer des centaines de personnes éperdues, couvertes de poussière, fuyant les lieux des attentats du 11 Septembre, dpourrait raconter encore bien d'autres histoires.

Premier pont suspendu réalisé en câbles d'acier, sa travée de 485 m entre les deux piles de soutien était la plus longue du monde lors de son inauguration en 1883. Bien que sa construction ait été ponctuée d'événements tragiques, il devint un formidable exemple d'architecture urbaine et inspira poètes, écrivains et peintres. Aujourd'hui encore, il reste pour certains le plus beau pont du monde.

Ses plans furent dessinés par l'ingénieur d'origine allemande John Roebling, qui, en juin 1869, alors qu'il se trouvait sur une jetée de l'embarcadère de Fulton, fut heurté par un ferry. Il mourut du tétanos avant même le début des travaux. Son fils Washington prit la relève. La réalisation de l'ensemble, qui demanda 14 années, souffrit de dépassements de budget et de la mort de 20 ouvriers. Roebling lui-même demeura longtemps alité à la suite d'un accident survenu sur la pile ouest. Une dernière tragédie marqua l'édification de l'ouvrage. En juin 1883, lors de l'ouverture du pont aux piétons, quelqu'un dans la foule s'écria soudain, peut-être pour plaisanter, que le pont s'écroulait. Une bousculade s'ensuivit, provoquant la mort de 12 personnes.

Le pont a entamé son deuxième siècle d'existence, plus majestueux que jamais après une rénovation complète dans les années 1980. La passerelle, qui démarre juste à l'est du City Hall, offre une vue magnifique sur Lower Manhattan. Arrêtez-vous aux points de vue aménagés au niveau des deux piles de soutien pour examiner les panoramas, gravés sur des plaques de laiton, de la ville de New York à différents moments de son histoire. Prenez garde à ne pas empiéter sur la piste cyclable, massivement empruntée par les New-Yorkais qui vont travailler ou simplement se balader. Vous arriverez à Brooklyn en une vingtaine de minutes. Prenez à gauche pour rejoindre Empire Fulton Ferry State Park ou Cadman Plaza West, qui longe Middagh St au cœur de Brooklyn Heights. Vous déboucherez alors au centre de Brooklyn, qui compte un Brooklyn Borough Hall richement décoré et la Brooklyn Heights Promenade (voir p. 169).

Esplanade, Robert F Wagner Park et Battery Park, permet d'échapper à la folie urbaine de Manhattan et de jouir de somptueux couchers de soleil et de beaux panoramas sur la statue de la Liberté. Il comprend des aires de jeux et des terrains de foot, ainsi que de nombreuses allées ouvertes aux joggers, rolleurs, cyclistes ou simples promeneurs. L'été, on y donne des concerts et des films en plein air.

CASTLE CLINTON Plan p. 370

☎ 212-344-7220 ; www.nps.gov/cacl ; Battery Park ; 🕑 8h30-17h ; métro J, M, Z jusqu'à Broad St, 1, 9 jusqu'à South Ferry

Ce fort, construit pour défendre New York pendant la guerre de 1812, prit son nom actuel en 1817, en hommage au maire de l'époque, DeWitt Clinton. Transformé en monument national (après avoir été successivement un opéra, un complexe de loisirs, un bureau de l'immigration et un aquarium), il renferme aujourd'hui un centre des visiteurs et des expositions historiques, ainsi qu'un espace pour des spectacles en plein air.

IRISH HUNGER MEMORIAL Plan p. 370

290 Vesey St à hauteur de North End Ave, Battery Park ; entrée libre ; métro 1, 9, N, R jusqu'à Cortlandt St

Créé par l'artiste Brian Tolle, ce petit carré de verdure entouré de murets de pierre commémore la Grande Famine qui a frappé l'Irlande de 1845 à 1852, contraignant des millions de personnes à venir tenter leur chance dans la Grosse Pomme. Aujourd'hui, près de 800 000 New-Yorkais sont d'origine irlandaise.

JEWISH HERITAGE MUSEUM Plan p. 370

☎ 646-437-4200 ; www.mjhnyc.org ; 36 Battery Pl, Battery Park City ; adulte/senior/étudiant 10/7/5 $, gratuit mer 16h-20h ; 🕑 dim-mar et jeu 10h-17h45, mer 10h-20h, ven 10h-17h ; métro 4, 5 jusqu'à Bowling Green

Posé au bord de l'eau, ce vaste musée hexagonal, allusion à l'étoile de David, est dédié aux six millions de juifs morts dans les camps de concentration. Il présente sur trois étages tous les aspects de la culture juive à New York au XXe siècle, avec des objets personnels, des photographies, des documentaires sur les survivants des camps, des conférences. Il renferme un paisible jardin commémoratif et un café kasher, **Abigael's at**

the Museum, qui sert des en-cas pendant les heures d'ouverture du musée.

NEW YORK UNEARTHED Plan p. 370

☎ 212-748-8628 ; www.southstseaport.org/archaeology/nyunearthed.html ; 17 State St entre Pearl St et Whitehall St ; gratuit ; lun-ven 12h-17h ; métro N, R jusqu'à Whitehall St, 4, 5 jusqu'à Bowling Green, 1, 9 jusqu'à South Ferry

Dans South St Seaport, juste en face de Battery Park, ce site archéologique rassemble tous les objets découverts lors de fouilles dans divers quartiers de la ville. Il propose également régulièrement des expositions et des spectacles. On a ainsi pu voir récemment des vestiges du XIXe siècle provenant du quartier de Five Points (que l'on voit dans le film *Gangs of New York*).

SHRINE TO ST ELIZABETH ANN SETON Plan p. 370

☎ 212-269-6865 ; Our Lady of the Rosary, 7 State St ; entrée libre ; lun-ven 6h30-17h, avant et après la messe de 12h15 sam, et les messes de 9h et 12h dim ; métro N, R, W jusqu'à Whitehall St

Cette minuscule église consacrée à Elizabeth Ann Seton occupe une demeure de briques rouges, de style fédéral, où vécut en 1801 la première sainte américaine. Née à New York, elle fonda l'ordre des Sisters of Charity (sœurs de la Charité). Très silencieux, ce sanctuaire est propice au recueillement.

SKYSCRAPER MUSEUM Plan p. 370

☎ 212-968-1961 ; www.skyscraper.org ; 39 Battery Pl ; adulte/senior et étudiant 5/2,50 $; métro 4, 5 jusqu'à Bowling Green

Contraint de déménager après le 11 Septembre, ce musée de la verticalité s'est enfin installé dans ses locaux permanents en mars 2004. Occupant désormais le rez-de-chaussée du Ritz Carlton Hotel, il propose des expositions temporaires, sur l'Empire State Building, Times Square et le World Trade Center par exemple, et comprend également une collection permanente consacrée à l'histoire des gratte-ciel, répertoriant notamment les plus hauts immeubles du monde (construites à Kuala Lumpur en 1998, les tours Petrona, 450 m, battent actuellement tous les records).

Rechargez vos Battery !

Sur simple présentation d'une pièce d'identité, la Park House, voisine de Rockefeller Park, prête gratuitement des échasses, des ballons de basket, des cordes à sauter, des jeux de société ou encore des boules et des queues de billard (les tables sont en plein air, face à la statue de la Liberté). Les enfants peuvent se défouler sur les aires de jeux et escalader les drôles de sculptures en bronze de Tom Otterness. Le Battery Park Conservancy propose par ailleurs gratuitement ou pour une somme modique des circuits pédestres, des cours de natation et des animations pour les enfants dans ces différents parcs. Pour tout renseignement, adressez-vous au **Conservancy** (☎ 212-267-9700 ; www.bpcparks.org).

SPHERE Plan p. 370

Battery Park, Bowling Green Entrance ; métro 4, 5 jusqu'à Bowling Green

Endommagée lors des attentats, cette sphère de bronze de 4,5 m de diamètre ornait la fontaine de granit qui se trouvait sur la place entre les deux tours du World Trade Center. Créée en 1971 par le sculpteur Fritz Koenig pour symboliser l'harmonie dans les échanges commerciaux, elle a été déplacée ici peu après le 11 Septembre en hommage aux victimes. Outre les traces d'impact qui rappellent les événements, une flamme brûle désormais en permanence à son pied et on peut lire sur une plaque commémorative : "En hommage à tous ceux qui ont trouvé la mort. La Sphère est un symbole d'espoir et de l'esprit indestructible de ce pays. "

ST PAUL'S CHAPEL Plan p. 370

☎ 212-602-0800 ; www.saintpaulschapel.org ; Broadway à hauteur de Fulton St ; métro 2, 3 jusqu'à Fulton St

Jusqu'au 11 Septembre, cette église (qui dépend de Trinity Church, plus bas sur Broadway) était surtout célèbre pour avoir accueilli George Washington après son intronisation en 1789. Après les attentats, elle se transforma en véritable pôle de soutien psychologique pour tous les bénévoles intervenant sur le site, fournissant repas et lits, transmettant les messages et apportant des conseils aux secouristes. Les photos, lettres et autres témoignages émouvants déposés durant cette période demeurent affichés à l'intérieur.

WORLD FINANCIAL CENTER Plan p. 370

☎ 212-945-2600 ; www.worldfinancialcenter.com ; 200 Liberty St ; métro A, C, 4, 5 jusqu'à Fulton St–Broadway–Nasau St

Ce grand centre commercial se trouve derrière le site du World Trade Center, dans Battery Park City. Quatre tours de bureaux enserrent

Lower Manhattan, Higher Ground

Lentement mais sûrement, le site du World Trade Center, puits de douleur et de deuil, réussit à réunir les énergies des architectes, urbanistes et simples citoyens qui veulent lui redonner vie. Désireux de trouver un projet tout à la fois émouvant, intelligent et fédérateur, ils ont finalement choisi le mémorial "Reflecting Absence" de l'architecte Peter Wright et du designer Michael Arad, en collaboration avec la Lower Manhattan Development Corporation. La plate-forme de visite et le mur commémoratif permettront néanmoins toujours aux gens de venir se recueillir sur les lieux.

le Winter Garden, un atrium de verre plantés de palmiers et qui accueille toute l'année concerts et spectacles de danse. En cas de mauvais temps, on peut venir faire les boutiques (on retrouve les habituelles chaînes de magasins) ou manger un morceau dans l'immense partie restauration.

PLATE-FORME DE VISITE DU SITE DU WORLD TRADE CENTER Plan p. 370

Church St à hauteur de Fulton St ; entrée libre ; métro N, R, W jusqu'à Rector St, 4, 5 jusqu'à Wall St

Cette passerelle métallique qui entoure le site des tours jumelles en perpétuel changement continue d'attirer une foule nombreuse. Des photos accrochées aux palissades montrent les tours avant, pendant et après le 11 Septembre et le travail des équipes de secours. De nuit, l'éclairage public baigne l'ensemble d'une lumière chaude et rassurante.

SOUTH STREET SEAPORT

SOUTH STREET SEAPORT ATTRACTIONS Plan p. 370

☎ 212-732-7678; www.southstseaport.org ; métro 2, 3, 4, 5, J, Z jusqu'à Fulton St–Broadway–Nassau St

Cet ensemble de 11 blocks, de jetées et de plate-formes panoramiques associe le meilleur et le pire en matière de conservation historique. Le pavillon portuaire du Pier 17 au-delà de la voie surélevée FDR Drive, abrite quantité de boutiques et de restaurants, dont le fameux **Cabana** (p. 174), ainsi que des bains publics. Disséminés sur les différentes jetées, plusieurs bâtiments du XVIIIe et XIXe siècles rappellent la belle époque du port des ferries d'East River, abandonné après la construction du pont de Brooklyn et l'arrivée des navettes rapides sur l'Hudson. C'est un plaisir de parler avec les personnes de rencontre, d'arpenter les rues piétonnes, d'admirer les vieux navires. Schermerhorn Row, une série d'anciens entrepôts entre Fulton St, Front St et South St, foisonnent désormais de boutiques chics et branchées. On y trouve aussi le **New York Yankees Clubhouse**, 8 Fulton St (pour se procurer les billets gratuits pour les Bronx Bombers). En face, le **Fulton Market Building**, construit en 1983 dans le même style que les édifices voisins plus anciens, est une ode à la consommation. L'été, des musiciens locaux de blues, de jazz ou de rock viennent se produire dans la cour.

SOUTH STREET SEAPORT MUSEUM

Plan p. 370

☎ 212-748-8600 ; 207 Front St ; adulte/senior et étudiant/enfant 8/6/4 $; 🕙 10h-17h ; métro 2, 3, 4, 5, J, Z jusqu'à Fulton St, A, C jusqu'à Broadway–Nassau

Créé en 1967, ce musée retrace l'histoire du port et de quelques grands paquebots internationaux. Il comprend aussi plusieurs sites intéressants, dont trois galeries, une ancienne imprimerie, un centre d'animation pour les enfants, une centre d'artisanat maritime et quelques navires anciens.

Au sud du Pier 17 sont ancrés plusieurs voiliers historiques, tels le *Peking*, le *Wavertree*, le *Pioneer*, l'*Ambrose* et l'*Helen McAllister*. L'entrée du musée inclut la visite de ces bateaux. Des croisières de 2 heures (25/20/15 $ adulte/senior/enfant) à bord du magnifique *Pioneer*, bâti en 1885 pour transporter du sable, sont proposées à partir du Memorial Day (fin mai) jusqu'à la mi-septembre, du mardi au vendredi soir et le samedi et dimanche à partir de 13h. Il est conseillé d'apporter en-cas et boissons pour savourer au mieux cette belle traversée. Pour réserver, appelez le ☎ 212-748-8786.

Pendant plus de 130 ans, le Pier 17 a accueilli le Fulton Fish Market, où venaient s'approvisionner en poisson les restaurants de la ville. Le marché a toutefois déménagé à Hunt's Point, dans la partie sud du Bronx, en 2003, après des mois de conflits, un incendie douteux en 1995 et des rumeurs de corruption. Le nouveau marché, qui devrait largement contribuer à la réhabilitation économique du Bronx, devait ouvrir ses portes à l'automne 2004. Bien que débarrassé de l'odeur tenace du poisson, Downtown Manhattan regrette vivement son marché et toute l'animation qui l'entourait.

TRIBECA

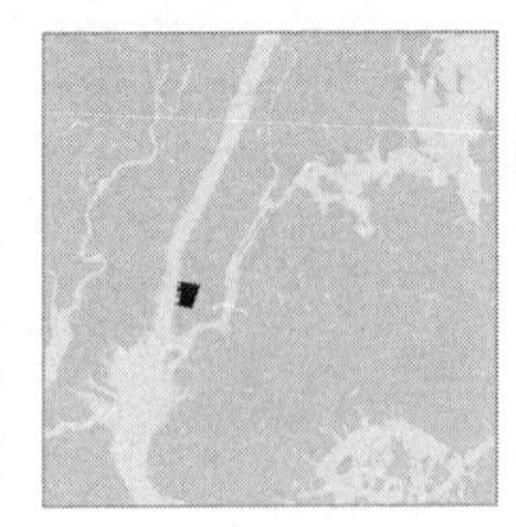

Où se restaurer p. 175, Où prendre un verre p. 201,
Où se loger p. 275

Avant le 11 Septembre, Tribeca (dont le nom vient de "TRIangle BElow CAnal St", "le triangle au-dessous de Canal St", délimité à l'est par Broadway et Chambers St au sud) demeurait généralement ignoré des visiteurs. Ceux qui s'y aventuraient découvraient pourtant d'immenses lofts à des prix raisonnables, d'excellents restaurants, des bars plein de charme, de petites rues pavées, de nombreuses boutiques et une scène artistique très animée, le tout dans une atmosphère de village très sympathique.

Pourtant très bien desservi par les transports en commun, Tribeca continue de voir peu de touristes (et ce malgré la présence de la société de production Tribeca Films de Robert DeNiro et de la dernière demeure de John F Kennedy Jr) et compte encore relativement peu de ces chaînes de magasins qui fleurissent partout ailleurs. Grâce aux efforts déployés par ses habitants, Tribeca a réussi à préserver quatre quartiers historiques bien distincts.

Jouxtant le site du World Trade Center, Tribeca a été sévèrement touché par les attentats. Les habitants et les commerçants du quartier se sont mobilisés pour obtenir des aides (essentiellement de la part de la Lower Manhattan Development Corporation) afin d'inciter les gens à rester dans ce quartier. Il connaît aujourd'hui une véritable renaissance. Rien ne sera plus jamais pareil, mais les restaurants et les boutiques semblent retrouver confiance. Nous ne saurons trop vous recommander de témoigner votre soutien à ce vaillant petit village !

Orientation

Tribeca est délimité par Canal St au nord, West St à l'ouest, Chambers St au sud et Broadway à l'est. Il regroupe South St Seaport et New York Harbor, avec la statue de la Liberté et Ellis Island. Pour vous familiariser avec ce quartier, nous vous conseillons de prendre contact avec la **Tribeca Organization** (www.tribeca.org). Il est desservi par les métros 1, 9 jusqu'à Franklin St, et 2, 3 jusqu'à Chambers St.

Transports

Métro 1, 9, 2, 3, A, C, E, N, R, W, 6.
Bus M6, M9.

CLOCKTOWER GALLERY Plan p. 370

☎ 212-233-1096 ; www.ps1.org ; 108 Leonard St entre Broadway et Lafayette St ; ⏲ mer-sam 12h-18h ; métro 1, 9 jusqu'à Franklin St

Couronnant le sommet de l'ancien siège de la New York Life Insurance Company (et actuellement le siège de la New York City Probation Department et de la Public Health & Hospitals Corporation), cet espace artistique, composé d'ateliers et de galeries en accès libre, appartient au PS1 Contemporary Art Center. L'Institute for Contemporary Art, qui finance le tout, parraine aussi les artistes qui travaillent sur place. On peut les voir à l'œuvre pendant les heures d'ouverture. Prenez l'ascenseur jusqu'au dernier étage, puis l'escalier pour parvenir à la galerie, au sommet de la tour.

HARRISON ST Plan p. 370

Métro 1, 2 jusqu'à Franklin St

Construites entre 1804 et 1828, les huit maisons du block de Harrison St, juste à l'ouest de Greenwich St, constituent la plus grande collection d'édifices de style fédéral de la ville. Elles ne furent toutefois pas toutes bâties les unes à côté des autres : six d'entre elles se trouvaient autrefois à deux blocks de là, dans un tronçon de Washington St qui n'existe plus. Au début des années 1970, l'endroit accueillait le Washington Market, une halle pour les fruits et légumes. L'urbanisation des quais (avec la construction de Manhattan Community College et d'un ensemble d'appartements) entraîna le déplacement du marché et des maisons. Seules les bâtisses des n°31 et 33 de Harrison St sont d'origine.

Tribeca Film Festival

En trois ans d'existence, le Tribeca Film Festival – lancé par Robert DeNiro et Jane Rosenthal afin de doper l'économie new-yorkaise et de doter la ville d'un festival de cinéma digne de ce nom – a su devenir un événement apprécié et recherché. Il propose à la fois des spectacles (concerts en plein air par exemple) et des films en compétition. Du 1er au 9 mai 2004, plus de 150 films ont ainsi été projetés, la plupart au **Tribeca Film Center** (voir ci-dessous). Encore relativement récent, ce festival cherche toujours ses marques. Sa dernière édition comptait nombre d'œuvres documentaires ou de fiction de jeunes réalisateurs du monde entier. Elle a permis notamment de découvrir des documentaires sur la guerre en Irak et sur une prison brésilienne, l'adaptation du roman *Cavedweller* de Dorothy Allison et un film de saynètes improvisées, tourné par Jim Jarmusch. Le tout nouveau prix "New York, New York" récompense des films indépendants produits localement.

TRIBECA FILM CENTER Plan p. 370
☎ 212-941-2000 ; www.tribecafilm.com ;
375 Greenwich St entre North Moore St et Franklin St ; métro 1, 9 jusqu'à Franklin St
Bien que cette société de production, fondée par Robert DeNiro, regroupe essentiellement un immeuble de bureaux et de salles de projection réservées aux professionnels, le public est le bienvenu lors de séances spéciales. DeNiro et Jane Rosenthal ont en outre créé le **Tribeca Film Festival** (voir l'encadré ci-contre) composé de films et de programmes éducatifs. Consultez le site Internet pour connaître le programme des événements à venir.

SOHO

Où se restaurer p. 176, Où prendre un verre p. 202, Où dormir p. 275

Rien de commun entre ce quartier branché et son homonyme londonien : le Soho new-yorkais doit sont nom à son emplacement géographique, South of Houston St. Ponctué de rues pavées et de magnifiques immeubles, il s'étend au sud jusqu'à Canal St et à l'ouest, entre Broadway et West St.

Soho se compose block après block d'immeubles industriels utilisant des pièces préfabriquées en fonte (cast-iron, d'où son surnom de Cast-Iron District), vissées et apparentes en façade. Ils ont été bâtis juste après la guerre de Sécession, lorsque cette zone représentait le principal quartier commercial de la ville. Ils abritaient des usines textiles, ainsi que des salles d'exposition en rez-de-chaussée. Le quartier tomba en désuétude quand les détaillants se déplacèrent au nord de la ville et les fabricants dans d'autres régions. À partir des années 1950, les immenses lofts loués à des prix dérisoires commencèrent à attirer artistes et marginaux de toutes sortes. Leur mobilisation permit de sauver le quartier de la destruction et, en 1973, de déclarer zone historique un ensemble de 26 blocks. Malheureusement, ces pionniers durent abandonner le quartier devenu chic et branché, les loyers devenant inaccessibles.

Maintes galeries se sont déplacées à Chelsea et Soho représente aujourd'hui une sorte de temple du shopping, les boutiques de stylistes se succédant les unes aux autres. Mais il reste encore quelques musées et galeries d'art, en souvenir de l'âge d'or du quartier.

Essayez d'éviter le week-end, où des masses de touristes déferlent sur le quartier. Vous aurez un meilleur aperçu de la vie "normale" de Soho en semaine, lorsque les artistes et les galeristes travaillent. Enfin, ce n'est pas seulement un cliché, vous apercevrez réellement des créatures de rêve, habillées de noir, déambuler dans les rues !

Top 5 de Tribeca et Soho

- **Apple Soho Store** (p. 250). Rencontre avec les derniers raffinements informatiques
- **Balthazar** (p. 176). L'instant d'un brunch savoureux
- **Clocktower Gallery** (p. 90). A la découverte de nouveaux artistes
- **Hoomoos Asli** (p. 177). L'*Hoomoos* qui renouvelle l'houmous !
- **Prince St** (p. 92). Une envie de shopping ?

Orientation

Houston St marque la limite nord de Soho, d'où son nom, qui vient de "South of Houston Street". Il rejoint Little Italy par Lafayette

St à l'est et Chinatown et Tribeca à l'ouest de Canal St. Pour vous y rendre en métro, prenez les lignes C, E, 6 jusqu'à Spring St, N, R jusqu'à Prince St, F, V jusqu'à Broadway-Lafayette St ou 1, 9 jusqu'à Houston St.

APPLE STORE SOHO Plan p. 372

☎ 212-226-3126 ; www.apple.com/retail/soho ; 103 Prince St à hauteur de Mercer St ; ⏲ lun-sam 10h-20h, dim 11h-19h ; métro B, D, F, V jusqu'à Broadway –Lafayette St, N, R jusqu'à Prince St

Cet immense magasin tenu par un personnel très qualifié est bien plus qu'une simple boutique d'informatique. Il propose des conférences sur les dernières innovations technologiques, des formations et des films sur les produits Mac qui permettent d'aborder la photo numérique ou la composition musicale. Ces sessions se déroulent à l'étage, dans une salle dotée de fauteuils bien moelleux et d'un écran géant. Voir aussi p. 250.

NEW MUSEUM OF CONTEMPORARY ART Plan p. 372

☎ 212-219-1222 ; www.newmuseum.org ; 583 Broadway entre Lafayette St et Prince St ; adulte/artiste, senior et étudiant/enfant de moins de 18 ans 6/3 $/gratuit ; ⏲ mar-mer, ven-dim 12h-18h, jeu 12h-20h ; métro B, D, F, V jusqu'à Broadway–Lafayette St, N, R jusqu'à Prince St

À l'avant-garde de la scène contemporaine de Soho, ce musée expose des œuvres d'art de moins de 10 ans. Voyez notamment la nouvelle Media Z Lounge, une salle équipée de matériel numérique, vidéo et audio dernier cri. Il comprend aussi une bonne librairie, très bien pourvue en livres d'art et monographies.

NEW YORK CITY FIRE MUSEUM Plan p. 372

☎ 212-219-1222 ; www.nycfiremuseum.org ; 556 W 22nd St à hauteur d'Eleventh Ave ; don de 3 $ conseillé ; ⏲ mar-sam 10h-17h, dim 10h-16h ; métro C, E jusqu'à Spring St

Installé dans une magnifique caserne datant de 1904, ce musée recèle une collection bien entretenue de rutilantes voitures à cheval et de camions modernes. Il retrace l'histoire de la lutte contre l'incendie à New York, qui débuta avec les "brigades à seaux". L'équipement lourd et coloré ainsi que le personnel sympathique en font un lieu idéal à visiter avec des enfants. Depuis le 11 Septembre, le musée comprend aussi une section en hommage aux pompiers morts à la suite des attentats. Une boutique vend des uniformes de pompier et des livres sur le sujet. À partir du printemps 2006, le musée se trouvera au 235 Bowery, à hauteur de Prince St.

PRADA SOHO Plan p. 372

☎ 212-334-8888 ; 575 Broadway à hauteur de Prince St ; ⏲ lun-sam 11h-19h, dim 12h-18h ; métro B, D, F, V jusqu'à Broadway–Lafayette St, N, R jusqu'à Prince St

Ce bâtiment de 8 400 m² abritait autrefois le musée Guggenheim Soho. Bien que racheté par le célèbre couturier italien, il n'a rien perdu de son charme. En 2001, l'architecte Rem Koolhaus a décidé de transformer le magasin en un lieu vivant : des écrans plats diffusent des messages publicitaires, les collections vintage en quantité limitée côtoient les autres articles, des portants mobiles sont suspendus en hauteur, des miroirs permettent aux clients de se voir simultanément sous plusieurs angles et des spectacles se produisent même de temps à autre dans le magasin. Même si tous ces articles dépassent largement votre budget, n'hésitez pas à entrer, les simples visiteurs sont les bienvenus. Voir aussi p. 252.

PRINCE ST Plan p. 372

Métro N, R jusqu'à Prince St

Cette rue permet de s'imprégner de l'atmosphère de Soho. L'été, des artistes exposant

Le patrimoine architectural de Soho

En vous promenant dans Soho, n'oubliez pas de lever la tête pour découvrir les décorations élaborées qu'arborent encore nombre d'immeubles dans les étages supérieurs. Parmi les mieux conservés, citons le **Singer Building** (561–563 Broadway), entre Prince St et Spring St, un bel édifice de fer et de brique, ancien entrepôt de la célèbre société de machines à coudre.

Au-dessus d'un magasin de tissus et d'une épicerie fine, vous pouvez admirer les vestiges de la façade en marbre du **St Nicholas Hotel** (521–523 Broadway), entre Spring St et Broome St, un établissement de 1 000 chambres qui, dès son ouverture en 1854, fut l'hôtel le plus prestigieux de la ville. Il ferma en 1880, après avoir servi de quartier général au War Department (ministère de la guerre) d'Abraham Lincoln pendant la guerre de Sécession.

Enfin, construit en 1857, le **Haughwout Building** (488 Broadway à hauteur de Broome St) fut le premier bâtiment à se doter de l'ascenseur à vapeur conçu par Elisha Otis. Surnommé le "Parthénon du fer moulé", le Haughwout (prononcez "hao-out") se distingue notamment par sa double façade. Ne manquez pas en particulier l'horloge en fer qui donne sur Broadway.

> **Houston St ? dites "Hao-stone" !**
>
> Personne ne peut dire avec précision pourquoi le nom de cette rue se prononce "hao-stone", si ce n'est sans doute que William Houstoun, qui habitait dans le quartier, prononçait lui-même son nom de cette façon. C'est à leur erreur de prononciation que l'on reconnaît instantanément les visiteurs... Choisissez votre camp !

bijoux, tissages, vêtements et autres articles d'artisanat investissent les trottoirs entre Broadway et Sixth Ave. Une sortie shopping peut occuper quelques heures, entre les excellentes revues de **Kate's Paperie** (p. 252), les chaussures **Sigerson Morrison** et **John Fleuvog** (est de Broadway), les produits de maquillage **Face** et l'incroyable choix d'objets du Met Store, succursale de la boutique cadeaux du **Metropolitan Museum of Art** (p. 123).

Les fins gourmets ne manqueront pas de pousser jusqu'à **Dean & DeLuca** (p. 173) sur Broadway, un régal pour les yeux et le palais !

CHINATOWN ET LITTLE ITALY

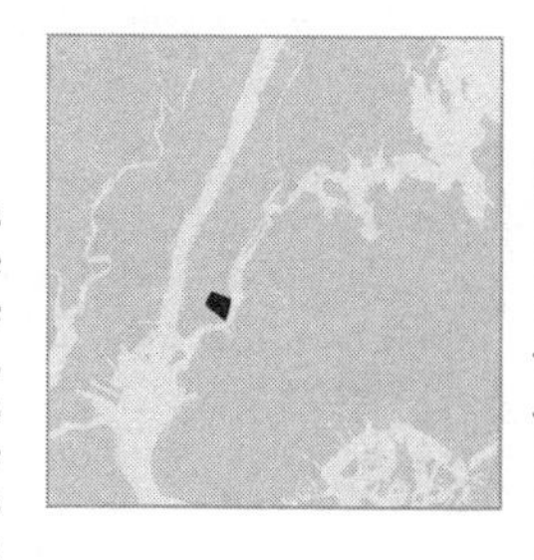

Promenades p. 156, Où se restaurer p. 177, Où prendre un verre p. 203, Shopping p. 253

Plus de 150 000 New-Yorkais d'origine chinoise vivent dans les minuscules appartements de Chinatown, constituant une communauté très attachée à ses traditions et à ses habitudes de vie. Plusieurs banques de Canal St ouvrent ainsi le dimanche, les kiosques du quartier vendent au moins six journaux chinois différents et des feux d'artifice sont régulièrement tirés en toute illégalité (c'est le clou des défilés du Nouvel An chinois). Dans les rues, les étals de tofu côtoient des tonneaux de grenouilles vivantes, des ailerons de requin, des fruits exotiques et de mystérieux élixirs. Dans les années 1990, Chinatown a attiré de nombreux immigrés vietnamiens, qui ont à leur tour investi des rues entières avec leurs boutiques et leurs restaurants bon marché. Les tout derniers immigrants sont originaires de Fuzhou, dans la province chinoise de Fujian (sud du pays).

Contrairement à Chinatown, Little Italy a considérablement perdu ses particularités culturelles au cours des 50 dernières années. Quartier des immigrés italiens (le cinéaste Martin Scorsese a grandi dans Elizabeth St), Little Italy a vu dès le milieu du XXe siècle nombre de ses habitants préférer s'installer dans le quartier de Cobble Hill de Brooklyn, et dans les banlieues plus éloignées. Il subsiste par conséquent peu de sites culturels et de manifestations traditionnelles, à l'exception du **San Gennaro Festival** (p. 18), la fête du saint patron de Naples qui se déroule pendant 10 jours à partir de la deuxième semaine de septembre. Fermée à la circulation de Canal St à Houston St pour l'occasion, Mulberry St regorge alors de stands de jeux en tous genres, de défilés, de courses diverses et d'étals de boissons et d'alimentation.

Orientation

Chinatown et Little Italy, deux des quartiers ethniques les plus vivants de Manhattan, se situent au nord de Civic Center et du Financial District. Chinatown s'étend largement au sud de Canal St et à l'est de Centre St, jusqu'à Manhattan Bridge. Depuis quelques années, il tend toutefois à se déplacer vers l'est, dans le Lower East Side et au nord, pour empiéter sur Little Italy, qui ne couvre plus qu'une section étroite au nord de Canal St.

CHINATOWN

CANAL ST Plan p. 370

Métro J, M, Z, N, Q, R, W, 6 jusqu'à Canal St

Si les minuscules ruelles du quartier cachent de véritables trésors, il ne faut cependant pas

> **Transports**
>
> **Métro** J, M, N, Q, R, W, Z, 6 jusqu'à Canal St.

Top 5 de Chinatown et Little Italy

- **Canal St** (p. 93). Emporté par la foule…
- **Ferrara's Pasticceria** (p. 178). Commandez un expresso et un cannoli
- **Mare Chiaro** (p. 203). Appréciez le cadre, le patron et l'addition
- **Mulberry St** (ci-contre Un pied en Chine, l'autre en Italie
- **Museum of Chinese in the Americas** (ci-contre). Laissez-vous surprendre

manquer cette grande artère, où semble bouillonner toute la vie de Chinatown. Toujours encombrée d'une foule nombreuse, elle foisonne de marchés où sont alignés à ciel ouvert des étals de poissons étranges, des petites herboristeries vendant toutes sortes de racines et de potions, des comptoirs proposant de délicieuses bouchées au porc, des tréteaux ployant sous les lychees ou les poires chinoises, des montagnes de sacs et de montres dont la contrefaçon ne fait aucun doute, sans oublier les lots de culottes à 1 $. Le spectacle mérite vraiment le détour.

COLUMBUS PARK Plan p. 370

Mulberry St et Bayard St

Les joueurs de mah-jong et de dominos s'installent sur les tables en plein air, tandis que les amateurs de tai-chi effectuent tranquillement leurs enchaînements sous les arbres. Ce parc communal est le domaine des habitants du quartier. Les visiteurs sont les bienvenus, même s'ils ne suscitent que l'indifférence des habitués. Signalons qu'il comporte des bains publics.

MUSEUM OF CHINESE IN THE AMERICAS Plan p. 370

☎ 212-619-4785 ; www.moca-nyc.org ; 70 Mulberry St à hauteur de Bayard St ; don de 3 $ conseillé ; ⌚ mar-dim 12h-17h ; métro J, M, Z, N, Q, R, W, 6 jusqu'à Canal St

Ce petit musée, fondé en 1980 par une société chinoise en hommage à la communauté des Chinois d'Amérique, retrace l'histoire de Chinatown et de ses habitants, au travers de témoignages oraux et écrits, d'objets et de photos. Des expositions temporaires traitent de sujets plus contemporains, tels que la communauté gay chinoise.

WING FAT SHOPPING Plan p. 370

☎ 8-9 Bowery entre Pell St et Doyers St ; métro J, M, Z, N, Q, R, W, 6 jusqu'à Canal St

Ce centre commercial souterrain rassemble tout à la fois des spécialistes en réflexologie, des philatélistes ou des maîtres de feng shui. Il occupe un tunnel qui fut le théâtre d'une aventure digne d'un film : au début du XXe siècle, deux gangs rivaux s'y faufilèrent au beau milieu d'une bataille de rue afin de disparaître avant l'arrivée de la police.

LITTLE ITALY

MULBERRY ST Plan p. 370

Bien qu'elle ressemble désormais davantage à un parc d'attractions qu'à une authentique rue italienne, Mulberry St symbolise toujours le cœur de Little Italy. Elle rassemble l'Old St Patrick's Church, les restaurants **Umberto's Clam House** (☎ 212-431-7545 ; 386 Broome St à hauteur de Mulberry St), **Da Nico** (☎ 212-343-1212 ; 164 Mulberry St entre Broome St et Grand St) et **Casa Bella** (☎ 212-431-4080 ; 127 Mulberry St à hauteur de Hester St), ainsi que le bar rétro **Mare Chiaro** (p. 203), très apprécié en son

Le New York de Scorsese

Né dans le Queens en 1942, le cinéaste Martin Scorsese a toutefois grandi dans Elizabeth St, dans Little Italy. Il a souvent représenté le côté le plus sombre de New York dans ses films. Après avoir produit le documentaire *Woodstock* (1970), il réalisa *Mean Streets* (1973) sur Little Italy (mais tourné dans le Bronx) avec Robert DeNiro et Harvey Keitel. Ces deux acteurs ont ensuite souvent joué dans ses films. On les retrouve notamment dans *Taxi Driver* (1975), qui se déroule dans East Village et fut unanimement salué par la critique. DeNiro remporta l'Oscar du meilleur acteur pour son rôle dans *Raging Bull* (1980), qui retrace la vie du boxer Jake La Motta.

Scorsese a depuis été de nouveau récompensé pour *Les Affranchis* (1990), qui se passe dans le milieu des gangsters, *Le Temps de l'innocence* (1993), où l'on découvre la société new-yorkaise du XIXe siècle et *Gangs of New York* (2002), dans lequel il raconte la vie dans les bas-fonds de Five Points à Downtown, avec Leonardo DiCaprio, Daniel Day Lewis et Cameron Diaz. En 2004, il co-réalisa pour la télévision le documentaire *Lady by the Sea : The Statue of Liberty* et a travaillé aux ultimes phases de la production de son dernier film, *The Aviator*, inspiré de la vie du producteur hollywoodien Howard Hughes.

Un tour à Nolita

En suivant Mulberry St vers l'ouest, en direction de Lafayette St, et au nord, vers Houston St, Little Italy devient plus cosmopolite et compte de plus en plus de cafés, restaurants et boutiques proches de ceux de Soho. Ce quartier est désigné par les acronymes Nolita (pour "NOrth of Little ITAly") ou NoHo ("NOrth of HOuston St", qui se prolonge jusqu'à East Village) encore plus au nord. Pour apprécier le charme de ce quartier en plein essor, empruntez les rues immédiatement à l'est de Broadway, juste au-dessous de Houston St. Happé par la multitude des boutiques chics, des boulangeries et des épiceries fines, le côté ethnique de Little Italy disparaît toutefois de plus en plus.

Étal de poissons, Chinatown (p. 93)

temps par Frank Sinatra. Le drapeau italien flotte dans toutes les boutiques de souvenirs et les odeurs de pizza chaudes et de pâtisseries embaument toute la rue. Ne manquez pas le **Ravenite Social Club** (247 Mulberry St, transformé en boutique de cadeaux), vestige de l'époque où les gangsters régnaient sur le quartier. Appelé initialement l'Alto Knights Social Club, il fut le lieu de rendez-vous de quelques gros poissons, comme Lucky Luciano avant de devenir le quartier général de John Gotti jusqu'à son arrestation en 1992.

LOWER EAST SIDE

Promenades p. 154, Où se restaurer p. 179,
Où prendre un verre p. 203, Shopping p. 254, Où se loger p. 276

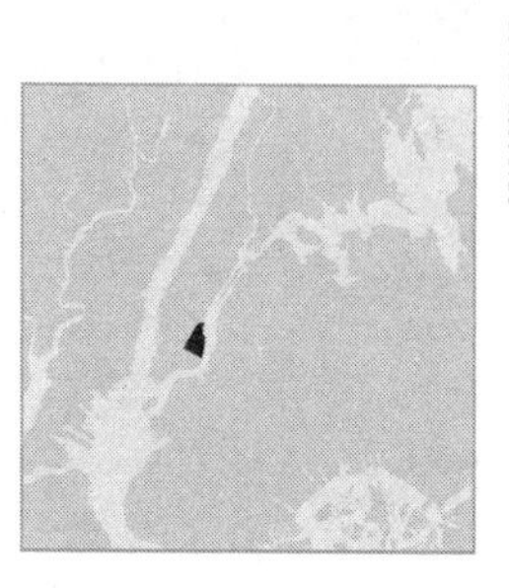

Au début du XXe siècle, le Lower East Side accueillit près d'un demi-million de Juifs d'Europe de l'Est. Il demeure aujourd'hui l'un des quartiers de New York relativement abordables. Depuis quelques années, la population hyper-branchée de Manhattan envahit ses petits bars sombres, ses restaurants quatre étoiles, ses galeries d'art et ses boutiques de mode pour le simple plaisir de se montrer dans les derniers lieux à la mode.

Sur le plan architectural, cet ancien quartier de *tenements* (vieux immeubles de logements ouvriers) conserve son caractère désolé, avec ses blocks de bâtiments délabrés. On comprend pourquoi les premiers habitants disaient que "le soleil avait honte de briller" sur leur triste quartier.

Tout comme Little Italy, le Lower East Side a perdu une grande partie de sa saveur d'origine. Seule une petite communauté juive y habite encore et l'on n'y trouve plus qu'une poignée de commerces traditionnels. **Gus's Pickles** (plan p. 372 ; 85–87 Orchard St) détaille encore ses pickles dans des tonneaux et **Russ & Daughters Appetizing** (plan p. 372 ; 179 E Houston St entre Orchard St et Allen St) vend toujours de délicieux poissons fumés.

Il ne reste cependant plus rien de l'homogénéité qui le caractérisait autrefois. Aujourd'hui, le Lower East Side abrite surtout une population jeune qui trouve ici un premier logement, quelques punks anachroniques, des peintres, des sculpteurs et tous les "condamnés" à un appartement à loyer contrôlé. La communauté latino-américaine investit peu à peu le bas de l'East Village (la partie appelée Alphabet City par les premiers résidents, en raison des Avenues A, B, C et D). Chinatown qui s'étend de plus en plus dans les quartiers voisins, contribue à cette atmosphère pluri-culturelle qui caractérise désormais ce quartier.

Ses innombrables bars et restaurants font par ailleurs du Lower East Side l'un des points les plus animés de New York. Ici, pour être tendance, il faut s'adapter en permanence, une règle que savent appliquer les cafés, les bars et les boutiques du quartier, en perpétuel changement. Vous n'aurez que l'embarras du choix entre les bons vieux classiques et les derniers-nés des temples de la mode !

Orientation

Délimité au nord par Houston St et 14th St, Lower East Side s'étend de l'est de Bowery jusqu'à l'East River. Faites un tour au **Lower East Side Visitors Center** (plan p. 372 ; 261 Broome St entre Allan St et Orchard St) pour vous repérer plus facilement.

EAST RIVER PARK Plan p. 384

Coincé entre un vaste projet immobilier, la FDR Drive constamment embouteillée et les eaux polluées de l'East River, ce parc ne paraît *a priori* pas très engageant ! Il mérite toutefois une visite, surtout au printemps. Il est agrémenté d'un amphithéâtre de 500 places, ses allées sont bien entretenues et les belles pelouses ont été entièrement réaménagées. Il jouit d'une vue magnifique sur les ponts de Williamsburg, de Manhattan et de Brooklyn. Plusieurs sections sont encore en cours d'aménagement, mais cette coulée verte est déjà très réussie.

ORCHARD ST BARGAIN DISTRICT Plan p. 372

Orchard St, Ludlow St et Essex St entre Houston St et Delancey St ; ⌚ dim-ven ; F station Delancey St, métro J, M, Z jusqu'à Essex St

Du temps des premiers immigrants juifs, les marchands d'Europe de l'Est installaient ici leurs charrettes à bras pour écouler leurs marchandises. Les choses ont évolué, mais quelque 300 boutiques de ce bazar moderne vendent aujourd'hui encore des articles de sport, des ceintures en cuir, des chapeaux et une vaste gamme de vêtements de créateurs (pas toujours terribles, pour être honnête) à des prix avantageux. Ne perdez pas votre temps à tenter de dénicher l'article de marque bradé pour trois fois rien, mais sachez que vous pourrez acheter des basiques (sous-vêtements, chaussures, sacs de l'armée ou vestes en cuir par exemple) à bon prix. Bien que les commerces n'appartiennent pas tous à des juifs orthodoxes, tous les rideaux sont baissés du vendredi après-midi au dimanche pour respecter le sabbat. Il est parfois possible de marchander un peu, mais ne rêvez pas trop non plus !

Transports

Métro F, V jusqu'à Second Ave–Lower East Side, F jusqu'à Delancey St et J, M, Z jusqu'à Delancey St–Essex St.

Bus. Empruntez surtout les lignes qui traversent la ville par Houston St et Delancey St.

ELDRIDGE ST SYNAGOGUE Plan p. 370

☎ 212-219-0888 ; 12 Eldridge St entre Canal St et Division St ; adulte/senior 5/3 $; métro F jusqu'à East Broadway

Édifiée en 1887, l'Eldridge St Synagogue attirait régulièrement quelque 1 000 fidèles au début du XXe siècle. La fréquentation diminua dans les années 1920, avec l'application de lois sur l'immigration plus strictes qui limitaient le nombre d'immigrants. La synagogue ferma dans les années 1950. À la fin des années 1980, un grand projet de restauration nécessita des travaux de rénovation. Le chantier n'est pas terminé mais la synagogue propose déjà un office le vendredi soir et le samedi matin, ainsi que des concerts, des expositions et des conférences. Des **visites** (adulte/senior et étudiant 5/3 $; ⌚ dim 11h-16h, mar-jeu 11h30-14h30 ou sur rendez-vous) sont également organisées.

ESSEX ST MARKET Plan p. 372

☎ 212-312-3603 ; www.essexstreetmarket.com ; 120 Essex St entre Delancey St et Rivington St ; ⌚ lun-sam 8h-18h ; métro F, V jusqu'à Delancey St, J, M, Z jusqu'à Delancey–Essex St

Véritable institution locale, ce marché implanté depuis 60 ans vend produits d'épiceries, poissons, viande à la coupe, fromages et spécialités latino-américaines. Un barbier y tient même encore boutique. Repérez en particulier l'enseigne des **Schapiro Wines**. Premier établissement de vins kasher de New York, l'entreprise de la famille Schapiro a été créée en 1899, dans le Lower East Side. Elle proposait autrefois des visites de ses caves,

Top 5 de Lower East Side

- **East River Park** (page précédente). Une balade en pleine nature, c'est possible
- **Teany** (p. 180). Thé et délices végétariens, pourquoi pas…
- **Tenement Museum** (ci-dessous). Le vieux New York a de beaux restes
- **Toys in Babeland** (p. 97). Que des jouets, mais pas pour les enfants
- **WD 50** (p. 180). Qui dit dîner, dit vin…

mais s'est installée dans un quartier plus chic dans le courant des années 1990. On peut toujours goûter et acheter du vin sur le marché.

LOWER EAST SIDE TENEMENT MUSEUM Plan p. 372

☎ 212-431-0233 ; www.tenement.org ; 90 Orchard St à hauteur de Broome St ; adulte/senior et enfant 10/8 $; centre des visiteurs 🕓 11h-17h30 ; métro F, V jusqu'à Delancey St, J, M, Z jusqu'à Delancey–Essex St

Ce musée rappelle l'atmosphère désolée du quartier en mettant en scène plusieurs logements ouvriers. Le *visitor center* projette un film sur les conditions de vie des habitants de ces appartements, souvent dépourvus d'eau courante et d'électricité. Les visites du musée (prix inclus dans l'entrée) s'effectuent uniquement avec un guide et démarrent en général toutes les 40 ou 50 min. Renseignez-vous toutefois au préalable car les horaires changent fréquemment.

Le musée a reconstitué trois *tenements* du début du XXe siècle, avec l'échoppe de vêtements de la famille Levine, arrivée de Pologne à la fin du XIXe siècle, et deux logements occupés par des immigrants pendant les Grandes Crises de 1873 et 1929. Le week-end, des animations permettent aux enfants de se déguiser dans des vêtements d'époque et de jouer dans l'appartement restauré (datant d'environ 1916) d'une famille juive séfarade. Le musée organise en outre des visites à pied du quartier d'avril à décembre.

STREIT'S MATZO COMPANY Plan p. 372

☎ 212-475-7000 ; www.streitsmatzos.com ; 148-154 Rivington St

À l'instar des Schapiro, les Streits ont créé leur entreprise, une boulangerie en l'occurrence, dans les années 1890. L'on peut toujours s'y régaler de *matza*, de fines galettes de blé complet.

TOYS IN BABELAND Plan p. 372

☎ 212-375-1701 ; www.babeland.com ; 94 Rivington St ; 🕓 lun-sam 12h-22h, dim 12h-19h ; métro F, V jusqu'à Lower East Side–Second Ave

Dans une atmosphère feutrée et chaleureuse, cette boutique de jouets érotiques tenue par des femmes vend des godemichés et des accessoires en tous genres, vidéos pornos, livres et magazines érotiques. Le personnel sait conseiller avec tact et délicatesse. La boutique récemment ouverte à **Soho** (plan p. 372 ; ☎ 212-966-2120 ; 43 Mercer St entre Broome St et Grand St) se révèle tout aussi sympathique. De temps en temps des conférences et des ateliers érotiques sont programmés. Voir aussi p. 254.

EAST VILLAGE

Où se restaurer p. 181, Où prendre un verre p. 204, Shopping p. 255, Où se loger p. 276

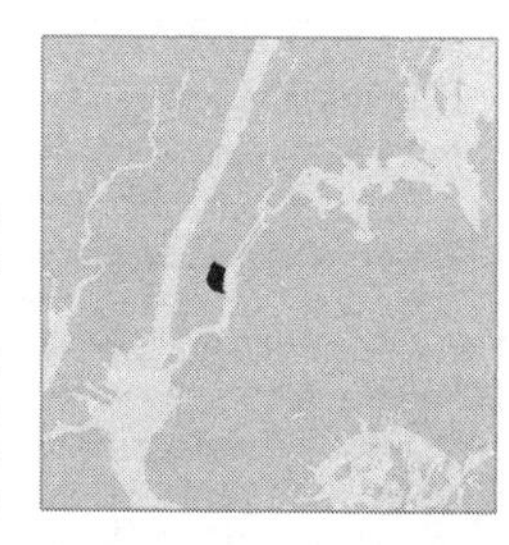

Difficile de définir en quelques mots les caractéristiques de l'East Village, quartier autrefois glauque et louche gagné aujourd'hui par le syndrome de la branchitude !

Bien que son nom s'inspire de celui de Greenwich Village, ces deux quartiers n'ont rien en commun d'un point de vue historique. Cette zone recouvrait à l'origine de vastes propriétés foncières. Avec l'industrialisation de la ville et son extension vers le nord à la fin du XIXe siècle, ces terrains durent céder au développement urbain. Au début du XXe siècle, cette partie de la ville, au nord de Lower East Side, faisait office de parent pauvre de Greenwich Village. Elle s'est radicalement transformée au cours de la dernière décennie : l'East Village s'est considérablement embourgeoisé et cette tendance gagne désormais les Ave A, B, C et D, encore plus à l'est, jusqu'alors plutôt mal famées (voir l'encadré consacré à *Alphabet City*, p. 98).

Pour découvrir l'East Village, empruntez First et Second Ave, ainsi que les Ave A et B entre 14th St et Houston St. Outre les boutiques d'habits vintage, les marchands de disques d'occasion, les herboristeries et les bars, vous pourrez goûter pratiquement toutes les cuisines du monde, végétarienne, italienne, polonaise, indienne, libanaise, japonaise ou thaïlandaise. Inutile de vous attarder sur St Mark's Place, entre Third et Second Ave, elle ne compte plus que des bijouteries de mauvais goût et des restaurants sans intérêt.

Orientation

L'East Village désigne généralement la partie située à l'est de Third Ave jusqu'au fleuve et au nord de Houston St jusqu'à 14th St. Tompkins Square Park en représente le point névralgique. Le métro ne dessert pas tous les sites du quartier, mais ils sont rapidement accessibles à pied (ou en bus ou en taxi) depuis les stations Astor Pl, ligne 6, Lower East Side–Second Ave, ligne F ou V et First Ave ou Third Ave, ligne L.

AVENUE A Plan p. 372

Ave A entre 14th St et Houston St

Première des artères alphabétiques d'East Village à s'être embourgeoisée, Avenue A symbolise le changement radical du quartier. Au début des années 1990, elle délimitait la partie fréquentable du quartier des rues jugées encore trop risquées. Souvent ignorée par les inconditionnels de l'East Village, qui la trouvent trop à l'ouest pour présenter un intérêt, elle reste néanmoins très animée et conserve une certaine originalité. Elle foisonne de cafés et de bistrots, de night-clubs et de minuscules gargotes bon marché. Ajoutons qu'elle abrite un parc tranquille et que vous ne dénicherez nulle part ailleurs un kiosque à journaux servant de délicieuses crèmes glacées ou des boutiques de vaisselle dernier cri, sans oublier les plus formidables soirées années 1980 du vendredi (1984 à la **Pyramid**, p. 229) ou encore un restaurant de sushi avec DJ.

Alphabet City

Il n'y a pas si longtemps, les lettres des avenues A, B, C et D auraient fort bien pu signifier "Agressions, Bagarres, Crimes et Drogues" et le New-Yorkais ordinaire ne s'y rendait pour rien au monde. Ces artères accueillent aujourd'hui une population branchée et pourraient bien être rebaptisées "Argent, Branchitude, Célébrités et Dîners étoilés. Les loyers ont flambé, les anciens résidents ont souvent été contraints de déménager, les taxis sont pris d'assaut tous les soirs et les yuppies en costume envahissent les trottoirs. Chacun a son avis sur cette évolution. C'est en tout cas le quartier idéal pour prendre un verre ou manger dans un endroit sympathique.

Transports

Métro N, R, W, 6, L ou F, V.
Bus Lignes de Houston St, M14 et lignes des Ave A, B et C.

ST MARK'S-IN-THE-BOWERY Plan p. 372

☎ 212-674-6377 ; 131 E 10th St à hauteur de Second Ave ; 🕓 lun-ven 10h-18h ; métro 6 jusqu'à Astor Pl, L jusqu'à Third Ave

Devenue un centre culturel – avec des lectures de poésie proposées par le **Poetry Project** (☎ 212-674-0910) ou des spectacles de danse avant-gardistes montés par **Danspace** (☎ 212-674-8194) – cette église épiscopale s'élève sur le site d'une ferme, ou *bouwerie*, ayant appartenu au gouverneur hollandais Peter Stuyvesant. Édifiée en 1799, elle a été restaurée après un incendie en 1978 et abrite de beaux vitraux abstraits.

RUSSIAN AND TURKISH BATHS Plan p. 372

☎ 212-473-8806 ; www.russianturkishbaths.com ; 268 E 10th St entre First Ave et Ave A ; entrée/forfait 10 séances 25/175 $; 🕓 lun, mar, jeu, ven 11h-22h, mer 9h-22h, sam, dim 7h30-22h ; métro L station First Ave, metro 6 station Astor Pl

La disparition progressive des traditions de l'Europe de l'Est dans le Lower East Side ont entraîné la fermeture de plusieurs anciens bains publics de Manhattan. Les bains gays ont pour leur part souvent été durement touchés par le sida. Les historiques bains de vapeur russes et turcs continuent toutefois de fonctionner. Ils offrent depuis 1892 hammam, bassin d'eau glacée, sauna et solarium. L'entrée comprend l'utilisation des vestiaires fermés à clé et la fourniture de peignoirs, serviettes et mules.

On peut prendre des soins complémentaires, comme un gommage aux sels de la mer Morte (30 $) ou un enveloppement d'argile (38 $). Achevez ce programme détente au café russe, autour d'un jus de fruit frais, d'une salade de pommes de terre, d'un bortsch ou de blinis.

Le port du maillot de bain est obligatoire, les bains étant mixtes, sauf de 9h à 14h le mercredi (femmes) et de 7h30 à 14h le samedi (hommes). Venez si possible pendant ces tranches horaires, plus conviviales et plus calmes.

TOMPKINS SQUARE PARK Plan p. 372

Entre 7th St et 10th et Ave A et B ; métro F, V jusqu'à Lower East Side–Second Ave, L jusqu'à First Ave

Il fut un temps où le kiosque à musique situé à l'extrémité sud du parc accueillait des concerts impromptus, où les manifestants en tous genres côtoyaient les punks et les anarchistes, voire les drag-queens lors de l'annuelle Wigstock. Cette époque est bel et bien révolue, mais il faut aussi souligner que le parc a fait peau neuve. Il n'a plus rien du repaire de sans-abri jonché de seringues qu'il avait fini par devenir. Sa transformation a commencé avec la destruction du kiosque et l'expulsion largement médiatisée des squatters qui campaient dans le parc en 1991, ce qui donna lieu à quelques violentes manifestations. Ces opérations symbolisèrent toutefois l'arrivée d'une nouvelle ère et peu à peu, yuppies et *fashionistas* s'approprièrent le parc.

Aujourd'hui, ses 6 ha attirent volontiers les paisibles joueurs de croquet ou d'échecs et des groupes venus pique-niquer au son d'une guitare. L'été, il abrite souvent le Howl! Festival et le marathon annuel de jazz. C'est le lieu idéal pour s'imprégner de l'atmosphère du quartier.

Alphabet City, qui rassemble les avenues désignées par une lettre, démarre à l'est de Tompkins Square Park. Traditionnellement habitée par la communauté portoricaine, elle s'ouvre depuis les années 1990 à une population plus mélangée, jeune et branchée. Vous y verrez ainsi nombre de boutiques de vêtements vintage et de bistrots français disséminés entre les bodegas et les murs couverts de graffiti. Au détour d'une rue, on découvre aussi les Green Thumb Gardens (notamment sur 8th St, entre les Ave B et D), de petits jardins où se retrouvent les gens du quartier.

Les jardins communautaires

Les jardins communautaires d'Alphabet City offrent un contraste saisissant avec les artères de la ville, où l'on ne voit quasiment jamais l'ombre d'un arbre. Ces jardins ont été aménagés dans des lopins abandonnés des quartiers les plus défavorisés afin de créer un tissu social. Ces carrés de verdure coincés entre les immeubles ou occupant tout un bloc se couvrirent bientôt d'arbres et de fleurs et s'agrémentèrent de bacs à sable et de sculptures, avant d'accueillir les habitants des environs pour des parties de jeux de société. Les samedi et dimanche, la plupart sont ouverts au public, qui vient admirer les plantations ou bavarder avec les jardiniers. Très actifs au sein de ces communautés, ces derniers sont souvent très au fait des politiques locales. Bien organisé, le **6 & B Garden** (plan p. 372 ; E 6th St à hauteur de Ave B) propose concerts gratuits, ateliers et cours de yoga. Consultez son site Internet pour davantage de détails (www.6bgarden.org). Vision inhabituelle en pleine ville, trois magnifiques saules pleureurs s'élèvent sur les parcelles du **9th St Garden** et de **La Plaza Cultural** (plan p. 372 ; E 9th St à hauteur de Ave C). Après trois ans de procédures judiciaires, le 9th St Garden a finalement obtenu gain de cause et ne disparaîtra pas dans un projet immobilier qui menaçait de lui voler la place.

WEST (GREENWICH) VILLAGE

Promenades p. 159, Où se restaurer p. 182,
Où prendre un verre p. 207, Shopping p. 257, Où se loger p. 277

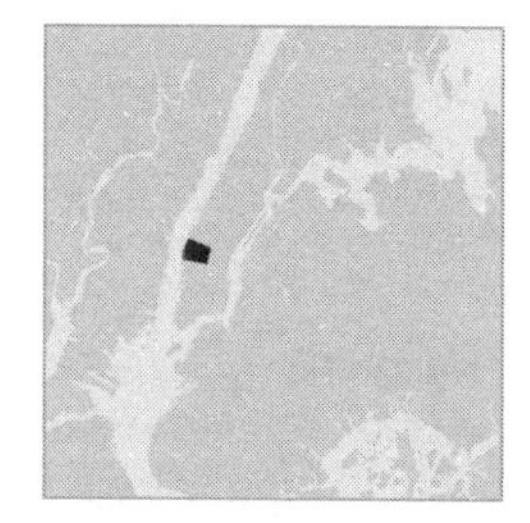

Jadis l'emblème de la vie d'artiste, ce quartier mythique et populaire (que seuls les visiteurs continuent d'appeler "Greenwich Village") semble aujourd'hui quelque peu assoupi. Les nouveaux habitants des maisons au loyer exorbitant, qui ont encouragé en son temps Giuliani à chasser les clubs et autres lieux bruyants, ne sont pas étrangers à cette évolution. La New York University (NYU), qui possède une grande partie de la zone autour de Washington Square Park, permet toutefois au quartier de conserver sa fraîcheur et son insolence. Au sud de Washington Square Park (à Bleecker St et à l'ouest de Seventh Ave), cafés, restaurants et boutiques se sont multipliés. West Village proprement dit, avec ses rues sinueuses et ses jolies maisons de ville, commence après Seventh Ave (même si cette appellation désigne aujourd'hui tout ce qui se trouve à l'ouest de l'East Village).

Orientation

Délimité par 14th St au nord et Houston St au sud, "le Village" s'étend de Lafayette St à l'Hudson, à l'extrême ouest.

ASTOR PLACE Plan p. 372

8th St entre Third et Fourth Ave ; métro R, W jusqu'à 8th St–NYU, 6 jusqu'à Astor Pl

Cette place doit son nom à la famille Astor, qui fit fortune dans le commerce des castors et vécut dans **Colonnade Row** (429–434 Lafayette St), au sud de la place. Des neuf résidences à façade en marbre de style classique de ce complexe, quatre existent toujours, quoique fort délabrées. De l'autre côté de la rue, la bibliothèque publique construite en 1848 par John Jacob Astor abrite aujourd'hui le **Joseph Papp Public Theater** (425 Lafayette St), l'un des centres culturels les plus importants de la ville. Il organise notamment le célèbre festival Shakespeare in the Park tous les étés (voir p. 220 pour les détails).

L'Astor Place est dominée par le grand édifice *brownstone* de la Cooper Union, une université publique fondée par le millionnaire Peter Cooper en 1859. Abraham Lincoln prononça son fameux discours condamnant l'esclavage depuis son grand hall à peine achevé. Le pupitre qu'il utilisa existe toujours, mais l'auditorium n'ouvre que pour les événements publics importants.

Le premier supermarché Kmart de la ville s'est installé au beau milieu de la place en 1996, s'attirant les foudres des nouveaux bobos du quartier, qui voyaient là une menace pour leur tranquillité. En dépit de leurs protestations, le groupe U2 s'y produisit l'année suivante et aujourd'hui, chacun semble finalement s'accorder à reconnaître l'utilité de ce mégastore.

Au centre de la place, la sculpture cubique intitulée *Alamo* rassemble les punks du quartier et des artistes en mal de reconnaissance. Essayez de la pousser, elle est mobile. L'entrée du métro est la copie conforme de l'une des premières bouches du métro du début du XXe siècle.

Transports

Métro 1, 2, 3, 9 jusqu'à Christopher St–Sheridan Sq ; A, C, E, F, V, S jusqu'à W 4 St ; R jusqu'à 8 St–NYU ; 6 jusqu'à Astor Pl.
Bus M8, M14, M1, M6.

CHRISTOPHER STREET PIER Plan p. 372

Christopher St à hauteur de l'Hudson ; métro 1, 9 jusqu'à Christopher St–Sheridan Sq

Autrefois domaine réservé des gays et drag-queens (tels que les représente le documentaire de Jennie Livingston *Paris is burning*), cette jetée rénovée depuis peu attire désormais une population beaucoup plus hétérogène. L'Hudson River Park Project a pris soin de l'agrémenter d'une pelouse, de parterres fleuris, d'un ponton en bois, de parasols, de bancs et d'une jolie fontaine. Balayée l'été par une légère brise, elle offre un beau panorama sur l'Hudson.

FORBES COLLECTION Plan p. 372

☎ 212-206-5548 ; www.forbescollection.com ; 62 Fifth Ave à hauteur de 12th St ; entrée libre ; mar, mer, ven, sam 10h-16h ; métro L, N, Q, R, W, 4, 5, 6 jusqu'à 14 St–Union Sq

Cette galerie rassemble des pièces de la collection personnelle du magnat de la presse Malcolm Forbes, telles que des œufs de Fabergé, des maquettes de bateaux, des autographes et des soldats de plomb.

GRACE CHURCH Plan p. 372

800-804 Broadway à hauteur de 10th St ; métro R,W jusqu'à 8th St–NYU, 6 jusqu'à Astor Pl

Cette église épiscopale de style gothique fut construite avec du marbre taillé par les détenus de Sing Sing (prison située au nord de New York, sur l'Hudson). Après des années d'abandon, elle a récemment fait l'objet d'importants travaux de rénovation et la nuit, sa façade blanche inondée de lumière offre un élégant spectacle. On la voit de manière totalement différente selon qu'on la regarde depuis Broadway ou depuis 4th Ave et les deux points de vue valent le détour.

James Renwick Jr, qui a construit cette église, aurait aussi conçu le **Renwick Triangle** (112–128 E 10th St), un ensemble de maisons *brownstone* de style italianisant, un block plus à l'est. C'est l'une des zones résidentielles les plus agréables de New York, d'autant qu'elle se tient au cœur d'East Village. Le même architecte a créé également les **Renwick Apartments** (808 Broadway), au nord de Grace Church, qui

Vie de bohème à Greenwich Village

La réputation artistique et créative du Village date du début du XXe siècle, lorsque artistes et écrivains commencèrent à s'y installer. À partir des années 1940, il devint le quartier des homosexuels. Les années 1950, pleine époque de la culture beat et du be-bop, marquèrent l'apogée de cette fameuse vie de bohême. Les cafés, les bars et les clubs de jazz du Village devinrent le point de ralliement de la côte Est de tous les artistes. Le quartier a en outre permis l'éclosion de tout un pan de la littérature américaine. Le poète Allen Ginsberg y a passé la majeure partie de sa vie et le romancier Norman Mailer participa à la création du journal *Village Voice*, toujours très influent.

Dans les années 1960, l'esprit de rébellion propre au quartier contribua à la naissance du mouvement pour les droits des homosexuels. Aujourd'hui encore, Christopher St demeure pour beaucoup l'épicentre de la culture gay à New York. En fait, il s'est déplacé à Chelsea, légèrement plus au nord. Le drapeau arc-en-ciel continue toutefois de flotter au-dessus de nombre de boutiques et de bars du Village. En outre, les homosexuels hommes et femmes reviennent toujours massivement dans le quartier le dernier week-end de juin pour suivre la traditionnelle **Lesbian, Gay, Bisexual & Transgender Pride March.**

jouent un rôle prédominant dans le roman de Caleb Carr, *L'Aliéniste*.

MERCHANT'S HOUSE MUSEUM

Plan p. 372

☎ 212-777-1089 ; www.merchantshouse.com ; 29 E 4th St ; adulte/senior et étudiant 6/4 $; ⌚ jeu-lun 13h-17h ; métro 6 jusqu'à Bleecker St

Il ne reste plus grand chose du quartier qui existait ici avant la construction des logements sociaux. Ce musée, installé entre Lafayette St et Bowery, donne toutefois un bon aperçu de la manière dont vivaient jadis les hommes d'affaires. Construite en 1831, cette demeure appartenait à l'importateur Seabury Tredwell. Occupée par sa plus jeune fille jusqu'à sa mort en 1933, elle conservait encore ses meubles d'origine lorsque le musée ouvrit ses portes trois ans plus tard. La collection de vêtements d'époque et la cuisine très bien préservée ajoutent encore au pittoresque de la visite.

NEW YORK UNIVERSITY Plan p. 372

☎ 212-998-4636 ; www.nyu.edu ; Information Center au 50 W 4th St

Albert Gallatin, secrétaire du Trésor du président Thomas Jefferson, décida de fonder en 1831 un petit centre d'enseignement supérieur ouvert à tous les étudiants, sans considération de leur couleur de peau ou de leur origine sociale. Il aurait du mal à le reconnaître aujourd'hui : l'université compte quelque 48 000 étudiants inscrits dans 14 écoles et facultés réparties sur six sites différents de Manhattan. L'institution ne cesse de s'étendre et d'anciens bâtiments (comme le légendaire night-club Palladium sur 14th St) sont peu à peu rachetés et transformés en résidences universitaires ou bureaux administratifs. Ses cours jouissent d'une excellente réputation, en particulier dans les disciplines comme le cinéma, l'écriture, la médecine ou le droit. Le temps d'une expérience originale, il est possible de nouer rapidement des contacts : les stages d'une journée ou d'un week-end (sur des sujets aussi divers que l'histoire des États-Unis ou la photographie), organisés par la School of Professional Studies and Continuing Education, sont ouverts à tous.

WASHINGTON SQUARE PARK Plan p. 372

métro A, C, E, B, D, F, V jusqu'à W 4th St, R, W jusqu'à 8th St–NYU, 6 jusqu'à Astor Pl

Ce parc, comme beaucoup d'espaces publics de la ville, fut tout d'abord un cimetière pour les pauvres. Il servit également de sites aux exécutions publiques. Le gros arbre à l'angle nord-ouest du parc servait peut-être à cette sinistre besogne, comme le suggère la plaque indiquant "Hangman's Elm" (orme des pendus). Les rues qui bordent le parc sont appelées Washington Square North, Washington Square South, etc.

Top 5 de West (Greenwich) Village

- **Christopher Street Pier** (p. 100). Lézarder au soleil
- **Cielo** (p. 228). Suivre la cadence d'un DJ exceptionnel
- **LGBT Community Center** (p. 329). Se brieffer sur le gay savoir
- **Marc Jacobs** (p. 259). Faire flamber sa carte de crédit
- **Washington Square Park** (p. 101). Observer le grand ballet de la rue avec artistes et dealers

Brownstone Building, Greenwich Village (p. 99)

Convivial et historiquement important, Washington Square Park n'en souffre pas moins des habituels maux urbains que sont le trafic de drogue, le vandalisme et les rats. Les riverains tentent de réunir les 7 millions de dollars nécessaires à sa restauration, sans succès pour l'instant.

La rénovation tant attendue de la **Stanford White Arch**, surnommée l'arche de Washington Square, qui domine le parc, a cependant pu être lancée. Les travaux se poursuivent encore et des palissades masquent la base de l'arche. Conçue à l'origine en bois pour célébrer le centenaire de l'investiture de George Washington, en 1889, elle connut un tel succès qu'elle fut reconstruite en pierre six ans plus tard et ornée de statues représentant le général en temps de guerre et de paix (ces dernières sont l'œuvre d'A. Stirling Calder, père de l'artiste Alexander Calder). Des concerts se déroulèrent sur le toit jusqu'en 1991, mais depuis, tout l'édifice est fermé au public en raison de son état de délabrement.

En 1916, Marcel Duchamp grimpa au sommet de l'arche et proclama la "République libre et indépendante de Washington Square". De nos

Les musiciens aussi !

Pourquoi le Rock & Roll Hall of Fame se trouve-t-il à Cleveland, alors que tout le monde sait que New York est la "Grosse Pomme", autrement dit le must, le sommet de la gloire ? Si vous réussissez ici, c'est sûr, c'est le succès garanti partout. (On attribue souvent aux musiciens de jazz l'invention du terme "the Big Apple", la Grosse Pomme, mais il date en fait des années 1920, où il désignait pour les lads des hippodromes de la Nouvelle-Orléans les courses qui se déroulaient à New York.)

Greenwich Village et East Village virent passer et répéter de nombreux musiciens. Voici quelques anecdotes musicales pour parfaire votre culture new-yorkaise.

- Bob Dylan a vécu un temps au 161 W 4th St, qui lui inspira la chanson *Positively 4th St*.
- L'une des couvertures d'album rock les plus romantiques, le *Freewheelin' Bob Dylan*, a été photographiée en 1963 dans Jones St, entre Bleecker et W 4th St. De grands arbres masquent aujourd'hui les façades.
- Jimi Hendrix a habité et enregistré des morceaux aux **Electric Lady Studios** (entre 55 W 8th St et Sixth Ave). Ce bâtiment de brique abrite désormais un magasin de chaussures.
- La couverture de l'album *Physical Graffiti* de Led Zeppelin a été faite au 96–98 St Mark's Place, entre First Ave et Ave A.
- Charlie Parker habita au rez-de-chaussée du 151 Ave B et Tompkins Square Park de 1950 à 1954, au sommet de sa carrière.

jours, l'anarchie règne en bas, où comédiens et musiciens font de la fontaine presque toujours à sec un lieu de représentation. Le 1er mai, la **Marijuana March** défile dans le parc. La Judson Memorial Church se dresse au sud du parc.

À l'est du parc, 245 Greene St, s'élève le bâtiment où se propagea l'incendie de la firme Triangle Shirtwaist, le 25 mars 1911. Les portes de cet atelier étaient fermées à clé pour empêcher les jeunes couturières de s'accorder des pauses non autorisées. 146 jeunes femmes périrent, certaines s'étant jetées des étages supérieurs que les échelles des pompiers n'atteignaient pas. Depuis lors, le New York Fire Department leur rend hommage lors d'une cérémonie solennelle, tous les 25 mars. Non loin de là, la **Grey Art Gallery** (☎ 212-998-6780 ; 100 Washington Sq East ; don de 2,50 $ conseillé ; 🕒 mar, jeu, ven 11h-18h) expose des œuvres très diverses, des aquarelles les plus classiques à des rétrospectives consacrées à des photographes cubains.

L'alignement des maisons de Washington Square North (qui abritent à présent les bureaux de la NYU) sert de décor au roman d'Henry James, *Washington Square*, étude des mœurs de la fin du XIXe siècle. Contrairement à ce que l'on croit souvent, Henry James ne vécut pas ici, mais naquit en 1843 à l'angle de Washington Place et de Greene St.

Basket en pleine rue

Surnommé "la Cage", le petit terrain de basket fermé par des barrières métalliques sur West 4th St et Sixth Ave accueille des matches endiablés. Plus touristique que son équivalent à Harlem, le Rucker Park, il attire en plein cœur du Village des foules de spectateurs enthousiastes qui se pressent contre les barrières pour acclamer et huer les joueurs souvent talentueux. La saison bat son plein l'été, avec les matches de la West Fourth Street Summer Pro-Classic League, dans la course depuis 26 ans. Le terrain connut son heure de gloire en 2001, lorsque Nike profita de sa popularité pour y tourner une publicité. Les amoureux du basket continuent aujourd'hui encore de s'y retrouver tous les week-ends. Il va vous falloir jouer des coudes si vous voulez vous approcher du terrain !

Que va devenir Meatpacking District ?

Il y a moins de 10 ans, le Meatpacking District de West Village, qui comptait 250 abattoirs en 1900 contre 35 aujourd'hui, en raison notamment de la flambée des loyers, était surtout célèbre pour ses prostitués mâles et ses clubs sado-maso, dont les membres slalomaient entre les détritus des abattoirs. C'est aujourd'hui l'un des quartiers les plus animés de la ville, avec restaurants, boutiques huppées et nouveaux hôtels. Cette transformation suscita les réactions habituelles dans un quartier en voie d'embourgeoisement, un mélange d'indifférence et de mépris, où se mêle pourtant un peu d'excitation. Pourtant, lorsque des promoteurs proposèrent il y a quelques années de construire un complexe d'appartements de luxe, des habitants exaspérés, des politiciens et d'autres activistes se mobilisèrent pour s'y opposer. Bien que ce projet immobilier ne soit pas définitivement enterré, ce mouvement, mené par la Greenwich Village Society for Historical Preservation, qui s'est baptisée "Save Gansevoort Market", en hommage à l'ancien nom du quartier, a remporté une victoire décisive en 2004. Il a en effet convaincu la ville de nommer zone historique 12 blocks du Meatpacking District, ce qui permettra de protéger tous les éléments architecturaux et historiques typiques de cet ensemble, rues pavées, anciennes écuries et façades en brique. Toutefois, que va-t-il advenir des activités qui se tenaient dans tous ces nouveaux lieux à la mode ? Défenseurs de tout poil, c'est le moment de vous manifester !

CHELSEA

Promenades p. 161, Où se restaurer p. 184,
Où boire un verre p. 208, Shopping p. 261, Où se loger p. 278

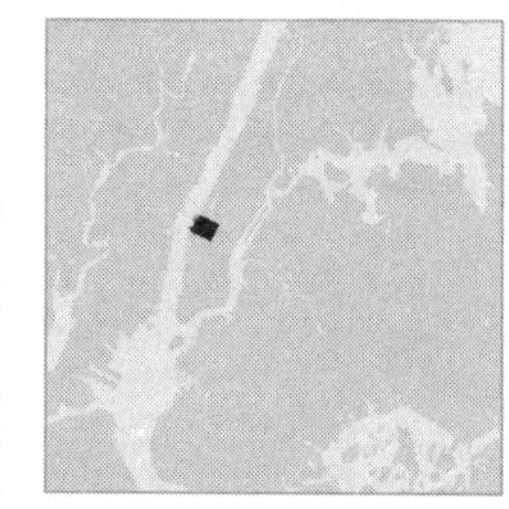

Centre du négoce des produits secs et du commerce de détail pendant l'Âge d'or, à la fin du XIXe siècle, Chelsea et ses grands magasins étaient fréquentés par une clientèle aisée. On peut encore voir de vieux entrepôts près de l'Hudson et de nombreux hôtels particuliers superbement restaurés, notamment dans le secteur historique. Au cœur du quartier, dans Eighth Ave – surnommée la "runway" (piste d'atterrissage) par les habitants – une ribambelle d'Apollons gays affluent dans les salles de gym et fréquentent les happy hours des cafés branchés. Votre regard sera également attiré par la nuée de cafés, de boutiques et de restaurants qui se sont ouverts ces deux dernières années. Plus à l'ouest, les galeries d'art du périmètre de 10th Ave et de 11th Ave ont depuis longtemps volé la vedette à celles de Soho. Les jeudi et vendredi, les vernissages simultanés drainent une cohorte de critiques et d'acheteurs blasés.

Top 5 de Chelsea

- **Annex Antiques Fair & Flea Market** (ci-dessous). Pour dénicher le bibelot de vos rêves
- **Chelsea Market** (ci-dessous). Somptueux étalages de vins, fromages et fleurs
- **Chelsea Piers** (ci-dessous). Pratiquez l'escalade, nagez ou jouez au golf
- **Tournée des galeries** (p. 105). Tous les jours de la semaine
- **Roxy** (p. 229). Un passage obligé, le samedi soir

Orientation

Situé au nord de Greenwich Village, Chelsea s'étend vers le nord de 14th St à 26th St et vers l'ouest de Broadway à l'Hudson.

ANNEX ANTIQUES FAIR ET FLEA MARKET (MARCHÉ AUX PUCES DE CHELSEA) Plan p. 376

Sixth Ave entre 24th St et 26th St ; du lever au coucher du soleil sam-dim ; métro 1, 2, C, E jusqu'à 23rd St

Les chineurs ne manqueraient pour rien au monde ce marché installé sur les parkings alentour, où se renouvelle sans cesse un impressionnant stock de meubles, de vêtements anciens et toutes sortes d'accessoires fantaisie et de bibelots. Arrivez avant 9h pour rafler les meilleures affaires.

CHELSEA HOTEL Plan p. 372

☎ 212-243-3700 ; 222 W 23rd St entre Seventh Ave et Eighth Ave ; métro 1, 2, C, E jusqu'à 23rd St

Le site le plus intéressant de la bruyante 23rd St est un hôtel en briques rouges, doté de balcons en fer forgé. Pas moins de sept plaques signalant l'intérêt littéraire de l'immeuble ornent le rez-de-chaussée. Avant que Sid Vicious y assassine sa petite amie, l'établissement était déjà réputé pour avoir reçu des écrivains tels que Mark Twain, Thomas Wolfe, Dylan Thomas et Arthur Miller. Jack Kerouac y aurait écrit *Sur la route* d'un seul trait. Les musiciens apprécient également les lieux, Leonard Cohen et Bob Dylan comptent au nombre des anciens clients. C'est ici que fut tourné *Léon* de Luc Besson, avec Jean Reno.

CHELSEA MARKET Plan p. 372

www.chelseamarket.com ; 75 Ninth Ave entre 15th St et 16th St ; métro A, C, E jusqu'à 14 St, L jusqu'à Eighth Ave

Les amateurs de cuisine auront l'impression de pénétrer dans la caverne d'Ali Baba en accédant à ce marché couvert de 244 m de long regorgeant de produits frais. Ce marché n'occupe en fait qu'une petite partie du block qui abritait dans les années 1930 l'usine de cookies Nabisco et accueille actuellement Food Network, Oxygen Network et la chaîne d'information locale NY1. Les 25 boutiques, dont **Amy's Bread** (boulangerie), **Fat Witch Brownies**, **Fromagerie**, **Hale & Hearty Soups** (soupes), le café bio **Green Market**, **Chelsea Wholesale Flowers** (fleuriste) et le caviste réputé **Chelsea Wine Vault** constituent pour les riverains, le principal attrait du lieu.

CHELSEA PIERS Plan p. 372

☎ 212-336-6000 ; www.chelseapiers.com ; au bord de l'Hudson à l'extrémité de 23rd St ; métro C, E jusqu'à 23rd St

Dans cet énorme complexe sportif, on peut effectuer un parcours de golf sur quatre étages puis s'élancer sur la patinoire couverte ou louer des rollers pour se promener jusqu'à Battery le long de la nouvelle piste cyclable d'Hudson Park. Il comprend également un élégant bowling, un espace dédié au basket, une école de voile pour les enfants, des terrains de base-ball, d'immenses installations de gym avec piscine couverte (50 $ la journée pour les non-membres) et un mur d'escalade intérieur. Des kayaks sont disponibles gratuitement à la Downtown Boathouse, juste au nord du Pier 64. Enfin, vous pourrez vous restaurer ou boire un verre au **Chelsea Brewing Company** (Plan p. 372 ; ☎ 212-366-6440 ; Pier 61) qui sert de la bonne cuisine de pub et de délicieuses bières maison au bord de l'eau. Bien que les Piers soient coupés par la West Side Hwy et son intense trafic, le choix des activités proposées attire

Transports

Métro A, C, E, 1, 9, F, V jusqu'à 14 St ; L jusqu'à Eighth Ave ; C, E, 1, 9 jusqu'à 23 St.
Bus M14, M23, M11, M20.
Ferry New York Water Taxi (☎ 212-742-1969) dessert Midtown, Brooklyn, South Street Seaport et l'Upper East Side.

Hudson River Park

Et oui, Manhattan bénéficie désormais d'une rive aménagée. Si des années durant West Side était synonyme d'embouteillages sur la highway, de distractions douteuses et de nuages de pollution noyant l'horizon du New Jersey, la ville a désormais emboîté le pas de la plupart de ses consœurs américaines situées au bord de l'eau – Chicago, San Francisco, Miami – et fait des berges de l'Hudson un cadre spectaculaire. D'une superficie de 60 ha, l'Hudson River Park, géré par l'**Hudson River Park Trust** (www.hudsonriver-park.org), un partenariat entre la ville et l'État, s'étend sur 6 km de Battery Park à 59th St. Une piste destinée aux bicyclettes, aux coureurs et aux rolleurs le traverse sur toute sa longueur. Rien n'est laissé au hasard : jardins communautaires, terrains de basket, aires de jeu, espaces permettant aux chiens de s'ébattre et jetées rénovées pour servir d'esplanades, devraient satisfaire les usagers les plus exigeants. À noter aussi les parcours de golf miniature et, l'été venu, un cinéma et un lieu de concerts en plein air. Le **Christopher Street Pier** (p. 100) et le Pier 25, bordés d'arbres et équipés de terrains de beach-volley, sont particulièrement réussis, et l'imposant complexe sportif de **Chelsea Piers** (page précédente) remporte un vif succès. Pour visualiser le Plan détaillé du parc, consultez le site Web du Trust.

les foules ; le bus M23 qui traverse la ville dessert l'entrée principale, ce qui évite un long trajet à pied depuis le métro. Pour plus d'informations, voir Chelsea Piers (p. 240).

CUBAN ART SPACE Plan p. 372

☎ 212-242-0559 ; www.cubanartspace.net ; 124 W 23rd St ; don apprécié ; 🕒 11h-19h mar-ven, 12h-17h sam ; métro F, V, 1, 2 jusqu'à 23rd St

Cette galerie d'art cubain, qui expose la plus vaste collection du genre en dehors de l'île (les collectionneurs doivent s'adresser au 3e étage), a été ouverte en 1999 par le Center for Cuban Studies comme projet pédagogique. Les vernissages sympathiques se déroulent souvent en présence des artistes, avec de la musique *live* et de délicieux amuse-gueules.

Le charme historique de Chelsea

Le Chelsea Historic District, de W 20th St à W 22nd St, entre Eighth Ave et Tenth Ave, fait figure de petit bijou urbain. Ses rues verdoyantes, ses maisons de ville de style néo-grec ou italianisant et ses bâtiments en retrait créent une impression d'espace et une atmosphère chaleureuse – un anachronisme dans une ville surpeuplée et chaotique comme New York.

DIA CENTER FOR THE ARTS Plan p. 372

☎ 212-989-5566 ; www.diacenter.org ; 535 W 22nd St entre Tenth Ave et Eleventh Ave ; fermé pour rénovation jusqu'en 2006 ; métro C, E jusqu'à 23rd St

Malgré sa fermeture provisoire, ce lieu majeur de la communauté artistique de Chelsea poursuit son cycle de conférences. Le centre est réputé pour ses événements ambitieux centrés sur un seul artiste. Il a récemment exposé les œuvres de Pierre Huyghe (dont l'hommage à l'espace social a été présenté sur le toit du centre), de Jorge Pardo (des constructions grandeur nature en contreplaqué) et de Romemarie Trockel, qui a manifesté sa sensibilité féministe à travers des vidéos projetées sur des parois d'aluminium.

GENERAL THEOLOGICAL SEMINARY Plan p. 372

☎ 212-243-5150 ; www.gts.edu ; 175 Ninth Ave entre 20th St et 21st St ; 🕒 12h-15h lun-ven, 11h-15h sam ; métro C, E jusqu'à 23rd St

Havre de paix, ce campus doublé d'un jardin accueille les visiteurs sans considérations religieuses. Entrée sur Ninth Avenue.

UNION SQUARE, FLATIRON DISTRICT ET GRAMERCY PARK

Où se restaurer p. 184, Où boire un verre p. 209, Shopping p. 261, Où se loger p. 280

Bien que ces trois secteurs aient des caractères distincts – jeune et agité pour Union Square, branché mais plus mature pour Flatiron, calme et imposant pour Gramercy Park – ils partagent des caractéristiques similaires : une absence de prétention, une belle architecture et juste ce qu'il faut de commerces dans un environnement résidentiel. Leurs limites respectives sont souvent floues car ils voisinent à l'est de Fifth Ave, entre 14th St et 34th St.

Union Square fut à l'origine l'un des premiers quartiers d'affaires d'Uptown. En outre, sa situation le rendait propice aux rassemblements ouvriers et aux manifestations politiques qui s'y déroulèrent pendant tout le milieu du XIXe siècle. L'origine de son nom s'avère toutefois des plus prosaïques : sa création résulta en fait de l'"union" entre les anciennes artères du Bowery et de Bloomingdale (Broadway, aujourd'hui). Dans les années 1960, le quartier se transforma en rendez-vous des drogués et des gigolos. Les années 1990 ont en revanche marqué sa renaissance, en particulier grâce à l'arrivée du **Greenmarket Farmers' Market** (p. 107). Après des travaux de rénovation, en 2002, **Union Square Park**, est devenue une ruche bourdonnante ; sa kyrielle de bars et de restaurants ainsi que le récent **Virgin Megastore** (p. 267) font de lui un lieu populaire de jour comme de nuit. Sa partie sud n'est autre que le point de ralliement des anti-guerre, des anti-Bush et des pro- libéraux.

Sur un rayon de dix blocks, Flatiron District, avec ses nombreux lofts et magasins, parvient à imiter Soho, la prétention, les prix élevés et l'affluence en moins. De bons restaurants sont au rendez-vous ainsi que deux ou trois discothèques. Son nom provient du **Flatiron Building** (page suivante), splendide réalisation architecturale évoquant un fer à repasser, qui se dresse au sud de Madison Square Park. Madison Ave, à hauteur de 26th St, abrita le premier (1876) et le second (1890) Madison Square Garden. Ce dernier, conçu par Stanford White dans le style mauresque, avait une allure impressionnante : flanqué d'une tour et de tourelles, il était surmonté d'une statue dorée de Diane et pouvait accueillir 8 000 spectateurs. Il fut rasé en 1925, un an après avoir abrité la Convention nationale démocrate.

Gramercy Park, qui comprend grosso modo une vingtaine de blocks à l'est de Madison Avenue, porte le nom d'un des plus jolis parcs new-yorkais, dans le style des jardins publics parisiens. Hélas, quand en 1830 les promoteurs transformèrent les marais environnants en quartiers urbains, l'accès du parc fut limité aux riverains. C'est toujours le cas actuellement et il faut posséder une clé pour entrer. Si vous vous promenez dans les parages, jetez toutefois un œil à travers les grilles pour voir ce que vous manquez.

Orientation

Union Square, quelques blocks de chaque côté d'Union Square Park, à l'angle de 14th St et de Broadway, touche Flatiron District, la zone nouvellement animée de part et d'autre de Madison Park, à l'angle de 23rd St et de Broadway.

UNION SQUARE

ABC CARPET & HOME Plan p. 372

☎ 212-473-3000 ; www.abchome.com ; 888 Broadway à hauteur de 18th St ; 🕑 10h-20h lun-jeu, 10h-18h30 ven-sam, 12h-18h dim ; métro L, N, Q, R, W, 4, 5, 6 jusqu'à 14 St–Union Sq, W lun-ven uniquement

Ce magasin très couru d'articles domestiques incarne à lui seul les excès de New York. Il propose sur sept étages des rayons entiers de textiles de luxe, copies de meubles anciens, linge à la mode, tapis orientaux et accessoires. Parmi ces lignes haut de gamme figurent les collections d'Ann Gish (draps en soie), Gabrielle Sanchez (bijoux), Keith Skeel (antiquités), Ralph Lauren (mobilier) et French Heritage (antiquités). Vous pourrez même prendre un repas complet attablé au **Lucy's Mexican Barbecue** ou changer de coiffure au **Mudhoney Salon**. Beaucoup de gens viennent ici uniquement pour

Transports

Métro L, N, Q, R, W, 4, 5, 6 jusqu'à 14 St–Union Sq ; 6 jusqu'à 23rd St, 28th St, 33rd St.
Bus M23, M34, M22, M103.

Ladies' Mile

À la fin du XIXe siècle, le tronçon de Sixth Ave entre 9th St et 23rd St portait le nom de Ladies' Mile (le "kilomètre" des Dames). Il regroupait en effet de grands magasins comme B Altman's, Lord & Taylor et Macy's (à l'angle de Sixth Ave et de 14th St) qui attiraient nombre d'élégantes acheminées par la ligne d'*elevated train*. Les lois actuelles d'urbanisme ont encouragé le retour des boutiques de détail et un complexe comprenant les enseignes Bed, Bath & Beyond et Filene's Basement a montré la voie à d'autres chaînes, dont Staples, Old Navy, TJ Maxx et **Barnes & Noble** (p. 261). Ce secteur, avec la portion parallèle de Fifth Ave jalonnée de multiples enseignes, constitue à nouveau une destination de shopping, et pas seulement pour les "ladies".

le plaisir des yeux, en particulier à Noël quand le décor brille de mille feux.

GREENMARKET FARMERS' MARKET

Plan p. 372

☎ 212-477-3220 ; www.cenyc.org ; 17th St entre Broadway et Park Ave S ; 🕓 8h-16h lun, mer, ven et sam ; métro L, N, Q, R, W, 4, 5, 6 jusqu'à 14 St–Union Sq, W lun-ven uniquement

Sur les 42 marchés d'alimentation répartis dans les cinq boroughs de New York, celui d'Union Square, véritable corne d'abondance, demeure l'un des plus prisés. C'est ici que les chefs réputés se procurent des denrées rares extra-fraîches comme les crosnes de_fougères ou les feuilles de curry, et où les gastronomes achètent leurs produits de saison. Sur une portion de trottoir située, ironie du sort, devant un imposant Barnes & Noble, les agriculteurs proposent toutes sortes de comestibles : crèmes et fromages fermiers, fruits et légumes, bouquets d'herbes, miel, sirop d'érable, pains …

FLATIRON DISTRICT

FLATIRON BUILDING Plan p. 372

Broadway, entre Fifth Ave et 23rd St ; métro R, W, 6 jusqu'à 23rd St

Conçu en 1902 par Daniel Burnham, ce bâtiment de 20 étages dominait la place à l'époque où elle renfermait les boutiques et les salles de spectacle les plus courues. Il possède une façade de style beaux-arts et une étroite silhouette triangulaire tout à fait unique. On le distingue mieux depuis 23rd St, entre Broadway et Fith Ave.

MADISON SQUARE PARK Plan p. 376

Entre 23rd St et 26th St et Fifth Ave et Madison Ave

Il marquait la limite nord de Manhattan avant l'explosion démographique qui suivit la guerre de Sécession. Grâce au projet de réhabilitation lancé en 2001, les riverains sont autorisés à faire courir leurs chiens dans un périmètre prévu à cet effet. Pendant ce temps, les employés déjeunent sur de nouveaux bancs à l'ombre et peuvent contempler les monuments alentour, en particulier le **Flatiron Building** (ci-dessus), la **Metropolitan Life Tower** art déco, et le **New York Life Insurance Company Building** surmonté d'une flèche dorée. Le parc contient plusieurs statues de personnalités du XIXe siècle, dont le sénateur Rosco Conkling (mort gelé lors d'une brusque tempête de blizzard en 1888) et l'amiral David Farragut, héros de guerre de Sécession. Entre 1876 et 1882, le bras de la statue de la Liberté portant la torche y fut exposé. Le premier Madison Square Garden, édifié en 1879, se tenait sur ce site (à l'angle de Madison Ave et 26th St).

MUSEUM OF SEX Plan p. 376

☎ 212-689-6337 ; www.museumofsex.org ; 233 Fifth Ave à hauteur de 27th St ; adulte/senior et étudiant 14,50/13,50 $; 🕓 11h-18h30 dim-ven,11h-20h sam ; métro N, R, W to 23 St, W lun-ven uniquement

Moins osée qu'on l'imagine, cette institution culturelle inaugurée en 2002 retrace sous un angle intellectuel l'histoire les relations entre New York et le sexe, des bars topless à la pornographie, en passant par l'effervescence de la rue. Vous ne verrez ni séances "live" ni go-go dancers en tenue d'Adam mais une collection composée de films, de magazines et de poupées gonflables rétro. Des expositions fréquemment renouvelées traitent de sujets comme le rôle de New York dans la sexualité mondiale ou l'érotisme chinois. Des lectures érotiques, des one man shows et des séminaires d'éducation sexuelle s'y déroulent également.

GRAMERCY PARK

NATIONAL ARTS CLUB Plan p. 372

☎ 212-475-3424 ; 15 Gramercy Park South ; métro 6 jusqu'à 23rd St

Dû à Calvert Vaux, l'un des architectes à l'origine de Central Park, le club organise parfois des expositions ouvertes au public (13h-17h). Il exhibe les vitraux d'un magnifique plafond voûté au-dessus de son bar en bois.

THEODORE ROOSEVELT'S BIRTHPLACE Plan p. 372

☎ 212-260-1616 ; www.nps.gov/thrb ; 28 E 20th St entre Park Ave et Broadway ; adulte/enfant 3 $/gratuit ; 🕓 10h-16h mar-sam ; métro N, R, 6 jusqu'à 23rd St

Ce site n'a d'historique que le nom, la véritable maison natale du 26e président américain ayant

Top 5 d'Union Square, Flatiron District et Gramercy Park

- **Flatiron Building** (ci-contre). Admirez la merveille
- **Gramercy Tavern** (p. 185). Pour commencer agréablement la soirée
- **Greenmarket Farmers' Market** (ci-contre). Un marché, en direct de la ferme
- **Museum of Sex** (ci-dessus). Une petite visite furtive ?
- **Tabla** (p. 185). Choisissez une table avec vue sur le parc

été démolie de son vivant. Le bâtiment actuel est en fait une reconstitution ajoutée par des parents à une demeure familiale voisine. Si vous vous intéressez au destin exceptionnel du personnage, quelque peu éclipsé par son jeune cousin Franklin Roosevelt, visitez-la, en particulier si vous n'avez pas le temps de voir sa résidence d'été d'Oyster Bay, à Long Island. Une visite guidée, comprise dans le prix d'entrée, a lieu chaque heure de 10h à 16h.

MIDTOWN

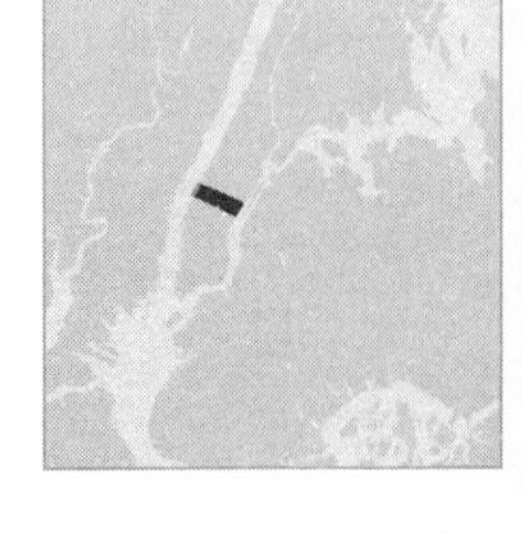

Où se restaurer p. 187, Où boire un verre p. 210, Shopping p. 262, Où se loger p. 281

Vous passerez probablement du temps dans ce quartier bourdonnant qui regroupe bon nombre d'attractions touristiques. Sachez cependant qu'il y règne peu de chaleur, au propre comme au figuré : les rayons du soleil pénètrent difficilement entre les gratte-ciel et la foule qui se presse dans les rues en semaine (surtout à l'heure du déjeuner !) se compose en majorité de gens qui travaillent. En réalité, très peu de New-Yorkais vivent dans le centre de Manhattan et la plupart des immeubles d'habitation se situent à l'est de Third Ave et à l'ouest d'Eighth Ave.

Orientation

Si pour les besoins de cette rubrique nous avons distingué les zones de Midtown les plus spécifiques, leurs limites ne sont pas aussi clairement définies dans les faits. En gros, Midtown West correspond au secteur qui s'étend à l'ouest de Sixth Ave et au nord de 34th St jusqu'aux environs de 50th St. Midtown East se trouve à l'intérieur des mêmes frontières nord-sud, mais entre Sixth Ave et l'East River. Hell's Kitchen est la portion ouest de Midtown West, à peu près entre Eighth Ave et le fleuve. Rockefeller Center et Fifth Ave désignent généralement les secteurs au nord de 50th St jusqu'à 59th St. Theater District et Times Square, un petit périmètre de Midtown West, se définissent davantage par leurs commerces, théâtres et état d'esprit général que par des bornes géographiques précises. Alors, déjà perdu ?

MIDTOWN WEST

EMPIRE STATE BUILDING Plan p. 376

☎ 212-736-3100 ; www.esbnyc.com ; 350 Fifth Ave à hauteur de 34th St ; 11 $; 🕓 9h30-24h ; métro B, D, F, N, Q, R, V, W jusqu'à 34th St–Herald Sq

Un des symboles les plus connus de New York. Ce gratte-ciel en pierre calcaire fut édifié sur le site d'origine du Waldorf-Astoria Hotel en 410 jours, soit sept millions d'heures de main-d'œuvre, au plus profond de la crise, pour un coût de 41 millions de dollars. Haut de 449 m (antenne comprise) et doté de 102 étages, il fut inauguré en 1931 après la pose de 10 millions de briques, de 6 400 fenêtres et de 100 000 m² de marbre. Sa fameuse antenne avait été initialement conçue pour amarrer des dirigeables, mais la catastrophe du *Hindenburg* mit un terme au projet. En juillet 1945, par temps de brouillard, un B25 s'écrasa d'ailleurs accidentellement contre le 79ᵉ étage, tuant 14 personnes.

Depuis 1976, les 30 étages supérieurs sont illuminés en fonction du calendrier des fêtes (en vert pour la Saint-Patrick en mars, en noir pour la journée mondiale contre le sida, en rouge et vert pour Noël, en mauve pour le week-end de la Gay Pride en juin ; consultez le site Internet pour connaître la signification des différentes couleurs). De nombreux autres gratte-ciel, en particulier la Metropolitan Life Tower, à Madison Square Park, et la Con Edison Tower, près d'Union Square, reprennent cette

> ### Transports
>
> **Métro** Toutes les lignes passent par là ; les principaux arrêts sont 42 St–Port Authority, 34th St–Penn Station, Times Sq–42nd St, 34th St–Herald Sq, Grand Central–42th St, 59 St–Columbus Circle et 47th St-50th St–Rockefeller Ctr.
>
> **Bus** M23, M34, M22, M103.
>
> **Ferry** New York Water Taxi (☎ 212-742-1969) dessert Brooklyn, South St Seaport et l'Upper East Side.

Hell's Kitchen *alias* Clinton

Longtemps, l'extrémité ouest de Midtown fut un quartier ouvrier baptisé Hell's Kitchen, constitué de logements rébarbatifs et d'entrepôts de produits alimentaires. Il abritait une majorité d'immigrants italiens et irlandais qui intégraient des gangs à leur arrivée dans le pays. Les films hollywoodiens ont souvent exalté de façon romanesque son caractère hors-la-loi et interlope (*West Side Story* a été tourné ici). Dans les années 1960, il s'agissait en vérité d'un lieu sans merci, peuplé de drogués et de prostituées, où peu de gens osaient s'aventurer, y compris les cinéastes.

En 1989, la construction du **Worldwide Plaza** (Plan p. 218; W 50th St et Eighth Ave) sur le site du Madison Square Garden des années 1930, transformé en parking dans l'intervalle, entendait faire revivre le secteur. Pourtant, jusqu'au milieu des années 1990, Hell's Kitchen demeura pratiquement inchangé. Eighth Ave et Ninth Ave, entre 35th St et 50th St, étaient toujours le domaine du commerce de gros et peu d'immeubles y dépassaient les huit étages.

Mais le boom économique de la fin des années 1990 a radicalement modifié le quartier et les promoteurs ont de nouveau employé le nom plus aseptisé de Clinton remontant aux fifties (les habitants utilisent l'une ou l'autre appellation). Lien parfait entre l'Upper West Side et Chelsea, la zone (en particulier sur Ninth Ave) regorge de restaurants et d'adresses pour sortir le soir grâce aux loyers moins onéreux et aux facilités d'approvisionnement en produits frais auprès des grossistes locaux. Par ailleurs, beaucoup de touristes commencent à explorer Hell's Kitchen après l'avoir entrevu dans l'émission de télévision *Late Show* enregistrée au Ed Sullivan Theater de Broadway, entre 53rd St et 54th St. Sur le plan culturel, il n'y a pas grand-chose à faire. En revanche, c'est un endroit propice pour prendre un repas loin des abords encombrés du Rockefeller Center ou pour commencer la journée par une copieuse assiette de pancakes dans un *diner* (café-restaurant) typiquement new-yorkais.

tradition à leur compte, ce qui donne un aspect féerique au ciel nocturne.

L'Empire State Building offre une perspective fabuleuse ; prévoyez cependant de longues files d'attente pour accéder aux points de vue des 86e et 102e étages. En outre, la vilaine salle en sous-sol où les visiteurs achètent leur billet et font la queue pour l'ascenseur est mal aérée, surtout l'été quand les gros ventilateurs se contentent de brasser de l'air chaud. Une visite de bonne heure ou tard le soir vous évitera de perdre du temps. Toutefois, New York dans le rougeoiement du crépuscule revêt un aspect magique. Arrivé au sommet, vous pouvez rester aussi longtemps que vous le souhaitez. Des télescopes à pièces permettent d'observer la ville de plus près et des plans indiquent les sites principaux. Vous pourrez même fumer, ce qui ne fera pas que des heureux.

GARMENT DISTRICT Plan p. 218

Seventh Ave entre 34th St et Times Sq ; métro B, D, F, N, Q, R, V, W jusqu'à 34th St–Herald Sq

C'est dans ce secteur que la plupart des sociétés de l'industrie de la mode ont installé leurs ateliers de création. En semaine, les rues sont encombrées de camions de livraison. La portion de Broadway, entre 23rd St et Herald Square, porte le nom d'Accessories District (le quartier des accessoires), en raison des nombreux fournisseurs de ruban et de boutons qui s'y trouvent. Des milliers de sortes de fermoirs, de sangles et de fermetures y côtoient plumes, dentelles, sequins, strass, boutons et autres passementeries.

HERALD SQUARE Plan p. 376

Métro B, D, F, N, Q, R, V, W jusqu'à 34 St–Herald Sq

Sis à l'angle de Broadway, de Sixth Ave et de 34th St, le quartier tire son nom d'un titre de presse aujourd'hui disparu, le *New York Herald*. Aujourd'hui, elle est surtout connue pour abriter le grand magasin Macy's qui a conservé ses beaux ascenseurs en bois d'origine. La place, animée, offre peu d'intérêt, avec ses deux galeries marchandes insipides au sud de Macy's, dans Sixth Ave, mais son petit parc verdoyant, enfin rénové, attire les promeneurs pendant la journée.

INTERNATIONAL CENTER OF PHOTOGRAPHY Plan p. 218

☎ 212-857-0000 ; www.icp.org ; 1133 Sixth Ave à hauteur de 43rd St ; adulte/senior et étudiant 10/7 $; 🕒 10h-17h mar-jeu, 10h-20h ven, 10h-18h sam-dim ; métro B, D, F, V jusqu'à 42nd St–Bryant Park

Occupant désormais un seul bâtiment agrandi pour l'occasion, ce centre, le plus important du genre à New York, est consacré aux travaux des grands photographes et photojournalistes. Ses expositions passées ont présenté les œuvres d'Henri Cartier-Bresson, Man Ray, Matthew Brady, Weegee et Robert Capa, et traité de sujets comme le 11 Septembre ou l'impact du sida. Il comprend également une école proposant des cours payants ainsi que des cycles de conférences publiques. Sa boutique-cadeaux vend des ouvrages de qualité et autres objets sur le thème de la photo.

Top 5 de Midtown

- **Bryant Park** (p. 111). Pour se faire une toile en plein air, l'été
- **Empire State Building** (p. 108). La ville vue d'en haut
- **Grand Central Terminal** (p. 112). Admirez les étoiles au plafond
- **International Center of Photography** (p. 109). Le gratin de la photo
- **Little Korea** (ci-dessous). Passez à table avant de chanter...

INTREPID SEA-AIR-SPACE MUSEUM
Plan p. 376

☎ 212-245-0072 ; www.intrepidmuseum.org ; W 46th St ; adulte/senior et étudiant/enfant 14,50/10,50/9,50 $; ⏲ 10h-17h lun-ven, 10h-18h sam-dim avr-sep, 10h-17h mar-dim oct-mars ; métro A, C, E jusqu'à 42nd St

À la lisière ouest de Midtown, au Pier 86, mouille un porte-avions qui servit pendant la Deuxième Guerre mondiale et la guerre du Vietnam. Le ponton expose plusieurs appareils de chasse ; sur la jetée, vous pourrez voir le sous-marin lance-missiles *Growler*, une capsule spatiale *Apollo*, des tanks du Vietnam et le contre-torpilleur *Edson*, long de 274 m. Depuis 2003, un Concorde (62 m, 88 tonnes) est présenté sur une péniche. Chaque année au mois de mai, l'*Intrepid* est l'épicentre de la **Fleet Week** (p. 16), une semaine de festivités durant laquelle des navires déposent à Manhattan des milliers de marins de toutes provenances. Audiotours en français, allemand, japonais, russe et espagnol.

LITTLE KOREA Plan p. 376

Entre 31st St et 36th St, et Broadway et Fifth Ave ; métro B, D, F, N, Q, R, V, W jusqu'à 34th St–Herald Sq

La bonne chère fait cruellement défaut dans Herald Square, mais vous pourrez heureusement vous rabattre sur Little Korea, une petite enclave où restaurants et magasins coréens se multiplient depuis quelques années. D'authentiques grils coréens, certains doublés d'un karaoké, fonctionnent 24h/24 dans 32nd St.

JACOB JAVITS CONVENTION CENTER
Plan p. 376

☎ 212-216-2000 ; www.javitscenter.com ; Eleventh Ave entre 34th St et 38th St ; métro A, C, E jusqu'à 34th St–Penn Station, puis bus M11

L'unique centre de congrès de la ville couvre quatre blocks à l'extrémité ouest de Manhattan. Conçu par l'architecte Ieoh Ming Pei (Paris lui doit la pyramide du Louvre), ce colosse de verre et d'acier – adoré sans réserve ou vilipendé par les New-Yorkais – accueille chaque année des centaines d'événements, du salon de l'automobile ou du tourisme au congrès des dentistes, en passant par les célébrations des fêtes juives très fréquentées par les membres de la Congrégation Beth Simchat Torah, la synagogue des gays et lesbiennes.

TIME WARNER CENTER Plan p. 376

☎ 212-869-1890 ; www.wirednewyork.com/aol/default.htm ; 1560 Broadway ; ⏲ 8h-20h ; métro N, Q, R, S, W, 1, 2, 3, 7 jusqu'à Times Sq–42nd St

Au bout de trois ans de chantier bruyant et de trafic dantesque, ce projet très controversé de 1,8 milliard de dollars a été achevé en février 2004, révélant deux tours lisses qui dominent l'angle sud-ouest de Central Park à la place du vieux New York Coliseum décrépit. Pour l'instant, les avis restent partagés : si les habitants de Columbus Circle déplorent l'inflation de taxis et de piétons, beaucoup de New Yorkais et de touristes apprécient son "atrium commercial" (en fait, une simple galerie marchande)

West Side Story

C'est quand on croit avoir tout exploré de cette ville saturée qu'apparaît justement une nouvelle *terra incognita*. La municipalité et les promoteurs privés ont en effet mis sur pied l'un des plans d'urbanisme les plus ambitieux de l'histoire new-yorkaise, avec des projets de quartiers résidentiels et commerciaux dans des secteurs comme Fresh Kills, à Staten Island, le site d'une ancienne usine Pepsi dans l'ouest du Queens et Downtown Brooklyn. Toute l'attention semble cependant tournée vers le West Side de Manhattan, dont le réaménagement pourrait permettre à NYC de remporter l'organisation des Jeux olympiques de 2012 (voir p. 24). Mais le plan de développement de cette zone appelée Hudson Yards, qui s'étend à l'ouest de Eighth Ave entre 28th St et 43rd St, va bien au-delà de simples complexes sportifs (dont un stade de football destiné à faire revenir du New Jersey le club rétif des New York Jets). Il vise à réorganiser la zone entière pour y construire d'avantage d'hôtels, de bureaux et d'immeubles d'habitation, et pourrait aboutir à la création, d'ici 20 ans, de plus de 12 600 appartements, essentiellement haut de gamme. Toutefois, l'ampleur pharaonique du projet a tendance à hérisser les habitants, qui ont proposé une alternative plus modeste soutenue par de nombreux officiels locaux. On ignore quelle sera la décision finale, mais l'affrontement va sûrement monter d'un cran d'ici là.

sur sept niveaux comportant des enseignes de luxe comme **Williams-Sonoma**, **Armani Exchange** et **Hugo Boss**. L'endroit ne compte pas moins de sept restaurants haut de gamme (voir *Les tours gastronomiques*, p. 188) et près de 17 000 m² de marché bio. Toutefois, il est relativement aisé de brûler sur place le trop plein de calories dans la toute nouvelle salle de gym baptisée Equinox, qui dispose d'un bassin olympique.

MIDTOWN EAST

BRIDGEMARKET Plan p. 376

☎ 212-980-2455 ; 409 E 59th St à hauteur de First Ave ; métro E, F, 6 jusqu'à 59th St–Lexington Ave

Sous les arches du 59th St Bridge, cet espace voûté et décoré de carreaux accueillait, au début du XXᵉ siècle, un marché alimentaire. Après des décennies de travaux, il a été réhabilité en 1999 par le célèbre créateur anglais Sir Terence Conran. Désormais, un ensemble de magasins et de restaurants s'organise autour de la Terence Conran Shop, qui vend du mobilier et des objets design pour la maison. L'immense **Guastavino's** sert des brunches et des cocktails divins dans un cadre spectaculaire, et se transforme en discothèque après le départ des dîneurs.

BRYANT PARK Plan p. 376

☎ 212-768-4242 ; www.bryantpark.org ; W 42nd St entre Fifth Ave et Sixth Ave ; métro B, D, F, V jusqu'à 42nd St–Bryant Park

Derrière la majesteuse Public Library se niche un joli carré de verdure (anciennement qualifié de "parc à aiguilles" dans les années 1980) où les employés de Midtown pique-niquent à l'heure du déjeuner lorsqu'il fait beau. Offrant une vue impressionnante sur les gratte-ciel, il recèle des cafés européens dans des kiosques et un carrousel fabriqué à Brooklyn (1,50 $ le tour de manège). Des événements se déroulent fréquemment sur son site : la fameuse Fashion Week a lieu chaque hiver sous un chapiteau et le festival du film en plein air, le lundi soir pendant une partie de l'été, remplit les pelouses de flâneurs après le travail (voir *Bryant Park invite les cinéphiles*, p. 223). Au printemps, de nombreux mariages sont célébrés au **Bryant Park Grill**, un charmant bar-restaurant situé à l'extrémité est du parc.

CHRYSLER BUILDING Plan p. 376

Lexington Ave et 42nd St ; métro S, 4, 5, 6, 7 jusqu'à Grand Central–42nd St

Juste en face du Grand Central Terminal, ce chef-d'œuvre Art déco, dessiné par William Van Alen en 1930, fut un temps très bref le gratte-ciel le plus haut du monde (320 m) avant que l'Empire State Building ne le supplante. Construit pour être le siège de l'empire Chrysler, son architecture rend hommage à la culture automobile en reprenant des formes utilisées pour les calandres et les bouchons de radiateurs de la firme. On distingue bien ces détails si l'on utilise des jumelles. Sa flèche en acier de 60 m (baptisée le "vertex", le sommet) fut érigée en secret pour créer une surprenante touche finale, au grand dam de l'architecte du nouveau bâtiment de Wall St qui pensait réaliser le plus haut gratte-ciel de l'époque. L'illumination nocturne offre un spectacle magnifique.

Le Cloud Club, au sommet, était jadis réservé aux hommes d'affaires. Depuis longtemps, les promoteurs projettent de convertir en hôtel une partie de la tour, mais rien ne s'est pour l'instant concrétisé.

Bien que le bâtiment ne possède ni restaurant ni point de vue (il ne renferme que des sociétés sans éclat, dont des cabinets d'avocats et de comptables), cela vaut la peine de se promener à l'intérieur pour admirer ses ascenseurs en bois (frêne du Japon, noyer oriental et prunier de Cuba) sophistiqués, sa profusion de marbres et, au 1ᵉʳ étage, sa peinture murale (29,56 m x 30,48 m ; peut-être la plus grande du monde) représentant l'avenir prometteur de l'industrie.

Jazz au Lincoln Center

En octobre 2004, les activités jazz du **Lincoln Center** (Plan p. 379; www.jazzatlincolncenter.com) ont quitté leurs anciens locaux pour le grandiose Frederick P. Rose Hall du Time Warner Center, un bâtiment de 30 000 m² spécifiquement conçu pour ce genre musical, qui a coûté 128 millions de dollars. Cet espace multiplexe, dont la haute architecture de verre est l'œuvre du cabinet d'architectes Rafael Viñoly, accueillera aussi de l'opéra, de la danse, du théâtre et des concerts symphoniques. Son objet principal sera néanmoins le jazz, sous forme d'enseignement, d'archives historiques et, bien sûr, de concerts programmés par son directeur artistique, le musicien Wynton Marsalis. L'endroit domine Central Park, dont l'horizon hérissé de gratte-ciel étincelants servira de toile de fond à des spectacles de jazz organisés dans des salles vitrées comme l'intime **Allen Room** et le night-club **Dizzy's Club Coca-Cola**. "L'espace entier sera consacré à l'esprit du swing qui est celui de la coordination extrême", a déclaré Marsalis.

Pavillon de City Island, avec son bardage de bois typique

GRAND CENTRAL TERMINAL Plan p. 376

42nd St à hauteur de Park Ave ; www.grandcentralterminal.com ; métro S, 4, 5, 6, 7 jusqu'à Grand Central–42nd St

Spectaculaire, cette gare (également appelée Grand Central Station) évoque le romantisme des voyages ferroviaires au tournant du XXe siècle tout en supportant la cohue actuelle. Grâce à une rénovation soigneuse effectuée en 1998, l'intérieur a conservé son allure grandiose.

Achevée en 1913, la gare fait partie des étonnantes constructions "beaux-arts" que compte la ville. Elle comporte des passerelles en verre suspendues à 23 m de hauteur et un plafond figurant la voûte céleste, avec les constellations du zodiaque représentées à l'envers (une erreur du concepteur !). Les balcons surplombant le hall principal offrent une vue panoramique ; postez- vous à cet endroit vers 18h en semaine pour contempler l'agitation qui règne aux heures de pointe.

Aujourd'hui, les rails électriques souterrains ne servent plus qu'à la circulation des trains à destination de la banlieue nord et du Connecticut. Grand Central mérite quand même le déplacement pour son bon restaurant, ses bars agréables et ses expositions occasionnelles. La **Municipal Art Society** (☎ 212-935-3960 ; www.mas.org) organise une visite d'une heure une fois par semaine. Ce sera pour vous l'occasion de traverser la passerelle en verre au-dessus du hall et d'apprendre mille détails. Le rendez-vous a lieu au guichet d'information des voyageurs, au milieu de la gare. On trouve aussi sur place des boutiques, un bureau d'information touristique, un bureau de change et un poste de police.

NEW YORK PUBLIC LIBRARY Plan p. 376

☎ 212-930-0830 ; www.nypl.org ; 42nd St à hauteur de Fifth Ave ; 🕓 11h-19h30 mar et ven, 10h-18h jeu-sam ; métro S, 4, 5, 6 jusqu'à Grand Central–42nd St, 7 jusqu'à Fifth Ave

La section principale de la New York Public Library, véritable monument élevé au savoir, occupe un somptueux édifice de style "beaux-arts" à l'image de la fortune industrielle qui finança sa construction. À son inauguration en 1911, la bibliothèque-phare de la ville était le plus grand bâtiment en marbre jamais érigé aux États-Unis. Son immense salle de lecture, au 3e étage, peut contenir 500 personnes. Une profusion d'or, de lustres, de portiques sculptés et de plafonds peints frappe le visiteur dès qu'il franchit l'entrée flanquée de lions en marbre.

Rebaptisée Humanities and Social Sciences Library, la bibliothèque fait partie des monuments gratuits les plus intéressants à découvrir. Par temps de pluie, vous pourrez vous réfugier pour feuilleter un livre dans la salle de lecture spacieuse, dotée d'admirables lampes Carre and Hastings, ou bien déambuler dans l'Exhibition Hall. Ce dernier renferme des manuscrits précieux de tous les grands auteurs anglo-saxons, ainsi qu'une honnête copie de la déclaration d'Indépendance et une Bible de Gutenberg. Des expositions temporaires s'y déroulent également. La visite gratuite vous livrera une foule de détails ; elle part du bureau d'information à 11h et à 14h du lundi au samedi.

PIERPONT MORGAN LIBRARY Plan p. 376

☎ 212-685-0610 ; www.morganlibrary.org ; 29 E 36th St à hauteur de Madison Ave ; fermé pour rénovation jusqu'en 2006 ; métro 6 jusqu'à 33rd St

Fermée pour cause de rénovations intensives à l'heure où nous rédigeons, elle fait partie d'une demeure de 45 pièces qui appartenait au magnat de l'acier et collectionneur J. P. Morgan. Le bureau, la rotonde en marbre et la grande bibliothèque sur trois niveaux exposent un ensemble phénoménal de manuscrits, tapisseries, livres (dont trois Bibles de Gutenberg) et des œuvres d'art de la Renaissance italienne. Ses expositions temporaires, de premier ordre, tournent dans de nombreux musées de la ville. Consultez le site Internet pour connaître le programme.

SUTTON PLACE Plan p. 376

Métro 4, 5, 6 jusqu'à 59th St

Sutton Place comprend plusieurs blocks abritant des appartements de luxe de style européen, parallèlement à First Ave, entre 54th St et 59th St. D'agréables bancs donnant sur l'East River jalonnent les impasses qui servirent de décor au premier rendez-vous de Woody Allen et Diane Keaton dans *Manhattan*. C'est un endroit charmant et tranquille pour contempler le Queens et son 59th St Bridge.

NATIONS UNIES Plan p. 376

☎ 212-963-7539 ; entre First Ave et 46th St ; adulte/senior et étudiant/enfant 10,50/8/7 $; 🕑 9h30-16h45 ; métro S, 4, 5, 6, 7 jusqu'à Grand Central–42nd St

Le palais de l'Organisation des Nations unies se dresse sur un territoire international surplombant l'East River. Des visites guidées permettent de découvrir l'Assemblée générale, où se réunissent annuellement en automne les membres de l'ONU, le Conseil de sécurité, qui traite les situations de crise toute l'année, et le Conseil économique et social. Au sud du complexe, un parc abrite la *Reclining Figure* d'Henry Moore ainsi que plusieurs autres sculptures sur le thème de la paix.

Les visites guidées en anglais d'une durée de 45 min partent toutes les 30 min. Plus rares sont celles conduites dans d'autres langues. Parfois appelé Turtle Bay (bien que les tortues aient disparu depuis belle lurette), ce secteur inclut d'intéressants modèles d'architectures, en particulier parmi les missions permanentes comme celles de l'**Egypte** (304 E 44th St, entre First Ave et Second Ave) et de l'**Inde** (245 E 43rd St, entre Second Ave et Third Ave).

FIFTH AVENUE

Immortalisée par des films et des chansons, Fifth Ave acquit une réputation de quartier chic au début du XXe siècle. Au nord, bordée d'hôtels particuliers, elle portait alors le nom de Millionaire's Row (allée des millionnaires). Aujourd'hui, la portion située dans Midtown compte toujours des boutiques et des hôtels haut de gamme, dont le clinquant mais sympathique **Plaza Hotel** (N, R, W jusqu'à Fifth Ave-59th St, F jusqu'à 57th St), à hauteur de Grand Army Plaza, qui domine Central Park et Fifth Ave. À défaut de hall majestueux, cet établissement historique dispose d'une impressionnante verrière en vitraux surmontant le Palm Court. Face à l'hôtel, la fontaine ornée d'une statue de Diane invite à la détente, à condition d'éviter le coin des calèches, alignées dans 59th St. De l'autre côté de la rue, à l'angle nord-ouest de 59th St et de Fifth Ave, ne manquez pas la librairie **Strand** (p. 260), vénérable institution du livre d'occasion.

La plupart des hôtels particuliers au nord de 59th St furent vendus par leurs héritiers pour être démolis ou bien transformés en institutions culturelles qui forment désormais le Museum Mile. Les **Villiard Houses**, dans Madison Ave derrière la cathédrale St Patrick, constituent une remarquable exception. Construites en 1881 par le financier Henry Villiard, ces six demeures de quatre étages exhibent des éléments artistiques créés par Tiffany, John LaFarge et Auguste St-Gaudens. Elles furent plus tard la propriété de l'Église catholique qui les céda ensuite à des magnats de l'hôtellerie.

Si certaines des boutiques les plus sélectes ont déménagé dans Madison Ave, plusieurs émaillent encore Fifth Ave au nord de 50th St. Citons notamment **Cartier** (p. 263), **Henri Bendel** (p. 264) et le fameux **Tiffany & Co** (p. 265).

AMERICAN FOLK ART MUSEUM Plan p. 376

☎ 212-265-1040 ; www.folkartmuseum.org ; 45 W 53rd St entre Fifth Ave et Sixth Ave ; adulte/senior et étudiant 9/7 $; ⏲ 10h30-17h30 mer, jeu, sam et dim, 10h30-19h30 ven ; métro E, V jusqu'à Ave–53rd St

Mettant l'accent sur les arts traditionnels en relation avec des épisodes historiques ou des événements marquants de la vie, la collection du musée présente des drapeaux, des représentations de la liberté, des textiles, des girouettes et des objets d'art décoratif. Les expositions temporaires changent sans cesse ; les dernières en date présentaient des quilts, des portraits peints et des poteries.

MUSEUM OF ARTS & DESIGN Plan p. 376

☎ 212-956-3535 ; www.americancraftmuseum.org ; 40 W 53rd St entre Fifth Ave et Sixth Ave ; adulte/senior/moins de 13 ans 9/6 $/gratuit ; ⏲ 10h-18h mar, mer et ven-dim, 10h-20h jeu ; métro E, V jusqu'à Fifth Ave–53rd St

Juste en face du Museum of Modern Art, l'ancien American Craft Museum a été rebaptisé Museum of Arts & Design afin de signifier son importance dans le monde de l'art à ceux que le terme "craft" (artisanat) pouvait rebuter. Cet espace clair et extrêmement bien conçu met en scène des objets artisanaux traditionnels et modernes. Le musée mène actuellement un programme d'expositions sur dix ans qui explore l'artisanat américain à travers des exemples de travaux exécutés au cours de huit périodes identifiées.

MUSEUM OF TELEVISION & RADIO Plan p. 376

☎ 212-621-6800 ; www.mtr.org ; 25 W 52nd St entre Fifth Ave et Sixth Ave ; adulte/senior et étudiant/enfant 10/8/5 $; ⏲ 12h-18h mar, mer et ven-dim, 12h-20h jeu ; métro E, V jusqu'à Fifth Ave–53rd St

Ce paradis des pantouflards américains, installé entre Fifth Ave et Sixth Ave, rassemble une collection de plus de 50 000 programmes télé et radio, disponibles d'un simple clic de souris dans le catalogue informatique du musée. Rivés aux 90 consoles, les visiteurs redécouvrent les productions télévisuelles qui ont bercé leur enfance. Il existe aussi une salle pour écouter la radio. Le droit d'entrée inclut deux heures de plaisir audiovisuel ininterrompu. Des projections ont également lieu de façon régulière.

NBC STUDIOS Plan p. 376

☎ 212-664-3700 ; www.shopnbc.com ; métro B, D, F, V jusqu'à 47th St–50th St–Rockefeller Center

Le siège du réseau de télévision NBC se trouve dans le GE Building qui, avec ses 70 étages, domine la patinoire du Rockefeller Center (transformée en café les mois d'été). C'est dans un studio sous verrière au rez-de-chaussée, près de la fontaine, qu'est réalisé le programme *Today*, diffusé en direct de 7h à 10h tous les jours.

Les visites des autres studios de NBC partent du hall de la tour toutes les 15 minutes environ de 8h30 à 17h30 du lundi au samedi et de 9h30 à 16h30 le dimanche (horaires étendus pendant les fêtes en nov-déc). Elles reviennent à 17,75/15 $ pour un adulte/senior ou enfants de 6 à 16 ans (les plus jeunes ne sont pas admis) et dure à peu près une heure (prenez vos précaution car il n'y a pas de pause toilette !).

Les billets pour assister aux enregistrements (*Saturday Night Live*, *Late Night with Conan O'Brien*...) ne sont plus disponibles par courrier mais sur place de 9h à 17h du lundi au vendredi. Vu la concurrence farouche, présentez-vous à 7h pour tenter votre chance. Des informations concernant d'autres émissions figurent sur le site www.tvticket.com.

RADIO CITY MUSIC HALL Plan p. 376

☎ 212-247-4777 ; www.radiocity.com ; 51st St à hauteur de Sixth Ave ; visites adulte/senior/enfant 17/14/10 $; métro B, D, F, V jusqu'à 47th St–50th St–Rockefeller Center

Après une rénovation massive en 1999, ce superbe cinéma Art déco construit en 1932, d'une capacité de 6 000 spectateurs a été classé monument historique. Les sièges en velours et le mobilier ont désormais recouvré leur aspect d'origine (même les toilettes brillent par leur élégance). Les places de concert se vendent rapidement, et le billet pour le plaisant spectacle de Noël, auquel participe la troupe de danseuses les Rockettes, coûte jusqu'à 70 $.

On peut admirer l'intérieur du bâtiment en suivant une visite guidée qui part toutes les 30 minutes, entre 11h et 15h du lundi au samedi.

La vente des billets s'effectue selon le principe du "premier arrivé, premier servi".

ROCKEFELLER CENTER Plan p. 376

☎ 212-632-3975 ; www.rockefellercenter.com ; entre Fifth Ave et Sixth Ave, 48th St et 51st St ; métro B, D, F, V jusqu'à 47th St –50th St –Rockefeller Center

Édifié en pleine crise économique des années 1930, ce complexe de 9 ha a fourni du travail à 70 000 ouvriers pendant neuf ans et fut le premier projet à associer commerces de détail, espaces de loisirs et bureaux, créant ainsi une sorte de "ville dans la ville".

Trente artistes renommés du moment furent pressentis pour réaliser des œuvres sur le thème de "l'homme regardant l'avenir avec incertitude mais espoir". Une fresque murale de l'artiste mexicain Diego Rivera dans l'entrée du RCA Building (aujourd'hui GE, General Electric) de 70 étages fut rejetée par la famille Rockefeller, car elle comportait le visage de Lénine. Elle fut détruite ultérieurement et remplacée par une œuvre de José Maria Sert représentant Abraham Lincoln et Ralph Waldo Emerson, personnages moins controversés.

Pas besoin d'être connaisseur pour apprécier le *Prométhée* de Paul Manship qui surplombe la patinoire, l'*Atlas* de Lee Lawrie devant l'**International Building** (630 Fifth Ave) – ce dernier possède une curieuse sculpture enchâssée dans le mur du hall – et *News* d'Isamu Noguchi au-dessus de l'entrée de l'**Associated Press Building** (45 Rockefeller Plaza). Tous ceux qui s'intéressent aux œuvres présentes à l'intérieur du centre doivent se procurer, dans l'entrée du GE Building, le *Rockefeller Center Visitors Guide* qui les décrit en détail.

Les détails architecturaux témoignent d'une grande diversité. Notez surtout la mosaïque située au-dessus de l'entrée du GE Building, dans Sixth Ave, les trois camées illuminés sur la façade du Radio City Music Hall et le vitrail doré rétroéclairé de l'entrée du bâtiment de l'East River Savings Bank, 41 Rockefeller Plaza, immédiatement au nord de la vaste terrasse (convertie l'hiver en patinoire).

Les boutiques regroupées dans le Rockefeller Center sont plutôt de bonne qualité. Signalons entre autres **Sephora**, qui vend des cosmétiques à petits prix, **Sharper Image**, un grand magasin de jouets high-tech, et le couturier **Tommy Hilfiger**.

ST PATRICK'S CATHEDRAL

Plan p. 376

☎ 212-753-2261 ; 50th St à hauteur de Fifth Ave ; 🕑 6h-21h ; métro B, D, F, V jusqu'à 47th St–50th St–Rockefeller Center

La cathédrale Saint-Patrick, qui trône en face du Rockefeller Center, a beau ne contenir que 2 400 places, elle est le principal lieu de culte des 2,2 millions de catholiques de New-York. Arborant une façade de style néogothique français, elle fut construite pendant la guerre de Sécession pour un coût avoisinant les 2,2 millions de dollars. Les deux flèches frontales furent ajoutées en 1888. Bien que l'édifice semble toujours envahi, n'hésitez pas à vous glisser à l'intérieur pour admirer ses détails.

Suivant une succession de huit petites chapelles latérales, après l'autel de Nuestra Señora de Guadalupe et le maître-autel, la sereine Lady Chapel est consacrée à la Vierge Marie. De là, vous apercevrez le beau vitrail en forme de rosace qui flamboie au-dessus de l'orgue constitué de 7 000 tuyaux. Une crypte sous l'autel abrite les dépouilles des cardinaux de New-York et les restes de Pierre Touissant, héros des pauvres et premier Afro-Américain (originaire d'Haïti) susceptible d'être canonisé.

Le retour du MoMA à Manhattan

Après deux ans d'"exil" sur un site temporaire du Queens, le **Museum of Modern Art** MoMA ; Plan p. 376; ☎ 212-708-9400 ; www.moma.org ; 11 W 53rd St entre Fifth Ave et Sixth Ave ; adulte/étudiant 12/8,50 $, don libre 16h-19h45 ven ; 🕑 10h-17h lun, jeu, sam et dim, 10h-19h45 ven ; métro E, V jusqu'à Fifth Ave–53rd St) a rouvert au public en novembre 2004 à l'issue du plus grand projet de rénovation jamais conduit depuis ses 75 ans d'existence. Revisité par l'architecte Yoshio Taniguchi, le musée a doublé sa capacité pour atteindre les 192 000 m² sur six étages. On peut donc à nouveau admirer ses collections permanentes, soit plus de 100 000 peintures, sculptures, dessins, gravures, photos, maquettes d'architecture et objets design, dont des œuvres de maîtres comme Cézanne, Van Gogh, Seurat, Gaugin, Rodin et Picasso. Le jardin de sculptures, également rénové, est un plaisir pour les yeux. Sans oublier le cinéma qui projette des films issus d'un fonds de 19 000 titres. Enfin, ne manquez pas les expositions temporaires de grande qualité comme celles qui ont eu lieu par le passé : *Roth Time: A Dieter Roth Retrospective* ; *Kiki Smith: Prints, Books and Things* ; *Ansel Adams at 100* ; *Andy Warhol: Screen Tests* ; et la très encensée *Matisse/Picasso*.

L'arbre de Noël du Rockfeller Center

L'élément le plus connu du Rockefeller Center est sans doute l'arbre de Noël géant qui trône au-dessus de la patinoire pendant les fêtes de fin d'année. (Cette tradition remonte aux années 1930, quand les ouvriers du bâtiment dressaient un petit sapin sur le chantier.) Chaque année son illumination durant la semaine suivant Thanksgiving attire des milliers de visiteurs qui se pressent autour de l'épicéa abattu, sélectionné en grande pompe dans une forêt du nord de l'État. L'endroit grouille littéralement de monde, mais s'élancer sur la glace du **Rink at Rockefeller Center** (Plan p. 376 ; ☎ 212-332-7654 ; Fifth Ave entre 49th St et 50th St ; adulte/enfant 8,50/7 $ lun-ven, 11/7,50 $ sam-dim, location de patins 6 $), sous le regard de Prométhée, constitue une expérience unique. Téléphonez pour connaître les horaires qui changent chaque semaine.

Hélas, la cathédrale ne se prête guère à la méditation à cause du bruit incessant provoqué par de jeunes visiteurs en casquette de base-ball. Régulièrement, les homosexuels, qui se sentent rejetés par la hiérarchie épiscopale s'y retrouvent pour faire entendre leur protestation. L'exclusion des gays d'ascendance irlandaise du défilé de la Saint-Patrick (un événement non parrainé par l'église mais identifié aux catholiques traditionalistes) a déclenché depuis 1993 l'organisation d'une manifestation qui se tient annuellement en mars près de la cathédrale. Cette discrimination a aussi inspiré les participants à la Gay Pride qui crient désormais "Shame ! Shame !"" ("La honte !") en passant devant l'édifice.

Des messes fréquentes sont célébrées le week-end et l'archevêque de New York officie le dimanche à 10h15. Les simples visiteurs ne sont pas admis durant les offices.

THEATER DISTRICT ET TIMES SQUARE

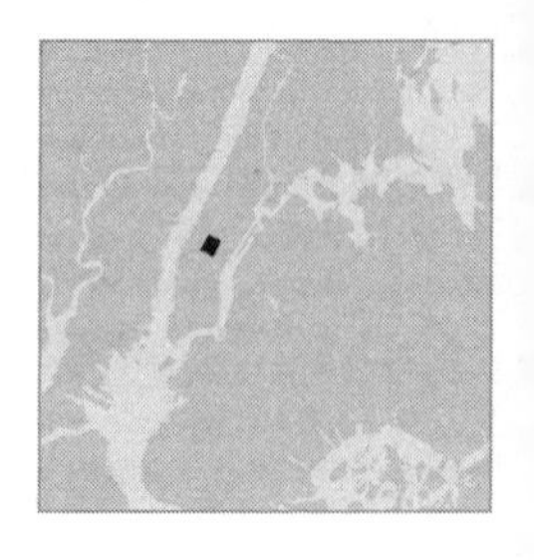

Désormais remis en ordre – au grand regret des détracteurs de la "disneysation" et des nostalgiques d'un passé soi-disant pittoresque marqué par la prostitution et la drogue – Times Square (métro N, Q, R, S, W, 1, 2, 3, 7 jusqu'à Times Square–42nd St) peut à nouveau claironner sa réputation de "carrefour de New-York". Centré à l'intersection de Broadway et de Seventh Ave, le secteur offrait avant l'avènement de la télévision le plus grand espace publicitaire lumineux visant un public de masse au cœur de Midtown. Avec plus de 60 panneaux géants et 64 km de néons, il donne aujourd'hui encore l'impression qu'il fait jour en permanence.

Quartier officiel des théâtres, Times Square comprend des dizaines de salles on et off-Broadway, dans une zone qui s'étend de 41st St à 54th St, entre Sixth Ave et Ninth Ave. Par ailleurs, plusieurs multiplexes immenses jalonnent à présent 42nd St.

Environ un million de personnes se rassemblent le 31 décembre sur Times Square pour voir à minuit la boule du Waterford Crystal descendre du toit du One Times Square. Si l'événement (très arrosé) est relayé par la presse internationale, il ne dure en fait que 90 secondes et ne vaut guère le déplacement.

CONDE NAST Plan p. 218

www.condenast.com ; 4 Times Sq ; métro N, Q, R, S, W, 1, 2, 3, 7 jusqu'à Times Sq–42nd St

Bien qu'il soit impossible d'entrer dans cette tour hautement sécurisée, on peut éprouver une certaine excitation à passer près du temple de la publicité qui emploie des milliers de personnes (le genre de fils de pub prétentieux qui pérorent dans les lounges branchés du centre). Le bâtiment abrite en outre les sièges de dix-sept magazines dont le *New Yorker, Vogue, Gourmet, GQ, Conde Nast Traveler, Vanity Fair* et *Allure.*

MADAME TUSSAUD'S NEW YORK Plan p. 218

☎ 800-246-8872 ; www.madame-tussauds.com ; 234 W 42nd St entre Seventh Ave et Eighth Ave ; adulte/senior/enfant 25/22/19 $; 🕑 10h-20h ; métro N, Q, R, S, W, 1, 2, 3, 7 jusqu'à Times Sq–42nd St

Ce temple touristique d'un goût incertain, annexe du fameux musée londonien procure toutefois

L'histoire de Times Square

Jadis appelé Long Acre Square, Times Square doit son nom à la présence, toujours d'actualité, des bureaux du *New York Times*. Ses lumières scintillantes connurent un certain déclin dans les années 1960, alors que les salles qui affichaient autrefois des films de qualité se transformaient en cinémas pornos. Ces dernières années, renversant la tendance, la ville a octroyé des avantages fiscaux aux sociétés désireuses de s'installer ici (Disney en particulier) et réglementé les théâtres : sous le mandat de Giuliani, une salle de spectacle devait produire 60% de théâtre "sérieux" pour pouvoir vendre ou montrer du porno. Aujourd'hui, la place attire 27 millions de visiteurs annuels qui dépensent à Midtown plus de 12 milliards de dollars.

Un kaléidoscope de couleurs, de messages lumineux délivrant des informations mises à jour en permanence et des écrans de télévision géants transforment ce tronçon de Broadway en panorama fluorescent, d'où son surnom de Great White Way. Ces dernières années, plusieurs réseaux de télévision ont ouvert des studios et de grandes sociétés comme Virgin Megastore et Reuters ont installé leur siège dans Times Square et ses environs.

l'occasion de rencontrer Robin Williams, Susan Sarandon et quelques autres célébrités… en cire.

MTV STUDIOS Plan p. 218

www.mtv.com ; 1515 Broadway à hauteur de 45th St ; métro N, Q, R, S, W, 1, 2, 3, 7 jusqu'à Times Sq–42nd St

Parmi les studios de télévision qui ont récemment déménagé dans le quartier, celui-ci a la faveur de toutes les générations confondues. Cependant, vous ne pourrez pas y pénétrer, à moins d'avoir entre 18 et 24 ans et d'obtenir un billet pour faire partie du public de l'émission *Total Request Live*. Sinon, restent la boutique du fan-club, brillante et fréquentée, et les studios de TRL qui font des enregistrements en public.

TIMES SQUARE VISITORS CENTER Plan p. 218

☎ 212-869-5667 ; www.timessquarebid.org ; 1560 Broadway entre 46th St et 47th St ; 🕑 8h-20h ; métro N, Q, R, S, W, 1, 2, 3, 7 jusqu'à Times Sq–42nd St

Placé en plein milieu du célèbre carrefour, il reçoit chaque année plus d'un million de visiteurs qui viennent utiliser ses DAB, ses guides vidéo sur New York et ses accès gratuits à Internet. Le centre propose également des circuits pédestres gratuits dans le quartier, le vendredi à 12h.

TKTS BOOTH Plan p. 218

☎ 212-768-1818 ; www.tdf.org ; Broadway à hauteur de 47th St ; 🕑 15h-20h lun-sam, 11h-20h dim ; métro N, Q, R, S, W, 1, 2, 3, 7 jusqu'à Times Sq–42nd St

Le Theater Development Fund, principale organisation à but non-lucratif du pays dans le domaine théâtral, met à disposition du public des billets à moitié prix. Signalées par un énorme sigle "TKTS" orange vif, ses billetteries (il en existe une autre au South Street Seaport, à l'angle de Front St et de John St) attirent quotidiennement une foule de débrouillards. Les offres du jour sont affichées au guichet, tel un menu. Mieux vaut se présenter dans la file d'attente à midi pour bénéficier du choix le plus large.

CENTRAL PARK

Promenades p. 165

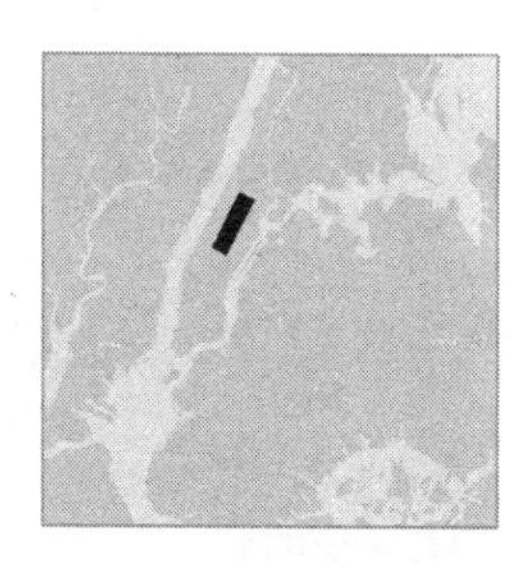

Ce **parc** incontournable (☎ 212-360-3444 ; www.centralparknyc.org) a célébré ses 150 ans en 2003. Ses 340 ha se déploient au beau milieu de Manhattan, formant une oasis au sein de l'agitation urbaine. Ses pelouses soyeuses et ses allées boisées procurent aux New-Yorkais le petit bol de nature qui leur est indispensable. Dans cet immense jardin, d'innombrables plans d'eau, des kilomètres de sentiers et mille recoins secrets ne demandent qu'à être explorés. Les week-ends d'été, le parc est le point de ralliement des rolleurs, des adeptes du jogging, des musiciens et des touristes. Pour profiter du calme, il faut se rendre au nord de 72nd St, pour rejoindre les sites de **Harlem Meer** et **Lasker Rink & Pool** ou encore les **Conservancy Gardens** bien ordonnés. L'hiver, Central Park affiche un visage différent – mais non moins revigorant – car les habitants affluent par temps de neige pour pratiquer le ski de fond, faire de la luge ou simplement se promener dans un paysage féerique. La réputation douteuse du parc quand la nuit tombe (par exemple pour les femmes pratiquant leur jogging) n'est plus vraiment de mise, l'endroit comptant désormais parmi les plus sûrs de la ville.

À l'instar du métro, Central Park mélange toutes les classes sociales. Créé entre les années 1860 et 1870 par les urbanistes Frederick Law Olmstead et Calvert Vaux dans la partie nord marécageuse de New York, ce parc immense fut conçu comme un espace de loisirs destiné aux habitants, sans considération de couleur, de milieu ou d'appartenance religieuse. Déterminé à séparer la circulation piétonnière du trafic routier, Olmstead (également auteur du Prospect Park de Brooklyn) imagina intelligemment des artères transversales prévues pour les voitures qui permettent d'aller de l'Upper East Side à l'Upper West Side. Qu'une telle superficie immobilière soit demeurée intacte depuis si longtemps prouve que Central Park occupe une place importante dans l'identité de New York. Aujourd'hui, ce lieu populaire fait toujours partie des sites les plus fréquentés. Ses concerts en plein air, son zoo et son festival de théâtre annuel, Shakespeare in the Park, attirent une foule de gens.

À la création du parc, ses concepteurs voulurent satisfaire les riches New-Yorkais qui souhaitaient circuler tranquillement en voiture à cheval. Depuis, la tradition perdure au moins pour les touristes qui adorent les promenades en calèche malgré les tarifs prohibitifs et l'odeur de crottin en été. Les attelages stationnent le long de 59th St (Central Park South ; 1, 9, A, B, C, D jusqu'à 59th St–Columbus Circle) ; la promenade de 20 min revient à 35 $ (10 $ par quart d'heure supplémentaire) sans compter le pourboire que le cocher s'attend à recevoir.

Top 5 de Central Park

- **Bethesda Fountain** (p. 166). Asseyez-vous et regardez !
- **Delacorte Theatre** (p. 166). Apprivoisez Shakespeare
- **Great Lawn** (p. 119). Le nez dans les pâquerettes, étirez-vous...
- **Reservoir** (p. 119). Tournez autour...en petite foulée !
- **Strawberry Fields** (p. 119). John vous manque, isn't it ?

Orientation

Le parc est délimité au sud par 59th St, au nord par 110th St, à l'ouest par Central Park West (l'artère juste à l'est de Columbus Ave) et à l'est par Fifth Ave. Pour y accéder par l'ouest, prenez la ligne B ou C du métro qui s'arrête à 72 St, 81 St, 86 St, 96 St, 103 St et 110 St. Si vous venez de l'est, la ligne 6 marque des arrêts le long de Lexington Ave (trois avenues à l'est de la lisière du parc) à 68th St, 77th St, 86th St, 96th St, 103th St et 110th St. Le **Dairy**, près de l'entrée située dans E 68th St, fournit des renseignements sur le parc et propose des plans et des visites guidées.

ARSENAL Plan p. 379

Bâti entre 1847 et 1851 comme dépôt de munitions de la New York State National Guard, ce monument historique en brique rouge, à hauteur de E 64th St, revêt l'apparence d'un château médiéval. Antérieur à Central Park, il abrite le City of New York Parks & Recreation et le Central Park Wildlife Conservation Center. La raison de le visiter ne tient pas à l'édifice lui-même mais au plan original du parc réalisé par Olmstead et exposé dans une salle de conférence au 3e étage.

Transports

Métro Ligne A, B, C, D pour Central Park Wes t ; ligne 6 pour Central Park East.
Bus M10, M1, M2, M3, M86, M96.

CENTRAL PARK ZOO & WILDLIFE CENTER Plan p. 379

☎ 212-861-6030 ; www.wcs.org ; 64th St à hauteur de Fifth Ave ; 10h-17h

Les pingouins constituent la grande attraction de ce zoo moderne, mais on y trouve plus d'une douzaine d'autres espèces animales, dont des ours polaires, ainsi que des races menacées comme le singe tamarin et le petit panda. Les repas des animaux sont des moments particulièrement amusants et mouvementés : les otaries ingurgitent leurs poissons à 11h30, 14h et 16h, les pingouins à 10h30 et 14h30. Le **Tisch**

Surprises au détour de Central Park

- **Pêche à Harlem Meer** (Plan p. 379). Le Central Park Conservancy autorise la pêche à cet endroit à condition de relâcher ensuite les poissons. On vous fournit même des cannes et des hameçons pour taquiner la perche et le bluefish.
- **Équitation.** Admirez le spectacle des chevaux qui trottent majestueusement le long de l'ancien chemin nuptial ou mettez le pied à l'étrier au **Claremont Riding Academy** (☎ 212-724-5100) moyennant 55 $ les 30 min.
- **Shakespeare Garden** (Plan p. 379). Perché sur les hauteurs d'une colline, ce jardin fleuri doté de bancs en pierre offre un cadre propice à la méditation avec une vue sur le West Side encadré d'arbres. Magique au coucher du soleil.
- **Time's Up ! Moonlight Ride.** Le premier vendredi du mois, une organisation écologique pour la promotion du vélo conduit des groupes de cyclistes pour une promenade nocturne à travers le parc, avec la lune pour seul guide. Rendez-vous à 22h à Columbus Circle (www.times-up.org).
- **Worthless Boulder** (Plan p. 379). Les adeptes de l'escalade s'exercent sur ce rocher de 3 m de haut à l'extrémité nord du parc, près de Harlem Meer.

Children's Zoo, entre 65th St et 66th St, convient parfaitement aux enfants plus jeunes.

GREAT LAWN Plan p. 379

Situé entre 72nd St et 86th St, ce gigantesque tapis de verdure couleur émeraude a été aménagé en 1931 en comblant un ancien réservoir. Il accueille des concerts en plein air (c'est là que Paul Simon fit un come-back remarqué et que le New York Philharmonic Orchestra se produit chaque été). Les sportifs fréquentent les huit terrains de softball et les terrains de basket tandis que les promeneurs apprécient de déambuler sous la voûte des platanes. La pelouse voisine avec d'autres sites : le **Delacorte Theater**, où se déroule le festival annuel Shakespeare in the Park, et son luxuriant jardin ; le **Belvedere Castle** panoramique ; le **Ramble** boisé, lieu de prédilection des oiseaux et des gays en quête de rencontres ; et la **Loeb Boathouse**, où l'on peut louer des barques pour une balade romantique au milieu de ce paradis urbain.

JACQUELINE KENNEDY ONASSIS RESERVOIR Plan p. 379

Ne manquez pas l'occasion d'effectuer ce parcours de 2,5 km qui draine quantités d'adeptes du jogging dès que le temps s'y prête. Le Plan d'eau de 43 ha ne sert plus à alimenter la ville en eau potable et se contente de refléter joliment le ciel et les arbres alentour. Une grille en fer forgé étincelante a remplacé avec bonheur l'affreuse chaîne qui l'entourait. Le cadre offre le meilleur de lui-même au coucher du soleil, quand la lumière passe du rose orangé au bleu cobalt tandis que les lumières de la ville s'allument peu à peu.

STRAWBERRY FIELDS Plan p. 379

Juste en face du Dakota Building où John Lennon fut assassiné en 1980, cet émouvant jardin en forme de larme rend hommage au chanteur. Entretenu grâce au don d'un million de dollars effectué par Yoko Ono, la veuve de l'artiste, le coin le plus visité de Central Park contient un bosquet d'ormes majestueux et une mosaïque souvent jonchée de pétales de roses déposés par des admirateurs.

WOLLMAN RINK Plan p. 379

☎ 212-439-6900 ; entre 62nd St et 63rd St ; nov-mars

Du côté est du parc, vous pourrez louer des patins et vous élancer sur la glace. L'environnement est particulièrement romantique, surtout le soir sous les étoiles, à condition de faire la sourde oreille à la musique pop braillarde qui a tendance à troubler la paix ambiante.

UPPER WEST SIDE

Où se restaurer p. 190, Où boire un verre p. 212, Shopping p. 268, Où se loger p. 287

C'est un paradis pour les amateurs d'architecture. Le quartier recèle aussi bien de riches hôtels particuliers transformés en appartements, comme **Dorilton** (171 W 71st/Broadway) et **Ansonia** (2109 Broadway entre 73rd St et 74th St), que des bâtiments publics fonctionnels, émaillés de délicieux détails comme la **McBurney School** (63rd St), près de Central Park West, ou le **Frederick Henry Cossitt Dormitory** (64th St), près de Central Park West. Bien entendu, presque chaque block abrite de magnifiques *brownstones* qui font la fierté de leurs occupants. Dans

W 71st St, entre Broadway et West End Ave, les poètes et les amoureux seront séduits par le parc **Septtuagesimo Uno** ("71" en latin), une étroite bande de végétation mesurant tout juste 16 ares qui a entendu beaucoup de propositions en mariage.

Orientation

L'Upper West Side débute là où Broadway rejoint Columbus Circle, et se termine à la limite sud de Harlem, aux abords de 125th St. De nombreux hôtels entourent Central Park et beaucoup de célébrités vivent dans les immeubles imposant qui bordent Central Park West jusqu'à 96th St.

AMERICAN MUSEUM OF NATURAL HISTORY Plan p. 379

☎ 212-769-5000 ; www.amnh.org ; Central Park West à hauteur de 79th St ; don suggéré adulte/senior et étudiant/enfant 12/9/7 $, dernière heure gratuite ; 10h-17h45 ; métro B, C jusqu'à 81st St–Museum of Natural History, 1, 9 jusqu'à 79th St

Le musée d'histoire naturelle, qui débuta en 1869 avec une dent de mastodonte et quelques milliers d'insectes, détient à présent une collection de plus de 30 millions d'objets auxquels s'ajoutent des expositions interactives et une kyrielle d'animaux naturalisés. Il doit sa célébrité à ses trois grandes salles consacrées aux dinosaures qui ont été entièrement rénovées et illustrent les dernières découvertes sur le mode de vie de ces créatures. Des guides enthousiastes arpentent les salles pour répondre aux questions, et des dispositifs permettent de manipuler certaines pièces, comme le crâne d'un pachycephulasaurus, un dinosaure herbivore qui vécut il y a 65 millions d'années.

Les collections permanentes comprennent, entre autres trésors, une énorme baleine bleue en plâtre suspendue au plafond du Hall of Ocean Life et le saphir Star of India exposé dans le Hall of Minerals & Gems. De nouvelles salles, tel le Hall of Biodiversity, témoignent d'un intérêt marqué pour l'écologie et une vidéo traite des différents habitats de la planète. Le populaire Butterfly Conservancy, ouvert de novembre à mai, héberge 600 papillons du monde entier (entrée moyennant supplément). Le bâtiment proprement dit possède une étonnante architecture : tournez à l'angle de la rue pour admirer la façade qui donne sur 77th St.

Le nouveau Rose Center for Earth & Space, où le Hayden Planetarium propose un spectacle en 3D à la pointe de la technique, confirme la volonté de modernisation affichée par les responsables du musée. La grosse boule enfermée dans un cube de verre qui contient le planétarium mérite le coup d'œil. Baptisée Ecosphere, elle accueille des expositions high-tech retraçant l'évolution de la terre (parcourir les rampes en suivant le processus de création et de développement de la planète constitue une expérience singulière). Le Big Bang Theater recrée au moyen de lasers et d'effets spéciaux la naissance de l'univers. (Les spectacles du planétarium et du Big Bang Theater sont payants, mais le billet du musée donne accès au Rose Center). À noter aussi un cinéma IMAX.

Nous vous recommandons chaleureusement les concerts de jazz du programme Starry Nights, qui se déroulent au Rose Center le vendredi de 18h à 20h. À l'occasion de cet événement hebdomadaire, la musique, les tapas et la boisson sont inclus dans le prix d'entrée du musée.

Transports

Métro 1, 2, 3, 9, A, B, C, D.
Bus M10, M86, M96, M6, M7, M20.

CHILDREN'S MUSEUM OF MANHATTAN Plan p. 379

☎ 212-721-1234 ; www.cmom.org ; 212 W 83rd St entre Amsterdam Ave et Broadway ; adulte et enfant/senior 7/4 $; 10h-17h mer-dim ; métro 1, 9 jusqu'à 86th St, B, C jusqu'à 81st St–Museum of Natural History

Lieu de prédilection des mères de familles, ce musée présente des attractions destinées aux petits qui commencent à marcher, un centre de médias postmoderne où les enfants férus de technologie peuvent travailler dans un studio de télévision, et l'Inventor Center où les dernières inventions techniques, comme l'imagerie numérique et le scanner, sont à disposition. Il organise aussi des ateliers d'artisanat le week-end et parraine des expositions. Un bémol : la cacophonie ambiante. (Le **Brooklyn Children's**

Museum est affilié à celui de Manhattan ; p. 120.)

LINCOLN CENTER Plan p. 379

☎ 212-546-2656 ; www.lincolncenter.org ; angle Columbus Ave et Broadway ; métro 1, 9 jusqu'à 66th St -Lincoln Center

Ce complexe de sept salles de spectacle sur 6,5 ha fut construit dans les années 1960, au grand dam de certains, à l'emplacement des tristes bâtiments qui inspirèrent la comédie musicale *West Side Story*. De jour, le centre ne présente pas un énorme intérêt, mais, la nuit, l'intérieur illuminé par des lustres en cristal offre un spectacle magique dont profite un public fortuné. Un projet de transformation comprenant un restaurant vitré avec du gazon sur le toit, des panneaux d'affichage défilants et des bâtiments améliorés devrait débuter en 2006.

Si vous êtes un inconditionnel de la culture, le Lincoln Center constitue un must. Il contient le Metropolitan Opera, dont le hall renferme deux tapisseries multicolores de Marc Chagall, et le New York State Theater, siège du New York City Ballet et du New York City Opera, plus audacieux et moins onéreux que le "Met". Le New York Philharmonic se produit à l'Avery Fisher Hall.

La troupe du Lincoln Center Theater se produit au Vivian Beaumont Theater, une salle de mille places qui abrite également le Mitzi Newhouse Theater, plus petit et plus intime. À droite des théâtres, la **New York Public Library for the Performing Arts** (☎ 212-870-1630) possède la plus grande collection d'enregistrements et de livres sur le cinéma et le théâtre de la ville.

La Juilliard School of Music, reliée au complexe par une passerelle au-dessus de W 65th St, comporte l'Alice Tully Hall, siège de la Chamber Music Society of Lincoln Center, et le Walter Reade Theater, une cinémathèque très confortable, qui accueille le New York Film Festival en septembre. Chaque soir, au moins dix spectacles se déroulent au Lincoln Center, et encore davantage l'été quand le festival Out of Doors (danse et musique) et le Midsummer Night Swing (bal sous les étoiles) invitent la culture dans les parcs.

Tous les jours, des **visites** (☎ 212-875-5350 ; adulte/senior et étudiant/enfant 10/8,50/5 $) explorent au moins trois théâtres, selon les productions en cours. Mieux vaut réserver sa place par téléphone. Elles partent du bureau situé au niveau du hall à 10h30, 12h30, 14h30 et 16h30. D'autres formules (16 $ par pers ; appelez pour connaître les horaires) permettent de rencontrer les réparateurs de pianos experts de Klavierhaus.

L'Upper West Side contre l'Upper East Side

Ces deux quartiers chics peuvent paraître assez semblables pour un œil inexpérimenté. Pour les New-Yorkais en revanche, des différences fondamentales les opposent. Les habitants de l'Upper West Side ne déménageraient pour rien au monde de l'autre côté de Central Park, qui forme comme un océan infranchissable, et la même chose vaut pour leurs voisins de l'East Side. Mais quelles sont donc leurs raisons respectives ? Il n'y en a pas vraiment, bien que les résidents de l'UWS aient la réputation de faire plus d'enfants, d'être libéraux, juifs et artistes tandis que ceux de l'UES seraient plus conservateurs, plus âgés et plus riches. Un soupçon de vérité se cache néanmoins derrières ces idées reçues : le revenu moyen s'élève à 64,125 $ dans la partie ouest, à 74,130 $ dans la partie est ; on dénombre également davantage de personnes de couleur dans le West Side, et légèrement plus de membres du parti républicain dans l'East Side. Quoi qu'il en soit, engager *in situ* la conversation sur les mérites respectifs de ces secteurs antagonistes relève de l'entreprise à haut risque. Vous voilà avertis...

Top 5 de l'Upper West Side

- **American Museum of Natural History** (page précédente). Baleine, dinosaures et mystères de l'espace
- **'Cesca** (p. 191). Buvez, mangez et amusez-vous.
- **Fairway** (p. 173). Un marché qui se visite comme un musée
- **Lincoln Center** (ci-dessus). À peu près tout mérite d'être vu
- **Symphony Space** (p. 227). Attrapez au vol une lecture, un ballet ou un film

NEW-YORK HISTORICAL SOCIETY Plan p. 379

☎ 212-873-3400 ; www.nyhistory.org ; 2 W 77th St à hauteur de Central Park West ; don conseillé adulte/senior et étudiant 8/5 $; 🕒 10h-18h mar-dim ; métro B, C jusqu'à 81st St–Museum of Natural History, 1, 9 jusqu'à 79th St

Le plus ancien musée de la ville fut créé en 1804 pour la conservation des objets historiques et culturels. Il s'agissait aussi du seul musée d'art public de New York jusqu'à la fondation du Metropolitan Museum of Art à la fin du XIXe siècle.

L'institution a souffert de graves problèmes financiers ces dernières années et, hélas, la plupart des visiteurs qui se rendent à l'American Museum of Natural History voisin ne le remarque même pas sur leur chemin. Il vaut cependant le détour car sa collection excentrique pourrait faire office de grenier de New York : elle comporte, entre autres curiosités, des clarines de vache et des hochets de bébé du XVIIe siècle, ainsi que la jambe de bois du gouverneur Morris. Renseignez-vous sur les manifestations ponctuelles et les cycles de conférences qui réservent de bonnes surprises.

RIVERSIDE PARK Plan p. 379

Entre 72nd St et 96th St le long de l'Hudson (à l'est de la highway) ; métro 1, 2, 3, 9 jusqu'à 72th St

Idéal pour se promener, faire du vélo ou simplement contempler le coucher du soleil au-dessus de l'Hudson, cette étroite bande de verdure animée est bordée de cerisiers qui se couvrent de fleurs roses au printemps. Le parc abrite, à son entrée sud, une intéressante statue d'Eleanor Roosevelt et, aux abords de 94th St, un jardin fleuri qui explose de couleurs à la belle saison. En dépit de sa situation le long de la highway, le **Boat Basin** de 79th St, à la lisière ouest, offre un cadre plaisant, en particulier pour siroter une margarita au coucher du soleil dans le bar-restaurant attenant.

UPPER EAST SIDE

Promenades p. 163, Où se restaurer p. 192, Où boire un verre p. 212, Shopping p. 268, Où se loger p. 280

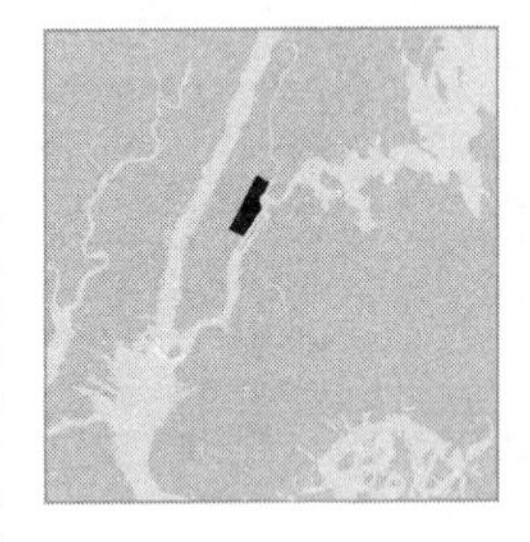

L'Upper East Side (UES) rassemble la plus forte concentration d'institutions culturelles de New York. Ceci vaut le surnom de Museum Mile (le "kilomètre" des musées) à la portion de Fifth Ave située au nord de 57th St. Le quartier, dont les habitants mènent une compétition sans fin avec leurs homologues de l'Upper West Side (UWS), de l'autre côté du parc (voir *L'Upper West Side contre l'Upper East Side*, p. 121), connaît une forte densité d'hôtels et de résidences de luxe. Le groupe de rues latérales delimité par Third Ave et Fifth Ave dans le sens est-ouest, par 86th St et 57th St dans le sens nord-sud, recèle quelques superbes *brownstones* et hôtels particuliers Une promenade nocturne dans ce secteur vous donnera l'occasion d'observer le mode de vie des nantis ; il suffit de lever les yeux pour apercevoir les superbes bibliothèques et les salons somptueux.

Orientation

L'UES est circonscrit entre 59th St au sud, 103rd St au nord, Fifth Ave à l'ouest et l'East River à l'est. Seule la ligne 6 du métro dessert le quartier, ce qui explique l'affluence aux heures de pointe ; les usagers doivent souvent laisser passer deux rames bondées avant de pouvoir s'engouffrer dans un wagon.

COOPER-HEWITT NATIONAL DESIGN MUSEUM Plan p. 379

☎ 212-849-8400 ; www.si.edu/ndm ; 2 E 91st St à hauteur de Fifth Ave ; adulte/senior et étudiant/enfant 10/7$/gratuit ; 🕓 10h-17h mar-jeu, 10h-21h ven, 10h-18h sam, 12h-18h dim ; métro 4, 5, 6 jusqu'à 86th St

Ce musée occupe un hôtel particulier de 64 pièces construit par le milliardaire Andrew Carnegie en 1901 sur un site alors très à l'écart de l'agitation urbaine. Les vingt années qui suivirent marquèrent la fin du calme et de l'isolement que recherchait Carnegie, car d'autres hommes riches l'imitèrent et vinrent édifier leurs palais non loin du sien. Personnage intéressant, à la fois généreux philanthrope et lecteur avide, Carnegie inaugura de nombreuses bibliothèques dans le pays et fit don de quelque 350 millions de dollars de son vivant. Programmée chaque jour à 12h et à 14h, la visite guidée de 45 min incluse dans le prix d'entrée vous en apprendra davantage.

Le musée, affilié à la Smithsonian Institution de Washington, est incontournable pour quiconque s'intéresse au design industriel, à l'architecture, à la joaillerie et au textile. Il a présenté des expositions temporaires sur des thèmes aussi éclectiques que les campagnes publicitaires ou le verre soufflé viennois. Même si vous n'éprouvez qu'un intérêt relatif pour tout cela, le jardin et la terrasse valent le détour, sans oublier le bâtiment.

FRICK COLLECTION Plan p. 379

☎ 212-288-0700; www.frick.org ; 1 E 70th St à hauteur de Fifth Ave ; adulte/senior/étudiant 12/8/5 $, accès interdit aux moins de 10 ans ; 🕒 10h-18h mar-jeu et sam, 10h-20h ven, 13h-18h dim ; métro 6 jusqu'à 68th St–Hunter College

Cette étonnante collection est réunie dans un hôtel particulier construit en 1914 par le magnat de l'acier de Pittsburg Henry Clay Frick. L'édifice faisait partie des nombreuses résidences du Millionaires' Row (l'allée des millionnaires). D'entretien trop coûteux pour les générations suivantes, la plupart de ces grandes demeures furent détruites. Quant à l'habile H. C. Frick, il établit un legs testamentaire afin de transformer sa collection privée en musée.

Bien que l'étage de la résidence ne se visite pas, les douze salles du rez-de-chaussée sont, à elles seules, un spectacle somptueux. Également ouvert au public, le jardin dispose d'un bar payant le vendredi à partir de 18h30. L'Oval Room renferme l'exceptionnelle *Diane chasseresse* de Jean-Antoine Houdon. Vous pourrez aussi admirer des œuvres du Titien et de Vermeer, ainsi que des portraits peints par Gilbert Stuart, le Greco, Goya et John Constable. Le prix d'entrée comprend un audioguide et le système ArtPhone permet d'obtenir des détails sur les œuvres présentées. Enfin, contrairement à d'autres, ce musée a l'avantage de n'être jamais bondé, même le week-end.

GRACIE MANSION Plan p. 379

☎ 212-570-4751 ; East End Ave à hauteur de 88th St ; 🕒 mer, mars–mi-nov ; métro 4, 5, 6 jusqu'à 86th St

À l'intérieur du paisible Carl Shurz Park, lieu de prédilection pour les promenades au bord de l'eau, cette résidence campagnarde bâtie en 1799 a logé depuis tous les maires de New York. Seul Bloomberg, qui possédait déjà de luxueux appartements avant son élection en 2002, a fait exception à la règle. Les visites guidées (adulte/senior/étudiant et enfant 3/2 $/gratuit) organisées le mercredi à 10h, 11h, 13h et 14h nécessitent de réserver par téléphone.

Transports

Métro 4, 5, 6.
Bus M1, M2, M3, M4, M101, M103.
Ferry New York Water Taxi (☎ 212-742-1969) dessert Brooklyn, Chelsea et le South St Seaport.

Top 5 de l'Upper East Side

- **Beyoglu** (p. 192). Dîner post-musée
- **Café Carlyle** (p. 225). Vous cherchez Woody ?
- **Frick Collection** (p. 123). L'art loin des foules
- **Metropolitan Museum of Art** (p. 123). Le rendez-vous des chefs-d'œuvre
- **Neue Galerie** (p. 125). Vous reprendrez bien un peu de Klimt ?

JEWISH MUSEUM Plan p. 379

☎ 212-423-3200 ; www.jewishmuseum.org ; 1109 Fifth Ave à hauteur de 92nd St ; adulte/senior et étudiant/enfant 10/7,50 $/gratuit ; 🕒 11h-17h45 dim-mer, 11h-20h jeu, 11h-15h ven ; métro 6 jusqu'à 96th St

Retraçant 4 000 ans d'histoire, de liturgie et d'art juif, le musée propose également tout un éventail d'activités destinées aux enfants (contes, ateliers d'art et d'artisanat...). Le bâtiment, un hôtel particulier construit en 1908 pour un banquier, abrite plus de 30 000 pièces relatives à la culture juive. Des conférences et des projections de film s'y déroulent fréquemment, surtout en janvier quand l'institution présente le **New York Jewish Film Festival** en collaboration avec le Lincoln Center. Le jeudi, de 17h à 20h, le montant de l'entrée est à l'appréciation des visiteurs.

METROPOLITAN MUSEUM OF ART Plan p. 379

☎ 212-535-7710 ; www.metmuseum.org ; Fifth Ave à hauteur de 82nd St ; don suggéré adulte/senior et étudiant/enfant 12/7 $/gratuit ; 🕒 9h30-17h30 mar-jeu et dim, 9h30-21h ven et sam ; métro 4, 5, 6 jusqu'à 86th St

Avec plus de cinq millions de visiteurs par an, le Met est l'attraction touristique la plus fréquentée de New York et l'un des musées d'art les mieux dotés financièrement dans le monde. Il fonctionne en quelque sorte comme un état culturel autonome, avec ses deux millions d'objets et un budget annuel dépassant les 120 millions de dollars. En 1999, il a hérité d'une collection d'art moderne privée, d'une valeur de 300 millions de dollars, incluant des chefs-d'œuvre de Picasso et de Matisse. Par ailleurs, le Met a entamé début 2004 un projet de rénovation, dont le coût s'élève à 155 millions de dollars, afin de rentabiliser le moindre cm² d'espace. Ceci permettra de sortir des réserves quantité de pièces (dont un char étrusque), de restaurer les galeries consacrées au XIXᵉ siècle et à l'art moderne, et d'ajouter une nouvelle Roman Court (ouverture prévue en 2007) qui exposera 7 500 objets grecs et romains au lieu des 2 500 actuels.

Dans le Great Hall, procurez-vous le plan des collections et dirigez-vous vers les guichets qui affichent la liste des salles fermées temporairement et celle des conférences du jour. Le musée présente chaque année plus de 30 expositions et installations spéciales. Mieux vaut donc cibler ce que vous désirez voir absolument, car au-delà de 2 heures de visite la fatigue vous rattrapera certainement. Ensuite, abandonnez votre plan et perdez-vous. Au cours de cette visite improvisée, vous croiserez inévitablement des œuvres passionnantes.

À droite du hall se tient le bureau d'information qui propose des visites guidées en plusieurs langues (suivant les volontaires disponibles) et des audioguides des expositions temporaires (6 $). Des visites guidées gratuites, en anglais, sont organisées dans différentes parties du musée. Pour plus de détails, consultez le calendrier distribué au bureau d'information du Great Hall. Les familles peuvent se procurer *Inside the Museum: A Children's Guide to the Metropolitan Museum of Art* et le calendrier des événements destinés aux enfants (disponibles gratuitement au bureau d'information).

Si vous ne supportez pas la cohue, évitez les dimanches après-midi pluvieux, en été. En revanche, certains jours d'hiver lorsque le temps est exécrable, vous aurez les 7 ha du Met pratiquement pour vous tout seul – une expérience unique. Enfin, ne manquez pas le jardin sur le toit, surtout les week-ends d'été quand le bar à vins fonctionne en soirée.

Les musées à prix réduit

Le **CityPass** (www.citypass.com) s'avère extrêmement avantageux. Valable pendant neuf jours, il couvre l'entrée des sites et des musées suivants : l'**Empire State Building Observatory** (p. 108), l'**American Museum of Natural History** (p. 120), l'**Intrepid Sea/Air & Space Museum** (p. 110), la **Circle Line** (p. 80), le **Museum of Modern Art** (p. 115) et le **Guggenheim Museum** (p. 125). Le pass coûte 45/39 $ pour un adulte/enfant et sans lui, vous débourserez entre 30 et 50% de plus. Vous pourrez l'acquérir lors de votre première visite à l'un ou l'autre de ces sites.

Rappelez-vous aussi que de nombreux musées appliquent une fois par semaine un droit d'entrée à l'appréciation des visiteurs, habituellement le jeudi ou le vendredi soir.

MOUNT VERNON HOTEL MUSEUM & GARDEN Plan p. 379

☎ 212-838-6878 ; 421 E 61st St entre First Ave et York Ave ; adulte/senior et étudiant/enfant 4/3 $/gratuit ; 🕑 11h-16h mar-dim ; métro 4, 5, 6 jusqu'à 59th St

L'ex-Abigail Adams Smith Museum occupe une ancienne dépendance pour attelages datée de 1799. Celle-ci faisait autrefois partie d'un vaste domaine au bord du fleuve appartenant à la fille de John Adams, deuxième président des États-Unis. Devenue le Mount Vernon Hotel au début du XIXe siècle, la bâtisse au charme désuet abrite aujourd'hui une collection de mobilier américain, de textiles, d'objets d'art décoratif, de costumes et de documents.

MUSEUM OF THE CITY OF NEW YORK Plan p. 379

☎ 212-534-1672 ; www.mcny.org ; 1220 Fifth Ave entre 103rd St et 104th St ; don suggéré famille/adulte/senior et étudiant 12/7/4 $; 🕑 10h-17h mer-dim ; métro 6 jusqu'à 103rd St

Installé dans une demeure coloniale géorgienne datant de 1932, le musée présente ses collections en faisant appel à la technologie autant qu'aux méthodes traditionnelles. On peut ainsi consulter des données historiques sur Internet et découvrir une maquette à grande échelle de la Nouvelle-Amsterdam peu de temps après l'arrivée des Hollandais. À l'étage, une intéressante galerie renferme les pièces reconstituées de riches hôtels particuliers aujourd'hui disparus, une section consacrée aux comédies musicales de Broadway, et une collection de maisons de poupée, ours en peluche et jouets anciens divers. Des expositions temporaires jettent un regard intelligent sur la ville, traitant de sujet comme Harlem, les Années folles, l'architecture du XXIe siècle ou New York vue par les photographes de l'agence Magnum.

NATIONAL ACADEMY OF DESIGN Plan p. 379

☎ 212-369-4880 ; www.nationalacademy.org ; 1 083 Fifth Ave à hauteur 89th St ; adulte/senior et étudiant/moins de 16 ans 8/4,50 $/gratuit ; 🕑 12h-17h mer-jeu, 11h-18h ven-dim ; métro 4, 5, 6 jusqu'à 86th St

Cofondée par le peintre et inventeur Samuel Morse, l'école d'art présente une collection permanente de peintures et de sculptures dans une superbe demeure dotée d'un vestibule en marbre et d'un escalier en colimaçon. Ce joyau d'architecture fut conçu par Ogden Codman à qui l'on doit également l'hôtel particulier Breakers de Newport, sur Rhode Island.

NEUE GALERIE Plan p. 379

☎ 212-628-6200 ; www.neuegalerie.org; 1048 Fifth Ave à hauteur de 86th St ; adulte/senior 10/7 $, accès interdit aux moins de 12 ans ; 11h-18h sam-lun,11h-21h ven ; métro 4, 5, 6 jusqu'à 86th St

Nouvelle venue dans le quartier des musées – elle a ouvert en 2000 –, cette vitrine de l'art allemand et autrichien n'a pas tardé a connaître le succès. Installée dans un ancien hôtel particulier de Rockefeller, elle expose des œuvres magistrales de Gustav Klimt, Paul Klee et Egon Schiele présentées avec soin dans un cadre intime. Au niveau de la rue, le **Café Sabarsky** sert des boissons, des pâtisseries et des plats viennois. Les enfants ne sont pas admis.

NEW YORK ACADEMY OF MEDICINE Plan p. 379

☎ 212-822-7200 ; www.nyam.org ; 1216 Fifth Ave à hauteur de 103rd St ; entrée libre ; 9h-17h lun-ven ; métro 6 jusqu'à 103rd St

Avec plus de 700 000 ouvrages à son catalogue, l'académie de médecine de New York est l'une des plus importantes bibliothèques médicales au monde (elle possède en outre une impressionnante collection de livres de cuisine). Son intérêt réside aussi dans un ensemble de curiosités dont l'inventaire paraîtra surréaliste aux uns et fascinant aux autres : crécelle de lépreux, gouttelette de la première culture de pénicilline, ventouses pour les phlébotomies, dentier de George Washington…

ROOSEVELT ISLAND Plan p. 379

Le secteur le mieux aménagé de New York se niche dans une île minuscule, pas plus large qu'un terrain de football, sur l'East River, entre Manhattan et le Queens. Jadis baptisée Blackwell's Island, du nom de la famille de fermiers qui s'y installa, l'île fut achetée par la ville en 1828 et devint le site de plusieurs hôpitaux et asiles. Dans les années 1970, l'État de New York construisit des appartements pour 10 000 personnes le long de l'unique rue. La partie concentrée autour de la voie pavée ressemble à un village olympique ou, selon ses détracteurs, à un pensionnat.

La plupart des touristes empruntent le tramway aérien qui relie l'île en 4 min, contemplent la vue époustouflante sur l'East Side de Manhattan flanqué du 59th St Bridge et repartent aussitôt. Il est pourtant agréable de profiter du calme de l'île pour se détendre, pique-niquer ou faire du vélo.

Les départs depuis la **station de tramway Roosevelt Island** (☎ 212-832-4543 ; 60th St à hauteur de Second Ave) ont lieu tous les quarts d'heure, de 6h à 14h, du dimanche au jeudi, et jusqu'à 15h30 les vendredi et samedi ; l'aller simple coûte 1,50 $. Roosevelt Island reste accessible depuis Manhattan par la ligne F du métro.

SOLOMON R GUGGENHEIM MUSEUM Plan p. 379

☎ 212-423-3500 ; www.guggenheim.org ; 1071 Fifth Ave à hauteur de 89th St ; adulte/senior et étudiant/enfant 15/10 $/gratuit ; 10h-17h45 sam-mer, 10h-20h ven ; métro 4, 5, 6 jusqu'à 86th St

L'édifice en spirale conçu par Frank Lloyd Wright éclipse presque la collection d'art du XXe siècle. Après avoir suscité la controverse dans les années 1950 à cause de son architecture surprenante, il est désormais reconnu comme une œuvre majeure que les spécialistes critiquent désormais à leurs risques et périls. Pourtant, à la suite d'une rénovation malheureuse menée en 1992, l'édification d'une tour attenante de dix étages, d'après des dessins originaux de Wright, fait ressembler l'ensemble à une cuvette de WC.

À l'intérieur, vous pourrez découvrir quelques-unes des 5 000 pièces du musée (plus des expositions temporaires) le long d'un parcours hélicoïdal. Utilisez l'ascenseur pour monter jusqu'au dernier étage, puis descendez la rampe en colimaçon. Vous verrez, entre autres, des tableaux de Picasso, Chagall, Pollock et Kandinsky. En 1976, la donation Justin Thannhauser a enrichi la collection d'œuvres impressionnistes et modernes, avec notamment des peintures de Monet, Van Gogh et Degas. Depuis le legs de 200 photos par la Robert Mapplethorpe Foundation en 1992, le 4e étage est consacré à la photographie.

TEMPLE EMANU-EL Plan p. 379

☎ 212-744-1400 ; www.emanuelnyc.org ; 1 E 65th St à hauteur de Fifth Ave ; 10h-17h ; métro N, R, W jusqu'à Fifth Ave–59th St

Fondée en 1845, la première synagogue réformatrice de New York a été achevée en 1929. Plus grand lieu de culte israélite du monde, elle compte 3 000 familles parmi ses fidèles. Arrêtez-vous pour jetez un œil à sa remarquable architecture byzantine et moyen-orientale. La façade comprend une arche portant les symboles des 12 tribus d'Israël, qui sont également représentées sur les portes en bronze imposantes. L'intérieur est majestueux, avec ses piliers et sa voûte de Guastavino (une ingénieuse technique de construction à base de carreaux de céramique), ses sols en marbre et ses vitraux éclatants.

Les collections permanentes du Met

Si vous ne désirez pas tout voir du Metropolitan Museum of Art, faites un tour rapide au rez-de-chaussée – jetez peut-être un œil au Costume Institute, qui fait tourner ses fabuleuses collections de vêtements – avant de monter aux galeries de peintures de l'étage. Dans l'aile nord, la section consacrée à l'art égyptien contient la tombe de Perneb (vers 2415 av. J.-C.), plusieurs momies, des peintures murales extrêmement bien conservées et le temple de Dendur protégé par des vitres. Ce dernier, menacé d'immersion lors de la construction du barrage d'Assouan, fut offert aux États-Unis en remerciement de leur participation au sauvetage. En examinant ses murs de près, vous remarquerez les graffitis laissés par des Européens qui visitèrent le site dans les années 1820. De cet endroit, vous profiterez de jolies vues sur Central Park.

Poursuivez sur la gauche pour atteindre l'American Wing dédiée au mobilier et à l'architecture, et faites une pause dans le joli jardin clos. Tout autour du jardin, vous pourrez admirer des vitraux exécutés par Louis Comfort Tiffany, ainsi que la façade sur deux étages de la Branch Bank of the US, conservée ici lorsque le bâtiment, édifié à Downtown, fut démoli au début du XXe siècle.

Vous traverserez ensuite les sombres galeries consacrées à l'art du Moyen Âge. En tournant à droite et en franchissant le département des arts décoratifs européens, vous déboucherez sur une aile pyramidale qui renferme la collection d'art impressionniste et moderne Robert Lehman, qui compte plusieurs œuvres de Renoir (dont la *Jeune baigneuse assise*), de Seurat et de Picasso (dont le *Portrait de Gertrude Stein*). Cette galerie présente un atout inattendu, avec la façade en terre cuite du premier Met construit en 1880. Celle-ci se trouve aujourd'hui complètement encastrée entre les ajouts ultérieurs et compose à elle seule une pièce architecturale digne d'intérêt.

Continuez à travers le département des arts décoratifs européens puis tournez à gauche en direction de Fifth Ave pour voir la collection Rockefeller des arts d'Afrique, d'Océanie et des Amériques. Ensuite, prenez à gauche et déambulez dans la section des arts gréco-romains. Le musée a récemment restauré beaucoup de pièces antiques, notamment à l'étage, celles de la Cypriot Gallery, qui recèle certains des plus beaux objets de l'Antiquité chypriote.

Toujours à l'étage, vous pourrez apprécier au-delà des entrées à colonnades, dans une des plus vieilles galeries du Met, la célèbre collection de peintures européennes. Des autoportraits de Rembrandt et de Van Gogh, ainsi que le *Portrait de Juan de Pareja* de Velázquez, côtoient des tableaux de tous les peintres de renom.Plusieurs salles sont consacrées aux périodes impressionniste et post-impressionniste. La nouvelle collection des maîtres de l'art moderne se tient à ce niveau, de même que des photographies d'acquisition récente et un délicieux ensemble d'instruments de musique. Les amateurs trouveront aussi des galeries d'art japonais, chinois et d'Asie du Sud-Est.

WHITNEY MUSEUM OF AMERICAN ART Plan p. 379

☎ 212-570-3600, 800-944-8639 ; www.whitney.org ; 945 Madison Ave à hauteur 75th St ; adulte/senior/enfant 12/9,50 $/gratuit ; 🕑 11h-16h30 mar, 11h-18h mer, sam et dim, 11h-21h ven ; métro 6 jusqu'à 77th St

Installé dans la version moderne d'une forteresse médiévale, le Whitney affiche d'emblée sa mission provocatrice. L'édifice dessiné par l'architecte du Bauhaus Marcel Breur constitue un écrin approprié pour une collection consacrée à l'art américain du XXe siècle. Ces dernières années, les expositions de grande qualité du **MoMA** (p. 115) et du **Brooklyn Museum** (p. 138) ont quelque peu éclipsé les efforts déployés par le musée pour montrer des œuvres novatrices. Celui-ci continue néanmoins d'organiser sa fameuse biennale (la prochaine en 2006), une vue d'ensemble ambitieuse de l'art contemporain qui suscite presque toujours la controverse (les dernières manifestations ont surtout choqué par leur médiocrité).

Réunie dans les années 1930 par Gertrude Vanderbilt Whitney, qui lança à Greenwich Village un salon pour artistes en vue, la collection permanente compte des tableaux d'Edward Hopper, Jasper Johns, Georgia O'Keeffe, Jackson Pollock et Mark Rothko.

YORKVILLE Plan p. 138

Métro 6 jusqu'à 77th St

Actuellement réputée pour être l'une des dernières enclaves (relativement) abordables de l'Upper East Side en matière de locations d'appartements, cette zone à l'est de Lexington Ave, entre 70th St et 96th St, était autrefois le lieu où se fixaient les immigrants hongrois et allemands fraîchement débarqués. La seule trace de cet héritage réside dans des enseignes comme **Schaller & Weber**, une épicerie allemande à l'ancienne, Heidelberg, un restaurant chaleureux qui sert de la choucroute et autres spécialités germaniques (tous deux dans Second Ave, entre 85th St et 86th St), et le **Yorkville Meat Emporium** (Second Ave à hauteur de 81st St), qui vend de la viande et des plats préparés hongrois.

HARLEM ET LE NORD DE MANHATTAN

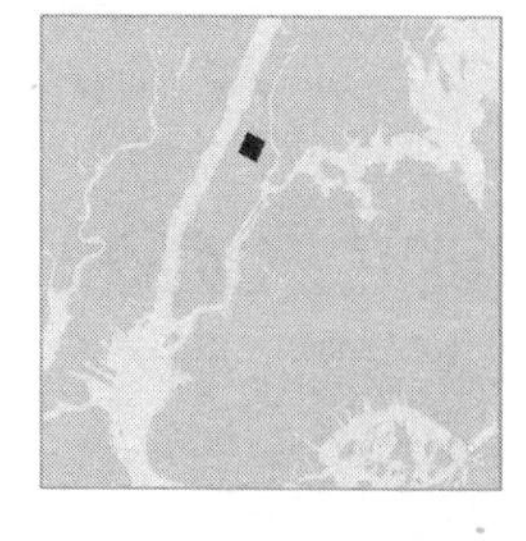

Promenades p. 166, Où se restaurer p. 193, Shopping p. 270, Où se loger p. 288

Depuis son apparition dans les années 1920, l'enclave de Harlem a été le poumon de la culture noire. C'est ici, dans ce quartier au nord de Central Park qu'ont vécu des grandes figures afro-américaines des lettres, de la musique et de la danse, telles que Frederick Douglass, Paul Robeson, Thurgood Marshall, James Baldwin, Billie Holiday, Jessie Jackson et Alvin Ailey, pour ne citer que quelques noms.

Un passé mouvementé a valu à Harlem une réputation de quartier mal famé. Durant les années 1960, près de la moitié de ses habitations furent totalement incendiées au cours d'émeutes. Deux décennies plus tard, le crack faisait des ravages dans la population et les gangs prospéraient sur fond de crise économique. Heureusement, la situation s'est nettement améliorée et Harlem connaît une renaissance qui ramène les emplois, la fierté et le tourisme.

Les visiteurs qui visitent le quartier pour la première fois seront sans doute surpris de découvrir qu'il se trouve à une station de métro de Columbus Circle-59th St. Par les lignes express A et D, il ne faut que 5 min, et les 2 lignes s'arrêtent à un pâté de maison de l'Apollo Theater et à deux rues du Malcolm X Blvd (Lenox Ave).

Harlem n'est plus cette zone infréquentable qu'elle a été ; hormis quelques rues secondaires désertes et encore à l'abandon, il n'est pas nécessaire de prendre plus de précautions ici que partout ailleurs à New York. Pour plus de détails, on se reportera à la promenade *Harlem à pas lents*, p. 166.

Orientation

En explorant Harlem, vous remarquerez que les principales avenues ont été rebaptisées des noms d'éminentes personnalités noires. Cependant, beaucoup d'habitants du quartier appellent encore les rues par leurs anciens noms, d'où parfois une certaine difficulté pour trouver son chemin. Eighth Ave (Central Park West) est devenue le Frederick Douglass Blvd, et Seventh Ave, Adam Clayton Powell Jr Blvd, du nom d'un pasteur controversé qui siégea au Congrès dans les années 1960. Lenox Ave porte maintenant le nom du leader de la Nation of Islam, Malcolm X. 125th St, la grande artère commerçante, a été honorée du nom de Martin Luther King Jr Blvd.

Visiter Harlem n'est pas de tout repos, car les sites sont assez dispersés et les stations de métro peu nombreuses. Il peut être préférable de se déplacer en bus.

HARLEM

APOLLO THEATER Plan p.382

☎ 212-531-5337 ; 5253 W 125th St au niveau de Frederick Douglass Blvd ; métro A, B, C, D jusqu'à 125th St

L'Apollo est la première salle de spectacles de Harlem. Concerts et meetings politiques s'y déroulent depuis 1914. Presque tous les grands artistes noirs des années 1930 et 1940, comme Duke Ellington et Charlie Parker, ont joué ici. Reconvertie en cinéma, la salle tomba dans l'anonymat avant d'être rachetée en 1983 et, finalement, retrouver sa fonction première. Sa dernière rénovation date de 2002. On y donne toujours les fameuses nuits hebdomadaires, "où naissent les vedettes et se fabriquent les légendes", le mercredi à 19h30. Observer la foule réclamer du "bourreau" qu'il sorte les concurrents malchanceux est souvent le meilleur moment de la soirée. Les autres soirs, l'Apollo accueille des artistes reconnus comme Whitney Houston ou le comédien Chris Rock. Les visites guidées coûtent 11/13 $ par pers en semaine/week-end, et démarrent à 11h, 13h

Transports

Métro 1, 9, A, B, C, D, 2, 3, 4, 5, 6 jusqu'à 125 St.
Bus M98, M100, M101, M103.

et 15h les lundi, mardi et vendredi, 11h le mercredi, 11h et 13h les samedi et dimanche. Si le cœur vous en dit, vous pourrez faire un numéro sur la célèbre scène.

HARLEM MARKET Plan p. 382

☎ 212-987-8131 ; 116th St ; 🕒 10h-17h ; métro 2, 3 jusqu'à 116th St

Les vendeurs de ce marché semi-couvert, situé entre Malcolm X Blvd et Fifth Ave, font de bonnes affaires avec un assortiment habituel d'objets africains : masques, huiles, tambours, vêtements traditionnels, etc. On y trouve des vêtements bon marché, du cuir, des cassettes audio et des vidéos pirates. Le marché dépend de la mosquée Malcolm Shabazz où prêchait Malcolm X.

SCHOMBURG CENTER FOR RESEARCH IN BLACK CULTURE Plan p. 382

☎ 212-491-2200 ; www.nypl.org/research/sc/sc.html ; 515 Malcolm X Blvd ; entrée libre ; 🕒 mar-mer 12h-20h, jeu-ven 12h-18h, sam 10-18h ; métro 2, 3 jusqu'à 135th St

Des documents, des livres rares, des enregistrements et des photographies ont été rassemblés dans cette immense collection relative à l'histoire et à la culture noire américaine que l'on peut voir dans ce centre proche de W 135th St. Arthur Schomburg, originaire de Porto Rico, a commencé sa collecte au début du XXe siècle tout en militant pour les droits civiques et l'indépendance de l'île. Cette collection fut acquise par la Carnegie Foundation qui l'étoffa et l'entreposa dans cette annexe de la New York Public Library. Des conférences et des concerts ont lieu régulièrement dans la salle de spectacles.

Top 5 de Harlem

- **Apollo Theater** (page précédente) Joignez-vous à la foule d'une soirée de musiciens amateurs
- **Copeland's** (p. 193) Brunchez jazzy
- **El Museo del Barrio** (p. 131) Des chefs-d'œuvre latino-américains
- **Shomberg Center for Research in Black Culture** (ci-dessous) Découvrez l'histoire des noirs américains
- **Studio Museum in Harlem** (ci-dessous) Le meilleur de la production des artistes noirs

STUDIO MUSEUM IN HARLEM Plan p. 382

☎ 212-864-4500 ; www.studiomuseum.org ; 144 W 125th St au niveau d'Adam Clayton Powell Jr Blvd ; don suggéré adulte/senior et étudiant 7/3 $; 🕒 mer-ven et dim 12h-18h, sam 10h-18h ; métro 2, 3 jusqu'à 125th St

Depuis presque 30 ans, cette institution s'efforce d'aider et de promouvoir les artistes noirs américains en leur offrant de l'espace pour travailler. Sa collection de photographies comprend des œuvres de James VanDerZee, qui prit Harlem en photo à la grande époque des années 1920 et 1930.

La renaissance de Harlem

Deux événements ont favorisé la renaissance de Harlem : le classement du quartier dans sa totalité en zone de développement économique, en 1996, et l'afflux de touristes (japonais et européens pour la plupart), curieux de se frotter aux vibrations musicales et spirituelles des lieux. Si le redressement économique s'est traduit par un afflux de dollars, il a aussi drainé un tourisme "Disneyland" en bus à impériale et des foules prêtes aux bousculades pour avoir une bonne place à la messe du dimanche. Les espaces fantastiques offerts en location à des prix imbattables ont fait naître un florissant ghetto gay (blanc), les gays ayant été les premiers à se précipiter sur les brownstones. L'équilibre n'est pas encore trouvé et, en attendant, tout n'est pas pour le mieux dans le meilleur des mondes. La baisse du tourisme consécutive au 11 Septembre a entraîné la fermeture de maintes petites boutiques traditionnelles, et il reste à vérifier si les résidents de longue date ont vraiment profité du boom récent du quartier.

Les édiles ont agressivement vanté les mérites de Harlem auprès des promoteurs en mettant en avant un complexe d'un gigantisme inquiétant, **Harlem USA** (plan p. 382 ; 300 West 125th St), incluant un club de danse, 12 salles de cinéma, une patinoire sur le toit et une boutique HMV. L'ancien président Bill Clinton a également planté son drapeau dans la 125e rue, en y installant ses nouveaux bureaux. Ne comptez pas pour autant le croiser dans le quartier ; personne ne l' a encore vu dans les parages.

Les messes avec gospel

Les services religieux du dimanche à Harlem, baptistes pour la plupart, et réputés pour leur ardeur spirituelle et le rythme entraînant de leurs chœurs, attirent les foules. Les touristes débarquent par bus entiers (certaines églises ont passé des accords avec des tours-opérateurs) entraînant un regrettable choc de cultures, avec d'un côté des fidèles venus pratiquer et de l'autre des curieux soucieux de prendre la meilleure photo possible. Selon un adage local, Harlem compte un bar à tous les coins de rue et une église pour chaque pâté de maisons, aussi trouverez-vous de nombreuses autres églises dans les abords immédiats de celles dont nous indiquons les adresses ci-dessous. Comme leur fronton le précise :" All are welcome" (tout le monde est bienvenu). Les messes commencent généralement à 11h.

Fondée par un homme d'affaires éthiopien, l'**Abyssinian Baptist Church** (plan p. 129 ; ☎ 212-862-7474 ; 132 W 138th St ; services dim 9h et 11h ; métro 2, 3 jusqu'à 135th St), près d'Adam Clayton Powell Jr Blvd appelé Odell Clark Pl, a vu le jour dans Downtown avant de migrer vers Harlem en 1923 pour suivre le déplacement de la population noire. Son pasteur charismatique, Calvin O Butts III, est une figure importante de la communauté, courtisée par les politiciens de tous bords. Le chœur est superbe et l'édifice une merveille. Au coin de la rue, la **Mother African Methodist Episcopal Zion Church** (plan p. 129 ; ☎ 212-234-1545 ; 146 W 137th St ; métro 2, 3 jusqu'à 135th St) recueille en général le trop-plein de l'église Abyssinienne.

Canaan Baptist Church (plan p. 129 ; ☎ 212-866-5711 ; 132 W 116th St ; services oct-juin dim 10h45, juil-sept 10h ; métro 2, 3 jusqu'à 116th St), près de St Nicholas Ave, est peut-être l'église la plus chaleureuse de Harlem.

Comme les églises précédentes sont très fréquentées, peut-être vaut-il mieux essayer l'une des adresses suivantes :

- **Baptist Temple** (plan p. 129 ; ☎ 212-996-0334 ; 20 W 116th St)
- **Metropolitan Baptist Church** (plan p. 129 ; ☎ 212-663-8990 ; 151 W 128th St)
- **St Paul Baptist Church** (plan p. 129 ; ☎ 212-283-8174 ; 249 W 132nd St)
- **Salem United Methodist Church** (plan p.129 ; ☎ 212-722-3969 ; 211 W 129th St)
- **Second Providence Baptist Church** (plan p. 129 ; ☎ 212-831-6751 ; 11 W 116th St)

MORNINGSIDE HEIGHTS

Ce quartier situé entre l'Upper West Side et Washington Heights beaucoup plus au nord, est dominé par la Columbia University. Des nuées d'étudiants et de professeurs remplissent les cafés et les librairies, ou déambulent entre les cours sur le beau campus urbain. La population multi-ethnique constitue l'un des charmes du quartier, tout comme ses loyers, encore abordables.

Orientation

Morningside Heights s'étend, du sud au nord, de la 110th à la 125th St, et d'est en ouest, de St Nicholas Ave à l'Hudson.

ST JOHN THE DIVINE Plan p. 382

☎ 212-316-7540 ; Amsterdam Ave au niveau de la 112th St ; 7h30-18h ; métro B, C, 1 jusqu'à Cathedral Pkwy

Lorsqu'elle sera achevée, cette cathédrale épiscopalienne de 180 m de long sera non seulement le plus vaste lieu de culte des États-Unis, mais le troisième du monde, après la basilique Saint-Pierre du Vatican et Notre-Dame de Yamoussoukro en Côte d'Ivoire. Hélas, un incendie récent causa des dommages irréparables aux tapisseries et à d'autres objets d'art.

Les travaux se poursuivent donc depuis la pose de la première pierre en 1892. Les prochaines étapes sont la construction d'une tour en pierre sur le côté gauche de la façade ouest et d'une tour à la croisée de transept, au-dessus de la chaire. D'autres éléments, comme l'amphithéâtre grec, apparaissant sur la vue en coupe proche de l'entrée principale, sont encore dans les limbes.

En attendant, la cathédrale est un lieu sacré très animé, au centre d'une vie communautaire active. On y donne des concerts les jours

Transports

Métro 1, 9, B, C jusqu'à 110, 116 ou 125 St.
Bus M104, M7, M10, M100.

Top 5 de Northern Manhattan

- **Audubon Terrace** (p. 132). L'embarras du choix entre expositions et musées
- **Cathedral of St John the Divine** (p. 129). Levez les yeux et admirez les voûtes
- **Cloisters** (p. 132). Un bain de culture et un rafraîchissement
- **Columbia University** (ci-dessous). Asseyez-vous sur les marches de la bibliothèque
- **El Museo Del Barrio** (p. 131). L'Amérique latine à New York

fériés, des conférences et des services à la mémoire de New-Yorkais célèbres. Deux services annuels très attendus ne manqueront pas de surprendre les Européens : la **bénédiction des animaux**, le premier dimanche d'octobre, qui attire les propriétaires d'animaux de compagnie, et la **bénédiction des bicyclettes**, le 1er mai, dont bénéficient les vieux biclous aussi bien que les VTT flambant neufs. La cathédrale possède même son **Poet's Corner**, à gauche de l'entrée, bien que, personne n'y soit enterré. On ira voir également l'autel de Keith Haring, un célèbre artiste pop des années 1980.

Le site offre d'autres curiosités : le **jardin de sculptures des enfants**, côté sud, et le **jardin biblique**, à l'arrière du bâtiment. Un **parcours écologique** peu banal serpente à travers la cathédrale et ses dépendances, retraçant les cycles de la Création (naissance, vie, mort et renaissance) sous un angle multiculturel.

Des visites guidées de la cathédrale (3 $ par pers) sont proposées à 11h, du mardi au samedi, et à 13h le dimanche.

COLUMBIA UNIVERSITY Plan p. 382

☎ 212-854-1754 ; Broadway ; métro 1 jusqu'à 116th St–Columbia University

Lorsque les fondateurs de la Columbia University et du Barnard College qui lui est associé décidèrent, en 1897, de s'installer sur ce site, entre 114th St et 121st St, ils pensaient s'être éloignés durablement de l'agitation du centre-ville. Aujourd'hui, l'université est enserrée par la ville, mais sa cour centrale où trône une **Alma Mater** en haut de l'escalier de la Low Library (bibliothèque) est encore un havre de paix. Dans l'angle sud-est de la place principale, le Hamilton Hall fut occupé par les étudiants en 1968. Manifestations et fêtes s'y succèdent depuis lors.

RIVERSIDE CHURCH Plan p. 382

☎ 212-870-6700 ; www.theriversidechurchny.org ; 490 Riverside Dr au niveau de W 120th St ; 🕓 7h-22h ; métro 1, 9 jusqu'à 116th St–Columbia University

Construite par les Rockefeller en 1930, ce bijou gothique domine l'Hudson. Par beau temps, on peut rejoindre la terrasse panoramique (2 $), à 106 m de hauteur. Les 74 cloches du carillon, avec un extraordinaire bourdon de 20 tonnes, entrent en action le dimanche à 12h et 15h. Un service interconfessionnel est célébré le dimanche à 10h45.

GENERAL US GRANT NATIONAL MEMORIAL Plan p. 382

☎ 212-666-1640 ; www.nps.gov/gegr ; Riverside Dr au niveau de W 122nd St ; entrée libre ; 🕓 9h-17h ; métro 1, 9 jusqu'à 125 St

Communément appelé le Tombeau de Grant, ce monument renferme la dépouille du héros de la guerre de Sécession, le président Ulysses S. Grant et celle de sa femme Julia. Achevée en 1897, 12 ans après sa mort, la structure en granit coûta 600 000 $. C'est le plus grand mausolée du pays. Bien que ses architectes aient pris modèle sur le tombeau de Mausole à Halicarnasse, cette version est loin d'être une merveille du monde. Elle fut longtemps couverte de graffitis, jusqu'à ce que les descendants de Grant menacent de déplacer les corps si le service des parcs nationaux ne se décidait pas à la nettoyer.

SPANISH HARLEM

À l'est du Harlem noir, le Harlem hispanique (métro 6 stations 103rd, 110th St ou 116th St) s'étend de la Fifth Ave à l'East River, au-dessus de la 96th St. Le quartier abrite la plus grande communauté latine (principalement portoricaine, dominicaine et cubaine) de la ville. On y arbore fièrement sa latinité : des drapeaux porto-ricains flottent aux portières de voitures qui diffusent une salsa tonitruante, des joueurs de dominos sont assis devant des *casitas* délabrées dans les jardins communautaires, et des commères assises sur des tabourets s'apostrophent l'une l'autre en "spanglish".

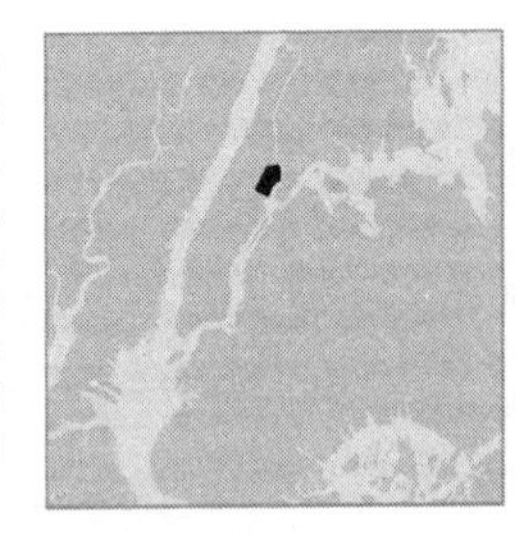

Les endroits intéressants du quartier sont **El Museo del Barrio**, **La Marqueta** (voir ci-après), un ensemble de stands pittoresques vendant des produits latino-américains et de la viande, sur Park Ave au-dessus de la 110th St, et le **Duke Ellington Circle**, avec sa statue du musicien et de son piano, au croisement de Fifth Ave et de Central Park North (dite aussi Tito Puente Way).

LA MARQUETA Plan p. 382

☎ 212-534-4900 ; E 115th St entre Third Ave et Park Ave ; don suggéré adulte/senior, étudiant et enfants 6 $/gratuit ; ⏲ mer-dim 11h-17h ; métro 6 jusqu'à 103rd St

Géré par la NYC Economic Development Corporation, ce marché d'une trentaine de stands satisfait les besoins de la communauté latino-américaine en produits laitiers, épicerie, légumes, épices et viandes.

EL MUSEO DEL BARRIO

Plan p. 379

☎ 212-831-7272 ; www.elmuseo.org ; 1230 Fifth Ave entre 104th St et 105th St ; don suggéré adulte/senior-étudiant/enfant 6/4/gratuit $; ⏲ mer-dim 11h-17h ; métro 6 jusqu'à 103rd St

Ce musée, le meilleur point de départ d'une visite du Spanish Harlem, a vu le jour en 1969 afin de mettre en valeur l'art et la culture portoricains. Depuis lors, ses collections se sont élargies à l'art populaire de l'Amérique latine et de l'Espagne. On peut maintenant y admirer des objets précolombiens et une collection de plus de 300 *santos* en bois de la tradition catholique caribéenne. D'intéressantes expositions temporaires montrent le travail d'artistes locaux, l'art brésilien contemporain ou l'histoire des Tainos. Explications et brochures en anglais et en espagnol.

HAMILTON HEIGHTS ET SUGAR HILL

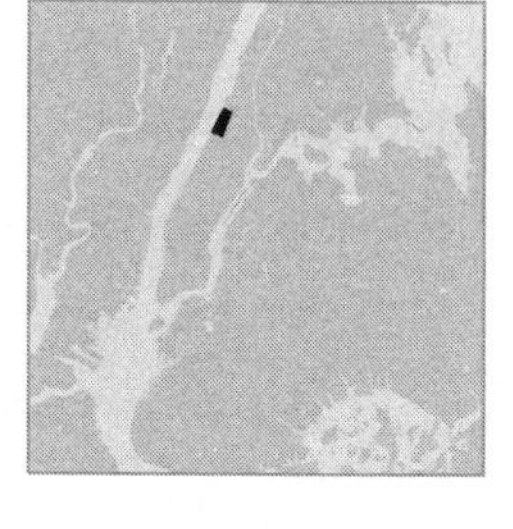

Ce quartier, qui s'étend au nord de Harlem de la 138th St à la 155th St environ, à l'ouest de Edgecombe Ave, regorge de sites intéressants et peu visités. L'une des façons les plus agréables d'aller voir un match des Yankees consiste à remonter la 155th St vers l'est et de traverser le Macombs Dam Bridge (qui permet aussi d'accéder en voiture au Yankee Stadium en venant de Manhattan). En été, les passionnés de basket iront voir les célèbres rencontres du **Rucker Park** (plan p. 382 ; 155th St sur Harlem River ; métro B, D jusqu'à 155th St). Malheureusement, il n'est pas recommandé de s'y aventurer sans être accompagné d'un habitant du quartier, la communauté locale n'aimant guère les étrangers.

JAMES BAILEY HOUSE Plan p. 382

10 St Nicholas Pl au niveau de W 150th St ; métro C jusqu'à 155 St

Les amateurs d'architecture apprécieront l'ancienne demeure du propriétaire de cirque James A. Bailey, devenue une entreprise de pompes funèbres. Cet hôtel néogothique des années 1880, aux façades en granit et toits sur pignons, mérite le coup d'œil. Le bâtiment voisin, au 14 Nicholas Pl, est une autre fantaisie architecturale, avec sa coupole à bardeaux de cèdre et ses volets en bois à motifs floraux.

HAMILTON GRANGE Plan p. 382

☎ 212-283-5154 ; 141st St au niveau de Convent Ave ; entrée libre ; ⏲ ven-dim 9h-17 ; métro A, B, C, D jusqu'à 145th St

Cette maison de style fédéral fut, en un autre lieu et en d'autre temps, le refuge campagnard d'Alexander Hamilton. Lorsqu'on transporta le bâtiment sur son emplacement actuel, trop étroit en façade, il fallut se résoudre à orienter la maison de côté ! Aux dernières nouvelles, un accord a été signé pour lui trouver un site permanent dans St Nicholas Park où une fois restaurée, sa façade sera mise en valeur.

Dans les abords immédiats, le Hamilton Heights Historic District s'étend le long de Convent Ave depuis le campus du City College of New York (qui renferme lui-même des merveilles d'architecture), à la 140th St, jusqu'à la 145th St. C'est l'un des derniers îlots intacts de maisons en calcaire et grès brun de New York, et c'est tout simplement magnifique.

STRIVER'S ROW Plan p. 382

W 138th St et 139th St entre Frederick Douglass Blvd et Adam Clayton Powell Jr Blvd ; métro B, C jusqu'à 135th St

Également dénommé St Nicholas Historic District, Striver's Row présente un alignement de maisons et d'appartements dont beaucoup furent conçus par l'agence de Stanford White dans les années 1890. Lorsque les blancs quittèrent le quartier, l'élite noire occupa les lieux. C'est l'un des endroits les plus visités de Harlem. La discrétion est recommandée pour ne pas agacer outre mesure la population locale. Des plaques donnent des détails sur l'histoire du quartier. On remarquera, dans les passages, les écriteaux incitant les visiteurs à "descendre de cheval".

WASHINGTON HEIGHTS

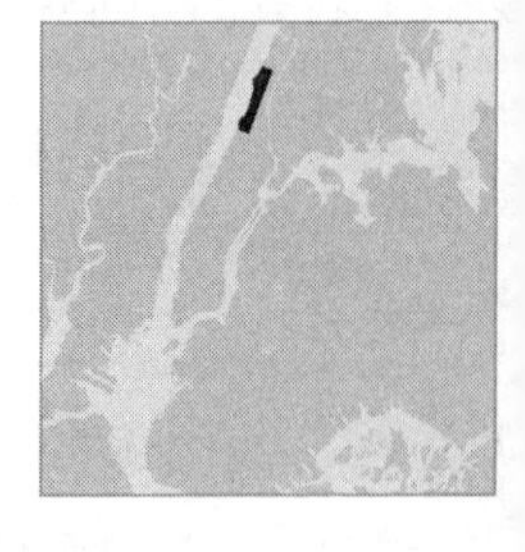

Près de la pointe nord de Manhattan (au-delà de la 155th St), Washington Heights a pris le nom du premier président des États-Unis, qui, pendant la guerre d'Indépendance, y fit construire un fort militaire.

Zone rurale isolée jusqu'à la fin du XIXe siècle, Washington Heights attire désormais les New-Yorkais en quête de loyers abordables. Le quartier n'en garde pas moins son parfum latino, entretenu par un afflux continuel d'immigrants dominicains. Parler l'espagnol pourrait s'avérer très utile dans ces parages.

La plupart des visiteurs viennent à Washington Heights pour voir ses quelques musées, et notamment le Cloisters dans Fort Tryon Park, un endroit des plus agréables par beau temps.

De 11h à 17h, des navettes gratuites relient les différents musées du quartier. (Les musées ci-dessous communiquent les horaires par tél).

AUDUBON TERRACE

Plan p. 382

Broadway au niveau de la 155th St ; métro 1 jusqu'à 157th St

Le naturaliste John James Audubon vécut autrefois ici, à Audubon Tce, qui abrite aujourd'hui sur une charmante place, trois musées extraordinaires et néanmoins gratuits.

L'**American Numismatic Society** (☎ 212-234-3130 ; entrée libre ; 🕒 mar-ven 9h-16h30) possède une riche collection de pièces, médailles et papier-monnaie.

Trésor d'art espagnol, portugais et latino-américain, l'**Hispanic Society of America** (☎ 212-926-2234 ; www.hispanicsociety.org ; entrée libre ; 🕒 mar-sam 10h-16h30, dim 13h-16h) qui croule sous les sculptures et les tapisseries en soie et or, est propriétaire d'une riche collection d'œuvres du Greco, de Goya, de Vélasquez, et du brillantissime Joaquin Sorolla y Bastida. La bibliothèque recèle quelque 25 000 volumes. Montez à l'étage pour admirer la vue. Toutes les explications et brochures sont bilingues anglais/espagnol.

L'**American Academy and Institute of Arts and Letters** (☎ 212-368-5900 ; entrée libre) ouvre ses portes de bronze au public plusieurs fois par an pour des expositions temporaires ; téléphonez pour connaître le programme.

Top 5 des plaisirs gratuits

- **Bryant Park** (p. 111). Cinéma le lundi soir, en été
- **Vernissages des galeries de Chelsea** (p. 161).
- Vin compris
- **Central Park SummerStage** (p. 231). Un concert dans le parc
- **Rudy's** (p. 211). Le hot-dog est offert pendant les happy-hours
- **Staten Island Ferry** (p. 151). Montez, traversez, descendez, retraversez...

CLOISTERS

Plan p. 388

☎ 212-923-3700 ; 195th St ; www.metmuseum.org ; don suggéré adulte/senior et étudiant 12/7 $, enfant gratuit ;

🕒 mar-dim nov-fev 9h30-16h45, mar-dim mar-oct 9h30-17h15 ; métro A jusqu'à Dyckman St

Quels que soient le temps et la saison, le Met est un endroit magnifique à visiter, mais s'il fait vraiment trop beau pour rester enfermé, n'hésitez pas à aller voir son annexe en plein air. Installé dans Fort Tryon Park avec vue sur l'Hudson, le musée des Cloîtres date des années 1930 et fut constitué à partir de fragments de monastères français et espagnols. Il abrite en outre la collection des fresques, tapisseries et peintures médiévales du Metropolitan Museum of Art. En été, des concerts ont lieu sur place, et l'on peut admirer plus de 250 variétés d'herbes et de fleurs médiévales.

DYCKMAN FARMHOUSE MUSEUM

Plan p. 388

☎ 212-304-9422 ; 4881 Broadway au niveau de la 204th St ; entrée 1 $;
mar-dim 10h-16h ; métro A jusqu'à 207th St

Construite en 1784 sur un terrain de 11 ha, Dyckman House reste la dernière ferme hollandaise de Manhattan. Des fouilles ont livré de précieux témoignages de la vie coloniale et le musée comprend des pièces meublées et du mobilier de l'époque, des objets d'art décoratif, un jardin et une présentation de l'histoire du quartier. Attention, si vous venez en métro, descendez à la station 207th St, puis revenez vers le sud en direction de Dyckman House. Attention, de nombreux visiteurs commettent l'erreur de descendre à la station Dyckman St.

MORRIS-JUMEL MANSION

Plan p. 382

☎ 212-923-8008 ; www.morrisjumel.org ; 65 Jumel Tce au niveau de la 160th St ; adulte/senior, étudiant et enfant 4/3 $;
mer-dim 10h-16h ; métro C jusqu'à 163rd St–Amsterdam Ave

Construite en 1765, la Morris-Jumel Mansion à colonnade est la maison la plus ancienne de Manhattan. Elle a d'abord été le quartier général militaire de George Washington. Après la guerre, elle redevint une résidence de campagne, propriété de Stephen et Eliza Jumel. Après une vie tumultueuse, celle-ci devint la seconde femme du vice-président Aaron Burr. Il est de notoriété publique que le fantôme d'Eliza hante encore les lieux. Monument classé, cette résidence a gardé une grande partie de son mobilier d'origine, notamment un lit au second étage qui aurait appartenu à Napoléon. Le jardin est particulièrement beau au printemps.

Entre St Nicholas Ave/161st St et la résidence, Sylvan Tce est une jolie ruelle pavée bordée de maisons alignées aux volets de bois. Dans Jumel Tce qui lui est perpendiculaire, on verra quelques belles maisons en calcaire ; Paul Robeson vécut au n° 16.

Au bout de la rue, à l'angle de la 160th St, le 555 Edgecombe Ave fut successivement l'adresse de Jackie Robinson, Thurgood Marshall et Paul Robeson. La locataire actuelle, Marjorie Eliot, organise des jam-sessions de free-jazz des plus conviviales dans son appartement, **Apt 3F** (☎ 212-781-6595), le samedi et le dimanche à 16h, ouvertes au public et vivement recommandées.

Transports

Métro A, C, 1, 9 jusqu'à 168th St–Washington Hts.
Bus M98, M100, M4, M5.

Le ferry de Staten Island (p. 151)

Les aigles se sont posés... à Manhattan

De tous les succès écologiques liés à la restauration de l'estuaire de l'Hudson, il en est un qui supplante tous les autres : la réintroduction du pygargue à tête blanche à Manhattan. Les aigles étaient nombreux, autrefois, dans la zone métropolitaine, mais le développement urbain et le DDT en sont venus à bout. Après le 11 Septembre, l'État de New York s'est lancé dans un ambitieux programme quinquennal visant à réintroduire le symbole national dans la ville de New York. Chaque année au mois de juin, de jeunes aiglons originaires du nord du Wisconsin sont introduits dans leur nouvel habitat forestier de 78 ha, l'**Inwood Hill Park** (plan p. 134) à la pointe nord de Manhattan. Durant l'été, leurs ailes poussent et les jeunes aigles peuvent s'aventurer hors du nid à la découverte de l'État de New York, du New Jersey et de New York City elle-même. En septembre, ils ont suffisamment d'autonomie pour quitter leur habitat et s'envoler vers des cieux lointains, mais leurs nids restent ouverts aux locataires ailés de passage.

LES BOROUGHS PÉRIPHÉRIQUES

Ces quatre arrondissements tout à fait dignes d'intérêt – Brooklyn, Queens, le Bronx et Staten Island – ne sont peut-être pas Manhattan, mais il ne faut pas leur dire qu'ils ne sont pas New York. Le Bronx a sa fierté et l'équipe des Yankees, Brooklyn s'enorgueillit de ses traditions et de son pont, Queens se targue d'art à la mode et de cuisine internationale et enfin, Staten Island met en avant le ferry du même nom et – comble de l'exotisme à New York – des penchants républicains. À vrai dire, hormis à Brooklyn, la population de Manhattan s'aventure bien peu dans ces "Outer Boroughs" (OB), et cela, sans doute à tort. Nombre de New-Yorkais célèbres y ont grandi, à commencer par Jennifer Lopez, Rudy Giuliani, Martin Scorsese, Woody Allen et Joey Ramone.

Ces anciennes municipalités furent rattachées à New York en 1898, ce qu'une poignée d'entêtés persiste à regretter. Avec une superficie de 725 km2 au total, les boroughs périphériques représentent 92% de la surface de New York City.

Top 5 des boroughs périphériques

- **Brooklyn Heights** (p. 132). Le plus vieux borough de New York, avec en prime la traversée du plus beau pont de la ville.
- **Coney Island** (p. 140). Un Disneyland en plus paillard, avec sa plaisante promenade en planches, ses grandes plages et ses montagnes russes bringuebalantes.
- **International Express** (p. 144). Un chapelet de petits quartiers ethniques défile sous le métro aérien (ligne n°7).
- **Staten Island Ferry** (p. 151). Une promenade gratuite dans le port de New York.
- **Yankee Stadium** (p. 149). Le sanctuaire du base-ball.

BROOKLYN

Promenades p. 169, Où se restaurer p. 195, Où prendre un verre p. 213, Shopping p. 271

Tranquille et sans complexe, Brooklyn est le borough périphérique le plus connu. Les New-Yorkais n'hésitent pas à traverser l'East River pour s'y promener. Prospect Park est un émule moins fréquenté de Central Park, Coney Island le parc d'attractions où la gaieté populaire n'a pas peur de s'afficher, Brooklyn Heights le quartier le plus ancien et Williamsburg l'enclave branchée pour aller dîner et prendre un verre. Même si vous ne passez que quelques jours à New York, il vaut la peine, au moins, de traverser à pied le Brooklyn Bridge.

Brooklyn n'est pas absent du cinéma, loin de là : Woody Allen filme avec nostalgie ses scènes de vie juive, les tueurs à gage italiens y trouvent des contrats, et Spike Lee fait ce qu'il faut dans "*Doing the right thing*" Ensuite, il y a l'accent. Infiltrant tous les boroughs, l'accent populaire new-yorkais est parfois simplement appelé "brooklynien" ; c'est un amalgame d'influences italienne, yiddish, caribéenne, espagnole et même hollandaise sur l'anglais : "da" pour "the", "hoid" pour "heard", "dowahg" pour "dog", "tree" pour "three", "fugehdabboudit" pour "forget about it, kind sir."

Orientation

En face de Lower Manhattan, de l'autre côté de l'East River, Brooklyn occupe la pointe sud-est de Long Island. Il est relié à Manhattan par les trois ponts de Brooklyn, Manhattan et Williamsburg ("BMW"). Le prestigieux quartier de brownstones (maisons en grès brun) de Brooklyn Heights est niché entre l'East River (et la Brooklyn–Queens Expressway) à l'ouest, Cadman Paza West à l'est et Atlantic Ave au sud. À l'est, se dressent les immeubles modernes du downtown (centre) bordés à l'est par Flatbush Ave.

Au sud, s'étendent quelques quartiers résidentiels tranquilles et bien pourvus en commerces et restaurants. Court St et Smith St qui partent d'Atlantic Ave rejoignent Cobble Hill au sud et le quartier italien de Carroll Gardens. Boerum Hill, à l'est, entoure Atlantic Ave, au sud du downtown.

Au nord, le long de la rivière, Williamsburg est un ancien quartier d'entrepôts qui est en train de devenir un "centre". Plus à l'intérieur, Park Slope voisine le vaste Prospect Park, à l'ouest (comprenant les avenues commerçantes, Fifht et Seventh).

Au terminus de quelques lignes de métro, se trouvent le vieux quartier de Coney Island et le quartier majoritairement russe de Brighton Beach.

Transports

Seize lignes de métro relient Manhattan à Brooklyn, et la ligne G Brooklyn à Queens. Voici quelques stations importantes, classées par quartier :

Boerum Hill F, G jusqu'à Bergen St, A, C, G jusqu'à Hoyt Schermerhorn.

Brighton Beach B, Q jusqu'à Brighton Beach.

Brooklyn Heights 2, 3 jusqu'à Clark St.

Carroll Gardens F, G jusqu'à Bergen St.

Cobble Hill F, G jusqu'à Carroll St.

Coney Island D, F, Q jusqu'à Coney Island– Stillwell Ave.

Downtown 2, 3, 4, 5 jusqu'à Borough Hall, A, C, F jusqu'à Jay St–Borough Hall, M, R jusqu'à Court St.

Dumbo F jusqu'à York St, A, C jusqu'à High St.

Fort Greene B, M, Q, R jusqu'à DeKalb Ave, C jusqu'à Lafayette Ave.

Park Slope F jusqu'à 7 Av, B, Q, 2, 3, 4, 5 jusqu'à Atlantic Ave.

Prospect Heights B, Q jusqu'à Prospect Park.

Prospect Park 2, 3 jusqu'à Grand Army Plaza, B, Q jusqu'à Prospect Park.

Williamsburg L jusqu'à Bedford Ave.

BROOKLYN TOURISM ET VISITORS CENTER

Plan p. 384

☎ 718-802-3846 ; www.brooklyn-usa.org ; 209 Joralemon St, Borough Hall ; lun-ven 10h-18h ; métro 2, 3, 4, 5 jusqu'à Borough Hall

Ce nouveau centre d'information, au rez-de-chaussée du Borough Hall, regorge de brochures, de plans de promenades à pied et de guides de commerçants. Il renferme aussi une boutique de souvenirs où l'on trouvera le T-shirt "Fuhgeddaboudit" pour 12 $.

Du nouveau à Brooklyn ?

À l'heure où nous mettons sous presse, des plans d'urbanisme à grande échelle agitent fortement les esprits de Brooklyn et de New York. En janvier 2004, le promoteur Bruce Ratner a acheté la prestigieuse équipe de basket des New Jersey Nets, avec l'espoir de les transplanter à Brooklyn en 2007. Ce déménagement est tributaire du projet de l'Atlantic Yards – le réaménagement d'une zone de 8,5 ha dans le centre-ville (le long de Atlantic Ave, entre Flatbush Ave et Vanderbilt Ave), d'un coût de 250 milliards de dollars, qui a reçu le soutien enthousiaste d'une majorité du conseil municipal (jusqu'au rappeur Jay-Z qui s'est montré à la cérémonie d'annonce). Le projet comprend la construction d'un stade pour les Nets par Frank Gehry (le Brooklyn Arena), ainsi que des commerces de luxe et des résidences de type loft.

Beaucoup d'habitants du quartier voient d'un mauvais œil le retour de grandes équipes sportives à Brooklyn, sans compter que nombre d'entre eux seraient délogés et qu'un tel projet accroîtrait la circulation automobile.

En attendant, le lointain Red Hook va sûrement être le siège d'une intense activité avec l'arrivée d'Ikea préparant l'ouverture d'un mégastore, sur les berges de l'East River.

Brooklyn Heights et Downtown

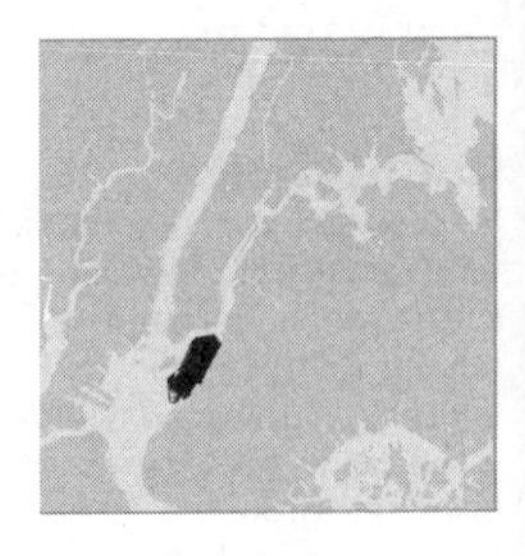

Ces deux quartiers contigus – les premiers que l'on traverse à la sortie des ponts de Brooklyn et de Manhattan – sont en tous points opposés. Brooklyn Heights est le plus vieux quartier de New York, le premier à avoir été classé monument historique, et pour tout dire, la partie la plus charmante de la mégapole. Dans ses brownstones, ces maisons alignées du XIXe siècle bordant des rues généralement calmes, ont vécu des hommes de lettres célèbres tels Thomas Wolfe, Henry Miller, Truman Capote et Thomas Paine. Ne manquez pas la vue sur Lower Manhattan depuis la promenade longeant la rivière.

Jouxtant ce quartier à l'est, s'étend le downtown et ses gratte-ciel, ponctué çà et là de quelques vestiges anciens comme le Borough Hall.

Une promenade à pied partant du Brooklyn Bridge et traversant Brooklyn Heights, le downtown et Cobble Hill, puis Carroll Gardens, au sud, est décrite p. 169.

Plus à l'est encore, on arrive au quartier de Fort Greene centré sur ses deux artères, DeKalb Ave bordée de restaurants (qui continue vers l'est en longeant Fort Greene Park et la Pratt Art School), et Lafayette Ave (près de la **Brooklyn Academy of Music**, ci-dessous).

BROOKLYN ACADEMY OF MUSIC

Plan p. 384

☎ 718-636-4100 ; www.bam.org ; 30 Lafayette Ave ; métro 2,3,4,5, B, Q jusqu'à Atlantic Ave

La plus ancienne salle de concerts des États-Unis, la Brooklyn Academy of Music a notamment accueilli Enrico Caruso pour son dernier récital. De nos jours, sa programmation toujours de premier ordre, s'ouvre aux compagnies d'opéra étrangères en tournée comme à la troupe de danse résidente Mark Morris. Le complexe comprend le **Majestic Theater**, le **Brooklyn Opera House** et le **Rose Cinema** (☎ 718-623-2770), première salle de cinéma des boroughs périphériques dédiée au cinéma étranger et indépendant. Pour plus de renseignements, voir *Arrêts culture à Brooklyn*, p. 226.

La Brooklyn Public Library (p. 139)

BROOKLYN HISTORICAL SOCIETY

Plan p. 384

☎ 718-222-4111 ; www.brooklynhistory.org ; 128 Pierrepont St ; adulte/étudiant 6/4 $ enfant, gratuit ; ⏲ mer, jeu et sam 10h-17h, ven 10h-20h, dim 12h-17h ; métro M, R jusqu'à Court St

Construit en 1881 et rénové en 2002, ce monument de 4 étages de style Queen Anne (une imitation du style anglais fin XVIIe avec des emprunts éclectiques à divers styles) abrite une bibliothèque, un musée et un auditorium. Le musée conserve toutes sortes de reliques de Coney Island et de la fameuse équipe de base-ball des Brooklyn Dodgers. Il est possible de prendre rendez-vous pour consulter les 33 000 photos anciennes numérisées. Des promenades à pied sont organisées (renseignements par téléphone).

NEW YORK TRANSIT MUSEUM

Plan p. 384

☎ 718-694-1600 ; angle de Boerum Pl et Schermerhorn St ; adulte/enfant 5/3 $;

mar-ven 10h-16h, sam et dim 12h-17h ; métro 2, 3, 4, 5 jusqu'à Borough Hall, métro M, R jusqu'à Court St
Ce musée récemment rénové est logé dans une station de métro abandonnée datant de 1936. On y découvrira de façon distrayante un siècle de locomotion urbaine, tant souterraine qu'aérienne (tramways), et l'évolution des divers moyens de paiement, du jeton aux cartes de transport.

La boutique du musée (et son annexe à **Grand Central Terminal**, p. 112) est l'endroit idéal pour trouver toutes sortes d'objets imprimés de plans de métro.

Boerum Hill, Cobble Hill et Carroll Gardens

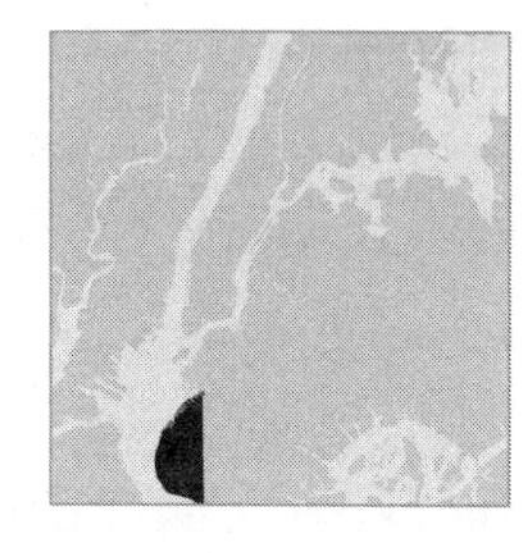

Ces trois quartiers principalement résidentiels s'étendent au sud de Brooklyn Heights. Toujours férus d'acronymes, les Américains les ont regroupés sous le sigle BoCoCa.

Boerum Hill, parmi les immeubles de bureaux et les vitrines de magasins du sud du downtown, s'étend le long et au sud d'Atlantic Ave entre Smith St et 3rd St. Cobble Hill (et son artère centrale Court St, bordée de cafés, de bars et de magasins) se trouve juste à l'ouest, au sud d'Atlantic Ave, sous Brooklyn Heights. Une fois passée Union St, on arrive au vieux quartier italien de Carroll Gardens. Les boutiques et les bistrots de Smith St, de même que les antiquaires et les pâtisseries orientales d'Atlantic Ave sont intéressantes à découvrir. Dans la plupart d'entre elles, on trouvera des plans donnant des adresses de restaurants et de magasins.

Dumbo

Bordant l'East River au nord du downtown, Down Under the Manhattan Bridge Overpass (Dumbo) – encore un acronyme ! – est un petit quartier artistique rempli de lofts bénéficiant de vues somptueuses sur Manhattan entre les ponts de Brooklyn et de Manhattan. On y trouvera des galeries d'art, des cafés et une scène musicale florissante, sur un espace de 10 pâtés de maisons qui se visite facilement après une promenade à Brooklyn Heights.

Gowanus Canal

Dans Carroll Gardens, deux ou trois pâtés de maisons à l'est de Smith St, le paisible **canal Gowanus** (plan p. 385) s'écoule entre des usines. Le site n'est pas vraiment d'une beauté à couper le souffle, mais sa renaissance est une victoire dont le quartier peut être fier.

Tout au long du XXe siècle, la petite rivière d'origine (du nom des Indiens Gouwane qui vendirent le terrain aux Hollandais en 1636) fut une voie de communication extrêmement active, empruntée par des barges venant du port de New York. Des milliers de tonnes de déchets humains s'y déversaient chaque année. Ce va-et-vient et cette saleté inspirèrent des poètes et des écrivains comme Thomas Wolfe qui fit du canal un symbole de la ville. La Mafia, dit-on, l'aurait abondamment utilisé pour faire disparaître des cadavres. Rien ne flotte dans la boue noire…

Au cours des vingt dernières années, la situation a changé, essentiellement sous la pression d'associations de quartier. La puanteur a disparu, et si le Gowanus Canal n'a pas le pittoresque des canaux londoniens et de leurs promenades sur berge, il mérite qu'on y jette un coup d'œil depuis l'un des ponts (notamment le pont rétractable de Carroll St).

DUMBO ARTS CENTER

718-694-0831 ; www.dumboartscenter.org ; 30 Washington St ; jeu-lun 12h-18h ; métro A, C jusqu'à High St, métro F jusqu'à York St
Au cœur d'un quartier à forte population artistique, ce centre rapproche des artistes locaux et des conservateurs expérimentés pour monter des expositions multimédias. Chaque année en octobre, le DAC organise le **D.u.m.b.o. Art Under the Bridge Festival** (p. 18).

EMPIRE-FULTON FERRY STATE PARK

718-858-4708 ; www.nysparks.state.ny.us ; 26 New Dock St ; jeu-lun 8h-19h, mar-mer 7h-17h ; métro A, C jusqu'à High St, métro F jusqu'à York St
Ce petit îlot de verdure, confortablement installé entre les ponts de Brooklyn et de Manhattan, offre de superbes vues panoramiques sur Lower Manhattan qui séduisent photographes et cinéastes. De nombreux films new-yorkais en témoignent. En été, des

sculptures transforment le parc en musée en plein air.

JACQUES TORRES CHOCOLATE

Plan p. 384

☎ 718-875-9772 ; www.mrchocolate.com ; 66 Water St ; 🕑 9am-7pm Mon-Sat ; métro A, C jusqu'à High St, métro F jusqu'à York St

La fabrique de chocolat est doublée d'un café. Vous pourrez voir confectionner de délicieux chocolats artisanaux.

Park Slope et Prospect Park

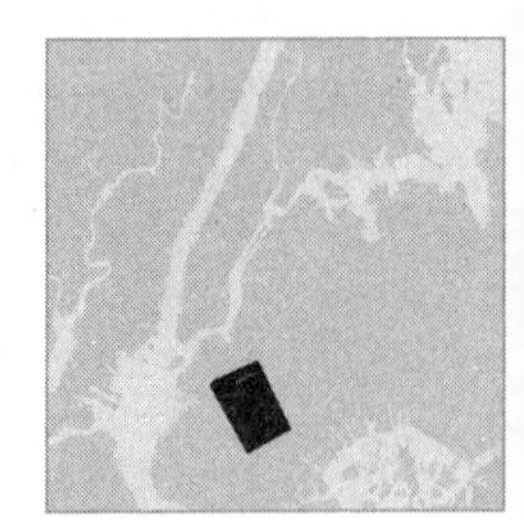

À l'est du downtown, sur Flatbush Ave, ce quartier résidentiel verdoyant est constitué d'alignements de brownstones où vivent des familles et des jeunes cadres dynamiques. Ses deux grandes artères (5th Ave et 7th Ave), bordées de boutiques décontractées et de restaurants, le traversent du nord au sud à l'ouest de Prospect Park. Comme son nom le laisse entendre, le quartier descend en pente douce vers le canal Gowanus à l'ouest. Certains, au début du XXe siècle, ont surnommé l'endroit la "Gold Coast" à cause des majestueuses demeures victoriennes qui donnent sur Prospect Park.`

BROOKLYN BOTANIC GARDEN

Plan p. 385

☎ 718-623-7200 ; www.bbg.org ; 1000 Washington Ave ; adulte/senior et étudiant/enfant 5 $/3 $/gratuit ; 🕑 avril à sept : mar-ven 8h-18h, sam-dim et jours fériés 10h-18h ; oct à mars : mar-ven 8h-16h30, sam-dim et jours fériés 10h-16h30 ; métro 2, 3 jusqu'à Eastern Pkwy–Brooklyn Museum, métro B, Q, S jusqu'à Prospect Park

Ce jardin riche de 12 000 plantes réparties en 15 jardins, est situé derrière le Brooklyn Museum (que l'on peut aisément combiner à la visite). Le Celebrity Path rend hommage à 150 célébrités originaires de Brooklyn (incluant Spike Lee et Barbra Streisand). Le Discovery Garden est une aire de jeu qui permet aux enfants d'approcher les fleurs. Fin avril, se déroule le **Sakuri Matsuri** (festival des cerisiers en fleurs ; p. 16). Le jardin est célèbre également pour sa collection de bonsaïs. L'entrée est libre le mardi toute la journée et le samedi de 10h à 12h.

BROOKLYN CHILDREN'S MUSEUM

Plan p. 385

☎ 718-735-4400 ; www.brooklynkids.org ; 145 Brooklyn Ave ; entrée 6 $; 🕑 juil-août mar-ven 13h-18h, sam-dim 11h-18h, sept-juin mer-ven 13h-18h, sam-dim 11h-18h ; métro C jusqu'à Kingston–Throop Ave, métro 3 jusqu'à Kingston

À son ouverture en 1899, ce fut le premier musée au monde conçu spécialement pour les enfants. Il est resté très apprécié de la jeune génération. L'art, la musique et les cultures du monde sont mis en valeur. Il comprend une aire de jeu figurant le monde et célèbrant les différentes cultures. Une serre pédagogique sensibilise les enfants au respect de l'environnement. Une fête des ballons se déroule chaque année en juin.

BROOKLYN MUSEUM

Plan p. 385

☎ 718-638-5000 ; www.brooklynmuseum.org ; 200 Eastern Pkwy ; adulte/senior et étudiant/enfant 6/3 $/gratuit ; 🕑 mer-ven 10h-17hr, sam-dim 11h-18h, jusqu'à 23h le 1er sam du mois ; métro 2, 3 jusqu'à Eastern Pkwy–Brooklyn Museum

Détenteur d'une fabuleuse collection de 1,5 million de pièces, cet immense musée reçoit beaucoup moins de visiteurs que le MET. Suite à sa rénovation en 2004, il s'est enrichi d'une magnifique esplanade vitrée qui le rend très attrayant. Ce grand bâtiment de 5 étages inauguré en 1897 ne représente toutefois que le cinquième du projet initial. Il a fait la une des journaux en 1999 lorsqu'une œuvre de Chris Ofili - un portrait de la Vierge Marie maculée de bouse d'éléphant - fut vivement critiquée par le maire Rudy Giuliani.

La majeure partie de la collection est moins controversée. Ses points forts sont nombreux, notamment les arts africains au 1er étage, avec une vidéo d'une danse d'envoûtement du Niger. La collection égyptienne, de premier ordre, occupe l'essentiel du 3e étage ; une douzaine de reliefs assyriens datant de 879 av. J.-C., et montant jusqu'au plafond, tapissent les murs d'une des salles.

Le 4e étage comprend 28 décors d'époque, comme le Worgelt Study Art déco, reconstitution d'un appartement de Park Ave de 1930. Au 5e étage, on verra 58 sculptures de Rodin, une collection variée de peintures américaines et un film de Thomas Edison montrant une traversée du Brooklyn Bridge en train, filmée en 1899.

GREEN-WOOD CEMETERY

Plan p. 385

☎ 718-788-7850 ; www.green-wood.com ; 500 25th St ; entrée libre ; 🕒 été 7h-19h, hiver 8h-17h ; métro M, R jusqu'à 25 St

Bien entendu, New York compte plusieurs cimetières. L'un des plus beaux et des plus étendus est le vieux cimetière de Green-Wood où 560 000 corps reposent pour l'éternité.

Créé en 1838 sur un terrain de 190 ha, Green-Wood a attiré de nombreuses célébrités. On pourra se promener parmi les pelouses, les arbres et les étangs, à la recherche des tombes de Leonard Bernstein, d'Horace Greeley, de FAO. Schwarz, du gangster Joey Gallo, de Samuel F. B. Morse et de bien d'autres. Pour s'y rendre, en sortant du métro, remontez la côte à pied jusqu'à l'entrée de la 5th Ave. Des plans gratuits sont disponibles à l'entrée.

Big Onion (☎ 212-439-1020 ; www.bigonion.com ; adulte/senior et étudiant 12/10 $) propose des visites guidées passionnantes ; autres adresses sur le site Internet de Green-Wood. *Brooklyn's Green-Wood Cemetery: New York's Buried Treasure* de Jeff Richmond est un guide très complet.

PROSPECT PARK

Plan p. 385

☎ 718-965-8951 ; www.prospectpark.org ; métro B, Q, S jusqu'à Prospect Park, métro 2, 3 jusqu'à Grand Army Plaza, métro F jusqu'à 15 St–Prospect Park

Ce parc de 210 ha fut dessiné en 1866 par Frederick Law Olmsted et Calvert Vaux (les paysagistes de Central Park). Prospect Park offre à peu près le même éventail d'activités sur ses grandes prairies. On y vient pour s'asseoir, courir, canoter, pédaler, patiner ou pique-niquer. On peut se renseigner sur les activités à l'**Audobon Center Boathouse** (abri à bateaux) (☎ 718-965-8999 ; juste à l'ouest de la station des métros B, Q).

Au nord de l'abri à bateaux, le **Children's Corner** (coin des enfants) possède un merveilleux **manège** de chevaux de bois de 1912 (1 $ le tour ; 🕒 avril-oct jeu-dim 12h-17h), rescapé de Coney Island, et un petit **zoo** (☎ 718-399-7339 ; adulte/enfant 5/1 $; 🕒 lun-ven 10h-17h, sam-dim jusqu'à 17h30 d'avril à oct, 16h30 de nov à mars), peuplé d'otaries et de 600 autres animaux. Les enfants apprécient également le **Lefferts Homestead Children's Historic House Museum** (☎ 718-789-2822 ; 🕒 avr-nov ven-dim 13h-16h ; gratuit), une vieille ferme hollandaise du XVIIIe siècle remplie de jouets et de bibelots de l'époque avec lesquels ils peuvent jouer.

Au sud de l'abri à bateaux, sur la rive ouest de Prospect Lake, la patinoire **Kate Wollman Rink** (☎ 718-287-6431 ; adulte/senior et enfant 5/3 $, location des patins 5 $; 🕒 oct–mi-mars, horaires par téléphone) peut accueillir des centaines de patineurs sur glace. Sur le lac voisin, on pourra faire du **pédalo** (10 $; 🕒 été 12h-18h, de mai au Memorial Day jeu-dim 12h-17h, du Labor Day à mi-oct sam-dim 12h-17h).

À l'entrée nord-ouest du parc, sur **Grand Army Plaza** (angle d'Eastern Pkwy et Flatbush Ave ; près de la station Grand Army Plaza) se dresse un arc de 24 m de haut, le **Soldiers' & Sailors' Monument**, érigé en 1892 pour commémorer la victoire de l'armée de l'Union dans la guerre de Sécession. Sur la base, on remarquera les bas-reliefs de scènes de guerre. Au pied de l'arc, le samedi de 8h à 16h, se tient un marché aux primeurs. La fontaine a été restaurée en 2004. L'immense **Brooklyn Public Library** (bibliothèque publique) de style Art déco fait face à l'arc côté sud.

Le week-end, en été, de 12h à 18h, un **tram** gratuit relie les principaux centres d'intérêt du parc. On peut louer des **rollers** dans Park Slope (p. 138).

Reportez-vous également aux notices sur le Brooklyn Museum et le Brooklyn Botanic Garden, qui se trouvent l'un et l'autre à la lisière nord-est du parc.

Williamsburg

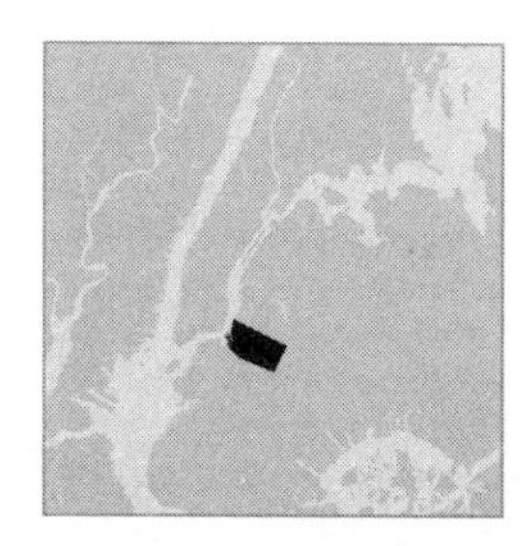

Les jeunes yuppies branchés aiment bien venir à Williamsburg pour dîner, faire du shopping, boire un verre et rencontrer d'autres jeunes yuppies branchés. Devenu le "nouveau East Village" depuis une dizaine d'années, ce quartier, extérieurement, n'a rien d'extraordinaire (beaucoup de lofts et d'entrepôts reconvertis), mais son artère principale, Bedford Ave, est très animée. La Brooklyn Brewery, qui fabrique ces bières que l'on remarque dans les bars à cause du joli B calligraphié, illustrant la marque, organise des visites guidées le samedi.

La nuit, il n'est pas facile de trouver un taxi pour rentrer, mais on trouvera des services de voiture dans Bedford Ave.

BROOKLYN BREWERY

Plan p. 385

☎ 718-486-7440 ; www.brooklynbrewery.com ; 79 N 11th St ; métro L jusqu'à Bedford Ave

Depuis 1988, la brasserie Brooklyn Brewery fait fabriquer sa bière, la Brooklyn Lager plusieurs fois primée, hors de Brooklyn par des brasseries sous contrat. La bière est "revenue à la maison" en 1996 avec l'ouverture de cette microbrasserie logée dans les anciens ateliers de l'aciérie Hecla Ironworks (qui fabriqua la structure du Waldorf-Astoria Hotel). Depuis, la brasserie est devenue une institution de Williamsburg. Elle comprend une salle de dégustation non fumeur, avec exposition de vieilles bouteilles de bière, et des promotions mensuelles. Renseignez-vous sur le programmes des soirées. Happy hours le vendredi et le samedi, de 18h à 22h. Le samedi, des visites guidées gratuites vous conduiront dans les coulisses. Réservation et horaires par téléphone. Lire aussi l'encadré *Le's bières de Brooklyn* p. 214.

Red Hook

Si l'on vous demande ce que regarde la statue de la Liberté, eh bien… répondez Red Hook ! Au sud de Carroll Gardens, et loin du métro, un quartier ouvrier sinistre s'étendait près du port autour du canal Gowanus. Red Hook a encore du chemin à faire pour devenir une destination attrayante, mais les habitants du quartier sont convaincus de sa prochaine ascension dans l'échelle immobilière.

À l'heure actuelle, Red Hook est pauvre en touristes et riche en couchers de soleil sur le port, riche aussi de son terminus de bateaux-taxis, de son histoire révolutionnaire et de sa communauté artistique. C'est donc le moment d'aller y faire un tour.

BROOKLYN WATERFRONT ARTISTS COALITION

☎ 718-596-2507 ; www.bwac.org ; 499 Van Brunt St ; ⏲ sam-dim 12h-18h ; bateau-taxi arrêt Beard St Pier

Depuis le pittoresque Van Brunt Pier, on pourra regarder la statue de la Liberté dans les yeux. Le quai dessert deux entrepôts d'avant la guerre de Sécession et un collectif d'artistes qui expose les œuvres de ses membres, notamment durant tout le mois de mai. Consultez leur site Internet pour connaître le programme.

WATERFRONT MUSEUM ET SHOWBOAT BARGE

☎ 718-624-4719 ; www.waterfrontmuseum.org ; 701 Columbia St Marine Terminal ; ⏲ sam-dim 12h-18h ; métro F, G jusqu'à Smith & Ninth St, bus 77 arrêt Red Hook

L'ancien jongleur David Sharp a récupéré cette péniche submergée sous le George Washington Bridge et l'a amarrée près du canal Gowanus. Il y organise des spectacles uniquement sur invitations qui sont en partie du cirque et en partie une pédagogie de la vie au bord de l'eau. Construite en 1914, la péniche figure au Registre national des sites historiques.

Coney Island et Brighton Beach

À une cinquantaine de minutes de métro du Midtown, ces deux quartiers en bord de plage sont bercés par les calmes marées de l'Atlantique et bien reliés l'un à l'autre par une promenade en planches. On passera une journée agréable et bien remplie à les visiter, Coney Island pour son parc d'attractions légendaire, ses spectacles insolites et ses hot dogs ; et Brighton Beach pour ses boutiques et pâtisseries russes.

Le 4 juillet, les visiteurs affluent en très grand nombre. Fin juin, la **Mermaid Parade** (défilé des sirènes) est une fête plutôt agitée qui voit les sirènes (et les pirates) envahir les rues. Renseignements supplémentaires auprès de **Sideshows by the Seashore** (☎ 718-372-5159 ; www.coneyisland.com).

Transports

Métro D, F, Q jusqu'à Coney Island–Stillwell Av, ou D, Q jusqu'à Brighton Beach.

ORIENTATION ET HORAIRES

Beaucoup de visiteurs commencent leur tour à Coney et repartent de Brighton Beach. Surf Ave longe la plage de Coney Island avant de bifurquer vers l'intérieur sous le nom d'Ocean Pkwy. L'artère principale de Brighton Beach, Brighton Beach Ave, prolonge Coney Island Ave vers l'est.

De mi-juin au Labor Day (1er lundi de septembre), les attractions sont ouvertes tous les jours, généralement de 12h à 22h, et même plus tard le week-end. Après le Labor Day, l'activité se réduit aux week-ends et se prolonge tant que le temps le permet. Le même rythme d'activité réduite reprend au mois d'avril.

CONEY ISLAND Plan p. 368

métro D, F jusqu'à Coney Island-Stillwell Ave

En sortant de la station Coney Island/Stillwell Ave, de l'autre côté de Surf Ave, **Nathan's** (p. 196), est le légendaire fabriquant de hot dogs de Coney . L'établissement sert de cadre à un concours du plus gros mangeur de hot dogs, le 4 juillet. Plus loin, sur Surf Ave et Stillwell Ave, on trouvera de nombreux **jeux sportifs**: des cages pour s'entraîner au maniement de la batte et un mini-golf, entre autres. Face à la mer, à droite, le **KeySpan Park** est l'endroit où l'équipe de base-ball des Brooklyn Cyclones joue en division d'honneur.

Pour l'essentiel, les choses se passent sur la gauche, en direction de Brighton Beach. Sur la 12th St en direction de Surf Ave (à côté d'un centre de recrutement de l'armée), **Sideshows by the Seashore** (☎ 718-372-5159 ; www.coneyisland.com ; 1208 Surf Ave ; adulte/enfant 5/3 $), abrite diverses "erreurs de la nature" (Insectavora, Sahar la Femme électrique, etc.). Cette organisation à but non lucratif gère aussi le **Coney Island Museum** (entrée 1 $; 🕒 sam-dim 13h-coucher du soleil), à l'étage.

En continuant vers l'est, on arrive au **Deno's Wonder Wheel Amusement Park** (☎ 718-372-2592), avec sa grande roue rose et verte (1920 ; 4 $) et ses manèges pour enfants (10 tours pour 17 $). Vient ensuite son rival, le **Cyclone** (1927 ; sous lequel Woody Allen a grandi dans *Annie Hall*), et aujourd'hui intégré au parc Astroland. Le tour de montagnes russes coûte 5 $ (petits tours pour enfants à 2 $, ou 10 pour 17 $). Une voiture bringuebalante glisse comme une flèche sur une piste en bois, plonge à la verticale et négocie des virages à 100 km/h. Tâchez d'être assis à l'avant.

Saine distraction pour les enfants, **l'Aquarium for Wildlife Conservation** (New York Aquarium ; ☎ 718-265-3400 ; Surf Ave, entre W 8th St et 5th St ; adulte/enfant 11/7 $; 🕒 10h-16h30 ; métro F jusqu'à W 8th St–NY Aquarium) dispose d'un bassin où les petits peuvent toucher des étoiles de mer. On appréciera également les vues sous-marines de baleines mysticètes et les spectaculaires distributions de repas aux otaries et morses. L'aquarium compte en tout quelque 10 000 spécimens d'animaux marins.

En dépit de l'affluence, la **plage** qui longe la promenade en planches n'est pas encore trop sale. La baignade est interdite hors saison, quand les sauveteurs ne sont pas en service. Vous demandez-vous quelle peut être cette terre à l'horizon ? Le New Jersey.

BRIGHTON BEACH

Métro B, Q jusqu'à Brighton Beach

Ne manquez pas d'aller vous promener dans la partie commerçante de Brighton Beach Ave (à l'ombre du métro aérien), à une dizaine de minutes à pied de l'aquarium. L'endroit est aussi connu sous le nom de Little Odessa, compte tenu du nombre d'émigrés russes

Les sirènes de New York sur mer

Le début officiel de la saison estivale de Coney Island est marqué, le dernier samedi de juin, par une manifestation des plus farfelues, la Mermaid Parade (le défilé des sirènes). Un essaim de jeunes femmes (et quelques exhibitionnistes de l'autre sexe) couvertes de breloques et de paillettes, accoutrées de bikinis minuscules et de tenues aquatiques aussi extravagantes que colorées, défilent dans une joyeuse pagaille dans Surf Ave sous les applaudissements d'une foule interloquée. Créée en 1983 par Coney Island USA (l'organisation artistique à l'origine également du Coney Island Sideshow), la Mermaid Parade est un clin d'œil au Mardi gras d'antan, fêté de 1903 à 1954. Le défilé est présidé chaque année par un couple de célébrités qui prennent l'identité du roi Neptune et de la reine des sirènes. En 2004, ces rôles échurent aux compositeurs de musique Moby et Theo (des Lunachicks). Un spectacle unique et cent-pour-cent new-yorkais.

La roue tourne à Coney Island

Fantaisie et drôlerie se sont donné rendez-vous à Coney Island bien avant que Walt Disney n'ait l'idée de dessiner des souris. Son nom vient du néerlandais *konijn*, "lapin sauvage", le premier habitant découvert par les pionniers européens qui débarquent sur ces rives herbeuses au XVIIe siècle. À la fin du XIXe, Coney Island devient un repaire de joueurs, de buveurs, de boxeurs et de coureurs en tout genre, au point que certains la surnomme "Sodome sur mer".

Une nouvelle ère commence au XXe siècle avec l'arrivée des concerts nocturnes (John Philip Sousa est un habitué), de Buster Keaton qui y plante le décor de ses films, et, encore mieux, des parcs d'attractions. Le plus célèbre d'entre eux, Luna Park, ouvre en 1903. C'est un pays de Cocagne peuplé de lagons, de chameaux et d'éléphants vivants, de voyages sur la lune et en Arctique, le tout éclairé par un million d'ampoules électriques. Un incendie mettra fin à cette épopée en 1946. De cet âge d'or, ne restent plus que quelques attractions, mineures à l'époque, comme la Wonder Wheel (1920) et le Cyclone (1927). Les week-ends d'été, un million de visiteurs s'entassent sur ses plages.

Dans les années 1960, Coney Island a perdu son lustre (bien que Woody Guthrie, un habitant de longue date, aime encore y vivre), et l'endroit n'est plus qu'un rappel triste et dangereux de la gloire passée. Avec les années 1980, s'amorce un lent et durable redressement, grâce à de nouvelles attractions et quelques shows à sensation (avaleurs de sabres, femmes à barbe, hommes à peau de serpent, etc.).

qui s'y sont installés dans les années 1970 et 1980. La plupart des enseignes sont en russe. On voit des babouchkas vendre des tisanes. Certaines épiceries proposent des viandes et des salades préparées, idéales pour la plage. On verra beaucoup de vendeurs de CD russes, certains y ajoutant quelques T-shirts à thèmes soviétiques et des poupées gigognes importées directement de là-bas. Notez bien : merci se dit *"spasiba"*.

Rendez-vous à Rockaway Beach

Si vous voulez rapidement échapper à l'univers urbain, prenez la ligne A jusqu'au terminus à Broad Channel et changez pour le Shuttle jusqu'à 116th St ou Rockaway Beach. Cette plage merveilleuse est plus calme et moins fréquentée que Coney Island, et bien que le trajet en métro soit à peu près identique (moins d'une heure depuis le Village ou Chelsea), le paysage est beaucoup plus excitant. La majeure partie de la ligne est aérienne, et une fois arrivé à la Gateway National Recreation Area et Jamaica Bay, le stress s'évapore et l'on oublie qu'on est à New York. Ce quartier est habité par une communauté italo-irlandaise très soudée. Plus vous avancez sur Beach Channel Dr et Rockaway Point Blvd vers le sud, plus il devient évident que l'on est ici pour son plaisir.

QUEENS

Où se restaurer p. 197, Où prendre un verre p. 214

Queens peut se vanter d'avoir deux grands aéroports, les Mets, deux Expositions universelles, une scène artistique embryonnaire, d'avoir été le lieu de résidence de dizaines de jazzmen de renom, d'être le lieu de naissance des Ramones à Forest Hills, et d'abriter des populations si diverses que sa principale ligne de métro est devenue une sorte de parcours ethnique. Alors, qu'est-ce qui fait que le borough le plus vaste de New York n'attire pas davantage l'attention ? Disons-le franchement, il est un peu terne, et même ses propres résidents ont du mal à trouver ce que vous pourriez y faire. Mais les aventuriers du bitume seront amplement récompensés.

Bien des restaurants célèbres de Manhattan (coréens, chinois, vietnamiens) font leur galop d'essai dans ce quartier, et leurs adresses d'origine restent appréciées d'une clientèle locale d'habitués.

Queens a pris ce nom au XVIIe siècle, de la reine (queen) Catherine de Bragance, épouse de Charles II d'Angleterre. Braganzatown sonne moins bien que Queens, n'est-ce pas ?

Le **Queens Council on the Arts** (☎ 718-647-3377 ; www.queenscouncilarts.org) est le bureau central des activités artistiques du quartier. Il publie quelques brochures et son site Internet met en ligne un plan "Art Loop" (circuit des arts) de Long Island City.

Orientation

Les habitants de Manhattan sont nombreux à regarder le soleil se lever au-dessus de Queens. Entre le Bronx et Brooklyn, le borough s'étend vers l'est, approximativement entre la 34th St et la 120th St. Il est cerné par l'East River au nord et à l'ouest (avec les quartiers d'Astoria et de Long Island City faisant face à Manhattan). Queens s'enroule autour de son voisin du sud, Brooklyn, pour rejoindre Jamaica Bay où se trouve l'aéroport international JFK.

Northern Blvd s'en va vers l'est en traversant les quartiers de Woodside, Jackson Heights, Corona et Flushing. Une autre artère est-ouest importante est Roosevelt Ave, juste à l'est de Long Island City. Venant de Flushing, elle passe sous la ligne 7 du métro et bifurque en Skillman Ave et Greenpoint Ave.

Transports

Métro La ligne 7 s'arrête à Long Island City, Jackson Heights, Corona et Flushing. On accède aux stations d'Astoria, 30th Ave, Astoria Blvd et Ditmars Blvd par les lignes N et W.

Long Island City

À 10 minutes du Midtown en métro, Long Island City est l'endroit le plus tranquille de Queens ces temps-ci (à défaut d'être le plus beau). On découvrira, d'un côté, de vieux entrepôts aux murs couverts d'un art qu'on aurait tort de ne pas prendre au sérieux, et de l'autre, la modernité resplendissante du building de la CitiCorp. Le métro aérien, les graffitis et les petits restaurants toujours pleins de monde confèrent à ce quartier un air new-yorkais à l'ancienne qui a disparu partout ailleurs.

Long Island City a vraiment été une "city" pendant une brève période, de 1874 à 1898, avant d'être rattachée à la métropole.

Près de **Court House Square** (plan p. 386 ; métro 7 jusqu'à 45 Rd–Court House Sq, métro E, V jusqu'à 23 St–Ely Ave, métro G jusqu'à Long Island City–Court Sq), on pourra admirer l'un des meilleurs ensembles de **graffitis** encore visibles à New York. Passez sous les voies de la ligne 7 et suivez Davis St (non indiquée), juste au sud de Jackson Blvd, pour aller voir un véritable festival d'art mural tapissant tout un pâté d'immeubles industriels. L'espace concédé à ce type d'art public s'est fait rare depuis l'entrée en vigueur des nouvelles règles sur la qualité de la vie, promulguées par l'ancien maire Giuliani.

ISAMU NOGUCHI GARDEN MUSEUM

Plan p. 386

☎ 718-204-7088 ; www.noguchi.org ; 32-37 Vernon Blvd ; ⏲ mer-ven 10h-17h, sam-dim 11h-18h ; métro N, W jusqu'à Broadway

Ouvert en juin 2004 après trois ans de travaux de rénovation, ce musée installé dans une ancienne usine près de la rivière, abrite les sculptures sorties de l'imagination de l'artiste qui posait des tuyaux d'acier et des cubes rouges devant des immeubles de bureaux (comme au 140 Broadway, à Manhattan, par exemple).

MUSEUM FOR AFRICAN ART Plan p. 386

☎ 718-784-7700 ; www.africanart.org ; 36-01 43rd Ave ; adulte/senior, étudiant et enfant 6/3 $; ⏲ lun, jeu et ven 10h-17h, sam-dim 11h-17h ; métro 7 jusqu'à 33 St

Il est rare de voir une telle quantité (et qualité) d'art tribal africain (objets, masques, instruments de musique et représentations de la spiritualité) hors du continent noir. Il n'existe que 2 musées de ce type aux États-Unis. Autrefois à Soho, celui-ci devrait rester à Queens jusqu'en 2006, avant de déménager sur Fifth Ave.

PS1 CONTEMPORARY ART CENTER

Plan p. 386

☎ 718-784-2084 ; www.ps1.org ; 22-25 Jackson Ave au niveau de la 46th Ave ; don suggéré adulte/étudiant 5/2 $; ⏲ jeu-lun 12h-18h ; métro E, V jusqu'à 23 St–Ely Ave, métro 7 jusqu'à 45 Rd–Court House Sq, métro G jusqu'à Long Island City–Court House Sq

Beaucoup de visiteurs négligent le PS1, mais l'étonnante disposition des lieux (une ancienne *public school* du XIXe siècle) et son modern art (très tendance et provoquant) exposé dans 5 immenses galeries, tirent profit du spectaculaire jardin à murs en ciment qui s'étend sur le devant.

L'histoire de l'école est intéressante. Construite non sans mal à l'issue d'un scandale politique, elle devint un objet de fierté de Long Island City, avec sa tour d'horloge en pierre et sa cloche (détruites l'une et l'autre en 1964).

SOCRATES SCULPTURE PARK Plan p. 386

☎ 718-956-1819 ; angle de Broadway et Vernon Blvd ; entrée libre ; 🕑 10h-coucher du soleil ; métro N, W jusqu'à Broadway

Aménagé en 1986 sur une décharge illégale, cet espace public (proche du musée Noguchi) est dévolu à des artistes locaux qui y exposent leurs sculptures et installations. L'emplacement, au bord de l'East River, est exceptionnel, avec des vues embrasant la pointe de Roosevelt Island et uptown (nord de New York). Dans le passé, on a pu y voir un box/salle d'attente en plein air (avec sièges et pots de fleurs), des boules vertes pointant au-dessus de la surface de l'eau, et le sommet d'un brownstone qui semblait enterré dans le sol. De décembre à février, le parc expose des installations lumineuses qui s'allument peu après le coucher du soleil.

Astoria

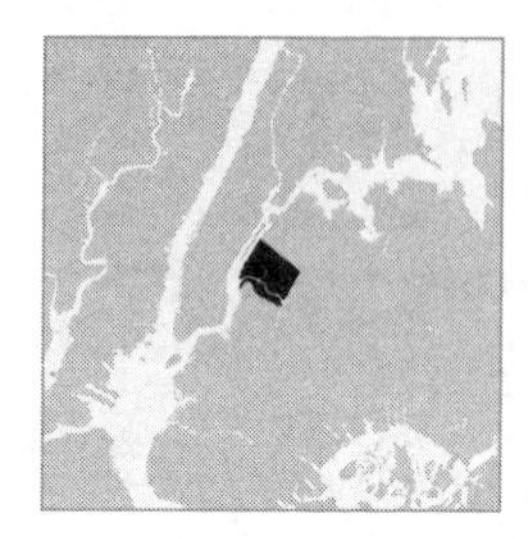

Baptisé du nom d'un marchand de fourrures millionnaire, John Jacob Astor, cette frange nord-ouest de Queens abrite la plus importante communauté grecque du pays. Nombre de rues sont bordées de pâtisseries, de restaurants et d'épiceries grecques, particulièrement Broadway (métro N, W jusqu'à Broadway) ainsi que la 31st St et Ditmars Blvd, légèrement plus élégants. Avant que les Grecs ne viennent s'y installer dans les années 1950, c'était un quartier d'usines (et de ponts – les arches de Hell Gate et le haut Triboro dominent encore le paysage à l'ouest).

Pas très loin de la station Astoria–Ditmars Blvd vers le nord-ouest, Astoria Park renferme l'impressionnant **Astoria Pool** (p. 245) de style Art déco et offre de belles promenades le long de la rivière.

L'histoire ethnique de New York se visite en métro

La ligne de métro suburbaine n°7 traverse Queens de part en part, reliant le lointain quartier de Flushing au Midtown de Manhattan. Outre que son parcours aérien offre des vues sur le borough (à l'aller) et sur Manhattan (au retour), il propose un voyage dans l'histoire du peuple américain. En effet, il s'arrête successivement dans des quartiers d'immigration ancienne : irlandaise à Woodside, indienne et philippine à Jackson Heights, italienne, péruvienne, colombienne, équatorienne et mexicaine à Corona Heights, chinoise et coréenne à Flushing. On occupera facilement une journée à sauter d'une station à l'autre de la ligne violette pour jouir de la diversité ethnique de New York. Prévoyez de prendre deux repas sur place. Placez-vous dans la voiture de tête ou de queue pour avoir une meilleure vue.

Une manière parmi d'autres d'organiser sa visite consiste à prendre le métro à Times Square ou Grand Central Terminal jusqu'au terminus (Flushing–Main St, 35 min). Avant d'arriver, vous longerez l'immense Flushing Meadows Corona Park sur votre droite, et le Shea Stadium sur votre gauche.

À Flushing, prenez un repas chinois, coréen ou taïwanais, et reprenez le métro en sens inverse jusqu'à la station suivante, Willets Point–Shea Stadium, pour visiter les divers sites du parc. Marchez ensuite jusqu'à Roosevelt Ave, au nord, qui suit la ligne aérienne du métro. La **maison de Louis Armstrong** (p. 146) n'est qu'à quelques rues de distance, vers le nord.

Flânez sur Roosevelt Ave et dans ses environs sur une trentaine de pâtés de maisons vers l'ouest. Vous passerez devant des boutiques et des restaurants attrayants, tous en espagnol, jusqu'à la 74th St, où d'un seul coup, on atterrit en Inde. Achetez-vous un sari et/ou faites une pause chez **Jackson Diner** (p. 197) dont les curries sont réputés parmi les meilleurs de New York.

Reprenez le métro jusqu'à Woodside–61st St pour vous promener dans un vieux quartier irlandais, puis reprenez le métro à la station 52rd St–Lincoln Ave, ou à 46th St-Bliss St, en voiture de tête de préférence afin de profiter du panorama sur le Midtown. Descendez à la station 45th Rd–Court House Sq de Long Island City pour aller faire un tour au **PS1 Contemporary Art Center** (p. 143) et vous immerger dans un univers de **graffitis** (p. 143).

AMERICAN MUSEUM OF THE MOVING IMAGE Plan p. 386

☎ 718-784-0077 ; www.ammi.org ; 35th Ave et 36th St ; adulte/senior et étudiant/enfant 10/7,50/5 $, gratuit pour tous le ven de 16h à 20h ; ⌚ mer-jeu 12h-17h, ven 12h-20h, sam-dim 11h-18h30 ; métro G, R, V jusqu'à Steinway St

Implanté au milieu des studios de cinéma Kaufman Astoria (www.kaufmanastoria.com ; qui furent à une époque le siège de la Paramount sur la Côte Est, et le plus grand et le plus mauvais studio de cinéma situé hors Hollywood), ce musée amusant montre tous les aspects du tournage d'un film et conserve 90 000 objets et accessoires reconnaissables. On y verra Yoda (la marionnette de *L'Empire contre-attaque*), la chemise "puffy" de *Seinfeld*, et le char de Charlton Heston dans *Ben Hur*. Tout le long de l'année, le musée propose d'intéressantes rétrospectives dans sa salle au décor égyptien. Le programme est publié sur le site Internet.

Les studios sont fermés au public. L'armée américaine occupa les lieux de 1945 à 1971, avant qu'ils ne redeviennent un studio de cinéma. Beaucoup de films et d'émissions télévisées y sont tournées. C'est ici que prennent vie les marionnettes Big Bird, Grover et Elmo de *1 rue Sésame*.

Flushing et Corona

Ces deux quartiers ne sont guère connus que pour les événements sportifs qui se déroulent au **Shea Stadium** (p. 236 ; les Mets) et à l'**USTA National Tennis Center** (p. 239 ; l'US Open). Les nombreux commerces chinois, coréens, espagnols et italiens qui animent les rues servent une clientèle exclusivement locale. Entre les deux, s'étend le Flushing Meadows Corona Park, un curieux endroit parsemé d'intéressantes constructions réalisées spécialement pour les Expositions universelles de 1939 et 1964, à la dernière mode architecturale de leur époque.

Ce coin de New York est entré dans l'histoire dès le XVIIe siècle lorsque les Quakers se réunirent à Flushing pour trouver un moyen d'échapper à la persécution religieuse du gouverneur hollandais Peter Stuyvesant (ils y parvinrent). Deux siècles plus tard, beaucoup d'esclaves en fuite recouvrèrent ici la liberté (grâce à un réseau d'aide aux fugitifs du Sud).

Au XXe siècle, Flushing était dans un piteux état. Dans son roman *Gatsby le magnifique* (1925), F. Scott Fitzgerald n'y voyait qu'un tas de cendres, encore était-il indulgent. Les Expositions universelles redonnèrent un peu de lustre à cette zone marécageuse, au point que de nombreux jazzmen vinrent s'y installer (c'est ici également qu'habitaient les Bunkers, héros du feuilleton télévisé des années 1970 *All in the Family*).

Flushing – au bout de la ligne 7 du métro – est un Chinatown sans touristes. Boutiques et restaurants se concentrent dans Roosevelt Ave et Main St. Les amateurs de jazz iront se recueillir au **Flushing Cemetery** (46th Ave et 164th St, à l'est de la station Main St–Flushing), entre autres, sur les tombes de Louis Armstrong (section 9, division A, parcelle 12B) et Dizzy Gillespie (section 31, tombe anonyme 1252).

À deux ou trois stations de métro plus à l'ouest, la partie sud de Corona est un quartier pittoresque qui ressemble à une place de village d'un autre âge. En été, les joueurs de boules s'adonnent à leur sport favori au William F Moore Park (dit aussi Spaghetti Park), devant les badauds qui sucent des glaces au citron.

Un peu plus au nord, sous la ligne du métro aérien de Roosevelt Ave, on trouvera toute une rangée de boutiques et de restaurants formidables tenus par des familles latino-américaines.

Il est possible de visiter à pied les deux quartiers et le parc en quelques heures.

FLUSHING MEADOWS CORONA PARK Plan p. 387

Métro 7 jusqu'à Willets Point–Shea Stadium

Ce parc de 490 ha construit pour l'Exposition universelle de 1939 est la principale attraction du quartier. Il est dominé par le monument le plus connu de Queens, l'**Unisphere**, un globe en acier inoxydable de 380 tonnes, haut de 36 m. Elle fait face à l'ancien New York City Building, qui abrite aujourd'hui le **Queens Museum of Art** (p. 147). Au sud du globe, se trouve le **World's Fair Ice Rink** (la patinoire de l'Exposition) (☎ 718-271-1996 ; ⌚ oct-mar mer, ven-dim, téléphoner pour connaître les horaires).

Juste au sud, se dressent les **New York State Pavilion Towers**, trois tours abîmées où plane encore l'esprit de la Guerre froide ; elle faisaient partie du pavillon de l'État de New

York pour l'Exposition universelle de 1964. Récemment, elles ont fait une apparition en tant que vaisseaux de l'espace dans *Men in Black*. Au pied des tours, le **Queens Theater in the Park** (☎ 718-760-0064 ; www.queenstheatre.org), accueille des spectacles de danse, de théâtre et de musique.

En direction de la ligne 7, on arrive au grand **Arthur Ashe Stadium**, et au reste du **USTA National Tennis Center** (p. 243). Vient ensuite le **Shea Stadium** (p. 236), le stade où l'équipe des Mets réitère ses exploits et où les Beatles ont inauguré l'ère des concerts de rock dans des stades.

Vers l'ouest, au-delà de la Grand Central Parkway, se trouvent encore quelques attractions comme le **New York Hall of Science** (à droite) et un petit centre consacré à la vie sauvage.

Le parc possède aussi des espaces verts sur ses franges est et sud. Les **terrains de foot** en gazon synthétique d'excellente qualité sont très connus pour les matchs improvisés qui s'y déroulent. À l'**abri à bateaux** de Meadow Lake, on pourra louer des canots et des bicyclettes.

Le parc est facilement accessible par le chemin piétonnier partant de la station de la ligne 7 Willets Point–Shea Stadium. Renseignements au ☎ 718-760-6565.

FLUSHING COUNCIL ON CULTURE AND THE ARTS Plan p. 387

☎ 718-463-7700 ; www.flushingtownhall.org ; 137-135 Northern Blvd ; entrée libre ; 🕒 lun-ven 9h-17h, sam-dim 12h-17h ; métro 7 jusqu'à Flushing–Main St

Construit en 1864, ce bâtiment néo-roman accueille toute l'année des expositions artistiques et des concerts de jazz et de musiques diverses. On pourra se renseigner sur le Queens Jazz Trail (26 $) un parcours en tram passant par les anciennes résidences des grands noms du jazz ayant vécu dans le quartier : Louis Armstrong, Lena Horne et Ella Fitzgerald parmi tant d'autres. Le Council distribue aussi le plan du parcours et d'autres brochures sur Queens.

LOUIS ARMSTRONG HOUSE Plan p. 387

☎ 718-478-8274 ; 34-56 107th St ; visite 8 $; 🕒 mar-ven 10h-17h, sam-dim 12h-17h ; métro 7 jusqu'à 103rd St–Corona Plaza

Au sommet de sa carrière, Louis s'installa dans cette villa tranquille de Corona Heights où il vécut 28 ans jusqu'à sa mort en 1971. Les visites accompagnées durent 40 min (départ à chaque heure ; dernière visite à 16h). On remarquera les disques d'or accrochés au mur. Pour consulter les archives Louis Armstrong, se renseigner par téléphone.

Les meilleures plages du borough

Les New-Yorkais désireux d'aller à la plage ont coutume de quitter la métropole, mais celle-ci en compte un certain nombre qui sont tout à fait agréables.

- **Brighton Beach, Brooklyn** (p. 141). Moins fréquentée que sa voisine Coney Island, à l'ouest
- **Orchard Beach, le Bronx** (p. 149) Éloignée, mais les habitants du quartier l'adorent
- **Rockaway Beach, Queens** (Ligne A jusqu'à plusieurs stations de plage en bout de ligne). La plus belle de New York : 11 km de sable ; c'est là que Joey, dans la chanson des Ramones, voulait se faire emmener en stop ; la station Beach 90 St est un bon point de départ
- **South Beach, Staten Island** (p. 150). Ferry et bus vous y conduiront depuis Manhattan

NEW YORK HALL OF SCIENCE

Plan p. 387

☎ 718-699-0055 ; Flushing Meadows Corona Park, au niveau de la 49th Ave ; adulte/étudiant et enfant 9/6 $, de sept à juin gratuit ven 14h-17h ; 🕒 sept à juin mar-jeu 9h30-14h, ven 9h30-17h, sam-dim 12h-17h ; juil-août lun 9h30-14h, mar-ven 9h30-17h, sam-dim 10h30-18h ; métro 7 jusqu'à 111th St

Plusieurs bâtiments de différentes époques, y compris un mur onduleux en béton, sont regroupés en un musée de la Science, le seul de son espèce à New York. Le parc en plein air pour les enfants, le **Science Playground**, est sa partie la plus amusante (🕒 avr-déc).

Le Jazz Trail de Queens

Sans doute jouaient-ils à Manhattan, mais ils vivaient à Queens. Ils, ce sont tous les plus grands noms que le jazz ait connus : Louis Armstrong, Dizzy Gillespie, Ella Fitzgerald, Lester Young, Count Basie, Billie Holiday, John Coltrane, Charles Mingus et Lena Horne. Contraints par des lois ségrégationnistes d'acheter ou de louer leur résidence dans d'autres parties de la ville, ils jetèrent leur dévolu sur Queens pour son esprit solidaire et sa proximité avec les clubs de Manhattan. De nos jours, le Flushing Town Hall organise le **Queens Jazz Trail tour**, une visite qui rejoint, à pied et en voiture, des demeures et des clubs qui resteront dans les mémoires. La sortie revient à 26 $; renseignements au ☎ 718-463-7700.

New York, vue du ciel

L'hélicoptère est trop cher pour vous ? Il vous reste le **Panorama of New York City**, une maquette détaillée de la métropole s'étalant sur un espace de 870 m², grand comme 3 terrains de tennis, dans le **Queens Museum of Art** (plan p. 387 ; ☎ 718-592-9700 ; www.queensmuseum.org; Flushing Meadows Corona Park ; adulte/senior et étudiant/enfant 5/2,50 $/gratuit ; 🕑 mer-ven 10h-17h, sam-dim 12h-17h ; métro 7 jusqu'à 111 St), qui est en lui-même une destination digne d'intérêt. Un chemin en pente descendante fait le tour des 895 000 structures miniatures, telles qu'on pourrait les observer depuis un avion. Tous les quarts d'heure, on peut voir la simulation d'une journée, de l'aube au crépuscule, avec l'éclairage adéquat. C'est New York telle qu'elle était vers 1992, date de la dernière mise à jour (hormis les modifications qui s'imposaient après le 11 Septembre). Le reste du musée, installé dans l'ancien New York City Building construit pour l'Exposition universelle de 1939, est en partie consacré à ce grand événement et en partie à des expositions artistiques temporaires.

QUEENS BOTANICAL GARDENS Plan p. 387

☎ 718-886-3800 ; www.queensbotanical.org ; 43-50 Main St ; entrée libre ; 🕑 avr-oct mar-ven 8h-18h, sam-dim 8h-19h, nov-mars mar-dim 8h-16h30 ; métro 7 jusqu'à Flushing–Main St

Ce jardin de 15 ha réalisé pour l'Exposition universelle de 1939 est assez riche en variétés florales exotiques. Ses vastes pelouses sont plus agréables pour pique-niquer que celles du Flushing Meadows Corona Park, et les sentiers invitent à enfourcher une bicyclette.

JAMAICA BAY NATIONAL WILDLIFE REFUGE

Plan p. 368

☎ 718-318-4340 ; www.nps.gov/gate ; Cross Bay Blvd ; entrée libre ; 🕑 8h30-17h

Cette réserve animalière faisant partie du Gateway National Recreation Area, est l'un des plus grands sanctuaires ornithologiques du Nord-Est américain. Située sur la voie de migration Atlantique (Atlantic Flyway), des centaines d'espèces la traversent ou y font escale.

LE BRONX

Où se restaurer p. 198

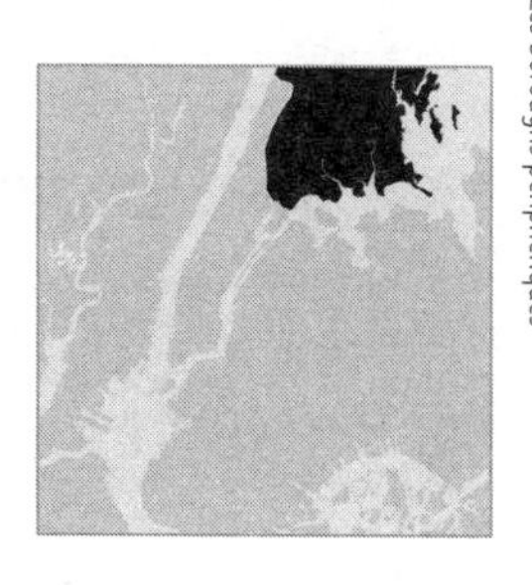

Au nord de Manhattan, le Bronx est le New York "X-trême". Ici, les klaxons sont un peu plus forts, les graffitis un peu plus osés, la démarche un peu plus arrogante, parce qu'il faut bien justifier d'une façon quelconque cet article qui précède le nom et qui fait que "le" Bronx ne serait pas un lieu de résidence comme un autre. De fait, un certain nombre de ses enfants sont parvenus jusqu'à la gloire, toutefois en étant partis de quartiers très différents. Citons : Jennifer Lopez, Colin Powell et Billy Joel). Sans oublier les hommes à rayures qu'on appelle les Bronx Bombers : l'équipe des New York Yankees.

À l'instar de Queens, le Bronx est très diversement peuplé. Près du quart de sa population est d'origine portoricaine, et les Jamaïcains, Indiens, Vietnamiens, Cambodgiens et Européens de l'Est y sont de plus en plus nombreux.

Un quart de sa superficie est couverte de parcs, dont le Pelham Bay Park.

Le **Bronx Tourism Council** (☎ 718-590-3518 ; www.ilovethebronx.com) distribue un guide du visiteur et publie un programme de manifestations régulièrement mis à jour sur son site Internet. La **Bronx County Historical Society** (☎ 718-881-8900 ; www.bronxhistoricalsociety.org) propose de nombreuses promenades à pied ou en bus, au printemps, en été et en automne.

Une bonne partie de la journée passée dans le Bronx pourrait être consacrée au zoo et au jardin botanique, avant de se rendre à pied à Belmont pour dîner dans un restaurant italien.

Orientation

Seul à se trouver sur le continent, le Bronx se situe dans le prolongement de Manhattan, coincé entre l'Hudson, la Harlem River, l'East River et le Long Island Sound. La principale artère de ce borough de 110 km² est l'axe nord-sud du Grand Concourse, inspiré des Champs-Élysées parisiens et encore bordé de belles demeures Art déco. Son croisement avec Fordham Rd, à l'ouest du Bronx Zoo, près du célèbre quartier italien de Belmont, est le principal centre commerçant qui attire une foule de piétons le week-end.

Le Bronx est plus accidenté que les autres boroughs. Maints visiteurs sont surpris d'en faire la dure expérience.

ARTHUR AVE/BELMONT AVE

Plan p. 388

Métro B, D jusqu'à Fordham Rd

Pour certains, c'est ici que se trouve la vraie "Little Italy" de New York, au sud de Fordham University, entre le Bronx Park à l'est et la Third Ave à l'ouest, clairement signalée par des banderoles "Little Italy in the Bronx". Les pizzerias, trattorias, boulangeries (Arthur Ave Baking Co fournit de nombreux restaurants), poissonniers vendant des clams ouvertes, et bouchers exposant leurs lapins en vitrine, servent une clientèle locale sans faire l'effort de parler anglais. De l'avis de nombreux New-Yorkais, **Roberto's** (p. 198) est le meilleur restaurant italien de la ville.

La fameuse scène du *Parrain* où Al Pacino tire son arme de "derrière les toilettes avec une chaîne" avant de se lancer avec fracas dans sa nouvelle carrière, est censée se dérouler chez **Mario's** (2342 Arthur Ave).

Depuis la station Fordham Rd, descendez Fordham Rd vers l'est sur 11 blocks et tournez à droite dans Arthur Ave.

BRONX MUSEUM OF THE ARTS

Plan p. 388

☎ 718-681-6000 ; www.bxma.org ; 1040 Grand Concourse au niveau de la 165th St ; don suggéré 5 $; ⌚ mer 12h-21h, jeu-dim 12h-18h ; métro B, D, 4 jusqu'à 161 St–Yankee Stadium

Un art contemporain intéressant et très urbain est à l'honneur dans ce musée qui expose des graffitis, des installations vidéo et des peintures d'artistes essentiellement américains et d'origine africaine, latino-américaine ou asiatique. Depuis la station de métro, rejoignez le Grand Concourse à l'est, puis remontez quelques blocks vers le nord.

Transports

Métro Les lignes B, D, 2, 4, 5, 6 relient Manhattan au Bronx. Elles s'arrêtent opportunément au Yankee Stadium (B, D, 4 jusqu'à 161 St–Yankee Stadium), à proximité du Bronx Zoo (2, 5 jusqu'à Pelham Pkwy) et à l'angle du Grand Concourse et de Fordham Rd (B, D jusqu'à Fordham Rd).

BRONX ZOO Plan p. 388

☎ 718-367-1010 ; www.bronxzoo.com ; adulte/enfant avr-oct 11/8 $, nov-mars 8/6 $; ⌚ avr-oct lun-ven 10h-17h, sam-dim 10h-17h30, nov-mars tlj 10h-16h30 ; métro 2, 5 jusqu'à Pelham Pkwy

Connu aussi sous le nom de Bronx Wildlife Conservation Society, ce zoo de 106 ha ouvert en 1899 est l'un des plus célèbres du pays. Il reçoit plus de 2 millions de visiteurs par an. Il fut l'un des premiers à recréer des environnements naturalistes (plaines et forêts africaines, montagnes himalayennes, forêts humides asiatiques) pour le bien-être de ses 5 000 animaux (gorilles, ours polaires, manchots, zèbres, girafes, etc.). Ses bisons, arrivés au début du XXe siècle, ont récemment permis le retour de ces animaux dans les Grandes Plaines.

Le vol des chauves-souris du World of Darkness (monde de la nuit), et les repas des manchots et des otaries, servis à heures fixes, ont beaucoup de succès auprès des enfants. On remarquera les structures d'origine (1899) comme la House of Reptiles (maison des reptiles). En hiver, certains animaux gardés dans des abris ne sont pas visibles.

Quelques attractions sont accessibles moyennant un supplément, comme la Congo Gorilla Forest (forêt du gorille du Congo, 3 $), le parcours de 25 min en monorail *Bengali Express* (mai-oct 3 $) et un safari aérien au-dessus de certains animaux (Skyfari 2 $). Les tickets combinés incluent toutes les attractions.

Liberty Lines Express (☎ 718-652-8400) assure la desserte du zoo par le bus Bx11 (4 $) partant de Madison Ave (avec arrêt aux rues suivantes : 26th, 39th, 47th, 54th et 63rd). Départs toutes les 10 ou 20 minutes. Il est demandé de faire l'appoint.

Le zoo possède 5 entrées. Depuis la station de métro Pelham Parkway, il faut remonter White Plains Rd vers le sud, tourner à droite dans Lydig Ave. Arrivé à Bronx Park East, on tourne à droite, puis à gauche jusqu'à la Bronx River Parkway Gate (où le Bx11 dépose ses passagers).

CITY ISLAND Plan p. 388

www.cityislandchamber.org ; métro 6 jusqu'à Pelham Bay Park, puis bus Bx29

À 25 km environ de Midtown, mais à des années-lumières pour l'atmosphère, City Island est l'un des endroits les plus surprenants de New York. Fondé en 1685 par les Anglais, ce village de pêcheurs de 2,5 km de long est parsemé de cales sèches et possède 6 clubs nautiques. C'est le rendez-vous de tous les amoureux de la plongée, de la voile et de la pêche. Le week-end (même en février), une clientèle locale se presse dans la vingtaine de restaurants de fruits de mer (dont **Tony's Pier**, p. 198) de City Island Ave. Dans les rues adjacentes, les maisons victoriennes à bardeaux – plus proches de la Nouvelle-Angleterre que du Bronx – donnent sur l'eau.

Plusieurs bateaux emmènent les pêcheurs au large sur les eaux calmes du Long Island Sound. Le **Riptide III** (☎ 718-885-0236), à la pointe nord de l'île, part tous les jours à 8h de mars à mi-décembre. Si vous êtes novice, on vous aidera. Adulte 42 $, enfant 25 $. On peut se renseigner par téléphone sur les promenades festives organisées en été autour de Manhattan.

Captain Mike's Dive Shop (☎ 718-885-1588 ; www.captainmikesdiving.com ; 530 City Island Ave) propose, le week-end, des plongées à 2 bouteilles pour 55 à 88 $. La destination favorite est l'épave du USS *San Diego*, un croiseur de la Première Guerre mondiale.

Juste au nord de l'île, dans le Pelham Bay Park, **Orchard Beach** est une jolie plage de sable, autrefois dénommée la "Bronx Riviera". Le bus Bx12 dessert l'endroit depuis la station de métro Pelham Bay Park (en été uniquement).

EDGAR ALLAN POE COTTAGE Plan p. 388

☎ 718-881-8900 ; angle de Grand Concourse et de E 193rd St ; visites 3 $; ⏲ sam 10h-16h, dim 13h-17h ; métro B, D jusqu'à Kingsbridge Rd

Cette ancienne fermette du début du XIXe siècle fut la dernière demeure d'Edgar Poe (de 1846 à 1849). Elle se dresse aujourd'hui sur un petit terrain herbu en plein centre du Bronx, cernée par les tours résidentielles et la circulation du Grand Concourse. Vidéo de présentation et brève visite guidée.

NEW YORK BOTANICAL GARDEN Plan p. 388

☎ 718-817-8700 ; www.nybg.org ; adulte/senior/étudiant/enfant 6/3/2/1 $; ⏲ avr-oct mar-dim 10h-18h, nov-mars mar-dim 10h-17h ; métro B, D jusqu'à Bedford Park Blvd

S'étalant sur 20 ha de forêt (au nord du zoo), le jardin botanique de New York, ouvert en 1891, comprend plusieurs beaux jardins et la serre victorienne Enid A. Haupt, grandiose édifice de fer et de verre et monument célèbre de New York. On pourra se promener dans la roseraie voisine de la serre et dans le jardin de rocaille agrémenté d'une cascade à plusieurs étages.

Les trains **Metro-North** (☎ 212-532-4900 ; www.mnr.org) partent toutes les heures de Grand Central Terminal et s'arrêtent devant le jardin. L'aller simple coûte 4,50/6 $ en heures creuses/heures de pointe. Depuis la station de Bedford Park Blvd, descendez la colline vers l'est sur 7 blocks avant d'arriver à l'entrée.

Une maison faite pour Babe Ruth

La plus glorieuse équipe de base-ball professionnelle joue dans un stade qui fait frissonner de joie ses supporters et trembler de haine les fans des équipes adverses (les Boston Red Sox pour n'en citer qu'une). Cependant, il est fort possible qu'il ait pu avoir un emplacement, une forme et une taille différentes si un jeune lanceur du nom de George Herman "Babe" Ruth, n'avait quitté les Red Sox pour entrer dans l'équipe en 1920.

À une époque où les lanceurs pouvaient réellement frapper, Babe frappait mieux que quiconque dans le base-ball. Ses home-runs foudroyants attiraient des foules immenses, et les Yanks firent rapidement de l'ombre aux New York Giants (aujourd'hui à San Francisco), qui étaient propriétaires du terrain des Yanks. C'est pourquoi ceux-ci furent poussés vers la sortie.

Ouvert en 1923, le Yankee Stadium aurait, dit-on, avantagé le style frappeur de Ruth (et la meute des supporters qui ne voulaient pas perdre un geste de leur idole). Il conduisit les Yanks durant la saison inaugurale du stade et leur donna leur première victoire en World Series sur les New York Giants.

L'intérieur a subi des rénovations. Dans les années 1970, les sièges en bois ont été remplacés par des sièges en plastique souple, mais la façade extérieure est restée la même qu'à l'époque de Babe Ruth.

En 1927, Ruth marqua 60 home-runs dans la saison, un record qui ne fut battu qu'en 1961 lorsque le Yankee Roger Maris, originaire du Dakota du Nord, en marqua 61. Les 714 home-runs de la carrière de Ruth ne furent dépassés que par Hank Aaron en 1974.

YANKEE STADIUM Plan p. 388

☎ 718-293-6000 ; www.yankees.com ; E 161st St et River Ave ; visites 12-25 $; ⏲ quand l'équipe est en tournée : lun-ven 10h-16h, sam 10h-12h, quand l'équipe est chez elle : lun-ven 10h-12h ; métro B, D, 4 jusqu'à 161th St–Yankee Stadium

Pour les Yankees, ce terrain construit en 1923 est bien évidemment "le stade le plus célèbre depuis le Colisée de Rome", et avec 26 victoires en championnat à leur actif, qui leur contesterait cette prétention ? Les Yankees jouent chez eux d'avril à octobre (voir p. 236 pour l'achat des billets). On tâchera d'arriver tôt pour aller faire un tour dans le **Monument Park**, derrière le terrain de gauche, où des plaques commémorent les grands joueurs du passé comme Babe Ruth, Lou Gehrig, Mickey Mantle et Joe DiMaggio. Le parc ferme 45 min avant le début du match.

La visite guidée d'une heure vous permet de voir le banc de touche, la salle de presse, le terrain et les vestiaires. Les individuels peuvent se présenter sans réservation à 12h (adulte/senior et enfant 12/6 $), sinon il faut réserver à l'avance en appelant ☎ 718-579-4531, ou sur le site Internet. Des visites prolongées comprennent un film de 20 min (17/12 $) ou un crochet par les appartements de luxe et autres zones (25/15 $).

Lire également p. 149 l'encadré *Une maison faite pour Babe Ruth*.

STATEN ISLAND

Réputée pour son ferry, pour être le point de départ du marathon de New York et... pour sa décharge (aujourd'hui fermée) la plus haute de toute la côte Est, Staten Island est le borough "oublié" de New York. Sur la carte, on dirait qu'elle fait partie du New Jersey (qui se trouve juste de l'autre côté de l'étroit Kill Van Kull), et de fait, la première liaison routière avec New York ne date que de 1964, avec l'ouverture d'un pont, leVerrazano Narrows Bridge.

Sa population de moins d'un demi-million d'habitants, de type "classe moyenne républicaine", est souvent en désaccord avec le reste d'une métropole majoritairement acquise aux démocrates. Du reste, beaucoup de résidents rêvent de faire sécession, mais ce projet est encore loin d'aboutir.

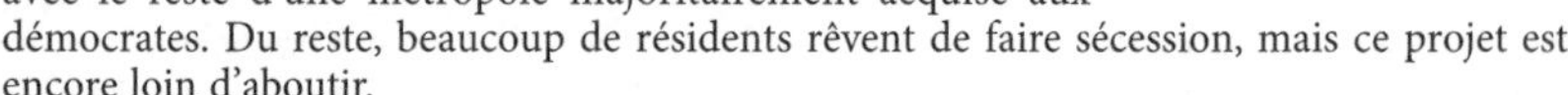

Sandy Ground (au sud de l'île) est le plus ancien village du pays habité sans discontinuer par des Africains-Américains. Le personnage d'Ichabod Crane, le malheureux personnage de *La légende du Cavalier sans tête (Sleepy Hollow)* de Washington Irving, était bien réel (en fait, le maître d'école d'Irving) ; il est enterré au cimetière de New Springfield. Le groupe de hip-hop Wu-Tang Clan a trouvé l'inspiration de ses chansons à Clifton où il a fait ses débuts.

Beaucoup de visiteurs ne descendent pas du ferry, à tort, car plusieurs sites méritent amplement le déplacement. En incluant les traversées aller et retour depuis Manhattan, et 2 heures pour faire le Snug Harbor Cultural Center en prenant le bus, il faut compter 4 heures.

Si vous cherchez une **plage**, le bus S51 vous conduira à South Beach et Midland Beach, au sud, reliées par une promenade en planches de 3 km.

La **Staten Island Chamber of Commerce** (☎ 718-727-1900 ; 130 Bay St ; lun-ven 9h-17h), qui se trouve 3 blocks à l'est du terminal (à gauche, vu de la mer), distribue quelques brochures, mais il vaut mieux se les procurer au terminal du ferry de Manhattan. La petite brochure *St George Walking Tour* comprend un plan fort pratique des abords du terminal du ferry. Procurez-vous aussi un exemplaire de l'hebdomadaire gratuit, *Staten Island Source* (www.sisource.com).

Orientation

Staten Island se situe de l'autre côté du New York Harbor, au sud de Manhattan. Le ferry dépose les passagers dans le centre de St George, à la pointe nord de l'île, qui fait 150 km². Richmond Terrace longe la mer vers l'ouest.

Vingt-trois lignes de bus convergent sur 4 rampes, au St George Ferry Terminal (les MTA Metrocard sont valables sur toutes les lignes). Les horaires des bus coïncident avec l'arrivée des bateaux. Les lignes couvrent à peu près toute l'île, bien que l'accès à certains sites puisse nécessiter un peu de marche supplémentaire. Dans la journée, on compte un bus toutes les 20 min environ. Le train de Staten Island, qui part du terminal des ferries, est moins pratique pour les sites touristiques.

GREENBELT

☎ 718-667-2165 ; www.sigreenbelt.org ; 200 Nevada Ave

Au cœur de Staten Island, les 1120 ha de la Greenbelt – et ses 50 km de sentiers – englobent 5 écosystèmes, y compris des marais d'eau douce (prévoyez une protection contre les insectes). Le relief est parfois escarpé (Staten Island a la plus haute élévation du littoral Atlantique au sud du Maine). Les amateurs d'oiseaux pourront observer 60 espèces.

On consultera le site Internet pour connaître les nombreux points d'accès desservis par des bus (parfois avec correspondance). Un des lieux les plus intéressants est le High Rock Park, une forêt de grands arbres, sillonnée par 6 sentiers. On y accède par le bus S62 depuis le terminal des ferries. Changer à Victory Blvd and Manner Rd, et prendre le S54.

HISTORIC RICHMOND TOWN

☎ 718-351-1611; www.historicrichmondtown.org ; 441 Clarke Ave ; adulte/enfant 5/3,50 $; 🕑 sept-mai mer-dim 13h-17h, juin-août mer-sam 10h-17h, dim 13h-17h ; bus S74 arrêt Richmond Rd & St Patrick's Pl

Une trentaine de bâtiments (dont certains faisaient partie d'un village hollandais de 1695) occupent cette zone de conservation de 40 ha placée sous la garde de la Staten Island Historical Society. On y verra l'ancien siège du comté de l'île. La maison la plus célèbre, la **Voorlezer's House** en séquoia, à 2 étages, vieille de 300 ans, est la plus vieille école de village du pays. Elle est maintenant entièrement restaurée et garnie de meubles d'époque. Certaines maisons viennent de divers points de l'île, et 10 d'entre elles occupent leur emplacement d'origine.

Une visite guidée est proposée toutes les heures, et en juillet et août, des guides en costumes d'époque se promènent sur le site et décrivent la vie coloniale dans les campagnes au XVIIe siècle.

Les horaires sont parfois prolongés en été. Téléphonez avant de vous déplacer. La visite se combine facilement avec celle du **Jacques Marchais Center of Tibetan Art** (que l'on rejoint en bus). Voir ci-dessous.

Le trajet du bus dure 40 min depuis le terminal du ferry.

JACQUES MARCHAIS CENTER OF TIBETAN ART

☎ 718-987-3500 ; www.tibetanmuseum.com ; 338 Lighthouse Ave ; adulte/étudiant/enfant 5/3/2 $; 🕑 mer-dim 13h-17h ; bus S74 arrêt Lighthouse Ave

Le Jacques Marchais Center abrite la plus riche collection d'art tibétain hors de Chine. Il fut créé en 1947 par l'antiquaire Edna Koblentz un an avant sa mort. On y verra de nombreux objets authentiques et un fabuleux temple tibétain où de nombreuses manifestations sont organisées tout au long de l'année.

Pour accéder au centre, demandez au chauffeur du bus S74 de vous déposer Lighthouse Ave. Situé en haut d'une colline, le musée offre de jolies vues sur l'île.

Ayant fait tout ce chemin, il serait dommage de ne pas aller voir une **maison de Frank Lloyd Wright**, la seule qu'il ait construite à New York. Datant de 1959, la maison Crimson Beech (48 Manor Ct, de l'autre côté de Lighthouse Ave), située au bord de la falaise, est une résidence privée.

Le ferry de Staten Island

Une bonne affaire autant qu'une attraction, le **Staten Island Ferry** (☎ 718-815-2628 ; www.siferry.com ; 🕑 24h/24) transporte gratuitement 70 000 passagers chaque jour sur son trajet de 8 km (25 min) entre Lower Manhattan et Staten Island. La plupart de ses usagers, qui le prennent deux fois par jour, ne font plus attention, pendant la traversée, aux vues exceptionnelles sur le port, la statue de la Liberté ou Ellis Island.

L'île est depuis longtemps soucieuse de transporter efficacement ses résidents à Manhattan (en tout cas, elle s'en souciait déjà avant que Melanie Griffith, dans *Working Girl*, ne prenne le ferry pour aller travailler). Le Staten Island Ferry a commencé ses navettes en 1905, mais bien des ferries sillonnaient déjà le port avant cette date. Certains furent réquisitionnés pendant la guerre de Sécession, et quelques-uns détruits par des prisonniers confédérés.

Les bateaux (la flotte en compte 8) partent environ tous les quarts heure, du lundi au vendredi (toutes les 30 min le samedi et le dimanche), de 6h à 19h, et environ une fois par heure de 19h à 6h. Si le hasard fait bien les choses, vous aurez un des "vieux" ferries (datant de 1965) qui sont les meilleurs avec leurs bancs en bois et leurs ponts découverts plus spacieux. Tâchez d'éviter les heures de pointes.

Les bateaux effectuent 103 traversées par jour et les accidents sont rares, mais on en dénombre quand même quelques-uns au cours des 25 dernières années, notamment le 25 octobre 2003 lorsque, par grand vent, un bateau vint s'écraser sur le quai de St George faisant 10 morts et des dizaines de blessés. On ignore toujours la cause de l'accident.

SNUG HARBOR CULTURAL CENTER

☎ 718-448-2500 ; www.snug-harbor.org ; 1000 Richmond Tce ; bus S40 arrêt Snug Harbor

Situé dans une ancienne maison de retraite pour marins du XIXe siècle, à quelques mètres seulement de la mer, le Snug Harbor Cultural Center ressemble plutôt à une université américaine. Le domaine de 33 ha comprend quelques jardins et 28 bâtiments occupés par le Snug Harbor Cultural Center (ouvert en 1976) et plusieurs autres organisations culturelles.

De l'arrêt de bus, on voit 5 bâtiments côte à côte (construits entre 1833 et 1880), formant façade. Ils sont garnis de colonnades et d'un style furieusement néo-grec. Le centre n°1, ou Main Hall, abrite le **Newhouse Center for Contemporary Art** (adulte/étudiant et enfant 2/1 $; mar-dim 10h-17h), qui organise de magnifiques expositions d'art moderne (à voir absolument : la vieille fresque du plafond). Le bâtiment voisin, la **Noble Maritime Collection** (adulte/enfant 3 $/gratuit ; jeu-dim 13h-17h), est exclusivement dévolu à des objets de marine.

Derrière les 5 bâtiments de façade, on aperçoit la serre du **Staten Island Botanical Garden** (☎ 718-273-8200 ; www.sibg.org ; entrée libre), et derrière elle, un labyrinthe. À l'ouest, se trouve le reposant **New York Chinese Scholar's Garden** (jardin du mandarin, adulte/enfant 5/4 $, gratuit le mar 10h-13h ; mar-dim 10h-16h), créé en 1999. Des pavillons et des maisons de thé (traversées par des cours d'eau) recréent un lieu où les sages de la Chine ancienne oubliaient les errements de leur souverain. Il est très fréquenté en avril et mai, à la saison des fleurs.

À l'est, après le jardin botanique, on trouvera un petit musée du World Trade Center, qui n'est guère réjouissant. On a rassemblé quelques objets trouvés sur le site, tel un casque de pompier.

Depuis l'arrêt de bus, contournez les 5 premiers bâtiments sur la droite pour accéder à l'accueil des visiteurs. Deux ou trois cafés servent aussi à manger.

Prendre le bus S40 au terminal du ferry. On peut s'y rendre à pied (la promenade n'est pas très agréable) en 20 min en remontant Richmond Tce.

Promenades

Promenades

On ne connaît bien New York qu'en la découvrant à pied. Il faut donc prendre le temps d'arpenter les avenues de Midtown ou d'explorer les recoins de Downtown et les chemins du bord de l'eau. Vous verrez ce qu'il est impossible de voir par la vitre d'un taxi (ou d'une voiture de métro) : les dates du XIXe siècle gravées sur les brownstones, les boutiquiers sur le pas leur porte qui discutent en fumant une cigarette, les plaques anciennes et le nom des petites rues, parfois même un sourire. Manhattan est entièrement construit en terrain plat, et les boroughs extérieurs ne sont que légèrement pentus. Alors, ne cherchez pas d'excuses ! Ces 8 promenades vous feront aborder pêle-mêle des aspects très variés de New York : la mode, le jazz, le rock, l'architecture, les gratte-ciel, l'art, la cuisine et la nature.

LOWER MANHATTAN

Le financial district voit se croiser une population des plus variées, rats des villes en costume trois pièces ou rats des champs en salopette. Chacun s'affaire dans ses rues en canyon bordées de gratte-ciel Art déco et modernes, ou surplombant des ruelles serrées et tortueuses qui suivent le plan hollandais d'il y a 300 ans. Lower Manhattan est un paradis pour le marcheur.

Allez-y un jour de semaine quand les gens travaillent. Prévoyez de marcher avant ou après l'heure du déjeuner (entre 12h et 14h), et en dehors des heures de pointe du matin et du soir, pour éviter la bousculade sur les trottoirs étroits. La tombée de la nuit est un moment privilégié, lorsque les gratte-ciel commencent à s'éclairer. Notez que la plupart des immeubles sont interdits au public.

En sortant du métro Bowling Green, rejoignez Battery Park, au sud, à la pointe de Manhattan. C'est là que se trouve la **Sphere** 1 (p. 88), une sculpture endommagée qui trônait autrefois devant le World Trade Center, et qui, désormais, rappelle le souvenir des victimes. Un peu plus loin, se dresse le **Castle Clinton** 2 (p. 87), un fort construit en 1811 pour protéger la ville des Anglais. Cependant, la seule activité dont il fut le témoin est venue plus tard lorsqu'il servit de salle de concert, puis de bureau de l'immigration (avant Ellis Island). Actuellement, il abrite le guichet du ferry de la statue de la Liberté.

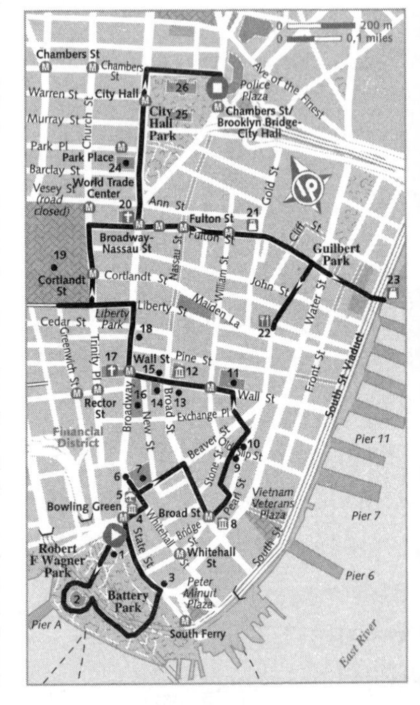

Dirigez-vous vers l'est en longeant la rive (remarquez au sud-est le pendant du fort précédent : Castle Williams sur Governor's Island), puis vers le nord, dans State St. La **James Watson House** 3 (1792) rouge et blanche, au 7–8 State St, est l'unique survivant des hôtels particuliers géorgiens qui bordaient la rue. Celui-ci abrite aujourd'hui le sanctuaire de la bienheureuse Elizabeth Seton, qui vécut en ce lieu.

Remontez State St jusqu'à l'énorme Custom House (Hôtel de la douane, 1907) pour visiter l'intéressant **National Museum of the American Indian** 4. À l'intérieur, on notera les fresques des années 1930, une commande de la Works Progress Administration (WPA). Devant le musée, le petit square de **Bowling Green** 5

"Charging Bull", une sculpture en bronze de Arturo Di Modica

(p. 84), datant de 1733, est le plus ancien espace vert de la ville. La grille qui l'entoure est d'origine, mais sa statue centrale (un buste de George III) et les pointes des piquets de clôture furent fondues pendant la guerre d'Indépendance pour faire des balles.

À la pointe nord du square, le célèbre **Charging Bull** 6 (taureau en train de charger) est tourné vers l'avenue la plus longue des États-Unis, Broadway. Sur le côté est de Broadway, se dresse le curviligne **Standard Oil Building** 7 (26 Broadway), fondé par John D. Rockefeller en 1922, qui abrite aujourd'hui le Museum of American Financial History (28 Broadway) ; il faut prendre un peu de recul pour voir les 27 derniers étages en décrochement, en forme de fronton grec.

Les rues de Lower Manhattan rappellent de façon permanente des souvenirs historiques. Remontez Beaver St (la rue des Castors, car on y faisait commerce de fourrures) jusqu'à Broad St (la rue Large ; du temps des Hollandais, y coulait un canal), puis tournez à droite dans Pearl St (rue des Perles, où les Indiens Canarsie pêchaient autrefois des clams et récoltaient des perles). Au croisement de Broad St et de Pearl St, on visitera le **Fraunces Tavern Museum** 8 (p. 84 ; 54 Pearl St).

Remontez Pearl St vers le nord et tournez à gauche dans Coenties Alley pour rejoindre Stone St (rue des Pierres), la première ruelle de la ville à avoir été pavée, aujourd'hui bordée de plusieurs pubs et restaurants. Au bout de la rue, **India House** 9 (1 Hanover Sq) est un brownstone d'avant la guerre de Sécession qui abritait la bourse au coton. Traversez **Hanover Square** 10 (l'ancien quartier du pirate Billy the Kid), tournez à gauche dans la tortueuse Hanover Place, et suivez Wall St (rue du Mur, ainsi nommée à cause d'une enceinte depuis longtemps disparue, érigée par les esclaves des Hollandais pour protéger la Nouvelle-Amsterdam sur son flanc nord).

Tournez à gauche dans Wall St. Sur le trottoir nord, on jettera un regard sur le **40 Wall St** 11 au couronnement vert (ancienne Bank of Manhattan, aujourd'hui propriété de Donald Trump) ; en 1929, elle voulut rivaliser de hauteur avec le Chrysler Building, mais perdit la compétition après l'adjonction in extremis d'une flèche au sommet du Chrysler. Dans le block suivant, une statue plus grande que nature de George Washington trône en

Données pratiques

Début métro Bowling Green (ligne 4 ou 5)
Fin métro Chambers St/Brooklyn Bridge–City Hall (ligne J, M, Z, 4, 5 ou 6)
Distance 5 km
Durée 2 à 3 heures
Restaurant Sophie's Restaurant (p. 174)

haut de l'escalier du **Federal Hall** 12 (p. 84) de style dorique. C'est ici que Washington prêta serment comme président des États-Unis, et que se réunit le premier Congrès de l'histoire du pays. Exposition gratuite à l'intérieur.

De l'autre côté de la rue, le modeste et anonyme bâtiment de 4 étages du **Morgan Guaranty Trust** 13 (23 Wall St) se fit remarquer, lors de sa construction en 1913, par sa volonté de laisser à d'autres la palme du gratte-ciel le plus haut, un honneur très recherché à l'époque. Ne poussez la porte que si vous avez gagné au loto. On arrive ensuite au **Stock Exchange** 14 (la Bourse, p. 85), dont l'entrée se situe 20 Broad St. Revenu dans Wall St, on essaiera de voir le sommet du **14 Wall St** 15, de style Art déco, qui s'inspire du mausolée d'Halicarnasse (on le voit très bien à bord du Staten Island Ferry). Remontez toujours Wall St en direction de Broadway. On jettera un coup d'oeil au passage à l'étincelant hall d'entrée de la **Bank of New York** 16 (1 Wall St), tapissé d'une mosaïque rouge et or.

Placée de façon impressionnante dans l'axe de Wall St, **Trinity Church** 17 (p. 85), de l'autre côté de Broadway, date de 1842. Le cimetière renferme la tombe d'Alexander Hamilton, dont l'effigie orne les billets de 10 $. Il perdit la vie en 1804 dans un duel avec le vice-président Aaron Burr, mais il est plus connu comme ancien Secrétaire du Trésor.

Plus au nord, sur Broadway, on remarquera les 41 étages de l'**Equitable Building** 18 (120 Broadway) de 1915. Choqués par l'irrévérence d'une telle masse de 112 000 m^2, les édiles imposèrent en 1916 d'animer les façades avec des décrochements.

Un peu plus au nord, tournez à gauche sur Liberty Plaza, d'où l'on aperçoit soudain le grand vide du **site du World Trade Center** 19 (p. 89). Des panneaux le long de Liberty St juste en face, et de Church St à droite, détaillent les phases de sa reconstruction. Un ponton d'observation est accessible depuis Liberty St, et conduit au World Financial Center moderne, de l'autre côté de West St.

Au nord-est du site, au croisement de Church St et de Fulton St, **St Paul's Chapel** 20 (p. 88), est une imitation en schiste et grès brun de St-Martin-in-the-Fields, à Londres. C'est le seul édifice de la ville datant d'avant la guerre d'Indépendance. Elle abrite une exposition sur les efforts de sauvetage pendant les attentats du 11 Septembre (lun-sam 10h-18h, dim 9h-16h).

Pour changer un peu d'atmosphère, traversez Broadway et suivez Fulton St vers l'est pour aller faire les bouquinistes du **Strand** 21 (p. 260), à l'angle de Gold St. Si vous avez un petit creux, vous pourrez prendre un sandwich cubain chez **Sophie's Restaurant** 22 (p. 174). Continuez en direction du **South Street Seaport** 23 (p. 89), un site historique et touristique truffé de restaurants et de boutiques, et offrant des vues sur le Brooklyn Bridge.

Revenez sur vos pas en direction de Broadway que vous suivrez vers le nord. Au n°233, se dressent les 238 m (60 étages) du **Woolworth Building** 24 qui fut le gratte-ciel le plus haut du monde de 1913 à 1930, quand ce titre lui fut ravi par le Chrysler Building. Frank Woolworth, le fondateur de la chaîne de magasins à prix unique, aurait payé les 13,5 millions de dollars de la construction en pièces de monnaie. Dans le hall d'entrée, on remarquera la gargouille de Woolworth comptant sa monnaie.

En face du building vers le nord-est, s'étend le City Hall Park triangulaire, renfermant le **City Hall** 25 (Hôtel de Ville, p. 86) et, juste derrière, le **Tweed Courthouse** 26 (palais de Justice, 52 Chambers St), un monument à la prévarication de la fin du XIXe siècle. On estime que 10 des 14 millions de dollars du budget de construction finirent dans les poches de l'intrigant Mr Tweed. Le coût final fut deux fois supérieur au prix payé à peu près à la même époque par les États-Unis pour l'acquisition de l'Alaska (6,5 millions). L'édifice est interdit au public.

De là, vous pourrez reprendre le métro pour votre prochaine destination, aller déjeuner ou dîner dans Chinatown, quelques rues au nord-est, ou traverser le **Brooklyn Bridge** (p. 87).

LE NEW YORK DES IMMIGRANTS

Cette promenade dans le Lower East Side (LES), Little Italy et Chinatown, vous fera découvrir des quartiers qui ont marqué l'histoire de l'immigration en Amérique. Au cours des deux derniers siècles, des millions d'immigrants venant d'Irlande, d'Italie, d'Europe orientale, de Chine, de Taïwan, du Vietnam et de la République dominicaine ont commencé, et commencent toujours, leur vie en Amérique dans ces quartiers. Ces temps-ci, les enseignes en chinois, vietnamien, hébreu ou espagnol se sont multipliées. N'importe quel jour convient pour s'y promener. La foule est plus dense à Chinatown, particulièrement dans Canal St.

Depuis le métro Delancey St–Essex St (dans le LES), prenez la direction de l'ouest en vous éloignant de la chaotique entrée du Williamsburg Bridge, et tournez à gauche dans Orchard St. Ce quartier qui, au début du XXe siècle, était l'un des plus peuplés du monde, a d'abord été un quartier juif de tailleurs (où vécut Irving Berlin). Son embourgeoisement récent a entraîné la transformation de nombreux logements. Au **Lower East Side Tenement Museum** 1 (p. 97), la visite d'une durée d'une heure vous permettra de vous replonger dans l'atmosphère d'autrefois.

Deux rues plus au sud, tournez à gauche dans Grand St (vous verrez de grands immeubles résidentiels). Après Essex St, vous pourrez vous arrêter chez **Kossar's** 2 (p. 180) qui fabrique les meilleurs *bialys* chauds de la ville, à 50 ¢ (le bialy est un petit frère du bagel, mais son succès n'a jamais dépassé les frontières du LES).

Revenez dans Essex St et tournez à gauche. La rue est bordée de plusieurs boutiques tenues par des rabbins et vendant des objets neufs et anciens en provenance d'Israël. Une rue plus au sud, sur la gauche, le **WH Seward Park** 4 s'est ouvert en 1901 après la démolition de trois blocks parmi les plus surpeuplés du LES. Par la suite, les ouvriers syndiqués de la confection manifestèrent ici pour l'amélioration de leurs conditions de travail.

East Broadway, qui longe le parc au sud-est, est bordé de quelques sites importants pour l'immigration juive des années 1900. Le **Forward Building** 5 (175 E Broadway), qui se hausse au-dessus de ses voisins, abritait un célèbre quotidien socialiste (et humoristique) en yiddish.

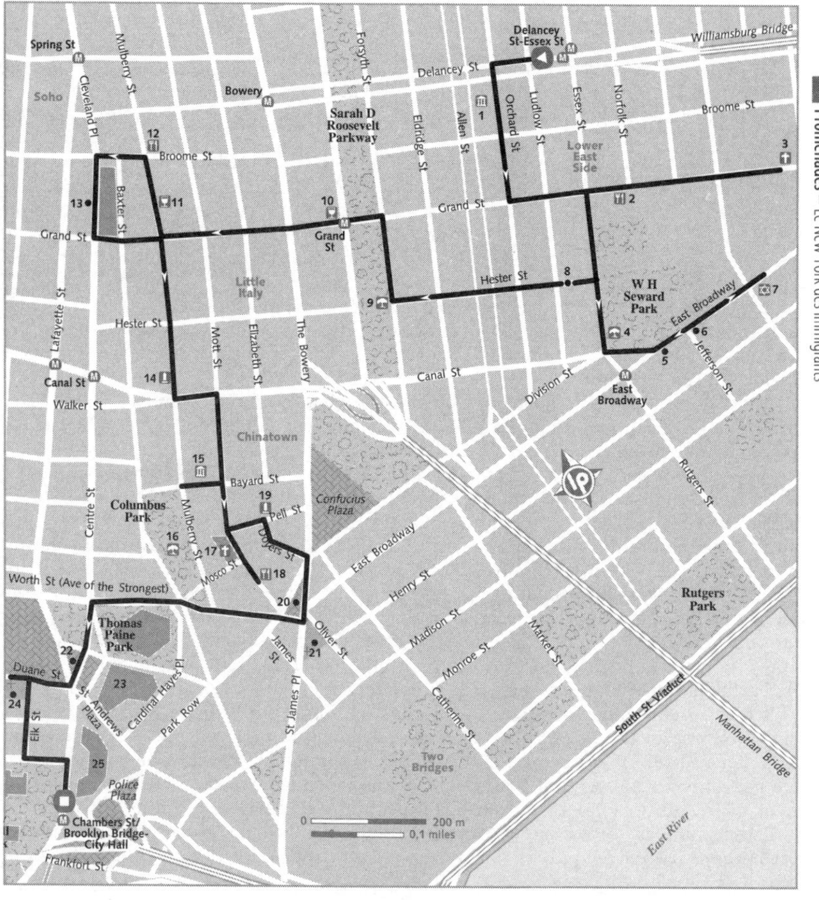

Données pratiques

Début métro Delancey St–Essex St (ligne F, J, M ou Z)
Fin métro Chambers St/Brooklyn Bridge–City Hall (ligne J, M, Z, 4, 5 ou 6)
Distance 4,5 km
Durée 2 à 3 heures
Restaurants Sweet-n-Tart (p. 178), Mare Chiaro (p. 203)

Un peu plus loin, dans le bâtiment orange de l'**Educational Alliance** 6 (197 E Broadway), les Juifs fraîchement débarqués recevaient des cours d'anglais. Plus loin encore, la **Young Israel Synagogue** 7 (225 E Broadway) fut à l'origine, en 1922, du mouvement "Jeune Israël" favorable à l'américanisation et à l'abandon du port de la barbe pour les hommes.

Revenez sur vos pas dans East Broadway, et notez la vue sur le Woolworth Building, derrière le couronnement doré du Municipal Building (près de l'endroit où s'achève la promenade).

Tournez à droite dans Essex St pour rejoindre Hester St où vous tournerez à gauche. Les 2 blocks suivants étaient le site du "**Pig Market**" 8 (le marché au cochon, entre Essex St et Orchard St), ainsi nommé par antiphrase, car on y vendait de tout *sauf* du porc.

Suivez Hester jusqu'au **Sarah D Roosevelt Parkway** 9, un parc s'étendant sur 7 anciens blocks qui furent démolis dans les années 1930. Remontez le parc vers le nord jusqu'à Grand St (à la pointe de Chinatown), et tournez à gauche pour rejoindre le Bowery. Cette longue avenue dont le nom signifie "ferme" en hollandais, reliait la Nouvelle-Amsterdam aux fermes qui se trouvaient à l'emplacement de l'East Village actuel. Dans les années 1900, elle était bordée de bars mal famés et d'asiles de nuit, et marquait la frontière entre le LES juif et Little Italy. Le ganster juif Meyer Lansky favorisa la constitution de gangs rivaux de part et d'autre.

On notera le **Bowery Bank Building** 10 (230 Grand St), de 1890, juste de l'autre côté du Bowery (qui abrite aujourd'hui le nightclub Capitale). Continuez dans Grand St et tournez à droite dans Mulberry St, l'artère principale de Little Italy. On pourra s'arrêter chez **Mare Chiaro** 11 (p. 203), le bar préféré de Frank Sinatra, pour prendre un gin tonic. En 1972, le gangster Joey Gallo fut abattu chez **Umberto's Clam House** 12 (☎ 212-431-7545 ; 386 Broome St ; anciennement à l'angle de Mulberry St et Hester St) au moment, comme le raconte Bob Dylan dans sa chanson "Joey", de 1975, où "il ramassait sa fourchette". Dans Broome St, un block plus à l'ouest, on fera le tour de l'étonnant **Police Headquarters Building** 13 (Quartier général de la police, 240 Centre St), de 1909, de style Renaissance, qui fut transformé en appartements de luxe en 1988.

Retournez dans Mulberry St et tournez à droite pour rejoindre les trattorias, les magasins et les bouches d'incendie rouge, blanc et vert de Little Italy. Un peu plus bas, sur la droite, on notera le **sanctuaire de San Genarro** 14 (109 Mulberry St), qui organise le célèbre festival du même nom en septembre (p. 18).

Après Canal St, très fréquentée, Chinatown revient en force. Traversez Canal St et tournez à gauche, puis à droite dans Mott St (l'équivalent chinois de Mulberry St), où les boutiques de souvenirs alternent avec les débits de soupes aux nouilles.

Faites un crochet dans Bayard St pour visiter le **Museum of Chinese in the Americas** 15 (p. 94).

En face du musée s'étend l'un des espaces verts les plus curieux de New York, le **Columbus Park** 16 (p. 94). Par beau temps, on peut voir des habitants du quartier se réveiller au rythme mesuré des mouvements du taï chi, des vieillards se concentrer au-dessus d'une partie de mah-jong (tandis que les paris vont bon train), des oiseaux siffleurs promenés par leurs propriétaires dans des cages de bambou et des enfants qui jouent au basket. Au début du XIXe siècle, il en allait autrement : le quartier était irlandais, et les bouchers des alentours jetaient le sang et les viscères des animaux abattus dans un étang. Lorsque la puanteur devint insupportable, on creusa un canal, à l'emplacement de l'actuelle Canal St, pour évacuer le problème.

Retournez dans Mott St et tournez à droite. Tout droit, sur la droite, se dresse la **Church of the Transfiguration** 17 (29 Mott St), une église à l'origine épiscopalienne (1801) devenue catholique en 1827 pour répondre aux besoins des immigrants locaux, irlandais et italiens. De nos jours, les messes sont aussi célébrées en mandarin et en cantonnais. Si vous avez faim, goûtez aux raviolis et bouchées à la vapeur de **Sweet-n-Tart** 18 (p. 178).

Revenez un peu sur vos pas et tournez à droite dans Pell St. Au-dessus de la **Vegetarian Dim Sum House** (24 Pell St ; p. 178) vous verrez la façade rouge et vert de la dernière **pagode en bois** 19 de Chinatown.

Tournez à droite dans la tortueuse Doyers St et rejoignez **Chatham Square** 20, où dix rues convergent. De la place, tournez à droite dans St James Pl ou vous verrez, sur votre gauche, coincé entre des immeubles, le **First Shearith Israel Graveyard** 21, le plus ancien cimetière juif des États-Unis, datant des années 1680.

Revenez sur Chatham Square et prenez Worth St que vous suivrez jusqu'à ce que vous arriviez à la pointe sud de Columbus Park. Cet endroit correspond (à peu près) au centre du quartier irlandais, pauvre et mal famé, de Five Points (tel qu'il apparaît dans le film de Martin Scorsese *Gangs of New York*. Pas très loin non plus, se trouvait Cow Bay qui, au début du XIXe siècle, était le plus grand quartier des esclaves noirs affranchis.

Suivez Worth St vers l'ouest. Vous passerez devant la New York County Courthouse (Cour de justice du comté de New York) avant d'arriver à Centre St où vous tournerez à gauche en direction de **Foley Square** 22, où se dresse un gigantesque monument à la mémoire des esclaves américains. De l'autre côté de Centre St, depuis la place, émerge la **US Courthouse** 23 (Cour de justice des États-Unis, 40 Centre St), où se sont déroulés plusieurs procès à sensation (comme celui de Martha Stewart en 2004).

Deux blocks à l'ouest de Centre St, dans Duane St, le carré d'herbe fermé par une grille est le site d'un **African Burial Ground 24** (p. 84), un cimetière pour les premiers résidents noirs de la ville (esclaves pour la plupart). En 1991, plus de 400 corps furent retrouvés à l'occasion de travaux de construction. Devant l'ampleur des protestations, le chantier fut arrêté et le site classé National Historic Site.

Les stations de métro Chambers St/Brooklyn Bridge–City Hall se trouvent 2 blocks plus au sud, en face du **Municipal Building 25** (p. 86).

GREENWICH VILLAGE

Rendez-vous des contestataires, des bohémiens, des poètes, des chanteurs de folk, des rockeurs, des gays et des lesbiennes en quête de liberté, Greenwich Village a toujours été le centre de rayonnement de la culture alternative. Non seulement il est très agréable de s'y promener du fait du tracé indiscipliné des rues et des nombreux recoins et passages qui le traversent en tous sens, un peu comme à Londres, mais l'histoire n'y est pas absente. Le week-end, les "banlieusards" envahissent les trottoirs. Pour être moins gêné par la foule, il vaut mieux y venir en semaine.

Le meilleur point de départ est l'arc de **Washington Square Park** 1 (p. 101), où le duo du film de 1989, *Quand Harry rencontre Sally*, se sépare après un voyage en auto jusqu'à New York, et où "Mr Gigolo" David Lee Roth (le chanteur du groupe Van Halen) s'est fait pincer en 1993 alors qu'il achetait de la marijuana.

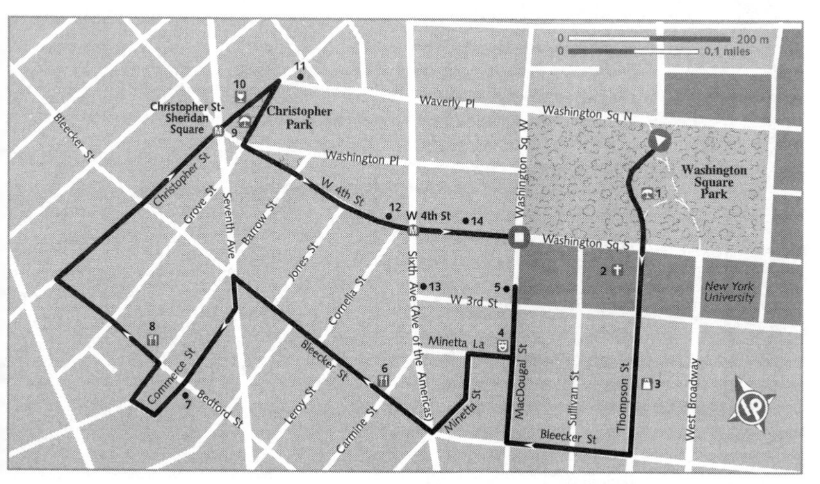

Traversez le parc vers le sud pour rejoindre la **Judson Memorial Church** 2 (p. 103), de 1892, au style gréco-roman surchargé, et suivez Thompson St vers le sud. Les amateurs d'échecs pourront s'arrêter à la **Village Chess Shop** 3 (p. 260) pour faire une partie à 1 $ avec un joueur chevronné. Tournez dans Bleeker St, une rue très commerçante qui traverse quasiment tout le quartier, et remontez-la sur un block jusqu'à MacDougal St.

Données pratiques

Début Washington Sq Park (ligne A, B, C, D, E, F, V jusqu'à W 4 St)
Fin Washington Sq Park
Distance 3,2 km
Durée 1 heure 30
Restaurants Chumley's (p. 207), John's Famous Pizzeria (p. 182)

À l'angle de Minetta Lane, on apercevra le **Cafe Wha?** 4 (☎ 212-254-3706 ; 115 MacDougal St), une salle où Bob Dylan a fait ses débuts en 1961 (sa chanson *Talkin' New York* le raconte : "you sound like a hillbilly, we want folk singers here" "Tu chantes comme un péquenaud, ici on veut des chanteurs de folk") et où Jimi Hendrix rencontra la renommée en 1966.

Un peu plus haut, les 3 bâtiments du **127–131 MacDougal** 5 sont devenus le QG de la scène lesbienne dans les années 1920, ce qu'aurait eu du mal à imaginer le premier propriétaire, le politicien duelliste Aaron Burr, en 1829.

Revenez sur vos pas, tournez dans Minetta Lane, puis dans Minetta St, sur la gauche. Pittoresque aujourd'hui, cet endroit était un immense taudis au XVIIIe siècle.

Traversez Sixth Ave en direction de la petite place remplie de pigeons. Vous pourrez vous arrêter chez **John's Famous Pizzeria** 6 (p. 182), avant de remonter Bleecker St. Sur 3 blocks, la rue est bordée de magasins de disques et de pâtisseries. Traversez Seventh Ave et tournez tout de suite à droite dans la tranquille Commerce St. On découvrira dans ces ruelles quelques joyaux anciens (d'innombrables plaques attirent l'attention du promeneur sur leur passé). Certaines rues paraîtront familières aux amateurs des films de Woody Allen.

Tout droit, à l'angle de Commerce St et de Bedford St, vous ne serez qu'à quelques mètres de **751\2 Bedford St** 7, une petite maison de 2,85 m de large qui fut habitée tour à tour par Cary Grant, John Barrymore et la poétesse (lauréate du prix Pulitzer) Edna St Vincent Millay. Suivez Commerce St dans ses méandres, et tournez à droite dans Barrow St, puis à gauche dans Bedford St.

Le café Wha ?

Sur votre droite, la discrète porte en bois sous un climatiseur en guise d'enseigne est celle de **Chumley's** 8 (p. 207), un ancien bar clandestin de l'époque de la prohibition tenu par des socialistes. Son adresse (86 Bedford St) serait à l'origine de l'expression "86 it" – un impératif qui s'emploie quand on veut presser quelqu'un de se débarrasser de quelque chose. Quand la police faisait une descente, plus d'un consommateur "eightysisait" sa précieuse boisson avant de se précipiter vers l'issue de secours. Chumley's sert encore à manger et à boire.

Flânez tranquillement jusqu'au bout de Bedford St et tournez à droite dans Christopher St, le cœur de la célèbre vie homosexuelle du quartier. Deux blocks plus loin, passé une succession de sex-shops, traversez Seventh Ave en direction de **Christopher Park** 9, où se dressent les statues hyperréalistes de deux couples de même sexe (*Gay Liberation*, 1992). Dominant la scène, le général du XIXe siècle Philip Sheridan est le sinistre auteur de cette phrase tristement célèbre : "un bon Indien est un Indien mort". Longeant le parc au nord, Christopher St devient Stonewall Pl. C'est là que se déroula, en 1969, la rébellion gay (p. 73). Le **Stonewall Bar** 10 (p. 208) se trouve au centre du block.

Au bout du parc, dans le triangle formé par Christopher St, Grove St et Waverly Pl, se dresse le **Northern Dispensary** 11 (165 Waverly Pl), construit en 1831 pour lutter contre le choléra. Il est resté un hôpital jusqu'à sa fermeture en 1989.

Revenez vers le parc et tournez à gauche dans W 4th St. Tâchez de vous souvenir : c'est le bout de rue où Bob Dylan se promenait avec sa copine, pour la couverture de son album *The Freewheelin' Bob Dylan* de 1963. Sa chanson *Positively W 4th St* est un retour amer sur cette époque. Il habita quatre ans au **161 W 4th St** 12.

Laissez-vous "glisser en roue libre" comme Bob Dylan dans Sixth Ave. S'il fait beau, vous pouvez aller voir si un concours de paniers n'a pas lieu sur les **terrains de basketball** 13 (p. 103) publics de W 3rd St, plus au sud. Revenu dans W 4th St, vous passerez devant le **147 W 4th St** 14 où, en 1918, le "radical" (au sens américain) John Reed écrivit *Les dix jours qui ébranlèrent le monde*, le récit d'un témoin direct de la Révolution russe. Ce titre de gloire et son amitié avec Lénine lui valurent d'être inhumé dans le mur du Kremlin (il mourut du typhus en 1920).

Vous retrouverez Washington Square Park, et une occasion supplémentaire de réfléchir aux déboires de Mr Gigolo avec les mauvaises herbes.

LES GALERIES DE CHELSEA

S'il est vrai que les œuvres des maîtres de demain sont exposées dans les galeries d'aujourd'hui, vous aurez fort à faire pour les dénicher parmi les deux cents adresses (pour ne citer que les plus importantes) que compte Chelsea. Logées dans de vieux entrepôts ou de vieilles boutiques, rassemblées à peu près toutes dans le carré délimité par W 20th St, W 29th St, Ninth Ave et Eleventh Ave, la plupart se sont ouvertes au début des années 1990 lorsque l'envolée des loyers à Soho a fait fuir les artistes et leurs galeristes.

En général, elles sont ouvertes du mardi au samedi de 10h à 18h. Leur accès est libre, sauf pour quelques-unes (n'entrez pas dans les résidences indiquant : "this is not a gallery"). Beaucoup sont installées au rez-de-chaussée, d'autres occupent des étages élevés mais accessibles par l'ascenseur. Les accrochages changent à peu près tous les mois et tous les goûts seront satisfaits : installations provocantes, sculptures et vidéos abstruses et peintures impressionnistes plus digestes. Pour une liste complète des galeries, on consultera *Chelsea Art* ou le *New York Art World*, distribués gratuitement dans la plupart des lieux qui exposent.

Partant du métro 23rd St de la Seventh Ave, on passe d'abord devant l'**Hotel Chelsea** 1 (dit aussi Chelsea Hotel ; p. 278), lieu mythique de la culture new-yorkaise, où l'on

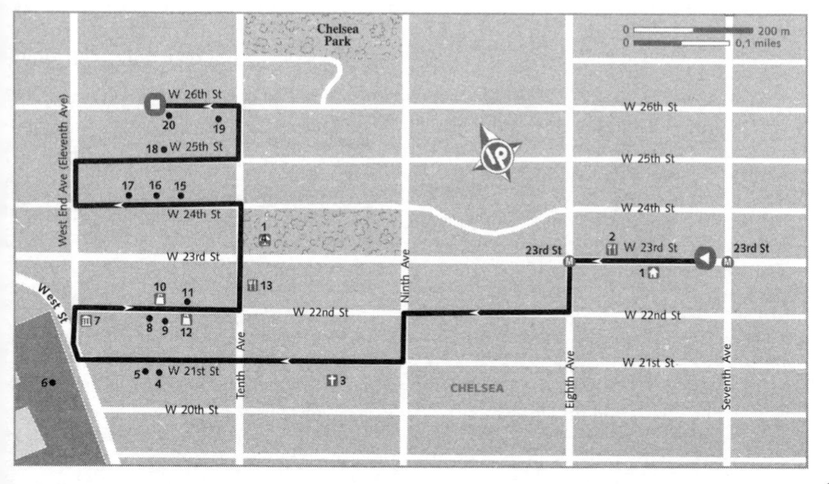

Données pratiques

Début métro 23rd St (ligne C, E, 1 ou 2)
Fin métro 23rd St (ligne C, E, 1 ou 2)
Distance 4 km
Durée 3 à 5 heures
Restaurants Empire Diner (p. 185), F&B (p. 186)

pourra jeter un coup d'œil au vestibule. Vous n'avez ensuite qu'à traverser la rue pour commander un hot-dog au **F&B 2** (p. 186). Continuez jusqu'à Heighth Ave où vous tournerez à gauche, puis à droite dans W 22nd St. Vous pénétrez alors dans le **Chelsea Historic District** (p. 105), un quartier résidentiel verdoyant qui s'étend de W 22nd St à W 20th St, entre Eighth Ave et Tenth Ave. Continuez jusqu'à Ninth Ave et prenez ensuite W 21st St. Au milieu du block au sud, se trouve le **General Theological Seminary** 3 (p. 105), agrémenté d'un jardin très apprécié à l'heure du déjeuner.

Le royaume de l'art commence dans 21st St, passé Tenth Ave. On poussera la porte de la très célèbre **Paula Cooper Gallery** 4 (☎ 212-255-1105 ; 534 W 21st St ; entrée libre ; 🕒 mar-sam 10h-17h), qui dispose d'un second espace de l'autre côté de la rue au 521 W 21st St. Un peu plus loin, **Eyebeam** 5 (☎ 212-252-5193 ; 540 W 21st St ; www.eyebeam.org ; entrée libre ; 🕒 mer-sam 12h-18h) est un atelier plus expérimental (galerie et école) projetant des vidéos de ses élèves dans une salle sombre, en brique.

Au bout de la rue, de l'autre côté de West End Ave (Eleventh Ave), on aperçoit le vaste complexe sportif des **Chelsea Piers** 6 (p. 104), au bord de l'Hudson. Reprenez West End Ave (Eleventh Ave) vers le nord et tournez dans la rue la plus riche en galeries de Chelsea, W 22nd St. À l'angle, sur votre droite, se trouve le **Chelsea Art Museum** 7 (CAM ; ☎ 212-255-0719 ; www.chelseaartmuseum.org ; 556 W 22nd St ; adulte 5 $, étudiant et senior 2 $; 🕒 mar, mer, ven et sam, 12h-18h, jeu 12h-20h), ouvert depuis 2002.

En remontant la rue, vous passerez devant une vieille institution de Soho, **Sonnabend** 8 (☎ 212-627-1018 ; 536 W 22nd St ; entrée libre ; 🕒 mar-sam 10h-18h) et juste après, **Brent Sikkema** 9 (☎ 212-929-2262 ; www.brentsikkima.com ; 530 W 22nd St ; entrée libre ; 🕒 mar-sam 10h-18h), toutes deux derrière des vitres dépolies, et qui ne dépareraient pas dans un film de Woody Allen.

Traversez la rue pour aller chiner des livres d'art à la librairie (à but non lucratif) **Printed Matter Inc** 10 (p. 262). Quelques galeries attendent encore votre visite, à l'est, dont **Max Protetch** 11 (☎ 212-633-6999 ; www.maxprotetch.com ; 511 W 22nd St ; entrée libre ; 🕒 mar-sam 10h-18h). Même si l'humeur ne vous incite pas au shopping, vous pouvez pousser la porte grinçante de la luxueuse boutique de **Comme des Garçons 12** (p. 261). Le pont qui enjambe 22nd St (et bien d'autres rues) supporte une ligne de chemin de fer désaffectée (notez les herbes folles). Il sert également de cimaise à des œuvres d'art (et non pas à des panneaux publicitaires).

Au bout de la rue, tournez à gauche dans Tenth Ave, et laissez-vous tenter par un en-cas chez **Empire Diner** 13 (p. 185). À l'angle nord-est de W 23rd St et Tenth Ave, vous remarquerez l'immense et luxueuse résidence Art déco **London Terrace Gardens** 14 (1928), qui occupe tout un block.

Continuez en direction du nord, et faites un détour par W 24th St et W 25th St. Dans W 24th St, sur le trottoir de droite, on prendra le pouls de quelques galeries dont les choix sont plus risqués, comme **Metro Pictures** 15 (☎ 212-206-7100 ; 519 W 24th St ; entrée libre ; 🕒 mar-sam 10h-18h). Un peu plus loin, arrêtez-vous chez **Luhring Augustine** 16 (☎ 212-206-9100 ; www.luhringaugustine.com ; 531 W 24th St ; entrée libre ; 🕒 mar-sam 10h-18h) qui expose souvent de la photographie grand format, et chez **Mary Boone Gallery 17** (☎ 212-752-2929 ; www.maryboonegallery.com ; 541 W 24th St ; entrée libre ; 🕒 mar-sam 10am-18h).

Dans la rue suivante, W 25th St, entrez chez **Cheim & Read** 18 (☎ 212-242-7727 ; www.cheimread.com ; 547 W 25th St ; entrée libre ; 🕒 mar-sam 10am-18h). W 26th St abrite quelques galeries plus petites et plus marginales, comme **Lucas Shoormans** 19 (☎ 212-243-3159 ; 508 W 26th St ; entrée libre ; 🕒 mar-sam 10h-18h) au 11e étage, et un peu plus loin, deux ou trois galeries plus huppées (axées sur la vente), comme **Robert Miller** 20 (☎ 212-366-4774 ; www.robertmillergallery.com ; 524 W 26th St ; entrée libre ; 🕒 mar-sam 10h-18h), une ancienne institution du Uptown qui a déménagé dans le quartier.

De là, vous pourrez revenir vers Tenth Ave et descendre vers le Chelsea Market (p. 104) dans le Meatpacking District, et ensuite aller dîner dans Greenwich Village.

SHOPPING SUR FIFTH AVE ET MADISON AVE

Pour l'essentiel, les magasins de luxe sont concentrés sur Fifth Ave (Midtown) et Madison Ave sur tout son parcours dans l'Upper East Side. Des centaines de boutiques, grandes et petites, offrent des espaces magnifiquement étudiés pour mettre en valeur leur marchandise. Ce circuit vous fait passer par tous les hauts lieux de la consommation (avec quelques détours destinés aux boulimiques du lèche-vitrines).

Notez que la plupart des magasins sont ouverts tous les jours, avec des horaires prolongés le jeudi soir.

Au métro Rockefeller Center, sortez sur Sixth Ave (Avenue of the Americas) et descendez W 47th St en direction de l'est avant de tourner à gauche dans Fifth Ave. Ce block communément appelé **Diamond District** 1 (p. 272), abrite plus de 2 000 négociants en diamants et une centaine de commerces traditionnellement tenus par des Juifs hassidiques. Au milieu de toute cette joaillerie, on trouvera l'ancestral **Gotham Book Mart** 2 (p. 263).

Remontez Fifth Ave vers le nord jusqu'au **Rockefeller Center** 3 (p. 215), avec la haute tour du GE Building (ancien RCA Building) s'élevant derrière le Lower Garden en contrebas, agrémenté d'une statue de Prométhée dorée à la feuille, et d'une célèbre patinoire ouverte en hiver. Avant de traverser Fifth Ave, remontez le block entre W 50th St et W 51st St, pour aller admirer la **statue d'Atlas** 4 Art déco, devant l'International Building.

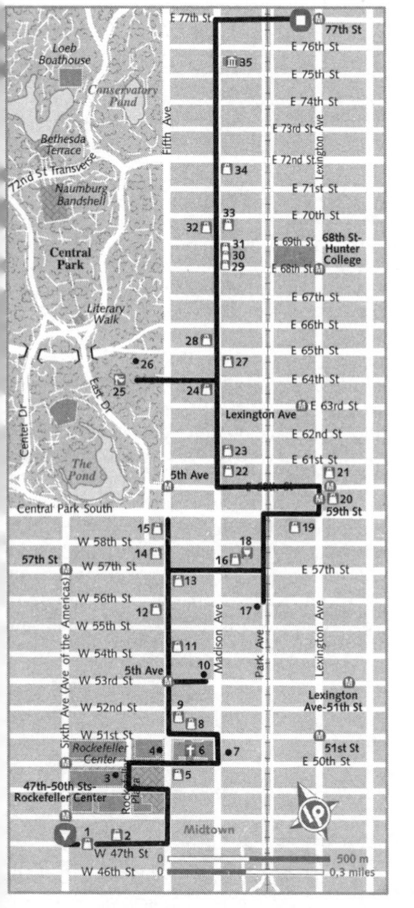

De l'autre côté de Fifth Ave, le navire amiral de **Saks Fifth Avenue** 5 (p. 265), dans E 50th St, fait face à **St Patrick's Cathedral** 6 (p. 115), deux monuments qui font la gloire de Midtown et qui méritent l'un et l'autre un coup d'œil. Continuez ensuite jusqu'à Madison Ave, pour aller voir les **Villard Houses** 7 (451-455 Madison Ave, entre 50th St et 51st St), 6 maisons alignées de style Renaissance dont l'une est occupée par l'Urban Center Books (p. 266), une librairie spécialisée en architecture.

Reprenez ensuite E 51st St en direction de Fifth Ave, et arrêtez-vous, comme Carrie dans *Sex and the City*, chez **Jimmy Choo 8** (p. 264), pour admirer, au moins, son choix de chaussures. Si l'heure de se restaurer a sonné, vous pourrez vous arrêter chez **Prime Burger** (☎ 212-759-4729 ; 5 E 51st St ; burgers 3,50 $; 🕓 lun-ven 6h-19h, sam 7h-17h), un classique de la restauration new-yorkaise.

Tournez à droite dans Fifth Ave. Vous apercevrez au loin la pointe sud-est de Central Park. Une rue plus loin, vous passerez devant le bijoutier **Cartier 9** (p. 263), à l'angle de

Données pratiques

Début métro 47th St–50th St–Rockefeller Center (ligne B, D, F ou V)
Fin métro 77th St (ligne 6)
Distance 4,8 km
Durée de 2 (lèche-vitrine) à 5 ou 6 heures
Restaurant Tao (p. 212)

E 52nd St, justement surnommé la "Place de Cartier". Tournez ensuite à droite dans E 53rd St. Au milieu du block, vous découvrirez un fragment en 5 morceaux du **Mur de Berlin 10** (520 E 53rd St).

Revenez sur Fifth Ave et tournez à droite. Restez sur le trottoir de droite. Passé E 54th St,faites une pause chez **Takashimaya 11** (p. 265), ne fût-ce que pour prendre un thé vert.

Traversez Fifth Ave et continuez vers le nord. Vous aurez du mal à ne pas entrer chez **Henri Bendel** 12 (p. 264) pour essayer une ou deux fringues. Au block suivant, on découvrira l'endroit où Audrey Hepburn avait l'habitude de picorer son croissant : **Tiffany & Co** 13 (p. 265), E 57th St. On remarquera au-dessus de la porte l'horloge portée par Atlas, une marque de fabrique de Tiffany. Encore un block, et l'on fait face à une référence en matière d'élégance classique, **Bergdorf Goodman** 14 (p. 263), qui s'étale de part et d'autre de Fifth Ave. Les hommes seront servis du côté droit de l'avenue, et les femmes du côté gauche.

De l'autre côté de E 58th St, en face de Central Park, **FAO Schwartz** 15 (p. 263) est le roi du jouet. Il a connu des difficultés financières au début de 2004 (actuellement fermé pour rénovations).

Revenez sur vos pas et tournez à gauche dans E 57th St. En passant, on pourra jeter un coup d'œil à la vitrine de **Prada** 16 (p. 265), avant de tourner à droite dans Park Ave. À une certaine distance sur la droite, on aperçoit le MetLife Building (près de Grand Central Terminal). Dans le block suivant, au sud, sur la droite, on ira voir le magasin **Mercedes Benz** 17 (angle de Park Ave et E 56th St) dont l'architecte n'est autre que Frank Lloyd Wright.

Revenez sur vos pas et remontez Park Ave jusqu'à E 58th St, où vous tournerez à gauche pour prendre une consommation rapide chez **Tao** 18 (p. 212). Puis revenez sur Park Ave et tournez à droite dans E 59th St qui marque la limite sud du Upper East Side. Les bibliophiles s'arrêteront chez le marchand de livres anciens **Argosy** 19 (p. 262) pour s'informer sur son catalogue des livres rares et dédicacés. Dans Lexington Ave, vous pourrez flâner à loisir dans le célèbre grand magasin **Bloomingdale's** 20 (p. 268), et ressortir avec ses célèbres sacs en papier kraft, marqués "brown bag".

Si vous êtes à la recherche de bonnes affaires à bas prix, allez plutôt chez **Tatiana's** 21 (p. 270), un peu plus loin dans Lexington Ave après E 60th St.

Rejoignez ensuite Madison Ave par E 60th St, pour passer chez **Barneys** 22 (p. 268), le plus branché des grands magasins de luxe de Manhattan. À partir d'ici, en remontant Madison Ave (l'avenue la plus étroite de New York), vous ne verrez plus que des boutiques de taille plus réduite que dans Midtown. Tous les blocks jusqu'à E 72nd St environ possèdent au moins quelques magasins dignes d'intérêt.

Après E 61st St, **Sherry-Lehman** 23 (p. 270) est un excellent magasin d'alcools. À l'angle de E 64th St, on s'arrêtera devant la boutique **Givenchy** 24 (p. 269). Faites un crochet en suivant E 64th St vers Fifth Ave, qui est devenue résidentielle en longeant Central Park. Besoin d'une pause ? L'énergie vous reviendra au contact des vrais animaux du **Central Park Zoo & Wildlife Center** 25 (p. 118) ou de leurs copies en bronze couronnant l'**horloge musicale Delacorte** 26 au-dessus du chemin.

Revenez sur vos pas et tournez à gauche dans Madison Ave. **Valentino** 27 (p. 270) tient en réserve ses costumes de soirée des Oscars à l'angle de E 65th St. À l'opposé du carrefour, se dressent les 4 étages de la boutique **Giorgio Armani** 28 (p. 269). Entre E 68th St et E 69th St, on passera devant **Versace** 29 (☎ 212-744-6868 ; 815 Madison Ave ; 🕑 lun-sam 10h-18h), **Donna Karan** 30 (☎ 212-861-1001 ; 819 Madison Ave ; 🕑 lun-mer, ven-sam 10h-18h, jeu 10h-19h) et **Dolce & Gabbana** 31 (p. 269), qui sont tous sur le côté est de Madison Ave. Encore un block, et vous êtes chez **Gucci** 32 (☎ 212-717-2619 ; 840 Madison Ave ; 🕑 lun-mer, ven-sam 10h-18h, jeu 10h-19h, dim 12h-17h) et **Prada** 33.

Les magasins se font plus rares à partir de E 72nd St, où l'on trouve encore **Ralph Lauren** 34 qui occupe, dans l'angle, un hôtel du XIXe siècle, rare vestige de l'époque où Madison Ave était une rue résidentielle et non commerçante.

Suivez toujours Madison Ave pour aller voir ce qu'expose le très reconnaissable **Whitney Museum of American Art** 35 (p. 126). Le vendredi en soirée, vous aurez la chance de ne payer que ce que bon vous semble.

Ensuite, vous pouvez rejoindre le métro 77th St dans Lexington Ave, ou bien continuer jusqu'au **Metropolitan Museum of Art** (p. 123) ou encore vous consoler de tant de billets verts dépensés en contemplant la verdure de **Central Park**.

CENTRAL PARK

Les 340 ha de Central Park sont entièrement dévolus à la détente et à l'isolement de la pollution sonore. Central Park Dr, une route circulaire de 10 km est assortie d'une piste accessible aux coureurs, aux patineurs et aux cyclistes. Elle est fermée à la circulation automobile du lundi au vendredi de 10h à 15h et de 19h à 22h, et du vendredi 19h au lundi 6h.

Il n'est guère possible de se perdre dans ce parc, sauf peut-être dans le Ramble. On notera qu'un mur en fait le tour ; par conséquent, on y pénètre uniquement par des entrées spécifiques (tous les 5 blocks environ).

Données pratiques

Début métro 59th St–Columbus Circle (ligne A, B, C, D, 1 et 2)
Fin métro 72nd St (ligne B et C)
Distance 6 km
Durée 2 à 4 heures
Restaurants Whole Foods pour des provisions de pique-nique (p. 173), Josie's (p. 191)

La promenade que nous vous proposons part de l'entrée de Columbus Circle, dans l'angle sud-ouest. En perspective d'un éventuel pique-nique, vous pourrez vous approvisionner, avant d'entrer dans le parc, chez **Whole Foods** (p. 173) à Columbus Circle. Traversez la Merchants' Gate (porte des marchands) et tournez à gauche dans West Dr. Sur votre droite, vous apercevrez l'**Umpire Rock** 1, qui domine les Heckscher Ballfields, au nord, où se déroulent en été de distrayants matchs de softball. Continuez jusqu'au **Sheep Meadow** 2 (pré des moutons), un grand pré idéal pour prendre un bain de soleil et jouer au frisbee, mais également pour pique-niquer en contemplant l'horizon hérissé de gratte-ciel. Un chemin sur la droite longe le pré au sud. Sur la droite, de l'autre côté du pont, un **manège** 3 fermé, équipé de chevaux de bois sculptés, compte parmi les plus grands du pays (1,25 $ le tour).

Dépassez le manège et traversez le tunnel vers l'est jusqu'à la **Dairy** 4 (laiterie) qui abrite le centre d'accueil des visiteurs (☎ 212-794-6564 ; www.centralparknyc.org ; ⏲ mar-dim 10h-17h, 10h-16h en hiver), où vous pourrez prendre des plans, vous renseigner sur les activités proposées, et faire un tour à la boutique de souvenirs.

De la laiterie, suivez East Dr en direction du sud sur 200 m et tournez à gauche vers le **Central Park Zoo & Wildlife Center** 5 (p. 118), un petit zoo des années 1930, encore tout fier de sa réfection des années 1980 qui avait pour but de rendre la vie des animaux un peu plus confortable. Vous verrez, entre autres pensionnaires, un ours polaire léthargique et plusieurs otaries dont le repas est toujours un enchantement pour les enfants. Le ticket d'entrée du zoo donne également accès au **Tisch Children's Zoo** 7, un secteur où les tout petits peuvent s'approcher des animaux. Il se trouve en face du zoo, de l'autre côté de 65th St. Ne ratez pas l'**horloge Delacorte** 6 (à l'entrée), festonnée d'ours, de singes et d'autres animaux à fourrure qui tournicotent et martèlent le temps toutes les demi-heures.

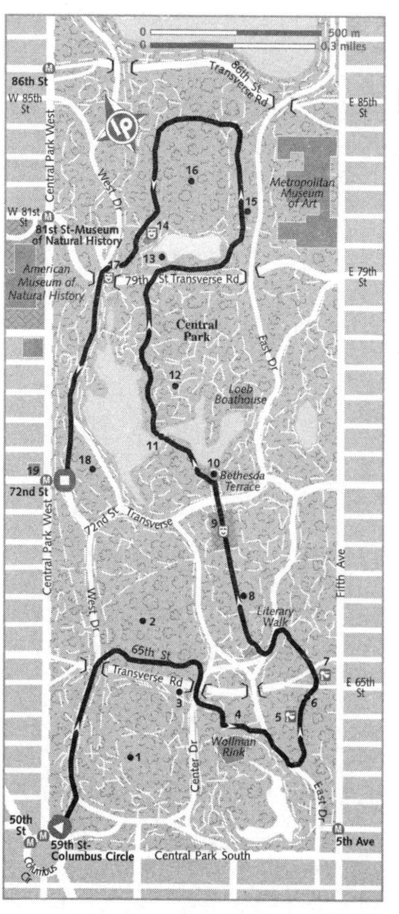

Après le zoo des enfants, suivez le sentier parallèle à East Dr vers le nord, en direction d'un groupe de statues (comprenant Christophe Colomb et William Shakespeare) qui marque l'entrée du **Mall** 8, une élégante promenade bordée de bancs et plantée de 150 ormes américains qui forment un bosquet des plus majestueux.

À l'extrémité nord du Mall, vous arriverez au **Naumburg Bandshell** 9 (conque pour orchestre). Après des années d'abandon, la conque est de nouveau utilisée pour des concerts occasionnels et comme discothèque en patins à roulettes. En arrière-plan, le chemin de la Pergola agrémenté de glycines, et le Rumsey Playfield, où se déroule une série de manifestations très populaires, la Central Park SummerStage, p. 231).

En poursuivant en direction du nord, après 72nd St Transverse, on arrive à la **Bethesda Fountain** 10, un rendez-vous hippie des années 1960 (qui fait une coquette apparition dans le film *Hair*, dont plusieurs scènes ont été tournées dans le parc). Restaurée et nettoyée, avec son *Ange des Eaux* au centre, la fontaine est l'une des visions les plus toniques du parc.

Suivez le chemin qui part à l'ouest de la fontaine jusqu'au **Bow Bridge** 11. Traversez le pont et pénétrez dans le **Ramble** 12, un espace boisé naturel, fréquenté entre autres par les amateurs d'oiseaux. Si vous réussissez à émerger du Ramble sans avoir perdu le nord, continuez jusqu'à 79th St Transverse. Juste après la transversale, vous arriverez devant le **Belvedere Castle** 13 du XIXe siècle et vous aurez une très belle vue sur le **Delacorte Theater** 14 (p. 119 ; lieu où sont données, en été, des représentations gratuites de Shakespeare par le Joseph Papp Public Theater).

Repartez en longeant le Turtle Pond (l'étang aux tortues), puis rejoignez le **Cleopatra's Needle** 15, un obélisque égyptien de 1600 av. J.-C. Juste derrière, se dresse la masse imposante du Metropolitan Museum of Art. En direction du couchant, s'étend le vaste et bien nommé **Great Lawn** 16 (grande pelouse, p. 119), où se déroulent certains concerts gratuits (Le New York Philharmonic et le Metropolitan Opera s'y produisent en juin et juillet). Les concerts de rock, susceptibles de réunir un public de 75 000 personnes se sont déplacés au North Meadow, au-dessus de 97th St.

Traversez la pelouse, ou faites-en le tour si elle est fermée (en hiver) et piquez vers le sud. Après la pelouse et juste avant d'arriver au 79th St Transverse, on passe devant le **Swedish Cottage** 17, un délicieux petit chalet suédois du XIXe siècle qui abrite un **théâtre de marionnettes** (☎ 212-988-9093 ; adulte/enfant 6/5 $; 🕑 séances juil-août lun-ven 10h30 et 12h, sept-juin mar-ven 10h30 et 12h, sam 13h). Il est impératif de réserver pour ces spectacles très courus.

En allant jusqu'à l'entrée de W 72nd St, vous longerez les légendaires **Strawberry Fields** 18 (p. 119), un jardin de 1,2 ha dédié à la mémoire de John Lennon. Les offrandes les plus hétéroclites ont été déposées par ses fans au milieu des plantes, originaires d'une centaine de pays. L'ancien Beatles aimait se promener à cet endroit. Il habitait de l'autre côté de la rue, dans l'immeuble **Dakota** 19, où il fut assassiné en 1980. Si la faim vous tenaille, vous pourrez vous refaire une santé chez **Josie's** (p. 191), un block plus à l'ouest.

La station de métro 72nd St se trouve de l'autre côté de Central Park West.

HARLEM À PAS LENTS

Le plus célèbre quartier noir des États-Unis, Harlem, s'est transformé au cours de la dernière décennie plus qu'aucune autre partie de New York. Au cours de cette promenade, vous passerez devant maints immeubles autrefois condamnés et aujourd'hui restaurés à grands frais grâce au "Spruce-Up Project". Vous verrez également des constructions neuves le long de 125th St, où de nouveaux complexes commerciaux voient le jour dans le sillage de la "dernière" renaissance du quartier, qui en a connu d'autres. En effet, les souvenirs de l'âge d'or du jazz et des luttes pour l'égalité raciale sont encore très présents.

Toute heure de la journée est propice à une promenade à travers Harlem, quoique

Données pratiques

Début métro 135th St (ligne B ou C)
Fin métro 125th St (ligne A, B, C et D)
Distance 3,6 km
Durée 2 à 3 heures
Restaurants Sylvia's (p. 194), Strictly Roots (p. 194)

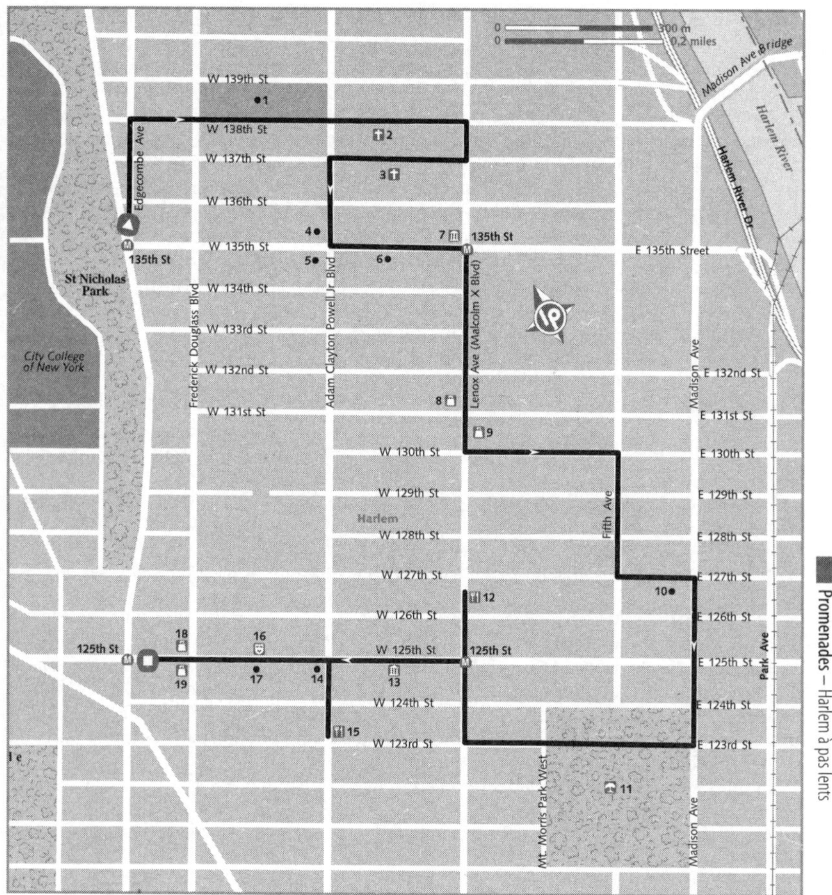

l'animation soit plus grande le week-end, surtout le dimanche, où l'on pourra profiter du "gospel brunch" chez Sylvia (voir p. 194).

Depuis la station de métro 135th St, remontez Edgecombe Ave jusqu'à 138th St, et tournez à droite en direction de **Striver's Row** 1 (p. 131), entre W 138th St et W 139th St, Frederick Douglas Blvd et Adam Clayton Powell Jr Blvd. Ces deux blocks des années 1890 ont reçu leur surnom de "villa des battants" dans les années 1920 lorsqu'un certain nombre d'Afro-Américains désireux de s'élever dans l'échelle sociale vinrent s'y installer. On notera la ruelle entre les îlots où l'on ramassait (et ramasse encore) les ordures.

Deux ou trois églises des environs ont joué (et jouent encore) un rôle important dans la vie de la communauté. À l'ouest d'Adam Clayton Powell Jr Blvd, sur 138th St, l'**Abyssinian Baptist Church** 2 (136-142 W 138th St) a vu le jour en 1808 lorsque des Noirs, victimes de ségrégation à la messe, décidèrent de former une église dans Lower Manhattan. Elle fut déplacée dans ce quartier en 1920. L'ancien pasteur (qui a donné son nom au boulevard voisin), Adam Clayton Powell Jr, fut le premier Afro-Américain à siéger au Congrès, de 1944 à 1970.

De l'autre côté de la rue, on verra la plus ancienne église noire de la ville (à l'origine dans Lower Manhattan), la **Mother African Methodist Episcopal Zion Church** 3 (140-146 W 137 St), qui, au milieu du XIXe siècle, s'est illustrée dans la mise sur pied de l' "underground railroad", un réseau qui venait en aide aux esclaves fugitifs.

Descendez Adam Clayton Powell Jr Blvd vers W 135th St, un carrefour où l'on dansait beaucoup dans la période 1920-1950. Dans l'angle nord-ouest, actuellement occupé par le Teiz Supermarket, se trouvait le **Big Apple Jazz Club** 4, auquel on attribue parfois l'origine du surnom de New York (the Big Apple). Dans l'angle sud-ouest, **Ed Small's Paradise** 5 était le "hottest spot in Harlem" (l'endroit le plus chaud de Harlem). Un jour, la direction renvoya un jeune serveur du nom de Malcolm Little (futur Malcolm X). C'est aujourd'hui un immeuble de bureaux.

À cette époque, 125th St était le centre commercial du quartier, mais ses magasins étaient tenus par des Blancs, ce qui n'était pas le cas dans 135th St, où de nombreux Noirs trouvaient un logement à leur arrivée à New York. La **Harlem YMCA** 6 (☎ 212-630-9600 ; ymcanyc.org/harlem ; 181 W 135th St), présente depuis 1919, accueillait ceux qui étaient rejetés par les hôtels ségrégationnistes. C'est ainsi que James Baldwin, Jackie Robinson, Jesse Owens et (dans l'annexe de l'autre côté de la rue) Malcolm Little comptèrent parmi ses hôtes de marque. Entrez pour voir la fresque et vous renseigner sur le programme du théâtre indépendant qui se trouve au sous-sol.

Remontez la rue jusqu'au block suivant pour aller voir les archives et les photos du **Schomburg Center for Research in Black Culture** 7 (p. 128), une mine d'informations sur le passé de Harlem.

Plus au sud, sur Lenox Ave (Malcolm X Blvd), arrêtez-vous à la **Liberation Bookstore** 8 (p. 271) ou chez **Scarf Lady** 9 (p. 271), pour feuilleter des livres, puis reprenez votre route vers l'est – éventuellement par 130th St, bordée de maisons en brique construites par William Astor dans les années 1880 – jusqu'à Fifth Ave. Là, vous jetterez un rapide coup d'œil vers le nord où vous apercevrez le Yankee Stadium, dans le Bronx. C'est là que Jackie Robinson, un résident de Harlem, avec les Brooklyn Dodgers, vainquirent les Yanks au championnat de 1955.

Descendez Fifth Ave et tournez à gauche dans E 127th St, pour aller voir la dernière **résidence du poète Langston Hughes** 10 (20 E 127th St), mort en 1967. Rejoignez Madison Ave et descendez jusqu'au **Marcus Garvey Park** 11, qui porte le nom du fondateur du mouvement du "Retour en Afrique", un personnage original d'origine jamaïcaine qui vécut à Harlem de 1916 à 1927. Dans ses discours relayés par les colonnes de son journal *Negro World*, il cherchait à promouvoir la fierté raciale. On grimpera sur la colline, au centre du parc, où se dresse la dernière tour de guet anti-incendie de la ville.

En quittant le parc, dirigez-vous vers Lenox Ave (Malcolm X Blvd) et remontez vers W 125th St, où se focalise l'animation de Harlem (et où Bill Clinton a installé ses bureaux, au dernier étage du 55 W 125th St). Si vous avez faim, la cuisine *soul* la plus célèbre de Harlem est servie chez **Sylvia's** 12 (p. 194).

En suivant 125th St, vous passerez devant un certain nombre de sites et de signes de la "nouvelle renaissance" de Harlem (grands magasins et succursales de chaînes). Les fameux colporteurs qui arpentaient les rues appartiennent au passé. Arrêtez-vous au **Studio Museum in Harlem** 13, juste en face de la tour, assez incongrue à un tel endroit, du State Office Building (1973). L'énorme bâtiment blanc, à l'angle sud-ouest de 125th St et Adam Clayton Powell Jr Blvd, est l'ancien **Hotel Theresa** 14, le "Waldorf-Astoria noir". Les artistes qui passaient à l'Apollo voisin (tels Count Basie et Duke Ellington) descendaient ici. En 1960, Fidel Castro voulut absolument y séjourner. Il y rencontra Malcolm X et le président Nikita Khrouchtchev. On peut faire un crochet pour aller manger végétarien chez **Strictly Roots** 15 (p. 194), 2 rues plus au sud. Toujours dans 125th St, on passera devant le célèbre **Apollo Theater** 16 (p. 127), au programme très complet, comprenant notamment une soirée amateurs le mercredi. En face du théâtre, on remarquera l'enseigne de **Blumstein's** 17. Ce magasin (aujourd'hui fermé), finit par embaucher des Noirs après huit semaines de boycott par la clientèle, en 1934. Plus tard, c'est ici qu'apparut le premier Père Noël noir.

À l'angle de Frederick Douglas Blvd, un arrêt s'impose à la première boutique de 125th St tenue par des noirs, **Bobby's Happy House** 18 (p. 271) pour y acheter un CD de gospel ou de blues. Sur 125th St toujours, **Harlem USA!** 19, ouvert en 2000, est un complexe (très critiqué) de grands magasins comprenant aussi un théâtre, propriété de la star du basket Magic Johnson.

Ensuite, vous pouvez soit reprendre le métro à la station 125th St, soit marcher jusqu'à la **Columbia University** (p. 130) ou le **Riverside Park** (p. 122).

BROOKLYN : LE PONT ET LES BROWNSTONES

Beaucoup de visiteurs commettent l'erreur de négliger Brooklyn, se privant ainsi de découvrir, à Brooklyn Heights et Cobble Hill notamment, "le visage du New York d'antan". Le quartier qui s'étend à la sortie du Brooklyn Bridge est une pure merveille, avec ses brownstones d'avant la guerre de Sécession bordant des rues ombragées (et quasiment silencieuses) d'où l'on peut admirer le panorama de Manhattan. En fait, Brooklyn Heights est le quartier le plus ancien de New York. Il est devenu l'une des adresses les plus élégantes de la métropole alors qu'autrefois il était recherché, entre autres par des écrivains, pour ses loyers modérés.

Données pratiques

Début City Hall Park, métro Chambers St/Brooklyn Bridge–City Hall (ligne 4, 5 ou 6)

Fin métro Bergen St (ligne F ou G)

Distance 8 km

Durée 3 à 4 heures

Restaurants Junior's (p. 196), Damascus Bread & Pastry Shop (ci-dessous).

Il est préférable, surtout la première fois, d'arriver par le pont de Brooklyn, mais certains préfèrent le traverser au retour vers Manhattan pour jouir plus agréablement de la vue. Dans ce cas, commencez la promenade au métro Clark St (lignes 1 et 2), et terminez-la en empruntant le pont.

Depuis le City Hall Park, à Manhattan, traversez l'East River et accédez au passage piéton du **Brooklyn Bridge** 1 (p. 87) (surplombant la chaussée) et retournez-vous pour admirer le Woolworth Building et le Municipal Building.

Au bout de 25 min, on arrive à une bifurcation : l'embranchement descend à gauche vers Dumbo (p. 137). Prenez à droite et continuez jusqu'au bout du passage, à l'angle de Adams St et Tillary St. Tournez à droite dans Tillary St. Sur votre gauche, vous remarquerez le **Columbus Park** 2 et (au loin) le Brooklyn Borough Hall (voir plus bas). Pénétrez dans Brooklyn Heights en suivant Clinton St jusqu'à Pierrepont St, puis dirigez-vous vers Manhattan sur deux ou trois blocks, jusqu'à la **Brooklyn Historical Society** 3 (p. 136) pour voir des photos du Brooklyn d'autrefois.

Dirigez-vous vers le nord-ouest sur quelques blocks pour rejoindre Willow St et la **maison de Truman Capote** 4 (70 Willow St, entre Pineapple St et Orange St), où il écrivit notamment *Le Petit-Déjeuner chez Tiffany*.

La rue parallèle à l'ouest, **Brooklyn Heights Promenade** 5, surplombe la Brooklyn Queens Expressway (BQE), heureusement invisible, et offre au regard Manhattan et la baie de l'Hudson.

Flânez jusqu'à Montague St où vous tournerez à gauche. Dans le premier block, tournez à gauche dans Montague Terrace pour voir la **maison de Thomas Wolfe** 6 (5 Montague Terrace), où il écrivit *Le Temps et la Rivière*. Revenez dans Montague St et tournez à gauche. Cette rue, qui était autrefois "l'avenue des banques" de Brooklyn, était encore, dans les années 1930, parcourue par des tramways. Les piétons qui passaient leur temps à s'écarter vivement (*to dodge* en anglais) pour laisser passer les trams, donnèrent son nom à la célèbre équipe de base-ball des Brooklyn Dodgers. De nos jours, Montague St est l'artère animée du quartier. C'est l'endroit où prendre un café ou feuilleter des livres chez **Heights Books** 7 (p. 272).

De Montague St, passez dans Henry St, sur votre droite, puis dans Joralemon St pour rejoindre le **133 Clinton St** 8, l'ancien quartier général des Brooklyn Excelsiors, une équipe championne de base-ball à qui l'on doit la nationalisation de ce sport pendant la guerre de Sécession.

Un peu plus loin, tournez à gauche dans Schermerhorn St. Deux blocks plus loin en direction de Downtown Brooklyn, vous pourrez faire un tour dans le **New York Transit Museum** 9 (p. 136), logé dans une ancienne station de métro. Ensuite, vous pourrez jeter un coup d'œil, 2 blocks plus au nord, au **Brooklyn Borough Hall** 10 (☎ 718-875-4047 ; 209 Joralemon St ; des visites gratuites sont proposées le mardi à 13h) ou bien, si vous avez une petite faim, faire un crochet, 8 blocks plus à l'est, par Junior's (p. 196) un deli qui, dit-on, fait de savoureux cheesecakes.

Revenez vers Clinton St et descendez vers Atlantic Ave, la frontière entre Brooklyn Heights et Cobble Hill. Entre Court St et Henry St, Atlantic Ave est bordée de plusieurs restaurants et épiceries arabes. On s'arrêtera chez **Damascus Bread & Pastry Shop** 11 (☎ 718-625-7070 ; 195 Atlantic Ave ; 🕑 7h-19h) pour ses pâtisseries, ou chez **Sahadi's** 12 (☎ 718-624-4550 ; 187 Atlantic Ave ; 🕑 lun-ven 9h-19h, sam 8h30-19h) pour des préparations diverses et un comptoir d'olives très fourni.

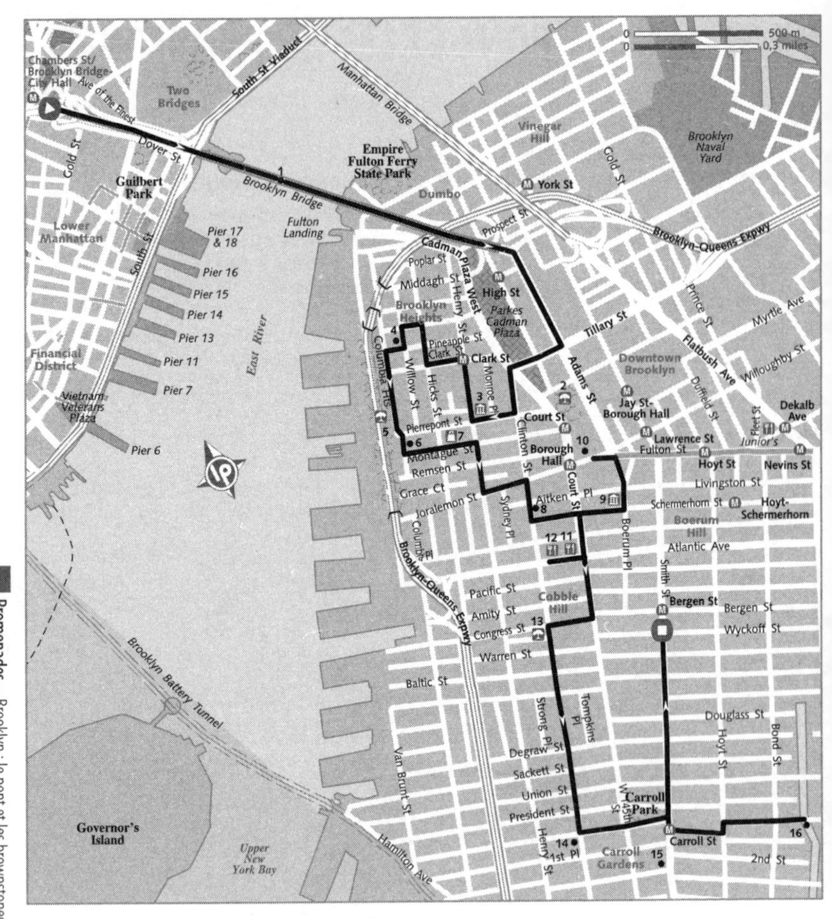

Revenez dans Court St, et pénétrez dans Cobble Hill, un quartier italien. Court St est riche en magasins, pizzerias, bars et cafés, tandis que les rues adjacentes sont bordées de brownstones.

Tournez à droite dans Congress St pour aller voir le tranquille **Cobble Hill Park** 13. Suivez Clinton St vers le sud sur 8 blocks, pour rejoindre le quartier de Carroll Gardens. On s'arrêtera devant la **Rankin Residence** 14 (à l'angle de Clinton St et Union St), une maison de 1840 en brique rouge de style néo-grec, une ancienne ferme isolée, devenue aujourd'hui une entreprise de pompes funèbres.

Suivez Carroll St vers le levant, sur 2 blocks. Sur la droite dans Smith St, un peu plus au sud, après une cour d'école et au sommet d'une petite colline, le site de l'ancien **Fort Box** 15 n'est plus qu'un souvenir (un parking a pris sa place aujourd'hui). C'est ici que le général George Washington assista à la retraite de son armée à l'issue de la bataille de Long Island, début peu prometteur de la guerre d'Indépendance. Si l'idée vous séduit, vous pouvez aller jeter un coup d'œil au **Gowanus Canal** 16 (p. 137) en suivant toujours Carroll St sur deux ou trois blocks un peu moins reluisants. Revenez vers Smith St et un quartier qui a le vent en poupe comme en témoignent ses boutiques chics et ses bistrots français (surtout entre Sackett St et Baltic St). On peut reprendre le métro à Bergen St, ou bien continuer à pied jusqu'à Adam St et rentrer à Manhattan par le pont de Brooklyn.

Où se restaurer

Où se restaurer

Par où commencer dans une ville qui compte près de 13 000 restaurants, sans parler des nouveaux venus qui apparaissent quasiment tous les jours ? Le plus simple est sans doute de vous laisser guider par vos envies. Que vous rêviez d'un hot-dog, d'un sandwich au *tempeh*, de moules frites, d'un risotto au thé vert ou d'une tranche de foie gras, vous trouverez exactement ce que vous cherchez. Et rassurez-vous, vous ne mangerez pas tout seul dans votre coin : New York foisonne de lieux qui sauront vous distraire, grâce à leur décor ou leur atmosphère particulière, avant, pendant et après votre repas.

Nous vous fournissons ici de nombreuses adresses. Vous en trouverez d'autres dans le *New York Magazine*, à la rubrique Dining & Wine du *New York Times* du mercredi et dans le *Zagat Survey*, qui publie les avis de ses lecteurs, pas forcément fiables mais toujours très drôles. Sélectionnez un quartier et en route ! Préparez-vous à une authentique aventure gastronomique !

À emporter

Que vous souhaitiez, selon votre humeur, dîner tranquillement devant la télé, dans votre chambre, ou pique-niquer à Central Park, rien ne sera plus simple ! Dans cette ville où tout le monde semble en perpétuel mouvement, presque tous les restaurants, du petit traiteur chinois aux tables les plus prestigieuses, proposent des plats à emporter ainsi que, bien souvent, un service de livraison à domicile.

Heures d'ouverture

La plupart des restaurants restent ouverts tous les jours, certains ferment toutefois le lundi. Ils s'adaptent aux heures des repas de chacun, extrêmement variables selon les activités. Les établissements de type *diner* servent souvent le petit déjeuner à partir de 3h du matin pour que les noctambules puissent avaler quelques crêpes en sortant d'une fête. D'une manière générale, on peut prendre son petit déjeuner jusqu'à 12h. Le déjeuner commence vers 11h30 et se prolonge jusqu'à 16h, tandis que le dîner démarre vers 17-18h pour se terminer vers 22h en semaine et 23h le week-end. Moult établissements servent toutefois jusqu'à minuit, 1h, voire 2 ou 3h du matin, sans parler de ceux qui restent ouverts 24h/24. Les New-Yorkais dînent généralement entre 20h et 21h. Enfin, le brunch, réservé en principe au dimanche, est proposé de 11h à 15 ou 16h.

Prix

Même en disposant d'un budget très limité, vous pourrez vous nourrir à satiété et de façon relativement variée. Pour 2 à 4 $, vous pouvez acheter auprès des vendeurs ambulants un falafel, des fruits, une crêpe ou une soupe (évitez les noisettes grillées, à l'odeur si alléchante, mais au goût décevant). Une part de pizza vous reviendra à 1,50 $, un plat exotique (cuisine chinoise, orientale, indienne, turque, japonaise, coréenne, vietnamienne), à 4 $. Les restaurants de catégorie moyenne proposent des plats à 17 $ en moyenne. Comptez 35 $ dans un endroit plus chic, qui peut également proposer des menus aux alentours de 75 $. Vous pourrez vous régaler à moindre coût lors de la NYC and Company Restaurant Week : dix jours (en hiver, puis en été). À cette occasion, les restaurants de luxe servent des menus trois plats à 20 $ le midi et à 30 $ le soir.

Réservation

La plupart des restaurants prennent les réservations pour déjeuner et/ou dîner, mais certains ne les acceptent qu'à partir de quatre personnes. D'autres les refusent systématiquement (le

Faites votre marché

Outre les restaurants, New York regorge de fabuleux marchés qui vendent produits frais ou cuisinés à des prix raisonnables. Les plus intéressants se situent dans les quartiers ethniques, comme Chinatown, le quartier moyen-oriental de Brooklyn Height ou encore Brighton Beach, le quartier de la communauté russe de Brooklyn. Les épiceries coréennes, omniprésentes dans la ville, offrent des prix imbattables et proposent 24h/24 des comptoirs de salades ou de plats chauds. Voici quelques autres lieux à découvrir dans Manhattan :

- **Chelsea Market** (Plan p. 372 ; www.chelseamarket.com ; 75 Ninth Ave entre 15th St et 16th St ; métro A, C, E jusqu'à 14 St, L jusqu'à Eighth Ave)
- **Dean & DeLuca** (Plan p. 372 ; ☎ 212-226-6800 ; 560 Broadway à hauteur de Prince St ; métro N, R, W jusqu'à Prince St, W, lun-ven)
- **Fairway** (Plan p. 372 ; ☎ 212-595-1888 ; 2127 Broadway à hauteur de 74th St ; métro 1, 2, 3, 9 jusqu'à 72nd St)
- **Gourmet Garage** (Plan p. 372 ; ☎ 212-941-5850 ; 453 Broome St à hauteur de Mercer St ; métro C, E jusqu'à Spring St)
- **Whole Foods** (Plan p. 372 ; ☎ 212-823-9600 ; 250 Seventh Ave à hauteur de 24th St, Time Warner Center à hauteur de Columbus Circle ; métro A, B, C, D, 1, 9 jusqu'à 59th St–Columbus Circle)
- **Zabar's** (Plan p. 376 ; ☎ 212-787-2000 ; 2245 Broadway à hauteur de 80th St ; métro 1, 9 jusqu'à 79th St)

Blue Ribbon Brooklyn par exemple, p. 195). Sachez, dans ce cas, que vous devrez certainement patienter au moins une demi-heure avant d'obtenir une table.

Pourboire

Comme partout ailleurs aux États-Unis, il est normal de laisser environ 15% de la note hors taxe, en pourboire. Selon votre appréciation du service, ce peut être légèrement moins ou plus (le pourboire standard est généralement de 20%). Dans certains cafés-bars, vous verrez un pot réservé aux pourboires à côté de la caisse. Glissez-y éventuellement un quarter ou deux.

Une patisserie, dans Greenwich Village

LOWER MANHATTAN

En dehors des heures de bureau, il est difficile de se restaurer dans le quartier. Les choses se sont nettement améliorées depuis environ deux ans. Des bistrots assez chics ont vu le jour et attirent les courtiers, les avocats et les personnalités politiques qui travaillent dans le secteur. Au déjeuner, les possibilités sont nombreuses et généralement rapides et peu onéreuses.

BRIDGE CAFÉ Plan p. 370 *Américain créatif*

☎ 212-227-3344 ; 279 Water St à hauteur de Dover St ; plats 15-18 $; 🕑 déj lun-ven, dîner lun-sam ; métro 4, 5, 6 jusqu'à Brooklyn Bridge–City Hall

Situé sous le pont de Brooklyn, le plus vieux pub de New York (le bâtiment date de 1794) propose une belle carte des vins et sert des plats traditionnels américains, tels que pâtes, poissons ou viandes rôties, ainsi qu'une fabuleuse tarte au citron. L'atmosphère romantique du restaurant sied à merveille à cette cuisine à l'ancienne.

CABANA Plan p. 370 *Latino-américain*

☎ 212-406-1155 ; 89 South St Seaport ; plats 13-20 $; 🕑 déj et dîner ; métro 1, 2, 4, 5, J, M, Z jusqu'à Fulton St–Broadway Nassau

Parmi les nombreux restaurants de Seaport, n'hésitez pas à tester cette mini-chaîne (elle compte d'autres succursales dans l'Upper East Side et dans Queens). Goûtez par exemple le *ropa vieja* cubain (dés de bœuf aux tomates), le poulet à la jamaïcaine, la salade de fruits de mer grillés marinés au citron ou l'*arepa con queso* (gâteau de maïs recouvert de fromage blanc). La vue magnifique que l'on a sur tout New York Harbor compense l'attente parfois un peu longue.

Top 5 des vendeurs ambulants

- **Beignets et café.** Des étals vendant du café, des beignets bien sucrés et même parfois des bagels beurrés à moins de 1 $ apparaissent dans tous les quartiers, le matin.
- **Kebabs et falafel.** Omniprésents (surtout à Midtown et Soho, essayez ceux de Broadway entre Houston et Lafayette St) ils sont également savoureux.
- **Marrons grillés.** Leur délicieuse odeur se répand dans les rues au moment de Noël.
- **Soupes.** Soupe de maïs épaisse à l'ancienne, bisque de homard ou velouté de pommes de terre sont plus particulièrement une spécialité de Soho (Prince St et Mercer St) et de Midtown (34th St à hauteur de Ninth Ave).
- **Tacos.** Les camions qui stationnent dans l'Upper West Side (angles 98th St et Broadway et 104th St et Broadway) vendent d'excellents tacos, *tortas* (sandwiches mexicains) et *horchatas* (boisson fraîche à base de riz, cannelle et sucre).

LES HALLES

Plan p. 370 *Français*

☎ 212-285-8585 ; 15 John St entre Broadway et Nassau St ; plats 18-22 $; 🕑 déj et dîner ; métro A, C jusqu'à Broadway–Nassau St ou J, M, Z, 2, 3, 4, 5 jusqu'à Fulton St

Le chef Anthony Bourdain règne sur ce bistrot gastronomique qui ne désemplit pas. Outre les classiques soupes à l'oignon, moules frites et escargots, on s'y presse pour savourer une côte de bœuf, une choucroute ou un steak au poivre. Végétariens, passez votre chemin !

SALAAM BOMBAY

Plan p. 370 *Indien*

☎ 212-226-9400 ; 317 Greenwich St entre Duane et Reade St ; plats 17-23 $; 🕑 déj et dîner ; métro 1, 2, 3, 9 jusqu'à Chambers St

Au coude à coude avec les analystes financiers du quartier, on déguste ici une cuisine indienne raffinée dans une atmosphère chaleureuse. Aux habituels *saag panir* (épinards) et poulet *tikka* (préparation à base de curry et de tomate), préférez le *tandoori* de langouste du Nord du pays, le poulet de Goa à la noix de coco ou l'agneau du Cachemire mijoté dans une sauce au yaourt bien relevée. Le buffet proposé au déjeuner pour 12,95 $ mérite le détour.

Bon marché

SOPHIE'S RESTAURANT

Plan p. 370 *Cubain*

☎ 212-269-0909 ; 205 Pearl St entre Maiden Ln et Platt St ; plats 6-8 $; 🕑 déj lun-ven ; métro 2, 3 jusqu'à Wall St

Pas étonnant que les employés du quartier se pressent dans cette petite salle minimaliste : les assiettes de riz et de haricots aux oignons et à la coriandre sont parfaitement assaisonnées, les *tostones* (tranches de bananes plantains frites) croustillent sans baigner dans l'huile et le *café con leche* (café au lait) donne un coup de fouet avant de regagner le bureau.

TRIBECA

Nombre des restaurants de Tribeca ont sombré après le 11 Septembre. Ceux qui ont réussi à traverser la tourmente semblent aujourd'hui avoir bien tiré leur épingle du jeu et plusieurs sortent vraiment du lot, qu'ils proposent de bons plats roboratifs ou de la cuisine française raffinée.

BOULEY

Plan p. 370 *Français*

☎ 212-694-2525 ; 120 West Broadway à hauteur de Duane St ; plats 30-36 $ ou menu dégustation 75 $ le soir ; déj et dîner ; métro A, C, 1, 2, 3, 9 jusqu'à Chambers St

Les plats concoctés par le chef David Bouley sont d'ores et déjà entrés dans la légende : baudroie rôtie aux clams et aux asperges, homard aux haricots plats et haricots verts dans une sauce aux oranges sanguines et au porto, rougets aux olives roses et au safran, et même une exceptionnelle pièce de bœuf de Kobé à 110 $. Deux salles élégantes (la rouge et la blanche) accueillent des convives triés sur le volet. Réservez bien à l'avance ou attendez-vous à dîner à 22h30 au plus tôt.

BUBBY'S

Plan p. 370 *Cuisine familiale*

☎ 212-219-0666 ; 120 Hudson St à hauteur de N Moore St ; plats 10-16 $; petit déj, déj et dîner tlj, brunch dim ; métro 1, 9 jusqu'à Franklin St

Les New-Yorkais connaissent bien cette adresse. Ils aiment venir bruncher en famille le dimanche et ne jurent que par ses macaroni au fromage. Pour résumer, c'est le spécialiste des plats simples, bons et copieux : viande grillée, soupe aux boulettes de *matzo* (pain azyme), salade de pommes de terre ou gombo grillé, pour n'en citer que quelques-uns.

> **Top 5 des restaurants à Tribeca et Soho**
>
> - **Bubby's** (ci-dessus). Cuisine familiale et atmosphère conviviale
> - **Duane Park Café** (ci-dessus). La perle locale
> - **Hoomoos Asli** (p. 177). Salades israéliennes avec un petit quelque chose en plus
> - **Public** (p. 176). Une expérience originale et ultra-moderne
> - **Souen** (p. 176). Saveurs macrobiotiques

DUANE PARK CAFE

Plan p. 370 *Américain chic*

☎ 212-732-5555 ; 157 Duane St entre Hudson St et West Broadway ; plats 18-22 $; déj lun-ven, dîner tlj ; métro 1, 9 jusqu'à Franklin St

Impossible d'obtenir une table chez Bouley ? Pourquoi ne pas tenter votre chance chez son voisin sans prétention qui a su séduire les fins gourmets ? Dans une jolie salle au décor romantique, vous dégusterez par exemple un savoureux filet de bœuf au raifort, de la saucisse de lapin ou du bar mijoté au cumin.

NAM

Plan p. 370 *Vietnamien*

☎ 212-267-1777 ; 110 Reade St entre Church St et West Broadway ; plats 13-18 $; déj lun-ven, dîner tlj ; métro 1, 9 jusqu'à Franklin St

Ce joli restaurant décoré de bambous connaît un franc succès depuis son ouverture en 2001. Les trois cuisinières préparent de délicieux rouleaux de printemps au *jicama* et d'excellentes saucisses douces. Ne manquez pas les crêpes crevettes-poulet et noix de coco.

NOBU

Plan p. 370 *Japonais*

☎ 212-219-0500 ; 105 Hudson St à hauteur de Franklin St ; plats 15-20 $; déj lun-ven, dîner tlj ; métro 1, 9 jusqu'à Franklin St

Installé depuis 10 ans, ce restaurant jouit toujours d'une extraordinaire popularité, largement entretenue par les personnalités qui le fréquentent et le nombre de succursales qu'il possède maintenant à Miami, LA, Las Vegas et Londres. Certains viennent tout de même pour goûter sa cuisine créative, telle que la morue charbonnière au miso ou les étonnants sushis de piment, d'ail, de crevettes Matsuhisha et de caviar. Il propose un menu dégustation *(omakase)* à partir de 80 $. Pour une addition plus raisonnable et une ambiance moins insupportablement branchée, optez pour le **Next Door Nobu** (☎ 212-219-0500), qui propose quasiment les mêmes plats mais ne prend pas les réservations.

Bon marché

PAKISTAN TEA HOUSE

Plan p. 370 *Pakistanais*

☎ 212-240-9800 ; 176 Church St entre Duane et Reade St ; repas 6-8 $; déj et dîner ; métro A, C, 1, 2, 3, 9 jusqu'à Chambers St

Vous attendent ici d'authentiques curries et viandes rôties, réchauffés au micro-onde mais à des prix imbattables. Ajoutons qu'il reste ouvert jusqu'à 4h du matin. On peut donc s'offrir un *palak panir* (épinards cuisinés avec un fromage indien) ou un poulet *tikka* en sortant de boîte !

SOHO

Soho, qui comptait autrefois des restaurants plus prétentieux que remarquables, mérite aujourd'hui un détour pour sa cuisine. Entre les chaînes de cosmétiques, les boutiques de chaussures et les immeubles de bureaux, vous dénicherez quelques bistrots et cafés originaux, souvent versés dans les plats ethniques.

BALTHAZAR

Plan p. 372 *Bistrot français*

☎ 212-965-1414 ; 80 Spring St entre Broadway et Crosby St ; plats 18-28 $; 🕒 petit déj, déj et dîner ; métro 6 jusqu'à Spring St

Ce bistrot très animé (voire bruyant) ne désemplit pas, attirant tout à la fois population locale et touristes. Il doit peut-être son succès à son emplacement, idéal après une séance de shopping, ou à sa vaste salle chaleureuse, agrémentée de grands miroirs et de hautes banquettes confortables. Sa carte fait en tout cas l'unanimité, avec des plats simples comme le steak-frites, la salade niçoise, les betteraves en salade ou le risotto aux crevettes et à la sauge. Service jusqu'à 2h du jeudi au samedi.

DOS CAMINOS SOHO

Plan p. 372 *Mexicain nouvelle cuisine*

☎ 212-277-4300 ; 475 West Broadway à hauteur de Houston St ; plats 15-23 $; 🕒 déj et dîner ; métro F, V, Grand St S jusqu'à Broadway–Lafayette St ou 1, 9 jusqu'à Houston St

Précisons d'emblée que le bruit est ici assourdissant et qu'il faut parfois attendre longtemps pour obtenir une table. Offrez-vous une margarita bien frappée au bar pour patienter car la cuisine mérite le détour. Le chef Steve Hanson renouvelle parfaitement les spécialités mexicaines. Essayez notamment les boulettes au piment *chipotle* et à la tomate, le bar rôti aux piments *jalapeños* et à l'origan ou la tourte de poulet grillé servie avec du *manchego* (fromage de brebis) et des piments *poblano* grillés. Le guacamole maison est un véritable régal. Enfin, côté desserts, difficile de choisir entre un fabuleux *empanada* au chocolat chaud et le gâteau *tres leche* tout simplement renversant.

FANELLI'S CAFÉ Plan p. 372 *Américain*

☎ 212-226-9412 ; 94 Prince St à hauteur de Mercer St ; plats 9-13 $; 🕒 déj et dîner ; métro N, R jusqu'à Prince St

L'ancêtre du quartier date de 1872. Ancien *speakeasy (bar clandestin)* au temps de la Prohibition, il a vu passer toutes les modes. Assez sombre, la salle est décorée d'un plafond de plaques de métal gravé à l'ancienne et de tables recouvertes de nappes à carreaux rouges. Les hamburgers sont particulièrement réussis, mais on peut préférer les plats du jour, ravioli ou autres poissons grillés. Service jusqu'à 2h30 du lundi au jeudi et jusqu'à 3h le vendredi et le samedi. Idéal après une soirée au théâtre.

PUBLIC Plan p. 372 *Éclectique*

☎ 212-343-7011 ; 343-7011 ; 210 Elizabeth entre Rivington St et Stanton St ; plats 18-25 $; 🕒 déj et dîner tlj, brunch sam et dim ; métro N, R, W jusqu'à Prince St ou 6 jusqu'à Spring St

Ce nouveau venu séduira tous ceux qui aiment le concept d'une cuisine raffinée associé à une bonne dose d'originalité. Conçu comme un hommage aux lieux publics, il allie décorations futuristes et détails à l'ancienne. Pour satisfaire une clientèle toutefois résolument moderne, sa carte comprend quelques excentricités : gâteau de risotto aux marrons et aux pignons de pin, bar aux *panais* et à l'*édamame* (variété de soja), gibier rôti au fenouil ou encore une étonnante pièce de kangourou grillé en entrée. Bref, une expérience unique à ne pas manquer !

SOUEN Plan p. 372 *Végétarien/macrobiotique*

☎ 212-807-7421 ; 219 Sixth Ave à hauteur < de Prince St ; plats 8-16 $; 🕒 déj et dîner ; métro C, E jusqu'à Spring St

La conception de la nutrition de ce grand spécialiste de la cuisine végétarienne date des années 1970, mais l'on peut finalement se féliciter que ses préceptes continuent d'être appliqués avec autant de bonheur. Laissez-vous tenter par le saumon et ses légumes cuits à la vapeur de tamari-gingembre, l'assiette de *tahin*, haricots et nouilles *soba* ou des *futomaki* ultra-frais, des plats aussi simples que savoureux.

Bon marché

HAMPTON CHUTNEY CO Plan p. 372 *Indien*

☎ 212-226-9996 ; 68 Prince St entre Crosby St et Lafayette St ; repas 7-9 $; 🕒 déj et dîner ; métro 6 jusqu'à Spring St

Cette petite échoppe qui vendait initialement de délicieux *dosas* du Sud de l'Inde à Amagansett, dans les Hamptons, a essaimé en plein cœur de Soho. Très appréciées dans le milieu de l'édition du quartier, les fines crêpes de riz sont garnies des habituels mélanges masala, mais aussi de nombreuses autres variantes, telles qu'asperges et fromage de chèvre ou poulet et Monterey Jack (fromage à pâte cuite). Elle s'est un peu transformée en fast-food à la mode, les serveurs portant même maintenant des uniformes assortis au décor !

HOOMOOS ASLI Plan p. 372 *Kasher*

☎ 212-966-0022 ; 100 Kenmare St à hauteur de Cleveland Pl ; plats 4-8 $; 🕒 déj et dîner ; métro 6 jusqu'à Spring St

Si vous en doutiez encore, vous découvrirez ici que toutes les cuisines du Moyen-Orient ne se ressemblent pas. Entre deux conversations en hébreu avec les habitués, le propriétaire vous expliquera notamment la prononciation exacte de "houmous". La carte offre un grand choix de salades, de sandwiches et de feuilletés à base de pâte phyllo. Essayez par exemple la grande assiette à 8,50 $, que vous pourrez garnir de carottes à la menthe, de taboulé au citron, de *baba ghanoush* (caviar d'aubergines) à l'ail et d'une salade de pommes de terre aux câpres bien crémeuse. Tous les plats sont accompagnés de délicieux pains pita.

Ñ Plan p. 372 *Tapas*

☎ 212-219-8856 ; 33 Crosby St entre Broome St et Grand St ; tapas 3-6 $; 🕒 dîner ouvert très tard le soir ; métro 6 jusqu'à Spring St

Une toute petite salle idéale pour souffler après une journée de visites ! Pour vous requinquer, vous grignoterez quelques olives épicées et des *empanadas* de morue arrosées d'un verre de rioja. Le mercredi soir, un groupe de flamenco attire une foule encore plus nombreuse que d'habitude.

SNACK Plan p. 372 *Grec*

☎ 212-925-1040 ; 105 Thompson St entre Prince St et Spring St ; plats 6-12 $; 🕒 déj et dîner ; métro C, E jusqu'à Spring St

Les clients choisissent souvent ici la formule à emporter et patientent tranquillement au bar en grignotant des amandes grillées. On peut aussi s'asseoir à l'une des cinq petites tables de la salle. Quelle que soit votre préférence, tous les plats proposés, boulettes de veau aux pignons de pin et aux pruneaux, par exemple, ou les multiples sandwiches, comme le *souvlaki* végétarien avec haricots et sauce au yaourt aillée servi dans un pain pita, devraient vous ravir.

CHINATOWN ET LITTLE ITALY

CHINATOWN

C'est le quartier des repas à petits prix et des restaurants bondés (de touristes pour la plupart). Si les kyrielles de vendeurs de poissons et d'herboristeries constituent une véritable fête des sens, vous trouverez dans les Chinatown de Brooklyn ou de Queens (reportez-vous à *Un peu d'authenticité*, p. 179) des lieux beaucoup plus tranquilles et authentiques. Depuis quelques années, ce sont en fait les restaurants vietnamiens du quartier qui méritent surtout le détour. Soulignons qu'ils entrent quasiment tous dans la catégorie "Bon marché". Pour vous rendre dans les établissements indiqués ci-après, prenez le métro sur Broadway, Lafayette St ou Center St jusqu'aux différentes stations de Canal St (ligne J, M, N, Q, R, W, Z, 6 jusqu'à Canal St).

DOYERS VIETNAMESE RESTAURANT

Plan p. 370 *Vietnamien*

☎ 212-513-1521 ; 11 Doyers St entre Bowery et Pell St ; plats 6-9 $; 🕒 déj et dîner

Tout ici est original : la rue jalonnée de barbiers, l'atmosphère désuète et intime de la salle située en contrebas de la rue et surtout, l'immense carte qui foisonne de plats étonnants. Goûtez les filets de tilapia bien croustillants, la salade de papaye et crevettes, le curry d'anguilles ou les quelques spécialités végétariennes, comme les baguettes de riz frit ou le curry de cresson.

FUNKY BROOME

Plan p. 368 *Cantonais*

☎ 212-941-8628 ; 176 Mott à hauteur de Broome St ; plats 10-18 $;
🕒 déj et dîner ; métro J, M, Z jusqu'à Bowery, 6 jusqu'à Spring St

Les impressions zébrées kitschissimes font recette auprès de la jeunesse asiatique branchée. Les plats reviennent légèrement plus cher qu'ailleurs, mais l'atmosphère se paie ! Les soupes sont excellentes. Goûtez par exemple le bouillon de porc aux graines de moutarde et œuf salé. On peut aussi commander un mini-wok (boulettes sauce satay et vermicelles, tofu frit), gardé au chaud sur la table sur un réchaud.

Top 5 des restaurants à Chinatown et Little Italy

- **Da Genarro.** Il faut braver la foule des touristes, mais ça en vaut la peine
- **Ferrara's Pasticceria.** Des cannolis et un tiramisu à se damner !
- **Mei Lai Wah Coffee House.** On se battrait presque pour ses petits pains au porc !
- **Nha Trang.** Un vietnamien délicieux et très bon marché
- **Sweet-n-Tart.** Savoureux plats traditionnels chinois

MEI LAI WAH COFFEE HOUSE

Plan p. 370 *Boulangerie chinoise*

☎ 212-925-5438 ; 64 Bayard St à hauteur de Elizabeth St ; petits pains 60 c ; ⏲ petit déj, déj et dîner

Essayez d'aller faire un tour le matin dans cette adorable petite boulangerie à l'ancienne. Philippins et Chinois du quartier viennent avaler en vitesse de délicieux petits pains au porc et au sésame encore tout chauds avant de partir travailler. Fait assez rare pour être signalé, le café y est également excellent.

NHA TRANG Plan p. 370 *Vietnamien*

☎ 212-233-5948 ; 87 Baxter St à hauteur de Bayard St ; plats 5-8 $; ⏲ déj et dîner

Le midi, policiers, juristes et avocats du quartier apprécient ses plats traditionnels, nouilles de riz aux boulettes de poisson, poulet au piment et à la citronnelle ou légumes épicées au tofu. Terminez par un café à la vietnamienne, délicieux breuvage sucré avec du lait concentré.

SHANGHAI CAFÉ Plan p. 370 *Chinois*

☎ 212-732-5533 ; 100 Mott St entre Bayard St et Canal St ; plats 6-9 $; ⏲ déj et dîner

Si la décoration tristounette des restaurants du quartier vous coupe l'appétit, l'ambiance résolument moderne du Shanghai Café, un peu dans le style night-club, vous séduira peut-être. Attablé devant une soupe aux raviolis vapeur ou d'autres savoureuses spécialités, on se croirait presque à Hong Kong !

SWEET-N-TART

Plan p. 370 *Chinois/Dim sum*

☎ 212-964-0380 ; 20 Mott St entre Park Row et Pell St ; plats 4-8 $; ⏲ déj et dîner

Toujours bondées, les deux salles, dans des tons de rouge et de violet éclatants, donnent un peu l'impression d'arriver au beau milieu d'une fête privée. Les serveurs vous accueillent avec courtoisie et vous aident à choisir parmi les innombrables délices de la carte. Vous pouvez opter sans hésiter pour les plats principaux, comme la soupe de boulettes de poisson grillées ou l'émincé de bœuf au *congee* (bouillie de riz) de légumes, à moins que vous ne préfèreriez commander un assortiment de *dim sum*, ces extraordinaires bouchées vapeur, aux noix, à la crevette et aux amandes, aux navets ou à l'*édamame*, pour n'en citer que quelques-unes.

VEGETARIAN DIM SUM HOUSE

Plan p. 370 *Dim sum*

☎ 212-577-7176 ; 24 Pell St ; repas 8-12 $; ⏲ petit déj, déj et dîner

Ce minuscule restaurant prépare des plats exclusivement sans viande. Il est très prisé pour son extrême fraîcheur et la diversité de sa carte, avec notamment une soupe d'igname ou un "faux" poulet ou de "faux" travers de porc préparés avec du tofu, qui ressemblent aux vrais à s'y méprendre !

LITTLE ITALY

Ce quartier est devenu un piège à touristes, avec les serveurs postés sur le trottoir pour tenter d'attirer les clients. Les rues qui résistent encore à l'expansion de Chinatown et de Soho ne manquent pourtant pas de charme et offrent parfois de belles surprises culinaires (surtout côté desserts !). Pour rejoindre les adresses ci-dessous, empruntez la ligne Grand St S jusqu'à Grand St.

DA GENNARO Plan p. 372 *Italien*

☎ 212-431-3934 ; 129 Mulberry St entre Grand St et Hester St ; plats 20 $; ⏲ déj et dîner

De bonne qualité, ce restaurant attire les touristes qui savent apprécier son atmosphère familiale et ses plats classiques, pâtes, fruits de mer et boulettes de viande.

FERRARA'S PASTICCERIA

Plan p. 372 *Boulangerie italienne*

☎ 212-226-6150 ; 195 Grand St entre Mott St et Mulberry St ; desserts 3-6 $; ⏲ après-midi et soir

Cette vieille maison, ouverte depuis 1892, propose une vaste gamme de pâtisseries, cannoli, napoleons, *sfogliatelle* (feuilleté sucré au fromage) et autres petits gâteaux. Les glaces au chocolat, au praliné et à la vanille sont crémeuses à souhait, les expressos et cappuccinos, un pur délice.

Les quartiers authentiques de New York, par le menu

Certes, Little Italy et Chinatown possèdent un certain charme, à condition toutefois d'aimer se balader avec une foule de touristes en mal d'exotisme. Pour davantage d'authenticité, poussez jusqu'aux boroughs périphériques, où se sont installés les derniers immigrants. Voici un mini-guide de ces communautés étrangères en dehors de Manhattan :

- **Chine :** Sunset Park, Brooklyn (Plan p. 385), au lieu de Chinatown. Pas de touristes occidentaux ici, mais des Asiatiques, presque exclusivement, et une kyrielle de délicieux restaurants (dont des boutiques de dim sum ouvertes 24h/24). Dépaysement garanti ! Ligne N jusqu'à Eighth Ave.
- **Inde :** Jackson Heights, Queens (Plan p. 386), au lieu de E 6th Street. Rien ne peut surpasser les boutiques de sari, les assiettes de *thali* et le cinéma Bollywood de ce quartier ! Métro 7, E, F, G, R jusqu'à Roosevelt Ave.
- **Irlande :** Woodlawn, Bronx (Plan p. 388), au lieu des bars irlandais de Third Ave. Dans les divers pubs irlandais du secteur vous attendent des pintes de Guinness versées dans les règles de l'art, de vraies "saucisses-purée" et nombre de jeunes tout juste débarqués de leur terre natale. Ligne 4 jusqu'à Woodlawn.
- **Italie :** Belmont, Bronx (Plan p. 388), au lieu de Little Italy. Excellents restaurants, mozzarella fraîche du Retail Market d'Arthur Ave, cannoli à se damner et Italiens plus vrais que nature ! Lignes B, D, 4 jusqu'à Fordham Rd, puis bus Bx12 jusqu'à Hoffman St.
- **Corée :** Flushing, Queens (Plan p. 387), au lieu de Koreatown. Pour les vrais amateurs de *kimchi*. Ligne 7 jusqu'à Flushing–Main St.
- **Russie :** Brighton Beach, Brooklyn, au lieu des restaurants de Midtown. Marchés, night-clubs et promenades au bord de mer évoquent un peu l'atmosphère d'Odessa. Métro D jusqu'à Ocean Pkwy.

PELLEGRINO'S Plan p. 372 *Italien*

☎ 212-226-3177 ; 138 Mulberry St entre Grand St et Hester St ; plats 20 $; déj et dîner

Ses plats du Nord de l'Italie, linguini à la langouste, lasagnes et tiramisu, remportent un franc succès. La spécialité de la maison, les "linguini Sinatra", avec langouste, crevettes, clams et pignons de pin, est devenue un classique de la cuisine italo-américaine.

LOWER EAST SIDE

Impossible de rester au courant de toutes les options proposées dans ce quartier, de nouveaux lieux ouvrant quasiment tous les jours, parfois dans de vieux immeubles en piteux état. Certains n'hésitent d'ailleurs pas à tirer parti de leur situation géographique, comme le Tenement (qui propose une cuisine "à l'ancienne" plutôt quelconque) ou le Lansky Lounge (en hommage au gangster des années 1930 Meyer Lansky).

CUBE 63 Plan p. 372 *Sushi*

☎ 212-228-6751 ; 63 Clinton St entre Rivington St et Stanton St ; plats 18-30 $, sandwiches ronds 4-11 $; déj et dîner ; métro F jusqu'à Delancey St, J, M Z jusqu'à Delancey St–Essex St

La cuisine servie dans ces salles cubiques éclairées par une lumière tamisée est tout simplement excellente. Outre les classiques sushi et sashimi, d'une fraîcheur irréprochable, on peut savourer quelques créations particulièrement réussies, comme le rouleau mexicain (jalapeño, corégone et sauce pimentée), le *volcano* (crabe, crevettes et sauce à l'anguille) ou le fabuleux 63 (salade, langouste, thon épicé et avocat). Clientèle aussi branchée et excentrique que la carte.

'INOTECA Plan p. 372 *Snacks italiens*

☎ 212-614-0473 ; 98 Rivington à hauteur de Ludlow St ; plats 9-13 $; déj et dîner tlj, brunch sam et dim ; métro F, V jusqu'à Lower East Side–Second Ave

Glissez-vous à une table de cette salle toute décorée de bois brun et faites votre choix entre les *tramezzini* (petits sandwiches de pain blanc ou complet), les *panini* ou les diverses *bruschetta*, tous délicieux et à des prix abordables. Nous vous recommandons particulièrement le toast à l'œuf truffé, un petit pain garni d'un œuf, de morceaux de truffe et de *fontina*. N'oublions pas la salade de betteraves à la menthe et à l'orange, les lasagnes d'aubergines ou les moules à l'ail. Enfin, la carte de 200 vins, dont 25 disponibles au verre, ne vous décevra pas non plus.

PALADAR Plan p. 372 *Latino-américain*

☎ 212-473-3535 ; 161 Ludlow St à hauteur de Stanton St ; plats 12-18 $; dîner tlj, brunch sam et dim ; métro F, V jusqu'à Lower East Side–Second Ave

Le chef Aaron Sanchez mélange les saveurs tropicales de manière révolutionnaire pour mitonner de purs délices, comme les empanadas de poulet et flétan à la vinaigrette à l'orange, le ceviche pimenté, une salade de lentilles à la banane plantain ou encore un onglet à l'adobo (mélange d'épices et de condiments). Joli plafond décoré de plaques de métal gravé. Service jusqu'à 2h du jeudi au samedi.

SUBA Plan p. 372 *Latino-américain*

☎ 212-982-5714 ; 109 Ludlow St entre Delancey St et Rivington St ; plats 18-23 $; dîner ; métro F jusqu'à Delancey St, J, M Z jusqu'à Essex St–Delancey St

Profitant de la popularité du Paladar, juste à côté, le Suba propose une cuisine plus sophistiquée, avec un bar à tapas très animé et une petite salle plus tranquille. Les plats valent le détour, en particulier le magret de canard au safran et le steak de thon mariné au piment chipotle. Laissez-vous tenter par l'un de ses fabuleux desserts, sans oublier les étonnants cocktails que sirotent toutes les magnifiques créatures du lieu !

WD 50

Plan p. 372 *Américain créatif*

☎ 212-477-2900 ; 50 Clinton St à hauteur de Stanton St ; plats 20-25 $; dîner lun-sam ; métro F jusqu'à Delancey St, J, M Z jusqu'à Delancey St–Essex St

Wylie Dufresne, qui a créé le 71 Clinton Fresh Foods (quelques mètres plus loin) et initié l'embourgeoisement de ce quartier, a ajouté cette nouvelle pièce à son empire en 2003, qui a immédiatement remporté les faveurs des VIP, vrais ou faux. Sol en bambou, poutres apparentes et cheminée soulignent l'originalité des plats : huîtres aux pommes, olives et pistaches ou raie accompagnée de gnocchis aux citrons confits et oignons fumés. Soyez prêts à découvrir de nouvelles saveurs !

Bon marché

BEREKET Plan p. 372 *Turc*

☎ 212-475-7700 ; 187 E Houston St à hauteur de Orchard St ; plats 4-7 $; 24h/24 ; métro F, V jusqu'à Second Ave

Gamins du quartier, ouvriers et employés du cimetière voisin se retrouvent ici pour déguster des feuilles de vigne farcies, des kebabs, des fricassées de poireaux et de haricots et des salades dans une atmosphère très stambouliote.

KATZ'S DELI

Plan p. 372 *Delicatessen*

☎ 212-254-2246 ; 205 E Houston St à hauteur de Ludlow St ; plats 8 $; petit déj, déj, dîner ; métro F, V jusqu'à Lower East Side–Second Ave

C'est là que se déroule la fameuse scène de l'orgasme avec Meg Ryan dans le film *Quand Harry rencontre Sally*. Dans une grande salle désuète et empreinte de nostalgie (voyez l'affiche datant de la Seconde Guerre mondiale "Send a salami to your boy in the army"), on vous servira des plats kasher, d'onctueuses crèmes au chocolat et du pastrami ou du corned-beef sur du pain de seigle bien frais. C'est un incontournable à New York, surtout à 2h du matin, lorsque tous les noctambules viennent y dévorer un sandwich.

Top 5 des restaurants de Lower East Side et East Village

- **Bereket.** Pour satisfaire une envie irrépressible de feuilles de vigne à 2h du matin
- **'Inoteca.** Pour les vin, les panini et l'atmosphère
- **Patio Dining.** Repas bio et cocktails en plein air
- **Prune.** Un brunch au Bloody Mary pour se réveiller !
- **WD 50** . La dernière création de la star de la gastronomie locale

KOSSAR'S BIALYSTOKER KUCHEN BAKERY

Plan p. 372 *Boulangerie*

☎ 212-260-2252 ; 367 Grand St ; 22 $ les 2 douzaines ; petit déj, déj et dîner dim-jeu ; métro B, D jusqu'à Grand St

Cette adorable petite boulangerie vieille de 75 ans fabrique les meilleurs *bialy* de la ville. Goûtez absolument ce cousin du bagel, préparé à l'origine par les juifs polonais, saupoudré d'ail et d'oignon et cuit au four pendant exactement 7 min. Vous en prendrez bien deux douzaines ?

TEANY

Plan p. 372 *Salon de thé végétarien*

☎ 212-475-9190 ; 90 Rivington St entre Ludlow St et Orchard St ; plats 6-12 $; petit déj, déj et dîner, ouvert tard le soir ; métro F jusqu'à Delancey St, J, M Z jusqu'à Delancey–Essex Sts

Niché en contrebas de la rue dans un block tranquille, ce minuscule café appartient notamment à la pop star Moby. La carte compte une centaine de thés, des plus classiques (menthe, Irish Breakfast) aux plus exotiques (anémone verte, pivoine blanche), tous servis en théière individuelle. On peut aussi boire un succédané de café au soja, de la bière ou du vin et grignoter des muffins, des sandwiches (essayez ceux au cheddar et pickles et beurre de cacahuète-chocolat), d'excellentes salades et de fabuleux desserts.

YONAH SHIMMEL BAKERY

Plan p. 372 *Knishes*

☎ 212-477-2858 ; 137 E Houston St entre Eldridge St et Forsyth St ; knishes 2 $; 🕓 9h30-19h ; métro F, V jusqu'à Lower East Side–Second Ave

Shimmel vend des *knishes* depuis 92 ans, autant dire qu'il sait de quoi il s'agit ! Ces délicieux petits chaussons cuits au four sont farcis à la pomme de terre, à la patate douce, au chou rouge, au fromage ou au *kasha* (sarrasin grillé). Il vend aussi des bagels, des *blintzes* (crêpes fourrées) et des gâteaux, le tout à deux pas de l'excellent **Landmark Sunshine Cinemas** (p. 233), idéal donc pour combler un petit creux avant ou après une séance de cinéma.

EAST VILLAGE

C'est la quintessence de la scène gastronomique de New York : bon marché ou chic, végétarien ou tout-viande, ethnique, le choix est vaste et susceptible de satisfaire tous les goûts et toutes les bourses.

ANGELICA KITCHEN

Plan p. 372 *Végétarien*

☎ 212-228-2909 ; 300 E 12th St entre First et Second Ave ; plats 8-13 $; 🕓 déj et dîner ; métro L jusqu'à First Ave

Cette petite herboristerie créée en 1978 en pleine vague hippie s'était transformée au fil des ans en un café proposant quelques plats basiques à une poignée de clients. Aujourd'hui, l'Angelica, référence à la plante aux vertus digestives, est le nouveau repaire des hippies et autres artistes et sert une cuisine créative et bio, préparée sans produits animaliers. Goûtez aux "dragon bowls", rescapés de la carte des tout débuts, assortiment macrobiotique de crudités, légumineuses, protéines végétales et algues à un prix imbattable. Les plats du jour combinent ces mêmes ingrédients en ragoûts, soupes, fricassées et salades copieuses. Installez-vous à la grande table commune si vous avez envie de faire un brin de causette.

COUNTER

Plan p. 372 *Végétarien roboratif*

☎ 212-982-5870 ; 105 First Ave entre 6th St et 7th St ; plats 9-14 $; 🕓 déj et dîner mar-sam ; métro F, V jusqu'à Lower East Side–Second Ave

Pour des hamburgers végétaux, allez faire un tour du côté de ce charmant bar à vin, au cœur d'East Village. Asseyez-vous au bar et commandez un vin bio pour accompagner par exemple une assiette de pâté aux olives et aux noix de cajou. On peut aussi s'attabler pour savourer tout à loisir un copieux pain de lentilles servi avec une purée de pommes de terre ou un sandwich bio au beurre de cacahuète et banane. L'atmosphère sympathique du lieu et sa vue imprenable sur First Ave devraient achever de vous séduire.

GAIA

Plan p. 372 *Turc*

☎ 212-358-1166 ; 98 Ave B entre 6th St et 7th St ; plats 12-17 $; 🕓 dîner ; métro F, V jusqu'à Lower East Side–Second Ave

Dans un décor chaleureux composé d'épaisses tentures, picorez dans les assiettes de hors-d'œuvre gracieusement offertes pour attendre tranquillement légumes marinés à l'huile d'olive, bouchées aux pois chiches et cocktails extravagants. Des danseuses orientales se produisent parfois.

PATIO DINING

Plan p. 372 *Américain créatif*

☎ 212-460-9171 ; 31 Second Ave entre 1st et 2nd St ; plats 14-19 $; 🕓 dîner lun-dim, brunch dim ; métro F, V jusqu'à Lower East Side–Second Ave

Depuis son ouverture au début des années 1990, le chef Eric Korsh a réalisé des miracles dans un lieu au départ minuscule. S'il s'est nettement agrandi, il n'a rien perdu de son atmosphère chaleureuse. On y déguste de savoureux plats braisés et longuement mijotés, préparés avec des ingrédients bio et de saison, et des pâtes bien garnies. Un ancien parking a été transformé en bar à cocktails, repaire des branchés du quartier.

PRUNE

Plan p. 372 *Américain créatif*

☎ 212-677-6221 ; 54 E 1st St entre First Ave et Second Ave ; plats 18-23 $; 🕓 déj et dîner tlj, brunch sam et dim ; métro F, V jusqu'à Lower East Side–Second Ave

Au menu, plats copieux et roboratifs, tels que cochon de lait rôti, ris de veau ou saucisses. Chaleureuse et lumineuse, la grande salle offre un joli point de vue sur 1st St. Les Bloody Mary (pas moins de neuf variétés différentes), le saumon fumé et les huîtres du brunch dominical remportent toujours un franc succès.

SANCTUARY

Plan p. 372 *Végétarien et indien*

☎ 212-780-9786 ; 25 First Ave entre 1st St et 2nd St ; plats 8-13 $; 🕓 dîner jeu-dim, déj sam et dim ; métro F, V jusqu'à Lower East Side–Second Ave

L'organisation hindouiste Interfaith League, propriétaire des lieux, contribue largement à l'atmosphère spirituelle et New Age ambiante, avec cristaux et attrape-rêves. La carte offre une grande variété de plats très frais, du tofu au chou-fleur et courgette servi dans une onctueuse sauce aux épinards et au yaourt à de délicieuses spécialités végétales, telles que les baguettes *Chick-None*.

La meilleure part de pizza

Difficile de trouver une part de pizza vraiment mauvaise à New York : des classiques triangles gorgés de fromage et de tomates aux carrés de pâte complète garnie de fromage de chèvre, elles sont tout simplement délicieuses. Bien que rassurant, ce constat ne nous a toutefois pas totalement satisfait et c'est ainsi que nous sommes partis en quête des meilleures pizzas ! Première étape chez **John's Famous Pizzeria** (Plan p. 372 ; ☎ 212-243-1680 ; 278 Bleecker St), la coqueluche de West Village, où la pâte est fine mais un peu caoutchouteuse et sucrée. Voyons ensuite, à deux pas, **Arturo's Pizzeria** (Plan p. 372 ; ☎ 212-677-3820 ; 106 W Houston St), où se produit régulièrement un pianiste et la **Stromboli Pizzeria** (Plan p. 372 ; ☎ 212-255-0812 ; 112 University Pl), pour des pizzas à emporter. Le premier réussit des pâtes fines et croustillantes bien garnies, tandis que le second nous a séduit avec une garniture copieuse et bien assaisonnée. À Soho, **Lombardi's** (Plan p. 372 ; ☎ 212-941-7994 ; 32 Spring St) utilise de la sauce tomate relevée, de la mozarella goûteuse et une pâte épaisse, aux graines de sésame, richement garnie. La **Patsy's Pizzeria** (Plan p. 372 ; ☎ 212-534-9783 ; 2287 First Ave), en place depuis 72 ans et qui possède aujourd'hui 4 autres succursales, sert des parts extra-larges cuites au feu de bois. Enfin, nous nous devions aussi de tester quelques-unes des **Two Boots Pizzerias** (Plan p. 372 ; ☎ 212-254-1919 ; 42 Ave A) pour goûter leur garniture originale, poulet mariné aux tomates cerises, crevettes grillées ou écrevisses et jalapeños, et leur pâte à la farine de maïs. Et le gagnant est... ? Arturo's ! pour sa pâte fine et croustillante qui donne immanquablement envie de ne pas se contenter d'une part ! Accueil de surcroît très convivial, ce qui ne gâte rien.

TSAMPA Plan p. 372 *Tibétain*
☎ 212-614-3226 ; 212 E 9th St entre Second Ave et Third Ave ; plats 9-14 $; ⏲ dîner ; métro 6 jusqu'à Astor Pl
Dans une ambiance très zen, lumière tamisée et décor intimiste, on savoure ici d'excellents raviolis, de la truite grillée au gingembre ou des légumes sautés qui raviront les végétariens.

Bon marché

B&H DAIRY Plan p. 372 *Crémerie kasher*
☎ 212-505-8065 ; 127 Second Ave entre St Marks Pl et 7th St ; plats 5 $; ⏲ petit déj, déj, dîner ; métro 6 jusqu'à Astor Pl
Un grand classique du genre. Tout est fait maison et sans produit animalier, y compris les six sortes de soupe du jour bien consistantes. Avec une bonne tranche de pain *challah*, vous serez rassasié pour plusieurs heures sans vous ruiner !

DAWGS ON PARK Plan p. 372 *Hot-dogs*
☎ 212-598-0667 ; 178 E 7th St entre Ave A et B ; hot-dogs 4 $; ⏲ déj et dîner ; métro F, V jusqu'à Lower East Side–Second Ave
Il y a quelques années, les cafés préparant des hot-dogs, censés surpasser ceux des vendeurs de rue, firent fureur dans toute la ville. Donnant sur Tompkins Square Park, Dawgs reste l'un des meilleurs. Hot-dogs garnis de salade de maïs, de haricots rouges, de moutarde et de choucroute, ou encore à la viande de bœuf, de volaille ou au tofu. On peut les accompagner d'oignons frits et de frites pour quelques dollars de plus.

SEA Plan p. 372 *Thaï*
☎ 212-228-5505 ; 75 Second Ave entre 4th et 5th St ; plats 6-11 $; ⏲ déj et dîner ; métro F, V jusqu'à Lower East Side–Second Ave
Le SEA, acronyme de "South East Asian", propose de la remarquable cuisine thaïlandaise à des prix défiant toute concurrence, servie dans un décor flamboyant digne d'un night-club ! Vous ne regretterez pas d'avoir patiemment attendu une table lorsque vous dégusterez curry, nouilles thaï et glace au thé vert pour une note moitié moins élevée que dans d'autres restaurants comparables.

SECOND AVE DELI Plan p. 372 *Delicatessen*
☎ 212-677-0606 ; 156 Second Ave entre 9th St et 10th St ; plats 7-10 $; ⏲ déj et dîner tlj, jusqu'à 3h ven et sam ; métro 6 jusqu'à Astor Pl
L'un des derniers grands delis juifs de cette partie de New York (avec **Katz's**, p. 180). Ne manquez pas la soupe aux boulettes de *matzo*, les pickles à l'aneth et à l'ail, le chou acidulé et les sandwiches au *pastrami* ou à la dinde.

WEST (GREENWICH) VILLAGE

BAR PITTI Plan p. 372 *Italien*
☎ 212-982-3300 ; 268 Sixth Ave entre Bleecker St et Houston St ; plats 15-22 $; ⏲ déj et dîner ; métro 1, 9 jusqu'à Houston St
Des créatures semblant tout droit sorties de la série *Sex and the City* se retrouvent autour des petites tables en bois clair ou sur la terrasse dès les premiers rayons de soleil pour faire honneur aux pâtes maison,

comme les rigatoni Pitti, servies avec une sauce à la saucisse et aux petits pois. La carte comprend bien d'autres plats, notamment du bar et du veau.

DELICIA Plan p. 372 *Brésilien*

☎ 212-242-2002 ; 322 W 11th St entre Greenwich St et Washington St ; plats 12-15 $; ⏲ dîner mar-sam ; métro 1, 9 jusqu'à Christopher St–Sheridan Sq

Confortable et chaleureuse, la salle, en contrebas de la rue, évoque un salon privé. Les serveurs vous laissent tout le temps de savourer votre *caipirinha* avec quelques amuse-bouche à base de yucca et de morue, avant de revenir pour vous aider à choisir : courge *butternut* avec crevettes, lait de coco et coriandre, poulet rôti au jus de fruit de la passion ou bien *feijoada*, le traditionnel plat de haricots noirs avec légumes frais, yucca et rondelles d'orange (éventuellement garni de porc) ? À partir de 3 personnes, vous pouvez essayer le menu découverte de trois plats.

DO HWA Plan p. 372 *Barbecue coréen*

☎ 212-414-2815 ; 55 Carmine St ; plats 12-20 $; ⏲ dîner ; métro A, C, E, F, V, Grand St S jusqu'à W 4th St

La participation financière de Quentin Tarantino dans ce spécialiste du barbecue coréen n'est sans doute pas étrangère à son succès. Harvey Keitel, Wesley Snipes et Uma Thurman y ont déjà goûté les grillades de bœuf et le *kimchi*. Parmi les autres spécialités, citons les blancs de poulet grillés marinés au sésame ou le *snapper* grillé. DJ aux platines tous les soirs.

FLORENT Plan p. 372 *Dîner à la française*

☎ 212-989-5779 ; 69 Gansevoort St entre Greenwich St et Washington St ; repas 9-13 $; ⏲ petit déj et déj lun-mer, 24h/24 ven-dim ; métro A, C, E jusqu'à 14th St, L jusqu'à Eighth Ave

Installé depuis plusieurs mois dans Meatpacking District, à l'extrémité de West Village, il fait fureur auprès des noctambules avec ses onglets, ses hamburgers et ses petits déjeuners variés, sans oublier le boudin et les côtes de porc. Le week-end le plus proche du 14 juillet, Florent organise une grande fête dans Gansevoort St.

FRENCH ROAST Plan p. 372 *Bistrot français*

☎ 212-533-2233 ; 458 Sixth Ave à hauteur de W 11th St ; plats 10-18 $; ⏲ 24h/24 ; métro L jusqu'à Sixth Ave, F, V jusqu'à 14th St

Vaste salle et serveurs stylés pour une clientèle blasée qui craque pour les croque-madame, la salade niçoise, le confit de canard ou le steak-frites, voire l'assiette de légumes grillés et tofu. Succursale à **Broadway** (☎ 212-799-1533 ; 2340 Broadway à hauteur de 86th St ; ⏲ 24h/24 ; métro 1, 9 jusqu'à 86th St).

JAPONICA Plan p. 372 *Japonais*

☎ 212-243-7752 ; 100 University Pl à hauteur de 12th St ; repas de sushi 20 $; ⏲ déj lun-sam, dîner tlj ; métro L, N, Q, R, W, 4, 5, 6 jusqu'à 14th St–Union Sq

Véritable institution au cœur de NYU, il sert à la chaîne *nigiri* (sushi ovales), sushi de cardeau et de sériole, rouleaux de légumes aux épinards, aux asperges ou à la courge. Les bols de soba traditionnel sont copieux et corrects. Les restaurants de sushi se sont multipliés depuis l'ouverture de celui-ci, il y a plus de 20 ans, mais il continue à attirer touristes et habitués.

LE PETIT AUBEILLE Plan p. 372 *Belge*

☎ 212-727-1505 ; 400 W 14th St à hauteur de Ninth Ave ; plats 12-16 $; ⏲ petit déj, déj et dîner ; métro A, C, E jusqu'à 14th St, L jusqu'à Eighth Ave

Pionnier de Meatpacking District, bien avant l'arrivée top-models et des boutiques de mode, le Petit Aubeille demeure l'un des rares lieux du quartier à posséder un certain cachet. On y mange de grands classiques de la cuisine belge, moules frites, poulet en cocotte et gaufres, bien meilleurs que ceux du Markt (l'attrape-touristes d'en face). Des albums de Tintin décorent les murs et les nappes à carreaux bleus égayent la salle. La jovialité des serveurs et les quelque 30 variétés de bière ajoutent encore à la bonne humeur ambiante.

LITTLE HAVANA Plan p. 372 *Cubain*

☎ 212-255-2212 ; 30 Cornelia St entre Bleecker St et W 4th St ; plats 13-16 $; ⏲ déj et dîner mar-dim ; métro A, C, E, F, V, Grand St S jusqu'à W 4th St

Lydia Sharpe, la propriétaire de ce petit bijou, propose des plats généreux dans un décor chaleureux. Goûtez notamment le fameux porc épicé aux haricots noirs et sauce tomate ou le saumon rôti.

Top 5 des restaurants de West Village

- **Bar Pitti.** Un repaire pour les fashionistas
- **Delicia.** Le Brésil a pris racine au cœur du Village
- **Manna Bento.** Le goût de la Corée à petit prix
- **Paradou.** Bistrot français, avec une beau jardin
- **Pearl Oyster Bar.** Langoustes et huîtres s'imposent au menu

PARADOU

Plan p. 372 *Bistrot français*

☎ 212-463-8345 ; 8 Little West 12th St entre Ninth Ave et Washington St ; plats 12-18 $; 🕑 dîner ; métro A, C, E to 14th St, L jusqu'à Eighth Ave

Ne vous laissez pas impressionner par la foule branchée qui se presse au Pastis, juste en face, et poussez la porte de ce petit paradis. À l'arrière, le jardin planté d'hortensias est une pure merveille au printemps et la salle, romantique à souhait, parfaite toute l'année. Les serveurs, élégants et attentifs, veillent à ce que les crêpes complètes, les panini ou les poissons grillés arrivent à point. Mention spéciale pour l'excellente carte de vins, qui compte nombre de bouteilles abordables et de formules au verre.

PEARL OYSTER BAR

Plan p. 372 *Fruits de mer*

☎ 212-691-8211 ; 18 Cornelia St entre Bleecker St et W 4th St ; plats 17-23 $; 🕑 déj lun-ven, dîner lun-sam ; métro A, C, E, F, V, Grand St S jusqu'à W 4th St

Dans cette version améliorée de la classique échoppe d'écailler, Rebecca Charles concocte poissons grillés, huîtres rôties, plats à la vapeur, soupes de palourdes et l'incontournable sandwich à la langouste, une délicieuse salade de langouste servie dans un petit pain à hot-dog et accompagnée de frites maison. Arrivez de très bonne heure ou très tard, sinon, gare à l'attente !

TERRA 47

Plan p. 372 *Bio et produits de saison*

☎ 212-358-0103 ; 47 E 12th St entre Broadway et University Pl ; plats 13-18 $; 🕑 déj et dîner ; métro L, N, Q, R, W, 4, 5, 6 jusqu'à 14th St–Union Sq

Ce nouveau-venu réussit plutôt bien à associer plats végétariens et classiques de qualité dans une atmosphère agréable. La décoration, composée de mosaïques et de vitraux, crée un cadre raffiné sans sombrer dans le minimalisme.

Le gibier et le *tempeh* rôti font l'unanimité. Côté desserts, on peut regretter qu'ils soit strictement végétariens, mais les gâteaux se révèlent étonnamment fondants et savoureux.

Bon marché

MANNA BENTO

Plan p. 372 *Coréen*

☎ 212-473-6162 ; 289 Mercer St entre Waverly Pl et Eighth St ; plats 5-8 $; 🕑 déj et dîner lun-sam ; métro N, R jusqu'à 8th St–NYU

Fréquenté presque exclusivement par les étudiants de NYU, Manna Bento prépare des classiques coréens à des prix défiant toute concurrence, tels que légumes, tofu épicé, nouilles et *kimchi* servis sur une généreuse assiette de riz blanc pour 5 $.

PEANUT BUTTER & CO

Plan p. 372 *Sandwiches*

☎ 212-677-3995 ; 240 Sullivan St entre Bleecker St et W 3rd St ; sandwiches 4-6 $; 🕑 déj et dîner ; métro A, C, E, F, V, Grand St jusqu'à W 4th St

Réservé aux fans de beurre de cacahuète ! Vous pourrez choisir entre plusieurs variétés, croustillant, battu, épicé, cannelle-raisin, et opter pour du pain blanc ou complet. Complétez le tout avec de la confiture, des rondelles de bananes ou de pommes, ou encore du miel, voire des frites de pomme de terre ou des frites de céleri.

CHELSEA, UNION SQUARE, FLATIRON DISTRICT ET GRAMERCY PARK

Ce secteur offre depuis peu une bonne sélection de restaurants raffinés susceptibles de convenir à toutes les bourses. Précisons toutefois qu'ils sont quasiment tous spécialisés dans la cuisine américaine. Chelsea propose désormais quelques options parfaitement saines et diététiques, tout spécialement conçues pour satisfaire les attentes des gays du quartier.

AMUSE

Plan p. 372 *Américain créatif*

☎ 212-929-9755 ; 108 W 18th St entre Sixth Ave et Seventh Ave ; plats 13-18 $; 🕑 déj et dîner lun-sam ; métro 1, 9 jusqu'à 18th St

Classée par prix (5, 10, 15 et 20 $), la carte permet de respecter facilement son budget,

Top 5 des restaurants de Chelsea-Flatiron

- **Amuse.** Plats copieux et cadre agréable
- **Bonobos.** Végétarien et délicieux !
- **City Bakery.** Salades au poids et chocolat chaud
- **Madras Mahal.** Excellente cuisine du sud de l'Inde
- **Tabla.** Cuisine indienne revisitée

d'autant que tout est bon. Les plats les moins chers comportent toujours une petit touche d'originalité (la sauce béarnaise avec les frites à 5 $ par exemple), tandis que l'inventivité du chef (goûtez notamment les excellents plats de canard et de poisson) justifie les prix les plus élevés.

CITY BAKERY

Plan p. 372 *Bar à salades et boulangerie*

☎ 212-366-1414 ; 3 W 18th St entre Fifth Ave et Sixth Ave ; salade 12 $/450 g ; ⏲ petit déj et déj ; métro L, N, Q, R, W, 4, 5, 6 jusqu'à 14th St–Union Sq

Idéal pour marquer une pause après un tour au **Greenmarket Farmers' Market** (p. 107). Bien qu'un peu chères, les salades valent le détour : tofu, betteraves cuites au four, poulet grillé et pois mange-tout sucrés, pousses de soja et chou. Hormis à l'heure du déjeuner, on peut généralement trouver une place assise. Après une formule aussi diététique, vous pourrez fondre pour une pâtisserie, des cookies aux pépites de chocolat ou un chocolat chaud bien épais, à déguster éventuellement avec des marshmallows maison.

EMPIRE DINER

Plan p. 372 *Café-restaurant*

☎ 212-243-2736 ; 210 Tenth Ave à hauteur de 22nd St ; plats 12-16 $; ⏲ 24h/24 ; métro C, E jusqu'à 23rd St

Aménagé dans un ancien wagon Pullman, ce *diner* dispose d'une carte très variée, avec les classiques hamburgers et omelettes, ainsi que hamburgers aux lentilles, mesclun et une belle sélection de bières. On peut s'asseoir en terrasse (à condition de trouver une place et de ne pas craindre les gaz d'échappement !).

FOOD BAR

Plan p. 372 *Américain*

☎ 212-243-2020 ; 149 Eighth Ave entre 17th St et 18th St ; plats 13-18 $; ⏲ petit déj, déj et dîner ; métro A, C, E jusqu'à 14th St, L jusqu'à Eighth Ave

Au cœur de la scène gay de Chelsea, avec tous les classiques du genre : musique techno, élégants serveurs un tantinet maniérés et clientèle essentiellement masculine, surtout pour le brunch du week-end où les noctambules viennent se remettre de leurs frasques devant une omelette baveuse et un café serré. La salade César au poulet grillé, les lasagnes aux légumes, le saumon grillé et les gros hamburgers sont des valeurs sûres. Ne manquez pas non plus les margaritas au melon, servies bien frappées.

GRAMERCY TAVERN

Plan p. 372 *Américain créatif*

☎ 212-477-0777 ; 42 E 20th St entre Broadway et Park Ave S ; plats 20-26 $, menu 3 plats 68 $; ⏲ déj lun-ven, dîner tlj ; métro N, R, W, 6 jusqu'à 23rd St

C'est la star de la scène gastronomique new-yorkaise. Il faut réserver bien à l'avance pour obtenir une table, mais vous ne le regretterez pas. Choyés par des serveurs stylés, vous savourerez en toute tranquillité les merveilles concoctées par le grand chef Tom Colicchio : lapin braisé aux échalotes ou tarte aux champignons à se pâmer pour n'en citer que deux. Le chef pâtissier élabore des desserts renversants, tandis que les cocktails sont préparés par des barmen aussi talentueux que créatifs.

MADRAS MAHAL

Plan p. 376 *Indien du Sud*

☎ 212-684-4010 ; 104 Lexington Ave entre 27th St et 28th St ; plats 11-14 $; ⏲ déj et dîner ; métro 6 jusqu'à 28th St

L'un de nos préférés parmi la douzaine de restaurants d'inspiration indienne qui se sont installés sur cette portion de Lexington Ave. Il fut l'un des premiers à lancer à Manhattan la mode des *dosas*, ces immenses crêpes de riz du Sud de l'Inde, à la fois moelleuses et croustillantes, roulées autour de pommes de terre masala, petits pois, coriandre et autres délices. On peut goûter les plats de la cuisine du nord de l'Inde, à un prix raisonnable, comme le *saag panir* ou les samosas, mais les spécialités du Sud sont les plus réussies. Restaurant végétarien et kasher.

SUEÑOS Plan p. 372 *Mexicain*

☎ 212-243-1333 ; 311 W 17th St ; plats 16-20 $; ⏲ dîner mar-dim ; métro A, C, E jusqu'à Eighth Ave, L jusqu'à 14th St

Dans un décor éclatant, fushia et orangé, la chef Sue Torres, qui tient aussi le Rocking Horse Café, se targue de servir une véritable cuisine mexicaine. Si cette soi-disant authenticité peut laisser sceptique, le résultat n'en demeure pas moins délicieux. Goûtez les quesadillas au *huitlacoche*, un champignon de maïs très prisé au nord du Mexique, ainsi que le vivaneau séché à la mangue. Réservation indispensable.

TABLA Plan p. 376 *Indien-américain*

☎ 212-889-0667 ; 11 Madison Ave à hauteur de 25th St ; menu 57-88 $; ⏲ déj lun-ven, dîner tlj ; métro N, R, W 6 jusqu'à 23rd St

Au premier étage de cette demeure vous attend l'une des meilleures tables donnant

Top 5 des restaurants ouverts 24h/24

- **Bereket** (p. 180). L'un des meilleurs turcs de la ville, tlj et 24h/24, entre East Village et Lower East Side
- **Empire Diner** (p. 185). Pour un repas en terrasse avec la population branchée de Chelsea
- **Florent** (p. 183). Envie d'un steak-frites à 4h du matin en sortant de boîte ?
- **French Roast** (p. 183). Café serré et plats de bistrot
- **Kang Suh** (p. 187). Barbecue et karaoké à toute heure !

sur le Madison Square Park. Élevé à Goa et formé en France, le chef Floyd Cardoz cuisine avec amour et intelligence. La langouste aux haricots verts dans un curry de coco ou les brochettes de champignons des bois au fenouil braisé offrent un bouquet de saveurs fruitées et fleuries. Les desserts, comme le *kulfi* à la vanille de Tahiti ou le fromage blanc aux figues rôties et coings pochés, sont incomparables. Au rez-de-chaussée, le **Bread Bar** propose des plats indiens traditionnels (tandoori, curry, naan) tout aussi bons dans une atmosphère plus décontractée et branchée.

UNION SQUARE CAFE

Plan p. 372 *Américain*

☎ 212-243-4020 ; 21 E 16th St entre Fifth Ave et Union Sq W ; plats 23-28 $; déj et dîner ; métro L, N, Q, R, W, 4, 5, 6 jusqu'à 14th St–Union Sq

Installé depuis une vingtaine d'années, il passe à juste titre pour l'un des meilleurs restaurants de la ville. Serveurs en tenue, longue carte des vins, cuisine copieuse et savoureuse, avec agneau fondant, risotto crémeux et gnocchi rebondis. On ne s'en lasse pas.

Bon marché

BETTER BURGER

Plan p. 372 *Hamburgers bio*

☎ 212-989-6688 ; 178 Eighth Ave à hauteur de 19th St ; hamburgers 5-10 $; déj et dîner ; métro A, C, E jusqu'à 14th St, L jusqu'à Eighth Ave

Destiné tout particulièrement aux body-buildés du quartier, ce nouveau venu, dont les propriétaires tiennent aussi le **Josie's** (p. 191), renouvelle les hamburgers avec des versions bio et sans hormone. Au choix, bœuf, autruche, poulet, thon, soja ou purée de légumes. Pain complet maison et "zeste de tomate" à la place du ketchup. Goûtez aussi les frites cuites au four, croustillantes à souhait !

BONOBOS

Plan p. 372 *Végétarien*

☎ 212-505-1200 ; 18 E 23rd St à hauteur de Madison Ave ; plats 5-8 $; déj ; métro N, R, 6 jusqu'à 23rd St

Ce nouveau café végétarien apporte un peu d'animation sur la face sud de Madison Square Park. Composez vous-même votre salade avec tomates séchées, betteraves, crackers aux graines de lin ou graines de courge ou essayez un plat complet. Mention spéciale au pâté végétarien au ketchup maison et aux spaghettis de courge au pesto. Gâteaux aux dattes et au miel ou aux bananes et amandes en dessert.

F&B

Plan p. 376 *Restauration rapide*

☎ 646-486-4441 ; 269 W 23rd St entre Seventh Ave et Eighth Ave ; plats 3-6 $; déj et dîner ; métro C, E, 1, 9 jusqu'à 23rd St

Autre avatar de la vogue des hot-dogs (voir le **Dawgs on Park**, p. 182), ce cube bleu et blanc agrémenté de tabourets propose 10 sortes de garnitures (houmous et carottes râpées, feta et poivrons grillés, chou à la moutarde, etc.) pour accompagner les saucisses de bœuf ou de tofu fumé. On peut tester la saucisse de saumon à la tomate et au citron ou celle au poulet fumé et salade de maïs. Il reste sinon l'option haricots verts-frites, boulettes de viande à la suédoise, salades et beignets aux pommes, ainsi qu'un bon choix de bières.

POP BURGER

Plan p. 372 *Hamburgers*

☎ 212-414-8686 ; 58-60 Ninth Ave ; hamburgers 5-10 $; déj et dîner ; métro A, C, E jusqu'à Eighth Ave, L jusqu'à 14th St

Les habitants de Chelsea semblent s'être pris de passion pour les hamburgers. Si le côté sain et diététique du Better Burger, un peu plus haut, ne vous tente pas, vous trouverez votre bonheur ici. On sert non pas un, mais deux petits hamburgers de bœuf dans du pain moelleux, avec de la salade et des tomates fraîches. Les végétariens ne seront pas déçus avec le hamburger portobello, où un gros steak de champignons remplace la viande. Clientèle de noctambules. Service tard dans la nuit et bar à cocktail dans l'arrière-salle.

REPUBLIC

Plan p. 372 *Asiatique*

☎ 212-627-7168 ; 37 Union Sq West entre 16th St et 17th St ; plats 4-9 $; déj et dîner ; métro L, N, Q, R, W, 4, 5, 6 jusqu'à Union Sq

Certes, l'immense salle est très bruyante, mais on y mange bien et pour pas cher. Pour quelques dollars, commandez une salade aux sashimi de saumon ou des crevettes à la noix de coco, suivis d'une soupe au tofu ou de nouilles aux épinards à la sauce de soja.

MIDTOWN

AQUAVIT

Plan p. 376 *Scandinave*

☎ 212-307-7311 ; 13 W 54th St entre Fifth Ave et Sixth Ave ; menu 3 plats 69 $, menu dégustation 90 $; déj et dîner ; métro E, V jusqu'à Fifth Ave–53rd St

La bonne cuisine scandinave reste rare à New York. Cette adresse jouit d'une excellente réputation depuis près de 25 ans, d'autant que le chef Marcus Samuelsson a récemment remporté le prestigieux prix gastronomique James Beard. Il propose des plats inventifs, tels que du veau aux artichauts rôtis ou une ganache de foie gras avec une saucisse de canard aux cerises aigres et de la gelée de pomme.

CHO DANG GOI

Plan p. 376 *Coréen*

☎ 212-695-8222 ; 55 W 35th St entre Fifth Ave et Sixth Ave ; plats 10-15 $; déj et dîner ; métro B, D, F, V, N, Q, R, W jusqu'à 34th St–Herald Sq

Au cœur du Koreatown de Midtown et très prisé de la jeunesse coréenne, voici un spécialiste du tofu maison. Il réussit fort bien également les traditionnels *bibimbops* (riz, légumes et/ou viande avec un œuf au plat), les plats de riz gluants et les fricassées de porc, de même que les mini-assiettes de kimchi (goûtez les poissons séchés) offertes en entrée.

Top 5 des restaurants de Midtown

- **Aquavit.** La quintessence de la cuisine scandinave
- **Cho Dang Goi.** D'authentiques plats coréens
- **Dawat.** Une star indienne aux fourneaux
- **Per Se** (p. 188). Cuisine américaine créative au Time Warner Center
- **Russian Samovar** (p. 189). Blinis, caviar et vodka

DAWAT

Plan p. 376 *Indien*

☎ 212-355-7555 ; 210 E 58th St entre Second Ave et Third Ave ; plats 17-23 $; déj lun-sam, dîner tlj ; métro N, R, W jusqu'à Lexington Ave–59th St

Le chef (et acteur) Madhur Jaffrey transforme les plats traditionnels indiens, tels les *bhajia* (sorte de beignets) aux épinards ou les curries de poisson, en purs chefs-d'œuvre exotiques. Le bar et les côtes d'agneau sont délicatement marinés dans un mélange de yaourt, de graines de moutarde, de safran et de gingembre. Les desserts à la cardamome permettent de terminer le repas en toute légèreté.

KANG SUH Plan p. 376 *Coréen*

☎ 212-564-6845 ; 1250 Broadway à hauteur de 32nd St ; plats 10-15 $; 24h/24 ; métro B, D, F, V, N, Q, R, W jusqu'à 34th St–Herald Sq

Ici, on cuit soi-même ses ingrédients sur le charbon de bois et on peut se lancer dans un karaoké endiablé. Sachant qu'il reste ouvert toute la nuit, c'est l'occasion d'une expérience unique !

FRANCHIA

Plan p. 376 *Salon de thé végétarien*

☎ 212-213-1001 ; 12 Park Ave entre 34th St et 35th St ; plats 11-17 $; déj et dîner ; métro 6 jusqu'à 33rd St

Un décor blanc et noir sur trois niveaux qui rappelle les maisons de thé traditionnelles coréennes, avec la vente à emporter au rez-de-chaussée, un café au premier étage et une salle avec des tables basses tout en haut. Les portes coulissantes en bois sculptées, les touches de verdure et la vaisselle décorée de poèmes distillent une atmosphère reposante. Outre une bonne trentaine de thés, la carte comprend une fondue mongole, des crêpes au thé vert, des steaks de tofu ou une étonnante fondue végétarienne pour deux, avec boulettes d'algue, tofu et gâteaux de légumes.

GRAND CENTRAL OYSTER

Plan p. 376 *Fruits de mer*

☎ 212-490-6650 ; Grand Central Terminal, Lower Concourse, 42nd St à hauteur de Park Ave ; plats 17-24 $; déj et dîner lun-sam ; métro S, 4, 5, 6, 7 jusqu'à 42nd St–Grand Central

Au sous-sol de Grand Central, cette institution vieille de 90 ans continue de surpasser tous les restaurants (mexicains, italiens, orientaux, entre autres) de la gare. Les deux immenses salles hautes sous plafond attirent les amateurs d'huîtres sous toutes leurs formes. Poissons et soupes de palourdes corrects, sans plus.

HELL'S KITCHEN (CLINTON)

Jusqu'alors peu versé dans la gastronomie, Hell's Kitchen commence à se doter d'une véritable scène culinaire. Outre les classiques Américains, des restaurants plus créatifs font leur apparition, attirés par l'expansion de Chelsea et le développement urbain à l'ouest de Ninth Ave.

44 & X HELL'S KITCHEN

Plan p. 376 *Américain*

☎ 212-977-1170 ; 622 Tenth Ave à hauteur de 44th St ; plats 19-24 $; 🕓 dîner tlj, brunch sam et dim ; métro A, C, E jusqu'à 42nd St–Port Authority

L'atmosphère ensoleillée de ce restaurant apporte un peu de gaieté à cette partie plutôt morne de Tenth Ave. Bien étudiée, la décoration blanche et beige et les grandes baies vitrées créent une illusion d'espace. La carte revisite avec bonheur de grands classiques (flétan en croûte de champignons et herbes aromatiques, macaroni au fromage, filet mignon de porc aux épices).

LANDMARK TAVERN

Plan p. 376 *Américain*

☎ 212-757-8595 ; 626 Eleventh Ave à hauteur de 46th St ; 🕓 déj et dîner ; métro A, C, E jusqu'à 42nd St–Port Authority

Ce bâtiment de 1868 abritait jadis la famille du propriétaire actuel de la taverne (voyez le salon au 1er étage). Autrement dit, on vous sert steak, pain à l'irlandaise et poisson grillé dans un cadre à l'ancienne, avec meubles d'époque et cheminée. Rien de poussiéreux ni de figé dans tout cela toutefois, on est bien dans le Manhattan bruissant et animé d'aujourd'hui.

La pizza, incontournable à New York

Les tours gastronomiques

Les tours flambant neuves du **Time Warner Center** (p. 110) qui surplombent Central Park à hauteur de Columbus Circle renferment pas moins de sept restaurants haut de gamme. Citons notamment **Rare** (☎ 212-823-9500 ; plats 25-28 $), vaste grill décoré d'arbres et de lustres dorés, la cuisine américaine créative du chaleureux **Per Se** (☎ 212-823-9335 ; plats 11-28 $), les plats franco-asiatiques mitonnés par le chef Gray Kunz dans la cuisine ouverte du **Café Gray** (☎ 212-823-6338 ; plats 50-75 $) et **Masa** (☎ 212-823-9800 ; menu dégustation 300 $), japonais chic-issime qui rivalise sans peine avec Nobu.

MARKET CAFÉ

Plan p. 218 *Américain*

☎ 212-564-7350 ; 496 Ninth Ave entre 37th St et 38th St ; plats 10-14 $; 🕓 déj et dîner lun-sam ; métro A, C, E jusqu'à 34th St–Penn Station

Si les tables en formica et les faïences blanches évoquent un *diner* à l'ancienne, le service attentif, les lustres métalliques, l'ambiance musicale et la carte n'ont rien à envier aux endroits les plus tendance de Downtown. Steak-frites excellent, morue rôtie au bouillon de veau succulente et salades rafraîchissantes. Attente assez longue le week-end.

SOUL FIXINS

Plan p. 376 *Américain*

☎ 212-736-1345 ; 371 W 34th St à hauteur de Ninth Ave ; plats 8-14 $; 🕓 petit déj, déj et dîner ; métro A, C, E jusqu'à 34th St–Penn Station

Les casseroles de chou, de macaroni au fromage, d'igname et d'autres spécialités du sud du pays mijotent toute la journée. Pour le petit déjeuner, offrez-vous du poisson ou un œuf au maïs. Le midi, optez pour une assiette de légumes mélangés. Le soir, les plats sont plus variés, et un peu plus chers, avec notamment poulet ou porc grillé, pain de viande et chaussons farcis. Les habitués travaillent souvent dans le quartier et ne s'attardent pas, mais rien ne vous empêche de prendre votre temps.

SPLASHLIGHT STUDIOS
Plan p. 376 *Américain créatif*
☎ **212-268-7247 ; 529-535 W 35th St entre Tenth Ave et Eleventh Ave ; plats 16-20 $; déj lun-ven ; métro A, C, E jusqu'à 34th St–Penn Station**
Repas décadent dans un cadre tout à la fois intime, sexy et ensoleillé, autour de plats originaux, tels qu'un saumon glacé au miso et au *yuzu* (agrume) ou des écrevisses au sésame, arrosés de vins excellents. Vous croiserez sans doute de surcroît de somptueux top-models se rendant dans le studio-photo voisin !

Bon marché

MANGANARO'S
Plan p. 376 *Traiteur italien*
☎ **212-947-7325 ; 492 Ninth Ave à hauteur de 37th St ; repas 6-9 $; déj lun-sam ; métro A, C, E jusqu'à 34th St–Penn Station**
Sandwiches à la mozzarella et au prosciutto, penne sauce vodka et boulettes comptent parmi les excellentes spécialités de cette boutique familiale.

TIMES SQUARE ET THEATER DISTRICT

Pizzérias, pubs irlandais et restaurants ethniques de catégorie moyenne jalonnent les rues autour de Times Square. Depuis quelques années toutefois, plusieurs restaurateurs ont compris que les spectateurs des théâtres du secteur aimaient aussi la bonne chère et l'offre s'est nettement améliorée.

Restaurant Row

"Restaurant Row" correspond officiellement au block W 46th St entre Eighth et Ninth Ave, mais il désigne plus généralement tous les restaurants de l'ouest de Times Square. Pour vous y rendre, prenez le métro (N, Q, R, S, W, 1, 2, 3, 7, 9) jusqu'à la station Times Square–42nd St. La plupart de ces établissements suivent les horaires des théâtres et ouvrent avant les représentations en matinée, vers 11h45, les mercredi, samedi et dimanche. Ils ferment vers 17h et rouvrent ensuite en soirée. Barbetta et Joe Allen sont deux grands classiques du genre.

BARBETTA Plan p. 218 *Italien*
☎ **212-246-9171 ; 321 W 46th St ; plats 25-30 $; déj et dîner**
Barbetta fait partie à plusieurs titres du patrimoine historique de New York. Cette maison de ville appartint en effet aux Astor et la même famille tient le restaurant depuis 1906. Sa belle salle baroque, son jardin tranquille, son service impeccable et ses formidables spécialités piémontaises (la fameuse *crespelle alla Savoiarda*, une crêpe au fromage et aux légumes, ainsi que la profusion de saveurs étonnantes liées notamment à la truffe blanche) lui assurent encore de belles années.

JOE ALLEN Plan p. 218 *Américain*
☎ **212-581-6464 ; 326 W 46th St ; plats 15-20 $; déj et dîner**
Cuisine simple et bien étudiée, avec grosse salade de poulet ou sole poêlée. Salle très sonore en cas de forte affluence (quasiment tout le temps). Réservation indispensable à moins d'arriver après 20h, l'heure où commencent les spectacles.

LAKRUWANA
Plan p. 218 *Sri-lankais*
☎ **212-957-4480 ; 358 W 44th St à hauteur de Ninth Ave ; plats 13-17 $; dîner tlj, brunch dim ; métro A, C, E jusqu'à 42nd St–Port Authority**
Un peu à l'écart du quartier des théâtres, cet authentique restaurant sri-lankais permet d'échapper aux incontournables steaks et salades du secteur. Beaucoup de plats aux saveurs aigres-douces, comme les crêpes de riz et de noix de coco garnies à l'œuf ou les feuilles de banane farcies au riz, à la banane plantain, à l'aubergine, aux oignons confits et au curry.

MESKEREM Plan p. 218 *Éthiopien*
☎ **212-664-0520 ; 468 W 47th St entre Ninth Ave et Tenth Ave ; plats 10-15 $; déj et dîner ; métro C, E jusqu'à 50th St**
Spécialités de ce petit restaurant tranquille à l'éclairage tamisé, les *injera*, grandes galettes plates, accompagnent de copieux plats de bœuf ou de poulet nappés d'une sauce à l'ail bien relevée ou des mélanges épicés de lentilles ou de pois chiche qui séduiront les végétariens.

RUSSIAN SAMOVAR
Plan p. 218 *Russe*
☎ **212-757-0168 ; 256 W 52nd St entre Broadway et Eighth Ave ; plats 19-25 $; déj mar-sam, dîner tlj ; métro C, E, 1, 9 jusqu'à 50th St**
Mikhail Baryshnikov, copropriétaire du lieu, n'est pas le seul attrait de ce restaurant haut de gamme, très prisé des Russes eux-mêmes. Les blinis au caviar ou au saumon fumé fondent

dans la bouche, l'agneau, les steaks grillés et le poulet de Kiev, à l'aneth et aux graines de moutarde, sont délicieux. Terminez par un traditionnel thé à la cerise. Ambiance musicale certains soirs.

UNCLE NICK'S Plan p. 218 *Grec*

☎ 212-245-7992 ; 747 Ninth Ave entre 50th St et 51st St ; plats 10-16 $; ⏲ déj dim-jeu, dîner tlj ; métro C, E jusqu'à 50th St

Le week-end, de nombreux touristes se pressent ici pour goûter le *tsatsiki* ou le *skordalia* (pommes de terre à l'ail), les brochettes de porc ou les sardines grillées au citron et à l'huile. Juste à côté, l'**Ouzaria**, plus calme et plus branché, est le spécialiste des cocktails à base d'ouzo. Idéal pour prendre un verre avec des amis.

ZEN PALATE

Plan p. 218 *Asiatique végétarien*

☎ 212-582-1669 ; 663 Ninth Ave à hauteur de 46th St ; plats 11-16 $; ⏲ déj et dîner ; métro A, C, E jusqu'à 42 St–Port Authority

Installé bien avant la vague récente des végétariens, ce petit restaurant sert de délicieux plats sans viande – jambon végétarien, *moo shu* à la mexicaine – à base de tofu fumé et de légumes. Ses mini-assiettes constituent une excellente collation après une sortie au théâtre. Succursale sur **Union Square** (☎ 212-614-9291 ; 34 Union Sq E à hauteur de 16th St ; ⏲ déj et dîner).

Bon marché

AFGHAN KEBAB HOUSE

Plan p. 218 *Afghan*

☎ 212-768-3875 ; 155 W 46th St entre Sixth Ave et Seventh Ave ; plats 10-14 $; ⏲ déj et dîner ; métro F, V jusqu'à 47th-50th Sts–Rockefeller Ctr

Cette mini-chaîne propose des saveurs uniques, subtil mélange de parfums d'Inde et du Moyen-Orient. Au menu, kofta de bœuf, riz et potiron ou *palau* (plat de riz) avec agneau, rondelles d'orange et pistaches.

ISLAND BURGERS & SHAKES

Plan p. 218 *Café-restaurant*

☎ 212-307-7934 ; 766 Ninth Ave entre 51st St et 52nd St ; hamburgers 6-8 $; ⏲ petit déj, déj et dîner ; métro C, E jusqu'à 50th St

Fermé plusieurs mois après un incendie, l'Island fait un retour en fanfare. Outre les plats variés comme la salade de poulet thaï, les fajitas et les traditionnels sandwiches bacon-laitue-tomate, goûtez absolument les hamburgers et les milk-shakes. Les steaks de bœuf, copieux et parfaitement grillés (ou les *churascos*, blancs de poulet grillés) comptent 50 variantes. Citons notamment le Bourbon Street (pain au levain, bacon et mayonnaise) et le Pop and Top's (sauce thaï, piment jalapeño et poivrons grillés). Les milk-shakes, vanille, chocolat, fraise ou noir et blanc, sont épais et onctueux à souhait.

KEMIA Plan p. 218 *Marocain*

☎ 212-582-3200 ; 630 Ninth Ave à hauteur de 44th St ; petites assiettes 5-8 $; ⏲ dîner lun-sam ; métro A, C, E jusqu'à 42nd St–Port Authority

Sol parsemé de pétales de rose, canapés douillets, tentures murales, DJ talentueux, clientèle de tous horizons et fabuleux cocktails, voici déjà un programme alléchant. Confirmé par les excellentes préparations à prix raisonnables, tels que le trio de fromages libanais, l'houmous, les galettes de polenta au fromage de chèvre ou les merguez au tahin.

UPPER WEST SIDE

Ce quartier, vaste et contrasté, du Lincoln Center des années 1960, à l'architecture éclectique des années 1990 en passant par les résidences huppées des années 1970 et 1980, foisonne de restaurants. L'arrivée de Tom Valenti, qui s'est lancé il y a quelques années dans une cuisine américaine créative détonante avec **Ouest** (p. 191), a vraiment dynamisé le quartier. D'autres grands chefs se sont installés à leur tour et ce secteur n'a désormais plus rien à envier aux autres.

A Plan p. 379 *Antillais*

☎ 212-531-1643 ; 947 Columbus Ave entre 106th St et 107th St ; plats 8-13 $; ⏲ dîner mar-sam ; subway B, C jusqu'à 103rd St

Ce minuscule restaurant réussit le miracle de servir des plats délicieux à des prix incroyablement bas (d'autant que l'on peut apporter ses boissons). Décor charmant, clientèle sympathique et service accueillant et chaleureux.

AIX Plan p. 379 *Français*

☎ 212-874-7400 ; 2293 Broadway à hauteur de 88th St ; plats 26-35 $; ⏲ dîner tlj, brunch sam et dim ; métro 1, 9 jusqu'à 86th St

Le chef Didier Virot régale les New-Yorkais avec une version modernisée et revisitée des grands classiques de la cuisine française. Le flétan rôti et sa crème d'ail s'accompagne d'un gâteau d'avoine aux bolets, tandis que les côtes de porc braisées au citron et aux graines de fenouil s'agrémentent d'une purée

Top 5 des restaurants de l'Upper West Side

- **Aix.** L'incontournable adresse française du quartier
- **'Cesca.** Un grand italien et des vins somptueux
- **Josie's.** Des repas bio et sans produit laitier
- **Mana.** Des saveurs raffinées
- **Ouest.** Le fameux restaurant de Valenti

de patates douces. On peut aussi simplement prendre un verre au bar très chaleureux de cet exceptionnel palace de deux étages.

'CESCA

Plan p. 379 *Italien*

☎ 212-787-6300 ; 164 W 75th St entre Columbus Ave et Amsterdam Ave ; plats 17-26 $; ⌚ dîner ; métro 1, 9, 2, 3 jusqu'à 72nd St

De la grande cuisine italienne, orchestrée par Tom Valenti. Cadre élégant et confortable (boiseries, lustres, somptueux canapés en cuir). Dans les assiettes, maquereaux, fricassée de poulet, gibier, ravioli, ainsi qu'une kyrielle d'antipasti, tels qu'artichauts marinés à la ricotta ou mini-boulettes de veau et pastina. L'impressionnante carte des vins compte surtout des crus italiens et un bon choix de vins au verre. On peut aussi choisir de s'arrêter au bar, où sont proposées quelques amuse-gueules appétissants, comme les beignets de parmesan épicés.

JOSIE'S

Plan p. 379 *Bio*

☎ 212-769-1212 ; 300 Amsterdam Ave à hauteur de 74th St ; plats 10-16 $; ⌚ déj et dîner ; métro 1, 9, 2, 3 jusqu'à 72nd St

Tout est ici cuisiné sans aucun produit laitier et peut satisfaire à la fois amateurs de viande et végétariens (blancs de poulet rôtis, hamburgers, pain de viande végétal, salade de tempeh, de légumes verts et d'igname). Tout les ingrédients sont bio. L'absence de lait de vache (remplacé par du lait de soja ou de riz dans les boissons) ne nuit nullement à la qualité des sauces, des plats ou des desserts. Succursale à **Third Ave** (Plan p. 377 ; ☎ 212-490-1558; 565 Third Ave à hauteur de 37th St ; ⌚ déj et dîner ; métro 6 jusqu'à 33rd St). Les mêmes propriétaires tiennent également le **Josephina**, 1900 Broadway entre 63rd St et 64th St, idéal pour dîner après un spectacle au Lincoln Center. Cuisine légèrement plus classique et haut de gamme.

MANA

Plan p. 379 *Végétarien-macrobiotique*

☎ 212-787-1110 ; 646 Amsterdam Ave entre 91st St et 92nd St ; plats 9-15 $; ⌚ déj et dîner , brunch sam et dim ; métro 1, 9, 2, 3 jusqu'à 96th St

Impeccable et simple, ce restaurant est devenu la seconde maison des habitants du quartier qui apprécient son atmosphère sympathique et ses plats sains et bons. Le menu change tous les jours, avec légumes verts et légumineuses, ainsi que des plats d'inspiration asiatique à base de nouilles ou de poisson. Terminez par l'excellent gâteau au chocolat et une tasse de succédané de café avec sirop d'érable et lait de soja.

OUEST

Plan p. 379 *Américain moderne*

☎ 212-580-8700 ; 2315 Broadway entre 83rd St et 84th St ; plats 19-33 $; ⌚ dîner tlj, brunch dim ; métro 1, 9 jusqu'à 86th St

On attribue généralement l'éveil de la scène gastronomique de l'Upper West Side à Tom Valenti, propriétaire et chef cuisinier du lieu. Son cadre chic et sa carte éclectique, avec quelques plats étonnants comme le gigot d'agneau braisé ou l'esturgeon poêlé et son risotto, ont effectivement revigoré le quartier et sa réputation ne faillit pas depuis.

TAVERN ON THE GREEN

Plan p. 379 *Américain moderne*

☎ 212-873-3200 ; Central Park West à hauteur de 67th St ; plats 10-20 $; ⌚ brunch et dîner ; métro B, C jusqu'à 72 St

Nichée à l'angle ouest de Central Park, cette adresse mondialement connue s'avère surtout un attrape-touristes aux additions salées. Mais son extraordinaire succès n'est peut-être pas totalement injustifié. Si le cœur vous en dit, offrez-vous un cocktail au bar et, si vos moyens vous le permettent, laissez-vous tenter par un plat, penne aux aubergines et aux tomates (20 $) ou filet mignon (37 $), par exemple.

TURKUAZ

Plan p. 379 *Turc*

☎ 212-665-9541 ; 2637 Broadway à hauteur de 100th St ; plats 10-16 $; ⌚ déj et dîner ; métro 1, 9 jusqu'à 103rd St

L'atmosphère est dépaysante, surtout lorsque les danseuses du ventre se produisent (le week-end) sous les plafonds drapés de jolies tentures. Les prix sont raisonnables et les plats sont authentiques : feuilles de vigne aux pignons de pin, brochettes d'agneau mariné, espadon à la broche ou poêlée de légumes.

Asseyez-vous dans le salon, très romantique avec son éclairage à la bougie, pour déguster quelques mezze arrosés de raki.

Bon marché

CAFÉ VIVA Plan p. 379 *Pizza végétarienne*

☎ 212-663-8482 ; 2578 Broadway à hauteur de 97th St ; plats 3-8 $; déj et dîner ; métro 1, 2, 3, 9 jusqu'à 96th St

Contrairement aux apparences, il ne s'agit pas d'une quelconque pizzéria ! Bien épaisses, les portions de pizza sont garnies de poivrons grillés, de champignons shiitake et de tofu, d'autres, à la farine de maïs, sont au piment doux, au maïs et à la mozzarella, tandis que celles à la farine complète comprennent tofu mariné au miso, aubergine, tomates et épinards. À la carte également, tourtes traditionnelles, calzone, salades, sandwiches et pâtes.

SAIGON GRILL Plan p. 379 *Vietnamien*

☎ 212-875-9072 ; 620 Amsterdam Ave à hauteur de 90th St ; plats 6-12 $, menu déj 5-6 $; déj et dîner ; métro 1, 2, 3 jusqu'à 96th St

Les Vietnamiens (qui apprécient la livraison à domicile ultra rapide), raffolent de ses nouilles traditionnelles, ainsi que de ses plats de riz et de curry. En dessert, ne manquez pas les délicieuses boulettes de riz gluant fourrées au beurre de cacahuète.

UPPER EAST SIDE

Bien que plutôt chic et relativement conservateur, ce quartier recèle des dizaine de petits restaurants ethniques sans prétention.

BEYOGLU Plan p. 379 *Turc*

☎ 212-650-0850 ; 1431 Lexington Ave à hauteur de 81st St ; plats 11-15 $; déj et dîner ; métro 6 jusqu'à 77th St

Soupe au yaourt, doner kebabs et salades de feta très réussis, servis dans un cadre chaleureux et confortable. Arrivez de bonne heure pour pouvoir choisir votre table. Proche du Met, il permet de terminer agréablement un après-midi culturel.

CAFÉ SABARSKY Plan p. 379 *Autrichien*

☎ 212-288-0665 ; Neue Galerie, 1048 Fifth Ave à hauteur de 86th St ; plats 12-17 $; petit déj, déj et dîner ; métro 4, 5, 6 jusqu'à 86th St

Merveilleusement situé au rez-de-chaussée de la Neue Galerie, face à Central Park, ce vaste café propose de délicieux repas et pâtisseries. Goûtez le goulash nourrissant, le strudel de morue ou un sandwich de hareng épicé, à moins que vous ne choisissiez d'emblée un gâteau avec une tasse de café ou de chocolat bien onctueux. Des comédiens se produisent parfois, transformant le café en un cabaret improvisé.

Top 5 du brunch

- **Balthazar** (p. 176). Gaufres aux noisettes à la crème fouettée, brioche de saumon fumé à la crème fraîche, cocktail spécial lendemain de fête tel que le Ramos Fizz... Que demander de plus ?
- **Copeland's** (p. 193). Gaufres au poulet sur fond de gospel, le chouchou de Harlem
- **Lakruwana** (p. 189). Un dimanche dynamique avec un curry de jaque, des crêpes de riz et autres délices sri-lankais
- **Mana** (p. 191). Gaufres aux céréales, tofu brouillé, porridge de riz, des plats végétariens originaux et savoureux
- **Prune** (p. 181). Grande spécialité de la maison : les neuf sortes de Bloody Mary. Les huîtres, le saumon fumé, les pâtisseries et la clientèles branchée valent le détour aussi

CANDLE CAFE

Plan p. 379 *Végétarien*

☎ 212-472-0970 ; 1307 Third Ave entre 74th St et 75th St ; plats 12-15 $; déj et dîner ; métro 6 jusqu'à 77th St

Entre un gril et une boutique de hamburgers, Candle, reconnaissable au bar à jus de fruit installé en façade sert une cuisine New Age diététique. Les plats vont du plus simple (une assiette *Good Food* à base de légumes verts, de racines, de graines et de soja), au plus compliqué (la formidable *Paradise Casserole*, un mélange de patates douces, de haricots noirs et de millet arrosé d'une sauce aux champignons). Les gâteaux se révèlent étonnamment moelleux.

DANIEL Plan p. 379 *Français*

☎ 212-288-0033 ; 60 E 65th St entre Madison Ave et Park Ave ; menu 88 $; dîner ; métro F jusqu'à Lexington Ave–63 St, 6 jusqu'à 68th St–Hunter College

Tout le succès de ce restaurant repose sur son célèbre chef Daniel Boulud et sa cuisine sophistiquée. Après des pinces de crabe sur un lit de céleri, du foie gras aux pommes ou du homard en croûte de truffe noire, il vous faudra choisir entre le cabillaud confit au

Balthazar (p. 176)

fenouil, avec des raisins, des pois chiches et de la cardamome et le duo de bœuf, qui associe hauts de côte braisés au vin rouge et filet rôti accompagné d'une mousseline de céleri.

ETHIOPIAN RESTAURANT

Plan p. 379 *Éthiopien*

☎ 212-717-7311 ; 1582 York St entre 83rd St et 84th St ; plats 10-14 $; 🕒 déj et dîner ; métro 4, 5, 6 jusqu'à 86th St

Ne vous arrêtez pas à son cadre ultra-simple, tout est absolument délicieux. Nul doute que vous saucerez tous les plats, lentilles aux épices, sauté de bœuf au poivre ou mijoté de chou vert, jusqu'à la dernière miette de vos galettes *injera* ! Goûtez aussi le traditionnel vin de miel, sucré et rafraîchissant.

Bon marché

LEXINGTON CANDY SHOP

Plan p. 379 *Café-restaurant*

☎ 212-288-0057 ; 1226 Lexington Ave à hauteur de E 83rd St ; plats 5-10 $; 🕒 petit déj, déj et dîner ; métro 4, 5, 6 jusqu'à 86th St

Idéal pour le déjeuner, ce *diner* abrite de surcroît encore une antique fontaine à soda. Les gamins du quartier s'y régalent de crèmes glacées, pendant que les adultes sirotent un café ou un Gin Rickey. Fait rare dans ce quartier exorbitant, les hamburgers et tous les autres plats sont vendus à un prix très raisonnable.

HARLEM ET NORTHERN MANHATTAN

Réputé autrefois pour sa cuisine afro-américaine, ce quartier s'ouvre depuis quelques années lui aussi à la cuisine "fusion", en raison sans doute de l'embourgeoisement de ses habitants. Il compte désormais des lieux originaux à foison.

HARLEM

AMY RUTH'S RESTAURANT

Plan p. 382 *Afro-américain*

☎ 212-280-8779 ; 114 W 116th St entre Malcolm X Blvd (Lenox Ave) et Adam Clayton Powell Jr Blvd (Seventh Ave) ; plats 11-16 $; 🕒 petit déj, déj et dîner, 24h/24 ven et sam ; métro B, C, 2, 3 jusqu'à 116th St

Outre les grands classiques (ignames confits, jambon fumé, gâteau de maïs, gombo frit), ce restaurant très prisé par les habitués du quartier, s'est spécialisé dans les gaufres. Au chocolat, à la fraise, à la myrtille, aux pommes au beurre ou accompagnées de poulet frit, elles méritent toutes le détour !

COPELAND'S

Plan p. 382 *Afro-américain*

☎ 212-234-2357 ; 547 W 145th St entre Amsterdam Ave et Broadway ; plats 15-20 $; 🕒 dîner tlj, brunch dim ; métro A, B, C, D, 1, 9 jusqu'à 145th St

Joliment décoré dans des tons pastel et orné de portraits d'Afro-Américains célèbres, il propose tous les classiques du genre : poulet frit ou grillé, barbue, et côtelettes. Le dimanche, le brunch sur fond de gospel fait salle comble, réservez bien à l'avance.

Top 5 des restaurants de Harlem-Morningside Heights

- **Amy Ruth's.** Les grands classiques du Sud, sans les touristes
- **Charles' Southern Style Kitchen.** Poulet bon marché et croustillant à souhait
- **Copeland's.** Un brunch gospel à ne manquer sous aucun prétexte
- **Native** (p. 194). Cuisine contemporaine et branchée
- **Strictly Roots** (p. 194). Plats afro-américains végétariens

NATIVE

Plan p. 382 *Antillais*

☎ 212-665-2525 ; 101 W 118th St à hauteur de Malcolm X Blvd (Lenox Ave) ; plats 10-14 $; ⏲ déj et dîner ; métro 2, 3 jusqu'à 116th St

L'un des derniers-nés de Harlem, il attire une clientèle aussi tendance que ses plats, poulet frit au cumin, beignets de banane plantain, curry rouge de crevettes à la noix de coco ou barbue poêlée pour n'en citer que quelques-uns.

ORBIT

Plan p. 382 *Éclectique*

☎ 212-348-7818 ; 2257 First Ave à hauteur de 116th St ; plats 10-15 $; ⏲ déj et dîner ; métro 6 jusqu'à 116th St

Minnie Rivera, Sofina Terzo et Angelique Irrizary, instigatrices de gigantesques fêtes lesbiennes, ont choisi pour la décoration de leur restaurant l'authenticité des briques apparentes, l'élégance d'un bar en chêne et des tables en bois peints et le glamour d'un immense portrait de Marilyn Monroe. Côté ambiance, groupes de jazz et chanteurs brésiliens se partagent les soirées. On se régale de plats variés, canard rôti et édamame, tourte au poulet ou steak au poivre.

SUGAR HILL BISTRO

Plan p. 382 *Américain*

☎ 212-491-5505 ; 458 145th St entre Amsterdam Ave et Convent Ave ; plats 19-26 $; ⏲ dîner tlj, brunch sam et dim ; métro A, C, B, D, 1, 9 jusqu'à 145th St

Bienvenue dans le nouveau Harlem ! Cette belle bâtisse victorienne en brique expose des œuvres d'art de grands artistes afro-américains, organise des concerts de jazz le week-end, un brunch R&B le samedi et un autre sur fond de gospel le dimanche. Servis à l'étage dans une élégante salle, les plats comprennent du poulet et des chaussons farcis, du jambalaya de Louisiane, des côtes d'agneau aux herbes ou encore des spaghettis aux boulettes de bœuf.

SYLVIA'S

Plan p. 382 *Américain*

☎ 212-996-0660 ; 328 Malcolm X Blvd ; plats 10-15 $; ⏲ déj et dîner ; métro 2, 3 jusqu'à 125th St

Ouverte en 1962, cette véritable institution de Harlem est aujourd'hui envahie par les bus de touristes. La propriétaire, Sylvia Woods, officie toujours en cuisine certains jours pour préparer d'énormes portions de chou vert, de barbue frite et de son excellent gâteau à la banane.

Bon marché

CHARLES' SOUTHERN STYLE KITCHEN

Plan p. 382 *Afro-américain*

☎ 212-926-4313 ; 2839 Frederick Douglass Blvd (Eighth Ave) entre 151st St et 152nd St ; plats 5-7 $; ⏲ déj et dîner ; métro B, D jusqu'à 155th St

Outre un délicieux poulet frit, on peut déguster des gâteaux au saumon et des macaroni au fromage, toujours présents parmi les différents plats du jour. Signalons aussi le buffet à un prix très intéressant (10 $ le midi , 12 $ le soir).

STRICTLY ROOTS

Plan p. 382 *Jamaïcain végétarien*

☎ 212-864-8699 ; 2058 Adam Clayton Powell Jr Blvd (Seventh Ave) entre 122nd St et 123rd St ; plats 6-9 $; ⏲ déj et dîner ; métro A, B, C, D, 2, 3 jusqu'à 125th St

Repaire des rastas du quartier, cette cafétéria bannit tout ce qui "rampe, marche, nage ou vole". Au menu donc, friture de banane plantain, curry de faux bœuf, légumes à l'étuvée ou frits, pâtisseries et jus de fruits frais.

MORNINGSIDE HEIGHTS

Largement colonisé par l'université de Columbia et ses étudiants, ce quartier regorge de *diners* (cafés-restaurants) bon marché, ouverts tard le soir et de bars estudiantins. On parvient à y dénicher encore quelques petites merveilles.

TERRACE IN THE SKY

Plan p. 382 *Français*

☎ 212-666-9490 ; 400 W 119th entre Morningside Dr et Amsterdam Ave ; plats 29-36 $ et menu 45 $ mar-jeu ; ⏲ déj dim-ven, dîner tlj ; métro 1, 9 station116th St–Columbia University

C'est dans cette suite du 16e étage du Butler Hall de Columbia que les étudiants vont dîner avec leurs parents en visite à New York. Ne vous laissez pas impressionner par le décor un tantinet pompeux (nappes blanches, chaises en velours rouge, plafond festonné) et admirez plutôt la vue somptueuse qu'il offre sur la ville. La cuisine de Jason Potanovich vaut également le déplacement : saumon aux graines de moutarde et jus de lentilles fumé avec des pommes de terre ou perdrix sauce au foie gras, accompagnée de quinoa, chanterelles et navets caramélisés.

TOMO

Plan p. 382 *Japonais*

☎ 212-665-2916 ; 2850 Broadway à hauteur de 111th St ; repas 13-17 $; 🕑 déj et dîner ; métro 1, 9 jusqu'à 110th St–Cathedral Pkwy

Ses sushis peu coûteux attirent nombre d'étudiants. On peut aussi volontiers opter pour le *katsu* de poulet (poulet en fines tranches), les bols de nouilles, les tempura, les boîtes bento et le saumon teriyaki. Les végétariens apprécieront les *futomaki* (sushi de légumes) et les rouleaux au concombre et au champignon shiitake.

Bon marché

OLLIE'S NOODLE SHOP & GRILLE

Plan p. 382 *Chinois*

☎ 212-932-3300 ; 2957 Broadway ; plats 6-10 $; 🕑 déj et dîner ; métro 1, 9 jusqu'à 116th St

Ouverte tard le soir et très animée, cette chaîne dispose d'un immense choix de soupes aux nouilles, de fritures, de raviolis, de salades et même, plus surprenant, de pâtes et de hamburgers.

TOM'S RESTAURANT

Plan p. 382 *Café-restaurant*

☎ 212-864-6137 ; 2880 Broadway à hauteur de W 112th St ; plats 5-8 $; 🕑 petit déj, déj et dîner ; métro 1, 9 jusqu'à 116th St

Ce *diner* des plus banals a connu son heure de gloire à deux reprises : tout d'abord, à la sortie de la chanson de Suzanne Vega "Tom's Diner" (même s'il semble qu'il n'en soit finalement pas l'inspirateur), puis lorsque l'équipe du feuilleton télévisé *Seinfeld* se mit à le fréquenter régulièrement. Les plats, omelettes, hamburgers et autres salades grecques, n'ont pas gagné en originalité, mais restent aussi bons que dans n'importe quel autre lieu du même style.

BOROUGHS PÉRIPHÉRIQUES

BROOKLYN

Le rythme est moins trépidant à Brooklyn et l'on peut généralement manger plus tranquillement que dans la plupart des restaurants de Manhattan. Au cours des dix dernières années, Smith St (sur Cobble Hill) et Carroll Gardens se sont nettement dépoussiérés et comptent désormais nombre de bistrots français. Williamsburg accueille un ou deux nouveaux restaurants par mois. N'hésitez pas à suivre les habitués jusqu'à Fort Greene, sur DeKalb Ave, quelques blocks à l'est de Flatbush Ave.

ALMA

Plan p. 384 *Mexicain*

☎ 718-643-5400 ; 187 Columbia St à hauteur de DeGraw St ; plats 12-18 $; 🕑 dîner ; métro F, G jusqu'à Bergen St

L'Alma apporte un peu de vie à un secteur morne et sans intérêt (la partie des Carroll Gardens située de l'autre côté de la voie express Brooklyn-Queens). Il comprend un bar sympathique au rez-de-chaussée, une belle salle de restaurant au 1er étage et un magnifique jardin sur le toit, d'où l'on jouit d'une vue extraordinaire sur les gratte-ciel de Manhattan. Au menu, margarita et cuisine mexicaine avec thon aux épices, fajitas aux légumes, ceviche, canard grillé arrosé d'une onctueuse sauce tomate-cacahuètes et en dessert, de généreuses parts de flan.

BANANIA CAFE

Plan p. 384 *Français et international*

☎ 718-237-9100 ; 241 Smith St ; plats 13-20 $; 🕑 dîner tlj, brunch sam et dim ; métro F, G jusqu'à Bergen St

L'un des nombreux petits bistrots de la rue. Il sert de bons plats de poisson (essayez en particulier la raie en croûte de pommes de terre) et un gigot d'agneau extrêmement fondant. Le menu comprend toujours au moins un plat végétarien, un gratin de raviolis au potiron par exemple. Ambiance électrique et service un peu expéditif pour le brunch du week-end.

BLUE RIBBON BROOKLYN

Plan p. 384 *Américain*

☎ 718-840-0404 ; 280 Fifth Ave ; plats 13,50-28,50 $; 🕑 dîner, ouvert tard le soir ; métro M, R jusqu'à Union St

Succursale de celui de Manhattan, ce restaurant de Park Slope offre un vaste choix

> **Top 5 des restaurants des boroughs périphériques**
>
> - **Grimaldi's** (p. 196). Des pizzas de rêve
> - **Jackson Diner.** Un buffet indien pantagruélique
> - **Junior's.** Le roi du cheesecake
> - **River Cafe.** Dîner luxueux face aux lumières de la ville
> - **Roberto's** (p. 198). Le meilleur du véritable Little Italy

de viandes (agneau, pigeon, contre-filet), ainsi que de la langouste, du poisson et d'excellentes brochettes végétariennes. On peut attendre sa table en dégustant quelques huîtres au bar (12 $ la demi-douzaine). Le service se prolonge tard le soir. Juste à côté, le **sushi restaurant** (☎ 718-840-0408) de la maison propose une sélection impressionnante de poissons crus.

DINER

Plan p. 384 *Américain*

☎ 718-486-3077 ; 85 Broadway ; plats 10-20 $; déj et dîner ; métro J, M, Z jusqu'à Marcy Ave

Installé depuis 1927 quasiment sous le pont de Williamsburg, c'est l'un des meilleurs *diners*, et des plus appréciés, du quartier. Préférez les plats du jour à la carte, assez réduite. Sont préparés chaque jour plusieurs plats de poisson, une option végétarienne, ainsi que des steaks et du filet de porc. Un DJ anime souvent le bar. Le brunch attire de nombreux lève-tard.

GRIMALDI'S

Plan p. 384 *Pizzéria*

☎ 718-858-4300 ; 19 Old Fulton St ; pizzas 12-14 $; déj et dîner ; métro A, C jusqu'à High St, 2, 3 jusqu'à Clark St

Ce petit restaurant familial qui portait autrefois l'enseigne Chez Patsy's, sert des pizzas à pâte fine, cuites au four traditionnel. C'est une pizzéria typique : nappes à carreaux rouges et blancs, photos de stars au mur et tous les tubes de Sinatra dans le juke-box.

JUNIOR'S

Plan p. 384 *Cheesecakes*

☎ 718-852-5257 ; 386 Flatbush Ave ; cheesecake 4,50 $, petit déj 5-8,50 $, sandwiches 4-12 $; petit déj, déj et dîner, ouvert tard le soir ; métro B, M, Q, R jusqu'à DeKalb Ave

Qu'on se le dise : Junior's est le roi du cheesecake ! En place depuis 1950, il propose également petit déjeuner et sandwiches.

LIQUORS

Plan p. 384 *Cajun/américain*

☎ 718-488-7700 ; 219 DeKalb Ave ; plats 10-16 $; petit déj, déj et dîner sam-dim, dîner lun-ven, ouvert tard le soir ; métro B, M, Q, R jusqu'à DeKalb Ave

Dans un décor imitant un bayou battu par les vents, ce bistrot prépare des plats d'inspiration cajun (jambalaya à la saucisse et au poulet au rhum, barbue en croûte de maïs) et un brunch un peu léger le week-end (12,50 $). Par beau temps, on peut manger dans la cour. Les habitants du quartier sont de fidèles habitués.

NATIONAL

Russe

☎ 718-646-1225 ; 273 Brighton Beach Ave ; menu dîner 60 $; Ouvert tard le soir ; métro B, Q jusqu'à Brighton Beach

Le night-club National s'anime chaque fin de semaine, lorsque la vodka coule à flots et que les danseurs envahissent la piste. Le menu comprend des plats russes ou français, tels que *blintzes* aux épinards, canard rôti, anguille au riz ou volaille au maïs (pas d'option végétarienne). Réparties sur deux niveaux, toutes les tables font bien évidemment face à la scène où se déchaînent les danseurs.

PETER LUGER STEAKHOUSE

Plan p. 384 *Grillades*

☎ 718-387-7400 ; 178 Broadway ; steaks 28-37 $; déj et dîner ; métro J, M, Z jusqu'à Marcy Ave

Installé à Williamsburg depuis 1887, Peter Luger sert d'excellents filets de bœuf (ainsi que des côtes d'agneau, du saumon et des hamburgers). Le temps semble n'avoir aucune prise sur la décoration bavaroise ou les serveuses aux manières un peu brusques. Il n'accepte pas les cartes de crédit.

RIVER CAFE

Plan p. 384 *International*

☎ 718-522-5200 ; 1 Water St ; brunch 35 $, menu dîner 70 $; déj et dîner ; métro A, C jusqu'à High St, 2, 3 jusqu'à Clark St

La cuisine de ce célèbre restaurant haut de gamme fait honneur à la vue somptueuse qu'il offre sur le pont de Brooklyn et Lower Manhattan : magret de canard au foie gras, caviar, fruits de mer et toujours au moins un plat végétarien. Menu fixe les samedi et dimanche. Veste de rigueur pour les hommes à partir de 17h dans la salle de restaurant.

Les fameux hot-dogs de Nathan

Si vous aimez les hot-dogs, goûtez absolument ceux-là, garnis d'une saucisse pure bœuf, de choucroute et de moutarde. **Nathan's** (☎ 718-946-2202 ; 1310 Surf Ave ; hot-dogs 2,25 $; petit déj, déj et dîner, ouvert tard le soir ; métro D, F jusqu'à Coney Island/Stillwell Ave) aurait inventé ici ces célèbres sandwiches en 1916. Il organise tous les 4 juillet un concours du plus gros mangeur de hot-dogs. Le record est détenu par un Japonais, qui a réussi à en avaler 50 et demi ! On peut prendre aussi du poisson ou du poulet frit, des hamburgers et des clams. Pas de plats végétariens.

TOM'S RESTAURANT

Plan p. 385 *Café-restaurant*

☎ 718-636-9738 ; 782 Washington Ave ; plats 2,75-8 $; 🕒 petit déj et déj lun-sam ; métro 2, 3 jusqu'à Eastern Pkwy–Brooklyn Museum

Les petits déjeuners et les crèmes aux œufs de ce sympathique *diner* à trois blocks du Brooklyn Museum of Art remportent toujours un franc succès. Ouvert depuis 1936, il a rajouté des éléments de décor (avec une nette préférence pour les motifs floraux !) au fil des ans. Bon et pas cher. Jugez plutôt : deux œufs, des toasts, du café, des frites ou des beignets pour quelque 2,75 $. Les serveurs vous offriront des tranches d'orange ou des cookies pour vous faire patienter.

QUEENS

Les nombreux quartiers ethniques de Queens (voir p. 142) foisonnent de restaurants sans grand intérêt, qui proposent une cuisine internationale bon marché. Certains des grands établissements de Manhattan possèdent une succursale ici.

Astoria's 31st St à hauteur de Ditmars Blvd (métro N, W jusqu'à Astoria–Ditmars Blvd) regorge de restaurants grecs. Flushing (métro 7 jusqu'à Flushing–Main St) donne dans la cuisine asiatique, avec nombre d'établissements chinois, taiwanais, japonais et coréens. Dans Jackson Heights (métro 7 jusqu'à 74th St–Broadway), on peut essayer les spécialités indiennes et philippines. Enfin, à Corona, Roosevelt Ave, entre 74th St et 103rd St (sous la ligne 7), est jalonnée d'excellents *restaurantes* mexicains, péruviens, colombiens et équatoriens.

Si vous rêvez d'un bon plat européen bien roboratif (arrosé d'une bonne bière tchèque), faites un tour au **Bohemian Hall & Beer Garden** (p. 214).

JACKSON DINER

Indien

☎ 718-672-1232 ; 3747 74th St, Jackson Heights ; plats 9-22 $; 🕒 déj et dîner ; métro 7 jusqu'à 74th St–Broadway

Largement reconnu comme le meilleur indien de la ville, il se spécialise dans la cuisine de l'Inde du Sud et les crêpes à base de farine de lentille (*masala dosas* aux légumes ou *uthapam*, par exemple) et dans les curries d'agneau et de poulet (pas de bœuf). On peut choisir la formule buffet de 11h30 à 16h tlj (6,95 $ lun-ven, 8,95 $ sam et dim). Depuis la station de métro (et Roosevelt Ave), continuez sur un block en direction du nord, après les boutiques de sari.

KUM GANG SAN

Plan p. 387 *Coréen et japonais*

☎ 718-461-0909 ; 138-28 Northern Blvd, Flushing ; plats 8-50 $; 🕒 24h/24 ; métro 7 jusqu'à Flushing–Main St

Décoré comme une ancienne maison de thé coréenne, Kum Gang San figure parmi les restaurants les plus agréables et les plus fréquentés de Flushing. On apprécie tout particulièrement les barbecues (filet de bœuf, côtelettes, crevettes), les sushis, les makis et les soupes ou plats mijotés coréens. En semaine, les menus du déjeuner, bol *bibimbop* avec du bœuf et des légumes par exemple, vont de 7 à 13 $.

LEMON ICE KING OF CORONA

Plan p. 387 *Glacier italien*

☎ 718-699-5133 ; 52-02 108th St, Corona ; boule 1-2 $; 🕒 déj et dîner sept-juin, déj et dîner, ouvert tard le soir juil-août ; métro 7 jusqu'à 103rd St–Corona Plaza

Face au terrain de *bocce* de Spaghetti Park, cette véritable institution résiste au temps et aux modes. Parmi les 25 parfums de glace, nous vous recommandons les spécialités aux morceaux de fruits, citron, melon, cerise, etc. Vous le trouverez à environ 800 m au sud du métro ou en passant par Flushing Meadows Corona Park.

UNCLE GEORGE

Plan p. 386 *Grec*

☎ 718-626-0593 ; 33-19 Broadway ; plats 7-16,50 $; 🕒 24h/24 ; métro N, W jusqu'à Broadway, G, R, V jusqu'à Steinway St

Simple, dans le style bistrot, il surplombe les boulangeries et boutiques grecques d'Astoria. Nombreux plats de viande (feuilles de vigne farcies au bœuf avec une sauce œuf-citron) et de poisson, peu d'options végétariennes. Grand choix de plats du jour également, avec par exemple, du lapin en sauce.

WATER'S EDGE Plan p. 386 *Américain*

☎ 718-482-0033 ; 44th Dr et East River, Long Island City ; plats 24-36 $; 🕒 déj et dîner lun-sam ; métro 7 jusqu'à 45 Rd–Court House Sq, E, V jusqu'à 23rd St–Ely Ave

Aménagé sur une péniche amarrée sur East River, le Water's Edge, chic et romantique, offre une belle vue sur tout Manhattan. Dînez en plein air si le temps le permet. La cuisine fait honneur au cadre. La carte, qui change au fil des saisons, associe des poissons (tel un flétan de l'Atlantique aux artichauts et au fenouil) et des plats plus classiques, comme le filet mignon. Le restaurant assure un service de navettes-bateaux gratuites depuis la jetée (Pier E) 34th St, sur East River (de 18h à 22h45).

LE BRONX

Belmont, ou le "Little Italy du Bronx", est réputé pour ses multiples trattorias et pizzérias qui jalonnent les petites rues. Il recouvre essentiellement Arthur Ave, juste au sud de Fordham University (métro B, D jusqu'à Fordham Rd). Depuis la station de métro, empruntez Fordham Rd vers l'est, puis prenez à droite dans Arthur Ave. City Island (p. 148) multiplie les possibilités de manger des fruits de mer.

ROBERTO'S Plan p. 388 *Italien*

☎ 718-733-2868 ; 632 E 186th St à hauteur de Belmont Ave ; plats 8-26 $; 🕓 déj et dîner mar-ven, dîner sam ; métro B, D jusqu'à Fordham Rd

Souvent proclamé meilleur restaurant italien de New York, il ne désemplit jamais. À l'instar des habitués, refermez la carte et demandez plutôt *"per cortesia, vorrei provare la scelta del cuoco"* ("je voudrais le choix du jour du chef, s'il vous plaît"). Nombreux plats du jour tels que steak d'espadon ou côtes de veau, accompagnés de pâtes. Par beau temps, on dresse des tables sur le trottoir et on prend le temps de savourer tranquillement vin, dessert et expresso.

TONY'S PIER

Plan p. 388 *Fruits de mer*

☎ 718-885-1424 ; 1 City Island Ave ; plats 9-22 $; 🕓 dîner, ouvert tard le soir ; métro 6 jusqu'à Pelham Bay Park puis bus Bx29

À l'extrémité sud de City Island, Tony's Pier désigne un immense temple de la restauration à l'ambiance un peu chaotique. Des panneaux en anglais et en espagnol indiquent les files d'attente. L'une conduit par exemple au comptoir des mets frits, avec calamars, queues de langouste, coquilles St Jacques ou daurade (toujours accompagnés de frites), une autre à un étal d'écailler (fruits de mer). Cadre simplissime (table en formica et couverts en plastique). Beaucoup de monde jusque tard dans la soirée.

Où prendre un verre

Où prendre un verre

À l'instar de toute chose dans cette belle ville – restaurants, boutiques, institutions culturelles et personnalités – les bars se déclinent sous une infinité de formes. Vous pouvez vous laisser guider par vos préférences en matière d'alcool et fréquenter, au choix, des lounges à la mode qui servent des cocktails, des pubs moites, des comptoirs où l'on remplit les verres de whisky à la chaîne, ou des bars à vins raffinés. D'autres critères peuvent entrer en ligne de compte : vous préférerez peut-être siroter votre verre en compagnie d'éphèbes gays, trinquer avec des employés cherchant à se détendre après le travail, ou lever le coude avec des fans de sport, des branchés gominés ou des amateurs de grands crus.

Le top 5 des bars

- **Bar Veloce** (p. 205). Petit bar à vins de caractère
- **Chibi's Bar** (p. 203). Le roi du saké à Soho
- **Louis** (p. 205). Cocktails et jazz dans l'East Village
- **Pravda** (p. 202). La vodka dans tous ses états
- **XL** (p. 209). Un espace hi-tech convenable pour les gays et leurs copains

Dublin House (p. 212)

Quels que soient vos goûts, rappelez-vous que, par décision de la municipalité, la cigarette n'a plus droit de cité dans aucun établissement, à l'exception des bars à cigares et des lieux disposant d'un espace en plein air. Qu'il pleuve ou qu'il vente, vous devrez donc fumer sur le trottoir. Sachez également que les bars ne sont pas autorisés à fermer après 4h, et que certains baissent le rideau dès 2h. Enfin, beaucoup d'adresses mentionnées ici appartiennent en réalité à la catégorie des *lounges* – c'est à dire des salons avec canapés cosy, éclairage tamisé, bar et DJ – qui ont fleuri un peu partout depuis que l'ancien maire, Rudy Giuliani, a renforcé la loi de NYC sur les cabarets. Mais si les salles de billards glauques et les bars où s'égosille un juke-box ne vous font pas fuir, rassurez-vous, vous en trouverez à la pelle.

LOWER MANHATTAN

Les bars ne sont pas plus nombreux que les restaurants dans ces parages. Vous pousserez tout de même quelques portes à la suite de cadres de la finance en quête de happy hours avancées. Deux ou trois lounges élégants complètent le paysage.

JEREMY'S ALE HOUSE Plan p. 370

☎ 212-964-3537 ; 254 Front St à hauteur de Dover St ; 🕓 8h-23h lun-ven, 10h-24h sam, 12h-19h dim ; métro J, M, Z jusqu'à Chambers St, 2, 3 jusqu'à Fulton St, 4, 5, 6 jusqu'à Brooklyn Bridge–City Hall

Un curieux mélange de maison d'étudiants et de troquet original : soutiens-gorge suspendus au-dessus du comptoir, pintes de bière servies dans des verres en polystyrène et belle vue sur le pont de Brooklyn – sans oublier une heure d'ouverture très matinale.

PUSSYCAT LOUNGE Plan p. 370

☎ 212-349-4800 ; 96 Greenwich St à hauteur de Rector St ; 🕓 12h-3h lun-mer, 12h-4h jeu-sam ; métro N, R, W, 1, 9 jusqu'à Rector St

Bizarrement, ce bar délabré pour go-go dancers est devenu un endroit branché pour s'encanailler. Il attire des cadres de la finance presque tous les soirs tandis qu'une clientèle gay débridée met le feu le lundi.

REMY LOUNGE Plan p. 370

☎ 212-267-4646 ; 104 Greenwich St entre Carlisle St et Rector St ; 🕓 17h-4h mer-sam ; métro N, R jusqu'à Rector St

Lounge sur 2 niveaux, où les branchés ne se donnent pas la peine d'entrer. Les rythmes tropicaux font chauffer la piste de danse. Le vendredi, place au disco des années 1980.

RISE Plan p. 370

☎ 212-344-0800 ; Ritz-Carlton New York, 14th fl, 2 West St à hauteur de Battery Pl ; 🕓 16h-24h lun-jeu, 16h-1h ven-sam, 17h30-23h dim ; métro N, R, W jusqu'à Rector St

Même le prix des délicieux martinis (13 $) ne doit pas vous faire hésiter. Installé dans le bar sublime du Ritz-Carlton, vous pourrez admirer depuis le lounge les magnifiques couchers de soleil sur l'Hudson, tout en observant le spectacle offert par la clientèle.

TRIBECA ET SOHO

Bien que la faune à la pointe des tendances ait déménagé dans le Lower East Side, on trouve encore dans les parages plusieurs bars pour voir et être vu. Les lounges abondent, mais les pubs sans chichi, fréquentés par de vrais gens sont loin de manquer.

TRIBECA

BUBBLE LOUNGE Plan p. 370

☎ 212-431-3433 ; 228 West Broadway entre Franklin St et White St ; 🕓 17h-2h lun-jeu, 18h-4h ven-sam ; métro 1, 2 jusqu'à Franklin St

Ce repaire des financiers de Wall Street propose 280 variétés de champagnes et de vins mousseux, dont certains peuvent atteindre 2 000 $. Heureusement, on peut aussi commander au verre pour environ 12 $.

CHURCH LOUNGE Plan p. 370

☎ 212-519-6600 ; 2 Sixth Ave entre Walker St et White St ; 🕓 8h-4h ; métro A, C, E jusqu'à Canal St, 1, 9 jusqu'à Franklin St

Situé dans le hall luxueux du Tribeca Grand Hotel, c'est l'archétype du lounge : lumière tamisée, recoins cosy, clientèle élégante et cocktails doux.

LIQUOR STORE BAR Plan p. 370

☎ 212-226-7121 ; 235 West Broadway à hauteur de White St ; 🕓 12h-4h ; métro A, C, E jusqu'à Canal St

L'usage commercial de ce bâtiment de style fédéral remonterait à 1804, aiment commenter les propriétaires qui ont repris l'enseigne d'un magasin de spiritueux qui occupa jadis les lieux. De larges baies et des tables en terrasse permettent d'observer son prochain à loisir, en retrait de l'ambiance "mode" de Tribeca.

LUSH Plan p. 370

☎ 212-766-1275 ; 110 Duane St entre Broadway et Church St ; 🕓 17h-4h mar-ven, 21h-4h sam ; métro A, C, 1, 2, 3, 9 jusqu'à Chambers St

Clientèle élégante, canapés rouges et banquettes surélevées, bières belges, alcools forts et DJ le week-end.

PUFFY'S TAVERN Plan p. 370

☎ 212-766-9159 ; 81 Hudson St entre Harrison St et Jay St ; 🕓 12h-4h ; métro 1, 9 jusqu'à Franklin St

Peu fréquentée, cette taverne à l'ancienne, charmante et décrépite, passe du jazz et sert des habitués vissés sur des tabourets.

RACCOON LODGE Plan p. 370

☎ 212-776-9656 ; 59 Warren St entre Church St et West Broadway ; 🕓 10h-4h lun-ven, 15h-4h sam-dim ; métro A, C, 1, 2, 3, 9 jusqu'à Chambers St

Il n'a pas son pareil dans le quartier, et du pop-corn gratuit accompagne ses alcools forts. La cheminée, la table de billard et le flipper font merveille les soirs d'hiver. Il se remplit, à la sortie des bureaux, d'une clientèle un peu guindée en costume, tandis que les habitués du quartier et les *bikers* arrivent plus tard. L'établissement possède une autre enseigne dans l'**Upper West Side** (p. 380).

WALKER'S Plan p. 370

☎ 212-941-0142 ; 16 North Moore St à hauteur de Varick St ; 🕑 12h-4h ; métro 1, 9 jusqu'à Franklin St

La soirée jazz du dimanche est le seul événement rituel de cette taverne sans prétention. Le reste du temps, vous devrez vous contenter de pintes de bière ordinaire au comptoir et de plats riches en viande au milieu de gens sans prétention. Dans la première salle, une télévision diffuse les grandes rencontres sportives devant une foule nombreuse.

SOHO

BAR 89 Plan p. 372

☎ 212-274-0989 ; 89 Mercer St entre Broome St et Spring St ; 🕑 12h-2h lun-jeu, 12h-3h ven-dim ; métro N, R, W jusqu'à Prince St

Des mannequins plus ou moins lancés affluent ici pour boire du scotch et d'autres alcools forts. La principale attraction réside toutefois dans les toilettes, où les portes transparentes s'opacifient quand on les verrouille.

BRITTI CAFFÉ BAR Plan p. 372

☎ 212-334-6604 ; 110 Thompson St entre Prince St et Spring St ; 🕑 12h-2h ; métro N, R, W jusqu'à Prince St

Ce café italien, éclairé par de grandes fenêtres, prépare des cocktails aux noms de voitures transalpines et des paninis chauds. Clientèle sympa et très en verve.

CAFE NOIR Plan p. 372

☎ 212-431-7910 ; 32 Grand St à hauteur de Thompson St ; 🕑 12h-4h ; métro A, C, E jusqu'à Canal St

Rendu célèbre par une scène torride du film *Infidèle* (2002) d'Adrian Lyne, tournée dans ses toilettes, cet endroit sensuel et sophistiqué est idéal pour boire un verre et grignoter des en-cas méditerranéens tout en regardant déambuler la foule de Soho depuis la balustrade du bar extérieur.

CIRCA TABAC Plan p. 372

☎ 212-941-1781 ; 32 Watts St entre Sixth Ave et Thompson St ; 🕑 18h-2h lun-mer, 18h-4h jeu-sam ; métro A, C, E, 1, 9 jusqu'à Canal St

Une des dernières adresses où non seulement vous pouvez fumer, mais où vous serez invité à le faire. Le luxe du lounge va de pair avec celui des 150 sortes de tabac proposés, principalement des cigares.

EAR INN Plan p. 372

☎ 212-226-9060; 326 Spring St entre Greenwich St et Washington St; 🕑 12h-4h; métro C, E jusqu'à Spring St

À un block de l'Hudson, ce vieux bar sympathique a élu domicile dans la James Brown House (la résidence d'un conseiller de George Washington, pas celle du roi de la soul) datant de 1817. Il est fréquenté aussi bien par des ouvriers et des employés de bureau que par des bikers et des poètes qui apprécient tous le célèbre hachis parmentier qui fait la réputation de la maison.

PRAVDA Plan p. 372

☎ 212-226-4944 ; 281 Lafayette St entre Prince St et Houston St ; 🕑 17h-1h lun-mer, 17h-2h30 jeu, 17h-3h30 ven-sam, 18h-1h dim ; métro B, D, F, V jusqu'à Broadway–Lafayette St

Il a tenté de rester discret, mais les files d'attente devant sa porte l'ont trahi. En adoptant une tenue suffisamment branchée et un air pénétré, vous devriez pouvoir entrer dans ce faux bar clandestin évoquant l'Europe de l'Est, embrumé par la fumée des cigares. Les martinis vous récompenseront de votre effort. Quant à la carte des vodkas, longue de deux pages, elle inclut la Canada's Inferno Pepper et la Rain Organic de fabrication américaine.

PUCK FAIR Plan p. 372

☎ 212-431-1200 ; 298 Lafayette St entre E Houston St et Prince St ; 🕑 11h-4h lun-ven, 12h-4h sam-dim ; métro B, D, F, V jusqu'à Broadway–Lafayette St

Un pub irlandais sur deux niveaux, à l'allure chic et moderne, où règnent les pintes de Guinness et les assiettes de saucisses-purée. Les tables rondes, dans les angles, sont parfaites pour les groupes. La salle en bas, avec DJ et petits recoins douillets, plaît davantage aux amoureux.

SAVOY Plan p. 372

☎ 212-219-8570 ; 70 Prince St à hauteur de Crosby St ; 🕑 12h-23h30 lun-jeu, 12h-24h ven-sam, 17h-23h dim ; métro N, R, W jusqu'à Prince St

Le comptoir en forme de fer à cheval, devant une grande baie, constitue un endroit des plus agréables pour siroter un verre de vin en picorant des olives après une difficile journée. On peut ainsi laisser couler le temps, en observant les gens dans une atmosphère chaude et accueillante.

CHINATOWN ET LITTLE ITALY

Les adresses de ces quartiers s'avèrent très hétéroclites, avec un curieux mélange de bars pour vieux messieurs et de temples pour adorateurs des dernières tendances.

CHIBI'S BAR Plan p. 372
☎ 212-274-0025 ; 238 Mott St entre Prince St et Spring St ; 🕑 18h-24h mar-jeu, 17h-2h ven, 14h-2h sam, 14h-24h dim ; métro 6 jusqu'à Spring St
Ce minuscule bar romantique propose des sakés et des cocktails à base de saké dangereusement délicieux, sur fond de jazz tranquille. Il doit son nom au craquant petit bouledogue qui vous accueille à l'entrée.

DOUBLE HAPPINESS Plan p. 372
☎ 212-941-1282 ; 173 Mott St entre Broome St et Grand St ; 🕑 18h-2h dim-mer, 18h-3h jeu, 18h-4h ven-sam ; métro J, M, Z jusqu'à Bowery, 6 jusqu'à Spring St
Ce bar aménagé en sous-sol et entièrement carrelé, occupe un vieil appartement étroit, où le jour pénètre par une lucarne. Les tables sont éclairées à la bougie. De jolies filles scrutent la foule à la recherche d'un Roméo élégant parmi les poètes d'âge mûr. À défaut d'enseigne, repérez l'escalier en pierre, plutôt raide !

GOOD WORLD BAR & GRILL Plan p. 372
☎ 212-925-9975 ; 3 Orchard St entre Canal St et Division St ; 🕑 11h-4h ; métro F jusqu'à East Broadway, B, D jusqu'à Grand St
Dans les profondeurs de Chinatown se niche un élégant bar suédois en bois, avec de hauts tabourets et un joli patio à l'arrière, qui témoigne de la diversité new-yorkaise.

MARE CHIARO Plan p. 372
☎ 212-226-9345 ; 176 1/2 Mulberry St entre Broome St et Grand St ; 🕑 10h-1h lun-jeu, 10h-2h ven-sam, 12h-1h dim ; métro B, D jusqu'à Grand St
Sinatra aimait ce bar centenaire de Little Italy où furent tournées des scènes du *Parrain*.

SWEET & VICIOUS Plan p. 372
☎ 212-334-7915 ; 5 Spring St entre Bowery St et Elizabeth St ; 🕑 16h-4h ; métro J, M jusqu'à Bowery, 6 jusqu'à Spring St
Largement ouvert, avec du parquet et des bancs durs qui vous meurtriront le postérieur si vous ne vous trémoussez pas sur la musique de qualité, il sert quantité de cocktails à prix raisonnables.

WINNIE'S Plan p. 372
☎ 212-732-2384 ; 104 Bayard St entre Baxter St et Mulberry St ; 🕑 12h-4h ; métro J, M, Z, N, Q, R, W, 6 jusqu'à Canal St
Braver le ridicule en s'égosillant à moitié ivre dans ce bar bondé de Chinatown est, pour les New-Yorkais, une sorte de rite initiatique. Les cocktails peu ragoûtants – tel ce mélange de Sambuca et de Baileys baptisé Abortion (avortement) –, déménagent, et les vidéos de karaoké projetées derrière vous sur un écran de cinéma se limitent aux années 1980.

LOWER EAST SIDE

Ludlow St et ses environs formaient un quartier périphérique peuplé de vieux New-Yorkais et de nouveaux venus. Depuis quelques années, le quartier a vu fleurir une kyrielle de bars, de lounges sans enseigne, de restaurants et de clubs programmant de la musique *live*. Il rassemble désormais dans un espace restreint et pris d'assaut, des adresses nombreuses et variées.

ADULTWORLD Plan p. 372
☎ 212-253-0035 ; 116 Suffolk St entre Delancey St et Rivington St ; 🕑 21h-4h mar-dim ; métro J, M, Z jusqu'à Delancey St–Essex St
Non, il ne s'agit pas d'un club porno comme son nom pourrait le laisser supposer, mais plutôt d'un lieu de divertissement pour grandes personnes avec d'étranges escaliers, de la musique à fond et des alcôves confortables pour les groupes. L'adresse est trop branchée pour se signaler par une enseigne.

ANGEL Plan p. 372
☎ 212-780-0313 ; 174 Orchard St entre Houston St et Stanton St ; 🕑 19h-3h dim-jeu, 18h-4h ven, 19h-4h sam ; métro F, V jusqu'à Lower East Side–2nd Ave
Nuit après nuit, les DJ de ce mini lounge mélangent les rythmes et les styles, du R&B à la musique électronique, pour des amateurs chics de cocktails haut de gamme.

BARRAMUNDI Plan p. 372
☎ 212-529-6900 ; 147 Ludlow St entre Stanton St et Rivington St ; 🕑 17h-4h lun-ven, 18h-4h sam, 19h-4h dim ; métro F, J, M, Z jusqu'à Delancey St
Un Australien féru d'art a organisé les lieux : des alcôves chaleureuses, un joli jardin ombragé et des boissons à prix modérés.

HAPPY ENDING Plan p. 372
☎ 212-334-9676 ; 302 Broome St entre Eldridge St et Forsyth St ; 🕑 18h-2h mar-mer, 18h-3h jeu,

18h-4hven-sam, 21h-4h dim ; métro F jusqu'à Delancey St, J, M, Z jusqu'à Delancey St–Essex St
Succédant à un ancien salon de massages asiatique plutôt louche, cet établissement en sous-sol a conservé les pommeaux de douche au plafond. De jeunes gays sur leur trente et un hantent les lieux à la recherche d'une conquête ou d'un cocktail précieux.

MAGICIAN Plan p. 372

☎ 212-673-7851 ; 118 Rivington St entre Essex St et Norfolk St ; 🕓 17h-4h ; métro F jusqu'à Delancey St, J, M, Z jusqu'à Delancey St–Essex St
Derrière une devanture quelconque, on découvre des éclairages tamisés, de bons cocktails et un fond musical éclectique. La clientèle sans prétention prend ses aises autour d'un comptoir spacieux.

ORCHARD BAR Plan p. 372

☎ 212-673-5350 ; 200 Orchard St entre Stanton St et E Houston St ; 🕓 20h30-4h mar-sam ; métro F, V jusqu'à 2nd Ave
Pas d'enseigne pour cette adresse où se retrouvent des citadins. De beaux gosses plutôt éméchés battent la mesure sur les banquettes, au son de la house et de la techno mixées par les DJ.

PARKSIDE LOUNGE Plan p. 372

☎ 212-673-6270 ; 317 E Houston St à hauteur d'Attorney St ; 🕓 13h-4h ; métro F, V jusqu'à Lower East Side–2nd Ave
Voici le bar où aiment se perdre tous ceux qui finissent par se lasser des lounges élégants. Ici, pas de snobisme, juste des consommations bon marché, un billard et un spectacle de comédie le mardi.

SCHILLER'S LIQUOR BAR Plan p. 372

☎ 212-260-4555 ; 131 Rivington St à hauteur de Norfolk St ; 🕓 16h-2h ; métro F jusqu'à Delancey St, J, M, Z jusqu'à Delancey St–Essex St
Moitié bar à liqueurs (d'où son nom), moitié bistrot (la carte étendue annonce du steak-frites et des toasts au fromage), cette charmante adresse chic et bohème fait figure d'oasis dans un périmètre sans charme.

SUBA Plan p. 372

☎ 212-982-5714 ; 109 Ludlow St entre Delancey St et Rivington St ; 🕓 18h-1h dim-mer, 18h-2h jeu, 18h-4h ven-sam ; métro F jusqu'à Delancey St, J, M, Z jusqu'à Delancey St–Essex St
Décidé à écraser la concurrence des lieux à la mode du voisinage, Suba n'a pas hésité à entourer de douves remplies d'eau sa salle à manger souterraine. On y sert une cuisine espagnole raffinée et des cocktails. Dans le lounge à l'étage, bruyant et bondé, vous pourrez boire des margaritas à la sanguine. Tapas gratuites durant les happy hours.

WELCOME TO THE JOHNSONS Plan p. 372

☎ 212-420-9911 ; 123 Rivington St entre Essex St et Norfolk St ; 🕓 15h30-4h lun-ven, 12h-4h sam-dim ; métro F jusqu'à Delancey St, J, M, Z jusqu'à Delancey St–Essex St
Lorsque ce bar a ouvert, il y a quelques années, sur le thème de la série populaire *La famille Brady*, les banlieusards raffolèrent de son salon kitsch des années 1970. Désormais moins nouveau mais loin d'être dépassé, l'endroit reste agréable, surtout les soirs de week-end, pour s'asseoir devant une bière Pabst Blue Ribbon.

WHISKEY WARD Plan p. 372

☎ 212-477-2998 ; 121 Essex St entre Delancey St et Rivington St ; 🕓 17h-16h lun-sam, 17h-2h dim ; métro F jusqu'à Delancey St, J, M, Z jusqu'à Delancey St–Essex St
Un bar obscur pour buveurs endurcis qui tiennent les alcools forts et la bière.

EAST VILLAGE

Du troquet le plus sombre au lounge le plus raffiné, le choix est vaste pour boire un verre dans ce quartier qui se prête particulièrement à une tournée des grands ducs : il est impossible de longer un block sans tomber sur un bar, ou des clients titubants, en particulier le week-end.

2A Plan p. 372

☎ 212-505-2466 ; 25 Ave A à hauteur de 2nd St ; 🕓 16h-4h ; métro F, V jusqu'à Lower East Side–2nd Ave
Un espace sur deux niveaux avec un pub basique au rez-de-chaussée et un lounge confortable à l'étage. Son nom est son principal atout car il permet de le localiser à coup sûr.

ANGEL'S SHARE Plan p. 372

☎ 212-777-5415 ; 2e étage, 8 Stuyvesant St entre Third Ave et 9th St ; 🕓 18h-3h ; métro 6 jusqu'à Astor Pl
Traversez le restaurant japonais situé au même étage pour découvrir ce minuscule bijou avec ses serveurs dans le ton et ses cocktails originaux. On ne vous laissera pas boire un verre s'il n'y pas assez de place pour vous asseoir.

B BAR & GRILL Plan p. 372
☎ 212-475-2220 ; 40 E 4th St à hauteur de Bowery ; 🕑 11h30-3h lun-ven, 10h30-3h sam-dim ; métro 6 jusqu'à Bleecker St
Une foule aisée et éclectique se bouscule ici en été, quand le patio planté d'arbres décorés de guirlandes lumineuses roses offre une fraîcheur appréciable. Les drag queens n'ont qu'à s'inscrire pour participer à la fameuse soirée Beige du mardi.

BAR VELOCE Plan p. 372
☎ 212-260-3200 ; 175 Second Ave entre 11th St et 12th St ; 🕑 17h-3h ; métro L jusqu'à 3rd Ave
Ce petit bar à vins sophistiqué, éclairé aux chandelles, accueille des clients de Downtow et des quartiers chics. Ces derniers se retrouvent autour du même vin de qualité et des mêmes en-cas italiens servis par d'aimables barmen. Jetez un coup d'œil au passage sur la Vespa blanche garée devant l'entrée.

CHEZ ES SAADA Plan p. 372
☎ 212-777-5617 ; 42 E 1st St entre First Ave et Second Ave ; 🕑 18h-24h lun-jeu, 18h-2h30 ven-sam ; métro F, V jusqu'à Lower East Side–2nd Ave
Bar marocain sur deux étages parsemés de pétales de roses. On n'a jamais vu autant de feuilles de menthe dans les *mojitos* !

D.B.A. Plan p. 372
☎ 212-475-5097 ; 41 First Ave entre 2nd St et 3rd St ; 🕑 13h-4h ; métro F, V jusqu'à Lower East Side–2nd Ave
Pub sombre et dépouillé, où la carte griffonnée sur une grande ardoise, propose 125 sortes de bières, 130 whiskies pur malt et 50 téquilas.

ESPERANTO Plan p. 372
☎ 212-505-6559 ; 145 Ave C à hauteur de 9th St ; 🕑 18h-24h dim-jeu, 18h-1h ven-sam ; métro L jusqu'à 1st Ave, 6 jusqu'à Astor Pl
Ce café-bar latino en plein air, très agréable l'été, prépare de succulents plats de riz et de haricots cubains accompagnés de margaritas. La terrasse sur le trottoir d'en face jouit d'un emplacement impeccable, sous l'imposant saule pleureur d'un jardin voisin. La musique des concerts qui se déroulent fréquemment à l'intérieur parvient doucement aux oreilles des convives installés dehors.

FEZ Plan p. 372
☎ 212-533-2680 ; 380 Lafayette Ave entre Great Jones St et W 4th St ; 🕑 16h-3h ; métro 6 jusqu'à Bleecker St
Un autre lounge d'inspiration marocaine à l'éclairage étudié, avec sofas et plantes vertes, qui jouxte une salle à manger claire et lumineuse. En descendant l'escalier, on accède à un espace intime où sont programmés aussi bien des groupes de jazz que Joan Rivers.

HOLIDAY COCKTAIL LOUNGE Plan p. 372
☎ 212-777-9637 ; 75 St Marks Pl entre First Ave et Second Ave ; 🕑 17h-4h ; métro 6 jusqu'à Astor Pl
Si vous cherchez un bon vieux bar, vous trouverez ici votre bonheur : une charmante adresse un peu vieillotte, rescapée d'une autre époque, où les verres ne coûtent que 3 $.

IL POSTO ACCANTO Plan p. 372
☎ 212-228-3562 ; 190 E 2nd St entre Ave A et Ave B ; 🕑 18h-2h mar-dim ; métro F, V jusqu'à Lower East Side–2nd Ave
Il s'agit d'un ravissant petit bar à vins italien en plein air offrant un choix de 120 crus différents, ainsi que d'excellents en-cas. Les patrons d'Il Bagatto l'ont ouvert pour servir de salle d'attente à leur restaurant voisin, toujours plein.

KGB Plan p. 372
☎ 212-505-3360 ; 85 E 4th St entre Second Ave et Third Ave ; 🕑 19h-4h ; métro F, V jusqu'à Lower East Side–2nd Ave
Hommage au communisme, il fait partie des bars peu nombreux où l'on peut vraiment discuter. L'antre favori des gens du *Village Voice*, situé au coin de la rue, organise des rendez-vous littéraires et artistiques.

LOUIS Plan p. 372
☎ 212-673-1190 ; 649 E 9th St entre Ave B et Ave C ; 🕑 18h-3h ; métro F, V jusqu'à Lower East Side–2nd Ave
Ce petit lounge, ainsi baptisé en hommage à Louis Armstrong, sert des vins, des cocktails et des paninis délicieux, avec, presque chaque soir, de bons concerts de jazz gratuits.

MARION'S CONTINENTAL RESTAURANT & LOUNGE Plan p. 372
☎ 212-475-7621 ; 354 Bowery entre Great Jones St et E 4th St ; 🕑 17h30-2h ; métro 6 jusqu'à Bleecker St
La plupart des clients viennent ici pour se restaurer dans la salle kitsch des années 1950 ou boire un verre et danser au Slide, le bar gay voisin, éminemment populaire. Ce lounge romantique mérite néanmoins qu'on s'attarde devant un martini relaxant.

MARS BAR Plan p. 372
☎ 212-473-9842; 25 E 1st St à hauteur de Second Ave; 🕑 17h-4h; métro F, V jusqu'à Lower East Side–2nd Ave
Un vestige de la grande période punk d'East Village, recouvert de graffitis, où des jeunes tatoués caressent les bouteilles de bière et

secouent la tête au rythme de leurs morceaux favoris de speed metal.

MEOW MIX Plan p. 372
☎ 212-254-0688 ; 269 E Houston St ; 🕓 19h-4h ; métro F, V jusqu'à Lower East Side–2nd Ave
Bar de filles mythique, rempli de jeunes lesbiennes et de minettes en blouson noir, qui connaît toujours le succès bien longtemps après que le film *Chasing Amy* (Méprise multiple, 1997) de Kevin Smith l'ait popularisé. Des femmes fatales affluent le jeudi pour la soirée Gloss, rendez-vous dansant des jeunes impertinentes. Certains vous diront que la vraie vie commence après la première Xena Night, qui se tient début juin et début décembre. Happy hours chaque soir de 17h à 20h.

ODESSA CAFÉ Plan p. 372
☎ 212-253-1470 ; 110 Ave A entre St Marks Pl et E 7th St ; 🕓 24h/24 ; métro 6 jusqu'à Astor Pl
Cet ancien *diner* transformé en bar, en plein Tompkins Square Park, est typique d'East Village. Le décor n'a jamais été rafraîchi, comme en témoigne le plafond rouge bosselé. Quant aux clients, rien que des grunges tatoués. Vous apprécierez toutefois ses cocktails à 4 $ et ses assiettes de pirojki qui tiennent au corps.

PATIO DINING Plan p. 372
☎ 212-460-0992 ; 31 Second Ave entre 1st St et 2nd St ; 🕓 17h-2h dim-jeu, 17h-3h ven-sam ; métro F, V jusqu'à Lower East Side–2nd Ave
Un ancien parking a cédé la place à un joli patio intérieur, à ciel ouvert, avec de vastes baies du sol au plafond et des canapés luxueux. Les préposés aux cocktails se surpassent et le chef mitonne de la cuisine haut de gamme.

PRESSURE (dans Bowlmor Lanes) Plan p. 372
☎ 212-255-8188 ; 110 University Pl entre E 12th St et E 13th St ; 🕓 11h-4h lun, ven, sam, 11h-1h mar, mer, dim, 10h-2h jeu ; métro L, N, Q, R, W, 4, 5, 6 jusqu'à 14th St–Union Sq
Ce lounge à coupole entre dans la catégorie des endroits investis par le public branché. Il est agrémenté d'un bowling scintillant dans le noir, d'un Twister et d'autres installations ludiques. Son atmosphère de club rétro sur fond de musique disco a la faveur des groupes. (Renseignements sur Bowlmor Lanes p. 372).

SCRATCHER Plan p. 372
☎ 212-477-0030 ; 209 E 5th St à hauteur de Third Ave ; 🕓 11h30-4h ; métro 6 jusqu'à Astor Pl
Sa ressemblance avec un authentique pub de Dublin lui vaut une importante clientèle irlandaise. Parfait pour siroter tranquillement un café et lire le journal dans la journée, il se transforme le soir en lieu bruyant et bondé.

SLIDE Plan p. 372
☎ 212-420-8885 ; 356 Bowery ; 🕓 17h-4h ; métro F, V jusqu'à Lower East Side–2nd Ave, 6 jusqu'à Astor Pl
Créé par l'organisateur d'événements Daniel Nardicio, ce nouveau venu d'East Village réserve des folies à la pelle (des go-go boys nus, par exemple). On y rencontre toutes sortes de gens : des garçons barbus filiformes, des tatoués, quelques lesbiennes, et d'autres spécimens encore. Les drag queens bavardent dans le micro le vendredi et se lâchent totalement le samedi après minuit. La bière ne coûte que 2 $ pendant le happy hours (tlj de 17h à 21h) et un open-bar fonctionne de 17h à 18h.

STARLIGHT BAR & LOUNGE Plan p. 372
☎ 212-475-2172 ; 167 Ave A ; 🕓 19h-3h mar-jeu, 19h-4h ven-sam ; métro L jusqu'à 1st Ave
Un lounge chaud et bruyant, fréquenté par des habitués canons, garçons et filles, où les hétéros sont les bienvenus. Le dimanche rime avec Starlette, une soirée établie de longue date au cours de laquelle les lesbiennes draguent en sirotant des cosmopolitans.

SWIFT HIBERNIAN LOUNGE Plan p. 372
☎ 212-242-9502 ; 34 E 4th St entre Bowery et Lafayette St ; 🕓 12h-4h ; métro 6 jusqu'à Bleecker St
Guinness et concerts à l'ordre du jour dans ce pub au cadre vaguement médiéval, avec des tables en bois, des bancs d'église et des bougies pour compléter l'atmosphère irlandaise.

UNCLE MING'S Plan p. 372
☎ 212-979-8506 ; 225 Ave B entre 13th St et 14th St ; 🕓 18h-4h lun-ven, 20h-4h sam ; métro L jusqu'à First Ave
Bar sensuel, installé au-dessus d'un magasin de spiritueux. Les canapés sont moelleux et les cocktails, sophistiqués. L'absence d'enseigne ajoute au mystère du lieu.

VAZAC'S Plan p. 372
☎ 212-473-8840 ; 108 Ave B à hauteur d'E 7th St ; 🕓 17h-4h ; métro L jusqu'à First Ave, 6 jusqu'à Astor Pl
Situé à l'extrémité sud-est de Tompkins Square Park, cet établissement au sol poisseux dispose d'un comptoir en fer à cheval et d'un flipper. Les lieux ont la faveur des riverains. Également appelé 7B's, il a figuré dans de nombreux films, dont *Le Verdict* et *Crocodile Dundee*.

WAIKIKI WALLY'S Plan p. 372

☎ 212-673-8908 ; 101 E 2nd St à hauteur de First Ave ; 🕑 18h-3h dim-jeu, 18h-4h ven-sam ; métro 6 jusqu'à Bleecker St

Un tiki bar bien kitsch qui épouse le thème hawaïen dans ses moindres détails : couronnes de fleurs, toit en bambou, barmen vêtus de chemises fleuries et boissons fruitées.

WEST (GREENWICH) VILLAGE

Le mythe de la bohème a la vie dure, d'où la prépondérance des cafés-bars chaleureux et bon enfant. La clientèle a en revanche évolué vers un mélange de *frat boys* (étudiants) et de *bridge-and-tunnel visitors* (banlieusards). Le charme rétro subsiste néanmoins dans certains lieux, gays ou hétéros, à condition de s'éloigner des sentiers battus.

APT Plan p. 372

☎ 212-414-4245 ; 419 W 13th St entre Ninth Ave et Washington St ; 🕑 22h-4h ; métro A, C, E jusqu'à 14th St, L jusqu'à Eighth Ave

Lounge chic sur deux niveaux avec éclairage flamboyant dans des tons de rouge et de jaune, et clients mignons. Accessible uniquement sur réservation, l'étage ressemble à un salon privé cossu.

BAR D'O Plan p. 372

☎ 212-627-1580 ; 29 Bedford St à hauteur de Downing St ; 🕑 18h-3h lun-ven, 19h-4h sam-dim ; métro 1, 9 jusqu'à Houston St

Un lounge élégant qui organise des spectacles de drag queens et accueille une clientèle mixte de gays et d'hétéros (sauf le lundi, jour de la soirée lesbienne Pleasure).

BLIND TIGER ALEHOUSE Plan p. 372

☎ 212-675-3848 ; 518 Hudson St à hauteur de W 10th St ; 🕑 13h-4h ; métro 1, 9 jusqu'à Christopher St–Sheridan Sq

Cette vieille adresse conviviale et sans prétention conserve une bonne ambiance. Bières brassées à Brooklyn et en-cas offerts.

CHUMLEY'S Plan p. 372

☎ 212-675-4449 ; 86 Bedford St entre Grove St et Barrow St ; 🕑 16h-24h dim-jeu, 16h-2h ven-sam ; métro 1, 9 jusqu'à Christopher St–Sheridan Sq

Difficile à trouver, ce bar clandestin à étages propose de la cuisine de pub correcte et 11 sortes de bières à la pression. Repérez la porte marron, anonyme, dans un mur blanc.

CORNER BISTRO Plan p. 372

☎ 212-242-9502 ; 331 W 4th St entre Jane St et W 12th St ; 🕑 11h30-4h lun-sam, 12h-4h dim ; métro 1, 9 jusqu'à Christopher St–Sheridan Sq

Célèbre bar de l'époque *beat* révolue. On peut dévorer des hamburgers jusqu'à 2h du matin sur des tables en bois sculpté. Certains considèrent l'énorme hamburger maison de 250 g, au bacon et aux oignons, comme le meilleur de New York.

COWGIRL/BAR K Plan p. 372

☎ 212-633-1133 ; 519 Hudson St à hauteur de 10th St ; 🕑 11h-2h ; métro 1, 9 jusqu'à Christopher St–Sheridan Sq

On assiste ici à un curieux mélange culturel : de parfaits citadins mangent des Fritos nappés de fromage fondu et boivent des martinis aux gombos dans un univers de cow-boys (en l'occurrence ici, des cow-girls). À vous de choisir entre le bar-restaurant à l'avant, équipé d'une TV, l'espace lounge à l'arrière ou le vaste bar tout au fond.

HELL Plan p. 372

☎ 212-727-1666 ; 59 Gansevoort St entre Greenwich St et Washington St ; 🕑 19h-4h sam-jeu, 17h-4h ven ; métro A, C, E jusqu'à 14th St, L jusqu'à Eighth Ave

Sombre et haut de plafond, cet "Enfer" compte parmi les premiers lounges du quartier. Les gays et les hétéros qui le fréquentent n'ont rien de diabolique.

HENRIETTA HUDSON Plan p. 372

☎ 212-924-3347 ; 438 Hudson St ; 🕑 16h-3h lun-mar, 16h-4h mer-ven, 13h-4h sam-dim ; métro 1, 9 jusqu'à Houston St

Des types body-buildés et des lesbiennes coiffées et maquillées s'adonnent aux alcools forts, dansent sur la musique de Melissa Etheridge ou jouent au billard.

HUDSON BAR & BOOKS Plan p. 372

☎ 212-229-2642 ; 636 Hudson St entre Horatio St et Jane St ; 🕑 17h-2h lun-jeu, 17h-4h ven-sam ; métro A, C, E jusqu'à 14th St, L jusqu'à Eighth Ave

Un club masculin d'une autre époque, où règne une atmosphère de bibliothèque provinciale. On peut jouer aux échecs. La carte des boissons adopte le thème de James Bond.

MARIE'S CRISIS Plan p. 372

☎ 212-243-9323 ; 59 Grove St entre Seventh Ave S et Bleecker St ; 🕑 16h-4h ; métro 1, 9 jusqu'à Christopher St–Sheridan Sq

Des reines de Broadway vieillissantes et autres fans de comédies musicales se rassemblent

Henrietta Hudson (p. 207)

autour du piano et s'époumonent à tour de rôle sur des airs kitsch, souvent repris en chœur par toute l'assistance.

OTHER ROOM Plan p. 372

☎ 212-645-9758 ; 143 Perry St entre Greenwich St et Washington St ; 🕒 17h-2h dim-lun, 17h-3h mar-jeu, 17h-4h ven-sam ; métro 1, 9 jusqu'à Christopher St–Sheridan Sq

Un petit sanctuaire civilisé à l'extrémité ouest du Village, qui ne propose que du vin et de la bière.

RHÔNE Plan p. 372

☎ 212-367-8440 ; 63 Gansevoort St entre Greenwich St et Washington St ; 🕒 18h-4h lun-sam ; métro A, C, E jusqu'à 14th St, L jusqu'à Eighth Ave

Ce grand espace industriel bétonné, rendu chaleureux par un éclairage étudié, fait partie des endroits les plus chics pour lever le coude. On y trouve un choix de 300 crus en bouteille et près de 40 sortes de vins au verre.

STONEWALL BAR Plan p. 372

☎ 212-463-0950 ; 53 Christopher St ; 🕒 15h-5h ; métro 1, 9 jusqu'à Christopher St–Sheridan Sq

Site des émeutes de Stonewall qui opposèrent des drag queens à la police en 1969, l'endroit sert à boire aux hommes en cuir, aux grandes folles et aux lesbiennes. L'ambiance tourne parfois à la bagarre.

WHITE HORSE TAVERN Plan p. 372

☎ 212-989-3956 ; 567 Hudson St ; 🕒 11h-2h dim-jeu, 11h-4h ven-sam ; métro 1, 9 jusqu'à Christopher St–Sheridan Sq

Ce joli bar, dernier repaire de Dylan Thomas, a vu défiler presque tous les écrivains new-yorkais. Si vous avez l'intention d'écrire tranquillement votre journal devant un scotch, arrivez de bonne heure, car les soirées sont maintenant investies par des groupes d'étudiants chahuteurs.

CHELSEA

Bien que le quartier soit surtout le domaine des lounges chics (et des night-clubs immenses), lieux de drague d'une population de gays splendides, la variété n'a pas entièrement disparu, qu'il s'agisse d'écouter du bon vieux jazz ou de se rincer le gosier d'une pinte de bière.

BONGO Plan p. 376

☎ 212-947-3654 ; 299 Tenth Ave entre 27th St et 28th St ; 🕒 17h-2h lun-mer, 17h-3h jeu-sam ; métro C, E jusqu'à 23rd St

Meublé de sièges du designer américain Charles Eames, ce lounge de dimension réduite est parfait pour prendre un cocktail après un vernissage dans une galerie.

CAJUN Plan p. 372

☎ 212-691-6174 ; 129 Eighth Ave entre 16th St et 17th St ; 🕒 12h-2h ; métro A, C, E jusqu'à 14th St, L jusqu'à Eighth Ave

Bar-restaurant de style Nouvelle-Orléans où l'on peut écouter gratuitement du jazz Dixieland tous les soirs, manger de la soupe gombos et crevettes ou du poisson-chat et boire de la bière à la pression. Avec en prime le spectacle des garçons dans le vent qui se rendent dans les clubs.

CHELSEA BREWING COMPANY Plan p. 376

☎ 212-336-6440 ; Chelsea Piers, Pier 59, West Side Highway à hauteur de 23rd St ; 🕒 12h-2h ; métro C, E jusqu'à 23rd St

Les amateurs de bières artisanales de qualité peuvent venir les déguster sur une vaste terrasse au bord de l'eau, appréciée après une journée de golf, de piscine ou d'escalade au centre sportif voisin.

EAGLE NYC Plan p. 376
☎ 646-473-1866 ; www.eaglenyc.com ; 554 W 28th St ; ⏲ 22h-4h lun-sam, 17h-4h dim ; métro 1, 9 jusqu'à 28th St, C, E jusqu'à 23rd St
Des mâles bardés de cuir descendent dans cette nouvelle version de l'Eagle historique pour des divertissements fétichistes et des soirées thématiques, dont une SM. **Leatherman** tient une seconde enseigne à l'intérieur.

GLASS Plan p. 376
☎ 212-904-1580 ; 287 Tenth Ave entre 26th St et 27th St ; ⏲ 18h-4h mar-ven, 20h-4h sam ; métro 1, 9 jusqu'à 28th St
Créé par les patrons de Bottino, un petit bar à vins du voisinage, le lieu fait figure de véritable œuvre d'art, avec des banquettes blanches, des sièges en forme d'œuf et un éclairage rougeoyant des plus romantiques.

GREEN TABLE Plan p. 372
☎ 212-741-9174 ; Chelsea Market, 75 Ninth Ave entre 15th St et 16th St ; ⏲ 12h-21h mar-sam, 11h-17h dim ; métro A, C, E jusqu'à 14th St, L jusqu'à Eighth Ave
Dans ce café-bar à vins, vous pourrez commander dès le matin de la bière ou du vin bio, accompagné d'amuse-gueules bons pour la ligne et la santé (pop-corn à l'anchois et au piment, par exemple).

HALF KING Plan p. 376
☎ 212-462-4300 ; 505 W 23rd St à hauteur de Tenth Ave ; ⏲ 9h-3h30 ; métro C, E jusqu'à 23rd St
Mariage unique entre une simple taverne et un repaire d'écrivains, il accueille souvent des soirées littéraires éclairées à la bougies.

SBNY Plan p. 372
☎ 212-691-0073 ; 50 W 17th St ; ⏲ 16h-4h dim-jeu, 16h-6h ven-sam ; métro L jusqu'à 6th Ave, F, V jusqu'à 14th St
Toujours désignée par son ancien nom de Splash, cette discothèque emploie des barmen torse nu et les meilleurs DJ du circuit. Les soirées thématiques changent constamment et des go-go boys munis de serviettes minuscules sautillent en rythme. Mais que signifie SB ? South Beach, bien entendu. Happy hours de 16h à 20h, du lundi au samedi.

SERENA Plan p. 372
☎ 212-255-4646 ; Chelsea Hotel, 222 W 23rd St entre Seventh Ave et Eighth Ave ; ⏲ 18h-4h lun-ven, 19h-4h sam ; métro C, E, 1, 9 jusqu'à 23rd St
Le lounge luxueux installé au sous-sol du Chelsea Hotel offre une atmosphère sombre et sensuelle, avec un ensemble de canapés, des recoins pour flirter et des DJ qui passent de la musique relaxante. Mieux vaut toutefois s'y rendre en semaine car, le week-end, les videurs baraqués font attendre les clients un bon moment avant de les laisser entrer.

TRAILER PARK LOUNGE & GRILL Plan p. 376 8
☎ 212-463-8000 ; 271 W 23rd St entre Seventh Ave et Eighth Ave ; ⏲ 12h-2h dim-mer, 12h-4h jeu-sam ; métro C, E, 1, 9 jusqu'à 23rd St
Dans cette sorte de cave, cachée derrière une devanture vert menthe et remplie de bibelots de mauvais goût, la clientèle gay et hétéro tendance sirote des cocktails kitsch décorés de petites ombrelles en papier.

VICEROY Plan p. 372
☎ 212-633-8484 ; 160 Eighth Ave à hauteur de 18th St ; ⏲ 11h-1h lun-ven, 9h-1h sam-dim ; métro A, C, E jusqu'à 14th St, L jusqu'à Eighth Ave
Son imposant comptoir en bois foncé est un endroit plaisant pour commencer la soirée avec une boisson forte, de petits artichauts cuits à la vapeur en guise d'amuse-gueules et une conversation sympathique avec l'une des charmantes personnes qui s'occupent du bar.

XL Plan p. 372
☎ 646-336-5574 ; 357 W 16th St ; ⏲ 16h-4h ; métro A, C, E jusqu'à 14th St, L jusqu'à Eighth Ave
Un immense lounge haut de plafond où, après le travail, de beaux garçons se tiennent aux aguets derrière des cocktails mousseux. Des écrans diffusent des clips vidéo, sauf le lundi, jour des spectacles de drag queens. Un aquarium géant sert de mur dans les toilettes (ah, si les poissons pouvaient parler...). De 16h à 19h, les martinis ne coûtent que 3 $.

UNION SQUARE, FLATIRON DISTRICT ET GRAMERCY PARK

Vous retrouverez le caractère de l'East Village et des secteurs nord plus collet monté de l'East Side, dans ces quartiers intermédiaires, connus pour leurs tavernes et leurs bars d'hôtel huppés.

BREAD BAR Plan p. 376
☎ 212-889-0667 ; 11 Madison Ave à hauteur de 25th St ; ⏲ 12h-23h lun-jeu, 12h-23h30 ven, 17h30-23h30 sam, 17h30-23h dim ; métro N, R, W, 6 jusqu'à 23rd St
En bordure du parc, le bar branché installé sous le très chic restaurant Tabla prépare de

délicieux cocktails aux saveurs indiennes : les martinis sont additionnés de jus d'ananas et de lemon-grass, le Bloody Mary d'un soupçon de masala.

DOS CAMINOS Plan p. 376

☎ 212-294-1000 ; 373 Park Ave S entre 26th St et 27th St ; 🕓 11h30-23h30 dim-lun, 11h30-24h mar-jeu, 11h30-00h30 ven-sam ; métro 6 jusqu'à 28th St

Les membres des professions libérales qui forment la clientèle stylée de ce vaste établissement mexicain raffolent des margaritas à la figue de Barbarie et des 100 sortes de tequilas figurant sur la carte.

FLUTE Plan p. 372

☎ 212-529-7870 ; 40 E 20th St entre Broadway et Park Ave S ; 🕓 17h-4h lun-ven, 18h-4h sam, 17h-2h dim ; métro N, R, W jusqu'à 23rd St

Un somptueux lounge en sous-sol, faiblement éclairé, qui a fait du champagne sa spécialité. Le choix s'étale sur quatre pages, de la flûte à 8 $ à la bouteille de Dom Pérignon à 300 $.

LIVE BAIT Plan p. 372

☎ 212-353-2400 ; 14 E 23rd St entre Broadway et Madison Ave ; 🕓 11h30-1h lun-mer, 11h30-2h jeu-sam, 12h-24h dim ; métro N, R, W jusqu'à 23rd St

Un petit bout de Nouvelle-Orléans égaré en pleine 23rd St où règne le bon goût : ce bar à bières sur le thème du pêcheur concocte des "oyster shooters" (cocktails à base d'huitre) relevés d'une pointe de Tabasco et autres mixtures épicées mortelles.

OLD TOWN BAR & GRILL Plan p. 372

☎ 212-529-6732 ; 45 E 18th St entre Broadway et Park Ave S ; 🕓 11h30-00h30 lun-mer, 11h30-1h jeu-ven, 12h30-1h30 sam, 12h-24h dim ; métro L, N, Q, R, W, 4, 5, 6 jusqu'à 14th St–Union Sq

Une taverne légendaire, fondée en 1892, qui ressemble quelque peu au Pete's (plus bas) pour sa clientèle locale de gros buveurs.

PETE'S TAVERN Plan p. 372

☎ 212-473-7676 ; 129 E 18th St à hauteur d'Irving Pl ; 🕓 11h-2h30 ; métro L, N, Q, R, W, 4, 5, 6 jusqu'à 14th St–Union Sq

Un classique de New York, sombre et pittoresque, qui fleure bon l'histoire littéraire. Dans un décor où dominent les boiseries et l'étain, on sert d'honnêtes burgers et plus de 15 sortes de bières à la pression.

MIDTOWN

Des adresses pour tout un chacun – touristes, banlieusards, branchés de la haute et hommes d'affaires en costume cravate –, voilà ce qui définit cette vaste étendue urbaine. La liste qui suit est loin d'être exhaustive.

BRITISH OPEN Plan p. 376

☎ 212-355-8467 ; 320 E 59th St entre First Ave et Second Ave ; 🕓 12h-3h lun-sam, 12h-1h dim ; métro 4, 5, 6 jusqu'à 59th St

Dans une ville qui regorge de pub irlandais, celui-ci, à l'ombre du Queensboro Bridge, entre dans la catégorie des bars sportifs où la télévision diffuse des matchs de football, de cricket et de golf.

BRYANT PARK CAFÉ & GRILL Plan p. 218

☎ 212-840-6500 ; 25 W 40th St entre Fifth Ave et Sixth Ave ; 🕓 11h30-23h ; métro B, D, F, V jusqu'à 42nd St–Bryant Park

Quand vient l'été, rien ne vous empêche de déguster une bouteille de vin le lundi soir en assistant à une séance de cinéma en plein air. Mieux encore, vous pouvez profiter d'un cocktail, assis sur un tabouret, dans cet espace en lisière du parc qui en met plein la vue.

CAMPBELL APARTMENT Plan p. 376

☎ 212-953-0409 ; 15 Vanderbilt Ave à hauteur de 43rd St ; 🕓 15h-1h lun-sam, 13h-23h dim ; métro S, 4, 5, 6, 7 jusqu'à Grand Central

Prenez l'ascenseur à côté de l'Oyster Bar ou les escaliers jusqu'au West Balcony, et franchissez les portes à gauche. L'endroit occupe l'ancien appartement d'un magnat des chemins de fer. Son décor en velours et acajou, agrémenté de fresques, offre un cadre sublime pour siroter un cocktail. On peut fumer le cigare, mais jeans et baskets n'ont pas droit de cité.

CHERRY Plan p. 376

☎ 212-519-8505 ; W New York–The Tuscany, 120 E 39th St entre Park Ave et Lexington Ave ; 🕓 17h-3h ; métro 4, 5, 6, 7, S jusqu'à 42nd St–Grand Central

Rouge du sol au plafond, la fantaisie de l'homme d'affaires Randy Gerber (le mari de Cindy Crawford) possède une table de billard couleur rubis et une entrée grandiose, décorée de velours cramoisi.

COSMO Plan p. 218

☎ 212-582-2200 ; 359 W 54th St entre Eighth Ave et Ninth Ave ; 🕓 18h-2h ; métro C, E jusqu'à 50th St, B, D jusqu'à 7th Ave

Sur deux niveaux minuscules, cet ancien bar gay haut de plafond et éclairé de façon romantique, a désormais la faveur d'une clientèle mélangée originaire du coin. Les martinis spéciaux abondent.

FILM CENTER CAFE Plan p. 218

☎ 212-262-2525; 635 Ninth Ave entre 44th St et 45th St; 🕒 12h-4h; métro A, C, E jusqu'à 42nd St

Une adresse animée et sans chichi, décorée d'affiches de films, qui dégage une atmosphère rétro et reçoit son quota de stars de Broadway. En plus du "raw bar" et des boissons qui déménagent, la cuisine mijote des plats américains jusqu'à ce qu'il n'y ait plus de clients.

GUASTAVINO'S Plan p. 376

☎ 212-980-2455 ; 409 E 59th St entre First Ave et York Ave ; 🕒 17h30-22h dim-jeu, 17h30-21h ven, 17h-23h30 sam (club 23h-4h jeu-dim) ; métro N, R, W jusqu'à Lexington Ave–59th St, 4, 5, 6 jusqu'à 59th St

Aménagé entre les hauts piliers de granit du Queensboro Bridge, cette création de Terence Conran se distingue par ses plafonds vertigineux et son design impressionnant. Le petit bar prépare de savoureux cocktails fantaisie tandis que la salle à manger à l'étage se transforme en night-club à la mode après la fermeture des cuisines.

HEARTLAND BREWERY Plan p. 218

☎ 646-366-0235 ; 127 W 43rd St entre Sixth Ave et Broadway ; 🕒 11h30-24h lun-sam, 12h-20h dim ; métro N, Q, R, W, S, 1, 2, 3, 9, 7 jusqu'à 42nd St–Times Sq

Au milieu de la frénésie de Times Square, cette enseigne d'une petite chaîne locale fabrique sur place des bières brunes et blondes.

HUDSON BARS Plan p. 218

☎ 212-554-6343 ; 356 W 58 St entre Eighth Ave et Ninth Ave ; 🕒 16h-2h lun-sam, 16h-1h dim ; métro A, B, C, D, 1, 9 jusqu'à 59th St–Columbus Circle

Pas moins de 3 bars, plus branchés les uns que les autres, occupent le hall à l'étage de l'hôtel Hudson de Ian Schrager. L'élégant Hudson Bar est d'accès difficile, mais on peut jeter un coup d'œil derrière le rideau de velours pour voir qui évolue sur son sol de verre. Essayez plutôt la table de billard et les sofas en cuir du Library Bar, ou bien le charmant bar dans le jardin qui permet de fumer en toute quiétude.

KEMIA Plan p. 218

☎ 212-333-3410 ; 630 Ninth Ave à hauteur de 44th St ; 🕒 17h30-2h mar-sam ; métro A, C, E jusqu'à 42nd St–Port Authority

Parfait pour prendre un cocktail avant ou après le théâtre, ce lieu arbore lui-même un décor théâtral : un escalier jonché de pétales de roses descend jusqu'au local en sous-sol, garni d'ottomanes, de tentures ondulantes et encore de roses. On y déguste de délicieux cocktails accompagnés d'amuse-gueules marocains tandis que d'excellents DJ veillent à la musique.

LOVERGIRL NYC Plan p. 376

☎ 212-252-3397 ; www.lovergirlnyc.com ; 20 W 39th St, Club Shelter ; 10 $ avant minuit, 12 $ après ; 🕒 22h-5h sam ; métro B, D, F, V jusqu'à 42nd St–Bryant Park

Cette soirée du samedi, qui commence à s'animer vers 1h du matin, est pleine à craquer de femmes noires : lesbiennes aux épaules carrées ressemblant à des stars du rap et pin-ups en jeans moulants. Pas de baskets ni de tenues de travail – vous êtes censé vous habiller pour faire de l'effet. Des go-go danseuses torrides se déhanchent au son du R&B et du hip-hop qui passent sur les platines de DJ Mary Mac, une pro réputée de longue date.

RAINBOW GRILL Plan p. 376

☎ 212-632-5000 ; 30 Rockefeller Plaza ; 🕒 17h-24h dim-jeu, 17h-1h ven-dim ; métro B, D, F, V jusqu'à 47th-50th St–Rockefeller Center

Un bar-restaurant perché au 65e étage, qui compte parmi les lieux les plus romantiques de New York car il jouit d'une vue de rêve englobant l'Empire State Building. On peut dîner et danser dans la Rainbow Room attenante le vendredi soir et certains samedi ; veste et réservation requises.

RUDY'S BAR & GRILL Plan p. 218

☎ 212-974-9169 ; 627 Ninth Ave entre 44th St et 45th St ; 🕒 8h-4h ; métro A, C, E jusqu'à 42nd St

Un antre d'ivrognes invétérés, et fiers de l'être. Avec ses pintes de bière à 2 $ et ses hot dogs gratuits, il saura vous séduire vous aussi.

STONE ROSE Plan p. 376

☎ 212-823-9796 ; Time Warner Center, Columbus Circle à hauteur de 59th St ; 🕒 18h-2h ; métro A, B, C, D, 1, 9 jusqu'à 59th St–Columbus Circle

Le plus récent des lounges à cocktails installés dans un gratte-ciel appartient au fameux Randy Gerber (mari de Cindy Crawford) et a élu domicile dans le très sophistiqué Time Warner Center. Dominant Central Park, il draine déjà les publicitaires des environs qui viennent s'y abreuver après le bureau.

TAO Plan p. 376
☎ **212-888-2288 ; 42 E 58th St entre Madison Ave et Park Ave ; 🕑 11h30-24h lun-mar, 11h30-1h mer-ven, 17h-1h sam, 17h-24h dim ; métro N, R, W jusqu'à 5th Ave–59th St, 4, 5, 6 jusqu'à 59th St**
Le thème asiatique se décline ici dans les moindres détails, des lanternes en papier aux bambous, en passant par les cocktails exotiques et le gigantesque bouddha de 5 m de haut pour ceux qui oublieraient de rester zen.

XTH AVE LOUNGE Plan p. 376
☎ **212-245-9088 ; 642 Tenth Ave entre 45th St et 46th St ; 🕑 18h-4h ; métro A, C, E jusqu'à 23rd St–Port Authority**
Avec son cadre chic plongé dans la pénombre, ce petit lounge épatant, qui donne sur la rue, fournit la preuve que Hell's Kitchen a cessé d'être un quartier difficile à fréquenter.

UPPER WEST SIDE

Ce quartier plutôt familial (à en juger par la vogue des happy hours pour mères de famille accompagnées de leur progéniture) n'est pas exactement la destination n°1 pour les piliers de bar, à moins que… À vous d'en juger en testant l'un de ses nombreux bars sans chichi.

BROADWAY DIVE Plan p. 379
☎ **212-865-2662 ; 2 62 Broadway entre 101st St et 102nd St ; 🕑 12h-4h ; métro 1, 9 jusqu'à 103rd St**
Sol poisseux et jeu de fléchettes. Sinon, vous pouvez aussi tester le **Dive Bar** (☎ 212-749-4358 ; 732 Amsterdam Ave ; métro 1, 2, 3 jusqu'à 96th St) apparenté, entre 95th St et 96th St, qui se classe légèrement au-dessus en matière de standing.

CAFÉ DEL BAR Plan p. 379
☎ **917-863-5200 ; 945 Columbus entre 106th St et 107th St ; 🕑 18h-2h ; métro B, C jusqu'à Cathedral Pkwy (110 St)**
Ce minuscule local jamaïcain, nimbé de lumière rouge, permet d'attendre agréablement qu'une table se libère dans le mini-restaurant **A** (p. 190) voisin, tenu par les mêmes propriétaires. Bières Red Stripe et mixtures à base de rhum au son du reggae.

DUBLIN HOUSE Plan p. 379
☎ **212-874-9528 ; 225 W 79th St entre Amsterdam Ave et Broadway ; 🕑 12h-4h ; métro 1, 9 jusqu'à 79th St**
Un bar irlandais à l'ancienne qui n'a pas d'autre intérêt que sa clientèle, mélange incongru de vieux messieurs et de jeunes étudiants.

EVELYN LOUNGE Plan p. 379
☎ **212-724-5145 ; 380 Columbus Ave à hauteur de 78th St ; 🕑 18h-4h ; métro 1, 9 jusqu'à 79th St**
Grand espace en sous-sol, avec un lounge chic pour les fumeurs de cigare. Sur la carte, le choix des martinis dépasse celui des plats. La foule décontractée qui hante les lieux en semaine cède la place aux étudiants le week-end.

POTION LOUNGE Plan p. 379
☎ **212-721-4386 ; 370 Columbus Ave entre 77th St et 78th St ; 🕑 18h30-4h ; métro B, C jusqu'à 81st St–Museum of Natural History**
Le comptoir lumineux accentue l'exotisme des cocktails, semblables à des lampes fluorescentes. Rien de mieux après une visite prolongée au Museum of Natural History.

RACCOON LODGE Plan p. 379
☎ **212-874-9984 ; 480 Amsterdam Ave à hauteur de 83rd St ; 🕑 16h-4h ; métro 1, 9 jusqu'à 86th St**
Excellents barmen. On rencontre, près du juke-box et du billard, une faune hétéroclite.

SHALEL Plan p. 379
☎ **212-799-9030 ; 65 W 70th St entre Central Park West et Columbus Ave ; 🕑 17h30-2h dim-jeu, 17h30-4h ven-sam ; métro B, C, 1, 2, 3, 9 jusqu'à 72nd St**
Le style de Downtown vous manque ? Rendez-vous à cette adresse marocaine en sous-sol, dotée de divans bas, de bougies à la lumière vacillante et même d'une petite cascade.

UPPER EAST SIDE

Pas l'endroit le plus excitant pour faire la fête. Les lounges d'hôtels élégants dominent la scène, aux côtés d'une poignée de bars.

BEMELMAN'S BAR Plan p. 379
☎ **212-570-7109 ; The Carlyle, 35 E 76th St à hauteur de Madison Ave ; 🕑 12h-2h ; métro 6 jusqu'à 77th St**
Serveurs en veste blanche, pianiste, et peintures murales représentant Madeleine, le personnage de l'auteur et illustrateur de livres pour enfants Ludwig Bemelman. En bref, un lieu conventionnel pour déguster un cocktail dans une ambiance sérieuse.

KINSALE TAVERN Plan p. 379
☎ **212-348-4370 ; 1672 Third Ave entre 93rd St et 94th St ; 🕑 12h-4h ; métro 6 jusqu'à 96th St**
Pub/bar sportif classique pour les fans de rugby et de football qui s'agglutinent devant les écrans pour voir les matchs européens diffusés en direct. Il propose en outre plus de 20 sortes de bières à la pression.

MARK'S LOUNGE Plan p. 379

☎ **212-744-4300 ; Mark Hotel, 25 E 77th St entre Madison Ave et Fifth Ave ;** 🕒 **16h-1h ; métro 6 jusqu'à 77th St**

Le lounge tranquille du Mark Hotel incarne à lui seul le raffinement de l'Upper East Side.

METROPOLITAN MUSEUM OF ART BALCONY BAR Plan p. 379

☎ **212-535-7710 ; 1000 Fifth Ave à hauteur de 82nd St ;** 🕒 **16h-20h ven-sam ; métro 4, 5, 6 jusqu'à 86th St**

Sur le balcon du 1er étage, juste après les céramiques chinoises, se tient le bar le plus culturellement élégant de la ville, où un quatuor à cordes assure en direct l'ambiance musicale. Le bar sur le toit aménagé en jardin, ouvert de mai à octobre, s'avère tout aussi délicieux.

PARK VIEW AT THE BOATHOUSE Plan p. 379

☎ **212-517-2233 ; Park Drive North à hauteur d'E 72nd St, Central Park ;** 🕒 **12h-21h30 ; métro 6 jusqu'à 68th St**

Vue imprenable sur le lac. Mêlez-vous aux yuppies, aux touristes et à tous ceux qui affluent après le travail dans ce hangar à bateaux. Vous pourrez ainsi prendre le frais au bord de l'eau en savourant un cocktail onéreux.

SUBWAY INN Plan p. 379

☎ **212-223-8929 ; 143 E 60th St entre Lexington Ave et Third Ave ;** 🕒 **8h-4h ; métro 4, 5, 6 jusqu'à 59th St**

Ce bar classique, dont les serveurs portent chemise blanche et cravate noire, s'adresse à une clientèle âgée. Il a su rester authentique et bon marché, et permet une pause agréable après une séance de shopping au grand magasin Bloomingdale's, au coin de la rue.

LES BOROUGHS EXTÉRIEURS

BROOKLYN

Williamsburg, émaillé de nouveaux lieux branchés dans Bedford Ave et ses environs, est le meilleur endroit pour faire la fête . Le week-end, il suffit de suivre les groupes de jeunes et de trentenaires qui vont picoler. (Le temps des bars à coke est depuis longtemps révolu.)

Nombre de bars situés dans des enclaves résidentielles comme Park Slope (qui débute à hauteur de Fifth Ave) et Smith St, à Cobble Hill et Carroll Gardens, bénéficient d'une atmosphère plus détendue que leurs équivalents trépidants de Manhattan.

EXCELSIOR Plan p. 385

☎ **718-832-1599 ; 390 Fifth Ave ;** 🕒 **18h-4h ; métro F, M, R jusqu'à 4th Ave–9th St**

Un bar gay ouvert aux hétéros, avec une salle éclairée aux chandelles, des tables faces à la rue et toutes sortes de jeux. À noter aussi un jardin et une véranda à l'arrière pour flirter. L'ambiance reste malgré tout assez tranquille.

FREDDY'S Plan p. 385

☎ **718-622-7035 ; 485 Dean St ;** 🕒 **11-4h lun-sam, 12h-4h dim ; métro 2, 3 jusqu'à Bergen St**

Ce pub classique – pressions à 4 $, alcools, gril et concerts gratuits tous les soirs – est devenu le QG des opposants au projet de construction dans le quartier du stade des Atlantic Yards. Exprimez-leur votre soutien en assistant aux différents spectacles ou en ingurgitant des boissons fortes dans une des deux salles accueillantes, décorées de boiseries, d'œuvres d'art et de bric-à-brac. Dépêchez-vous d'y faire un tour pendant qu'il est encore temps.

GALAPAGOS Plan p. 384

☎ **718-384-4586 ; www.galapagosartspace.com ; 70 N 6th St, entre Kent Ave et Wythe Ave ; entrée libre-10 $;** 🕒 **18h-2h dim-jeu, 18h-4h ven-sam ; métro L jusqu'à Bedford Ave**

Aménagé dans une ancienne usine de mayonnaise de Williamsburg, cet espace artistique moderne, doublé d'un bar, organise des spectacles variés et surprenants. La soirée Vaudeville du vendredi comprend des numéros burlesques et des démonstrations de tango acrobatique. On y rencontre aussi des rockers fêtant la sortie d'un nouveau CD, ou bien une petite troupe de théâtre testant une nouvelle pièce. L'endroit se trouve trois blocks à l'ouest (en allant vers le fleuve) de la station de métro.

GINGER'S Plan p. 384

☎ **718-778-0924 ; 363 Fifth Ave ;** 🕒 **17h-4h lun-ven, 14h-4h sam-dim ; métro F, M, R jusqu'à 4th Ave–9th St**

L'amour entre femmes s'affiche librement dans ce bar de lesbiennes aux murs rouge rubis. Il réunit aussi beaucoup de gays et d'hétéros autour de son long comptoir et dans son vaste jardin à l'arrière. Il y règne bien sûr une atmosphère plus décontractée que dans les établissements du genre à Manhattan, car n'oubliez pas qu'on est à Brookburg.

IONA Plan p. 384

☎ **718-384-5008 ; 180 Grand St, entre Bedford Ave et Driggs Ave ;** 🕒 **14h-4h ; métro L jusqu'à Bedford Ave**

Un super pub de style irlandais, où les tables en bois du jardin sont occupées par une clientèle d'habitués branchés qui bavardent pendant des heures devant quelques bières. Il y a aussi une table de ping-pong et un gril à l'extérieur, quand il fait beau. Suivez Bedford jusqu'à Grand St, puis tournez à gauche.

LUNATARIUM Plan p. 384

☎ 718-813-8404 ; www.lunatarium.com ; 10 Jay St ; entrée libre-25 $; métro F jusqu'à York St, A, C jusqu'à High St

Cet entrepôt de Dumbo, avec chevrons apparents et vue sur le fleuve, peut contenir jusqu'à 1 500 danseurs lors de ses soirées animées par des DJ connus (dont DJ Spooky) aux sons du drum'n' bass, de la techno et de la house. Programme et horaires sur le site Internet.

SUNNY'S

☎ 718-625-8211 ; 253 Conover St entre Beard St et Reed St ; 🕓 20h-4h mer, ven et sam ; métro F, G jusqu'à Smith St–9th St, puis bus B77 jusqu'à Conover St

Ce vieux bar de dockers perdu à Red Hook, dans la ligne de mire de la statue de la Liberté, semble tout droit sorti du film *Sur les quais*. À la place de feu Marlon Brando, vous y croiserez écrivains, intellos et musiciens – des marginaux de tous âges – qui apportent leurs instruments pour jouer du bluegrass, du jazz et de la musique celtique. Sunny, le patron, met l'accent sur l'aspect convivial et, après quelques bières, tout le monde plaisante d'une table à l'autre. À peine entré, vous en faites partie.

Les bières de Brooklyn

Brooklyn est devenue un point de chute à part entière pour boire et s'amuser. Les amateurs de breuvages à base de houblon, d'orge et de malt trouveront leur bonheur dans la liste suivante :

BROOKLYN ALE HOUSE Plan p. 384

☎ 718-302-9811 ; 103 Berry St à hauteur de N 8th St ; 🕓 15h-4h ; métro L jusqu'à Bedford Ave

Fréquenté par une clientèle évoquant Williamsburg avant son essor, il sert plusieurs ales et bières à la pression, dont la Boddington's, et ne lésine pas sur la quantité d'alcool dans les cocktails. Le week-end, il se remplit de célibataires et de couples, surtout des trentenaires exerçant des professions libérales. (La TV n'est là que pour permettre au barman de regarder les matchs de football d'Oklahoma sans le son.) Le bar se tient un block à l'ouest de Bedford Ave.

BROOKLYN BREWERY Plan p. 384

☎ 718-486-7422 ; www.brooklynbrewery.com ; 79 N 11th St ; visite guidée gratuite ; 🕓 12h-17h sam ; métro L jusqu'à Bedford Ave

Une ancienne usine sidérurgique datant des années 1860 accueille le seul brasseur de Brooklyn, dans un secteur qui en abritait des dizaines avant la Prohibition. Les visites (avec dégustation) affichent rapidement complet en été ; téléphonez au préalable. Les happy hours ont lieu de 18h à 22h le vendredi. Du métro, dirigez-vous vers le nord jusqu'à N 11th St, tournez à gauche et marchez pendant deux blocks.

QUEENS

En raison de sa population multiculturelle (plus de 100 origines ethniques différentes), Queens possède un vaste éventail de bars et de lieux nocturnes d'inspiration étrangère permettant de découvrir une autre facette de New York. Les deux adresses qui suivent méritent une attention particulière.

BOHEMIAN HALL & BEER GARDEN Plan p. 386

☎ 718-274-0043 ; 29-19 24th Ave ; 🕓 17h-2h lun-jeu, 17h-3h ven, 12h-3h sam-dim ; métro N, W jusqu'à Astoria Blvd

Ici, les employés ont l'accent tchèque. Ouvert en 1919, quand New York comptait quelque 800 beer gardens, cet endroit joyeux sert aujourd'hui une copieuse cuisie d'Europe de l'Est, des grillades et, bien entendu, des bières à la pression. Les enfants peuvent rester jusqu'à 21h.

NIXTERIDES Plan p. 386

☎ 718-267-8700 ; 37-22 Ditmars Blvd ; 🕓 8h-4h ; métro N, W jusqu'à Astoria–Ditmars Blvd

Mélangez un troquet, un expresso et un film des années 1970 tourné à Athènes et vous obtiendrez quelque chose comme le Nixterides (chauve-souris), à Astoria, l'enclave grecque du Queens. Vous n'avez sans doute pas l'habitude de vous détendre dans ce genre de lieu, rempli de natures mortes, de plantes en plastique et d'une foule bruyante d'habitués qui communiquent en grec d'une table à l'autre. Beaucoup de tables font face à la devanture vitrée. Tout est servi d'autorité avec une bouteille d'eau.

Où sortir

Où sortir

Bourreaux de travail, les New-Yorkais semblent tout aussi acharnés à se divertir. Tout ceux qui résident dans la Grosse Pomme font grand cas du théâtre, des concerts, de la danse, du cinéma et des boîtes de nuit. Et même si leur vie est exempte de loisirs, la simple *possibilité* de tant de distractions justifie à elle seule le choix d'habiter ici.

Comment dès lors, être au courant de tout ? Aucune source ne vous informera sur l'intégralité de ce qui se passe à New York, cependant l'hebdomadaire *Time Out* s'efforce d'être exhaustif. Pour les manifestations d'une certaine envergure, on consultera les éditions du vendredi et du dimanche du *New York Times*, ainsi que le magazine *New York* et le *New*

Les spectacles à l'affiche du Theater District

Yorker. Les clubs de danse et les petites salles de musique annoncent leurs programmes dans les hebdomadaires gratuits tels que le *Village Voice* et *New York Press*. En appelant le numéro spécial du **Department of Cultural Affairs** (☎ 212-643-7770), vous serez informé sur les activités proposées par les grands musées et d'autres institutions culturelles, tandis que **NYC/On Stage** (☎ 212-768-1818), un service de renseignement ouvert 24h/24, est spécialisé dans la musique et la danse.

Billets et réservations

Pour acheter des billets, vous pouvez vous adresser directement au guichet du théâtre, ou passer par un service de billetterie qui prendra votre réservation par téléphone ou Internet.

Broadway Line (☎ 212-302-4111 ; www.broadway.org) fournit une description des pièces et comédies musicales et vous laisse le soin d'acheter vos billets (liens en ligne vers des sites de réservation). **Telecharge** (☎ 212-239-6200 ; www.telecharge.com) vend des billets pour la plupart des spectacles à l'affiche de Broadway et off-Broadway (moyennant un supplément par billet). Pour des spectacles off-Broadway uniquement, essayez **SmartTix.com, Theatermania.com, Ticketcentral.com** ou **Ticketmaster.com.**

THÉÂTRE

Tout est théâtral à New York, mais le théâtre authentique se concentre dans plusieurs centaines de salles de toutes tailles, depuis les grandes et célèbres pour les pièces à succès, jusqu'aux plus minuscules qui vous donnent l'impression d'être entré par effraction chez un particulier.

Naturellement, c'est Broadway, centré sur Times Square, qui attire le plus de monde. L'époque où le quartier fourmillait de peep-shows et de cinémas pornographiques s'est achevée sous le mandat du maire Giuliani dans les années 1990. Ils ont été remplacés par des comédies musicales de Walt Disney, style le *Roi Lion* ou *Belle et la Bête*. À dire vrai, beaucoup d'amateurs de théâtre n'ont guère plus de respect pour ces productions que pour les spectacles précédents.

Hormis les comédies musicales au brio un peu faisandé, les productions de Broadway se sont nettement diversifiées dans la période récente. À cette nouvelle vague appartiennent *Avenue Q* (le sens de la vie sous l'angle des bas loyers), *The Boy From Oz* (l'histoire de Peter Allen) et *Wicked* (une époque antérieure du *Magicien d'Oz* qui met en scène les sorcières). Des remakes de succès cinématographiques comme *The Producers* et *Hairspray* ont fait un tabac, redonnant sa légitimité à la scène théâtrale. Quelques reprises de pièces classiques comme *King Lear* et *Twentieth Century*, avec des acteurs très connus du cinéma, ont attiré des foules enthousiastes, et des reprises de comédies musicales comme *Chicago* et *Little Shop of Horrors* ont également reçu un très bon accueil.

Les amateurs d'un théâtre plus aventureux s'intéresseront en priorité au off-Broadway, aux productions de Downtown et même à ce qui se passe dans les *boroughs* extérieurs, car une partie de la création scénique la plus originale et la plus accomplie est montée hors du périmètre théâtral officiel.

BROADWAY

Les productions estampillées "Broadway" sont présentées dans les salles somptueuses du début du XXe siècle entourant Times Square. Le spectacle commence à 20h. Toutes les salles suivantes sont accessibles en métro par les lignes N, Q, R, S, W, 1, 2, 3, 7, jusqu'à Times Sq–42nd St.

MAJESTIC THEATER Plan p. 218

247 W 44th St au niveau de Eighth Ave

Sans doute la plus belle salle de Broadway, celle en tout cas où ont été montées des comédies musicales immensément populaires comme *Carousel*, *South Pacific* et *Camelot* avec Julie Andrews. Son programme actuel, *Phantom of the Opera*, a débuté en janvier 1988 et pourrait bien rester à l'affiche jusqu'à la fin des temps. La plupart de ses 1 600 places offrent une bonne visibilité.

NEIL SIMON THEATER Plan p. 218

250 W 52nd St entre Broadway et Eighth Ave

Portant le nom du dramaturge le plus célèbre des États-Unis (après s'être appelé Alvin Theater jusqu'en 1983), cette grande salle profite actuellement du succès de l'indémodable *Hairspray*, d'après le film de John Waters.

NEW AMSTERDAM THEATER Plan p. 218

214 W 42nd St entre Seventh Ave et Eighth Ave

Ce bijoux de 1 771 places fut sauvé de la déchéance par la société Disney qui y produit des spectacles entraînants s'adressant à un jeune public, comme *Le Roi Lion*. Le vestibule, les toilettes et l'auditorium sont luxueux, mais les sièges un peu étroits.

NEW VICTORY THEATER Plan p. 218

209 W 42nd St entre Seventh Ave et Eighth Ave

Ancienne salle pornographique sauvée de la démolition et rénovée. Dorénavant, on y donne exclusivement des pièces pour enfants.

ST JAMES THEATER Plan p. 218

246 W 44th St entre Broadway et Eighth Ave

Actuellement à l'affiche de cette salle à l'architecture remarquable : *The Producers*, un remake extraordinairement populaire du film de Mel Brooks de 1968. Dans le passé, elle a connu d'autres grands succès avec *The King and I* et *My One and Only*.

VIRGINIA THEATER Plan p. 218

245 W 52nd St entre Broadway et Eighth Ave

Little Shop of Horrors règne actuellement sur ce magnifique espace de 1 275 places inauguré par le président Coolidge.

Plan de Time Square et Theater District

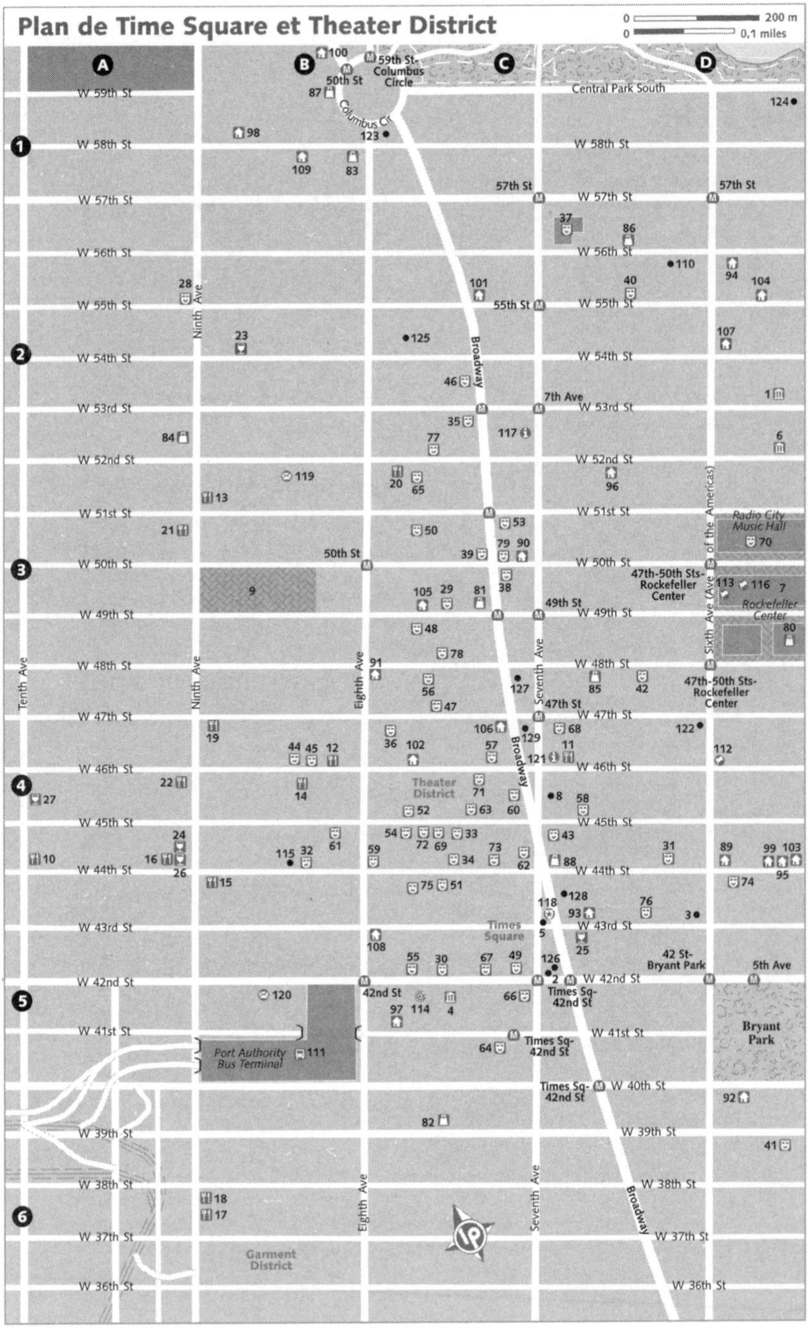

0 200 m
0 0,1 miles

A B C D
1 2 3 4 5 6

59th St-Columbus Circle
50th St
Columbus Cir
Central Park South
W 59th St
W 58th St
57th St
W 57th St
W 56th St
55th St
W 55th St
W 54th St
7th Ave
W 53rd St
W 52nd St
W 51st St
50th St
W 50th St
49th St
W 49th St
W 48th St
47th St
W 47th St
W 46th St
W 45th St
W 44th St
W 43rd St
42nd St
W 42nd St
W 41st St
W 40th St
W 39th St
W 38th St
W 37th St
W 36th St
Tenth Ave
Ninth Ave
Eighth Ave
Broadway
Seventh Ave
Sixth Ave (Ave of the Americas)
5th Ave
Radio City Music Hall
47th-50th Sts-Rockefeller Center
Rockefeller Center
Theater District
Times Square
Times Sq-42nd St
42 St-Bryant Park
Bryant Park
Port Authority Bus Terminal
Garment District

À VOIR ET À FAIRE	(p. 116)	
American Folk Art Museum	1	D2
Conde Nast	2	C5
International Center of Photography	3	D5
Madame Tussaud's Wax Museum	4	C5
MTV Studios	5	C5
Museum of Television & Radio	6	D2
Rockefeller Center	7	D3
Virgin Megastore	8	C4
Worldwide Plaza	9	B3

OÙ SE RESTAURER	(p. 187)	
44 & X Hell's Kitchen	10	A4
Afghan Kebab House	11	C4
Barbetta	12	B4
Island Burgers & Shakes	13	B3
Joe Allen	14	B4
Kemia	15	B4
Lakruwana	16	A4
Manganaro's	17	B6
Market Café	18	B6
Meskerem	19	B4
Russian Samovar	20	B3
Uncle Nick's	21	A3
Zen Palate	22	A4

OÙ PRENDRE UN VERRE	(p. 210)	
Cosmo	23	B2
Film Center Café	24	A4
Heartland Brewery	25	C5
Hudson Bars	(voir 98)	
Lovergirl NYC	(voir 41)	
Rudy's Bar & Grill	26	A4
Stone Rose	(voir 87)	
UnderBar	(voir 106)	
Xth Ave Lounge	27	A4

OÙ SORTIR	(p. 215)	
Alvin Ailey American Dance Theater	28	A2
Ambassador	29	C3
B.B. King's Joint	30	C5
Belasco	31	D4
Birdland	32	B4
Booth	33	C4
Broadhurst	34	C4
Broadway	35	C2
Brooks Atkinson	36	B4
Carnegie Hall	37	C1
Caroline's on Broadway	38	C3
Circle in the Square Theater	39	C3
City Center	40	D2
Club Shelter	41	D6
Cort	42	D4
Criterion Center Stage Right	43	C4
Danny's Skylight Room	44	B4
Don't Tell Mama	45	B4
Ed Sullivan Theatre	46	C2
Ethel Barrymore	47	C4
Eugene O'Neill Theatre	48	C3
Ford Center Theater	49	C5
Gershwin	50	C3
Helen Hayes	51	C4
Imperial	52	C4
Iridium	53	C3
John Golden	54	C4
Loews 42nd St E – Walk Theater	55	C5
Longacre	56	C4
Lunt-Fontanne	57	C4
Lyceum	58	C4
Majestic Theater	59	B4
Marquis	60	C4
Martin Beck	61	B4
Minskoff	62	C4
Music Box	63	C4
Nederlander	64	C5
Neil Simon Theater	65	C3
New Amsterdam Theater	66	C5
New Victory Theater	67	C5
Oak Room	(see 89)	
Palace	68	C4
Plymouth	69	C4
Radio City Music Hall	70	D3
Richard Rodgers	71	C4
Royale	72	C4
Shubert	73	C4
Small Press Center	74	D4
St James Theater	75	C4
Town Hall	76	D5
Virgnia Theater	77	C2
Walter Kerr	78	C3
Winter Garden Theater	79	C3

SHOPPING	(p. 266)	
Christie's	80	D3
Colony	81	C3
Drama Bookshop	82	C6
Gateway Computers	83	B1
Manhattan Bicylce	84	A2
Manny's Music	85	C4
Mysterious Bookshop	86	D1
Sephora	(voir 87)	
Time Warner Center	87	B1
Toys 'R' Us	88	C4
Whole Foods	(see 87)	

OÙ SE LOGER	(p. 281)	
Algonquin	89	D4
Amsterdam Court House	90	C3
Belvedere	91	B3
Bryant Park	92	D5
Casablanca Hotel	93	C5
Chambers	94	D2
City Club Hotel	95	D4
Flatotel	96	D3
Hotel 41	97	B5
Hudson	98	B1
Iroquois	99	D4
Mandarin Oriental New York	100	B1
Moderne	101	C2
Paramount	102	C4
Royalton	103	D4
Shoreham	104	D2
Time	105	C3
W New York - Times Square	106	C4
Warwick	107	D2
Westin at Times Square	108	B5
Westpark Hotel	109	B1

TRANSPORTS	(p. 318)	
Air France	110	D2
Port Authority Bus Terminal	111	B5

RENSEIGNEMENTS		
Consulat du Brésil	112	D4
Consulat du Canada	113	D3
easyEverything	114	C5
Kenny Kramer	115	B4
Consulat des Pays-Bas	116	D3
NYC & Company Information Center	117	C2
Poste de police	118	C5
Bureau de poste de Radio City	119	B3
Bureau de poste de Times Square	120	B5
Times Square Visitors Center	121	C4

DIVERS		
American Express	122	D4
Central Park Bicycle Tours & Rentals	123	B1
Chequepoint	124	D1
Gray Line Tours	125	C2
One Times Square	126	C5
Thomas Cook	127	C4
Times Square Studios	128	C5
TKTS Booth	129	C4

WINTER GARDEN THEATER Plan p. 218

1634 Broadway au niveau de 50th St

Le Winter Garden a fait son dernier baissé de rideau sur *Cats* en septembre 2000 après 18 ans de carrière. Il est reparti de l'avant récemment avec *Mamma Mia!*, une comédie musicale extravagante à la gloire du groupe suédois ABBA.

OFF-BROADWAY

Off-Broadway désigne simplement des spectacles donnés dans des salles plus petites (200 places ou moins). Beaucoup se situent juste au coin des grandes salles de Broadway, ou bien dans d'autres parties de la ville. Les productions varient de la simple lecture à des pièces expérimentales et des improvisations devant moins d'une centaine de spectateurs. C'est dans cette catégorie que l'on trouvera le meilleur du

Newyorkscope

Pour connaître les dernières réactions aux productions de Broadway (de l'éreintage cuisant à la chaude recommandation), il faut se connecter à All That Chat (sur talkinbroadway.com/forum), où le public peut intervenir librement, ou à Broadway World (BroadwayWorld.com).

- **Broadway Line** (☎ 212-302-4111 ; www.livebroadway.com) Pièces et comédies musicales de Broadway et off-Broadway.
- **Clubfone** (☎ 212-777-2582 ; www.clubfone.com) Spectacles de cabaret, musique live et danse.
- **NYC/On Stage** (☎ 212-768-1818 ; www.tdf.org) Renseignements 24h/24 sur la musique et la danse.
- **NYC Theatre** (www.nyc.com/theatre) Revue critique des pièces de Broadway et off-Broadway.
- **Sheckys** (www.sheckys.com) Revue des bars et des boîtes de nuit.

TKTS ou Broadway à moitié prix

Expérience essentielle de toute visite à New York, une soirée au théâtre ne doit pas nécessairement vider votre compte en banque. Parfaitement adapté à l'emploi du temps du voyageur et facile à trouver à Times Square (repérez les files d'attente voisines de l'enseigne rouge vif "TKTS"), le **TKTS booth** (☎ 212-768-1818 ; à l'angle de Broadway et W 47th St) vend des billets de spectacles de Broadway et off-Broadway, à prix réduits et pour le soir même. Les réductions sont de 25% ou 50%, avec une commission de 3 $. En général, le choix est vaste, mais tout n'est pas disponible. Cette billetterie opère en accord avec un groupe de soutien à la culture qui vend 2,5 millions de places de théâtre chaque année. Si vous ne trouvez pas TKTS, demandez au "cowboy chanteur nu" (rassurez-vous, il porte des bottes, des sous-vêtements et un chapeau, et il tient un écriteau déclinant son sobriquet de "singing naked cowboy"

théâtre new-yorkais. Parmi les productions récentes ayant attiré l'attention de la critique, on retiendra les *Vagina Monologues* d'Eve Ensler, *Wit* couronné d'un Prix Pulitzer, et le voltigeant *De La Guarda*.

ASTOR PLACE THEATER Plan p. 372

☎ 212-254-4370 ; 434 Lafayette St entre W 4th St et Astor Pl ; ligne R jusqu'à 8th St–NYU, ou 6 jusqu'à Astor Pl

Cette salle mérite une mention à cause du fantastique **Blue Man Group** (www.blueman.com), trois garçons chauves et bleus qui font usage de peinture et de toutes sortes d'accessoires pour faire rire aux dépens du public des galeries.

CHASHAMA Plan p. 379

☎ 212-391-8151 ; www.chashama.org ; 217 E 42nd St au niveau de Third Ave ; lignes 4, 5, 6, 7 jusqu'à Grand Central– 42nd St

Un lieu d'avant-garde qui produit des pièces fascinantes et des spectacles de cabaret.

CIRCLE IN THE SQUARE THEATER Plan p. 218

☎ 212-307-2705 ; 1633 Broadway au niveau de 50th St ; ligne 1, 9 jusqu'à 50th St

À son ancienne adresse, 159 Bleecker St, le Circle a monté des pièces qui ont fait date, comme *The Iceman Cometh* d'Eugene O'Neill. La compagnie joue un rôle actif dans le milieu théâtral new-yorkais en formant des acteurs dans son école de théâtre.

CULTURE PROJECT Plan p. 372

☎ 212-253-7017 ; 45 Bleecker St au niveau de Lafayette St ; ligne 6 jusqu'à Bleecker St, ligne B, D, F jusqu'à Broadway– Lafayette St

Ce théâtre confidentiel a connu un long succès avec le merveilleux *Exonerated*. Actuellement, on y joue *Bridge and Tunnel* de Sarah Jones. Chaque été pendant deux semaines, le Women Center Stage Festival met les femmes dramaturges en vedette.

DARYL ROTH THEATRE Plan p. 372

☎ 212-239-6200 ; 20 Union Sq East au niveau de 15th St ; ligne L, N, Q, R, W, 4, 5, 6 jusqu'à 14th St–Union Sq

Autre salle jouant à guichet fermé grâce au travail inventif de sa compagnie, **De La Guarda** (www.delaguarda.com). Cette équipe d'Argentins volants vous entraînent dans l'énergie et l'extase de la danse en faisant des cabrioles au-dessus du public.

EAGLE THEATER

☎ 718-205-2800 ; 73-07 37th Rd, Jackson Heights, Queens ; billets 5 $; ligne 7 jusqu'à 74th St–Broadway

Temple du cinéma Bollywood à New York (avec vente de samosas chauds), l'Eagle projette tous les soirs des films indiens avec force cloches et sifflets. Les films sont d'ordinaire sous-titrés en anglais, mais ce n'est pas si important que cela.

JOSEPH PAPP PUBLIC THEATER Plan p. 372

☎ 212-260-2400 ; www.publictheater.org ; 425 Lafayette St entre E 4th St et Astor Pl ; ligne N, R jusqu'à 8th St–NYU, ligne 6 jusqu'à Astor Pl

Un des centres culturels les plus importants de la métropole, le Papp monte chaque été son célèbre et merveilleux festival Shakespeare in the Park au Delacorte Theater de Central Park. Meryl Streep, Robert DeNiro et Kevin Kline figurent parmi les nombreuses stars à l'affiche.

MITZI E NEWHOUSE THEATER AU LINCOLN CENTER Plan p. 379

☎ 212-239-6200 ; 150 W 65th St à l'intersection de Broadway ; ligne 1, 9 jusqu'à 66th St–Lincoln Center

Une salle intime de 299 places faisant partie du Lincoln Center Theater et montant des pièces de très grande qualité.

NEW YORK THEATER WORKSHOP Plan p. 372

☎ 212-460-5475 ; 79 E 4th St entre Second Ave et Third Ave ; ligne F, V jusqu'à Lower East Side–Second Ave

Ce lieu de création novatrice a donné naissance à 2 grands succès de Broadway – *Rent* et *Urinetown*. Les spectacles qu'il produit, entre autres les pièces de Paul Rudnick et Michael Cunningham, sont toujours de qualité.

ORPHEUM THEATER Plan p. 372

☎ 212-477-2477 ; 126 Second Ave au niveau de Eighth St ; ligne 6 jusqu'à Astory Pl

Située dans l'East Village, cette salle de 349 places fut un haut lieu de la culture yiddish au début du XXe siècle. Elle est revenue sur le devant de la scène dans les années 1980 grâce à l'immense succès de la comédie musicale *Little Shop of Horrors* (qui passe aujourd'hui à Broadway). *Stomp*, qu'on y donne actuellement, est un festival de percussions dont le succès ne faiblit pas.

PS 122 Plan p. 372

☎ 212-477-5288 ; www.ps122.org ; 150 First Ave au niveau de E 9th St ; ligne R jusqu'à 8th St–NYU, ligne 6 jusqu'à Astor Pl

Depuis sa création en 1979, cette salle se consacre à la promotion de nouveaux artistes aux idées farfelues. Ses 2 scènes ont accueilli Meredith Monk, Eric Bogosian, le Blue Man Group et le regretté Spalding Gray.

DANSE

New York est le port d'attache de plus d'une demi-douzaine de compagnies de danse de réputation mondiale, ainsi que d'une pléiade d'ateliers d'avant-garde, moins connus.

ALVIN AILEY AMERICAN DANCE THEATER Plan p. 218

☎ 212-767-0590 ; www.alvinailey.org ; W 55th St au niveau de Ninth Ave ; lignes C, E jusqu'à 50th St

Après des années d'une existence en dents de scie et de représentations dans des théâtres d'accueil, la compagnie Ailey vient juste d'emménager dans ses nouveaux locaux. Un espace de 7 150 m², le plus grand espace consacré à la danse, aux États-Unis. Cette structure en verre, de forme cubique, acquise en 2001 et conçue par les architectes Natan Bibliowicz et Carolyn Lu, inclut 12 studios de danse, un théâtre à géométrie variable (boîte noire), une boutique de vêtements, un centre de kinésithérapie, des bureaux et la Ailey School.

BROOKLYN ACADEMY OF MUSIC (BAM) Plan p. 384

☎ 718-636-4139 ; 30 Lafayette Ave au niveau de Ashland Pl, Ft Greene, Brooklyn ; lignes D, M, N, R jusqu'à Pacific St (M uniquement sam et dim), lignes B, Q, 2, 3, 4, 5 jusqu'à Atlantic Ave

Bill T. Jones, Pina Bausch et le Nederlands Dans Theater ont honoré cette scène de leurs représentations. Au printemps, le Next Wave Festival est l'occasion de prendre le pouls de la création contemporaine la plus audacieuse.

CITY CENTER Plan p. 218

☎ 212-581-1212 ; www.citycenter.org ; 131 W 55th St entre Sixth Ave et Seventh Ave ; lignes N, R, Q, W jusqu'à 57th St

Tous les ans en décembre, cette salle de Midtown accueille le dynamique et original Alvin Ailey American Dance Theatre, et beaucoup d'autres compagnies renommées comme le prestigieux et classique **Dance Theatre of Harlem** (ci-après), et l'**American Ballet Theatre** (p. 222).

DANCE THEATRE OF HARLEM Plan p. 382

☎ 212-690-2800 ; www.dancetheatreofharlem.org ; Everett Center for the Performing Arts, 456 W 152nd St entre St Nicholas Ave et Amsterdam Ave ; lignes A, B, C, D jusqu'à 145th St

La résidence de la compagnie de Harlem organise souvent des journées portes ouvertes qui permettent de rencontrer les artistes, ainsi que des spectacles donnés par des étudiants de l'école de Harlem et les danseurs internationaux en tournée.

DANCE THEATER WORKSHOP Plan p. 372

☎ 212-924-0077 ; 219 W 19th St entre Seventh Ave et Eighth Ave ; lignes 1, 9 jusqu'à 18th St

Ici, vous verrez des œuvres modernes et expérimentales, habituellement servies par des jeunes talents locaux et prometteurs.

DANSPACE PROJECT AT ST MARK'S CHURCH Plan p. 372

☎ 212-674-8194 ; Second Ave au niveau de 10th St ; lignes F, V jusqu'à Lower East Side–Second Ave

Cet espace confidentiel, logé sous des hauts plafonds d'une église, sert de vitrine à de jeunes danseurs très remarqués.

JOYCE THEATER Plan p. 372

☎ 212-242-0800 ; www.joyce.org ; 175 Eighth Ave au niveau de W 19th St ; lignes A, C, E jusqu'à 14th St, ligne L jusqu'à Eighth Ave

Située un peu à l'écart à Chelsea, le Joyce donne l'occasion aux groupes amateurs de se mettre en valeur. Les compagnies Merce Cunningham et Pilobolus font une apparition annuelle dans ce cinéma rénové de 470 places.

KITCHEN Plan p. 372

☎ 212-255-5793 ; 512 W 19th St entre Tenth Ave et Eleventh Ave ; lignes A, C, E jusqu'à 14th St, ligne L jusqu'à Eighth Ave

Un tout petit espace expérimental à l'ouest de Chelsea, où l'on peut découvrir des pièces nouvelles et avant-gardistes, et des "works-in-progress" (œuvres en chantier).

METROPOLITAN OPERA HOUSE Plan p. 376

☎ 212-477-3030 ; Lincoln Center, Amsterdam Ave au niveau de 64th St ; lignes 1, 9 jusqu'à 66th St–Lincoln Center

Ce majestueux bâtiment accueille l'**American Ballet Theatre** (www.abt.org) à la fin du printemps et en été, pour un programme essentiellement classique.

NEW YORK STATE THEATER Plan p. 376

☎ 212-870-5570 ; Lincoln Center, Broadway au niveau de 63rd St ; lignes 1, 9 jusqu'à 66th St–Lincoln Center

Le **New York City Ballet** (www.nycballet.com), créé par Lincoln Kirstein et George Balanchine en 1948, assure un programme varié de nouveautés et de reprises où figure toujours, pendant les vacances de Noël, le ballet *Casse-Noisette*. La salle contient 2 755 places, et des tarifs spéciaux (10 $) sont accordés aux étudiants, sur Internet et aux guichets le jour de la représentation ; pour tout renseignement, appeler la **student-rush hotline** (☎ 212-870-7766).

CINÉMA

Les cinéphiles pourront assouvir leur fringale de films à New York, du dernier dessin animé japonais au film européen le plus risqué, interdit partout ailleurs aux États-Unis. une exception américaine, les New-Yorkais ont tendance à considérer le cinéma comme un art aussi évolué que l'opéra ou le théâtre de Broadway. En outre, rien n'égale le plaisir d'une salle de cinéma climatisée par un jour de canicule. Les festivals (New York, Jewish, Lesbian & Gay et Asian-American) qui se déroulent tout au long de l'année sont une incitation supplémentaire à fréquenter les salles obscures.

Les places ont beau coûter au moins 10 $, de longues files d'attente se forment certains soirs et le week-end, témoignant de l'enthousiasme réel des New-Yorkais pour cet art. Les séances en matinée à prix réduit, une pratique courante dans le reste du pays, sont quasiment inconnues à New York, mais certaines salles d'art et d'essai ont encore des séances incluant deux films. En général, l'accès à la salle se fait en deux temps (achat du billet et entrée dans la salle). Les vendredi et samedi soirs, la plupart des salles où passent les nouveaux films affichent complet une demi-heure avant la séance. On évitera les files d'attente (et le risque d'être refoulé) en appelant le ☎ 212-777-3456 ou en consultant les sites www.moviefone.com et www.fandango.com, où l'on achète son billet à l'avance moyennant un supplément de 1,50 $ par billet.

Festivals

Les festivals sont si nombreux – 30 au dernier recensement – que vous êtes à peu près certain d'en voir un quelle que soit la date de votre visite. Le **Tribeca Film Festival** (p. 91) qui bénéficie d'une forte promotion et d'un succès grandissant n'a pas peu contribué à l'élévation du niveau qualitatif des films présentés et des lieux de projection. Les sujets abordés sont aussi variés que la ville elle-même : la danse pour Dance on Camera (janvier), la culture et la religion juives pour le Jewish Film Festival (janvier), les jeunes réalisateurs pour le très attendu New York Film Festival (janvier), et les femmes et la négritude pour l'african-american Women in Film Festival (mars). Le Williamsburg Film Festival (mars), qui s'intéresse aux réalisateurs locaux, a introduit cette mode dans ce quartier branché art de Brooklyn. Le Lesbian & Gay Film Festival (juin), un temps fort du mois de la Gay Pride, ajoute l'impact du cinéma au souci de reconnaissance de l'image homosexuelle. Le Human Rights Watch Film Festival (juin), quant à lui, éclaire la population locale sur les maux dont souffrent les sociétés de la planète, tandis que le New York Hawaiian Film Festival (mai), l'asian-american International Film Festival (juin) et l'israeli Film Festival (juin) se concentrent sur les cultures hawaïenne, asiatique-américaine et israélienne.

ART ET ESSAI, RÉTROSPECTIVES

ANTHOLOGY FILM ARCHIVES Plan p. 372

☎ 212-505-5181 ; 32 Second Ave au niveau de 2nd St ; ligne F, V jusqu'à Lower East Side–Second Ave

Cette salle de l'East Village projette des films européens à petit budget et des œuvres marginales, ainsi que des reprises de classiques comme *From Here to Eternity* ("Tant qu'il y aura des hommes"). Elle propose aussi des festivals comme le "World of Werner" et, durant l'hiver, un festival de films underground.

CINEMA CLASSICS Plan p. 372

☎ 212-677-5368 ; 332 E 11th St entre First Ave et Ave A ; ligne L jusqu'à First Ave

Petite salle étriquée agrémentée d'un bar-café. C'est là que vous verrez des vieux films comme *Les Temps modernes*, *Annie Hall* ou le *Manchurian Candidate* (Un crime dans la tête) pour seulement 8 $.

CLEARVIEW'S CHELSEA Plan p. 372

☎ 212-777-3456 ; 260 W 23rd St entre Seventh Ave et Eighth Ave ; ligne C, E jusqu'à 23rd St

Outre des films en exclusivité, ce multiplex projette le *Rocky Horror Picture Show* à minuit, et propose une super série *Chelsea Classics*, le jeudi soir, animée par la star travestie locale Hedda Lettuce qui présente des imitations de Joan Crawford, Bette Davis, Barbra Streisand, etc.

FILM FORUM Plan p. 372

☎ 212-727-8110 ; 209 W Houston St entre Varick St et Sixth Ave ; ligne 1, 9 jusqu'à Houston St

Ce petit complexe de Soho (3 salles) montre des films indépendants, des reprises et des rétrospectives. Les salles sont petites, comme les écrans. Petit café sympa dans le hall.

LEONARD NIMOY THALIA Plan p. 379

☎ 212-864-1414 ; Symphony Space, 2537 Broadway au niveau de 95th St ; ligne 1, 2, 3, 9 jusqu'à 96th St

Petite salle rénovée passant deux films par séance (films historiques et films de genre).

MAKOR Plan p. 379

☎ 212-601-1000 ; 35 W 67th St entre Central Park West et Columbus Ave ; ligne 1, 9 jusqu'à 66th St –Lincoln Center

Centre culturel juif, sorte d'annexe du 92nd St Y, orienté vers un public de jeunes adultes, avec, fréquemment, des séances de cinéma autour de thèmes juifs et israéliens.

MUSEUM OF MODERN ART GRAMERCY THEATRE Plan p. 372

☎ 212-777-4900 ; 127 E 23rd St entre Park Ave South et Lexington Ave ; lignes R, W, 6 jusqu'à 23rd St (W lun-ven uniquement)

Salle magnifique qui propose en permanence des rétrospectives de qualité et quelques festivals de films étrangers.

WALTER READE THEATER Plan p. 379

☎ 212-875-5600 ; Lincoln Center, 165 W 65th St ; lignes 1, 9 jusqu'à 66th St–Lincoln Center

Le Walter Reade peut se vanter d'offrir des sièges profonds, dignes de salles de visionnage. Le New York Film Festival s'y déroule chaque année au mois de septembre. Le reste du temps, il programme des films indépendants, des rétrospectives et des festivals à thème.

Bryant Park invite les cinéphiles

L'été, **Bryant Park** (www.bryantpark.org) fait son cinéma. Chaque lundi, des films sont projetés en plein air sur un écran géant dressé dès le mois de juin sur le côté ouest de ce jardin aux arbres alignés à l'européenne. Les cinéphiles font leur apparition dès 15h30, avec couvertures, pique-nique et bouteilles de vin. Vers 18h, après la fermeture des bureaux, une foule impatiente de profiter des derniers rayons du soleil vient grossir les rangs de spectateurs. Les films commencent vers 21h. Chaque année, un thème différent est traité à travers des films classiques ou centrés sur New York. Dernièrement, on a pu voir *Splendor in the Grass*, *Whatever Happened to Baby Jane*, *Sleepless In Seattle*, *42nd Street*, *An Affair to Remember* et *Breakfast at Tiffany's*.

EXCLUSIVITÉS

ANGELIKA FILM CENTER Plan p. 372

☎ 212-995-2000 ; 18 W Houston St au niveau de Mercer St ; lignes B, D, F, V jusqu'à Broadway–Lafayette St

Ce vieux cinéma est spécialisé dans les films étrangers et indépendants. Apparemment le public n'est pas rebuté par la petitesse des écrans ni par le bruit du métro, car les séances sont souvent complètes. Un café spacieux sert de la cuisine raffinée. Le bâtiment, œuvre de Stanford White, mérite qu'on s'y arrête. Surnommé le Cable Building (ses kilomètres de câbles ont tiré les premiers et derniers tramways à câble), il est orné sur la façade côté Broadway d'une baie ovale et de caryatides.

BAM ROSE CINEMA Plan p. 384

☎ 718-623-2770 ; 30 Lafayette Ave au niveau de Flatbush Ave ; lignes M, N, R, W jusqu'à Pacific St, lignes Q, 1, 2, 4, 5 jusqu'à Atlantic Ave

Le fantastique cinéma de la Brooklyn Academy of Music passe des films indépendants et étrangers. Excellents sièges, immenses écrans et beau décor classé. On y verra également des mini-festivals et des vieux films.

LANDMARK SUNSHINE CINEMAS Plan p. 372

☎ 212-358-7709 ; 143 East Houston St ; lignes F, V jusqu'à Lower East Side–Second Ave

Ancien théâtre yiddish rénové, le superbe Landmark passe des films étrangers et grand public sur des écrans gigantesques. Un atout appréciable pour le quartier.

LINCOLN PLAZA CINEMAS Plan p. 379
☎ 212-757-2280 ; 1886 Broadway au niveau de 62nd St ; lignes A, B, C, D, 1, 2 jusqu'à 59th St–Columbus Circle
Dans l'Upper West Side, ce complexe de 6 salles projette des films d'art et d'essai..

LOEWS 42ND ST E-WALK THEATER Plan p. 218
☎ 212-505-6397 ; 42nd St entre Seventh Ave et Eighth Ave ; lignes N, Q, R, S, W, 1, 2, 3, 7 jusqu'à Times Sq
Ce grand complexe de 13 salles à Times Square, où passent toutes les productions d'Hollywood offre un maximum de confort.

LOEWS LINCOLN SQUARE Plan p. 379
☎ 212-336-5000 ; 1992 Broadway au niveau de 68th St ; lignes 1, 2, 3, 9 jusqu'à 72nd St
Mastodonte du Upper West Side comprenant une salle 3D IMAX et 12 salles grand écran qu passe des nouveautés.

CAFÉ-THÉÂTRE, CABARET

Le rire peut être une excellente thérapie dans une mégapole de 8 millions d'habitants. Ce ne sont pas les comiques qui manquent !

CAFÉ-THÉÂTRE

BOSTON COMEDY CLUB Plan p. 372
☎ 212-477-1000 ; 82 W 3rd St entre Sullivan St et Thompson St ; lignes A, C, E, B, D, F, V jusqu'à W 4th St
Dans le Village, un incontournable sur le circuit du rire. Dans le passé, Janeane Garofalo et Dave Chapelle ont déclenché des fous rires, mais on peut aussi découvrir de nouveaux talents au New Talent Showcase.

CAROLINES ON BROADWAY Plan p. 218
☎ 212-757-4100 ; 1626 Broadway au niveau de 50th St ; lignes N, R, W jusqu'à 49th St, lignes 1, 9 jusqu'à 50th St
Salle très connue de Times Square. Les spectacles comiques sont souvent filmés, selon la qualité.

COMEDY CELLAR Plan p. 372
☎ 212-254-3480 ; www.comedycellar.com ; 117 MacDougal St entre 3rd St et Bleecker St ; lignes A, C, E, F, V, S jusqu'à W 4th St
Cette vieille institution de Greenwich Village reste dans la tradition du genre, avec des comiques qui ont fait leurs preuves (comme Jon Lovitz ou encore Jon Stewart), certains débarquant à l'improviste pour une visite surprise. C'est ainsi qu'on a des chances de voir se produire Robin Williams, Jerry Seinfeld ou Chris Rock.

GOTHAM COMEDY CLUB Plan p. 372
☎ 212-367-9000 ; 34 W 22nd St entre Fifth Ave et Broadway ; lignes F, V, R, W jusqu'à 23rd St (W lun-ven uniquement)
Jolie salle intime, dans le Flatiron District. Les nouveaux talents sont absolument hilarants.

Enregistrements d'émissions télé

Vous pouvez assister à l'une des nombreuses émissions de télévision enregistrées à New York. Bien qu'elles soient réservées longtemps à l'avance, vous pouvez toujours vous présenter le jour de l'enregistrement en comptant sur des places en stand-by ou des annulations.

Il est notoirement difficile d'assister à *Saturday Night Live* (p. 376), l'une des émissions new-yorkaises les plus populaires. Cela dit, vous pouvez tenter votre chance en vous inscrivant à la loterie qui a lieu en automne. Envoyez simplement un courriel à snltickets@nbc.com, en août, ou présentez-vous à 8h15 le jour de l'émission aux studios de la NBC, 50th St entre Fifth Ave et Sixth Ave, pour la loterie des billets stand-by (interdit aux moins de 16 ans). Une autre émission tardive très recherchée est le *Late Show with David Letterman*. Vous pouvez essayer d'obtenir des billets pour une émission précise sur www.cbs.com/lateshow, ou bien obtenir un billet stand-by en appelant le ☎ 212-247-6497 à 11h le jour de l'enregistrement, qui commence à 17h30, du lundi au jeudi. Pour être présent à l'émission *Daily Show with John Stewart* sur Comedy Central, il faut réserver au moins 3 mois à l'avance en appelant le ☎ 212-586-2477, ou en appelant à 11h30 le vendredi précédent le jour de votre choix en espérant une place libre de dernière minute.

Le public de *Total Request Live* doit avoir 16 ans minimum. Présentez-vous aux **studios de MTV** (plan p. 376 ; 1515 Broadway entre 43rd St et 44th St) avant midi pour les enregistrements en semaine, qui commencent à 15h30, ou appelez la **hotline de MTV** (☎ 212-398-8549) pour un jour particulier. Pour l'émission *Last Call with Carson Daly*, réservez en ligne sur www.1iota.com, ou appelez ☎ 800-452-8499 ; vous pouvez aussi compter sur un stand-by en vous présentant à 11h à l'entrée de 49th St du 30 Rockefeller Plaza (studios de la NBC). Les amateurs de l'émission à scandale *Ricki Lake Show* doivent remplir une demande de billet sur www.sonypictures.com/tv/shows/ricki/index.htm.

Pour d'autres précisions, consultez les sites Internet des chaînes, ou le site www.tvtickets.com.

Le dernier jeudi du mois, la soirée Homocomicus est réservée aux comiques gays.

PARKSIDE LOUNGE Plan p. 372

☎ 212-673-6270 ; 317 E Houston St au niveau de Attorney St ; lignes F, V jusqu'à Lower East Side–Second Ave

Ce bar offre une alternative très appréciée aux grands cabarets traditionnels, avec son spectacle comique du mardi, le *Tuesday Night Train Wreck*.

STAND-UP NY Plan p. 379

☎ 212-595-0850 ; 236 W 78th St au niveau de Broadway ; lignes 1, 9 jusqu'à 79 St

Petit cabaret classique de l'Upper West Side. Les spectacles varient des *Raw Thursdays* (humour grossier) aux soirées pour débutants dans le style gay, latino ou autres. Certaines grosses pointures (Robin Williams, les stars de *Comedy Central*, etc.) y font des apparitions.

STARLIGHT BAR & LOUNGE Plan p. 372

☎ 212-475-2172 ; 167 Ave A entre 10th Ave et 11th St ; ligne L jusqu'à First Ave

Le mercredi soir, Funnyman Keith Price accueille des comiques gays dans la salle du fond de ce joli bar pour garçons pourvu de nombreux canapés.

UPRIGHT CITIZENS BRIGADE THEATRE Plan p. 376

☎ 212-366-9176 ; 307 W 26th St entre Eighth Ave et Ninth Ave ; lignes C, E jusqu'à 23rd St

Les pros du sketch comique et de l'improvisation provoquante veillent sur les destinées de ce petit cabaret qui offre un spectacle le mercredi soir, *Hump Night*. Un petit remontant au milieu de la semaine.

CABARET

Une ville pleine de vedettes de Broadway et d'homosexuels, que croyez-vous que ça donne ? Eh bien, des scènes de cabaret comme s'il en pleuvait. La liste suivante n'offre qu'un court aperçu de la réalité.

CAFÉ CARLYLE Plan p. 379

☎ 212-744-1600 ; 35 E 76th St au niveau de Madison Ave ; ligne 6 jusqu'à 77th St

Le légendaire Bobby Short est le génie tutélaire de ce cabaret chic du Carlyle hotel où les stars se mêlent souvent au public (Tony Bennett adore…). On pouvait y écouter Woody Allen venu jouer de la clarinette.

DANNY'S SKYLIGHT ROOM Plan p. 218

☎ 212-265-8133 ; 346 W 46th St entre Eighth Ave et Ninth Ave ; ligne A, C, E jusqu'à 42nd St–Port Authority

Ce piano-bar pour clientèle raffinée fait partie du restaurant Danny's Grand Sea Palace et accueille aussi bien les talents originaux que les vieux routiers du standard de base.

DON'T TELL MAMA Plan p. 218

☎ 212-757-0788 ; 343 W 46th St entre Eighth Ave et Ninth Ave ; lignes A, C, E jusqu'à 42nd St–Port Authority

Dans cette salle Art déco qui porte le nom d'une chanson de *Cabaret*, on applaudit des spectacles travestis de qualité, comme Tommy Femia composant une Judy Garland époustouflante, mais aussi de jeunes et talentueux artistes issus des écoles de musique du voisinage, jouant des programmes plus sérieux.

DUPLEX CABARET Plan p. 372

☎ 212-255-5438 ; 61 Christopher St au niveau de Seventh Ave South ; lignes 1, 9 jusqu'à Christopher St–Sheridan Sq

Minuscule salle 100% gay, avec spectacles de travestis toutes les semaines et piano-bar par les débutants les plus prometteurs du circuit.

FEINSTEIN'S AT THE REGENCY Plan p. 379

☎ 212-339-4095 ; 540 Park Ave au niveau de 61st St ; ligne F jusqu'à Lexington Ave–63rd St, lignes N, R, W jusqu'à Lexington Ave–59th St (W sam-dim)

Clubchic avec serveurs en livrée. Accès sur réservation pour voir des artistes aussi différents qu'Anne Hampton Callaway ou Linda Eder.

OAK ROOM Plan p. 218

☎ 212-840-6800 ; 59 W 44th St entre Fifth Ave et Sixth Ave ; lignes B, D, F, V jusqu'à 42nd St–Bryant Park

Commandez un martini, installez-vous confortablement et laissez-vous pénétrer par l'aura de Dorothy Parker, dans ce piano-bar de l'hôtel **Algonquin** (p. 281) où Harry Connick Jr et Diana Krall ont fait leurs débuts.

OPÉRA

Là encore, vous n'aurez aucun mal à dénicher des productions de qualité. Certes, le prestigieux Metropolitan Opera est recherché en priorité par le public mais, malgré des moyens plus modestes, le New York State Theater, qui héberge le New York City Opera, propose également des spectacles de très haut niveau. Les salles les moins chères se trouvent à Downtown.

Arrêts culture à Brooklyn

La culture ne s'arrête pas aux berges de Manhattan. Brooklyn est très bien loti dans ce domaine et souvent plus à l'avant-garde. À Williamsburg, renseignez-vous sur le programme du **Galapagos** (p. 213), et à Queens, du **Queens Theater in the Park** .

Barge Music

Il n'y a que Brooklyn pour proposer une vieille péniche amarrée en face de la pointe de Manhattan, transformée en salle de musique de chambre. **BargeMusic** (plan p. 384 ; ☎ 718-624-4061 ; wwwbargemusic.org ; Fulton Ferry Landing, Brooklyn ; adulte/étudiant 35/20 $; 🕓 jeu-sam 19h30, dim 16h ; lignes A, C jusqu'à High St, lignes 2, 3 jusqu'à Clark St) est une idée lumineuse d'Olga Bloom, qui se lança dans l'aventure en 1977 à bord d'une vieille péniche. BargeMusic fait appel à des musiciens classiques pour des prestations de qualité dans un cadre inégalable. Réservez à l'avance.

Brooklyn Academy of Music

Située dans le centre-ville, la **Brooklyn Academy of Music** (plan p. 384 ; ☎ 718-636-4100 ; www.bam.org ; 30 Lafayette Ave, Brooklyn ; lignes B, Q, 2, 3, 4, 5 jusqu'à Atlantic Ave) est un poids lourd de la culture, particulièrement pour les nouvelles tendances du théâtre, de la danse et du cinéma. BAM, comme on l'appelle communément, s'est distinguée dans les années 1970 en osant rompre avec les productions plus conventionnelles des institutions de Manhattan. Créé en 1861, et en butte à des difficultés tout au long du XXe siècle, le complexe rassemble le Majestic Theater, le Brooklyn Opera House et les 4 salles du **Rose Cinema** (☎ 718-623-2770), dédié au cinéma indépendant et étranger, le premier du genre dans les boroughs périphériques. On tâchera d'assister à son Next Wave Festival, un cycle d'opéra, de danse, de théâtre et de musique orchestrale qui se déroule en automne. En juin 2004, BAM a inauguré ses locaux refaits à neuf avec la façade multicolore d'origine. Il est facile de s'y rendre en métro, mais on peut aussi réserver une place sur le **BAMbus** qui part du 120 Park Ave, au niveau de E 42nd St, à Manhattan, une heure avant les spectacles (5 $ l'aller simple).

Brooklyn Center for the Performing Arts

Sur le campus du Brooklyn College, au bout de la ligne de métro, le **Brooklyn Center for the Performing Arts** (☎ 718-951-4500 ; www.brooklyncenter.com ; 290 Campus Rd ; lignes 2, 5 jusqu'à Brooklyn College–Flatbush Ave) reçoit des vedettes comme Santana ou, dans un autre domaine, Pavarotti, ainsi que des danseurs de haut niveau.

St Ann's Warehouse

St Ann's Warehouse (plan p. 384; ☎ 718-858-2424 ; www.artsatstanns.org ; 38 Water St, Brooklyn ; lignes A, C jusqu'à High St, ligne F jusqu'à York St) est une rafraîchissante salle de concert et de théâtre. Installée à Dumbo depuis 2001, elle est active à Brooklyn depuis une vingtaine d'années et accueille des productions novatrices et dignes d'intérêt. C'est ici que Lou Reed et John Cale ont monté leur hommage à Andy Warhol. On retiendra également une version du *Barbier de Séville* pour marionnettes et des concerts rendant hommage à des musiciens comme David Byrne, entre autres.

AMATO OPERA THEATER Plan p. 372

☎ 212-228-8200 ; 319 Bowery au niveau de 4th St ; ligne 6 jusqu'à Astor Pl

L'opéra sans le tape-à-l'œil : cette petite salle alternative programme régulièrement les classiques favoris du public tels que *La Chauve-Souris*, *Le Mariage de Figaro* et *La Bohème*.

METROPOLITAN OPERA HOUSE Plan p. 376

☎ 212-362-6000 ; www.metopera.org ; Lincoln Center, W 64th St au niveau d'Amsterdam Ave ; lignes 1, 9 jusqu'à 66th St–Lincoln Center

La première compagnie d'opéra de New York propose aussi bien des classiques que des créations. Il est quasiment impossible d'obtenir des billets pour les premières représentations si des stars comme Jessye Norman et Placido Domingo sont à l'affiche, mais dès que la deuxième distribution prend le relais, des places se libèrent. La saison va de septembre à avril. Les billets s'échelonnent de 55 à (parfois) 200 $, mais les places debout à 12 $ sont l'une des meilleures affaires de New York. Elles sont vendues le samedi à 10h pour les représentations de la semaine suivante. Le programme de la saison est consultable sur Internet.

NEW YORK STATE THEATER Plan p. 376

☎ 212-870-5630 ; www.nycopera.com ; Lincoln Center, Broadway au niveau de 65th St ; lignes 1, 9 jusqu'à 66th St–Lincoln Center

C'est la scène du New York City Opera, une compagnie plus audacieuse et moins coûteuse que le Metropolitan Opera. Son répertoire comprend des œuvres nouvelles, des opéras oubliés et des classiques revisités. L'espace a été conçu par Philip Johnson. La saison se déroule en deux temps, quelques semaines au début de l'automne et au printemps.

LECTURES ET RENCONTRES

Le théâtre a beau se tailler la part du lion à New York, le public se presse encore aux lectures littéraires. Les succursales de Barnes & Nobles programment en permanence de grands noms de la littérature, mais une foule d'autres lieux originaux et plus intimes, allant du pub à la librairie indépendante, font de même.

92ND ST Y Plan p. 379

☎ 212-415-5500 ; 1395 Lexington Ave au niveau de 92nd St ; ligne 6 jusqu'à 96th St

Le Y est un bastion de la grande littérature. Le dimanche des conférences sont données par des auteurs en vue. Récemment, ces "Biographers and Brunch" ont invité Doris Lessing, Martin Amis et Jane Smiley.

BLUESTOCKINGS Plan p. 372

☎ 212-777-6028; 172 Allen St entre Stanton St et Rivington St ; lignes F, V jusqu'à Lower East Side–Second Ave

Petit café/librairie féministe qui propose fréquemment des lectures et des rencontres à thèmes féministe et politique.

BOWERY POETRY CLUB Plan p. 372

☎ 212-614-0505 ; 308 Bowery entre Bleecker St et Houston St ; ligne 6 jusqu'à Bleecker St

Dans l'East Village, en face du CBGB, ce grand café doté d'une scène propose des lectures en tous genres (théâtre ou fiction) et des soirées poésie à thème. Excentrique et mouvementé.

CORNELIA ST CAFÉ Plan p. 372

☎ 212-989-9319 ; 29 Cornelia St entre Bleecker St et W 4th St ; lignes A, C, E, B, D, F, V jusqu'à W 4th St

Ce café intime est connu pour ses cycles de lectures, comme "Poetry and Prose" le dimanche, et un mélange jazz et poésie le jeudi.

HALF KING Plan p. 376

☎ 212-462-4300 ; 505 W 23rd St entre Tenth Ave et Eleventh Ave ; lignes C, E jusqu'à 23rd St

À l'extérieur, on dirait un pub irlandais ordinaire, mais à l'intérieur, on découvre un éclairage aux bougies, et un public intello qui écoute de la bonne fiction et de la poésie, en sirotant de la Guinness.

KGB Plan p. 372

☎ 212-505-3360 ; 84 E 4th St entre Second Ave et Third Ave ; ligne F, V jusqu'à Lower East Side–2nd Ave

Ce bar à thème communiste, situé à l'étage, propose presque tous les soirs des lectures données par des stars de la littérature, ainsi qu'une célèbre soirée "Drunken! Careening! Writers! " le jeudi.

SMALL PRESS CENTER Plan p. 218

☎ 212-764-7021 ; 20 W 44th St entre Fifth Ave et Sixth Ave ; lignes B, D, F, V jusqu'à 42nd St–Bryant Park

L'objectif de cette association est de soutenir l'édition indépendante. Le Centre est logé dans une petite bibliothèque classée monument historique et organise des conférences sur des sujets littéraires variés allant de Dorothy Parker et son cercle de l'Algonquin, à la postérité de James Thurber. Une foire annuelle du livre a lieu en mars.

SYMPHONY SPACE Plan p. 379

☎ 212-864-1414 ; 2537 Broadway au niveau de 95th St ; lignes 1, 2, 3, 9 jusqu'à 96th St

Outre d'originales soirées cinéma, concert ou danse, le Symphony Space propose au printemps, un cycle très apprécié du public intitulé "Selected Shorts" animé chaque mercredi par Isaiah Sheffer et retransmis dans tout le pays sur les chaînes de la National Public Radio. La soirée consiste en lectures de nouvelles par des célébrités telles que Alec Baldwin, David Sedaris, James Naughton, Susan Orlean ou Walter Mosley.

CLUBBING

Les points chauds de la nuit new-yorkaise changent en permanence. Tout d'abord, parce que les noctambules ont vite fait de s'ennuyer, mais aussi parce que les animateurs de la nuit sont en lutte incessante avec la municipalité à cause de la drogue, du bruit et d'une myriade d'autres violations de la loi. C'est pourquoi, certains des lieux les plus importants comme Sound Factory et Avalon (l'ancien Limelight) passent leur temps à fermer pour rouvrir peu après.

Ne les confondez pas avec les bars et les lounges : les clubs sont généralement plus vastes et possèdent des pistes de danse animées par des DJ. La définition se révèle cruciale aujourd'hui alors que le maire tente d'abolir (ou au moins d'actualiser) la poussiéreuse *Cabaret Law* municipale qui spécifie les endroits où il est autorisé ou non de danser en se fondant sur un zonage restrictif des quartiers. Le règlement a soulevé la colère de maints propriétaires de clubs qui sont allés jusqu'à former une alliance, **Legalize Dancing NYC** (www.legalizedancingnyc.com), pour obtenir son abrogation.

Pour avoir un état des lieux complet du moment, on consultera la rubrique "clubs" de l'hebdomadaire *Time Out New York*, le site toujours à jour du mensuel *Paper* (www.papermag.com), et pour les nuits gays, les mensuels *HX* ou *Next* distribués dans les clubs homosexuels. Ne négligez pas non plus, en vous promenant dans l'East Village, les tracts collés sur les murs et les panneaux d'affichage. C'est parfois le meilleur moyen d'être au courant de l'activité des lieux qui n'ont pas de téléphone et ne font pas de publicité. Dernière recommandation : inutile de vous présenter avant 23h, même en semaine. L'ambiance ne s'échauffe vraiment qu'à partir de 1h.

Top 5 des boîtes de nuit

- **Cielo**. Intime, avec des DJ dans le vent.
- **Club Shelter**. La terre d'élection de la house music.
- **Opaline**. Les hippies de l'East Village vous diront qu'il n'y a rien de comparable.
- **Roxy** Un must pour le défoulement des jeunes branchés de Chelsea.
- **Volume**. Nouveau, immense, et tellement Williamsburg.

AVALON Plan p. 372

☎ 212-807-7780 ; 660 Sixth Ave au niveau de 20th St ; lignes F, V, R, W jusqu'à 23rd St (W sam-dim uniquement) ; entrée 25 $

Le dernier avatar du Limelight, le mouvementé repaire des jeunes clubbeurs du roi de la nuit, Peter Gatien. Les soirées données dans cette église labyrinthique retiennent l'attention à cause des DJ prog-house, techno et trance qui sont aux commandes, surtout le samedi. Grande soirée gay le dimanche soir.

CIELO Plan p. 372

☎ 212-645-5700 ; 18 Little West 12th St entre Ninth Ave et Washington St ; lignes A, C, E jusqu'à Eighth Ave, ligne L jusqu'à 14th St ; entrée 10 $

Cadre intime, soirées gratuites ou peu coûteuses : ce nouveau venu du Meatpacking District est à la mode. Venus de tous les horizons culturels les habitués écoutent des sons grooves (tribal, house épicée latino et soulful) et "interplanétaires", en particulier le lundi lors de la soirée Deep Space du DJ Francois K.

CLUB SHELTER Plan p. 376

☎ 212-719-4479 ; 20 W 39th St entre Fifth Ave et Sixth Ave ; lignes B, D, F, V jusqu'à 42nd St–Bryant Park ; entrée 10-20 $

Ne manquez pas, dans cette boîte à plusieurs niveaux, la soirée Shelter du samedi, depuis longtemps animée par un DJ de légende, Timmy Regisford. Le même soir, deux étages sont réservés à la soirée lesbienne Lovergirl, plus connue pour la drague que pour la musique.

CROBAR Plan p. 376

☎ 212-629-9000 ; 530 W 28th St entre Tenth Ave et Eleventh Ave ; lignes C, E jusqu'à 23rd St ; entrée 25 $

Boîte géante flambant neuve, sœur des Crobar de Miami et de Chicago, qui se remplit de banlieusards le week-end, mais donne de nombreuses fêtes à tendance gay avec des super DJ comme Victor Calderone.

DEEP Plan p. 372

☎ 212-229-2000 ; 16 W 22nd St entre Fifth Ave et Sixth Ave ; lignes F, V, R, W jusqu'à 23rd St (W sam-dim uniquement) ; entrée 12-25 $

Cette nouvelle adresse de la house et du hip-hop n'occupe pas le devant de la scène. Toutefois on s'éclate lors des Sessions 718 mensuelles, quand le DJ Danny Krivit met la house deep et soulful à l'honneur. Les soirées house du vendredi sont animées par le DJ Marc Anthony.

EXIT2 Plan p. 376

☎ 212-582-8282 ; 610 W 56th St entre Eleventh Ave et Twelfth Ave ; lignes A, B, C, D, 1, 9 jusqu'à Columbus Circle ; entrée 25 $

Ce multiplex de 4 étages est le roi de tous les clubs. Le DJ le plus célèbre de la planète, Junior Vasquez, est aux platines dans sa cabine privée de 8 millions de dollars (eh oui !) pour la soirée Earth du samedi. Vous vous perdrez dans un labyrinthe de salles à thème, chacune meublée de canapés léopard, avec son propre DJ passant sa propre musique. Quels que soient vos goûts musicaux, vous trouverez une salle à votre convenance. Ne manquez pas non plus le jardin sur le toit.

LOTUS Plan p. 372

☎ **212-243-4420 ; 409 W 14th St entre Ninth Ave et Tenth Ave ; lignes A, C, E jusqu'à 14th St, ligne L jusqu'à Eighth Ave ; entrée 10-20 $**

La grande soirée de ce club BCBG se déroule le vendredi quand GBH fait tourner les platines. Le DJ maison, Angola, concocte un agréable mélange de house, disco et garage.

OPALINE Plan p. 372

☎ **212-995-8684 ; 85 Ave A entre 5th St et 6th St ; lignes F, V jusqu'à Lower East Side–Second Ave ; entrée 10 $**

Ce bar de luxe en sous-sol, dans le cœur de l'East Village, devient Area 10009 le vendredi. Les animateurs Amanda Lepore, Sophia Lamar et Dee Finley attirent un public homo et homophile pour une soirée décadente sur les rythmes variés des DJ Nita et Formika.

PYRAMID Plan p. 372

☎ **212-228-4888 ; 101 Ave A entre 6th St et 7th St ; lignes F, V jusqu'à Lower East Side–Second Ave**

Vous pouvez compter sur un happening à peu près tous les soirs dans cette caverne à fêtes. La foule, plutôt homo, est particulièrement dense le vendredi soir pour la soirée 1984, qui dure depuis les années 1980.

ROXY Plan p. 372

☎ **212-627-0404 ; 515 W 18th St entre Tenth ave et Eleventh Ave ; lignes A, C, E jusqu'à 14th St, ligne L jusqu'à Eighth Ave ; entrée 15-25 $**

Ce mégaclub légendaire est réputé pour sa soirée roller du mardi. John Blair est le promoteur de la soirée gay du samedi où une foule gay, torse nu, se défoule sur les musiques de Manny Lehman et Susan Morabito.

SAPPHIRE Plan p. 372

☎ **212-777-5153 ; 249 Eldridge St au niveau de E Houston St ; lignes F, V jusqu'à Lower East Side–Second Ave ; entrée 5 $**

Cette petite boîte a survécu au boom de Ludlow St du milieu des années 1990 tout en restant très branchée. Ambiance torride et foule compacte.

VOLUME Plan p. 384

☎ **718-388-3588 ; 99 North 13th St au niveau de Wythe Ave, Williamsburg, Brooklyn ; ligne L jusqu'à Bedford Ave ; entrée 5-20 $**

Cette ancienne fabrique de peinture est le tout nouveau super-club de "Billyburg", avec des soirées géantes mélangeant installations d'artistes, effets visuels et rythmes électroniques pour vivre une expérience extraordinairement éclectique.

MUSIQUE

New York n'est ni Austin ni Seattle mais l'indie rock (ou rock indé) y est néanmoins bien représenté. Il a donné naissance, dans la période récente, à des groupes réputés, comme The Strokes, Yeah Yeah Yeahs, Rufus Wainwright et Babe the Blue Ox. Les passionnés vont écouter leurs groupes préférés dans des petites salles qui mélangent les genres et les têtes d'affiche. Les sons plus traditionnels ne sont pas en reste. Une foule de clubs de jazz, de cabarets et de salles classiques programment régulièrement des concerts. New York offre évidemment tout l'éventail des concerts classiques. Les superstars font rarement une tournée sans faire une halte dans la région de New York ; en général, elles remplissent le Madison Square Garden, le grand stade de la ville, et en été, **Jones Beach** (p. 297), un amphithéâtre en plein air, sur la côte de Long Island.

ROCK, HIP-HOP ET INDIE ROCK

ARLENE GROCERY Plan p. 372

☎ **212-358-1633 ; www.arlene-grocery.com ; 95 Stanton St au niveau de Orchard St ; ligne F, V jusqu'à Lower East Side–Second Ave**

Ancienne épicerie transformée en club. Sa serre chaude sert d'incubateur aux nouveaux talents avec, tous les soirs, des concerts gratuits et de la bière bon marché.

BEACON THEATER Plan p. 379

☎ **212-496-7070 ; 2124 Broadway entre 74th St et 75th St ; lignes 1, 2, 3, 9 jusqu'à 72nd St**

Salle de l'Upper West Side à l'atmosphère plutôt détendue. Pour ceux qui préfèrent les ambiances plus intimes que les grands stades. Moby, Aimee Mann et les Allman Brothers y ont joué. Hélas, les sièges gênent pour danser.

BOWERY BALLROOM Plan p. 372

☎ **212-533-2111 ; www.boweryballroom.com ; 6 Delancey St au niveau de Bowery ; lignes J, M jusqu'à Bowery**

Formidable salle de taille moyenne dotée d'une acoustique parfaite pour écouter Jonathan Richman, American Music Club, les Delgados, ou d'autres groupes réclamant l'attention du public.

CBGB Plan p. 372

☎ **212-982-4052 ; www.cbgb.com ; 315 Bowery entre E 1st St et 2nd St ; ligne 6 jusqu'à Bleecker St**

Ce petit repaire sombre est encore très actif après trente ans de service. Son nom est l'acronyme de "Country, Bluegrass and Blues", mais depuis le milieu des années 1970, on y entend surtout du rock. C'est ici que débutèrent Blondie, Talking Heads et les B52s. Aujourd'hui, les groupes donnent dans le rock, le Motown, le thrash ou le mélange des trois. Le Downstairs Lounge, un ajout récent, accueille au compte-gouttes du jazz, des lectures et d'autres activités du même genre.

CONTINENTAL Plan p. 372

☎ 212-529-6924 ; www.continentalnyc.com ; 25 Third Ave au niveau de St Marks Pl ; lignes N, R jusqu'à 8th St–NYU, ligne 6 jusqu'à Astor Pl

Cet espace de rock imbibé de bière est célèbre pour ses boissons bon marché et ses concerts impromptus d'Iggy Pop ou de Jakob Dylan, par exemple. Il s'est constitué une clientèle d'habitués ravis de se voir offrir des concerts rock de qualité, sans bourse délier.

FEZ Plan p. 372

☎ 212-533-2680 ; www.feznyc.com ; 380 Lafayette St au niveau de Great Jones St ; lignes B, D, F, V jusqu'à Broadway– Lafayette St, ligne 6 jusqu'à Bleecker St

Au sous-sol du spacieux Time Café et de son salon à cocktails aux nombreux canapés, ce restaurant-boîte de nuit aux lumières tamisées est doté d'une petite scène centrale. La vue depuis certaines places est gênée par les piliers, mais la diversité du programme, du jazzy Howard Fishman Quartet au pop-folk de Mila Drumke, justifierait qu'on y prenne pension.

IRVING PLAZA Plan p. 372

☎ 212-777-1224 ; www.irvingplaza.com ; 17 Irving Pl au niveau de 15th St ; lignes L, N, Q, R, W, 4, 5, 6 jusqu'à Union Sq

Dans le quartier d'Union Square, Irving Plaza est sans doute le meilleur club de cette taille accueillant des groupes de rock indé comme Stereolab, Jane's Addiction et les Flaming Lips. Soyez prêts à rester debout, soit en bas dans la petite salle devant la scène, soit au balcon.

JOE'S PUB Plan p. 372

☎ 212-539-8770 ; www.joespub.com ; Public Theater, 425 Lafayette St entre Astor Pl et E 4th St ; ligne R, W jusqu'à 8th St–NYU (W lun-ven uniquement), ligne 6 jusqu'à Astor Pl

Mi-cabaret mi-salle de rock et new-indie, ce restaurant-boîte de nuit a accueilli Toshi Reagon, Jonatha Brooke et Diamanda Galas.

LUNA LOUNGE Plan p. 372

☎ 212-260-2323 ; 171 Ludlow St au niveau de Stanton St ; lignes F, V jusqu'à Lower East Side–Second Ave

Avec un bar relax sur le devant et une petite salle à l'arrière pour des concerts live, Luna reçoit tous les soirs sans exception des groupes garage, des musiciens locaux et de jeunes rockeurs indie pleins d'avenir. Les Strokes, Kid Rock et Madder Rose ont tous gratifié la scène minuscule de leur présence.

MADISON SQUARE GARDEN Plan p. 376

☎ 212-465-6741 ; www.thegarden.com ; Seventh Ave au niveau de W 33rd St ; lignes A, C, E, 1, 2, 3, 9 jusqu'à 34th St–Penn Station

Perché au-dessus de Penn Station dans Midtown, cet espace de 19 000 places laissera un souvenir inoubliable à ceux qui viendront écouter le concert d'une célébrité du rock, de la pop ou du rap, noyés dans un océan de fans électrisés.

MEOW MIX Plan p. 372

☎ 212-254-0688 ; www.meowmixchix.com ; 269 E Houston St au niveau de Suffolk St ; lignes F, V jusqu'à Lower East Side–Second Ave

Connu comme bar lesbien, le Mix a l'habitude de recevoir des groupes de rock indie, qu'ils soient féminins ou non.

MERCURY LOUNGE Plan p. 372

☎ 212-260-4700 ; www.mercuryloungenyc.com ; 217 E Houston St entre Essex St et Ludlow St ; lignes F, V jusqu'à Lower East Side–Second Ave

De grands noms peuvent y faire une apparition, comme Lou Reed ou John Popper, mais de toute façon, cette boîte bien-aimée du Lower East Side a toujours quelque chose d'intéressant à offrir. Intime et confortable, avec des tables et toute la place qu'il faut pour danser, le Mercury peut aussi se vanter d'avoir une très bonne sono ; bref, de quoi ravir les groupes locaux ou en tournée, et leur public.

NORTH SIX Plan p. 384

☎ 718-599-5103 ; www.northsix.com ; 66 North 6th St, Brooklyn ; ligne L jusqu'à Bedford Ave

Dans cette salle de Brooklyn, on entendra aussi bien des musiciens débutants que des groupes de renom.

PETE'S CANDY STORE Plan p. 384

☎ 718-302-3770 ; www.petescandystore.com ; 709 Lorimer St, Williamsburg, Brooklyn ; ligne L jusqu'à Lorimer St, ligne G jusqu'à Metropolitan Ave

Ce bar élégant, situé en plein cœur du très branché Williamsburg, accueille des groupes

Concerts gratuits à Central Park

L'un des plaisirs musicaux de l'été les plus attendus par les New-yorkais est le retour du **Central Park SummerStage** (plan p. 379 ; ☎ 212-360-2756 ; www.summerstage.org), une série annuelle de concerts, la plupart gratuits, qui se déroulent au Rumsey Playfield , au centre du parc. Organisé par la City Park Foundation, SummerStage propose des concerts au programme très éclectique (Sonic Youth et Wilco, Devo et Yeah Yeah Yeahs), des spectacles de danse et des lectures d'auteurs également très divers. Les spectacles sont gratuits, hormis le gigantesque concert annuel donné au profit d'associations caritatives. L'accès, par l'entrée du parc de Fifth Ave-69th St, se fait suivant la règle du "premier arrivé premier servi", et si la plupart des spectacles font quasiment le plein, il est toujours possible de se faufiler. Lorsque le programme est publié, fin mai, on le compulse avidement à la recherche de ses artistes favoris, car chacun y trouvera son compte. Ainsi, récemment, on a pu voir sur scène Ani DiFranco, De La Soul, Elvis Costello, Indigo Girls, Jack Johnson et Lucinda Williams.

de rock indie et rockabilly, du burlesque et des soirées Scrabble. Son nouveau programme de lectures, "Pete's Big Salmon", permet d'entendre, un lundi sur deux à 19h30, des poètes locaux et des auteurs de fiction.

PIANOS

☎ 212-505-3733 ; www.pianosnyc.com ; 106 Norfolk St ; lignes F, V jusqu'à Lower East Side–Second Ave

Un ancien magasin de pianos devenu un rendez-vous musical *hipster*, sert des genres divers (hip-hop, cowpunk, electronica, Asian rock) et des flots de Rheingold à un public du Lower East Side très demandeur.

RADIO CITY MUSIC HALL Plan p. 218

☎ 212-247-4777 ; www.radiocity.com ; Sixth Ave au niveau de W 51st St ; lignes B, D, F, V jusqu'à 47 St-50 St–Rockefeller Center

En plein cœur de Midtown, cette grandiose salle Art déco de 1932, abondamment illuminée, reçoit des célébrités telles que Neil Young, Mary J Blige, Prince et les Gipsy Kings. Appréciez l'architecture des lieux, même si vous n'assistez pas au concert.

SOUTHPAW Plan p. 385

☎ 718-230-0236 ; www.spsounds.com ; 125 Fifth Ave entre Sterling Pl et St John's Pl, Park Slope, Brooklyn ; lignes D, M, N, R jusqu'à Pacific St (ligne M lun-ven uniquement), lignes B, Q, 2, 3, 4, 5 jusqu'à Atlantic Ave

Ouverte en 2002, cette salle de rock a été instantanément appréciée grâce à son infrastructure innovante qui met la scène en valeur quel que soit l'endroit où l'on s'installe, au bar tout en longueur ou dans l'une des confortables banquettes. La sono dernier cri sert parfaitement le rock local, la funk et la world music qu'on y entend.

CLASSIQUE

BARGEMUSIC Plan p. 384

☎ 718-624-2083 ; Fulton Ferry Landing, Brooklyn Heights, Brooklyn ; lignes A, C jusqu'à High St, lignes 2, 3 jusqu'à Clark St

Les concerts de musique de chambre organisés sur ce ferry-boat de 125 places ont un caractère intime. L'endroit est connu et apprécié depuis 30 ans pour ses jolies vues sur les berges et ses concerts qui ont lieu toute l'année, du jeudi au dimanche.

CARNEGIE HALL Plan p. 218

☎ 212-247-7800 ; www.carnegiehall.org ; 154 W 57th St au niveau de Seventh Ave ; lignes N, R, Q, W jusqu'à 57th St

Cette vieille salle de concert ouverte en 1891 a vu passer, entre autres, Tchaïkovski, Mahler et Prokofiev. De nos jours, elle reçoit les orchestres en tournée, l'orchestre des New York Pops et divers musiciens de world music comme Cesaria Evora et Sweet Honey in the Rock.

GRACE CHURCH Plan p. 372

☎ 212-254-2000 ; 802 Broadway au niveau de 10th St ; ligne R jusqu'à 8th St

Les concerts de Bach à midi (du mardi au vendredi, sauf en été), les fréquents concerts du Choir of Men and Boys ainsi que les récitals d'orgue et d'orchestre sont une excellente raison de visiter cette église épiscopalienne magique située en plein cœur du Village.

LINCOLN CENTER Plan p. 376

☎ 212-875-5000 ; Lincoln Center Plaza, Broadway au niveau de W 64th St ; lignes 1, 9 jusqu'à 66th St–Lincoln Center

L'Avery Fisher Hall est la salle attitrée du **New York Philharmonic** (www.newyorkphilharmonic.org) pour un répertoire classique du plus haut niveau. On peut acheter les billets chez **Center**

Charge (☎ 212-721-6500). **Alice Tully Hall** (☎ 212-721-6500) abrite l'American Symphony Orchestra et la Little Orchestra Society.

MERKIN CONCERT HALL Plan p. 379

☎ 212-501-3330 ; 129 W 67th St entre Amsterdam Ave et Broadway ; lignes 1, 9 jusqu'à 66th St–Lincoln Center

Cette salle de 457 places qui fait partie du Kaufman Cultural Center se distingue par son caractère intime.

TOWN HALL Plan p. 218

☎ 212-840-2824 ; www.the-townhall-nyc.org ; 123 W 43rd entre Sixth Ave et Seventh Ave ; lignes B, D, F, V jusqu'à 42nd St–Bryant Park

Des ensembles classiques jouent régulièrement dans cette salle classée monument historique, mais ils ne sont pas les seuls. On y entend également des artistes du folk, du jazz et du blues, et même Garrison Keilor lorsqu'il enregistre son émission de radio en ville.

TRINITY CHURCH Plan p. 370

☎ 212-602-0800 ; www.trinitywallstreet.org ; angle de Broadway et Wall St ; lignes 2, 3 4, 5 jusqu'à Wall St, lignes N, R jusqu'à Rector St

Cette ancienne église paroissiale anglicane offre l'excellent cycle des Concerts at One (donné également à la St Paul's Chapel, à l'angle de Broadway et de Fulton St) pour 2 petits dollars (don suggéré). Programme communiqué par téléphone au ☎ 212-602-0747.

JAZZ ET BLUES

Le West Village offre de longues jam-sessions, des entrées bon marché et un mélange appétissant de toutes les tendances du jazz. Midtown est également riche en salles de qualité, mais Uptown est toujours le vrai berceau du jazz, si bien que les amateurs de l'ancienne école préféreront sans doute aller à Harlem.

Top 5 des scènes live

- **Bowery Ballroom** (p.229). Un joyau Art déco du Lower East Side, sur deux niveaux
- **Irving Plaza** (p. 230). La meilleure salle de taille moyenne pour des groupes *indé* populaires
- **Mercury Lounge** (p. 230. Les New-Yorkais adorent son côté intime et ses hôtes de marque inattendus
- **Southpaw** (p. 231). Un lieu chaud de Brooklyn avec visibilité parfaite et sono sans égale
- **Tonic** (p. 234). Salle de choix pour les inconditionnels de musique d'avant-garde

55 BAR Plan p. 372

☎ 212-929-9883 ; www.55bar.com ; 55 Christopher St au niveau de Seventh Ave ; lignes 1, 9 jusqu'à Christopher St–Sheridan Sq

Salle du West Village où l'on entend tous les soirs du jazz, du blues et de la fusion, joués par des artistes de qualité. L'entrée ne dépasse jamais 15 $, mais inclut deux boissons.

BAM CAFÉ Plan p. 384

☎ 718-636-4139 ; www.bam.org ; 30 Lafayette Ave au niveau de Ashland Pl, Ft Greene, Brooklyn ; lignes D, M, N, R jusqu'à Pacific St (M sam-dim uniquement), lignes B, Q, 2, 3, 4, 5 jusqu'à Atlantic Ave

En même temps que votre dîner, le restaurant-bar dominé par le haut plafond de la Brooklyn Academy of Music vous servira de beaux moments de jazz live, et parfois du R&B, du cabaret ou des rencontres littéraires.

BB KING'S JOINT Plan p. 218

☎ 212-997-4144 ; www.bbkingblues.com ; 237 W 42nd St ; lignes N, R, 1, 2, 3, 7, 9 jusqu'à Times Sq–42nd St

Rock, blues et reggae de l'ancienne école, comme celui d'Etta James et de Merle Haggard, sont au programme de cette salle située au cœur du nouveau Times Square. Têtes d'affiche moins connues au Lucille's Grill voisin.

BIRDLAND Plan p. 218

☎ 212-581-3080 ; www.birdlandjazz.com ; 315 W 44th St entre Eighth Ave et Ninth Ave ; lignes A, C, E jusqu'à 42nd St–Port Authority

Ce club important qui a pris le surnom de Charlie Parker, "Bird", a reçu tous les grands noms du jazz depuis 1949 lorsque Parker y était la vedette. Thelonious Monk, Miles Davis, Stan Getz y ont joué. Aujourd'hui, vous pourrez y entendre le Duke Ellington Orchestra (dirigé par Paul Mercer Ellington), le James Moody Quartet et Stanley Jordan.

BLUE NOTE Plan p. 372

☎ 212-475-8592 ; www.bluenote.net ; 131 W 3rd St entre Sixth Ave et MacDougal St ; lignes A, C, E, F, V, S jusqu'à W 4th St

Le plus célèbre (et le plus cher) des clubs de jazz de la ville. L'entrée (pouvant aller jusqu'à 75 $) vous donnera le droit d'écouter des stars donner de courtes sessions devant un public religieusement attentif (chuuuttt !!!).

CHICAGO BLUES Plan p. 372

☎ **212-924-9755 ; 73 Eighth Ave au niveau de W 14th St ; ligne A, C, E jusqu'à 14th St, ligne L jusqu'à Eighth Ave**

Cette salle du West Village reçoit des maîtres du blues, de passage à New York. Les débutants y tentent aussi leur chance, et si vous avez votre harmonica sur vous, un lundi soir, vous pourrez monter sur scène pour faire un bœuf.

CLEOPATRA'S NEEDLE Plan p. 379

☎ **212-769-6969 ; www.cleopatrasneedleny.com ; 2485 Broadway entre W 92nd St et 93rd St ; lignes 1, 9, 2, 3 jusqu'à 96th St**

Les jam-sessions tardives et ouvertes à tous sont la marque de fabrique du Cleopatra's Needle ; elles peuvent se prolonger jusqu'à 4h du matin. Le bar offre la meilleure visibilité. On y sert de la pression et de la cuisine à tendance méditerranéenne. Il n'y a pas d'entrée, mais consommations à 10 $ minimum.

C-NOTE Plan p. 372

☎ **212-677-8142 ; www.thecnote.com ; 157 Ave C au niveau de 10th St ; lignes F, V jusqu'à Lower East Side–Second Ave**

Cet espace sombre et nu de l'East Village satisfait la soif de free jazz et de blues d'amateurs économes. Les trios passent en tout début de soirée (avant 19h) et le samedi est réservé à des jam-sessions ouvertes à tous.

IRIDIUM Plan p. 218

☎ **212-582-2121 ; www.iridiumjazzclub.com ; 1650 Broadway au niveau de 51st St ; lignes 1, 9 jusqu'à 50th St**

Tables très serrées, mais bonne acoustique et vue dégagée. Les grands noms du jazz jouent 2 séances par soirée, du dimanche au jeudi, et 3 séances le week-end. Depuis plusieurs décennies, le lundi soir est réservé au talentueux et hilarant trio Les Paul. Brunch jazz le dimanche.

KNITTING FACTORY Plan p. 370

☎ **212-219-3055 ; www.knittingfactory.com ; 74 Leonard St entre Church St et Broadway ; lignes 1, 9 jusqu'à Franklin St**

Cette vieille adresse de Tribeca peut se prévaloir d'une réelle influence dans le domaine du jazz, de la musique folk et expérimentale, du spectacle parlé et de la performance. Ses 4 espaces accueillent toutes sortes de musique, du space-jazz cosmique au *schock rock* de Tokyo, du jazz tradi, plus du rock et du hip-hop.

LENOX LOUNGE Plan p. 382

☎ **212-427-0253 ; www.lenoxlounge.com ; 288 Malcolm X Blvd entre 124th St et 125th St ; lignes 2, 3 jusqu'à 125th St**

Le Lounge est connu depuis longtemps des amateurs de jazz new-yorkais, mais depuis quelque temps, il attire une clientèle d'amateurs étranger. Ne manquez pas la luxueuse Zebra Room, au fond. Dimanche, soirée gay.

ST NICK'S PUB Plan p. 382

☎ **212-283-9728 ; 773 St Nicholas Ave au niveau de 149th St ; lignes A, B, C, D jusqu'à 145th St**

Un endroit fantastique pour écouter du jazz "brut" créé par des musiciens pour des musiciens. Le lundi soir est réservé à une jam-session ouverte à tous commençant à 21h30, occasion pour les touristes qui jouent d'un instrument de relever le gant. Plus tard dans la soirée arrivent des musiciens qui, à la fin de leur concert donné sur d'autres scènes, continue la fête au Pub.

SMALLS Plan p. 372

☎ **212-929-7565 ; 183 W 10th St au niveau de Seventh Ave ; lignes 1, 9 jusqu'à Christopher St–Sheridan Sq**

Cet endroit offre un marathon de 10 heures et demie de jazz, tous les soirs de 22h à 8h30. Descendez au sous-sol, prenez place sur un canapé, décapsulez votre boisson (pas d'alcool, tous les âges sont réunis ; la diversité est sur scène et dans le public) et dégustez du jazz de qualité, quelle que soit l'heure.

SMOKE Plan p. 379

☎ **212-864-6662 ; www.smokejazz.com ; 2751 Broadway entre 105th St et 106th St ; lignes 1, 9 jusqu'à 103rd St**

Vue dégagée, sofas moelleux et musiciens triés sur le volet ont fait le succès du Smoke au point que, le week-end, une file d'attente se forme pour entrer, tout le long du block. En semaine, il y a moins de monde et l'entrée n'est pas payante.

SWEET RHYTHM Plan p. 372

☎ **212-255-3626 ; www.sweetrhythmny.com ; 88 Seventh Ave South entre Bleecker St et Grove St ; lignes 1, 9 jusqu'à Christopher St–Sheridan Sq**

Ce restaurant-boîte de nuit, anciennement Sweet Basil's, a perdu pas mal de son charme, mais on y entend encore des musiciens remarquables jouant des musiques du Brésil, de Cuba et dAfrique.

TONIC Plan p. 372

☎ **212-358-7501 ; www.tonicnyc.com ; 107 Norfolk St entre Delancey St et Rivington St ; ligne F jusqu'à Delancey St**

C'est pour entendre de la musique d'avant-garde, créative et expérimentale, qu'il faut se rendre dans cette salle du Lower East Side, réputée pour ses jam-sessions improvisées et inspirées d'artistes tels que John Zorn, Kim Gordon, John Medeski et Marc Ribot.

UP OVER JAZZ CAFÉ Plan p. 385

☎ **718-3998-5413 ; www.upoverjazz.com ; 351 Flatbush Ave au niveau de Seventh Ave, Park Slope, Brooklyn ; lignes B, Q jusqu'à Seventh Ave, lignes 2, 3 jusqu'à Grand Army Plaza**

Le programme de cette salle (en étage) bien connue de Park Slope associe piano jazz, quintets et latin jazz. En semaine, des jam-sessions ouvertes à tous commencent vers 21h30.

VILLAGE VANGUARD Plan p. 372

☎ **212-255-4037 ; www.villagevanguard.net ; 178 Seventh Ave au niveau de W 11th St ; lignes 1, 9 jusqu'à Christopher St–Sheridan Sq**

Ce club en sous-sol, situé dans le West Village, est sans doute le plus prestigieux et en tout cas l'un des plus connus au monde. Tous les grands du jazz y ont joué depuis 50 ans. Consommation minimum de 2 boissons exigée.

FOLK ET MUSIQUE DU MONDE

Le folk n'est plus tellement à la mode, ces temps-ci à New York. En revanche, du fait de la diversité ethnique de la population, les musiques du monde sont particulièrement bien représentées.

BACK FENCE Plan p. 372

☎ **212-475-9221 ; 155 Bleecker St entre MacDougal St et Sullivan St ; lignes A, C, E, F, V, S jusqu'à W 4th St**

Ce club à l'ambiance étonnamment décontractée est coincé dans un tronçon de Bleecker St envahi de jeunes étudiants chahuteurs. On y entendra, en semaine, du beau folk/blues et, le week-end, du rock classique.

LQ Plan p. 376

☎ **212-593-7575 ; 511 Lexington Ave entre 47th St et 48th St ; lignes 4, 5, 6, 7, S jusqu'à 42nd St–Grand Central**

Ce club latino tout neuf apporte une chaleur bienvenue dans cette partie assez froide de Manhattan. Le mercredi soir, des groupes de salsa de renommée nationale réjouissent une foule compacte de danseurs.

PADDY REILLY'S MUSIC BAR Plan p. 376

☎ **212-686-1210 ; 510 Second Ave au niveau de 29th St ; ligne 6 jusqu'à 28th St**

Une des bonnes adresses pour boire de la bière en pintes et se gorger de musique irlandaise, en semaine.

PEOPLE'S VOICE CAFÉ Plan p. 376

☎ **212-787-3903 ; 45 E 33rd St entre Madison Ave et Park Ave ; ligne 6 jusqu'à 33rd St**

Les membres du groupe Songs of Freedom and Struggle ouvrirent ce bon vieux café pacifiste en 1979. De nos jours, il est tenu par un collectif de musiciens et d'activistes qui invitent des harangueurs politiques, des conteurs et des danseurs.

SOB'S Plan p. 372

☎ **212-243-4940 ; 204 Varick St entre King St et Houston St ; lignes 1, 9 jusqu'à Houston St**

SOB's (pour Sounds of Brazil et non Son of a Bitch !) ne se limite pas à la samba. Vous y danserez aussi sur de l'afro-cubain, de la salsa et du reggae, live ou enregistrés. Tous les soirs, vous pouvez dîner devant un spectacle, mais l'ambiance ne devient vraiment chaude qu'après 2h du matin.

SYMPHONY SPACE Plan p. 379

☎ **212-864-1414 ; 2537 Broadway au niveau de 95th St ; lignes 1, 2, 3, 9 jusqu'à 96th St**

Ce club refait à neuf est le joyau du upper-Upper West Side. Il reçoit des orchestres de musiques du monde. Récemment, on y a entendu de la musique tsigane, écossaise, indienne et grecque.

Sport, santé et fitness

Sport, santé et fitness

Héler un taxi peut s'apparenter à un exercice de haut vol, et en août, les stations de métro se transforment en saunas. Il existe toutefois à New York une foule d'endroits plus orthodoxes – terrains de sports, courts de tennis, stades, salles de gyms, piscines et spas – pour vous défouler physiquement. Vous préférez regarder plutôt que jouer ? New York City compte plus d'équipes professionnelles que n'importe quelle autre ville des États-Unis.

MANIFESTATIONS SPORTIVES

Vu le grand nombre d'équipes et de saisons sportives concomitantes, il se passe rarement une journée sans rencontre et, en dehors du football américain, on trouve généralement des places. **Ticketmaster** (☎ 800-462-2849, 212-307-7171 ; www.ticketmaster.com) vend des billets individuels et les équipes proposent des abonnements. Sinon, vous pouvez vous adresser à **StubHub** (☎ 866-788-2482 ; www.stubhub.com), qui sert d'intermédiaire aux particuliers pour revendre leurs billets.

Consultez le *New York Sports Express* (www.nysportsexpress.com), un hebdomadaire gratuit, drôle et impertinent.

BASE-BALL

Après la Deuxième Guerre mondiale, New York possédait trois équipes, toutes très dynamiques : les New York Yankees, les Giants et les Brooklyn Dodgers. À treize reprises, deux d'entre elles s'affrontèrent au cours de la finale des Subway Series. L'impensable se produisit en 1957, quand les Dodgers et les Giants déménagèrent en Californie. L'arrivée des Mets portant les couleurs de Queens quelques années plus tard fut accueillie positivement, mais elle n'atténua pas le sentiment de trahison ressenti par de nombreux supporters. En 2000, les Yanks l'ont emporté sur les Mets lors d'une reprise des Subway Series. Une reprise des traditions, en quelque sorte.

Les équipes jouent 162 matchs durant la saison qui s'étend d'avril à octobre, époque à laquelle commencent les compétitions de championnat.

Top 5 des activités sportives

- **Astoria Pool** (p. 245). Piscine olympique de Queens
- **Basket** (p. 244). Assister à un match de street-ball.
- **Central Park.** Jogging (p. 243), marche (p. 244), vélo (p. 241), patins à glace (p. 242) et observation des oiseaux (p. 239)
- **Hudson River** (p. 239). Faire du kayak sur l'Hudson sans dépenser autre chose que ses calories.
- **Yankee Stadium** (p. 149). Pour les fans de base-ball

NEW YORK YANKEES Plan p. 382

☎ 718-293-6000 ; www.yankees.com ; Yankee Stadium, angle 161st St et River Ave ; billets 8-70 $; métro B, D, 4 jusqu'à 161st St–Yankee Stadium

Qualifier les Yanks de dynastie du base-ball serait un euphémisme. Jouant dans l'American League, les Bronx Bombers ont gagné 26 championnats des World Series depuis 1900, dont quatre ces dix dernières années. Vous pourrez admirer Alex Rodriguez et les autres au **Yankee Stadium** (p. 149), à 15 min de métro de Midtown. Il reste presque toujours des places sur les gradins. Nous vous déconseillons fortement de porter une casquette des Red Sox !

NEW YORK METS Plan p. 387

☎ 718-507-8499 ; www.mets.com ; Shea Stadium, 123-01 Roosevelt Ave, Flushing, Queens ; billets 5-48 $; métro 7 jusqu'à Willlets Point–Shea Stadium

La "nouvelle" équipe de base-ball de New York, dont l'emblème orange et bleu figure des monuments des différents boroughs, représente la National League depuis 1962. Les fans se souviennent encore de 1986, année magique au cours de laquelle le club finit par remporter les World Series grâce à un retour miraculeux. Il faut 35 min pour se rendre en métro au Shea Stadium.

Central Park (p. 117)

BROOKLYN CYCLONES

☎ 718-449-8497 ; www.brooklyncyclones.com ; KeySpan Park, angle Surf Ave et W 17th St, Coney I ; billets 6-10 $; 🕑 billetterie 10h-16h lun-ven, 10h-15h sam ; métro F, D jusqu'à Coney I–Stillwell Ave

La nouvelle "équipe pépinière" des Mets joue en ligue inférieure pour les fidèles de Brooklyn, dans leur stade flamboyant, à deux pas de la promenade en planches de Coney Island.

STATEN ISLAND YANKEES

☎ 718-720-9265 ; www.siyanks.com ; Richmond County Bank Ballpark, 75 Richmond Tce, Staten I ; billets 10 $; 🕑 billetterie 9h-17h lun-ven, 10h-15h sam ; Staten I Ferry

Venez voir les Bombers de demain, ou du moins la vue fabuleuse sur les gratte-ciel de Manhattan, dans un stade élégant au bord de l'eau, en face du New York Harbor.

BASKET

Deux équipes de la NBA, les Knicks et les Nets, sont basées dans la métropole new-yorkaise. La saison dure d'octobre à mai ou juin. L'achat de billets individuels s'effectue auprès de **Ticketmaster** (page précédente), de **StubHub** (page précédente), ou directement à la billetterie.

Réservez à l'avance si vous souhaitez assister à une rencontre entre l'un ou l'autre de ces clubs et les fameux Lakers de Los Angeles.

NEW YORK KNICKS Plan p. 376

☎ 212-465-5867 ; www.nyknicks.com ; Madison Square Garden, entre Seventh Ave et 33rd St ; billets 52-1 605 $; métro A, C, E, 1, 2, 3, 9 jusqu'à 34th St–Penn Station

Les bien-aimés Knickerbockers se produisent devant Spike Lee et 18 999 autres supporters au Madison Square Garden. Ils ont cependant connu quelques déboires ces dernières années : le championnat leur échappe depuis 1973 (quand Willis Reed et le politicien Bill Bradley jouaient dans l'équipe) ; même Patrick Ewing, la star des années 1980 et 1990, ne l'a jamais remporté (maudit soit Michael Jordan !). Certains fans (irréductibles) croient qu'avec la récente intégration de Stephen Marbury, natif de Brooklyn, la victoire pourrait être à portée de main.

NEW JERSEY NETS

☎ 800-765-6387 ; www.njnets.com ; Continental Airlines Arena, Meadowlands Sports Complex, NJ ; billets 40-480 $

Éclipsés par les Knicks, relégués au Meadowlands Sport Complex, dans le New Jersey, les Nets ont pourtant fait bien mieux que leurs rivaux new-yorkais ces dernières années. Malgré un jeu enthousiasmant, ils n'ont toutefois pas dépassé la place de second lors des finales des championnats 2001–2002 et 2002–2003. Ce qui leur fait peut-être défaut – en dehors d'un nouveau nom – c'est un changement complet de lieu d'implantation. En janvier 2004, Bruce Ratner a racheté l'équipe

Manifestations sportives dans le New Jersey

Les matchs à domicile des Giants, Jets, Nets, Devils et autres MetroStars se tiennent au Meadowlands Sports Complex d'East Rutherford, dans le New Jersey. La façon la plus simple de s'y rendre consiste à prendre un bus public depuis le Port Authority Bus Terminal, à Midtown. Le trajet de 20 min coûte 3,25 $ l'aller simple. Des bus circulent en permanence à partir de 2 heures avant la rencontre et jusqu'à une heure après celle-ci.

En voiture depuis Manhattan, empruntez le Lincoln Tunnel à Midtown jusqu'à la Route 3 West et suivez les panneaux signalant Exit 4, Route 120.

et annoncé un projet de transfert à Brooklyn pour 2007. Pendant ce temps, avec des joueurs comme l'arrière astucieux Jason Kidd, les Nets semblent prêts à disputer chaque année le titre de champion de l'Eastern Conference. (Voir plus bas *Manifestations sportives dans le New Jersey* pour savoir comment rejoindre le stade.)

NEW YORK LIBERTY Plan p. 376

☎ 212-465-6293 ; www.nyliberty.com ; Madison Square Garden ; billets 10-65 $; métro A, C, E, 1, 2, 3 jusqu'à 34th St–Penn Station

Depuis le début de la ligue WNBA, en 1997, le basket féminin a également la cote. Le Liberty joue de mai à septembre ou octobre.

FOOTBALL AMÉRICAIN

Les deux équipes de la NFL de New York jouent au Giants Stadium, dans le New Jersey, d'août à décembre, le week-end en alternance (16 rencontres par saison). Les billets sont toutefois rares et chers (200 $ et plus). Tentez votre chance avec **StubHub** (p. 236) et www.craigslist.com pour vous procurer des places. Par ailleurs, les Giants disposent d'un programme gratuit d'échange de billets ; consultez leur site Web ou téléphonez pour plus de détails. (Voir l'encadré p. 237 pour localiser le stade.)

NEW YORK GIANTS

☎ 201-935-811, 201-935-8222 ; www.giants.com ; Giants Stadium, East Rutherford, NJ

Parmi les plus vieilles équipes de la NFL, les Giants (qui font partie de la National Football Conference) ont failli ces derniers temps ; leur dernière participation au Super Bowl remonte à 2000. Une fois de plus, ils ont entrepris de se refaire une santé, en misant désormais sur le jeune quarterback Eli Manning. Beaucoup de supporters n'ont pas digéré l'entrée de l'ex-entraîneur du club Bill Parcells chez les Dallas Cowboys, l'équipe rivale de la division.

NEW YORK JETS

☎ 516-560-8200 poste 1 ; www.newyorkjets.com ; Giants Stadium, East Rutherford, NJ

Généralement moins populaires que les Giants (ils se produisent au Giants Stadium !), les Jets n'ont pas encore renoué avec le succès enregistré au légendaire Super Bowl de 1969, quand le présomptueux attaquant Joe Namath s'était porté garant de la victoire. Ce triomphe annoncé inaugura une période de domination des équipes de l'AFC sur celles, jadis invincibles, de la NFC. Cela dit, les Jets jouent comme des pieds depuis quelques années.

NEW YORK DRAGONS

☎ 516-794-9303 ; www.newyorkdragons.com ; Nassau Veterans Memorial Coliseum, Uniondale, Long I ; billets 15-110 $; Long I Railroad Hempstead station, puis bus N70, N71 ou N72 jusqu'au coliseum

Si vous voulez rigoler, venez observer l'équipe de football en salle de New York qui joue à Long Island sur un mini-terrain. La saison s'étend de février à juin.

HOCKEY

Avant tout, sachez qu'il existe à New York davantage d'équipes de hockey de première division que de tout autre sport. La saison court de septembre à avril, chaque club jouant trois ou quatre matchs par semaine.

NEW JERSEY DEVILS

☎ 201-935-6050 ; www.newjerseydevils.com ; Continental Airlines Arena, East Rutherford, NJ ; billets 20-90 $

Les Devils ne sont peut-être pas new-yorkais, mais ils pratiquent un hockey de premier ordre et ont remporté trois fois la Stanley Cup au cours de la dernière décennie (en 1995, 2000 et 2003).

NEW YORK RANGERS Plan p. 376

☎ 212-465-6741 ; www.nyrangers.com ; Madison Square Garden ; billets 30-155 $; métro A, C, E, 1, 2, 3, 9 jusqu'à 34th St–Penn Station

L'équipe de hockey préférée de Manhattan a mis un terme à 54 ans de défaite en gagnant la Stanley Cup en 1994. Même si un jeu "douteux" a entaché les dernières saisons, les supporters mettent toujours le feu au Madison Square Garden, surtout quand les Blueshirts affrontent leurs rivaux de toujours, les New York Islanders.

NEW YORK ISLANDERS

☎ 631-888-9000 ; www.newyorkislanders.com ; Nassau Veterans Memorial Coliseum, Uniondale, Long I ; billets 31-160 $

L'autre équipe new-yorkaise de la NHL joue à Long Island.

COURSES DE CHEVAUX

Les amateurs de chevaux trouveront plusieurs champs de courses dans l'État de New York. Des pur-sang courent du mercredi au dimanche à l'**Aqueduct Race Track** (Howard Beach, Queens ; métro A jusqu'à Aqueduct Racetrack) d'octobre à début mai, et au **Belmont Race Track** (Belmont, Long Island ; Long Island Railroad jusqu'à l'arrêt du Belmont Race Track) de mai à mi-juillet, et en septembre-octobre. Belmont accueille aussi en juin les fameux Belmont Stakes. Pour tout renseignement, contactez la **New York Racing Association** (☎ 718-641-4700 ; www.nyra.com).

L'hippodrome des **Meadowlands** (☎ 201-935-8500 ; www.thebigm.com ; Meadowlands Sports Complex, East Rutherford, NJ) organise des courses attelées de décembre à août, et des courses de pur-sang de septembre à novembre. Elles débutent à 19h30 du mercredi au samedi et à 13h30 le dimanche. (Voir l'encadré p. 237, pour vous y rendre.)

FOOTBALL

Et oui, le football se pratique bel et bien aux États-Unis. Malheureusement, la ligue professionnelle féminine, dont faisait partie le New York Power, a mis la clé sous la porte en 2003.

NEW YORK/NEW JERSEY METROSTARS

☎ 201-583-7000 ; www.metrostars.com ; Giants Stadium, East Rutherford, NJ ; billets 18-38 $

La saison des MetroStars, soit 30 rencontres, se déroule d'avril à octobre. La foule hétéroclite des supporters contribue à rendre les parties très divertissantes. (Voir l'encadré p. 237, pour vous y rendre.)

TENNIS

L'**US Open** (www.usopen.org), tournoi de tennis du Grand Chelem, se tient pendant deux semaines à la fin du mois d'août à l'**USTA National Tennis Center** (carte p. 387 ; ☎ 718-760-6200 ; www.usta.com ; Flushing Meadows Corona Park, Queens ; métro 7 jusqu'à Willets Point–Shea Stadium). Ticketmaster met les billets en vente au mois d'avril ou de mai. Difficile cependant d'obtenir des places pour les matchs sur le central (à l'Arthur Ashe Stadium). La plupart des spectateurs font marcher leurs relations ou ont recours à des revendeurs.

ACTIVITÉS DE PLEIN AIR

À New York, les activités varient selon la saison. L'été, les parcs se remplissent de joueurs de football et de basket, et le fleuve accueille kayaks et bateaux à voile. L'hiver, beaucoup de gens chaussent leurs patins à glace ou pratiquent le ski de fond à Sheep Meadow, dans Central Park, dès qu'il y a 15 cm de neige.

OBSERVATION DES OISEAUX

Blague à part, Central Park constitue l'une des principales zones ornithologiques du pays. Son habitat diversifié attire vers Big Apple environ 15% des oiseaux migrateurs (quelque 200 espèces) au printemps et en automne. Pendant ces périodes, la **New York City Audubon Society** (Plan p. 376 ; ☎ 212-691-7483 ; www.nycas.org ; 71 W 23rd St ; métro F, V jusqu'à 23rd St) organise des cours de quatre sessions pour les observateurs débutants (adulte 75 $), avec deux déplacements sur le terrain. De même, Starr Saphir propose des **circuits pédestres** (membre/non-membre d'Audubon 3/6 $) de trois heures dans Central Park. Les lundi et mercredi, la visite part de W 81st St/Central Park West à 7h30, le mardi de W 103rd St/Central Park West à 9h.

Les enfants adorent le Discovery Kit, un sac à dos contenant du matériel de découverte ornithologique (jumelles, carnet à croquis), disponible au **Belvedere Castle** (Plan p. 379 ; ☎ 212-772-0210 ; 🕓 10h-17h mar-dim) de Central Park.

BATEAU ET KAYAK

Les occasions de s'adonner aux activités nautiques ne manquent pas à New York, même dans le Bronx qui n'a pas d'accès direct à la mer. Le **Staten Island Ferry** (p. 151), gratuit, est ce qu'il y a de mieux en matière de promenade en bateau. À Central Park et au Prospect Park de Brooklyn, vous pourrez louer des barques. City Island, une petite île de pêcheurs dans le Bronx, offre quant à elle la possibilité d'affréter des embarcations. La **Circle Line** (p. 80) propose des croisières classiques autour de Manhattan tandis que les **New York Water Taxis** (p. 319) jaunes et noirs du dernier cri desservent Manhattan et Brooklyn. Si vous aimez l'aventure,

Chelsea Piers

Le plus grand complexe sportif de New York occupe l'historique **Chelsea Piers** (Plan p. 372 ; ☎ 212-336-6666 ; www.chelseapiers.com ; West Side Hwy, entre W 16th St et 22nd St ; métro C, E jusqu'à 23rd St), un espace de 12 ha où l'on peut pratiquer le golf, s'entraîner, jouer au football et au basket, se faire masser, nager, boxer, lancer la balle et bien d'autres choses encore.

Construit en 1910 par les bâtisseurs du Grand Central Terminal, Chelsea Piers fut le principal port de New York durant l'âge d'or des voyages transatlantiques. Il aurait dû accueillir le *Titanic* en 1912 et servit, pendant la Deuxième Guerre mondiale, de point d'embarquement pour de nombreux soldats à destination de l'Europe. Son activité portuaire prit fin en 1967. Inauguré en 1995, le projet de réhabilitation a porté sur les quatre dernières jetées (il y en avait neuf à l'origine).

Aujourd'hui, on oublie facilement le site centenaire au profit du nouveau, rouge, blanc et bleu, sans oublier les installations sportives qui laissent pantois. Chaque jour, des centaines de corps s'exercent ici à de multiples activités dont voici une courte sélection.

Cages de base-ball (☎ 212-336-6500 ; Field House, Pier 59 ; 10 lancers 2 $; 🕑 11h-22h lun-ven, 9h-21h sam-dim). Quatre cages d'exercice modernes à vitesse lente, moyenne ou rapide. Téléphonez pour les locations à l'heure.

Golf (☎ 212-336-6400 ; Golf Club, Pier 59 ; carte de parcours à partir de 20 $, simulateur de jeu 35 $/h ; 🕑 6h30-23h). Le seul parcours de golf de Manhattan praticable en voiture possède quatre niveaux de départ abrités – Sinon, vous pouvez toujours aller dans le New Jersey ! Des clubs sont à disposition.

Patinage et hockey (☎ 212-336-6100 ; Sky Rink, Pier 61 ; adulte/enfant 13/9,50 $, location de patins 6 $, casque 3 $). Deux patinoires fonctionnent toute l'année. Les horaires varient, avec une ouverture habituelle à 11h30 ou 12h. L'accès pour jouer au hockey est limité, généralement en semaine à l'heure du déjeuner et le samedi soir (25 $, gardiens de but gratuits). Horaires par téléphone.

Rollers (☎ 212-336-6200 ; Roller Rinks, Pier 62 ; adulte/enfant 7/6 $, location de rollers 18/13 $, protections 7 $; 🕑 pistes en plein air mai-juin). Pour ceux qui aiment le frisson, la séance de roller "extrême" (rampes, obstacles) de trois ou quatre heures coûte 20 $. Horaires par téléphone.

Football (☎ 212-336-6500 ; Field House, Pier 62). Vous pouvez participer à des matchs improvisés de football en salle de 12h à 13h30 du lundi au jeudi (8 $).

Spa (☎ 212-336-6780 ; Pier 60 ; massages 45-130 $, massages faciaux 80-95 $, gommage corporel 65 $; 🕑 10h-21h lun-ven, 10h-19h sam-dim). Les massages et les soins se déclinent sous de nombreuses formes. Des formules proposent une journée complète pour 288 $. Toute dépense supérieure à 75 $ donne l'accès gratuit au Sports Center.

Sports Center (☎ 212-336-6000 ; Pier 60 ; 50 $/j ; 🕑 6h-23h lun-ven, 8h-21h sam-dim). Piste de course indoor, piscine, appareils de musculation, basket, boxe, kick-boxing, volley-ball, cours de yoga, escalade. Vous bénéficierez en outre d'une vue superbe depuis l'intérieur et les solariums.

adressez-vous à la **Manhattan Kayak Company** (c-contre) qui vous fera pagayer jusqu'au New Jersey où vous déjeunerez de sushis.

DOWNTOWN BOATHOUSE Plan p. 379

☎ 646-613-0740 ; www.downtownboathouse.org ; Pier 26, entre Chambers St et Canal St ; entrée libre ; 🕑 9h-18h sam-dim 15 mai–15 oct, ouvert certains soirs de semaine ; métro 1, 9 jusqu'à Franklin St

Ce fabuleux centre nautique propose 20 min de kayak (équipement compris) dans la baie de l'Hudson. Pas besoin de réserver, il suffit de se présenter sur place. Des conseils sont prodigués aux néophytes et vous pourrez participer à une excursion en kayak de 8 km dans le New York Harbor (arrivez avant 8h le week-end et les jours fériés). Il existe deux autres adresses, à **Chelsea** (Plan p. 376 ; Pier 66A, à l'ouest de W 22nd St) et au **Riverside Park** (Plan p. 379 ; W 72nd St).

LOEB BOATHOUSE Plan p. 379

☎ 212-557-2233 ; Central Park, entre 74th St et 75th St ; 10 $/h ; 🕑 10h-17h30 ; métro B, C jusqu'à 72nd St, 6 jusqu'à 77th St

Dans Central Park, la location des barques est possible (avr -oct, si le temps le permet). (L'eau n'est pas aussi sale que le laisse entendre Woody Allen dans une scène de *Manhattan*.)

MANHATTAN KAYAK COMPANY Plan p. 376

☎ 212-924-1788 ; www.manhattankayak.com ; Pier 63, entre W 23rd St et West Side Hwy ; 25-250 $; téléphonez pour les horaires des excursions ; métro C, E jusqu'à 23rd St

Avec plus de 30 excursions couvrant quelque 278 milles nautiques du New York Harbor, cette société décline un immense choix d'options, dont des formules avec déjeuner, d'autres au coucher du soleil ou à la pleine lune, des allers-retours à la statue de la Liberté et des circuits ardus autour de Manhattan et jusqu'à Coney Island. Quel que soit votre niveau, vous trouverez une formule appropriée.

SCHOONER ADIRONDACK Plan p. 372
☎ 646-336-5270 ; Chelsea Piers, Pier 62, entre W 23rd St et West Side Hwy ; croisière de jour/au coucher du soleil et le soir 35/45 $; ⏲ journée 13h, crépuscule 17h30, soir 19h30 ; métro C, E jusqu'à 23rd St
Tous les jours de mai à octobre, le deux-mâts *'Dack* effectue trois croisières de deux heures dans l'Hudson et le New York Harbor. Pensez à réserver. Enthousiasmant !

CYCLOTOURISME

À moins d'avoir l'expérience du vélo en milieu urbain, vous préférerez sans doute limiter vos déplacements aux zones cyclables. Les quelques pistes existantes le long des artères de la ville (Lafayette St, Broadway, Second Ave) sont souvent bloquées par des voitures garées en double file ou des véhicules qui doublent.

Dans les rues, portez un casque et indiquez quand vous tournez. Surtout, ne roulez pas sur les trottoirs. Il est possible de transporter une bicyclette dans la dernière voiture des rames de métro, mais évitez les heures de pointes et restez près de votre vélo. La plupart des ponts comportent des pistes cyclables (le Brooklyn Bridge est le plus amusant). Le **Bike Network Development** (http://www.ci.nyc.ny.us/html/dcp/html/bike/home.html) vous fournira de plus amples informations.

Où circuler

Central Park vient naturellement à l'esprit quand il s'agit de pratiquer le vélo dans New York. De larges artères bien goudronnées le traversent du nord au sud, coupées par des transversales, et forment d'excellents circuits en boucle de 2,7 km, 8,4 km et 9,8 km (voir plan p. 165). Ces routes possèdent une piste cyclable et restent toujours accessibles aux cyclotouristes ; elles sont fermées à la circulation automobile de 10h à 15h et de 19h à 22h du lundi au vendredi, et toute la journée le week-end.

On peut aussi rouler le long des cours d'eau – une activité qui a de nombreux adeptes – sur la majeure partie du périmètre de Manhattan, soit une cinquantaine de kilomètres. Les portions les plus intéressantes se situent au bord de l'Hudson, entre Battery Park, dans Lower Manhattan, et Riverside Park, dans l'Upper West Side. Sinon, rien ne vous empêche d'emprunter le parcours est, plus cabossé, qui part d'E 37th St et se dirige vers le sud, jusqu'à Battery Park.

Le splendide **Prospect Park** (p. 139) de Brooklyn abrite un Park Dr de 5,4 km que l'on peut emprunter à tout moment. Notez que ce dernier est ouvert à la circulation de 7h à 9h et de 17h à 19h en semaine.

Les plus ambitieux se lanceront sur le Shore Parkway Bike Path qui relie Coney Island au Queens et dont le plus beau tronçon fait face à Manhattan. Renseignez-vous auprès d'un magasin de cycles.

La **Greenbelt** de Staten Island (☎ 718-667-2165 ; www.sigreenbelt.org) comprend des kilomètres de pistes cyclables aménagées (et quelques collines) et l'on peut transporter son vélo à bord du ferry.

Plusieurs clubs organisent des excursions. Le **Five Borough Bicycle Club** (☎ 212-932-2300 poste 115 ; www.5bbc.org ; 891 Amsterdam Ave ; métro 1, 2, 3 jusqu'à 96th St) propose des circuits gratuits à ses adhérents (inscription annuelle 20 $). Citons aussi le **New York Cycle Club** (☎ 212-828-5711 ; www.nycc.org).

Plusieurs centaines de cyclotouristes (et de personnes en rollers) militent en faveur d'une meilleure sécurité routière et des pistes cyclables à l'occasion de la *Critical Mass*, un rassemblement qui interrompt le trafic. Celle-ci part d'Union Square à 19h le dernier vendredi du mois. Pour en savoir plus, consultez **Time's Up** (www.times-up.com).

Location de vélos

BICYCLE HABITAT Plan p. 372
☎ 212-431-3315 ; www.bicyclehabitat.com ; 244 Lafayette St ; location de vélo 1er/2e jour 30/25 $; ⏲ 10h-19h lun-jeu, 10h-18h30 ven, 10h-18h sam-dim ; métro 6 jusqu'à Spring St
Le personnel compétent vous conseillera pour la location d'une bicyclette et l'organisation de circuits (prévoyez une caution de 300 $) ; consultez le site Web pour avoir des informations sur le cyclotourisme en ville.

CENTRAL PARK BICYCLE TOURS & RENTALS Plan p. 376

☎ 212-541-8759 ; www.centralparkbiketour.com ; 2 Columbus Circle ; location de vélo 35 $/j, excursions 35 $, vélo compris ; métro A, B, C, D, 1, 9 jusqu'à 59 St–Columbus Circle

L'endroit loue des VTT et propose plusieurs circuits dans le parc (l'un d'eux fait le tour des lieux filmés au cinéma). Téléphonez à l'avance en été, période à laquelle le stand ferme.

LOEB BOATHOUSE Plan p. 379

☎ 212-557-2233 ; Central Park, entre 74th St et 75th St ; location de vélo 9-15 $/h ; métro B, C jusqu'à 72nd St, 6 jusqu'à 77th St

Locations d'avril à octobre.

GOLF

Si on peut pratiquer le golf à New York, tous les greens se situent en dehors de Manhattan. Ils appliquent des tarifs légèrement supérieurs le week-end et vous devez réserver une heure de départ. Si vous souhaitez taper quelques balles sans marcher, rendez-vous aux **Chelsea Piers** (voir l'encadré p. 240).

BETHPAGE ST PARK

☎ 516-249-0707 ; Farmingdale, Long I ; accès au green 24-39 $, location de clubs 30 $

Quatre parcours publics, dont le Black Course qui fut le premier du genre à accueillir l'US Open (2002).

DYKER BEACH GOLF COURSE

☎ 718-836-9722 ; angle 86th St et 7th Ave, Dyker Beach, Brooklyn ; accès au green 28-34 $; métro R jusqu'à 86th St

Ce golf public spectaculaire est le plus facile à atteindre en métro. Pas de location de clubs.

FLUSHING MEADOWS PITCH & PUTT Plan p. 387

☎ 718-271-8182 ; Flushing Meadows Corona Park, Queens ; accès au green 11,50 $; métro 7 jusqu'à Willets Point–Shea Stadium

Le mini-parcours de 18 trous ne mesure que 73 m.

LA TOURETTE

☎ 718-351-1889 ; 1 001 Richmond Hill Rd, Staten I ; accès au green 29-34 $, location de clubs 15 $

Ce parcours de Staten Island est public. Prenez un taxi en descendant du ferry.

Bowlingmania

Avides d'expériences rétro, les New-Yorkais trouvent marrant de passer une soirée au bowling, surtout en bande après quelques pintes de bières.

Amf Chelsea Pier Lanes (Plan p. 372 ; ☎ 212-835-2695 ; AMF Chelsea Pier Lanes, entre Pier 59 et Pier 60 ; 🕓 9h-24h dim-jeu, 9h-2h ven-sam). Doté de 40 pistes, il facture 5,50 $ la partie (location de chaussures 3 $) avant 17h en semaine, 7,50 $ (chaussures 4,50 $) autrement.

Bowlmor Lanes (Plan p. 372 ; ☎ 212-255-8188 ; 110 University Pl ; 🕓 11h-4h lun et ven, 11h-1h mar et mer, 12h-2h jeu, 12h-4h sam, 12h-1h dim ; métro L, N, Q, R, W, 4, 5, 6 jusqu'à 14th St-Union Sq). Ouvert depuis 1938, il s'agit du bowling-phare de New York. La partie coûte 6,45 $ avant 17h en semaine, 7,95 $ après 17h et 8,45 $ le week-end. Location de chaussures 5 $. Le dimanche après 22h, l'endroit s'illumine et des DJ entrent en scène.

Leisure Time Bowling Center (Plan p. 376 ; ☎ 212-268-6909 ; 625 8th Ave, 2e étage, Port Authority Bus Terminal ; 🕓 10h-23h dim-jeu, 10h-1h ven-sam ; métro A, C, E jusqu'à 42nd St). 30 pistes ; 6 $ la partie avant 17h en semaine, 7 $ le reste du temps ; location de chaussures 4 $. Nuit disco le dernier samedi du mois.

VAN CORTLANDT PARK GOLF COURSE Plan p. 388

☎ 718-543-4595 ; Bailey Ave, The Bronx ; accès au green 33-43 $; métro 1, 9 jusqu'à Van Cortlandt Park

Le plus ancien golf public à 18 trous des États-Unis.

PATINS À GLACE

Des patinoires en plein air fonctionnent durant les mois d'hiver et celle de **Chelsea Piers** (page précédente) reste ouverte toute l'année. Reportez-vous aussi p. 139 pour connaître les possibilités dans le Prospect Park de Brooklyn, et p. 145 pour le Flushing Meadows Corona Park de Queens.

ROCKEFELLER CENTER ICE RINK Plan p. 376

☎ 212-332-7654 ; Rockefeller Center, angle 49th St et Fifth Ave ; adulte/enfant lun-jeu 8,50/7 $, ven-dim 11/7,50 $, location de patins 6 $; 🕓 9h-22h30 lun-jeu, 8h30-24h ven-sam, 8h30-22h dim ; métro B, D, F, V jusqu'à 47th St–50th St–Rockefeller Center

Cette célèbre patinoire, une esplanade Art déco dominée par une statue dorée de Prométhée, offre un cadre incomparable pour virevolter sur la glace. C'est malheureusement la bousculade le soir et le week-end. Téléphonez pour connaître les horaires.

WOLLMAN SKATING RINK Plan p. 379

☎ 212-439-6900 ; Central Park, près de l'entrée sur 59th St et 6th Ave ; adulte sem/sam-dim 8,50/11 $, enfant 4,25/4,50 $, location de patins 4,75 $; 10h-14h30 lun-mar, 10h-22h mer-jeu, 10h-23h ven-sam, 10h-21h dim ; métro F jusqu'à 57 St, N, R, W jusqu'à 5th Ave–59th St

Plus vaste que la patinoire du Rockefeller Center, celle-ci se tient à la lisière sud de Central Park et jouit d'une vue sur les gratte-ciel qui pointent au-dessus de l'espace vert ; l'atmosphère devient plus magique encore à la nuit tombée.

JOGGING

Manhattan recèle plusieurs endroits propices au jogging. Les artères en boucle de Central Park offrent plus d'agrément en l'absence de circulation automobile (voir p. 241), malgré les nombreux cyclotouristes et adeptes des rollers que vous croiserez. Le sentier de 2,5 km autour du Jacqueline Kennedy Onassis Reservoir (où la dame avait l'habitude de faire de l'exercice) est réservé aux coureurs et aux marcheurs (accès entre 86th St et 96th St). Les berges de l'Hudson attirent aussi du monde, les tronçons les plus agréables se situant entre W 23rd St et Battery Park, dans Lower Manhattan. L'Upper East Side dispose d'un parcours le long de FDR Drive et de l'East River (d'E 63rd St à E 115th St). Enfin, à Brooklyn, Prospect Park renferme de multiples sentiers.

Le **New York Road Runners Club** (Plan p. 379 ; ☎ 212-860-4455 ; www.nyrrc.org ; 9 E 89th St ; 10h-20h lun-ven, 10h-17h sam, 10h-15h dim ; métro 6 jusqu'à 96th St) organise des courses le week-end dans toute la ville, et le **Marathon de New York** (voir page suivante).

ESCALADE

Central Park abrite trois rochers fréquentés par les adeptes de l'escalade. Il s'agit du Chess Rock, juste au nord de la Wollman Rink, du Rat Rock, plus ardu, au nord de Heckscher Playground (autour de 61st St), et du City Boy (32 m), le meilleur, autour de 107th St, à l'ouest du Harlem Meer.

CITY CLIMBERS CLUB Plan p. 379

☎ 212-974-2250 ; Parks & Recreation Center, 533 W 59th St ; 17h-22h lun-ven, 12h-17h sam ; métro A, B, C, D, 1, 9 jusqu'à 59th St–Columbus Circle

Le premier mur d'escalade de New York sert toujours de QG aux grimpeurs, avec 11 relais et 30 itinéraires, plus une escalade dans une grotte. Le premier mardi et le dernier jeudi du mois sont exclusivement réservés aux membres du club.

FOOTBALL

En général, les ligues de football n'acceptent pas les joueurs occasionnels. Vous pourrez en revanche pratiquer à l'East Meadow de Central Park, autour d'E 97th St et de North Meadow, le week-end d'avril à octobre. Les fameux matchs du **Flushing Meadows Corona Park** (carte p. 387) ont lieu dès que le temps le permet (même en février). Sinon, le complexe de **Chelsea Piers** (carte p. 240) a des terrains couverts.

TENNIS

D'avril à novembre, il vous faudra un permis (50 $ à l'année) pour jouer sur la centaine de courts de tennis que compte New York. Le reste du temps, on y accède gratuitement. Appelez le ☎ 212-360-8133 ou rendez-vous au bureau des permis installé à l'**Arsenal** (Plan p. 379 ; E 65th St et Fifth Ave), dans Central Park. **Paragon Athletic Goods** (p. 262) délivre également des autorisations. Le **Riverbank State Park** (Plan p. 382) possède des terrains.

CENTRAL PARK TENNIS CENTER Plan p. 379

☎ 212-316-0800 ; à l'ouest de W 96 St et Central Park West ; 6h30-coucher du soleil avr-oct ; métro B, C jusqu'à 96th St

Le centre dispose de 30 courts de qualité (davantage que tout autre parc de Manhattan), accessibles uniquement quand il fait jour. Ils ne peuvent être utilisés que par les détenteurs d'un permit ou d'un billet valable pour une partie (7 $), en vente au snack-bar. Pour éviter l'affluence, mieux vaut choisir un début d'après-midi en semaine.

USTA NATIONAL TENNIS CENTER Plan p. 387

☎ 718-760-6200 ; www.usta.com ; Flushing Meadows Corona Park, Queens ; court extérieur 16-24 $/h, court couvert 32-48 $; 6h-24h lun-ven, 8h-24h

Sports de rue

Sur la voie publique de New York, largement bétonnée, ont fleuri de nombreuses d'activités sportives.

Handball

En 1882, l'immigrant irlandais Phil Casey construisit le premier terrain de handball 4-murs de New York et, parallèlement à ses succès personnels (il battit à plates coutures le champion du monde irlandais en 1887), la discipline prit son essor dans la ville. Au début du XXe siècle, South Brooklyn commença à aménager des terrains pourvus d'un seul mur à Coney Island, renouant ainsi avec une tradition irlandaise depuis longtemps disparue. Ceci mena au paddleball à un mur, encore très pratiqué. De nos jours, on rencontre des terrains à un mur dans les parcs (plus de 260, rien qu'à Manhattan). Consultez le site www.nycgovparks.org pour les localiser.

Rollers

Depuis plusieurs dizaines d'années, les adeptes du free-style exhibent leurs talents sur une piste circulaire près de Naumberg Bandshell, à Central Park. Il va sans dire que le roller est devenu un moyen de divertissement (et de transport) populaire partout dans New York. C'est notamment le cas sur la boucle qui traverse Central Park dans le sens contraire des aiguilles d'une montre, dans Prospect Park à Brooklyn et le long de l'Hudson River Park, entre Battery Park et Chelsea Piers (ou plus au nord). **Blade Night Manhattan** (20h mer mai-oct), une manifestation gratuite à laquelle participent jusqu'à 200 personnes, part de Chelsea Piers à hauteur de 23rd St.

Pour louer des rollers adressez-vous aux boutiques suivantes : **Blades West** (Plan p. 379 ; ☎ 212-787-3911 ; 120 W 72 St ; 22 $/j, protections comprises ; métro 1, 2, 3 jusqu'à 72nd St) ; **Blades Chelsea Piers** (Plan p. 372 ; ☎ 212-336-6199 ; Pier 62, angle W 22nd St et West Side Hwy ; 22 $/j ; métro C, E to 23 St) et **3rd Street Skate Co** (carte p. 385 ; ☎ 718-768-9500 ; 207 Seventh Ave ; 10/20 $ pour 2 heures/la journée mars-oct ; métro F jusqu'à 7th Ave), près deProspect Park.

Le marathon de New York

La façon dont le plus célèbre des marathons est passé d'un budget de 1 000 $ (avec 55 participants à l'arrivée), en 1970, à une course de premier plan couvrant les cinq boroughs, s'avère aussi impressionnante que de voir les coureurs en action. Pour y participer, il faut autant de chance qu'une bonne condition physique et de l'entraînement car la liste finale de 30 000 marathoniens est définie par tirage au sort ; les candidatures sont acceptées chaque année jusqu'au mois d'avril ou de mai (voir www.nycmarathon.org pour en savoir plus). Lors de cet évènement, le premier dimanche de novembre, on peut facilement assister au spectacle offert par plus d'un million de personnes dans les rues de la ville, mais le meilleur poste d'observation est sans doute le point d'arrivée, la **Tavern on the Green** (p. 191), à Central Park.

Basket improvisé

Les amateurs que le basket fait rêver fréquentent les terrains de la ville tout au long de l'année. Les plus connus, situés à hauteur de W 3rd St et Sixth Ave (Plan p. 372), drainent beaucoup de spectateurs les week-ends d'été et les matchs se transforment parfois en marathon du lancer franc. On joue aussi au **Tompkins Square Park** (p. XX) de l'East Village et au **Riverside Park** (p. 122) d'Upper West Side. Pour participer, mieux vaut savoir dribbler, passer et tirer comme un as.

Stickball

Rien ne rime mieux avec la rue que le stickball, avatar new-yorkais dérivé il y a plusieurs décennies de jeux anglais comme le "old cat" et le "town ball". Il s'agit en substance d'une forme rudimentaire de base-ball, plus bruyante et plus agressive. Le *pitcher* lance une balle que le *batter* frappe avec un manche à balai, des plaques d'égout servant de *bases*, des voitures en stationnement et des escaliers de secours faisant office d'obstacles. Autrefois, une balle rose Spalding (une "spaldeen"), qui avait été utilisée lors d'une partie, devenait objet de convoitise.

Depuis vingt ans, le stickball a fait son chemin, et New York possède plusieurs équipes. L'une des plus douées, l'**Emperors Stickball League** (☎ 212-591-0165 ; www.nyesl.org), basée dans le Bronx, joue de 10h à 14h ou 15h le dimanche au Stickball Blvd, entre Seward Ave et Randall Ave ; téléphonez pour savoir comment vous y rendre. La meilleure occasion d'apprécier ce sport est le tournoi international du Memorial Day, au cours duquel s'affrontent des équipes de San Diego, de Floride et de Porto Rico.

L'ancien dirigeant de ligue et pompier Steve Mercado, mort en 2001 dans l'attentat du World Trade Center, est toujours connus à New York sous le nom de "Mister Stickball" en raison de son action pour la promotion du jeu.

sam, 8h-23h dim oct-juil ; métro 7 jusqu'à Willets Point–Shea Stadium

Prenez-vous pour André Agassi ou les sœurs Williams en jouant sur les courts où se dispute chaque année l'US Open. L'USTA enregistre les réservations jusqu'à deux jours à l'avance pour les 22 terrains en plein air et les neuf autres en salle. Sans réserver, vous pourrez utiliser les courts couverts en semaine entre 6h et 8h, à condition qu'ils soient libres. L'éclairage de nuit en extérieur vous coûtera un supplément de 8 $.

SANTÉ ET FITNESS

SALLES DE GYM ET PISCINES

Manhattan regroupe à elle seule 17 centres de loisirs, dont la plupart abritent des installations de gym et une piscine couverte ou en plein air. Pour plus d'informations, consultez le site www.nycgovparks.org ou composez le ☎ 212-408-0204. *Village Voice* publie aussi une liste des salles. Le complexe sportif **Chelsea Piers** (p. 104) est une merveille.

ASPHALT GREEN Plan p. 379

☎ 212-369-8890 ; 555 E 90 St ; salle de gym ou piscine 20 $, les deux 25 $; gym 5h30-22h30 lun-ven, 8h-20h sam-dim, piscine 5h30-16h et 20h-22h lun-ven, 11h-20h sam, 8h-20h ; métro 4, 5, 6 jusqu'à 86th St

Ce super centre de remise en forme à but non-lucratif, dans l'Upper East Side, est réputé pour son excellent bassin olympique de 50 m (avec des hublots d'observation sous l'eau). Beaucoup de programmes s'adressent aux enfants.

ASTORIA POOL Carte p. 386

☎ 718-626-8620 ; angle Astoria Park, 19th St et 23rd Dr, Queens ; 11h-19h été ; métro N, W jusqu'à Astoria Blvd

Construit en 1936, le bassin olympique en extérieur de la Works Progress Administration est un véritable bijou d'architecture Art déco, avec vue sur Manhattan et le Triborough Bridge. Il reçoit chaque jour un millier de visiteurs. Si New York se voit attribuer l'organisation des Jeux de 2012, les compétitions de natation se dérouleront dans cette piscine.

CARMINE RECREATION CENTER Plan p. 372

☎ 212-242-5228 ; 1 Clarkson St ; 7h-22h lun-ven, 9h-17h sam-dim ; métro 1, 9 jusqu'à Houston St

Ce centre de Greenwich Village possède l'une des meilleures piscines publiques de la ville, avec un bassin couvert, et un autre à ciel ouvert (le second a servi de cadre à une scène du film *Raging Bull*), ainsi qu'une salle de gym ouverte à tous.

CRUNCH Plan p. 376

☎ 212-594-8050 ; www.crunch.com ; 555 W 42nd St ; pass à la journée 24 $; 6h-22h lun-ven, 9h-19h sam-dim ; métro A, C, E jusqu'à 42nd St–Port Authority Bus Terminal

Cette chaîne courue dispose de plusieurs emplacements en ville, chacun d'eux disposant d'une salle de sport complète, d'un sauna et d'un spa. L'adresse ci-dessus est toutefois la seule qui comprend aussi une piscine.

RIVERBANK STATE PARK Plan p. 382

☎ 212-694-3600 ; 679 Riverside Dr, à hauteur de W 145th St ; piscine adulte/enfant 2/1 $; parc 6h-22h (téléphonez pour les horaires des activités) ; métro 1 jusqu'à 145th St

Réparties dans cinq bâtiments, au-dessus d'une usine de traitement des déchets, les installations incluent une piscine olympique couverte, un long bassin en plein air, une salle de sport, des terrains de basket et de handball, une piste de course autour de terrains de foot/football américain et de softball. Idéal pour participer à des matchs improvisés.

MASSAGES ET SPAS

Pensez à prendre rendez-vous avant de vous rendre dans l'une des adresses suivantes.

BODY CENTRAL Plan p. 372

☎ 212-677-5633 ; www.bodycentralnyc.com ; 99 University Pl ; 12h30-21h lun et mer, 8h30-21h mar et jeu, 8h30-17h ven, 10h-16h sam ; métro L, N, Q, R, W, 4, 5, 6 jusqu'à 14th St–Union Sq

Le massage "Standing Ovation" de 30 min (50 $) soulage les pieds fatigués, et neuf autres formules de massage traitent le reste du corps. Body Central propose également les services d'un chiropracteur et d'un nutritionniste.

GRACEFUL SERVICES Plan p. 376

☎ 212-593-9904 ; 1 097 Second Ave ; 10h-22h ; métro 4, 5, 6 jusqu'à 59 St, N, R, W jusqu'à Lexington Ave–59 St

Une foule de New-Yorkais stressés fréquentent cet établissement sobre et sans surprise, spécialisé dans le massage Qi Gong. Comptez 50/60 $ les 45/60 min pour le corps complet, 35/60 $ les 30/60 min pour les pieds.

PAUL LABRECQUE EAST Plan p. 379
☎ 212-988-7816 ; www.paullabrecque.com ; 171 E 65th St, the Chatham ; 🕑 8h-21h lun-ven, 9h-20h sam, 10h-20h dim ; métro 6 jusqu'à 68th St–Hunter College
Prenez place au milieu des stars dans ce spa d'Uptown (doté d'un salon réservé aux garçons) qui a convaincu Reese Witherspoon d'ajouter à ses mèches un éclat transparent à l'aide d'un vernis coloré (50 $) et Sting de se faire raser (65 $). Paul dispense 10 sortes de massages faciaux (95-160 $), et 14 pour les autres parties corps.

YOGA

BIKRAM YOGA NYC Plan p. 372
☎ 212-206-9400 ; 182 Fifth Ave, 3e étage ; 20 $/cours ; 🕑 7h-20h15, téléphonez pour avoir le programme ; métro N, R, W jusqu'à 23rd St
Le très hollywoodien Bikram prend maintenant son essor à Manhattan où il devient très tendance. Prendre les 26 postures asana dans une pièce surchauffée du Flatiron Building (rien de moins) vous fera sans doute perdre quelques kilos (heureusement, il y a des douches). Il existe trois autres adresses à New York.

JIVAMUKTI Plan p. 372
☎ 212-353-0214 ; www.jivamuktiyoga.com ; 404 Lafayette St, Suite 3 ; 19 $/cours ; 🕑 8h-20h30 lun-jeu, 8h-18h45 ven, 9h-17h30 sam-dim ; métro 6 jusqu'à Bleecker St
Plutôt distingué, spacieux et à la mode pour ce genre d'endroit (il y a même une cascade le long d'un mur), Jivamukti voit défiler beaucoup de branchés locaux et de célébrités qui s'essayent aux postures halasana lors de séances de vinyasa et d'hatha yoga. Les cours ne sont pas tous accessibles aux visiteurs de passage. On trouve sur place des douches et une boutique.

LAUGHING LOTUS Plan p. 372
☎ 212-414-2903 ; 59 W 19th St ; 15 $/cours ; 🕑 7h30-20h15 lun-jeu, 7h30-22h ven, 8h30-17h sam, 9h-19h dim ; métro F, V jusqu'à 23rd St
Gai, rose et fréquenté, il dispense des cours d'une heure et demie où il suffit de se présenter. Ceux-ci vont de la salutation au soleil aux cours basiques de stretching et de respiration, en passant par une pratique avancée du vinyasa et des séances familiales d'une heure.

OM YOGA CENTER Plan p. 372
☎ 212-254-9642 ; 826 Broadway ; 15 $/cours ; 🕑 7h30-20h lun, mer et ven, 7h-20h mar et jeu, 9h-20h sam-dim ; métro L, N, Q, R, W, 4, 5, 6 jusqu'à 14th St–Union Sq
Cet espace accueillant – avec du parquet en séquoia, une belle hauteur de plafond et des douches – offre des cours prisés de vinyasa conduits par Celia Lee, ancienne danseuse (et chorégraphe de clips vidéo comme *Girls Just Want to Have Fun* !).

Shopping

Shopping

Les milliers de boutiques que compte New York répondent à tous les goûts et offrent de quoi satisfaire toutes les envies et toutes les lubies. Les enseignes clinquantes des mégastores de Times Square (qui s'implantent de plus en plus dans d'autres quartiers) côtoient de petits magasins traditionnels qui résistent tant bien que mal. On achète aussi facilement un durian, ce fruit à l'odeur si caractéristique, auprès d'un vendeur de Chinatown qui ne parle que le cantonais qu'un appareil photo ou une parure en diamants dans la boutique d'un juif orthodoxe. Selon vos goûts, vous fouillerez dans les boîtes de vieilles photos des bouquinistes de rue, vous furèterez dans une librairie spécialisée parmi les anciens guides de voyages, les polars ou les livres d'art ou vous oserez franchir la porte des boutiques huppées pour vous offrir une tenue digne d'une soirée des Oscars. Une petite pause à l'heure du déjeuner et c'est reparti pour un shopping sans limites !

Quartiers commerçants

Les grands couturiers internationaux sont installés sur Fifth Ave dans Midtown et sur Madison Ave dans l'Upper East Side tandis que les boutiques de Soho pratiquent les prix les plus intéressants de Downtown. Times Square compte plusieurs mégastores aussi rutilants que les écrans lumineux et les enseignes des alentours. L'élégant grand magasin Macy's règne depuis longtemps sur Herald Square, dans Midtown. Downtown, East Village et Lower East Side recèlent des boutiques originales de musique, de cadeaux et de vêtements destinés davantage à une clientèle jeune. Greenwich Village mêle joyeusement antiquaires, magasins très tendance et boutiques orientées vers la communauté homosexuelle. Les marchés aux puces de Chelsea constituent souvent la promenade favorite des habitants du quartier le week-end. Enfin, Brooklyn, Smith St, Atlantic Ave et Fifth Ave méritent également un petit détour.

La plupart des musées – Met, MoMa etc. – abritent des boutiques cadeaux fort bien approvisionnées. Pour des souvenirs plus kitsch (T-shirts, casquettes), allez plutôt à Chinatown et sur Times Square.

Heures d'ouverture

À l'exception des magasins de Lower Manhattan et des commerces tenus par des juifs pratiquants (qui ferment le samedi), pratiquement tous les magasins, y compris les mégastores, sont ouverts tous les jours. Les portes n'ouvrent généralement pas avant 10h et ferment souvent à 19h ou 20h. Dans les quartiers plus résidentiels (East Village, Lower East Side et Brooklyn notamment), l'ouverture peut être encore plus tardive (11h ou 12h). Enfin, de nombreux magasins, et particulièrement ceux de Madison Ave, font nocturne le jeudi.

Soldes

Des ventes promotionnelles se déroulent toute l'année, mais certaines donnent lieu à des rabais particulièrement intéressants. Les sites **NY Sale** (www.nysale.com) et **Lazar Shopping** (www.lazarshopping.com) répertorient chaque semaine les offres proposées par les

Top 5 des rues commerçantes

- **Fifth Ave** (Plan p. 376). Midtown, 42nd St jusqu'à Central Park South. Grands magasins chics et chers pour budgets aisés
- **Madison Ave** (Plan p. 379). Upper East Side, 50th St à 75th St. Magasins de luxe et boutiques des grands créateurs
- **Bleecker St** (Plan p. 372). Greenwich Village. Pour résumer : disques rock, préservatifs ludiques et sacs Marc Jacob
- **West Broadway & Prince St** (Plan p. 372). Soho. Marques branchées et plus décontractées
- **Mott St** (Plan p. 376). Nolita. Boutiques d'occasion, minuscules échoppes. Poursuivez vers le sud pour rejoindre Chinatown, sur Mott St

différents magasins. En ces périodes de grande affluence, les essayages se font alors souvent au beau milieu du magasin (et non dans les cabines !), pour gagner du temps.

Dans quasiment tous les magasins, les soldes de fin de saison commencent en janvier et en juillet. Les couturiers et créateurs appliquent souvent des réductions d'au moins 50%. Barneys' pratique par exemple des rabais légendaires (les prix des collections femme ne sont toutefois cassés qu'en toute fin de période).

LOWER MANHATTAN

On ne pense guère au quartier financier de Manhattan pour faire les boutiques, mais quelques-unes méritent tout de même une visite.

HAGSTROM MAP & TRAVEL CENTER

Plan p. 370 *Voyages*

☎ 212-785-5343 ; 125 Maiden Lane ; 🕒 lun-ven 8h30-18h ; métro 2, 3 jusqu'à Wall St

Vaste choix de guides de voyages, de cartes et d'accessoires de voyage.

J&R MUSIC & COMPUTER WORLD

Plan p. 370 *Musique et électronique*

☎ 212-238-9000 ; 15-23 Park Row ; 🕒 lun-sam 9h-19h30, dim 10h30-18h30 ; métro A, C, J, M, Z, 2, 3, 4, 5 jusqu'à Fulton St–Broadway Nassau

Les boutiques J&R occupent presque tout un bloc : appareils photos, ordinateurs, CD, DVD, hi-fi et appareils électroniques. Vaste choix et très bonnes affaires sur certains articles.

Viva Century 21 !

Il est plutôt rare qu'un magasin devienne un emblème de résistance et de force à la suite d'une épouvantable tragédie. Il faut dire que **Century 21** (Plan p. 370 ; ☎ 212-227-9092 ; 22 Cortland St à hauteur Church St ; 🕒 lun-mer, ven 7h45-20h, jeu jusqu'à 20h30, sam 10h-20h, dim 11h-19h ; métro A, C, 4, 5 jusqu'à Fulton St–Broadway Nassau), qui se tient stoïquement à côté du site du World Trade Center, n'est pas un magasin classique. Pour beaucoup, sa réouverture cinq mois après le 11 Septembre (et son refus de s'installer à un endroit plus lucratif dans Midtown) a symbolisé la volonté de New York de se redresser à tout prix.

Sur quatre étages, le grand magasin au sol de marbre remporte toujours le même succès en offrant de gros rabais sur les articles de créateurs, vêtements homme et femme, accessoires, chaussures, parfums (parfois vendus à moins de la moitié du prix d'origine). On peut trouver tous les grands couturiers (Donna Karan, Marc Jacobs, Armani, etc.).

Inconvénient majeur : toute la ville est au courant ! Le week-end, c'est véritablement la ruée sur les bonnes affaires. De deux choses l'une, vous vous jetez dans la mêlée ou vous prenez vos jambes à votre cou. Sachez tout de même qu'il est dur de repartir sans rien !

SHAKESPEARE & CO

Plan p. 370 *Librairie*

☎ 212-742-7025 ; 1 Whitehall St ; 🕒 lun-ven 8h-19h ; métro R, W jusqu'à Whitehall St, 4, 5 jusqu'à Bowling Green

Cette chaîne de librairies très populaire compte plusieurs autres succursales, à **Greenwich Village** (p. 260), **Midtown** (p. 265) et dans l'**Upper East Side** (p. 270).

SOUTH STREET SEAPORT

Plan p. 370 *Centre commercial*

☎ 212-732-7678 ; 12 Fulton St ; 🕒 lun-sam 10h-19h, dim 11h-20h ; métro A, C, J, M, Z, 2, 3, 4, 5 jusqu'à Fulton St–Broadway Nassau

Sans grande originalité, ce centre commercial d'une centaine de boutiques mérite une visite uniquement pour la vue qu'il offre sur le pont de Brooklyn et la pointe de Manhattan. On peut aussi faire un tour dans les boutiques aménagées dans les anciennes bâtisses à l'ouest de Fulton St.

STRAND BOOK STORE

Plan p. 370 *Librairie d'occasion*

☎ 212-732-6070 ; 95 Fulton St ; 🕒 lun-ven 9h30-21h, sam-dim 11h-20h ; métro A, C, J, M, Z, 2, 3, 4, 5 jusqu'à Fulton St–Broadway Nassau

Un peu plus vaste que la célèbre maison **Downtown** (p. 260) dont elle dépend, elle offre aussi de bonnes affaires. Rien ne vaut toutefois l'original !

TENT & TRAILS

Plan p. 370 *Articles de sport*

☎ 212-227-1760 ; 21 Park Pl, ouest de Broadway ; 🕒 lun-mer, sam 9h30-18h, jeu-ven 9h30-19h, dim 12h-18h ; métro 2, 3 jusqu'à Park Pl

Tout pour les loisirs et activités de plein air. Matériel de qualité et personnel qualifié.

SOHO

Autrefois réservés aux galeries d'art, les lofts de Soho ont été ces dernières années massivement rachetés par des distributeurs. Créateurs et couturiers ont ainsi investi toutes les allées de brique du quartier. Ils

Top 5 des créateurs locaux

- **Hotel Venus** (p. 251). Toutes les collections de Patricia Fields
- **Triple 5 Soul** (p. 253). La panoplie du parfait DJ
- **Vlada** (p. 255). Pour ressembler aux stars de MTV
- **A Cheng** (p. 255). Tailleurs et vêtements de tous les jours
- **Eidolon** (p. 272). Vêtements pour femme créés à Brooklyn

possèdent généralement une boutique à Midtown ou dans l'Upper East Side et ont ouvert ici des succursales plus décontractées et plus abordables.

Nous ne vous indiquons qu'une petite sélection de tous les magasins. Petites boutiques et chaînes, telles que Armani Exchange, Banana Republic, Sephora et Puma jalonnent Broadway. Quelques blocs à l'ouest (en empruntant les rues commerçantes comme Prince St), West Broadway comprend (du nord au sud) fcuk, DKNY, Diesel Style Lab, Eileen Fisher, Miss Sixty, Anthropologie et Tommy Hilfiger.

Dans Greene St, vous verrez Louis Vuitton, Agnès b., Vivienne Tam, Agnès b. Homme, le magasin de jeans Lucky Brand's et plusieurs grands magasins de meubles. Sur Mercer St se trouvent APC et des boutiques pour enfants.

À l'est de Broadway, Lafayette St se spécialise dans les boutiques pour DJ et fans de rollers. Deux blocs plus à l'est commence le quartier commerçant de Nolita (North of Little Italy), autour de Mott St, Mulberry St et Elizabeth St (entre Houston St et Kenmare St). Allez-y notamment pour les boutiques de chaussures. Voici quelques-unes de nos adresses préférées.

ALICE UNDERGROUND

Plan p. 372 — *Vêtements vintage*

☎ 212-431-9067 ; 481 Broadway ; 🕓 11h-19h ; métro J, M, N, Q, R, W, Z, 6 jusqu'à Canal St

Boutique vintage bien organisée. Prix assez légers, grand choix de chemises, pantalons, robes, costumes et chapeaux en bon état.

ANNA SUI

Plan p. 372 — *Vêtements de créateur*

☎ 212-941-8406 ; 113 Greene St ; 🕓 lun-sam 11h30-19h, dim 12h-18h ; métro N, R, W jusqu'à Prince St

Les vêtements de rock dessinés par Anna Sui occupent une boutique sympathique au sud de Prince St. Tout pour se prendre pour Stevie Nicks ou Jim Morrison !

APPLE STORE SOHO

Plan p. 372 — *Ordinateurs et électronique*

☎ 212-226-3126 ; 103 Prince St ; 🕓 lun-sam 10h-20h, dim 11h-19h ; métro N, R, W jusqu'à Prince St

Ce vaste magasin Apple, avec escaliers et passerelles transparentes, propose bien sûr iPod et matériel Mac, mais offre aussi la possibilité de consulter gratuitement son courrier électronique. Personnel très à l'écoute, conseils gratuits à l'étage.

BARNEYS CO-OP

Plan p. 372 — *Vêtements*

☎ 212-965-9964 ; 116 Wooster St ; 🕓 lun-sam 11h-19h, dim 12h-18h ; métro N, R, W jusqu'à Prince St

Dernier-né des magasins Barneys'. Autre Co-Op à **Chelsea** (p. 261). Pour la collection complète, poussez jusqu'au magasin principal, dans l'**Upper East Side** (p. 268).

BLOOMINGDALE SOHO

Plan p. 372 — *Vêtements*

☎ 212-729-5900 ; 504 Broadway ; 🕓 lun-ven 10h-21h, sam 10h-20h, dim 11h-19h ; métro N, R, W jusqu'à Prince St

Tout nouveau magasin de l'enseigne à Downtown. Dernières créations de Zak Posen, Diane Von Furstenberg, Marc Jacobs et autres créateurs de renom.

BROADWAY PANHANDLER

Plan p. 372 — *Ustensiles de cuisine*

☎ 212-966-3434 ; 477 Broome St ; 🕓 lun-ven 10h30-19h, sam 10h30-19h, dim 11h-18h ; métro A, C, E jusqu'à Canal St

Les chefs en herbe adorent flâner parmi tous ses beaux ustensiles et objets de cuisine. Bon choix de cocottes Le Creuset (made in France…).

CALYPSO

Plan p. 372 — *Vêtements féminins*

☎ 212-965-0990 ; 280 Mott St ; 🕓 lun-sam 11h30-19h30, dim 12h-18h30 ; métro B, D, F, V jusqu'à Broadway–Lafayette St

Spécialiste des vêtements d'été : robes légères, maillots de bain, chemisiers et tongs toute l'année. Il existe plusieurs boutiques de cette enseigne (la bijouterie se trouve quelques mètres plus bas, sur Mott St), notamment sur 74th St et sur Madison Ave dans l'Upper East Side. Téléphonez pour davantage de renseignements.

CAMPER Plan p. 372 *Chaussures*
☎ 212-358-1841 ; 125 Prince St ; ⏲ lun-sam 11h-20h, dim 12h-18h ; métro N, R, W jusqu'à Prince St
Les collections de la célèbre marque de chaussures dans un lieu joyeusement coloré.

CATHERINE Plan p. 372 *Vêtements féminins*
☎ 212-925-6765 ; 468 Broome St ; ⏲ lun-sam 11h-19h, dim 12h-19h ; métro C, E jusqu'à Spring St
Chic et tendance, les créations (robes, jupes, pantalons et chemisiers) de la Française Catherine Malandrino font un malheur auprès des fans de *Sex and the City* et de la chanteuse Mary J Blige. Nouvelle boutique dans Meatpacking District, à hauteur de Hudson St et 13th St. Téléphonez pour davantage de détails.

D&G Plan p. 372 *Vêtements*
☎ 212-965-8000 ; 434 W Broadway ; ⏲ lun-sam 11h-20h, dim 12h-18h ; métro N, R, W jusqu'à Prince St
Cette boutique vend la collection D&G de Dolce & Gabbana : bikinis, jeans délavés, pantalons en cuir, T-shirts à logo. Pour les collections classiques, rendez-vous au magasin de l'**Upper East Side** (p. 269).

EMPORIO ARMANI Plan p. 372 *Vêtements*
☎ 646-613-8099 ; www.emporioarmani.com ; 410 W Broadway ; ⏲ lun-mer, ven-sam 11h-19h, jeu 11h-20h, dim 12h-18h ; métro N, R, W jusqu'à Prince St
Le style Armani à un prix raisonnable. Cette boutique se situe entre le luxueux magasin Giorgio Armani de l'**Upper East Side** (p. 269) et Armani Exchange, plus basique. Autres adresses sur le site Internet.

ENCHANTED FOREST Plan p. 372 *Jouets*
☎ 212-925-6677 ; 85 Mercer St ; ⏲ lun-sam 11h-19h, dim 12h-18h ; métro N, R, W jusqu'à Prince St, 6 jusqu'à Spring St
L'un des nombreux magasins pour enfants de la rue, il regorge de jouets d'éveil, de marionnettes et d'ours en peluche.

FIRESTORE Plan p. 372 *Vêtements et cadeaux*
☎ 212-698-4520 ; 263 Lafayette St ; ⏲ lun-sam 10h-18h, dim 12h-17h ; métro 6 jusqu'à Spring St, N, R, W jusqu'à Prince St
Objets du New York Fire Department (casques, T-shirts, sweat-shirts à capuche portant l'inscription "Keep Back 200Ft" (restez à 60 m). À côté, le NY911 vend des objets en rapport avec le 11 Septembre et de nombreux articles du New York Police Department.

HELMUT LANG Plan p. 372 *Vêtements*
☎ 212-925-7214 ; 80 Greene St ; ⏲ lun-sam 11h-19h, dim 12h-18h ; métro N, R, W jusqu'à Prince St, 6 jusqu'à Spring St
Ne vous laissez pas impressionner par le hall de réception obscur, les collections originales de prêt-à-porter d'Helmut Lang sont exposées juste derrière. Nul doute que vous attirerez des regards envieux en vous baladant avec un sac estampillé Lang !

HOTEL VENUS Plan p. 372 *Vêtements*
☎ 212-966-4066 ; 382 W Broadway ; ⏲ 11h-20h ; métro C, E jusqu'à Spring St
Après s'être imposée dans W 8th St, la créatrice Patricia Field a installé ses collections pour le moins originales à Soho. Perruques frisées et colorées, lingerie, breloques, housses de couette Hello Kitty, porte-clés et robes tape-à-l'œil. Salon de coiffure à l'arrière.

INA Plan p. 372 *Dépôt-vente de vêtements*
☎ 212-334-9048 ; 21 Prince St ; ⏲ dim-jeu 12h-19h, ven-sam 12h-20h ; métro N, R, W jusqu'à Prince St, B, D, F, V jusqu'à Broadway–Lafayette St
Très prisé des New-Yorkais, ce dépôt-vente propose un bon choix de vêtements de créateurs pour femme (boutique pour homme juste au coin de la rue, 262 Mott St). On trouve souvent des costumes ou des robes de marque à moins de 100 $, ainsi que des chaussures Prada à prix réduit.

JACK SPADE Plan p. 372 *Maroquinerie*
☎ 212-625-1820 ; 56 Greene St ; ⏲ lun-sam 11h-19h, dim 12h-18h ; métro N, R, W jusqu'à Prince St
Kate et son mari Andy commercialisent une jolie collection de pochettes, de serviettes et de sacoches pour homme. Les articles pour femme sont dans la boutique Kate Spade (voir plus loin).

JOHN FLEUVOG Plan p. 372 *Chaussures*
☎ 212-431-4484 ; 250 Mulberry St ; ⏲ lun-sam 12h-20h, dim 12h-18h ; métro N, R, W jusqu'à Prince St
Originales et urbaines, les chaussures de ce créateur sont en vogue sur les trottoirs de Downtown. Nombreux modèles : semelle épaisse, bouts pointus, couture bicolore, etc. Le rayon des promotions comprend une douzaine de paires à moins de 100 $.

JONATHAN ADLER Plan p. 372 *Décoration*
☎ 877-287-1910 ; 47 Greene St ; ⏲ lun-sam 11h-19h, dim 12h-18h ; métro J, M, N, Q, R, W, Z, 6 jusqu'à Canal St
Poteries (vases, lampes) aux motifs géométriques et accessoires pour la maison (mobilier, plaids).

Kate Spade (p. 252)

KATE SPADE Plan p. 372 *Maroquinerie*

☎ 212-274-1991 ; 454 Broome St ; ⏲ lun-sam 11h-19h, dim 12h-18h ; métro N, R, W jusqu'à Prince St, 6 jusqu'à Spring St

Entrez jeter un œil à la toute dernière collection de sacs en cuir et nylon de style années 50 de Kate. Elle crée également des accessoires, des chaussures et des lunettes de soleil. Les articles pour homme se trouvent chez Jack Spade, sur Greene St (voir plus haut).

KATE'S PAPERIE

Plan p. 372 *Papeterie*

☎ 212-941-9816 ; 561 Broadway ; ⏲ lun-sam 10h-20h, dim 11h-19h ; métro N, R, W jusqu'à Prince St

Un grand classique, avec une belle sélection de cartes et de papiers à lettres artisanaux et des journaux. Voyez également les adresses dans **Midtown** (p. 264).

MOSS Plan p. 372 *Mobilier*

☎ 212-204-7100 ; 146 Greene St ; ⏲ lun-sam 11h-19h, dim 12h-18h ; métro N, R, W jusqu'à Prince St

Aménagé dans une ancienne galerie, ce magasin présente dans des vitrines des articles de style contemporain. On se laisse aisément tenter par des objets originaux faciles à intégrer chez soi ou sur un bureau.

OTTO TOOTSI PLOHOUND

Plan p. 372 *Chaussures*

☎ 212-925-8931 ; 413 W Broadway ; ⏲ lun-ven 11h30-19h30, sam 11h-20h, dim 12h-19h ; métro N, R, W jusqu'à Prince St

Les branchés new-yorkais à la recherche de chaussures de marque à prix réduit fréquentent régulièrement les quatre boutiques Tootsi (voir aussi p. 262). Elles font souvent des promotions sur certaines griffes, telles que Miu Miu, Helmut Lang, Paul Smith et Prada Sport. C'est la ruée lors de la période du "tout à 99 $".

PAUL FRANK STORE

Plan p. 372 *Vêtements et cadeaux*

☎ 212-965-5079 ; 195 Mulberry St ; ⏲ 11h-19h ; métro 6 jusqu'à Spring St

Les T-shirts, les cartables, les portefeuilles et même les sous-vêtements sont tous décorés du célèbre petit singe tout sourire. Si les nouveaux T-shirts style années 70 manquent un peu de finesse, ils sont tout de même jolis.

PEARL RIVER MART

Plan p. 372 *Grand magasin chinois*

☎ 212-431-4770 ; 477 Broadway ; ⏲ 10h-19h ; métro J, M, N, Q, R, W, Z, 6 jusqu'à Canal St

Autrefois sur Canal St, ce grand magasin demeure le meilleur de Chinatown. Toute l'Asie en rayon : théières chinoises et japonaises bon marché, robes imprimées de dragons, lanternes en papier, réveils à l'ancienne qui semblent dater de l'époque de Mao, instruments de musique, etc.

POP SHOP Plan p. 372 *Vêtements et cadeaux*

☎ 212-219-2784 ; 292 Lafayette St ; ⏲ lun-sam 12h-19h, dim 12h-18h ; métro N, R jusqu'à Prince St, B, D F, V jusqu'à Broadway–Lafayette St

Retrouvez les impressions pop art de Keith Haring sur des T-shirts, des cartes et d'autres objets cadeaux.

PRADA Plan p. 372 *Vêtements*

☎ 212-334-8888 ; 575 Broadway ; ⏲ lun-sam 11h-19h, dim 12h-18h ; métro N, R, W jusqu'à Prince St

Sans même parler des collections du créateur italien, l'endroit mérite à lui seul une visite. Aménagé dans les anciens locaux du musée Guggenheim par l'architecte hollandais Rem Koolhaas, ce magasin, décoré de parquets étincelants et recelant moult petites pièces en sous-sol, est une pure merveille. Essayez quelque chose, juste pour le plaisir de voir les parois transparentes des cabines se couvrir de buée lorsqu'on ferme la porte !

RALPH LAUREN Plan p. 372 *Vêtements*
☎ 212-625-1660 ; 381 W Broadway ; 🕒 lun-sam 12h-20h, dim 12h-18h ; métro C, E jusqu'à Spring St
Vêtements plus décontractés que dans le magasin principal de l'**Upper East Side** (p. 269).

RESURRECTION
Plan p. 372 *Vêtements vintage*
☎ 212-625-1374 ; 217 Mott St ; 🕒 lun-sam 11h-19h, dim 12h-19h ; métro 6 jusqu'à Spring St
Collections vintage hommes et femmes de grands créateurs (Pucci ou Halston, par exemple), légèrement plus chics que dans les boutiques du même type d'East Village qui bordent Houston St.

SCOOP Plan p. 372 *Vêtements*
☎ 212-925-2886 ; 532 Broadway ; 🕒 lun-sam 11h-20h, dim 11h-19h ; métro N, R, W jusqu'à Prince St
Robes Marc Jacobs et Theory, ainsi qu'un bon choix de vêtements décontractés et de pantalons de créateurs. Boutique pour homme dans l'**Upper East Side** (p. 270).

SWISS ARMY
Plan p. 372 *Bagages et accessoires*
☎ 212-965-5714 ; 136 Prince St ; 🕒 lun-sam 11h-19h, dim 12h-18h ; métro N, R, W jusqu'à Spring St
Outre les classiques couteaux et montres suisses, on achète ici de magnifiques sacs à main ou de voyages Victorinox rouges ou noirs, ainsi que des boussoles, toujours utiles !

TRAVELER'S CHOICE
Plan p. 372 *Librairie de voyages*
☎ 212-941-1535 ; 2 Wooster St ; 🕒 lun-ven 9h-17h, dim 12h-17h ; métro A, C, E jusqu'à Canal St
Idéale pour préparer son prochain voyage. Nombreux guides, manuels de conversation, dictionnaires, cartes et accessoires.

TRIPLE 5 SOUL
Plan p. 372 *Vêtements de ville*
☎ 212-431-2404 ; 290 Lafayette St ; 🕒 11h-19h30 ; métro N, R, W jusqu'à Prince St, B, D, F, V jusqu'à Broadway–Lafayette St
Sweat-shirts à capuche marqués "Triple 5 Soul" et autres vêtements de la mode des rues dans les années 1970..

USED BOOK CAFÉ
Plan p. 372 *Librairie d'occasion*
☎ 212-334-3324 ; 126 Crosby St ; 🕒 lun-ven 10h-21h, sam 12h-21h, dim 12h-19h ; métro B, D, F, V jusqu'à Broadway–Lafayette St
Aménagé comme une librairie, ce café avec mezzanine fait salle comble le week-end. Il renferme plus de 45 000 livres et CD d'occasion à des prix intéressants. Le produit des ventes est intégralement reversé à l'organisation caritative Housing Works, qui s'occupe des sans-abri séropositifs et atteints du sida de la ville.

Top 5 des boutiques de chaussures

- **Camper** (p. 251). Les célèbres chaussures espagnoles
- **Jeffrey New York** (p. 259). Grand choix de chaussures de marque
- **Jimmy Choo** (p. 264). La grande classe de chaussures pour femme
- **Boutiques de Nolita** (p. 249). Plusieurs magasins de qualité à prix réduit dans Mott St et Prince St
- **Otto Tootsi Plohound.** Toujours chics, les boutiques de **Chelsea** (p. 262) et de **Soho** (p. 252) sont plus originales que celles de Fifth Ave

VICE Plan p. 372 *Vêtements de ville*
☎ 212-219-7788 ; 252 Lafayette St ; 🕒 lun-sam 11h30-20h, dim 12h-18h ; métro 6 jusqu'à Spring St
Lorsque la mode des rues rencontre la tradition… DJ et skaters trouvent ici de quoi se constituer une panoplie chic sans trahir leurs convictions (vêtement Fred Perry, Stüssy, Zoo York, etc.). Bon choix de chaussures aussi.

CHINATOWN

Bien que Chinatown s'étende sur plusieurs blocs, les magasins se concentrent surtout sur Canal St et Mott St. Sur Canal St, les étals des boutiques envahissent le trottoir entre Bowery et 7th Ave, avec T-shirts, bijoux (en cherchant bien, on trouve autre chose que de la pacotille) et petit matériel électrique (prises et rallonges par exemple).

Un peu plus calme, Mott St comprend davantage de magasins touristiques, qui vendent des objets importés (laques, décorations chinoises, robes en soie, thés, jouets, etc.). Ils ouvrent tous les jours, généralement de 9h à la tombée de la nuit.

Sur Canal St, abstenez-vous d'acquérir tout appareil nécessitant une garantie (matériel hi-fi ou appareil photo par exemple). Veillez à vos effets personnels, les vols à l'arrachée ne sont pas rares.

Signalons que l'excellent grand magasin chinois **Pearl River Mart** (p. 252) ne se trouve plus dans Chinatown, mais à quelques blocks plus au nord, sur Broadway.

BEAUTY Plan p. 372 *Vêtements*
☎ 212-385-9966 ; 81 Mott St ; ⏲ 12h-21h30 ; métro J, M, N, Q, R, W, Z, 6 jusqu'à Canal St
Isolée de Mott St par quelques marches, cette boutique propose des vêtements et des chaussures pour femmes dans des petites tailles, importés de Hong Kong, du Japon et de Corée. Quelques articles originaux. Prix inférieurs à ceux de Midtown.

CHINATOWN ICE CREAM FACTORY
Plan p. 372 *T-shirts et glaces*
☎ 212-608-4170 ; 65 Bayard St ; ⏲ 11h-22h ; métro J, M, N, Q, R, W, Z, 6 jusqu'à Canal St
Ce grand glacier vend aussi des T-shirts jaunes à son nom (10 $), représentant un adorable dragon léchant joyeusement une glace ! Ces dernières méritent aussi le détour.

KAM MAN Plan p. 372 *Vaisselle*
☎ 212-571-0330; 200 Canal St; ⏲ 9h-21h ; métro J, M, N, Q, R, W, Z, 6 jusqu'à Canal St
Au sous-sol de ce supermarché d'alimentation typique de Canal St, on trouve des services à thé chinois et japonais à bon prix, ainsi que des ustensiles de cuisine.

PEARL PAINT COMPANY
Plan p. 372 *Fournitures d'art*
☎ 212-431-7932 ; 308 Canal St ; ⏲ lun-ven 10h-19h, sam 10h-18h30, dim 10h-18h ; métro J, M, N, Q, R, W, Z, 6 jusqu'à Canal St
Les artistes en rupture de matériel et fournitures hantent les étages de cet immense entrepôt rouge et blanc.

LOWER EAST SIDE

Avant que le quartier ne devienne aussi branché, les achats dans le Lower East Side (LES) se limitaient généralement aux boutiques de vestes en cuir à 99 $ (souvent quelconques) d'Orchard St ou aux magasins tenus par la communauté juive d'Essex St, entre Grand St et Canal St. Ils n'ont pas disparu (et méritent encore une petite visite), mais d'autres, orientés vers une clientèle plus jeune (boutiques vintage et antiquaires notamment) sont apparues sur Orchard St et Ludlow St, entre Houston St et Delancey St.

Passez au **LES visitor center** (Plan p. 372 ; ☎ 866-224-0206 ; 261 Broome St à hauteur d'Orchard St ; ⏲ 10h-17h) pour prendre la carte Go East qui permet d'obtenir des réductions de 5 à 50% dans une centaine de magasins du quartier.

TOYS IN BABELAND
Plan p. 372 *Jouets érotiques*
☎ 212-375-1701 ; www.babeland.com ; 94 Rivington St ; ⏲ lun-sam 12h-22h, dim 12h-19h ; métro F, J, M, Z jusqu'à Delancey St–Essex St
Jouets érotiques de toutes les couleurs et de toutes les formes et explications joyeusement fournies par un personnel sympathique ! Un nouveau magasin dans Soho, sur Mercer St, devrait réveiller ce quartier touristique.

BLUESTOCKINGS
Plan p. 372 *Librairie lesbienne*
☎ 212-777-6028 ; 172 Allen St ; www.bluestockings.com ; ⏲ 13h-22h ; métro F, V jusqu'à Lower East Side–Second Ave
Cette librairie indépendante est spécialisée dans la littérature lesbienne et les écrits engagés sur le sujet. Sur place, un café promeut le commerce équitable et organise des soirées poésie et des conférences politiques.

BREAKBEAT SCIENCE Plan p. 372 *Musique*
☎ 212-995-2592 ; 181 Orchard St ; ⏲ dim-mer 13h-20h, jeu-sam 13h-21h ; métro F, V jusqu'à Lower East Side–Second Ave
La boutique de ce label de musique vend des vinyles drum'n bass et jungle (avec possibilité de les écouter), ainsi que des T-shirts. Autrement dit, le repaire du parfait DJ !

DOYLE & DOYLE Plan p. 372 *Bijoux anciens*
☎ 212-677-9991 ; 189 Orchard St ; ⏲ mar-mer, ven-dim 13h-19h, jeu 13h-20h ; métro F, V jusqu'à Lower East Side–Second Ave
Une belle sélection de bijoux anciens (sautoirs années 60, boucles d'oreilles Cartier), généralement plus chics que ceux des boutiques vintage du quartier. Les prix démarrent à 100 $ et grimpent rapidement dans les 1000 $.

KLEIN'S OF MONTICELLO
Plan p. 372 *Vêtements pour femme*
☎ 212- 966-1453 ; 105 Orchard St ; ⏲ dim-jeu 10h-17h, ven 10h-16h ; métro F, J, M, Z jusqu'à Delancey St–Essex St
Plus chic que la plupart des boutiques du quartier, Klein's vend de beaux vêtements à des prix cassés. Bon choix de pulls en cachemire Malo et de manteaux en cuir Jil Sanders.

LAS VENUS Plan p. 372 *Mobilier vintage*
☎ 212-982-0608 ; 163 Ludlow St ; ⏲ lun-jeu 12h-21h, sam 12h-00h, dim 12h-20h ; métro F, J, M, Z jusqu'à Delancey St–Essex St
En contrebas de la rue, ce magasin coloré propose du mobilier vieux de quelques

Spécial voyageurs

Un objet essentiel vous manque ? Les magasins d'articles de voyages viennent à votre secours.

- **Apple Store Soho** (p. 250). Consultez votre courrier électronique et faites changer la batterie de votre portable
- **Complete Traveller** (p. 263). Des livres de voyages d'occasion, à profusion
- **Flight 001** (p. 258). Matériel de voyage raffiné et rétro
- **Hagstrom Map & Travel Center** (p. 249). Cartes, guides et accessoires
- **Swiss Army** (p. 253). Pour remplacer le couteau de poche que l'on vous a confisqué à l'aéroport...
- **Tent & Trails** (p. 249). Tout pour vos excursions en dehors de New York
- **Traveler's Choice** (p. 253). Préparez votre prochain voyage

décennies, en particulier de beaux meubles danois (années 50, 60 et 70). La plupart se révèlent plutôt chers, mais on déniche parfois de bonnes affaires (signalons aussi pour les amateurs une collection de vieux numéros de *Playboy*). Les meubles chromés sont exposés au 2e étage de **ABC Carpet & Home** (p. 261).

LUDLOW GUITARS Plan p. 372 *Musique*

☎ 212-353-1775 ; 164 Ludlow St ; ⏲ lun-ven 11h-19h, sam-dim 11h-18h ; métro F, J, M, Z jusqu'à Delancey St–Essex St

Tout pour le rock : guitares neuves et d'occasion, basses, amplis, pédales, etc.

MARY ADAMS

Plan p. 372 *Vêtements féminins*

☎ 212-473-0237 ; 138 Ludlow St ; ⏲ mer-sam 13h-18h, dim 13h-17h ou sur rendez-vous ; métro F, J, M, Z jusqu'à Delancey St–Essex St

Passez voir les dernières créations de Mary Adams, robes colorées, souvent agrémentées de dentelles romantiques. On peut aussi commander un modèle sur mesure.

PICKLE GUYS Plan p. 372 *Pickles*

☎ 212-656-9739 ; 49 Essex St ; ⏲ dim-jeu 9h-18h, ven 9h-16h ; métro F, J, M, Z jusqu'à Delancey St–Essex St

Les pickles (assortiment de légumes et de condiments vinaigrés) sont une spécialité d'Essex St et de tout LES depuis des décennies. Ici, on sert avec le sourire de nombreuses variétés et des assaisonnements différents, préparés à partir des recettes traditionnelles d'Europe de l'Est. 50 cents le pickle.

VLADA Plan p. 372 *Vêtements féminins*

☎ 212-387-7767 ; 101 Stanton St ; ⏲ dim-ven 13h-20h, sam 12h-20h ; métro F, J, M, Z jusqu'à Delancey St–Essex St

Vêtements pour femme (pulls, robes, vestes, etc.) tendance vintage, un peu dans le style des stars du clip qui ont fait le succès de MTV à ses débuts !

YU Plan p. 372 *Vêtements*

☎ 212-979-9370 ; 151 Ludlow St ; ⏲ mer-sam 12h-19h, dim 12h-18h ; métro F, V jusqu'à Lower East Side–Second Ave

Petit dépôt-vente avec des créateurs japonais originaux et les chapeaux d'Amy Downs, très prisés dans le quartier.

EAST VILLAGE

Deux blocks à l'est de Broadway, St Marks Pl (entre E 7th St et 9th St) est le cœur d'East Village. On y trouve tout ce qui fait la joie des rockers, T-shirts de groupes, vinyles ou CD introuvables, boutiques de piercing, guitares et milk-shakes au chocolat...

Les boutiques d'East Village ne se limitent toutefois pas à ce seul domaine. E 7th St et surtout E 9th St comptent désormais une kyrielle de magasins vintage proposant des vêtements, de la lingerie, des robes luxueuses de créateurs locaux et, comme toujours, des T-shirts aux slogans provocateurs.

A CHENG Plan p. 372 *Vêtements féminins*

☎ 212-979-7324 ; 443 E 9th St ; ⏲ lun-ven 12h-20h, sam-dim 12h-19h ; métro L jusqu'à 1st Av, 6 jusqu'à Astor Pl

Chouchou des filles d'East Village, A Cheng propose des collections de tailleurs et de vêtements quotidiens. Également en vente, des sacs Jack Spade et d'autres accessoires.

AMARCORD Plan p. 372 *Vêtements féminins*

☎ 212-614-7133 ; 84 E 7th St ; ⏲ mar-dim 12h-19h30 ; métro N, R, W jusqu'à 8 St–NYU, 6 jusqu'à Astor Pl

Vêtements vintage pour femme, d'excellente qualité (collections renouvelées fréquemment). La boutique de **Brooklyn** (p. 271), qui comprend aussi des articles pour homme, offre peut-être davantage de choix.

ATOMIC PASSION

Plan p. 372 *Vêtements vintage*

☎ 212-553-0718 ; 430 E 9th St ; ⏲ 1h30-20h ; métro L jusqu'à First Ave, 6 jusqu'à Astor Pl

En place depuis longtemps, Atomic Passion proclame fièrement "Vintage is fun!" (le vintage, c'est drôle !) dès la vitrine et s'attache à le prouver avec tous les articles années 50, 60 et 70 (essentiellement pour femme) qui l'emplissent du sol au plafond. Toujours un grand choix de chaussures.

COBBLESTONES

Plan p. 372 *Vêtements et accessoires vintage*

☎ 212-673-5372 ; 314 E 9th St ; ⌚ mar-dim 13h-19h ; métro 6 jusqu'à Astor Pl

Articles vintage un peu plus anciens que dans la plupart des boutiques du quartier (années 40 et 50). La boutique regorge littéralement de vêtements et de babioles en tout genre.

DINOSAUR HILL Plan p. 372 *Jouets*

☎ 212-473-5850 ; 306 E 9th St ; ⌚ 11h-19h ; métro 6 jusqu'à Astor Pl

Extraordinaire magasin de jouets avec une étonnante collection de marionnettes (tchèques, notamment). Marionnettes à main des Trois Petits Cochons, déguisements pour enfants, diables à ressort originaux, etc.

FABULOUS FANNY'S

Plan p. 372 *Lunettes vintage*

☎ 212-533-0637 ; 335 E 9th St ; ⌚ 12h-20h ; métro 6 jusqu'à Astor Pl

Bon choix de montures plastique et métal vintage.

FOOTLIGHT RECORDS Plan p. 372 *Musique*

☎ 212-533-1572 ; 113 E 12th St ; ⌚ lun-ven 11h-19h , sam 10h-18h, dim 12h-17h ; métro N, R, W jusqu'à 8 St–NYU, 6 jusqu'à Astor Pl

Sélection intéressante de bandes originales de films étrangers ou de comédies musicales de Broadway. Bon choix également de 33 tours de jazz (groupes et chanteurs) et de documentaires. Un must pour les amoureux des vinyles.

GOOD, THE BAD & THE UGLY

Plan p. 372 *Vêtements féminins*

☎ 212-473-3769 ; 437 E 9th St ; ⌚ lun-sam 13h-21h, dim 13h-20h ; métro L jusqu'à First Ave, 6 jusqu'à Astor Pl

On ne se lasse pas de ces vêtements et accessoires rétro toujours étonnants, telles ces pièces de lingerie représentant un clown jouant du banjo.

KIEHL'S Plan p. 372 *Produits de beauté*

☎ 212-677-3171, 800-543-4571 ; 109 Third Ave ; ⌚ lun-sam 10h-19h, dim 12h-18h ; métro N, Q, R, W, 4, 5, 6, jusqu'à 14th St–Union Sq, L jusqu'à Third Ave

Fabricant et distributeur de produits de beauté depuis 1851, Kiehl's (racheté par L'Oréal en 2000) a doublé la taille de son magasin sans changer ses pratiques (comme la taille généreuse de ses échantillons). Essayez le fameux Kiehl's Musk Oil, un classique qui a fêté ses 100 ans, les crèmes hydratantes, les masques et autres laits corporels. Vous pouvez aussi jeter un œil à la collection de vieilles Harley-Davidson laissées par l'ancien propriétaire.

KIM'S VIDEO & MUSIC

Plan p. 372 *CD et vidéos*

☎ 212-598-9985 ; 6 St Marks Pl ; ⌚ 9h-00h ; métro 6 jusqu'à Astor Pl

Cet incontournable de St Marks Pl foisonne de vidéos et DVD (films étrangers et indépendants), de CD (rock et rock alternatif, mais aussi avant-jazz, electronica, dub, etc.) et de magazines introuvables ailleurs. Nombreux CD d'occasion également. Si vous cherchez simplement le dernier disque d'un groupe à la mode, vous le paierez sans doute moins cher chez Sounds (voir plus loin).

LOVE SAVES THE DAY Plan p. 372 *Kitsch*

☎ 212-228-3802 ; 119 2nd Ave ; ⌚ lun-ven 12h-20h, sam-dim 12h-21h ; métro 6 jusqu'à Astor Pl

Love Saves the Day résiste à toutes les modes et poursuit imperturbablement ses collections de vêtements en nylon, ses figurines de *La Guerre des Étoiles* version années 70 et autres babioles. Rien n'a changé depuis le jour où Rosanna Arquette est venue pour acheter la fameuse veste de Madonna dans le film emblématique des années 80, *Recherche Susan désespérément*.

MANHATTAN PORTAGE

Plan p. 372 *Sacs à main*

☎ 212-995-5490 ; 333 E 9th St ; ⌚ dim-mar 12h-19h, mer-sam 12h-20h ; métro 6 jusqu'à Astor Pl

Si les cartables Army-Navy ne vous tentent pas, jetez un œil à la collection Manhattan Portage, toujours très en vogue, de pochettes pour mobiles, sacoches pour portable et sacs de DJ à bandes réfléchissantes. À vous donner envie de posséder un sac pour chaque occasion !

OTHER MUSIC

Plan p. 372 *Labels indépendants*

☎ 212-477-8150 ; 15 E 4th St ; ⌚ lun-ven 12h-21h, sam 12h-20h, dim 12h-19h ; métro 6 jusqu'à Bleecker St

Face à Tower Records (le temple de la musique grand public), cette boutique a su s'imposer grâce à une sélection pointue de CD en tout genre, lounge, psychédélique, electronica, rock alternatif, etc. Disques neufs et d'occasion. Très accueillant, le personnel connaît son affaire et peut vous aider à trouver le CD qu'il vous faut, en fonction de vous goûts musicaux.

PHYSICAL GRAFFITI

Plan p. 372 *Vêtements vintage*
☎ 212-477-7334 ; 96 St Marks Pl ; 🕒 13h-21h ; métro 6 jusqu'à Astor Pl
Les plus belles pièces en nylon des années passées et autres articles décontractés ont leur place dans cette petite boutique de vêtements d'occasion. Signalons pour l'anecdote qu'elle se situe dans l'immeuble même où Led Zeppelin a enregistré l'album du même nom.

ST MARKS BOOKSHOP Plan p. 372 *Librairie*

☎ 212-260-7853 ; 31 Third Ave ; 🕒 lun-sam 10h-00h, dim 11h-00h ; métro 6 jusqu'à Astor Pl
À l'angle de St Marks, librairie spécialisée dans les ouvrages politiques, la poésie et les revues universitaires.

SCREAMING MIMI'S

Plan p. 372 *Vêtements vintage*
☎ 212-677-6464 ; 382 Lafayette St ; 🕒 lun-sam 12h-20h, dim 13h-19h ; métro 6 jusqu'à Bleecker St
Grand choix d'articles des années 60 et 70. Chaussures en bon état et belle collection de grosses boucles d'oreilles et de montres. Vêtements dans l'arrière-boutique, pas de marque (mis à part quelques porte-monnaies Edith Collins), mais état excellent.

SELIA YANG

Plan p. 372 *Vêtements de cérémonie*
☎ 212-254-9073 ; 328 E 9th St ; 🕒 mar-ven 12h-19h, sam-dim 12h-18h ; métro 6 jusqu'à Astor Pl
Plutôt original dans l'East Village : robes du soir grand luxe et costumes de marié.

SOUNDS Plan p. 372 *CD neufs et d'occasion*

☎ 212-677-3444 ; 20 St Marks Pl ; 🕒 mer-dim 12h-20h ; métro 6 jusqu'à Astor Pl
À défaut de disposer de la plus vaste collection de CD du quartier, ce magasin offre certainement les meilleurs prix. Les CD neufs (rock, rock alternatif, jazz et blues) démarrent à 9,99 $. Seconde boutique plus petite sur **St Marks Place** (☎ 212-677-2727 ; 16 St Marks Pl), tenu par des passionnés de musique.

TOKIO 7 Plan p. 372 *Dépôt-vente*

☎ 212-353-8443 ; 64 E 7th St ; 🕒 lun-sam 12h-20h30, dim 12h-20h ; métro 6 jusqu'à Astor Pl
Légèrement en contrebas de E 7th St, ce dépôt-vente branché propose des articles de créateurs en bon état pour homme et femme

Top 5 des magasins de musique

- **Bobby's Happy House** (p. 271). Gospel et blues à Harlem
- **Colony** (p. 266). Partitions et textes de karaoké dans l'immeuble des Tin Pan Alley
- **Footlight Records** (p. 256). Toutes les musiques de film
- **Other Music** (p. 256). Musique alternative
- **Virgin Megastore** (p. 260). Le plus grand magasin de musique du monde

à des prix relativement raisonnables. Voyez notamment les costumes pour homme, souvent de belles pièces aux alentours de 100 à 150 $.

TOKYO JOE Plan p. 372 *Dépôt-vente*

☎ 212-473-0724 ; 334 E 11th St ; 🕒 12h-21h ; métro 6 jusqu'à Astor Pl
Ce minuscule dépôt-vente tenu par des Japonais déborde de vêtements de créateurs pour homme et femme et connaît un grand succès. Claustrophobes, passez votre chemin !

VILLAGE X Plan p. 372 *T-shirts*

☎ 212-777-9550 ; 36 St Marks Pl ; 🕒 dim-jeu 11h-23h, ven-sam 11h-1h ; métro 6 jusqu'à Astor Pl
La Mecque des T-shirts rock'n roll ! Tous ceux que vous avez vus sur des stars (le T-shirt NYC de John Lennon, par exemple), ainsi que le classique "New York: it ain't Kansas" (New York: ce n'est pas le Kansas), avec un pistolet.

WEST (GREENWICH) VILLAGE

Le quartier le plus hétéroclite de Manhattan offre de sympathiques, et souvent originales, virées shopping. On peut commencer (en arrivant de Broadway) par Bleecker St, qui regroupe trois pôles majeurs du quartier : le rock (magasins de CD et de guitares, de Broadway à Seventh Ave), la communauté gay (autour de Christopher St) et les vêtements et les antiquités chics (de Charles St à Eighth Ave).

La fameuse "Doc Martin's alley", dans W 8th St, entre Fifth Ave et Sixth Ave, comprend toujours bon nombre de magasins (moins qu'il y a quelques années, toutefois) de chaussures originales à prix réduits. Diagonal Greenwich Ave est jalonnée de boutiques en tout genre. Enfin, Meatpacking District, le quartier des anciens entrepôts

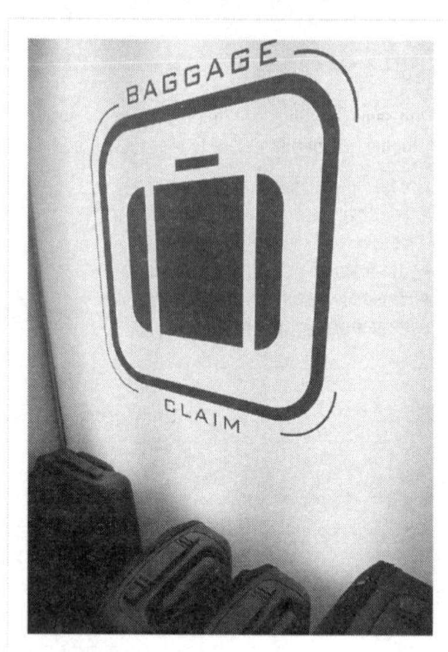

Flight 001 (p. 258)

et abattoirs au nord et au sud de W 14th St, entre Ninth Ave et Tenth Ave, regorge de boutiques de créateurs haut de gamme (vêtements et mobilier).

AEDES DE VENUSTAS

Plan p. 372 *Bain et beauté*

☎ 212-206-8674 ; www.aedes.com ; 9 Christopher St ; 🕓 lun-sam 12h-20h, dim 13h-19h ; métro A, B, C, D, E, F, V jusqu'à W 4 St, 1, 9 jusqu'à Christopher St–Sheridan Sq

Luxueux et douillet, Aedes de Venustas (temple de la beauté, en latin) vend 35 grandes marques de parfum européennes, ainsi que des produits de beauté. Le chouchou des stars (Liv Tyler et Madonna, entre autres) !

AUTO Plan p. 372 *Mobilier*

☎ 212-229-2292 ; 805 Washington St ; 🕓 mar-sam 12h-19h, dim 12h-18h ; métro A, C, E jusqu'à 14th St, L jusqu'à Eighth Ave

Au cœur de Meatpacking District, du mobilier, des objets de décoration contemporains (parures de lit, plaids, oreillers, etc.) et des bijoux.

BLEECKER BOB'S

Plan p. 372 *Disques d'occasion*

☎ 212-475-9677 ; 118 W 3rd St ; 🕓 12h-00h ; métro A, B, C, D, E, F, V jusqu'à 4th St

Parquets à l'ancienne et collection de vieux vinyles (garage des années 60, house de la première heure, artistes new-yorkais, standards). On trouve aussi des CD, des affiches de Led Zeppelin des autocollants et autres gadgets.

CHEAP JACK'S VINTAGE CLOTHING

Plan p. 372 *Vêtements vintage*

☎ 212-777-9564 ; 841 Broadway ; 🕓 lun-sam 11h-20h, dim 12h-19h ; métro L, N, Q, R, W, 4, 5, 6 jusqu'à 14th St–Union Sq

Bien que ses prix ne soient pas toujours bon marché (contrairement à ce que proclame son enseigne), cette boutique offre trois étages de rayons bien ordonnés de jeans, chemises, chemisiers, chapeaux, costumes et robes, le tout d'occasion. De temps à autre, promotions "deux pour le prix d'un".

CONDOMANIA Plan p. 372 *Sex-shop*

☎ 212-691-9942 ; 351 Bleecker St ; 🕓 dim-jeu 11h-23h, sam- 11h-00h ; métro 1, 9 jusqu'à Christopher St–Sheridan Sq

Préservatifs de toutes les couleurs, de toutes les formes, à tous les parfums, ainsi que les modèles standards. Plus tous les articles habituels de ce genre de magasin.

CREATIVE VISIONS/GAY PLEASURES

Plan p. 372 *Librairie gay et lesbienne*

☎ 212-255-5756 ; 548 Hudson St ; 🕓 dim-jeu 12h-21h, sam 12h-22h ; métro 1, 9 jusqu'à Christopher St–Sheridan Sq

Livres et vidéos s'adressant aux gays, lesbiennes et transsexuels, ainsi que quelques vêtements et accessoires. Diverses rencontres et lectures sont organisées, téléphonez ou passez pour consulter le programme.

EAST-WEST BOOKS

Plan p. 372 *Librairie spirituelle*

☎ 212-243-5994 ; 78 Fifth Ave ; 🕓 lun-sam 10h-19h30, dim 11h-18h30 ; métro L, N, Q, R, W, 4, 5, 6 jusqu'à 14th St–Union Sq

Vaste choix de livres sur le bouddhisme et les philosophies orientales, musiques de méditation, matériel de yoga, bijoux.

FLIGHT 001

Plan p. 372 *Équipement de voyage*

☎ 212-691-1001 ; 96 Greenwich Ave ; 🕓 lun-ven 11h-20h30, sam 11h-20h, dim 12h-18h ; métro A, C, E jusqu'à 14th St, L jusqu'à Eigth St

Pour voyager dans des conditions optimales : sacs, valises, porte-cartes et autres accessoires de voyage dans de nombreuses couleurs, médicaments contre le décalage horaire, pendulettes de voyage, lampes de poche et guides Lonely Planet.

FORBIDDEN PLANET

Plan p. 372 *Livres et jeux*

☎ 212-473-1576 ; 840 Broadway ; ⏲ lun-sam 10h-22h, dim 10h-20h30 ; métro L, N, Q, R, W, 4, 5, 6 jusqu'à 14th St–Union Sq

Pour les amateurs de SF, bandes dessinées, livres, jeux vidéo et figurines (de Star Trek à Shaq). On peut jouer aux cartes à l'étage.

FUNHOUSE

Plan p. 372 *Vêtements gothiques*

☎ 212-674-0983 ; 61 W 8th St ; ⏲ lun-jeu 11h30-21h, ven-sam 11h-21h, dim 12h-20h ; métro A, B, C, D, E, F, V jusqu'à W 4 St

Robes en velours noir et rouge (à partir de 70 $), chemisiers à jabot, épées, faux sang et fausses toiles d'araignée. Promotions régulières.

GENERATION RECORDS

Plan p. 372 *Disques neufs et d'occasion*

☎ 212-254-1100 ; 210 Thompson St ; ⏲ lun-jeu 11h-22h, ven-sam 11h-1h, dim 12h-22h ; métro A, B, C, D, E, F, V jusqu'à W 4th St, 6 jusqu'à Bleecker St

Excellent choix de CD et vinyles punk, heavy metal, rock classique et indie Nombreux introuvables. En bas, CD d'occasion à prix cassés (album des Stones à partir de 4 $).

JEFFREY NEW YORK

Plan p. 372 *Vêtements de créateur*

☎ 212-206-1272 ; 449 W 14th St ; ⏲ lun-mer, ven 10h-20h, jeu 10h-21h, sam 10h-19h, dim 12h30-18h ; métro A, C, E jusqu'à 14th St, L jusqu'à Eigth Ave

L'un des premiers à s'installer à Meatpacking District depuis sa réhabilitation, Jeffrey vend des vêtements et des accessoires de grands créateurs dans une boutique spacieuse et moderne. Sélection de chaussures originales et chères (Prada, Versace, Gucci, etc.).

THE LEATHER MAN Plan p. 372 *Sex-shop*

☎ 212-243-5339 ; 111 Christopher St ; ⏲ lun-sam12h-22h, dim 12h-20h ; métro 1, 9 jusqu'à Christopher St–Sheridan Sq

Installé de longue date et célèbre pour ses vitrines, ce sex-shop vend vêtements, articles en cuir, jouets érotiques, sous-vêtements et vidéos. Articles plus osés au sous-sol.

L'IMPASSE Plan p. 372 *Vêtements*

☎ 212-533-3255 ; 29 W 8th St ; ⏲ lun-ven 11h-21h, sam 11h-22h, dim 11h30-20h30 ; métro A, B, C, D, E, F, V jusqu'à W 4 St

Vaste choix de robes de soirée et de tenues affriolantes pour fans de disco et drag queens !

MARC JACOBS

Plan p. 372 *Vêtements de créateur*

☎ 212-924-0026 ; 405, 403 et 385 Bleecker St ; ⏲ lun-sam 12h-20h, dim 12h-19h ; métro 1, 9 jusqu'à Christopher St–Sheridan Sq, A, C, E jusqu'à 14th St, L jusqu'à Eigth Ave

Le grand créateur a investi tout le block avec trois boutiques dotées de grandes baies vitrées. Sacs en cuir et accessoires au n°385, collection homme au n°403 et sa toute dernière ligne pour femme, Marc by Marc Jacobs, au n°405.

MATT UMANOV GUITARS

Plan p. 372 *Instruments de musique*

☎ 212-675-2157 ; 273 Bleecker St ; ⏲ lun-sam 11h-19h, dim 12h-18h ; métro A, B, C, D, E, F, V jusqu'à W 4 St, 1, 9 jusqu'à Christopher St–Sheridan Sq

Sympathique magasin qui vend et répare toutes sortes de guitares (Gibson, Fender ou Gretsch, ainsi que des banjos et des guitares hawaïennes).

MCNULTY'S TEA & COFFEE CO, INC

Plan p. 372 *Café et thé*

☎ 212-242-5351 ; 109 Christopher St ; ⏲ lun-sam 10h-21h, dim 13h-19h ; métro 1, 9 jusqu'à Christopher St–Sheridan Sq

Voisin du sex-shop The Leather Man, Mc Nulty's propose cafés et thés de qualité depuis 1895. Un témoin du Greenwich d'une autre époque !

OSCAR WILDE MEMORIAL BOOKSHOP

Plan p. 372 *Librairie gay et lesbienne*

☎ 212-255-8097 ; 15 Christopher St ; ⏲ 11h-19h ; métro A, B, C, D, E, F, V jusqu'à W 4 St ou 1, 9 jusqu'à Christopher St–Sheridan Sq

Plus ancienne librairie du monde (1967) consacrée à la littérature homosexuelle. Livres, drapeaux arc-en-ciel et autres objets. Elle a été sauvée de la faillite en 2003 par un fan de longue date, devenu son nouveau directeur.

PARTNERS & CRIME

Plan p. 372 *Librairie spécialisée*

☎ 212-243-0440 ; 44 Greenwich Ave ; ⏲ lun-jeu 12h-21h, ven-sam 12h-22h, dim 12h-19h ; métro 1, 2 jusqu'à Christopher St–Sheridan Sq, F, V, 1, 2, 3, 9 jusqu'à 14th St

Agréable librairie avec un bon choix de livres policiers neufs et épuisés. Rencontres avec des auteurs de littérature policière et représentations d'anciennes pièces radiophoniques (avec effets sonores en direct) pratiquement chaque premier samedi du mois (réservez au ☎ 212-462-3027 ; entrée 5 $).

RALPH LAUREN

Plan p. 372 *Vêtements féminins*

☎ 212-645-5513 ; 380 Bleecker St ; 🕑 lun-ven 12h-20h, sam-dim 11h-19h ; métro 1, 2 jusqu'à Christopher St–Sheridan Sq, A, C, E jusqu'à 14th St, L jusqu'à Eigth Ave

Boutique plus décontractée que celle de l'**Upper East Side** (p. 269). En rayon, Blue Label, la collection la plus abordable du styliste et un grand choix de polos.

REBEL REBEL

Plan p. 372 *Musique*

☎ 212-989-0770 ; 319 Bleecker St ; 🕑 dim-mer 12h-20h, jeu-sam 12h-21h ; métro 1, 9 jusqu'à Christopher St–Sheridan Sq

Minuscule boutique foisonnant de CD et de vinyles rares. N'hésitez pas à vous renseigner si vous ne trouvez pas ce que vous cherchez, l'arrière-boutique renferme un énorme stock.

SHAKESPEARE & CO

Plan p. 372 *Librairie*

☎ 212-529-1330 ; 716 Broadway; 🕑 dim-jeu 10h-23h, ven-sam 10h-23h30 ; métro N, R, W jusqu'à 8 St, 6 jusqu'à Astor Pl

Succursale de Greenwich de la célèbre librairie indépendante. Compte tenu de la proximité de l'école de cinéma Tisch de la NYU, elle est plutôt spécialisée dans les livres sur le théâtre, le cinéma et les scénarios. Autres magasins à **Lower Manhattan** (p. 249), **Midtown** (p. 265) et dans l'**Upper East Side** (p. 270).

STRAND BOOK STORE

Plan p. 372 *Livres d'occasion*

☎ 212-473-1452 ; 828 Broadway ; 🕑 lun-sam 9h30-22h30, dim 11h-22h30 ; métro L, N, Q, R, W, 4, 5, 6 jusqu'à 14th St–Union Sq

Les New-Yorkais l'adorent : ne manquez pas cette librairie d'occasion qui existe depuis 1927. Ses rayonnages recèlent plus de 2 millions de bouquins (au classement parfois un peu incertain). Fouillez dans les bacs de promotions, renouvelés régulièrement (sorties récentes, guides de voyages, ouvrages de référence) et voyez aussi l'étonnante collection de critiques littéraires au sous-sol. On perd rapidement toute notion du temps au milieu de tous ces livres !

On peut vendre ses livres du lun au sam de 9h30 à 18h. Autre magasin dans **Lower Manhattan** (p. 249) et stand en plein air sur la **Grand Army Plaza**, au niveau de l'entrée de Central Park, à l'angle de Fifth Ave et 59th St.

SUSAN PARRISH ANTIQUES

Plan p. 372 *Antiquités*

☎ 212-645-5020 ; 390 Bleecker St ; 🕑 lun-sam 12h-19h (ou sur rendez-vous) ; métro 1, 9 jusqu'à Christopher St–Sheridan Sq

Voisinant d'autres antiquaires, cette boutique propose une belle collection d'objets américains (rare à New York), avec notamment des parures de lit et des pièces uniques de mobilier peint.

THREE LIVES & COMPANY

Plan p. 372 *Librairie*

☎ 212-741-2069 ; 154 W 10th St ; 🕑 lun-mar 12h-20h, mer-sam 11h-20h30, dim 12h-19h ; métro 1, 9 jusqu'à Christopher St–Sheridan Sq

Sympathique librairie indépendante nichée dans une rue calme. Bonne sélection des dernières parutions.

TOWER RECORDS Plan p. 372 *Musique*

☎ 212-505-1500 ; 692 Broadway; 🕑 9h-00h ; métro 6 jusqu'à Bleecker St

Trois étages complets de CD, avec singles au rez-de-chaussée, rock au 1er et jazz et blues au 2e. Keith Richards a habité un temps au-dessus du magasin.

VILLAGE CHESS SHOP LTD

Plan p. 372 *Jeux*

☎ 212-475-9580 ; 230 Thompson St ; 🕑 11h-00h ; métro A, B, C, D, E, F, V jusqu'à W 4th St

Des passionnés d'échecs se réunissent régulièrement dans cette boutique toute simple pour disputer des parties à 1 $. On peut aussi acheter des ouvrages spécialisés sur le sujet et des échiquiers (les thématiques - les Aztèques, les Croisades, etc. - sont les plus beaux). Café sur place également.

VILLAGE COMICS Plan p. 372 *BD et SF*

☎ 212-777-2770 ; 215 Sullivan St ; 🕑 lun-mar 10h30-19h30, mer-sam 10h30-20h , dim 10h30-19h ; métro A, B, C, D, E, F, V jusqu'à W 4 St

Non loin de la New York University, boutique spécialisée dans tout ce qui touche à la science-fiction, albums BD et trading cards (cartes Pokemon, etc.). Surprenante collection de masques mortuaires également.

VIRGIN MEGASTORE

Plan p. 372 *Musique et vidéos*

☎ 212-598-4666 ; 52 E 14th St ; 🕑 lun-sam 9h-1h, dim 10h-00h ; métro L, N, Q, R, W, 4, 5, 6 jusqu'à 14th St–Union Sq

Choix particulièrement vaste de CD et de DVD. Autre magasin sur **Times Square** (p. 267).

CHELSEA ET UNION SQUARE

En dehors de quelques boutiques exceptionnelles disséminées ici ou là, une virée shopping dans Chelsea peut rapidement tourner court, en semaine du moins. Le quartier s'anime en effet le week-end. Les étals des marchés aux puces se déploient tout autour de l'**Annex Antique Fair & Flea Market** (p. 104) pour vendre mobilier, accessoires en tout genre, CD, vêtements et toutes sortes d'objets d'un autre âge.

Plusieurs chaînes de magasins ont investi Fifth Ave (Daffy's, Victoria Secret, Armani Exchange) et Seventh Ave (Bed, Bath & Beyond, Barnes & Noble). Flower District se situe le long de Sixth Ave, entre 26th St et 30th St.

ABC CARPET & HOME Plan p. 372 *Mobilier*

☎ 212-473-3000 ; 888 Broadway ; 🕐 lun-jeu 10h-20h, ven-sam 10h-18h30, dim 12h-18h ; métro L, N, Q, R, W, 4, 5, 6 jusqu'à 14th St–Union Sq

Décorateurs et architectes viennent souvent chercher l'inspiration dans cet immense magasin organisé comme un musée, sur 6 étages. Il renferme toutes sortes de meubles, y compris du petit mobilier facile à transporter, des pièces plus anciennes et des tapis.

ACADEMY RECORDS & CDS `

Plan p. 372 *Disques neufs et d'occasion*

☎ 212-242-3000 ; 12 W 18th St ; 🕐 lun-sam 11h30-20h, dim 11h-19h ; métro N, R, W, 6 jusqu'à 23 St

Les mélomanes fréquentent ce formidable magasin : bacs entiers de vinyles, CD neufs et d'occasion et nombreux CD à 1,99 $. Disques de jazz et de rock au magasin de E 19th St.

BARNES & NOBLE Plan p. 372 *Livres*

☎ 212-253-0810 ; www.barnesandnoble.com ; 33 E 17th St ; 🕐 10h-22 ; métro L, N, Q, R, W, 4, 5, 6 jusqu'à 14th St–Union Sq

L'un des magasins Barnes & Noble de Manhattan les mieux approvisionnés. Ouvrages sur l'histoire de New York. Magazines en libre-service au café musical.

BARNEYS CO-OP

Plan p. 372 *Vêtements de créateur*

☎ 212-593-7800 ; 236 W 18th St ; 🕐 lun-ven 11h-20h, sam 11h-19h, dim 12h-18h ; métro 1, 9 jusqu'à 18th St

Bonnes affaires régulièrement et soldes en février et août. Succursale également à **Soho** (p. 250) et magasin principal dans l'**Upper East Side** (p. 268).

BOOKS OF WONDER

Plan p. 372 *Librairie pour enfants*

☎ 212-989-3270 ; 16 W 18th St ; 🕐 lun-sam 11h-19h, dim 11h45-18h ; métro L jusqu'à 6 Av, F, V jusqu'à 14th St

Librairie indépendante consacrée à la littérature jeunesse, prisée des habitants du quartier.

CHELSEA MARKET

Plan p. 372 *Alimentation et vin*

www.chelseamarket.com ; 75 Ninth Ave entre 15th et 16th St ; 🕐 lun-ven 8h-20h, sam-dim 10h-20h ; métro A, C, E jusqu'à 14th St, L jusqu'à Eighth Ave

Cette ancienne usine de gâteaux abrite désormais 25 étals différents, qui vont des fleurs coupées aux produits de traiteur ou aux sandwiches bio en passant par du vin vendu par un personnel connaisseur. Un petit air de marché couvert à l'européenne, avec un zeste d'élégance en plus.

COMME DES GARÇONS

Plan p. 372 *Vêtements de créateur*

☎ 212-604-9200 ; 520 W 22nd St ; 🕐 mar-sam 11h-19h, dim 12h-18h ; métro C, E jusqu'à 23 St

Ce magasin constitue une œuvre d'art à lui seul. Une sorte de tunnel coudé en aluminium conduit à une porte en verre en forme de poire plutôt surprenante. À l'intérieur, vêtements et chaussures de créateurs italiens de luxe sont présentés dans un décor minimaliste, très *2001, Odyssée de l'espace*.

HOUSING WORKS THRIFT SHOP

Plan p. 372 *Bonnes œuvres*

☎ 212-366-0820 ; 143 W 17th St ; 🕐 lun-sam 10h-18h, dim 12h-17h ; métro 1, 9 jusqu'à 18th St

Élégamment aménagée, cette boutique vend une sélection de vêtements, d'accessoires, de meubles et de livres d'un excellent rapport qualité/prix. Les fonds recueillis sont intégralement reversés aux communautés des séropositifs et malades du sida sans abri de la ville.

LOEHMANN'S Plan p. 372 *Grand magasin*

☎ 212-352-0856 ; www.loehmanns.com ; 101 7th Ave à hauteur de 16th St ; 🕐 lun-sam 9h-21h, dim 11h-19h ; métro 1, 9 jusqu'à 18th St

Repaire des branchés en quête d'articles de marque à des prix abordables, ce grand magasin aurait incité le jeune Calvin Klein à se lancer dans la mode. Le magasin original de la chaîne est dans le Bronx. Toutes les adresses sont sur le site Internet.

Le Chelsea des antiquaires

Le week-end, les collectionneurs et les chineurs semblent rallier Chelsea, qui se transforme en un immense marché aux puces. En plein air, l'**Annex Antiques Fair & Flea Market** (Plan p. 376 ; ☎ 212-243-5343 ; 107-111 W 25th St ; entrée 1 $; ⏲ sam-dim aube-crépuscule ; métro F, V, 1, 9 jusqu'à 23rd St) rassemble des dizaines de camelots vendant toutes sortes d'objets, bibelots, meubles, montres, appareils photos, etc. Le week-end, les stands s'installent sur tous les parkings avoisinants. Voyez notamment ceux qui se tiennent un bloc au sud de Sixth Ave et 24th St (meuble, vestes en jean, CD, vélos, etc.).

Le week-end, ne manquez pas non plus **Garage Antique Fair** (Plan p. 376 ; 112 W 25th St ; ⏲ sam-dim aube-crépuscule ; métro F, V, 1, 9 jusqu'à 23rd St). Réservez-vous du temps pour flâner parmi les 150 étals de ce marché, à environ un demi-bloc à l'est du précédent, répartis sur deux niveaux dans un parking couvert. Grand choix de vieilles photos, d'affiches, de lunettes et de meubles.

OTTO TOOTSI PLOHOUND

Plan p. 372 *Chaussures*

☎ 212-460-8650 ; 137 Fifth Ave ; ⏲ lun-ven 11h30-19h30, sam 11h-20h, dim 12h-19h ; métro N, R, W jusqu'à 23rd St

Minichaîne de chaussures de grands créateurs (Prada, Miu Miu, Costume National). Affluence record pendant les soldes (en janvier et juillet).

PARAGON ATHLETIC GOODS

Plan p. 372 *Articles de sport*

☎ 212-255-8036 ; 867 Broadway ; ⏲ lun-sam 10h-20h, dim 11h30-19h ; métro L, N, Q, R, W, 4, 5, 6 jusqu'à 14th St–Union Sq

Nombreux articles de sport vendus à des prix plus intéressants que dans les chaînes. Excellent choix de rollers en ligne. Promotions très avantageuses, en fin de saison.

PRINTED MATTER INC

Plan p. 372 *Librairie d'art*

☎ 212-925-0325 ; 535 W 22nd St ; ⏲ mar-ven 10h-18h, sam 11h-19h ; métro C, E jusqu'à 23 St

Dans le quartier des galeries, cette librairie sans but lucratif vend des livres d'art et des ouvrages publiés par les artistes eux-mêmes.

REVOLUTION BOOKS

Plan p. 372 *Librairie engagée*

☎ 212-691-3345 ; 9 W 19th St ; ⏲ lun-sam 10h-19h, dim 12h-17h ; métro 1, 9 jusqu'à 18th St

Le plus grand choix de livres, brochures et journaux engagés de New York. Rayons entiers consacrés à Lénine, Mao et Marx, nombreux ouvrages en espagnol. On peut même s'offrir de petites étoiles rouges en boucles d'oreille (7 $) ! Débats organisés régulièrement.

MIDTOWN

Le choix des magasins est aussi vaste que Midtown est étendu. Sur la très célèbre Fifth Ave, entre 42nd St et Central Park South, se succèdent les boutiques des grands couturiers, les grands magasins luxueux, tels que Bergdorf Goodman et Henri Bendel, et les bijoutiers comme Tiffany & Co et Cartier. Herald Square – où convergent Broadway, Sixth Ave et 34th St – abrite Macy's et un quartier très commerçant.

Reportez-vous p. 163 pour une idée de promenade de Midtown à l'Upper East Side. Pour les magasins de Times Square et du Theater District, voyez p. 266.

ARGOSY

Plan p. 376 *Livres d'occasion*

☎ 212-753-4455 ; www.argosybooks.com ; 116 E 59th St ; ⏲ lun-ven 10h-18h, sam 10h-17h ; métro 4, 5, 6 jusqu'à 59th St, N, R, W jusqu'à Lexington Ave–59th St

Cette librairie collectionne depuis 1925 les livres reliés en cuir, des cartes anciennes, des monographies et d'autres articles anciens rachetés auprès de particuliers ou de boutiques liquidant leur fonds. On peut ainsi dénicher un exemplaire de 1935 d'*Ulysse* de James Joyce illustré par Matisse et signé par le peintre à 4 000 $, mais aussi des ouvrages beaucoup plus abordables. Le site Internet répertorie les articles les plus remarquables.

B&H PHOTO-VIDEO

Plan p. 376 *Matériels photo et électronique*

☎ 212-502-6200 photo, 212-502-6300 vidéo ; www.bhphotovideo.com ; 420 Ninth Ave ; ⏲ lun-jeu 9h-19h, ven 9h-13h, dim 10h-17h ; métro A, C, E jusqu'à 34th St–Penn Station

En dépit d'une organisation pesante, cette boutique propose un bon choix d'appareils photo, de matériel électronique et de pellicules, ainsi que des appareils d'occasion. Le personnel parle souvent plusieurs langues. Mieux vaut toutefois ne pas rechercher des renseignements très pointus.

BANANA REPUBLIC Plan p. 376 *Vêtements*

☎ 212-974-2350 ; www.bananarepublic.com ; 626 Fifth Ave ; ⏲ lun-sam 10h-20h, dim 11h-19h ; métro B, D, F, V jusqu'à 47th St-50th St-Rockefeller Center

Cette chaîne de vêtements dispose de 12 magasins à Manhattan (les adresses sont sur le site Internet). L'un d'eux, au cœur du Rockefeller Center, offre un grand choix d'articles.

BERGDORF GOODMAN

Plan p. 376 *Grand magasin*

☎ 212-753-7300 ; 754 Fifth Ave ; ⏲ lun-mer, ven 10h-19h, jeu 10h-20h, dim 12h-20h ; métro N, R, W jusqu'à Fifth Ave, F jusqu'à 57th St

Si vous gagnez au Loto, voici l'endroit idéal où vous offrir vêtements, chaussures et bijoux. Le magasin homme se trouve 745 Fifth Ave. Tout n'est que luxe, élégance et grande classe !

BORDERS

Plan p. 376 *Librairie*

☎ 212-980-6785 ; www.bordersstores.com ; 461 Park Ave ; ⏲ lun-ven 9h-22h, sam 10h-20h, dim 11-20h ; métro 4, 5, 6 jusqu'à 59th St, N, R, W jusqu'à Fifth Ave–59th St

Cette chaîne dispose de trois autres magasins dans Manhattan. Grand choix de livres. Toutes les adresses sur le site Internet.

BROOKS BROTHERS Plan p. 376 *Vêtements*

☎ 212-682-8800 ; 346 Madison Ave ; ⏲ lun-mer, ven-sam 9h-19h, jeu 9h-20h, dim 12h-18h ; métro S, 4, 5, 6, 7 jusqu'à Grand Central–42nd St

Grand spécialiste des fameux blazers bleus des écoliers et des étudiants, il propose aussi désormais des collections moins classiques (homme, femme, enfant).

CARTIER Plan p. 376 *Joaillerie*

☎ 212-753-0111 ; www.cartier.com ; 653 Fifth Ave ; ⏲ lun-sam 10h-17h30, dim 12h-17h ; métro E, V jusqu'à Fifth Ave–53rd St

Bijoux, montres, lunettes et sacs du célèbre bijoutier de luxe. Autre boutique notamment dans l'**Upper East Side** (p. 269). Toutes les adresses sont sur le site Internet.

CHRISTIE'S

Plan p. 376 *Vente aux enchères*

☎ 212-636-2000 ; www.christies.com ; 20 Rockefeller Center ; métro B, D, F, V jusqu'à 47th St–50th St–Rockefeller Center

La célèbre salle des ventes où l'on s'est arraché les objets personnels de John F Kennedy, Marilyn Monroe ou Frank Sinatra. Des enchères s'y déroulent régulièrement, consultez le site Internet pour les dates.

COMPLETE TRAVELLER

Plan p. 376 *Guides de voyages d'occasion*

☎ 212-685-9007 ; 199 Madison Ave à hauteur de E 35th St ; ⏲ lun-ven 10h-18h30, sam 10h-18h, dim 12h-17h ; métro 6 jusqu'à 33 St

Deux pièces débordant d'anciens guides de voyages et de cartes, classés par destination. Les amateurs se réjouiront de pouvoir dénicher encore de vieux Baedeker ! Quelques nouveautés aussi.

COMPUSA Plan p. 376 *Informatique*

☎ 212-764-6224 ; 420 Fifth Ave ; ⏲ lun-ven 8h30-20h, sam 10h-19h, dim 11h-18h ; métro B, D, F jusqu'à 34th St-Herald Sq

Immense magasin spécialisé dans les logiciels, les accessoires informatiques et les imprimantes. Deux succursales dans **Midtown** (☎ 212-262-9711 ; 57th et Broadway ; ⏲ lun-ven 8h30-20h, sam 10h-19h, dim 11h-18h).

DISNEY STORE Plan p. 376 *Jouets*

☎ 212-702-0702 ; 711 Fifth Ave ; ⏲ lun-sam 10h-20h, dim 11h-19h ; métro E, V jusqu'à Fifth Ave–53rd St, N, R, W jusqu'à Fifth Ave–59th St

Tous les produits dérivés Disney sur trois étages.

FAO SCHWARTZ Plan p. 376 *Jouets*

☎ 212-644-9400 ; www.fao.com ; 767 Fifth Ave ; ⏲ lun-mer 12h-19h, jeu-sam 12h-20h, dim 11h-18h ; métro 4, 5, 6 jusqu'à 59th St, N, R, W jusqu'à Fifth Ave–59th St

Fermé pour rénovation lors de nos recherches, ce géant du jouet devrait rouvrir. Téléphonez au préalable.

GOTHAM BOOK MART Plan p. 376 *Librairie*

☎ 212-719-4448 ; 41 W 47th St ; ⏲ lun-ven 9h30-18h30, sam 9h30-18h ; métro B, D, F, V jusqu'à 47th St–50th St–Rockefeller Center

Offrant depuis 1920 un choix de livres varié et éclairé, Gotham Book Mart pourrait incarner la librairie idéale. Frances Stelof (décédée en 1989)

Top 5 des grands magasins

- **Barneys** (p. 268). Modèles originaux et luxueux
  Saks Fifth Avenue (p. 265). Collections élégantes et personnel sympathique
- **Bergdorf Goodman** (p. 263). Vêtements classiques de grand luxe
- **Henri Bendel** (p. 264). Séduisant magasin de Fifth Ave
- **Century 21** (p. 249). Articles de luxe à prix cassés

y fonda la James Joyce Society en 1947 et réussit à soustraire ses ouvrages et d'autres, comme *Tropique du Cancer* de Henry Miller, à la censure américaine. Pour l'instant encore située au cœur de Diamond District, elle pourrait déménager.

GUCCI Plan p. 376 *Vêtements*
☎ 212-826-2600 ; www.gucci.com ; 685 Fifth Ave ; 🕒 lun-ven 10h-18h30, sam 10h-19h, dim 12h-18h ; métro E, V jusqu'à Fifth Ave–53rd St
Cet immense magasin ultra-chic et résolument contemporain reflète parfaitement les collections de prêt-à-porter pour homme et femme du couturier italien. Chaussures et sacs en vente également dans ce magasin. Autre boutique dans l'Upper East Side ; toutes les adresses sont sur le site Internet.

H&M Plan p. 376 *Vêtements*
☎ 646-473-1164 ; www.hm.com ; 1328 Broadway à hauteur de 34th St ; 🕒 lun-sam 10h-22h, dim 11h-20h ; métro B, D, F, N, Q, R, V, W jusqu'à 34th St–Herald Sq
L'enseigne suédoise de vêtements mode bon marché dispose de cinq grandes surfaces à Manhattan. Les adresses sont sur le site Internet. Les succursales d'Herald Square et de 51st St et Fifth Ave sont les plus importantes.

HENRI BENDEL Plan p. 376 *Grand magasin*
☎ 212-247-1100 ; 712 Fifth Ave ; 🕒 ven-mer 10h-19h, jeu 10h-20h ; métro E, V jusqu'à Fifth Ave–53rd St ou N, R, W jusqu'à Fifth Ave–59th St
Chic et accueillant, ce grand magasin mérite une petite visite. Collections de marques européennes, avec des couturiers bien établis et des créateurs originaux, plus confidentiels. Cosmétiques et accessoires. Voyez notamment la vitrine Lalique.

JIMMY CHOO Plan p. 376 *Chaussures*
☎ 212-593-0800 ; 645 51st St ; 🕒 lun-sam 10h-18h, dim 12h-17h ; métro E, V jusqu'à Fifth Ave–53rd St, 6 jusqu'à 51st St
La boutique des stars ! Madonna et les héroïnes de *Sex and the City* craquent pour ses escarpins à talon vertigineux. À partir de 400 $. Seconde boutique dans l'**Upper East Side** (p.269).

J LEVINE JEWISH BOOKS & JUDAICA
Plan p. 376 *Librairie juive*
☎ 212-695-6888 ; 5 W 30th St ; 🕒 lun-mer 9h-18h, jeu 9h-9h, dim 10h-17h ; métro B, D, F, N, Q, R, V, W jusqu'à 34th St–Herald Sq
Les Levine vendent le Talmud, des ouvrages en rapport avec la religion juive et des menorah depuis 1890.

Les diamants sont éternels

Vous rêvez de vous offrir un petit diam ? Faites un tour dans Diamond District sur 47th St, entre Fifth et Sixth Ave, où se côtoient une centaine d'étals vendant à prix cassé diamants, perles et autres bijoux. Le marchandage est de mise et l'on obtient des prix nettement plus intéressants que dans les boutiques classiques. Généralement tenus par des juifs, la plupart de ces étals ferment de bonne heure le vendredi et n'ouvrent pas le week-end.

KATE'S PAPERIE Plan p. 376 *Papeterie*
☎ 212-459-0700 ; 140 W 57th St ; 🕒 lun-ven 10h-20h, sam 10h-19h, dim 11h-18h ; métro F, N, Q, R, W jusqu'à 57th St
Magnifique chaîne de papeterie, très prisée pour ses faire-part de mariage et ses carnets de notes artisanaux. Plusieurs magasins dans la ville, notamment à **Soho** (p.252).

LEDERER DE PARIS Plan p. 376 *Sacs à main*
☎ 212-355-5515 ; 654 Madison Ave ; 🕒 lun-mer, ven-sam 9h30-18h, jeu 9h30-18h30 ; métro 6 jusqu'à 51st St
Sacs tissés et accessoires d'excellente qualité.

LORD & TAYLOR Plan p. 376 *Grand magasin*
☎ 212-391-3344 ; 424 Fifth Ave ; 🕒 lun-ven 10h-20h30, sam 10h-19h, dim 11h-19h ; métro 6 jusqu'à 33rd St, 7 jusqu'à Fifth Ave, S, 4, 5, 6, 7 jusqu'à Grand Central–42nd St
Fidèle aux marques qui lui ont assuré sa réputation (Ralph Lauren, Donna Karan, Calvin Klein, etc.), ce grand magasin réparti sur 10 étages permet aux promeneurs de flâner en relative liberté (même aux rayons cosmétiques). Signalons le grand choix de maillots de bain.

MACY'S Plan p. 376 *Grand magasin*
☎ 212-695-4400 ; 151 W 34th St à hauteur de Broadway ; 🕒 lun-sam 10h-20h30, dim 11h-19h ; métro B, D, F, N, Q, R, V, W jusqu'à 34th St–Herald Sq
Le plus grand magasin du monde propose toutes sortes de rayons : vêtements, mobilier, alimentation, salons de coiffures, etc. Moins chic que d'autres grands magasins de Midtown, il s'avère néanmoins très pratique pour des articles simples, comme un bon jean basique ou une chemise.

NBA STORE Plan p. 376 *Articles de sport*
☎ 212-644-9400 ; 767 Fifth Ave ; 🕒 lun-sam 10h-19h, dim 11h-18h ; métro E, V jusqu'à Fifth Ave–53rd St
Maillots des équipes sportives, ballons de basket et autres articles de sport (de mar-

que généralement). On peut aussi tenter de mettre quelques paniers pour se défouler un peu avant de reprendre sa tournée des magasins.

NEW YORK TRANSIT MUSEUM SHOP

Plan p. 376 *Cadeaux*

☎ 212-878-0106 ; Shuttle Passage dans Grand Central Station ; ⏲ lun-ven 8h-20h, sam-dim 10h-18h ; métro S, 4, 5, 6, 7 jusqu'à Grand Central–42nd St

Cette annexe du **Brooklyn Museum** (p. 376) vend des objets (T-shirts, parapluies, nappes, porte-monnaies) décorés avec la carte du métro.

PRADA

Plan p. 376 *Vêtements de créateur*

☎ 212-664-0010 ; 724 Fifth Ave ; ⏲ lun-mer, ven-sam 10h-18h, dim 12h-18h ; métro N, R, W jusqu'à Fifth Ave–59th St

Midtown compte deux boutiques Prada, assez proches l'une de l'autre. Celle de Fifth Ave propose les collections de vêtements homme et femme, tandis que celle de 45 E 57th St vend des chaussures. L'**Upper East Side** (p. 269) et **Soho** (p. 252) ont également leur boutique Prada.

RIZZOLI

Plan p. 376 *Librairie*

☎ 212-759-2424 ; 31 W 57th St ; ⏲ lun-ven 10h-19h30, sam 10h30-19h, dim 11h-19h ; métro F jusqu'à 57th St

Cette superbe librairie-maison d'édition italienne est spécialisée dans les livres d'art, d'architecture et de design. Vaste choix de journaux et magazines étrangers également.

SAKS FIFTH AVE

Plan p. 376 *Grand magasin*

☎ 212-753-4000 ; 611 Fifth Ave à hauteur de 50th St ; ⏲ lun-mer, ven-sam 10h-19h, jeu 10h-20h, dim 12h-18h ; métro B, D, F, V jusqu'à 47th St–50th St–Rockefeller Center

Cette très élégante enseigne est connue pour ses soldes de janvier. Collections de vêtements homme et femme très chics. Signalons la belle vue sur le Rockefeller Center depuis les étages supérieurs.

SALVATORE FERRAGAMO

Plan p. 376 *Vêtements*

☎ 212-759-3822 ; 655 Fifth Ave à hauteur de 52nd St ; ⏲ lun-sam 10h-19h, dim 12h-18h ; métro E, V jusqu'à Fifth Ave–53rd St

Cette boutique se consacre exclusivement aux collections homme et femme très glamour du couturier italien.

SEPHORA Plan p. 376 *Produits de beauté*

☎ 212-823-9383 ; www.sephora.com ; 10 Columbus Circle à hauteur de 59th St ; ⏲ 10h-21h ; métro A, B, C, D, 1, 9 jusqu'à 59th St–Columbus Circle

Au cœur du très chic Time Warner Center (voir ci-après *Magasins de Columbus Circle*), Sephora pratique des prix intéressants sur des grandes marques de cosmétiques. Plusieurs succursales dans la ville, notamment à Times Square et sur Broadway dans Soho. Voir les adresses sur le site Internet.

SHAKESPEARE & CO Plan p. 376 *Librairie*

☎ 212-505-2021 ; 137 E 23rd St ; ⏲ lun-jeu 9h-21h, ven 9h-20h, sam 11h-19h, dim 12h-18h ; métro 6 jusqu'à 23rd St

Succursale de Midtown de la célèbre librairie indépendante. Autres magasins dans **Lower Manhattan** (p. 249), **Greenwich Village** (p. 260) et l'**Upper East Side** (p. 270).

MAGASINS DE COLUMBUS CIRCLE

Plan p. 376 *Centre commercial*

☎ 212-823-6300 ; 10 Columbus Circle ; métro A, B, C, D, 1, 9 jusqu'à 59th St–Columbus Circle

Encore flambant neuf, ce centre commercial, ouvert en février 2004 au pied du Time Warner Center, renferme une cinquantaine de boutiques et de restaurants haut de gamme. Parmi les magasins, citons Coach, Williams-Sonoma, Hugo Boss, Thomas Pink, Sephora, J Crew, Borders Books & Music, Armani Exchange et Inside CNN. Si vous projetez un pique-nique à Central Park, ne manquez pas les salades et sandwiches à emporter de **Whole Foods** (⏲ 8h-22h), au sous-sol.

TAKASHIMAYA Plan p. 376 *Grand magasin*

☎ 212-350-0100 ; 693 Fifth Ave ; ⏲ lun-sam 10h-19h, dim 12h-17h ; métro E, V jusqu'à Fifth Ave–53rd St

Les Japonais ont apporté leur touche minimaliste à Fifth Ave avec cet étonnant magasin qui propose du mobilier et des vêtements haut de gamme, ainsi que des objets décoratifs pour la maison. Les emballages sont à eux-seuls des œuvres d'art ! Ne manquez pas les somptueux bouquets présentés au rez-de-chaussée et offrez-vous un thé vert au très paisible **Tea Box café**, au sous-sol.

TIFFANY & CO Plan p. 376 *Bijouterie*

☎ 212-755-8000 ; 727 Fifth Ave ; ⏲ lun-ven 10h-19h, sam 10h-18h, dim 12h-17h ; métro F jusqu'à 57th St

On ne présente plus ce célèbre bijoutier et sa fameuse enseigne représentant Atlas soutenant une pendule. Ses anneaux de diamants, ses montres et ses colliers ont fait le tour du monde. On peut se contenter d'admirer les

Top 5 des souvenirs kitsch

- **Parapluie imprimé avec le plan du métro.** Au New York Transit Museum de Brooklyn et au Grand Central Terminal (p. 112)
- **T-shirt de la Chinatown Ice Cream Factory** (p. 254). Tout le monde sait que les dragons adorent les glaces !
- **Mug de chez Zabar's** (p. 268). Typique et incontournable
- **Babioles de Chine.** Chez Pearl River Mart (p. 252), mais aussi sur les étals de rue, un peu moins chers
- **T-shirts I love NY.** 3 $ sur Times Square

modèles ou envisager l'achat d'un porte-clé (très prisé des touristes), de boutons de manchette ou d'une pince à billets. Ne vous avisez pas toutefois de vouloir entrer avec un croissant en clin d'œil à Audrey Hepburn dans *Breakfast at Tiffany's* (*Diamants sur canapé*), le personnel n'apprécierait guère !

Vous avez certainement déjà eu en poche un objet du grand bijoutier : le Grand Sceau des États-Unis, la figure pyramidale représentée sur les billets de 1 $, a été créé par Tiffany.

URBAN CENTER BOOKS

Plan p. 376 *Librairie d'architecture*

☎ 212-935-3592 ; 457 Madison Ave ; ⌚ lun-jeu 10h-19h, ven 10h-18h, sam 10h-17h30 ; métro 6 jusqu'à 51st St

Cette libraire qui compte plus de 7 000 ouvrages sur l'architecture (quelques éditions épuisées, également), est située dans la cour des historiques Villiard Houses.

TIMES SQUARE ET THEATER DISTRICT

Times Square ne ressemble plus du tout au quartier des cinémas porno, de la prostitution et de la drogue qu'il était il n'y pas si longtemps encore. Tout d'abord repris en main par MTV, ABC Television, Reuters et Nasdaq, il a achevé de se transformer avec l'ouverture de mégastores, tels que Toys'R'Us.

Dans les magasins d'instruments de musique de W 48th St (Manny's et Sam Ash, par exemple), on croise parfois une rockstar venue compléter son matériel.

COLONY Plan p. 218 *Musique*

☎ 212-265-2050 ; 1619 Broadway ; ⌚ lun-sam 9h30-00h, dim 10h-00h ; métro N, R, W jusqu'à 49th St

Aménagé dans le Brill Building (où résidèrent jadis les chansonniers du Tin Pan Alley), ce magasin historique vendit des partitions à Charlie Parker, Miles Davis et consorts. Il reste le mieux fourni de la ville en la matière. Il dispose aussi d'une impressionnante collection de CD de karaoké et de souvenirs en tout genre (matériel de musique des Beatles, affiches originales de Broadway, vieux tickets de concert, etc.).

DRAMA BOOKSHOP Plan p. 218 *Librairie*

☎ 212-944-0595 ; www.dramabookshop.com ; 250 W 40th St ; ⌚ lun-sam 10h-20h, dim 12h-18h ; métro A, C, E jusqu'à 42nd St–Port Authority Bus Terminal

Cette librairie est spécialisée dans les pièces de théâtre et les comédies musicales depuis 1917. Le personnel saura guider votre choix parmi les nombreux ouvrages référencés et souvent onéreux. Le site Internet annonce les rencontres organisées régulièrement, telles que des débats avec des dramaturges.

MANNY'S MUSIC

Plan p. 218 *Instruments de musique*

☎ 212-819-0576 ; 156 W 48th St ; ⌚ lun-sam 10h-19h, dim 12h-18h ; métro N, R, W jusqu'à 49th St

Les passionnés de guitare et de rock ne manqueront pas de rendre visite à cette maison mythique ! Jimi Hendrix y a acheté nombre de ses guitares, les Stones, la pédale de distorsion utilisée dans "Satisfaction", les Ramones, leurs tout premiers instruments et bien avant, les grands du jazz, comme Benny Goodman, venaient y chercher une anche ou deux, à l'occasion. Les photos au mur retracent toute l'histoire. Sa réputation ne s'est pas démentie.

À deux pas, recommandons aussi l'excellent **Sam Ash** (☎ 212-719-2299 ; 160 W 48th St ; ⌚ lun-ven 10h-20h, sam jusqu'à 19h, dim 12h-18h).

MYSTERIOUS BOOKSHOP

Plan p. 218 *Librairie de polars*

☎ 212-765-0900 ; www.mysteriousbookshop.com ; 129 W 56th St; ⌚ lun-sam 11h-19h ; métro F, N, R, Q, W jusqu'à 57th St

Amateurs de romans policiers, romans noirs ou thrillers, poussez la porte de cette librairie spécialisée, bien pourvue en éditions originales et signées. Lisez aussi la newsletter, bien documentée, consultable sur Internet.

TOYS 'R' US Plan p. 218 *Jouets*

☎ 800-869-7787 ; 1514 Broadway ; ⏲ lun-sam 10h-22h, dim 11h-20h ; métro N, Q, R, S, W, 1, 2, 3, 7, 9 jusqu'à Times Sq–42nd St

Version géante d'une chaîne présente partout dans le monde. Trois niveaux thématiques, avec un immense espace consacré aux jeux vidéos, un étage de peluches et une grande roue (2,50 $ le tour).

VIRGIN MEGASTORE

Plan p. 218 *Musique et vidéo*

☎ 212-921-1020 ; 1540 Broadway ; ⏲ dim-jeu 9h-1h, ven-sam 9h-2h ; métro N, Q, R, S, W, 1, 2, 3, 7, 9 jusqu'à Times Sq–42nd St

Difficile de ne pas remarquer l'immense magasin Virgin de Time Square ! Il organise régulièrement des séances de dédicaces (mais il faut savoir patienter plusieurs heures !). CD vendus généralement à des prix plus intéressants dans Bleecker St, dans Greenwich Village ou sur St Marks Pl, dans l'East Village. Autre magasin Virgin sur **Union Square** .

UPPER WEST SIDE

Plutôt résidentiel, l'Upper West Side recèle néanmoins sur ses trois principales artères (Broadway, Amsterdam et Columbus) bon nombre de magasins destinés tout particulièrement à ses habitants yuppies. Nous vous recommandons surtout Columbus Ave, en particulier entre W 66th St et W 82nd St, jalonnée de belles boutiques haut de gamme. Ajoutons que le personnel se montre généralement plus discret que de l'autre côté de Central Park.

APPLAUSE BOOKS

Plan p. 379 *Librairie sur le théâtre et le cinéma*

☎ 212-496-7511 ; 211 W 71st St ; ⏲ lun-sam 10h-21h, dim 12h-18h ; métro 1, 2, 3, 9 jusqu'à 72nd St

Tout ce qui se publie sur le théâtre, le cinéma, la réalisation et la création. Pièces et scénarios en livres de poche.

GRYPHON RECORDS

Plan p. 379 *Disques d'occasion*

☎ 212-874-1588 ; 233 W 72nd St ; ⏲ lun-ven 9h30-19h, sam-dim 11h-20h ; métro 1, 2, 3, 9 jusqu'à 72nd St

Dans un joyeux désordre, Gryphon recèle des milliers de vinyles, essentiellement de musique classique ou d'anciens chanteurs de jazz, manipulés avec respect par une clientèle de passionnés. En rayon également, quelques livres d'occasion (à l'entrée du magasin).

KANGOL

Plan p. 379 *Chapeaux*

☎ 212-724-1172 ; 196 Columbus Ave ; ⏲ 10h30-21h ; métro A, B, C, D, 1, 9 jusqu'à 59th St–Columbus Circle

Célèbre depuis les années 80 au Royaume-Uni, la marque au kangourou (très prisée des rappeurs) ne s'est installée aux États-Unis qu'en 2003. Casquettes et bérets en tweed et autres tissus. Remarquez le panneau "No, we're English", (non, nous sommes anglais !).

MAXILA

Plan p. 379 *Fossiles et ossements*

☎ 212-724-6173 ; 451 Columbus Ave ; ⏲ oct-déc lun-sam 11h-19h, dim 13h-17h, jan-mars mar-sam 11h-19h, avr-juin lun, mer-sam 11h-19h, dim 13h-17h ; métro B, C jusqu'à 81st St–Museum of Natural History

Unique au monde, ce magasin vend des reproductions des pièces des collections de l'**American Museum of Natural History** (p. 120) voisin. On peut ainsi s'offrir un poisson préhistorique, des crânes de coyote, des planches anatomiques et même des excréments fossilisés vieux d'une dizaine de millions d'années (18 $) !

MURDER INK/IVY'S BOOKS

Plan p. 379 *Librairie de polars*

☎ 212-362-8905 ; 2486 Broadway ; ⏲ lun-sam 10h-19h30, dim 11h-18h ; métro 1, 2, 3, 9 jusqu'à 96th St

Créé en 1972 et premier du genre à New York, ce spécialiste du roman policier possède aussi de nombreux titres épuisés. Dans la même boutique, Ivy's Books offre une vaste sélection de nouveautés et de livres d'occasion.

NEW YORK LOOK

Plan p. 379 *Vêtements pour femme*

☎ 212-245-6511 ; 30 Lincoln Plaza, Broadway entre W 62nd St et 63rd St ; ⏲ lun-jeu 10h-21h, ven 10h-20h, sam 11h-21h, dim 12h-19h ; métro A, B, C, D, 1, 9 jusqu'à 59th St–Columbus Circle

Cette petite chaîne de magasins propose des tenues faciles à porter, des vêtements de soirée et des maillots de bain de créateurs (Theory, Tahari, Whistles, etc.). Juste à côté, la boutique de chaussures du même nom vend des marques italiennes.

REALLY GREAT THINGS

Plan p. 379 *Vêtements*

☎ 212-787-5354 ; 284 Columbus Ave ; ⏲ lun-sam 11h-19h, dim 13h-18h ; métro B, C, 1, 2, 3, 9 jusqu'à 72nd St

Comme son nom l'indique (des choses vraiment bien), cette boutique ultra-chic offre des collections très variées de vêtements (pour

Top 5 des librairies

- **Argosy** (p. 262). Livres rares, photographies et ouvrages dédicacés
- **Gotham Book Mart** (p. 263). La quintessence de la librairie !
- **Mysterious Bookshop** (p. 266). Qui, quoi, quand, où, pourquoi et comment ?
- **Oscar Wilde Memorial Bookshop** (p. 259). La plus ancienne librairie homosexuelle du monde
- **Strand Book Store** (p. 249). Des kilomètres de rayonnage de livres d'occasion

femme surtout) de créateurs européens originaux à des prix très intéressants. Voyez aussi l'excellent choix de chaussures pour femme.

THEORY Plan p. 379 *Vêtements pour femme*
☎ 212-362-3676 ; 230 Columbus Ave ; lun-sam 11h-19h, dim 12h-17h ; métro 1, 2, 3, 9 jusqu'à 72nd St
Nouvelle boutique de cette enseigne dont on apprécie les vêtements mode et les blazers chics, ainsi que quelques articles uniques, comme les fameuses bottes en cuir.

ZABAR'S Plan p. 379 *Ustensiles de cuisine*
☎ 212-787-2000 ; 2245 Broadway ; lun-ven 8h30-19h30, sam 8h-20h, dim 9h-18h ; métro 1, 9 jusqu'à 79th St
Bien connu des gourmets pour la finesse de ses plats, le Zabar's possède au 2e étage un grand rayon consacré aux ustensiles de cuisine. Le mug à 2,49 $, avec le nom du magasin écrit en orange, est un incontournable, branché et peu coûteux, à rapporter de New York !

UPPER EAST SIDE

Boutiques de créateurs et grands magasins chics caractérisent Madison Ave, qui conduit dans l'Upper East Side, quartier luxueux s'il en est, où les habitants peuvent faire leurs emplettes chez Gucci, Prada, Barneys, Jean-Paul Gaultier, Cartier, Versace et autre Valentino. Les magasins se concentrent sur Madison Ave et dans les rues adjacentes, de Midtown à E 75th St.

Ne dédaignez toutefois pas d'emblée ce quartier par crainte des prix exorbitants. La population locale n'hésitant pas à renouveler sa garde-robe chaque année, les dépôts-ventes s'avèrent en général bien fournis et pratiquent des prix intéressants.

Reportez-vous p. 163 pour une promenade dans l'Upper East Side et Midtown.

A SECOND CHANCE Plan p. 379 *Dépôt-vente*
☎ 212-744-6041 ; 1109 Lexington Ave ; lun-ven 11h-19h, sam 11h-18h ; métro 6 jusqu'à 77th St
Une petite boutique offrant un très bon choix de vêtements de marque pour femme, de sacs à main et d'accessoires.

BANG & OLUFSEN
Plan p. 379 *Matériel électronique*
☎ 212-879-6161 ; 952 Madison Ave ; lun-mer, ven-sam 10h-18h30, jeu 10h-19h, dim 12h-17h ; métro 6 jusqu'à 77th St
Toutes les nouveautés audio et vidéo de la célèbre marque danoise.

BARNEYS Plan p. 379 *Grand magasin*
☎ 212-826-8900 ; 660 Madison Ave ; lun-ven 10h-20h, sam 10h-19h, dim 11h-18h ; métro N, R, W jusqu'à Fifth Ave–59th St
Sans doute le plus grand spécialiste de Manhattan des vêtements de créateurs. Il rassemble les collections des meilleurs stylistes du moment (Marc Jacobs, Prada, Helmut Lang, Paul Smith, Miu Miu), ce qui semble autoriser le personnel à se montrer hautain et méprisant avec les clients. La Co-Op Barneys, aux 7e et 8e étages, propose des articles moins onéreux (et destinés à une clientèle plus jeune). Les magasins de **Soho** (p. 250) et de **Chelsea** (p. 261) pratiquent des soldes en février et en août.

BIG CITY KITE CO Plan p. 379 *Cerf-volants*
☎ 212-472-2623 ; 1210 Lexington Ave ; lun-mer, ven 11h-18h30, jeu 11h-19h30, sam 10h-18h ; métro 4, 5, 6 jusqu'à 86th St
À quelques blocks à l'est de Central Park, cette boutique séduit tout le monde. Elle est tenue par de vrais amoureux des cerf-volants qui sauront vous conseiller entre les modèles traditionnels et d'autres, plus sportifs. Le Wind Clipper Pirate Ship (26 $) et le Martin Lester Legs Kite (88 $) figurent parmi les préférés.

BLOOMINGDALE'S
Plan p. 379 *Grand magasin*
☎ 212-705-2000 ; 1000 3rd Ave à hauteur de 59th St ; lun-jeu 10h-20h30, ven-sam 9h-22h, dim 11h-19h ; métro 4, 5, 6 jusqu'à 59th St, N, R, W jusqu'à Lexington Ave–59th St
Bloomingdale's est aux grands magasins ce que le Metropolitan Museum of Art est à l'art : mythique, gigantesque, fascinant, bondé et incontournable. Essayez de vous frayer un chemin dans la foule pour admirer les collections des plus grands couturiers et de quelques nouveaux venus dans le monde de la mode.

CALVIN KLEIN

Plan p. 379 *Vêtements*

☎ 212-292-9000 ; 654 Madison Ave ; 🕑 lun-mer et ven-sam 10h-19h, jeu 10h-20h, dim 12h-18h ; métro 4, 5, 6 jusqu'à 59th St

Magasin principal du roi du style décontracté et du denim délavé. Choix plus vaste que dans les grands magasins généraux.

CARTIER

Plan p. 379 *Joaillerie*

☎ 212-472-6400 ; 828 Madison Ave ; 🕑 lun-mer, ven 10h-18h, jeu 10h-19h, sam 10h-17h30 ; métro 6 jusqu'à 68th St–Hunter College

Bijoux et accessoires. Autre boutique dans **Midtown** (p. 263).

CHRISTIAN LOUBOUTIN

Plan p. 379 *Chaussures*

☎ 212-396-1884 ; 941 Madison Ave ; 🕑 lun-sam 10h-18h ; métro 6 jusqu'à 77th St

S'inspirant parfois des modèles Louis XV, le créateur français propose des collections originales, haut perchées et aux couleurs détonantes.

CHUCKIES

Plan p. 379 *Chaussures pour femme*

☎ 212-593-9898 ; 1073 Third Ave ; 🕑 lun-ven 10h45-19h45, sam 10h45-19h, dim 12h30-19h ; métro F jusqu'à Lexington Ave–63rd St

Chaussures haut de gamme de créateurs tels que Jimmy Choo, Miu Miu, Dolce & Gabbana, Stella McCartney . La boutique décline aussi son propre label.

DOLCE & GABBANA

Plan p. 379 *Vêtements*

☎ 212-249-4100 ; 825 Madison Ave entre 68th St et 69th St ; 🕑 lun-mer, sam 10h-18h, jeu 10h-19h, dim 12h-17h ; métro 6 jusqu'à 68th St–Hunter College

Collections classiques. Ligne D&G, plus décontractée, dans la boutique de **Soho** (p. 251).

GIORGIO ARMANI

Plan p. 379 *Haute couture*

☎ 212-988-9191 ; 760 Madison Ave ; 🕑 lun-mer, ven-sam 10h-18h, jeu 10h-19h ; métro F jusqu'à Lexington Ave–63rd St

Les collections les plus classiques du grand couturier présentées sur quatre étages vastes et aérés.

GIVENCHY

Plan p. 379 *Haute couture*

☎ 212-772-1040 ; 710 Madison Ave ; 🕑 lun-mer, ven-sam 10h-18h, jeu 10h-19h, dim 12h-18h ; métro N, R, W to Fifth Ave–59th St, 4, 5, 6 jusqu'à 59th St

Collections pour homme, femme et enfant.

JIMMY CHOO

Plan p. 379 *Chaussures*

☎ 212-759-7078 ; 716 Madison Ave ; 🕑 lun-mer, ven-sam 10h-18h, jeu 10h-19h, dim 12h-17h ; métro F jusqu'à Lexington Ave–59th St

Hauts-talons, suprême élégance et prix exorbitants pour ces chaussures (sacs à main également). La boutique que l'on aperçoit dans le feuilleton *Sex and the City* est celle de **Midtown** (p. 264).

MISSONI

Plan p. 379 *Vêtements*

☎ 212-517-9339 ; www.missoni.it ; 1009 Madison Ave ; 🕑 10h-18h ; métro 6 jusqu'à 77th St

Les collections homme et femme du créateur italien (connu surtout pour ses pulls à motifs géométriques). Consultez le site pour un aperçu des modèles.

MORGENTHAL FREDERICS

Plan p. 379 *Lunettes*

☎ 212-838-3090 ; 699 Madison Ave ; 🕑 lun-ven 9h-19h, sam 10h-18h, dim 12h-18h ; métro N, R, W jusqu'à Fifth Ave–59th St, 4, 5, 6 jusqu'à 59th St

Montures contemporaines et originales. Notre préférence va à celles en plastique bicolore. Elles sont vendues dans d'autres boutiques, notamment à Soho, chez **Bergdorf Goodman** et dans les **Magasins de Colombus Circle**.

NELLIE M BOUTIQUE

Plan p. 379 *Vêtements pour femme*

☎ 212-996-4410 ; 1309 Lexington Ave ; 🕑 lun-ven 10h-20h, sam 11h-20h, dim 11h-19h ; métro 4, 5, 6 jusqu'à 86th St

À deux pas de Madison, cette jolie boutique vend des vêtements haut de gamme et branchés de créateurs moins connus (tels que Rebecca Taylor). Grand choix de tenues de soirée et d'accessoires, ainsi que quelques articles plus décontractés.

PRADA

Plan p. 379 *Vêtements de créateur*

☎ 212-327-4200 ; 841 Madison Ave ; 🕑 lun-mer, ven-sam 10h-18h ; métro 6 jusqu'à 68th St–Hunter College

Collections du célèbre styliste milanais. Une autre boutique à **Soho** (p. 252) et deux dans **Midtown** (p. 265), dont l'une consacrée exclusivement aux chaussures.

RALPH LAUREN

Plan p. 379 *Vêtements de créateur*

☎ 212-606-2100 ; 867 Madison Ave ; 🕑 lun-mer, ven 10h-18h, jeu 10h-19h, dim 12h-17h ; métro 6 jusqu'à 68th St–Hunter College

Aménagé dans une belle demeure de la fin du XIXe siècle, ce magasin ponctue agréablement Madison Ave. Large choix de vêtements, en

Veste de soie, Pearl River Mart (p. 252)

particulier dans les collections classiques pour homme. Boutique plus petite dans **Greenwich Village** (p. 260).

SCOOP MEN
Plan p. 379 *Vêtements pour homme*
☎ 212-535-5577 ; 1275 Third Ave ; ⏲ lun-ven 11h-20h, sam 11h-19h, dim 12h-18h ; métro 6 jusqu'à 77th St
Succursale du magasin de **Soho** (p. 253), spécialisée dans les articles pour homme. Jeans de créateurs, chemises et pulls moins classiques que dans les autres boutiques du quartier.

SHAKESPEARE & CO Plan p. 379 *Librairie*
☎ 212-570-0201 ; 939 Lexington Ave ; ⏲ lun-ven 9h-20h30, sam 10h-19h, dim 10h-17h ; métro 6 jusqu'à 68th St–Hunter College
Proche de Hunter College, cette succursale de la célèbre chaîne new-yorkaise offre une bonne sélection d'ouvrages universitaires. Autres magasins dans **Lower Manhattan** (p. 249), **Greenwich Village** (p. 260) et **Midtown** (p. 265).

SHERRY-LEHMAN Plan p. 379 *Vin*
☎ 212-838-7500 ; 679 Madison Ave ; ⏲ lun-sam 9h-19h ; métro 4, 5, 6 jusqu'à 59th St
Vins et alcools de qualité.

SOTHEBY'S Plan p. 379 *Vente aux enchères*
☎ 212-606-7000 ; www.sothebys.com ; 1334 York Ave ; métro 6 jusqu'à 68th St–Hunter College
Les enchères se déroulent au moins une fois par semaine (calendrier sur le site). Ventes très diversifiées, livres d'art, pendules, tapis, œuvres d'art russes, mobilier ancien, etc.

TATIANA'S Plan p. 379 *Dépôt-vente*
☎ 212-755-7744 ; 767 Lexington Ave ; ⏲ lun-ven 11h-19h, sam 11h-18h ; métro N, R, W jusqu'à Lexington Ave–59th St, 4, 5, 6 jusqu'à 59th St
Proche de Bloomingdale's, ce formidable dépôt-vente foisonne de tenues de soirée, de tailleurs, de jupes, de chemisiers et de chaussures de grandes marques. On déniche souvent des articles des collections de l'année précédente en excellent état et à prix cassé.

VALENTINO Plan p. 379 *haute coutures*
☎ 212-772-6969 ; 747 Madison Ave ; ⏲ lun-mer, ven-sam 10h-18h, jeu 10h-19h ; métro F jusqu'à Lexington Ave–63rd St
Pour cérémonies prestigieuses et très grosses fortunes, uniquement ! Collection ultra-glamour, beaucoup de tons de rouge pour les femmes (robes, chemisiers, cardigan, etc.) et des costumes élégants pour les hommes.

VERA WANG Plan p. 379 *Mariage*
☎ 212-628-3400 ; 991 Madison Ave ; ⏲ lun, mar, ven 9h30-18h, mer-jeu 11h-19h, sam 9h-18h sur rendez-vous uniquement ; métro 6 jusqu'à 77th St
C'est le royaume des robes de mariée et des tenues de cérémonie. Il faut prendre rendez-vous pour un essayage de tenues de soirée et de vêtements haute couture. Les futures mariées peuvent s'adresser directement à la boutique **Vera Wang** (☎ 212-628-9898 ; 980 Madison Ave ; ⏲ sur rendez-vous), qui leur est entièrement consacrée.

HARLEM

Si la principale artère commerçante de Harlem est depuis toujours 125th St, les commerçants eux-mêmes changent. La fameuse "renaissance" du quartier passe aussi par l'ouverture de nouveaux centres commerciaux et de chaînes de magasins (HMV, Old Navy, Nine West et H&M). Magic Johnson a ouvert un cinéma et un café Starbucks. Les magasins indépendants tentent toutefois de résister à la flambée des loyers. Le centre commercial Harlem USA! (avec HMV, les Magic Theatres et Old Navy) se situe dans 125th St et Frederick Douglass Blvd. Pour des achats plus typiques,

Woodbury Common

Aussi surprenant que cela puisse paraître, nombre de New-Yorkais et de touristes vont désormais faire leur shopping en dehors de la ville. À 90 min au nord de New York, **Woodbury Common Premium Outlets** (☎ 845-928-4000 ; www.premiumoutlets.com ; 498 Red Apple Court, Central Valley, NY) regroupe plus de 200 enseignes réputées qui vendent généralement leurs collections à prix cassés. Outre tous les grands noms de la couture (Gucci, Christian Dior, Versace, Prada, Marc Jacobs, etc.), on dénombre plus d'une trentaine de boutiques de chaussures, sans parler des magasins de sport et de bagages. L'ensemble forme une sorte de "village" de style colonial sillonné d'allées piétonnes et entouré de parkings.

On s'y rend en voiture (plan sur le site Internet), en bus ou en train. La compagnie de bus **Gray Line New York** (☎ 212-445-0848, 800-669-0051 ext 3 ; adulte/enfant 35/17,50 $; départ 8h30-14h45, retour 15h30-21h25) assure des liaisons quotidiennes.

optez plutôt pour les petites boutiques encore tenues par les gens du quartier.

BOBBY'S HAPPY HOUSE

Plan p. 382 *Gospel et blues*

☎ 212-663-5240 ; 2335 Frederick Douglass Blvd ; 11h-20h ; métro A, B, C, D jusqu'à 125th St

Ce magasin extraordinaire recèle une petite collection amoureusement rassemblée de cassettes, CD et vidéos de gospel, R&B et blues. Lors de son ouverture en 1946 (sur 125th St), c'était la première boutique afro-américaine de la rue. Bobby Robinson, qui a produit des artistes de blues comme Elmore James, en est toujours le propriétaire (il passe généralement le dimanche après-midi, pour le plaisir de bavarder avec ses clients). Vous ne risquez pas de manquer la vitrine, qui diffuse en permanence des vidéos de gospel pour attirer les passants.

HARLEM MARKET

Plan p. 382 *Art et artisanat*

☎ 212-987-8131 ; 116th St ; 10h-17h ; métro 2, 3 jusqu'à 116th St

Marché en plein air très populaire où l'on trouve des objets artisanaux d'Afrique, des huiles essentielles, de l'encens, des vêtements africains, des CD et des vidéos piratées.

HARLEM UNDERGROUND

Plan p. 382 *T-shirts*

☎ 212-987-9385 ; 2027 Fifth Ave ; lun-jeu 10h-19h, ven-sam 10h-20h ; métro 2, 3 jusqu'à 125th St

Non loin de 125th St, vers le nord, T-shirts et sweat-shirts marqués "Harlem", faits sur place.

LIBERATION BOOKSTORE

Plan p. 382 *Librairie*

☎ 212-281-4615 ; 421 Lenox Ave à hauteur de 131st St ; mar-ven 15h-19h, sam 12h-16h ; métro 2, 3 jusqu'à 125th St

Excellent choix d'ouvrages historiques, de romans et de livres d'art sur la culture africaine et afro-américaine. Attention aux horaires d'ouverture, assez limités.

SCARF LADY

Plan p. 382 *Écharpes et chapeaux*

☎ 212-862-7369 ; 408 Lenox Ave ; mar-sam 11h30-19h ; métro 2, 3 jusqu'à 125th St

Des centaines d'écharpes colorées, de chapeaux et d'autres accessoires créés par la propriétaire de la boutique, Paulette Gay.

BROOKLYN

De l'autre côté de l'East River, Brooklyn rassemble de longue date trois grands quartiers commerçants. La jeunesse branchée se rassemble dans Williamsburg, dans les cafés et magasins qui jalonnent Bedford Ave. Parmi ces derniers, plusieurs magasins vintage, un "thrift store" (œuvre caritative) et quelques boutiques plus haut de gamme.

À proximité de Brooklyn Heights, Atlantic Ave, orientée est-ouest, est depuis longtemps le domaine des antiquaires et des magasins de meubles. Au sud de cette avenue, Smith St recèle quant à elle les boutiques des créateurs locaux. On peut se procurer les guides de commerçants des quartiers Altantic et Bococa pour plus de détails. Plus résidentiel, Park Slope, à l'ouest de Prospect Park, comprend nombre de boutiques de mode décontractées et de librairies, en particulier dans Fifth Ave (plus tendance que le Lower East Side) et Seventh Ave (proche de l'Upper West Side).

AMARCORD Plan p. 384 *Vêtements vintage*

☎ 718-963-4001 ; 223 Bedford Ave, Williamsburg ; 13h-20h ; métro L jusqu'à Bedford Ave

Situé sur l'artère principale de Williamsburg (entre S 4th St et S 5th St, à 2 blocks de la station de métro de Bedford Ave), cette bouti-

Tailles

Équivalences approximatives, mieux vaut essayer avant d'acheter.

Vêtements pour femme

Europe	36	38	40	42	44	46
USA	6	8	10	12	14	16

Chaussures pour femme

Europe	35	36	37	38	39	40
France	35	36	38	39	40	42
USA	5	6	7	8	9	10

Vêtements pour homme

Europe	46	48	50	52	54	56
USA	35	36	37	38	39	40

Chemises pour homme (taille du col)

Europe	38	39	40	41	42	43
USA	15	15½	16	16½	17	17½

Chaussures pour homme

Europe	41	42	43	44½	46	47
USA	7½	8½	9½	10½	11½	12½

que Amarcord propose des vêtements vintage pour homme et femme (contrairement à celle d'**East Village**).

BEACON'S CLOSET

Plan p. 384 *Vêtements vintage*

☎ 718-486-0816 ; 88 N 11th St, Williamsburg ; 🕒 lun-ven 12h-21h, sam-dim 11h-20h ; métro L jusqu'à Bedford Ave

Cet immense antre du vintage fait la joie de la jeunesse branchée de Williamsburg. Manteaux, hauts en polyester et T-shirts années 70 rangés par couleur, mais pour le reste, il ne faut pas hésiter à fouiller dans la masse de vêtements entassés ! Depuis la station L, suivez Bedford Ave de 7th St à 11th St, puis prenez à gauche (vers Manhattan) et poursuivez sur encore 2 blocs. Le magasin se tient entre Berry St et White St.

Succursale plus petite et moins fouillis sur **Fifth Ave** (Plan p. 385 ; ☎ 718-230-1630 ; 220 Fifth Ave), avec une sélection des plus belles pièces.

BREUKELEN/BARK

Plan p. 384 *Cadeaux et accessoires*

☎ 718-246-0024, 718-625-8997 ; 369 Atlantic Ave ; 🕒 mar-sam 12h-19h, dim 12h-18h ; métro A, C, G jusqu'à Hoyt Schermerhorn

Deux boutiques à la même adresse qui vendent des produits pour la maison et le corps, la plupart introuvables ailleurs. Voyez les appareils photos de Bark qui déforment joliment les images grâce à des objectifs colorés et aux angles arrondis du viseur.

EIDOLON

Plan p. 385 *Vêtements pour femme*

☎ 718-638-8194 ; 233 Fifth Ave ; 🕒 mar-sam 12h-20h, dim 12h-19h ; métro M, R jusqu'à Union St

On apprécie particulièrement la sélection de vêtements (tailleurs, robes, hauts, chapeaux, chaussures, etc.) créés par des créateurs locaux. Mention spéciale pour les bottes et chaussures Gentle Souls.

HEIGHTS BOOKS

Plan p. 384 *Livres d'occasion*

☎ 718-624-4876 ; 109 Montague St ; 🕒 dim-jeu 10h-23h, ven-sam 10h-00h ; métro M, R jusqu'à Court St, 2, 3 jusqu'à Clark St

Un espace étroit rempli de rayonnages renfermant des centaines de livres bien classés.

JACQUES TORRES CHOCOLATE

Plan p. 384 *Chocolats*

☎ 718-875-9772 ; www.mrchocolate.com ; 66 Water St ; 🕒 lun-sam 9h-19h ; métro A, C jusqu'à High St, F jusqu'à York St

Dans le quartier de Dumbo, cette petite boutique-café propose des chocolats maison aussi originaux que délicieux. Le must : les savourer dans l'Empire Fulton Ferry State Park tout proche, face aux ponts de Brooklyn et de Manhattan. Vente par Internet également.

OLIVE'S VERY VINTAGE

Plan p. 384 *Vêtements vintage*

☎ 718-243-9094 ; 434 Court St ; 🕒 lun-ven 12h-20h, sam 11h-20h, dim 11h-19h ; métro F, G jusqu'à Carroll St

Poussez jusqu'à cette boutique, à l'écart des autres magasins de Court St, si vous aimez les vêtements vintage des années 40 (chaussures, hauts, robes, manteaux, gants et autres accessoires).

SPACIAL ETC

Plan p. 384 *Vêtements et accessoires*

☎ 718-599-7962 ; 199 Bedford Ave, Williamsburg ; 🕒 11h-21h ; métro L jusqu'à Bedford Ave

À l'angle de N 6th St, une boutique tape-à-l'œil avec une sélection pointue de vêtements et d'articles de bureaux branchés. Chaussures intéressantes et quelques habits créés par des stylistes locaux. Un block au sud de la station de métro L..

Où se loger

Où se loger

Il est devenu tellement chic et "cool" de séjourner dans les hôtels new-yorkais que les habitants de la ville eux-mêmes sont les premiers à vouloir fréquenter les bars, les restaurants de grand standing et profiter du plaisir de s'installer dans les fauteuils d'un hall ou d'un lounge pour voir et se montrer. L'éclosion des grands hôtels chics, indépendants des grandes chaînes internationales, est l'effet d'une mode dont le célèbre hôtelier Ian Schrager fut l'initiateur en ouvrant le Morgans en 1985, suivi par le Paramount, le Royalton et le Hudson. Aujourd'hui, New York possède plus d'hôtels de ce type qu'aucune autre grande ville américaine. C'est pourquoi on aurait tort de ne pas prendre le temps de faire son choix pour trouver l'endroit qui s'accordera au mieux avec ses besoins et sa personnalité.

Si les hôtels indépendants retiennent le plus l'attention, tous les autres styles sont représentés, dans presque tous les quartiers : le luxe business-class du **Ritz-Carlton** (p. 274), le charme champêtre de l'**Inn on 23rd Street** (p. 279), le chic avant-gardiste de la chaîne **W** (p. 280), et le caractère et le confort moins dispendieux du **Gershwin Hotel** (p. 281). Depuis quelques années, on trouve même des agences proposant des appartements privés sous la formule d'un partage ou d'une sous-location de courte durée (p. 282). Néanmoins, la ville a beau offrir 75 000 chambres, il est fortement conseillé de réserver.

Il n'est pas très difficile de trouver des chambres à des prix intéressants – ce qui, à New York, signifie inférieurs à 150 $ – ni même une place à 50 $ ou moins dans une auberge de jeunesse, si c'est votre style. Si 275 $ sont pour vous une bagatelle, n'ayez crainte, vous pourrez aussi dépenser jusqu'à 15 000 $ la nuit pour une suite somptueuse offrant les plus belles vues sur la ville ! (Attention, les prix donnés dans ce guide ne comprennent pas les taxes municipales de 13,25%. Ils varient également en fonction de la saison.)

Chambres au meilleur prix

Il n'est plus si difficile de trouver des chambres à des prix intéressants dès lors que vous savez utiliser l'Internet. Une multitude de sites vous aident à trouver des rabais et même, qui vous permettent de fixer votre prix.

Priceline.com est un site très clair qui vous laisse choisir le quartier de Manhattan où vous voulez séjourner, la catégorie de chambre souhaitée et le prix que vous êtes prêt à payer. Une version un peu différente est proposée sur **Hotwire.com**, qui vous laisse choisir le quartier et vous donne un prix, mais pas l'hôtel. Le problème avec tous ces sites, c'est que vous devez fournir les données de votre carte bancaire avant de savoir où vous allez loger ; si le type d'hôtel que vous avez demandé est en accord avec votre prix, vous serez automatiquement débité, et on vous indiquera qu'une réservation a été prise à votre nom. C'est donc une bonne solution si le prix est votre premier critère de choix.

Les voyageurs qui veulent savoir à quelle enseigne ils seront logés ont plutôt intérêt à consulter les offres de l'un des sites de discounters suivants : **Orbitz.com**, où vous choisissez la catégorie de l'hôtel et les commodités souhaitées, et l'on vous propose ensuite plusieurs choix. Idem pour **Hotels.com**, **Hoteldiscounts.com** et **Travelzoo.com**, qui prétendent tous vous offrir des prix jusqu'à 70% inférieurs aux prix publics. **Justnewyorkhotels.com**, **Newyork.dealsonhotels.com**, **Newyorkcityhotelstoday.com** et **NYC-hotels.net** fonctionnent de la même manière, mais couvrent uniquement New York.

LOWER MANHATTAN

La plupart des hôtels du Financial District et de Battery Park City s'adressent à une clientèle d'affaires. Ce n'est donc pas l'endroit idéal où séjourner si vous cherchez un hôtel indépendant ou un quartier animé le week-end. Certains apprécieront les tarifs réduits de week-end et la proximité de quelques grandes attractions touristiques comme la statue de la Liberté, les berges de Battery Park et le South Street Seaport. Vous noterez la prépondérance des grandes chaînes hôtelière dans les parages.

BATTERY PARK CITY RITZ-CARLTON

Plan p. 370 *International Deluxe*

☎ 212-344-0800 ; www.ritz-carlton.com ; 2 West St, sur Battery Pl ; s/d/ste à partir de 240/400/800 $; lignes 4, 5 jusqu'à Bowling Green

Difficile de dire quel est l'atout majeur de cet hôtel-tour en brique et en verre de 38 étages :

en premier peut-être, la vue imprenable sur la ville et le port, dont on profite à merveille avec les télescopes qui équipent toutes les chambres donnant sur l'eau. Ensuite, on pourrait retenir les grandes sdb en marbre, les oreillers en duvet d'oie, la salle de gym, les thermes, les deux restaurants chics (la vue est fantastique, depuis les tables du Rise), et un service de voiture qui vous dépose gracieusement dans Downtown. Mentionnons aussi le personnel mis à votre disposition pour le service de votre sdb (*bath butler*) ou assurant une assistance technique (*technology butler*).

BEST WESTERN SEAPORT INN

Plan p. 370 *Hôtel de chaîne*

☎ 212-766-6600, 800-468-3569 ; www.seaportinn.com ; 33 Peck Slip entre Front St et Water St ; s/d 160/180 $; lignes A, C jusqu'à Broadway–Nassau St, lignes J, M, Z, 2, 3, 4, 5 jusqu'à Fulton St

Malgré son allure d'hôtel de chaîne sans surprise, le Seaport Inn offre une vue superbe sur l'eau depuis les chambres avec terrasse, à l'ombre du grandiose Brooklyn Bridge. Il possède une petite salle de gym, l'Internet à haut débit et des services d'assistance aux clients mal-entendants. En outre, ses tarifs sont imbattables, tout comme le charme de son emplacement sur les berges.

HOLIDAY INN WALL STREET

Plan p. 370 *Hôtel d'affaires*

☎ 212-232-7700 ; www.holidayinnwsd.com ; 15 Gold St au niveau de Platt St ; s/d/ste à partir de 175/300/500 $; lignes A, C jusqu'à Broadway–Nassau St, lignes J, M, Z, 2, 3, 4, 5 jusqu'à Fulton St

Des chambres avec équipement bureautique comprenant un ordinateur et un téléphone portable gratuit montrent à l'évidence que cet hôtel récent cherche à attirer une clientèle d'affaires exigeante. Les réductions de week-end (à partir de 99 $) convaincront en outre les budgets plus serrés. Le décor est minimal –immeuble fade en brique, hall banal et chambre standard – mais les lits sont confortables et les connexions avec l'extérieur un jeu d'enfant.

MILLENIUM HILTON

Plan p. 370 *Hôtel d'affaires*

☎ 212-693-2001 ; www.hilton.com ; 55 Church St ; ch à partir de 350 $; lignes N, R jusqu'à Cortland St

Sa rénovation après le 11 Septembre (l'hôtel se trouve juste en face du site du World Trade Center), a coûté 32 millions de dollars. Aussi, le Millenium est-il plus somptueux que jamais. Les chambres ont des vues spectaculaires (certaines donnent sur le WTC), et sont équipées de TV à écran plasma et de tous les appareils high-tech dont vous rêvez. Ses atouts maîtres : une salle de sport fabuleuse, une piscine chauffée et vitrée, et un excellent restaurant, le Church & Day.

WALL STREET INN

Plan p. 370 *Hôtel d'affaires indépendant*

☎ 212-747-1500, 800-695-8284 ; www.thewallstreetinn.com ; 9 South William St au niveau de Broad St ; s/d 250/450 $, ven-dim à partir de 159 $; lignes 2, 3 jusqu'à Wall St, lignes 4, 5 jusqu'à Bowling Green

Plus petit et moins impersonnel qu'un hôtel de chaîne, cet établissement de Lower Manhattan occupe un immeuble rénové et classé dans le quartier ancien de Stone Street. La clientèle visée en priorité est celle des hommes d'affaires. Les tarifs réduits du week-end plaisent aux familles et aux couples qui ne boudent pas non plus le club de fitness, le petit déj inclus et les jolies baignoires en marbre.

TRIBECA ET SOHO

Ce n'est certainement pas le lustre et l'élégance qui manquent à ces quartiers où l'on trouvera quelques petits hôtels parmi les plus charmants de la ville. L'emplacement est idéal : on peut accéder à pied aux sites intéressants du port, et à un éventail complet de restaurants, bars et boîtes de nuit. En outre, dans la plupart de ces hôtels, le hall est tout aussi attrayant que votre chambre.

MERCER

Plan p. 372 *Hôtel indépendant*

☎ 212-966-6060 ; 147 Mercer St au niveau de Prince St ; s/d/ste à partir de 400/575/1 100 $; lignes N, R, W jusqu'à Prince St

C'est élégant et majestueux, et tellement "cool" qu'ils ont oublié de se signaler par une enseigne. Vous repérerez facilement l'entrée grâce aux allées et venues de clients chics et branchés, poussant la porte, un bagage Tumi roulant silencieusement à leur côté. Le vestibule aux bruits étouffés est aussi une bibliothèque, l'excellent restaurant est la cantine des fines bouches du quartier, et les chambres – des lofts parquetés, inondés de lumière, aux murs de brique nue – évoquent les temps anciens où Soho était peuplé d'artistes.

60 THOMPSON

Plan p. 372 *Hôtel indépendant*

☎ 212-431-0400, 877-431-0400 ; www.60thompson.com ; 60 Thompson St entre Broome St et Spring St ; s/d/ste 370/450/550 $; lignes C, E jusqu'à Spring St

Une autre petite perle du quartier, comptant une centaine de chambres, et gratifiée d'une somptueuse terrasse sur le toit (avec vue sur l'Empire State Building), d'une cour intime, et de chambres avec balcon en fer forgé, couette en duvet, lambris de cuir sur les murs et Thompson Chair, un fauteuil à haut dossier dessiné spécialement pour l'hôtel. Le restaurant Thom, intimiste – avec compartiments circulaires, steak-frites et glaces maison – est aussi une réussite.

SOHO GRAND HOTEL

Plan p. 372 *International Deluxe*

☎ 212-965-3000, 800-965-3000 ; www.sohogrand.com ; 310 West Broadway ; s/d/ste 260/400/1 600 $; lignes A, C, E jusqu'à Canal St

L'extérieur anodin ne laisse rien deviner de l'étonnant intérieur, avec son escalier de verre et de fonte conduisant à un vestibule spacieux et distingué. Depuis son ouverture en 1996, il a gardé un statut d'exception qui convient aux mannequins et éditeurs que l'on peut croiser au Grand Bar and Lounge. Les 367 chambres aux lignes pures sont dotées de linge Frette et de produits de toilettes Kiehl. Son nouvel équivalent, le **Tribeca Grand** (plan p. 370 ; ☎ 212-519-6600 ; www.tribecagrand.com ; 2 Sixth Ave dans le triangle Church St, Walker St et White St ; lignes 1, 9 jusqu'à Franklin St), offre 203 chambres d'un confort comparable.

Hôtels bon marché

COSMOPOLITAN HOTEL

Plan p. 372 *Hôtel petit budget*

☎ 212-566-1900, 888-895-9400 ; www.cosmohotel.com ; 95 West Broadway ; s/d 109/149 $; lignes 1, 2, 3, 9 jusqu'à Chambers St

Les 105 chambres aux tons pastel manquent de décoration, mais les tarifs sont abordables, la propreté impeccable, et l'emplacement très intéressant.

LOWER EAST SIDE

Il fut un temps où avoir un ami qui vous offre un lit dans son "appart, super cool" était très à la mode. Mais l'engouement pour les hôtels a fini par arriver même ici, grâce à un nouvel établissement ouvert par des membres de la revue de design *Surface*. Deux autres adresses, à bas prix, vous permettront de loger au beau milieu des boîtes de nuit, bars et restaurants qui font du Lower East Side le lieu le plus branché qui soit , même si leur linge ne sera pas aussi stylé que vos repas.

HOWARD JOHNSON EXPRESS INN

Plan p. 372 *Hôtel de chaîne*

☎ 212-358-8844 ; www.hojo.com ; 135 E Houston St au niveau de Forsyth St ; s/d 129/169 $; lignes F, V jusqu'à Lower East Side–Second Ave

Assurément, c'est insipide et pas très branché, mais l'endroit n'a que quelques années et il est encore propre et frais. En outre, l'emplacement est de premier ordre, les lits sont confortables, la pression de l'eau excellente, et des photos d'artistes locaux ornent les murs du hall minuscule. Les bagels et pâtisseries servis au petit déj sont gratuits. Si cela ne vous convient pas, vous avez une boulangerie traditionnelle juste à côté, **Yonah Shimmel Bakery** (p. 181).

SURFACE HOTEL

Plan p. 372 *Hôtel indépendant*

☎ 212-475-2600 ; www.surfacehotel.com ; 107 Rivington St entre Essex St et Ludlow St ; ch à partir de 250 $; lignes F jusqu'à Delancey St, lignes J, M, Z jusqu'à Delancey St–Essex St

Une succession de contretemps a retardé l'ouverture, qui s'annonçait grandiose, de ce building luxueux de 30 millions de dollars. Elle eut finalement lieu en 2004, et depuis, cette adresse attire tous les amoureux de Downtown. Les 20 étages d'acier et de verre conçus par Paul Stallings, propriété de la revue californienne *Surface*, offrent d'excellentes vues. Un restaurant-boîte de nuit procure toute l'excitation nécessaire sans avoir à se déplacer.

Hôtels bon marché

OFF SOHO SUITES

Plan p. 372 *Hôtel petit budget*

☎ 212-979-9815, 800-633-7646 ; www.offsoho.com ; 11 Rivington St entre Chrystie St et Bowery ; ch/ste 79/150 $; lignes B, D jusqu'à Grand St, lignes J, M, Z jusqu'à Bowery

Si vous pouvez supporter le décor intérieur médiocre et nauséeux pour ne penser qu'à l'argent que vous économisez, vous serez très bien. Les suites sont équipées de kitchenettes. Une réduction de 10% est accordée sur les séjours d'une semaine et plus, et l'emplacement, à la limite de Chinatown et du Lower East Side, est excellent.

EAST VILLAGE

Il ne se passe pas grand-chose côté hôtellerie dans cette partie de la ville. Les deux propositions ci-dessous sont des hôtels petit budget – vous ne trouverez rien d'autre par ici – mais tous deux ont leurs avantages, le premier d'entre eux étant son emplacement absolument "cool".

EAST VILLAGE B&B Plan p. 372 *B&B*

☎ 212-260-1865 ; 244 E 7th St entre Ave C et Ave D, apt 5-6 ; ch 100 $; lignes F, V jusqu'à Second Ave–Lower East Side

Cette adresse tenue par des lesbiennes est une oasis très appréciée des couples saphiques en quête de paix et de tranquillité dans l'agitation de l'East Village (le **Meow Mix**, p. 206, se trouve à deux pas). L'appartement est situé dans un joli ensemble. Il comprend 3 chambres (1 simple et 2 doubles) au look dernier cri – linge éclatant, art moderne et parquet – et le salon commun immense (pour New York) offre une lumière abondante, de belles peintures de toutes provenances, des murs en brique nue et une TV grand écran. Le petit déj est inclus, de même que l'usage de la machine à laver !

ST MARKS HOTEL

Plan p. 372 *Hôtel petit budget*

☎ 212-674-2192 ; 2 St Marks Pl au niveau de Third Ave ; s/d 90/100 $; ligne 6 jusqu'à Astor Pl

L'endroit laisse encore un peu à désirer malgré un lifting récent et l'emplacement est bruyant, mais demandez une chambre à l'arrière, admirez les charmes de la réceptionniste et prenez vos quartiers : toute la culture Downtown est sur le pas de la porte.

WEST (GREENWICH) VILLAGE

Du charme à l'ancienne, de l'intimité, des prix raisonnables et de bonnes dispositions envers les gays, c'est ce que vous trouverez ici, sans parler de deux ou trois adresses nouvelles rutilantes. C'est l'endroit idéal dans Downtown, pour ceux qui désirent le confort de Midtown et le calme qui règne habituellement au-dessous de 14th Street, sans la nervosité du East Side.

ABINGDON GUEST HOUSE

Plan p. 372 *B&B*

☎ 212-243-5384 ; www.abingdonguesthouse.com ; 13 Eighth Ave au niveau de Jane St ; s/d 160/190 $; lignes A, C, E jusqu'à 14th St, ligne L jusqu'à Eighth Ave

Si l'on s'abstient de regarder par la fenêtre, on se croira dans une auberge de campagne de la Nouvelle-Angleterre. Les chambres élégantes et confortables, avec cheminée et beaucoup de brique nue, sont meublées de lits à colonnes et de rideaux ondulants. Chacune a un caractère légèrement différent – l'une est tout en blanc et lavande, une autre dans les couleurs terre avec un beau mobilier – mais toutes sont attachantes. Mettez quand même le nez dehors ; l'animation de cette partie de Eighth Ave rappelle que l'on est bien à New York City.

Top 5 des grands hôtels indépendants

- **Chambers** (p. 281). Une merveille de design moderne
- **Hotel Gansevoort** (p. 277). Actuellement le plus sexy dans le Meatpacking District
- **Hudson** (p. 283). La dernière étoile de la constellation Ian Schrager et un modèle du genre
- **Mercer** (p. 275). Tellement Soho et tellement "cool"
- **On the Ave** (p. 287). L'élégance Uptown à des prix 100% Downtown

HOTEL GANSEVOORT

Plan p. 372 *Hôtel indépendant*

☎ 212-206-6700 ; www.hotelgansevoort.com ; 18 Ninth Ave au niveau de 13th St ; s/d/ste 395/500/625 $; lignes A, C, E jusqu'à 14th St, ligne L jusqu'à Eighth Ave

Cet hôtel luxueux de 187 chambres situé dans le Meatpacking District a ouvert ses portes en janvier 2004, et le succès fut immédiat. Serait-ce à cause de ses draps de lin 400 fils ? ses couettes en duvet hypoallergénique ? ses douches à vapeur ? oui, sans doute, mais cela pourrait aussi venir de ses vues époustouflantes (surtout depuis les chambres avec balcon), ses bains à remous tentateurs, ses étages accessibles aux animaux de compagnie et sa salle de sport. Sans parler du fait que l'hôtel se trouve dans le quartier de Manhattan dont l'embourgeoisement est le plus rapide. Bistrots et boutiques à la mode ont remplacé les travestis faisant le trottoir et l'odeur de la graisse de bœuf.

INCENTRA VILLAGE HOUSE

Plan p. 372 *B&B*

☎ 212-206-0007 ; 32 Eighth Ave au niveau de 12th St ; ch 120-199 $; lignes A, C, E jusqu'à 14th St, ligne L jusqu'à Eighth Ave

Ces deux maisons classées en brique rouge datant de 1841 furent la première auberge gay de la ville. Aujourd'hui, les 12 chambres sont réservées longtemps à l'avance par les voyageurs gays. Son superbe salon victorien renferme un piano demi-queue utilisé pour de joyeuses soirées chantantes. Les chambres sont meublées d'antiquités, avec cheminée et lit à colonnes pour certaines.

SOHO HOUSE

Plan p. 372 *Hôtel indépendant*

☎ 212-627-9800 ; www.sohohouseny.com ; 29-35 Ninth Ave au niveau de 13th St ; ch 250-795 $; lignes A, C, E jusqu'à 14th St, ligne L jusqu'à Eighth Ave

Nouvelle copie du Soho House de Londres, ce club privé pour VIP de la haute couture met 24 chambres à la disposition des non-membres. Si vous arrivez à franchir ses légendaires cordes en velours, vous découvrirez des chambres grand style mélangeant l'ancien et le moderne, avec douche à la vapeur, minibar Grey Goose, TV à écran plasma et préservatifs gratuits. Les hôtes ont aussi accès à la salle de projection privée et aux thermes Cowshed Spa.

WASHINGTON SQUARE HOTEL

Plan p. 372 *Hôtel petit budget*

☎ 212-777-9515, 800-222-0418 ; www.washingtonsquarehotel.com ; 103 Waverly Pl entre MacDougal St et Sixth Ave ; s/d 130/165 $; lignes A, C, E, B, D, F, V jusqu'à W 4th St

Cet hébergement intime se trouve à deux pas de Washington Square Park et quasiment sur le campus de NYU. Le vestibule surprend par son élégance ; les couloirs sont étroits et les chambres sont étriquées et dépouillées, quoique récemment rénovées. L'atmosphère de bohème pour grandes personnes n'est pas désagréable. Le restaurant/bar attenant sert des brunchs sur fond de jazz le dimanche.

Hôtels bon marché

LARCHMONT HOTEL

Plan p. 372 *Auberge indépendante*

☎ 212-989-9333 ; www.larchmonthotel.com ; 27 W 11th St entre Fifth Ave et Sixth Ave ; s/d 80/109 $; lignes F, V jusqu'à 14th St

Cet hôtel à l'européenne, douillet et abordable, offre des sdb et des cuisines communes. Les 52 chambres sont équipées de lavabos et vous disposez d'une robe de chambre et de mules, avec en plus, un emplacement en or dans un bel ensemble de maisons verdoyant de Fifth Ave. Réservez tôt, car il est vite complet.

CHELSEA

Le choix est vaste dans ce quartier, avec beaucoup de charme, des traditions locales et de la sympathie pour les homosexuels. L'endroit est idéal pour les garçons noctambules qui ne veulent pas s'éloigner des lieux où ils s'amusent.

Top 5 des hôtels à thème

- **Casablanca Hotel** (p. 281). Marocain
- **Chelsea Pines Inn** (page suivante). Hollywood d'autrefois
- **Library Hotel** (p. 283). Système décimal de Dewey. 3e étage ? Sciences sociales. 8e étage ? Littérature
- **Maritime Hotel** (page suivante). Aventures marines. Blottissez-vous dans votre cabine et regardez à travers le hublot – ici vous n'aurez pas le mal de mer !
- **Time** (p. 284). Couleurs primaires. La chambre bleue vous entraînera dans le sommeil aussi sûrement que la rouge vous remettra sur vos pieds

CHELSEA HOTEL

Plan p. 372 *Hôtel indépendant*

☎ 212-243-3700 ; 222 W 23rd St ; s et d à partir de 135 $, ste à partir de 325 $; lignes C, E, 1, 9 jusqu'à 23rd St

Cet hôtel célèbre entre tous est un monument littéraire et culturel gorgé de souvenirs et d'œuvres d'art de résidents passés et présents. La liste des hôtes et résidents de marque compte Dylan Thomas, Bob Dylan, Arthur Miller et Arthur C. Clarke. Mais c'est ici également que Sid Vicious assassina Nancy Spungen, et où fut tourné *The Professional*. Les chambres les moins chères ont une sdb commune, et les suites les plus chères disposent d'un salon, d'une cuisine et d'une salle à manger séparés. Toutes les pièces sont hautes de plafond et équipées de la clim. Chacune a son propre style.

CHELSEA LODGE Plan p. 372 *B&B*

☎ 212-243-4499 ; www.chelsealodge.com ; 318 W 20th St entre Eighth Ave et Ninth Ave ; s et d à partir de 105-195 $, ste 225 ; lignes C, E jusqu'à 23rd St

Petit hôtel à l'européenne dans un brownstone classé de la partie ancienne de Chelsea. Les chambres, lumineuses, avec parquet et lit confortable, sont garnies d'objets américains. Beaucoup de charme et d'attention au client pour un prix raisonnable.

CHELSEA PINES INN Plan p. 372 *B&B*

☎ 212-929-1023 ; www.chelseapinesinn.com ; 317 W 14th St entre Eighth Ave et Ninth Ave ; ch 99-139 $, réduction hivernale 79 $; lignes A, C, E jusqu'à 14th St, ligne L jusqu'à Eighth Ave

Charmant petit hôtel pour clientèle homo. Des affiches anciennes de cinéma tapissent les murs ; une serre et un petit patio offrent des recoins de tranquillité, et les mignons réceptionnistes vous fourniront gentiment tous les renseignements sur les restaurants, les boîtes et les lieux de drague. Les chambres sont petites mais accueillantes.

COLONIAL HOUSE INN

Plan p. 372 *B&B*

☎ 212-243-9669 ; www.colonialhouseinn.com ; 318 W 22nd St entre Eighth Ave et Ninth Ave ; ch 80-125 $, 125-160 $ avec sdb ; lignes C, E jusqu'à 23rd St

Petit hôtel gay sympathique et élégant, assorti de tout le charme entraînant qu'on peut attendre de son propriétaire, Mel Cheren, qui dirige également la très célèbre boîte de nuit hip-hop Paradise Garage. Le vestibule spacieux fait office de galerie d'art moderne. Les chambres vont de l'économique (lit et commode) au luxe (cheminée, réfrigérateur). La terrasse sur le toit, où les hôtes peuvent bronzer nus, offre des vues magnifiques.

INN ON 23RD ST

Plan p. 376 *B&B*

☎ 212-463-0330 ; www.innon23rd.com ; 131 W 23rd St entre Sixth Ave et Seventh Ave ; s et d 179-259 $, ste à partir de 329 $; lignes C, E, 1, 9 jusqu'à 23rd St

Ce B&B est une perle rare : le charme victorien du silencieux vestibule est rehaussé de quelques bizarreries tel ce mannequin "mort" et renversé qui vous fait peur la première fois que vous le voyez. Les chambres sont luxueuses et enveloppées de tissus fantaisistes. Le petit déj est servi dans un salon chic.

Le Peninsula (p. 284)

MARITIME HOTEL

Plan p. 372 *Hôtel indépendant*

☎ 212-242-4300 ; www.themaritimehotel.com ; 363 W 16th St entre Eighth Ave et Ninth Ave ; s et d 195-260 $, ste 395-1 100 $; lignes A, C, E jusqu'à 14th St, L jusqu'à Eighth Ave

Ancien siège de la National Maritime Union, puis centre d'accueil pour adolescents à la rue, cette tour blanche trouée de hublots a été transformée en hôtel de luxe à thème maritime par une équipe d'architectes dans le vent. On a l'impression d'être à bord d'un paquebot de luxe. Les 120 chambres à fenêtres circulaires donnent dans le compact et le lambris de teck. Les plus luxueuses sont agrémentées d'une douche extérieure et d'un jardin privé offrant un joli panorama sur l'Hudson. Le restaurant et le bar à cocktails, en extérieur, sont des avantages appréciables.

Hôtels bon marché

CHELSEA CENTER HOSTEL

Plan p. 372 *Auberge de jeunesse*

☎ 212-643-0214 ; www.chelseacenterhostel.com ; 313 W 29th St entre Eighth Ave et Ninth Ave ; dort 25 $; lignes A, C, E jusqu'à 34th St–Penn Station

Auberge de 18 lits, calme et abordable, qu'apprécient les routards et les voyageurs européens à petit budget.

CHELSEA INN Plan p. 372 *B&B*

☎ 212-645-8989, 800-640-6469 ; www.chelseainn.com ; 46 W 17th St entre Fifth Ave et Sixth Ave ; s/d/ste 89/140/190 $; lignes L, N, R, 4, 5, 6 jusqu'à14th St–Union Sq

Ces deux maisons réunies forment un refuge diablement charmant. On dirait que les chambres, petites mais confortables, ont été meublées avec des objets de brocante ou de récupération. Du caractère pour un petit prix, juste à l'est de la partie la plus tentante de ce quartier qui bouge. Réductions hivernales à 79 $.

CHELSEA INTERNATIONAL HOSTEL

Plan p. 372 *Auberge de jeunesse*

☎ 212-647-0010 ; www.chelseahostel.com ; 251 W 20th St entre Seventh Ave et Eighth Ave ; dort/ch 25/60 $; lignes C, E, 1, 9 jusqu'à 23rd St

Une ambiance festive et internationale règne dans cette auberge où tout se passe dans le patio arrière. Les chambres à lits superposés accueillent 4 à 6 personnes. Cuisine commune et machines à laver. Il faut montrer son passeport, mais il n'est pas nécessaire d'être étranger. Le séjour maximum est de 2 semaines.

CHELSEA STAR HOTEL

Plan p. 376 *Auberge de jeunesse*

☎ 212-244-7827 ; www.starhotelny.com ; 300 W 30th St au niveau de Eighth Ave ; dort/ch 30/70 $; lignes A, C, E jusqu'à 34th St–Penn Station

Populaire auberge de jeunesse à l'européenne avec un brin d'originalité dans les chambres individuelles à thème, de *Star Trek* à *Absolutely Fabulous*. Outre le plaisir d'une clientèle mélangée, vous trouverez un patio, et des bicyclettes ainsi que des rollers à louer.

UNION SQUARE, FLATIRON DISTRICT ET GRAMERCY PARK

Souvent oublié, ce quartier est pourtant très intéressant à deux titres : sa tranquillité et son emplacement. Vous y trouverez des petits hôtels qui sembleront n'être là que pour vous, des rues résidentielles et verdoyantes, et vous pourrez vous rendre à pied dans Midtown ou l'East Village. Beaucoup de caractère mais pas beaucoup de place : réservez longtemps à l'avance.

GRAMERCY PARK HOTEL

Plan p. 372 *Petit hôtel indépendant*

☎ 212-475-4320, 800-221-4083 ; www.gramercyparkhotel.com; 2 Lexington Ave au niveau de 21st St ; s/d/ste à partir de 150/160/200 $; ligne 6 jusqu'à 23rd St

Cette institution new-yorkaise est l'endroit où JFK Jr a vécu enfant, où Humphrey Bogart a épousé Helen Mencken (au jardin sur le toit) et où Babe Ruth a bu à l'excès (puis avec modération) au bar. Si vous séjournez ici, votre chambre donnera sur Gramercy Park et vous aurez même la clé de ce square privé. Les chambres ont été refaites, et le trépidant piano-bar qui donne dans le hall est un must.

INN AT IRVING PLACE

Plan p. 372 *B&B*

☎ 212-533-4600 ; www.innatirving.com ; 56 Irving Pl au niveau de E 17th St ; ch à partir de 325 $; lignes L, N, R, 4, 5, 6 jusqu'à 14th St–Union Sq

Charmante maison classée de 11 chambres à quelques blocks au sud de Gramercy Park. L'emplacement est idéal, l'ambiance feutrée et propice aux aventures amoureuses (toutes les chambres ont une cheminée et un lit qui donne envie d'autre chose que d'y dormir). On songe à un roman d'Edith Wharton.

MARCEL

Plan p. 376 *Hôtel indépendant*

☎ 212-696-3800 ; www.nychotels.com ; 201 E 24th St au niveau de Third Ave ; s/d 100/200 $; ligne 6 jusqu'à 23rd St

Chic et minimaliste, avec quelques touches de couleurs terre, ce petit hôtel plaît aux gens de la mode. Les chambres sur la rue ont de jolies vues, et le bar élégant, le Spread, est l'endroit rêvé pour allonger les jambes après une journée de marche. Les autres petits hôtels distingués gérés par le groupe Amsterdam Hospitality sont le **Bentley** (p. 287), le **Moderne** (plan p. 218 ; ☎ 212-397-6767 ; 243 W 55th St) et l'**Amsterdam Court House** (plan p. 218 ; ☎ 212-459-1000 ; 226 W 50th St).

PARK SOUTH HOTEL

Plan p. 376 *Hôtel indépendant*

☎ 212-448-0888 ; www.parksouthhotel.com ; 122 E 28th St ; ch 179-395 $; ligne 6 jusqu'à 28th St

Occupant un beau bâtiment de 1906 et aménagé dans un style classique ouvert au contemporain, cet hôtel offre un vestibule à haut plafond, de jolies vues sur le Chrysler Building et de belles chambres d'une grande richesse de couleurs. Son restaurant, le Black Duck, sert une cuisine de bistrot raffinée.

W NEW YORK – UNION SQUARE

Plan p. 372 *Hôtel de chaîne chic*

☎ 212-253-9119, 877-946-8357; www.whotels.com; 201 Park Ave South au niveau de 17th St; ch à partir de 319 $; lignes L, N, Q, R, 4, 5, 6 jusqu'à 14th St–Union Sq

Cette adresse des plus branchées exige une garde-robe noire et une carte bancaire en platine. W oblige, tout ici est d'une qualité incomparable, confortable et chic, et son emplacement en bordure de Union Square Park est un grand avantage. Réservez longtemps à l'avance, car l'endroit est très demandé. Plusieurs W ont été construits à Manhattan : le **W New York – Tuscany** (plan p. 376 ; ☎ 877-946-8357 ; 120 E 39th St au niveau de Lexington Ave) et le **W New York – Times Square** (plan p. 218 ; ☎ 877-946-8357 ; 1567 Broadway au niveau de 47th St) ; consultez le site Internet pour plus de détails.

Hôtels bon marché

CARLTON ARMS HOTEL

Plan p. 376 *Hôtel petit budget*

☎ 212-679-0680 ; www.carltonarms.com ; 160 E 25th St au niveau de Third Ave ; s/d/tr 70/85/100 $; ligne 6 jusqu'à 23rd St

Les Européens apprécient beaucoup cet endroit original et abordable aux chambres aménagées par des artistes sur des thèmes divers, des rhinocéros au cottage anglais. Des réductions sont accordées pour les séjours d'une semaine.

GERSHWIN HOTEL

Plan p. 376 *Petit hôtel indépendant*

☎ 212-545-8000 ; www.gershwinhotel.com ; 7 E 27th St au niveau de Fifth Ave ; dort/ch 35/99 $; ligne 6, jusqu'à 28th St

À 4 blocks du Flatiron Building, cette adresse populaire hyper sympa (mi-hôtel mi-auberge de jeunesse) est remplie d'œuvres d'art originales (à commencer par les étranges modules qui ornent l'entrée), de groupes de musiciens en tournée et d'autres choses géniales. L'ambiance du nouveau bar du vestibule est particulièrement réussie. L'hôtel est voisin du **Museum of Sex** (p. 107). L'ambiance y est plus bohème qu'au Chelsea Hotel, plus ancien, plus classique et plus coûteux. Vu le nombre de jeunes voyageurs que l'endroit attire, il est impératif de réserver et même de reconfirmer.

HOTEL 17

Plan p. 372 *Hôtel petit budget*

☎ 212-475-2845 ; www.hotel17ny.com ; 225 E 17th St entre Second Ave et Third Ave ; s/d/tr 70/87/110 $; lignes N, Q, R, 4, 5, 6 jusqu'à 14th St–Union Sq, ligne L jusqu'à Third Ave

Cet endroit très connu regorge de caractère, et ceci sans compter qu'il a servi de cadre au tournage de *Manhattan Murder Mystery* de Woody Allen, et à une séance de photos de Madonna. Il est agrémenté d'un vieil ascenseur, d'un lustre épatant dans le vestibule, de papiers peints de collection et de petites chambres tranquilles au charme élégant quoiqu'un peu défraîchi.

MIDTOWN

Le choix est infini dans Midtown, où se concentre l'essentiel des hébergements de New York. En outre, vous êtes parfaitement situé pour rejoindre facilement tous les sites en une vingtaine de minutes.

ALEX Plan p. 376 *Hôtel indépendant*

☎ 212-867-5100; 205 E 45th St entre Second Ave et Third Ave ; ch 375-1 500 $; lignes 4, 5, 6, 7, S jusqu'à Grand Central–42nd St

Ce tout nouvel hôtel de 33 étages du célèbre architecte David Rockwell étale son mobilier en rotin, ses sols en granito, ses photographies originales, ses suites immenses, ses TV à écran plat et son restaurant hyper-médiatisé, le Riingo, création des mêmes stars qui ont donné l'**Aquavit** (p. 187) aux New-yorkais.

ALGONQUIN Plan p. 218 *Hôtel de luxe*

☎ 212-840-6800, 800-555-8000 ; www.algonquinhotel.com ; 59 W 44th St entre Fifth Ave et Sixth Ave ; ch 189-699 $; lignes B, D, F, V jusqu'à 42nd St, lignes 4, 5, 6, 7 jusqu'à Grand Central

C'est l'établissement d'illustre mémoire où Dorothy Parker régentait l'Algonquin Round Table. Il attire encore des visiteurs grâce à son décor luxueux de bois et de chintz, son hall de 1902 avec de jolies appliques et de beaux tapis. La salle de gym est ouverte 24h/24, et les chambres sont lumineuses et confortables (bien qu'on s'y sente un peu à l'étroit).

BRYANT PARK Plan p. 218 *Hôtel indépendant*

☎ 212-642-2200 ; www.bryantparkhotel.com ; 40 W 40th St entre Fifth Ave et Sixth Ave ; s et d à partir de 295-395 $; lignes B, D, F, V jusqu'à 42nd St, ligne 7 jusqu'à Fifth Ave

Vous serez le plus heureux des visiteurs si vous arrivez à louer une de ses 11 chambres avec terrasse donnant sur le noble Bryant Park. Vous jouirez en plus des lignes claires du design et du mobilier moderne, à base de tapis tibétains, de parquet, de baignoires profondes et de moelleux édredons en duvet d'oie.

CASABLANCA HOTEL

Plan p. 218 *Hôtel indépendant*

☎ 212-869-1212, 888-922-7225 ; www.casablancahotel.com ; 147 W 43rd St ; ch standard/deluxe 275/295 $, ste 375 $; lignes N, Q, R, S, W, 1, 2, 3, 7 jusqu'à Times Sq

Le Casablanca est un hôtel raffiné et discret de 48 chambres. Le carrelage des couloirs et les têtes de lit en bois sculpté, sont typiques de l'Afrique du Nord. De délicates attentions entourent la clientèle : un petit déj offert, café et en-cas à toute heure, vin et biscuits apéritifs gratuits (en semaine uniquement), fleurs fraîches et robes de chambre luxueuses.

CHAMBERS Plan p. 218 *Hôtel indépendant*

☎ 212-974-5656 ; www.chambershotel.com ; 15 W 56th St entre Fifth Ave et Sixth Ave ; s 275-350 $, d 350-400 $, ste 650-1 600 $; ligne F jusqu'à 57th St, lignes N, R, W jusqu'à Fifth Ave–59th St

Cet hôtel grand style offre des chambres avec éclairage sur rail, montures inox, douches vitrées, fauteuils club, parquets et descentes de lit en jute impeccables. Les parties communes sont tout aussi attrayantes, avec hauts plafonds, colonnes de lumière, coins de lecture bien isolés et exposition permanente de plus de 500 pièces d'art moderne.

Appartements privés

Le marché tendu de l'hôtellerie – sans parler du prix exorbitant des loyers – a donné naissance à une sorte de petite industrie domestique qui transforme les New-yorkais entreprenants en aubergistes à temps partiel. Après avoir été homologuée par une ou plusieurs agences de location, une résidence – en général celle d'une personne souvent absente de New York – devient disponible pour des séjours de longueur variable. Le prix est souvent très intéressant, et c'est un moyen de ne pas se sentir un touriste, d'aller et venir à sa guise sans être obligé de faire la conversation comme il arrive souvent dans un B&B. Vous aurez l'impression d'habiter à New York. Les sociétés suivantes offrent divers types d'appartements dans les 5 boroughs :

CitySonnet (☎ 212-614-3034 ; www.westvillagebb.com ; ch à partir de 80 $, studios à partir de 135 $). Loue des appartements ou des chambres dans des appartements occupés, dans les endroits les plus à la mode de Downtown.

Gamut Realty Group (☎ 212-879-4229, 800-437-8353 ; www.gamutnyc.com ; studio à partir de 125 $, 2 pièces à partir de 150 $, appt par semaine 800-1 450 $). Propose des locations de courte et longue durée au nord du Herald Square uniquement.

A Hospitality Company (☎ 212-965-1102, 800-987-1235 ; www.hospitalityco.com ; app par nuitée à partir de 165 $, par semaine à partir de 995 $). Loue des appartements entièrement équipés avec facilités informatiques.

Manhattan Lodgings (☎ 212-677-7616 ; www.manhattanlodgings.com ; app par nuitée à partir de 125 $, par mois à partir de 1 550 $, séjour chez des particuliers 105-140 $). Choix de studios, de 2 pièces et de 3 pièces, et service de B&B chez des particuliers.

Servas (☎ 212-267-0252 ; www.usservas.org ; cotisation annuelle 65 $). Association mondiale novatrice proposant à ses membres de pouvoir séjourner gratuitement 2 nuits de suite dans des résidences homologuées (on en compte 140 dans les trois États limitrophes).

CITY CLUB HOTEL

Plan p. 218 *Hôtel indépendant*

☎ 212-921-5500 ; www.cityclubhotel.com ; 55 W 44th St entre Fifth Ave et Sixth Ave ; ch 225-495 $, ste 975 $; lignes B, D, F, V jusqu'à 42nd St–Bryant Park

Cette petite perle repose à l'ombre de l'Algonquin et du Royalton, mais n'est certainement pas éclipsée par leur présence. Un hall intime au mobilier élégant conduit à des chambres spacieuses meublées de draps Frette, TV dissimulées derrière des glaces murales, œuvres d'art originales, sdb en marbre avec bidet et, pour certaines, terrasse à haut plafond avec vues excellentes. Le DB Bistro Moderne de Daniel Boulud sert 3 délicieux repas par jour.

DYLAN Plan p. 376 *Hôtel indépendant*

☎ 212-338-0500 ; www.dylanhotel.com ; 52 E 41st St entre Madison Ave et Park Ave ; s/d 295/395 $, ste 650-1 200 $; lignes S, 4, 5, 6 jusqu'à 42nd St–Grand Central

Cette demeure de style 1900, restaurée de fond en comble, s'orne d'un majestueux escalier en marbre qui s'élance à partir du hall. Les chambres simples mais luxueuses enveloppées de murs blancs et de moquette bleu métallisé baignent dans un éclairage doux qui filtre d'appliques cubiques.

FLATOTEL Plan p. 218 *Hôtel indépendant*

☎ 212-887-9400 ; www.flatotel.com ; 135 W 52nd St entre Sixth Ave et Seventh Ave ; ch 199-495 $; lignes B, D, F, V jusqu'à 47th St-50th St–Rockefeller Center

Aménagé au début des années 1990 dans un ancien complexe résidentiel, Flatotel offre 288 chambres et suites qui distillent un mélange intéressant de luxe et d'ennui : une abondance de bois brillant gris taupe, des vues somptueuses, des TV à écran plat, des lits super-confortables et du mobilier moderne. Dispose aussi d'appartements.

FOUR SEASONS

Plan p. 376 *Hôtel de chaîne internationale*

☎ 212-758-5700, 800-487-3769 ; www.fourseasons.com/newyorkfs/index.html ; 57 E 57th St entre Madison Ave et Park Ave ; ch à partir de 495 $, ste 1300-9500 $; lignes N, R, W jusqu'à Fifth Ave–59th St

Un architecte de renom, I.M. Pei , a conçu les lieux. Le monolithe de calcaire de 52 étages est garni de chambres spacieuses au design simple mais luxueux, où dominent les couleurs terre. Le bar du hall en bois blond sert des plateaux de sandwiches moelleux pour le thé, et le bar du restaurant Fifty Seven se remplit en fin de journée d'une foule de gens à la mode.

HOTEL 41 Plan p. 218 *Hôtel indépendant*

☎ 877-847-4444 ; www.hotel41.com ; 206 W 41st St entre Seventh Ave et Eighth Ave ; ch 149-249 $, ste penthouse (app) 389 $; lignes N, Q, R, W, 1, 2, 3, 7, 9 jusqu'à Times Sq–42nd St

Tout est unique et stylé dans cette grande bonne affaire de Times Square, de la terrasse/escalier métallique en colimaçon de la façade, aux belles chambres blanches immaculées et au bar sexy aux lumières tamisées. Et quels tarifs !

HOTEL ELYSÉE
Plan p. 376 *Petit hôtel indépendant*
☎ 212-753-1066 ; www.elyseehotel.com ; 60 E 54th St entre Madison Ave et Park Ave ; s et d à partir de 295-345 $, ste 500 $; lignes E, V jusqu'à Lexington Ave–53rd St, ligne 6 jusqu'à 51st St
Il est souvent recommandé dans les magazines de voyage comme l'un des petits hôtels les plus romantiques de New York, et l'on comprend pourquoi. Un charme suranné à la française émane de ses chambres et suites vieillottes surchargées de rideaux, mais les amateurs d'hôtels indépendants plus récents risquent de le trouver un peu étouffant.

HOTEL METRO Plan p. 376 *Bonne affaire*
☎ 212-947-2500, 800-356-3870 ; fax 279-1310 ; 45 W 35th St entre Fifth Ave et Sixth Ave ; ch 150-350 $; lignes B, D, F, N, Q, R, V, W jusqu'à 34th St–Herald Sq
Cet hôtel élégant de 160 chambres combine l'Art déco 1930 (hall décoré d'affiches de cinéma de l'âge d'or d'Hollywood) et le confort d'un club de gentlemen dans le superbe bar- bibliothèque. Les chambres sont simples, mais le prix, l'emplacement (près de la Morgan Library, du Madison Square Garden et de la Penn Station) et la cordialité du personnel en font une affaire intéressante.

HUDSON Plan p. 218 *Hôtel indépendant*
☎ 212-554-6000 ; www.ianschragerhotels.com ; 356 W 58th St entre Eighth Ave et Ninth Ave ; s et d 175-275 $, ste 300-3 500 $; lignes A, C, B, D, 1, 9 jusqu'à 59th St–Columbus Circle
Cela ressemble davantage à un night-club, mais vous êtes bien dans le dernier-né – et joyau de la couronne – des hôtels de Ian Schrager. Les bars du hall sont toujours pris d'assaut par une foule composée de VIP "super-cool" et de tous ceux que la célébrité fait rêver. De la terrasse du toit, on a vue sur l'Hudson, et les chambres sont conformes aux attentes les plus exigeantes en matière de style. Les autres hôtels new-yorkais de Schrager sont le **Royalton** (plan p. 218 ; ☎ 212-869-4400 ; 44 W 44th St), celui qui fit parler de lui pour la première fois, et le **Morgans** (plan p. 376 ; ☎ 212-686-0300 ; 237 Madison Ave), où le Morgans Bar et le restaurant Asia de Cuba, sont actuellement à la pointe de la mode.

IROQUOIS Plan p. 218 *Petit hôtel indépendant*
☎ 212-840-3080, 800-332-7220 ; www.iroquoisny.com ; 49 W 44th St entre Fifth Ave et Sixth Ave ; ch 345-445 $, ste 570-1 090 $; lignes B, D, F, V jusqu'à 42nd St, lignes 4, 5, 6, 7 jusqu'à Grand Central
Cet hôtel des années 1920 vient de passer par une rénovation complète qui n'a épargné aucun détail. Sdb en marbre, lits épais et douillets, peignoir de bain Frette et harmonie de couleurs apaisantes, tout y est, sans oublier la suite James Dean ornée de souvenirs sportifs de l'acteur qui y résida de 1951 à 1953. L'hôtel jumeau, **Le Marquis** (plan p. 376 ; ☎ 212-889-6363 ; www.lemarquis.com ; 12 E 31st St entre Fifth Ave et Madison Ave), est une belle construction de 1906, refaite à neuf avec des chambres joliment désaccordées aux sols en damier noir et blanc et édredons blanc uni.

IVY TERRACE Plan p. 376 *B&B*
☎ 516-662-6862 ; www.ivyterrace.com ; E 58th St entre Lexington Ave et Third Ave ; s et d 175-200 $; lignes 4, 5, 6 jusqu'à 59th St, lignes N, R, W jusqu'à Lexington Ave–59th St
Ce B&B urbain tenu par des lesbiennes est très apprécié des couples qui veulent éviter la bousculade du ghetto Dowtown. Cependant, avec les bars gays Townhouse et OW Bar dans le proche voisinnage, sans parler de Bloomingdale's et des magasins de Midtown, ce quartier ne manque pas d'attraits. Les 3 chambres au charme victorien, avec des rideaux de dentelle, des lits bateaux et du parquet, sont vite retenues. Réservez assez longtemps à l'avance.

KITANO
Plan p. 376 *Petit hôtel indépendant de luxe*
☎ 212-885-7000 ; www.kitano.com ; 66 Park Ave at 38th St ; s/d 480/600 $, ste 750-2 100 $; lignes S, 4, 5, 6, 7 jusqu'à 42nd St–Grand Central
Cette ancienne propriété de Rockefeller connue sous le nom de Murray Hill Hotel a été reprise par la firme japonaise Kitano dans les années 1970. De nos jours, son air oriental soigné et silencieux a gardé toute sa fraîcheur. L'espace est parsemé d'œuvres d'art dignes de figurer dans un musée. Les chambres sont grandes et simples, surtout la suite grand luxe Tatami, avec ses futons, son parquet, ses paravents de papier (*shoji*) et ses tatamis.

LIBRARY HOTEL
Plan p. 376 *Hôtel indépendant*
☎ 212-983-4500 ; www.libraryhotel.com ; 299 Madison Ave au niveau de 41st St ; ch 229-300 $, ste 350 $; lignes S, 4, 5, 6 jusqu'à 42nd St–Grand Central
Chacun des 10 étages est dédié à l'une des 10 catégories du système décimal de Dewey (inventeur d'un système de classification des livres : sciences sociales, littérature, philosophie, etc.) avec 6 000 volumes répartis entre les chambres. Le style de l'endroit est lui-même studieux, avec panneaux d'acajou, salles de lecture silencieuses et ambiance de club de gentlemen à laquelle

Top 5 des suites

- **Carlyle** (p. 287). Carlyle Suite. Outre ses 93 m² et son mobilier ancien, cette suite possède un piano à queue.
- **Dylan** (p. 282). Alchemy Suite. Ce magnifique logement gothique de 1932 peut se vanter d'avoir des plafonds voûtés, de fines colonnes et un étonnant vitrail sur le thème de l'alchimie.
- **Iroquois** (p. 283). James Dean Suite (suite 803). Photos sportives et souvenirs du rebelle et bourreau des cœurs qui vécut ici de 1951 à 1953.
- **Kitano** (p. 283). Tatami Suite. Parée de lanternes en papier japonais, de paravents, de futons et de tatamis. L'hôtel peut même y organiser pour vous seul une cérémonie du thé selon la tradition.
- **Lowell** (p. 288). Gym Suite. La salle de gym de cette suite, et ses 2 salles de bains, ont même réussi à attirer Arnold Schwarzenegger en personne, il y a longtemps.

contribue grandement la majesté de l'édifice, un hôtel particulier en brique de 1912.

MANDARIN ORIENTAL NEW YORK

Plan p. 376 *Hôtel de chaîne internationale*

☎ 212-885-8800 ; www.mandarinoriental.com ; 80 Columbus Circle au niveau de 60th St ; ch 595-895 $, ste 1 600-12 595 $; lignes A, B, C, D, 1, 9 jusqu'à 59th St–Columbus Circle

Oui, vous avez bien lu... douze mille et quelques dollars... mais c'est pour la suite présidentielle réservée à une clientèle triée sur le volet. Cependant, l'adresse la plus luxueuse de New York est le **Time Warner Center** (p. 110), inauguré récemment, qui domine l'extrémité sud de Central Park. Les commodités vont de la baignoire avec vue sur le parc ou l'Hudson, ou la TV à écran plat, à un style d'un raffinement sans égal. Curieusement, le linge est à 280 fils et non 400 comme dans la plupart des grands hôtels. Quel culot !

MANSFIELD

Plan p. 376 *Hôtel indépendant*

☎ 212-944-6050, 877-847-4444 ; www.mansfieldhotel.com ; 12 W 44th St entre Fifth Ave et Sixth Ave ; s et d 230-265 $; lignes B, D, F, V jusqu'à 42nd St, ligne 7 jusqu'à Fifth Ave

Dans un bâtiment de 1904 refait à l'ancienne, le Mansfield à beaucoup à offrir sur un emplacement de choix. Tout est raffiné, des produits de bain EO au linge belge. Le M Bar possède un merveilleux plafond voûté, orné de vitraux. Le Mansfield dépend du Boutique Hotel Group, dont les autres fleurons sont le **Franklin** (p. 287), l'**Hotel Wales** (plan p. 379 ; ☎ 212-876-6000 ; 1295 Madison Ave entre 92nd St et 93rd St), le **Shoreham** (plan p. 376 ; ☎ 212-247-6700 ; 33 W 55th St entre Fifth Ave et Sixth Ave) et le **Roger Williams** (plan p. 376 ; ☎ 888-448-7788 ; 131 Madison Ave au niveau de 31st St), réputé auprès des gens de la mode.

PENINSULA

Plan p. 376 *Chaîne internationale*

☎ 212-956-2888, 800-262-9467 ; www.newyorkpeninsula.com ; 700 Fifth Ave au niveau de 55th St ; s/d 395/500 $; lignes E, F jusqu'à Fifth Ave

Cette doyenne de Midtown qui a vu le jour en 1904, reste une grande dame de l'hôtellerie. L'intérieur, entièrement refait, est agrémenté d'un élégant escalier qui s'envole à partir du hall. L'immense club sportif inclut une piscine presque assez grande pour faire son jogging autour. Pour tout renseignement et tarifs, ne cherchez pas dans le fatras du site Internet, téléphonez.

PLAZA HOTEL

Plan p. 376 *Hôtel indépendant*

☎ 212-759-3000, 800-527-4727 ; www.fairmont.com/theplaza/ ; 768 Fifth Ave entre 58th St et 59th St ; ch 289-1 000 $; lignes N, R, W jusqu'à Fifth Ave–59th St

En un siècle d'existence, le célèbre Plaza a vu défiler les Beatles, Cary Grant et Grace Kelly, ainsi que Tony Soprano (après sa rupture avec Carmela). Il apparaît aussi dans de nombreux films comme *The Way We Were* ou *Maman, j'ai encore raté l'avion.* Tâchez de profiter d'une promotion pour passer la porte, car les vastes chambres, le restaurant huppé, les nouveaux thermes et le fameux Oak Bar sont absolument divins dans leur genre, plutôt à l'ancienne. Les suites culminent à 15 000 $.

TIME

Plan p. 218 *Hôtel indépendant*

☎ 212-320-2900 ; www.thetimeny.com ; 224 W 49th St entre Broadway et Eighth Ave ; s et d 179-500 $; lignes C, E, 1, 9 jusqu'à 50th St

Le design moderne de ce palace s'inspire du livre d'Alexander Theroux sur les couleurs primaires, d'où le thème obsessionnel du rouge, jaune, bleu, décliné de chambre en chambre. La chambre rouge, outre qu'elle est bel et bien écarlate, comprend des bonbons rouges et un "parfum rouge" en bouteille à vous faire tourner la tête. Néanmoins, le design est vraiment somptueux, et si les couleurs vous fatiguent, vous pouvez descendre au bar pour prendre des tapas et un martini spécial.

WALDORF-ASTORIA

Plan p. 376 *Chaîne légendaire*
☎ 212-355-3000, 800-925-3673 ; www.waldorfastoria.com ; 301 Park Ave entre 49th St et 50th St ; s et d 200-500 $; ligne 6 jusqu'à 51st St, lignes E, F jusqu'à Lexington Ave
Cet établissement fait désormais partie de la chaîne Hilton. Occupant un édifice Art déco classé, il offre un hall élégant et de nombreuses et grandes chambres dont le style est passé de mode. Le restaurant enfumé Bull & Bear est fréquenté par des cadres dirigeants d'un certain âge, et le Cocktail Terrace au-dessus du hall est un bon endroit où siroter un Manhattan bercé par les accents d'une sonate de piano.

WARWICK

Plan p. 218 *Hôtel de chaîne internationale*
☎ 212-247-2700, 800-223-4099 ; www.warwickhotels.com ; 65 W 54th St au niveau de Sixth Ave ; ch 200-500 $; lignes B, D, F, V jusqu'à 47th St-50th St–Rockefeller Center
Ce grand classique un peu vieux jeu construit par William Randolph Hearst pour recevoir ses connaissances célèbres vient de subir un lifting complet. Ses chambres élégantes sont équipées d'armoires en acajou, de sdb en marbre, et l'espace ne manque pas.

WESTIN AT TIMES SQUARE

Plan p. 218 *Hôtel de chaîne internationale*
☎ 888-627-7149 ; www.westinny.com ; 270 W 43rd St au niveau de Eighth Ave ; s et d 290-450 $, ste 500-1 600 $; lignes A, C, E jusqu'à 42nd St–Port Authority
Depuis son ouverture en 2002, les 45 étages rutilants du Westin ont ajouté un profil unique à la skyline de Midtown. Sa façade de tour gothamesque est une mosaïque de miroirs roses et violets parcourus par une bande blanche qui s'éclaire continuellement de haut en bas au coucher du soleil. L'intérieur est tout aussi clinquant, avec son bar jazzy, ses chambres aux vues stupéfiantes et son esthétique moderne à base de tons ardoise et bleu métallisé.

WESTPARK HOTEL

Plan p. 218 *Hôtel indépendant*
☎ 212-445-0200, 866-937-8727 ; www.westparkhotel.com ; 308 W 58th St entre Eighth Ave et Ninth Ave ; ch à partir de 150 $; lignes A, B, C, D, 1, 2 jusqu'à 59th St–Columbus Circle
À proximité de Central Park, cet hôtel de charme discret est réputé pour ses chambres au décor individualisé, son petit déj gratuit, son heure des cocktails, sa bibliothèque de DVD et son ambiance internationale.

Hôtels bon marché

HOTEL 31

Plan p. 376 *Hôtel petit budget*
☎ 212-685-3060 ; 120 E 31st St entre Park Ave South et Lexington Ave ; s/d/tr 60/75/100 $; lignes B, D, F, N, Q, R, V, W jusqu'à 34th St–Herald Sq
Proposé par la même équipe que celle de l'Hotel 17, cette version Midtown n'est pas aussi branchée, mais elle offre des petites chambres confortables et se trouve à deux pas de l'Empire State Building.

MANHATTAN INN

Plan p. 376 *Hôtel petit budget*
☎ 212-629-9612 ; fax 629-9613 ; 303 W 30th St entre Eighth Ave et Ninth Ave ; ch 90 $; lignes A, C, E jusqu'à 34th St–Penn Station
Une affaire ! Des chambres avec sdb individuelle, TV sat., clim. et petit déj européen.

MURRAY HILL INN

Plan p. 376 *Hôtel petit budget*
☎ 212-683-6900, 888-996-6376 ; www.murrayhillinn.com ; 143 E 30th St entre Lexington et Third Ave ; d sans/avec sdb 75/100 $; ligne 6 jusqu'à 33rd St
Dans une rue paisible, voici un hébergement sûr, intéressant pour son prix, avec des petites chambres propres.

1800 497 6028

THIRTYTHIRTY

Plan p. 376 *Hôtel indépendant*
☎ 212-689-1900 ; www.stayinny.com ; 30 E 30th St entre Park Ave et Madison Ave ; ch 125-150 $; ligne 6 jusqu'à 33rd St
Faisant partie du groupe hôtelier Citylife, ce bel hôtel incroyablement soigné vous donnera un avant-goût des grands hôtels. Les deux autres succursales tout aussi distinguées et abordables, sont l'**Habitat Hotel** (plan p. 376 ; ☎ 212-753-8841 ; 130 E 57th St au niveau de Lexington Ave) et le **On the Ave** (p. 287).

WOLCOTT HOTEL

Plan p. 376 *Hôtel petit budget*
☎ 212-268-2900 ; www.wolcott.com ; 4 W 31st St entre Fifth Ave et Broadway ; s/d 100/120 $; lignes B, D, F, N, Q, R, V, W jusqu'à 34th St–Herald Sq
John Duncan, l'architecte du Tombeau de Grant, a conçu cet hôtel de style, de 280 chambres. Celles-ci sont petites mais d'un prix très intéressant, et le hall doré est étonnant.

UPPER WEST SIDE

Dans cette partie de la ville, vous trouverez un bon choix d'hôtels de catégorie moyenne, mais sans l'éclat et le style

5 des séjours de luxe

- ttery Park City Ritz-Carlton (p. 274). "*Bath butler*, apportez-moi donc un peu de bain moussant à la lavande. Et dites-moi, *technology butler*... pourquoi ce fichier jpg ne s'ouvre-t-il pas ?" Après cela, parlez-moi de service !
- **Four Seasons** (p. 282). I.M. Pei est l'architecte de la Pyramide du Louvre, de la Bank of China à Hong Kong, de l'aile orientale de la National Gallery à Washington – et de cet hôtel de luxe.
- **Mandarin Oriental New York** (p. 284). Depuis quel autre endroit pourriez-vous contempler Central Park de votre baignoire ?
- **Soho House** (p. 278). Les célébrités de tous horizons se battent pour obtenir l'une des deux douzaines de chambres de ce club dont les commodités plaisent tant aux VIP (thermes tentaculaires et salle de projection privée).
- **Westin at Times Square** (p. 285). Des vues fantastiques depuis ce palais qui a modifié la skyline.

ostentatoire dont les établissements de la partie sud de Manhattan sont coutumiers. L'allure est typiquement new-yorkaise, tendance vieille école : du caractère, des prix intéressants et un côté pratique dans la grandeur.

COUNTRY INN THE CITY Plan p. 379 *B&B*

☎ 212-580-4183 ; www.countryinnthecity.com ; 270 W 77th St entre Amsterdam Ave et Columbus Ave ; appt 150-210 $; lignes 1, 9 jusqu'à 79th St

Comme si vous logiez chez votre ami de la grande ville. La maison en calcaire de 1801 donne sur une merveilleuse rue bordée d'arbres, et les 4 appartements indépendants sont raffinés, avec lits à colonnes, parquets cirés, couleurs chaudes et lumière abondante. En outre, vous devez séjourner 3 jours minimum, exactement ce que voudrait votre meilleur ami. Pas de carte bancaire.

EMPIRE HOTEL Plan p. 379 *Hôtel petit budget*

☎ 212-265-7400 ; 44 W 63rd St entre Broadway et Columbus Ave ; s/d/ste 130/240/450 $; lignes 1, 9 jusqu'à 66th St–Lincoln Center

Ses chambres standard, sans fioritures inutiles, sont petites, propres et garnies de chintz. Les boulimiques de culture apprécieront d'avoir le Lincoln Center d'un côté et un excellent cinéma "art et essai" de l'autre.

EXCELSIOR HOTEL

Plan p. 379 *Hôtel petit budget*

☎ 212-362-9200 ; www.excelsiorhotelny.com ; 45 W 81st St au niveau de Columbus Ave ; ch 129-229 $, ste 239-539 $; lignes B, C jusqu'à 81st St–Museum of Natural History

Ce vieil établissement de 169 chambres donne sur le beau musée d'histoire naturelle. Le style a pris un coup de vieux (couvre-lit à fleurs, moquette et papiers peints à rayures), mais l'hôtel possède une petite salle de gym, et tous les grands musées sont proches.

HOTEL BELLECLAIRE

Plan p. 379 *Hôtel petit budget*

☎ 212-362-7700 ; www.hotelbelleclaire.com ; 250 W 77th St au niveau de Broadway ; ch éco/s/d/ste 109/169/179/249 $; lignes 1, 9 jusqu'à 79th St

Autre bonne affaire du quartier. La différence, ici, réside dans le design : les parures de lit à frou-frou ont fait place à des édredons blancs et lisses, les gravures insipides et le vieux papier peint, à des bandes de tissu gris ardoise et des miroirs. La moquette est toujours là, mais bon, les rideaux à fleurs ont disparu.

INN NEW YORK CITY

Plan p. 379 *B&B*

☎ 212-580-1900 ; www.innnewyorkcity.com ; 266 W 71st St au niveau de West End Ave ; ste 300-600 $; lignes 1, 2, 3, 9 jusqu'à 72nd St

Quatre suites originales vous permettront de vivre dans un hôtel particulier de 1900. C'est très à l'ouest et proche de Riverside Park et de Central Park. Les chambres sont agrémentées de meubles en châtaignier, d'un jaccuzzi, de panneaux en vitrail, et d'une moquette à fleurs omniprésente. C'est digne, imposant et chargé d'histoire.

LUCERNE

Plan p. 379 *Hôtel petit budget*

☎ 212-875-1000 ; www.newyorkhotel.com ; 201 W 79th St au niveau d'Amsterdam Ave ; s et d 180-290 $; lignes 1, 9 jusqu'à 79th St

Le groupe Empire Hotel dont dépend cet établissement est réputé pour ses prix abordables et ses emplacements bien choisis. Le décor passablement démodé fait dans la fanfreluche, mais c'est propre et le patio sur le toit offre une jolie vue sur Central Park et l'Hudson. Dans la même famille, on trouvera le **Belvedere** (plan p. 218 ; ☎ 212-245-7000 ; 319 W 48th St) et le **Newton** (page suivante).

ON THE AVE Plan p. 379 *Hôtel indépendant*

☎ 212-362-1100, 800-509-7598 ; www.stayinny.com ; 2178 Broadway au niveau de 77th St ; ch 159-309 $, ste à partir de 475 $; lignes 1, 2, 3, 9 jusqu'à 79th St

Autre propriété de City Life. Celle-ci offre un design épuré fait de couleurs terre, d'acier inoxydable et de sdb en marbre. Les chambres sont ensoleillées et ornées d'œuvres d'art originales. Ne manquez pas les vues superbes depuis le balcon du 16e étage accessible à tous les clients. Vivement recommandé.

PHILLIPS CLUB

Plan p. 379 *Hôtel d'affaires*

☎ 212-835-8800 ; www.phillipsclub.com ; 155 W 66th St entre Broadway et Amsterdam Ave ; ste 320-1 000 $, au mois 6 600-15 000 $; lignes 1, 9 jusqu'à 66th St–Lincoln Center

Utilisé le plus souvent pour des longs séjours d'un mois ou plus, mais on peut louer les suites pour une nuit. Elles sont très élégantes et spacieuses, avec linge luxueux et photographies originales sur les murs, et sont équipées de services affaires incluant toutes les facilités de transmissions de données, multilignes téléphoniques avec répondeur et espace de réunion. Tous les clients ont accès au très distingué Reebok Sports Club.

Hôtels bon marché

HI – NEW YORK

Plan p. 379 *Auberge de jeunesse*

☎ 212-932-2300 ; www.hinewyork.org ; 891 Amsterdam Ave au niveau de 103rd St ; dort 29-32 $, supp 3 $ pour les non membres, d sans/avec sdb 120/135 $; lignes 1, 9 jusqu'à 103rd St

Les dortoirs étant propres, sûrs et climatisés, les lits sont très vite loués en été (retenez à l'avance). Cela pourrait aussi être à cause de son célèbre grand patio ombragé et de son ambiance très amicale.

JAZZ ON THE PARK HOSTEL

Plan p. 379 *Auberge de jeunesse*

☎ 212-932-1600 ; www.jazzhostel.com ; 36 W 106th St entre Central Park West et Manhattan Ave ; dort 27-37 $, d 80-130 $; lignes B, C jusqu'à 103rd St

Les chambres sont petites, avec les couchettes standard en bois, mais la terrasse sur le toit vaut le détour et le bar aux murs de brique nue accueille des concerts de jazz. Les chambres doubles sont peintes et garnies de lits fermes. Chez son avatar le plus récent, **Jazz on the Town** (plan p. 376 ; ☎ 212-351-3260 ; 130 E 57th St entre Lexington Ave et Park Ave), on s'amuse bien, et la terrasse sur le toit est formidable.

NEWTON Plan p. 379 *Hôtel petit budget*

☎ 212-678-6500 ; www.newyorkhotel.com/newton ; 2528 Broadway entre 94th St et 95th St ; s et d 85-160 $; ligne 1, 2, 3, 9 jusqu'à 96th St

Le bâtiment n'a rien d'excitant en lui-même. Le décor des chambres moquettées est triste, sans parler de l'odeur de désinfectant qui imprègne le hall absolument nu. Mais c'est bon marché, propre et merveilleusement situé, juste en face du **Symphony Space** (p. 227), avec Central Park à 2 rues de distance et les métros express 2 et 3 à un block.

UPPER EAST SIDE

Certains des hôtels les plus huppés de New York, souvent choisis par la clientèle la plus fortunée, se trouvent dans ce quartier, à deux pas du Met et de Central Park. Le prix des chambres dépasse 300 $, et la vie nocturne y est quasi inexistante. Aussi, soyez prêt à vous déplacer pour aller vous distraire.

BENTLEY Plan p. 379 *Hôtel indépendant*

☎ 212-644-6000, 888-664-6835 ; www.nychotels.com ; 500 E 62nd St au niveau de York Ave ; ch/ste 135/235 $; ligne F jusqu'à Lexington Ave–63rd St

Vous ne pourrez pas loger plus à l'est que dans ce grand hôtel élégant, au vestibule très classe, et offrant des édredons en duvet et des vues spectaculaires sur New York. Si vous ne descendez pas ici, prenez au moins un cocktail au restaurant sur le toit.

CARLYLE

Plan p. 379 *Petit hôtel indépendant de luxe*

☎ 212-744-1600 ; www.thecarlyle.com ; 35 E 76th St entre Madison Ave et Park Ave ; s et d 495-795 $, ste à partir de 850 $; ligne 6 jusqu'à 77th St

Ce classique de l'hôtellerie new-yorkaise est le parangon du luxe à l'ancienne : un hall aux bruits étouffés et, dans les chambres, des cabriolets d'époque et des gravures d'Audubon ou de scènes champêtres anglaises. Certaines chambres renferment un piano demi-queue. Si ce n'est pas le cas pour la vôtre, vous pouvez descendre au distingué Bemelman's Bar, décoré de fresques tirées de la série des *Madeline* de Ludwig Bemelman, ou au Café Carlyle, où se produit une star légendaire du cabaret, Bobby Short.

FRANKLIN Plan p. 379 *Hôtel indépendant*

☎ 212-369-1000, 877-847-4444 ; www.franklinhotel.com ; 164 E 87th St entre Lexington Ave et Third Ave ; ch standard/supérieure 275/295 $; lignes 4, 5, 6 jusqu'à 86th St

Hôtel sympathique de 48 chambres qui vous accueille avec des fleurs fraîches et des draps blancs de Belgique. Son équivalent dans le quartier est l'**Hotel Wales**, une adresse vieille d'un siècle qui a retrouvé sa gloire passée depuis quelques années. Dans le hall du Franklin, ne ratez pas les provocants Chat Botté.

HOTEL PLAZA ATHÉNÉE

Plan p. 379 *Petit hôtel indépendant luxueux*

☎ 212-734-9100 ; www.plaza-athenee.com ; 37 E 64th St entre Madison Ave et Park Ave ; s et d 515-675 $, ste 1 200-3 600 $; ligne F jusqu'à Lexington Ave–63rd St

Installé à l'écart dans une rue résidentielle, l'hôtel possède un hall majestueux (sol en marbre, tapisseries somptueuses, etc.) et des chambres élégantes (tons beiges, balcons, sdb en marbre, etc.) qui garantissent une retraite aussi discrète que royale.

LOWELL HOTEL

Plan p. 379 *Hôtel indépendant*

☎ 212-838-1400 ; 28 E 63rd St entre Madison Ave et Park Ave ; s et d 445-600 $; ligne F jusqu'à Lexington Ave–63rd St

Intime et tranquille, le Lowell est l'un des hôtels les plus en vue de New York. C'est ici que descendent Brad Pitt, Madonna et Arnold Schwarzenegger, à qui l'on réserve la suite avec salle de gym particulière. La plupart des chambres de cet étonnant bâtiment Art déco sont équipées de kitchenette, cheminée et terrasse.

MARK NEW YORK

Plan p. 379 *Petit hôtel indépendant de luxe*

☎ 212-744-4300 ; www.mandarinoriental.com ; Madison Ave au niveau de E 77th St ; s et d 570-730 $, ste 760-2 500 $; ligne 6 jusqu'à 77th St

Dirigé par le très luxueux Mandarin Oriental, le Mark New York offre des chambres royales de style italien néoclassique, avec arbres en pot, tapis de couleurs sombres et meubles en bois noir. Si on aime être gâté…

MELROSE HOTEL

Plan p. 379 *Petit hôtel indépendant de luxe*

☎ 212-838-5700 ; www.melrosehotelnewyork.com ; 140 E 63rd St entre Lexington Ave et Third Ave ; ch 199-340 $, ste à partir de 500 $; lignes N, R, W jusqu'à Lexington Ave–59th St, lignes 4, 5, 6 jusqu'à 59th St

Le hall doré et le sol en marbre étincelant vous séduiront immédiatement, comme l'ensemble, du reste, qui a rouvert en 2002 après avoir été, jusqu'en 1981 et sous le nom de Barbizon Hotel, un hôtel exclusivement pour femmes de la haute société (où descendaient Joan Crawford ou Candice Bergen). Sa splendeur est restée intacte, surtout dans les suites lumineuses et modernisées, ornées d'œuvres d'art originales et offrant des vues spectaculaires.

PIERRE HOTEL

Plan p. 379 *Chaîne internationale*

☎ 212-838-8000 ; www.fourseasons.com/pierre ; 2 E 61st St au niveau de Fifth Ave ; ch 385-700 $; lignes N, R, W jusqu'à Fifth Ave–59th St

Les boudoirs somptueux forment de secrètes oasis, tout en espace et lumière tamisée, garnis de lits imposants et de fougères arborescentes en pot. Le Pierre, dirigé par le Four Seasons, est comme le cousin sombre et sexy de la création d'I.M. Pei, quelques rues plus au sud.

HARLEM

Avec l'embourgeoisement sont arrivés des flots de visiteurs et les entrepreneurs les plus malins ont cherché à en profiter, mais avec élégance et originalité. Le choix n'est pas immense, mais on trouvera des petits hôtels intimes pourvus de caractère, ce qui est bien agréable. Tous appartiennent à la tranche inférieure. Attention néanmoins : certaines petites rues ne sont pas très rassurantes à la nuit tombée.

Hôtels bon marché

HARLEM FLOPHOUSE Plan p. 372 *B&B*

☎ 212-662-0678 ; www.harlemflophouse.com ; 242 W 123rd St entre Adam Clayton Powell Blvd et Frederick Douglass Blvd ; s/d 65/90 $; lignes A, B, C, D jusqu'à 125th St

Rien de superflu ne vient encombrer les 4 chambres délicieuses de ce brownstone restauré, qui offrent de grands espaces garnis de lampes anciennes, de parquet lustré et de lits imposants. Les plafonds en étain, les volets en bois et les moulures décoratives se suffisent à eux-même.

SUGAR HILL INTERNATIONAL HOUSE

Plan p. 372 *Auberge de jeunesse*

☎ 212-926-7030 ; www.sugarhillhostel.com ; 722 St Nicholas Ave ; dort/d 25/60 $; lignes B, C jusqu'à 145th St

Dépouillé mais propre et pas cher, le Sugar Hill offre un couchage standard dans une maison en calcaire rénovée qui remonte au XIXe siècle.

URBAN JEM GUEST HOUSE

Plan p. 372 *B&B*

☎ 212-831-6029 ; 2005 Fifth Ave entre 124th St et 125th St ; ch 115-185 $; lignes 2, 3 jusqu'à 125th St

Ce brownstone du XIXe siècle restauré s'agrémente de plafonds de 4,20 m de haut, de manteaux de cheminée en marbre, de boiseries finement sculptées et d'œuvres d'art africaines.

Excursions

Newfane
Mohawk River
Canajoharie
Keene
90
Bennington
Richfield Springs
Cherry Valley
Mohawk Valley
VERMONT
NEW HAMPSHIRE
Brattleboro
Otsego Lake
Schenectady
Howe Caverns
Troy
Watervliet
88
Williamstown
Winchendon
Cooperstown
ALBANY
North Adams
Shelburne Falls
Cobleskill
Millers Falls
205
Orange
Fitchburg
Milford
Middleburg
Rensselaer
Greenfield
NEW YORK
87
190
New Lebanon
Dalton
23
30
145
20
South Deerfield
10
Ravena
New York State Thruway
Pittsfield
Oneonta
23
Grand Gorge
Cooksburg
Amherst
Stamford
Chatham
Lenox
MASSACHUSETTS
Coxsackie
90
Lee
Northampton
10
Windham
23
Delhi
Prattsville
Ware
Worcester
Roxbury
23A
Hudson
28
206
Hunter
Catskills
Great Barrington
Haines Falls
Walton
Arkville
Germantown
Margaretville
Westfield
Springfield
Shandaken
Southbridge
Downsville
30
28
Phoenicia
New Boston
Hudson Valley
Catskill Forest Reserve
Canaan
Catskill Mountains
Boiceville
Windsor Locks
Winsted
17
Putnam
Sharon
Roscoe
Kingston
7
91
84
Taconic State Pkwy
Stone Ridge
44
Parksville
Torrington
New York State Thruway (péage)
HARTFORD
191
Hyde Park
209
Liberty
52
Manchester
Millbrook
CONNECTICUT
Callicoon
Plainfield
Ellenville
Willimantic
New Paltz
South Fallsburg
Kent
Jewett City
55
Bethel
Poughkeepsie
Southington
New Milford
Colchester
Monticello
East Fishkill
22
New Britain
Shawangunk Mountains
84
84
Narrowsburg
Pawling
42
Norwich
Middletown
Meriden
Barryville
Beacon
Hawley
Newburgh
Naugatuck
9
91
97
Middletown
9W
Cold Spring
New London
Danbury
New Haven
84
West Point
Goshen
684
Port Jervis
Highland Falls
Milford
95
Clinton
Monroe
Peekskill
Hudson River
Stratford
Warwick
17A
Mt. Kisco
7
Bridgeport
Long Island Sound
Norwalk
Long Island Wineries
Spring Valley
Bushkill
Franklin
Montauk
Tarrytown
Nyack
Delaware River
Newton
Stamford
Greenwich
287
White Plains
Great Peconic Bay
Stroudsburg
PENNSYLVANIA
Yonkers
80
The Hamptons
Bronx
495
27
Dover
Long Island Expwy
Manhattan
Washington
Morristown
Newark
495
LONG ISLAND
New York City
Queens
Fire Island
Easton
Sunrise Hwy
27
78
Brooklyn
Staten Island
Long Beach
Jones Beach
Flemington
New Brunswick
Sandy Hook
Red Bank
Princeton
Long Branch
New Jersey Turnpike (péage)
Doylestown
TRENTON
Asbury Park
Freehold
Ocean Grove
276
195
Belmar
Six Flags Great Adventure
Spring Lake
Point Pleasant Beach
Lakewood
Bay Head
PHILADELPHIA
Beachwood
Seaside Heights
Camden
Garden State Parkway (péage)
NEW JERSEY
OCÉAN ATLANTIQUE
Atlantic City Expwy (péage)
Tuckerton
Beach Haven
55
Vineland
Pleasantville
Millville
Atlantic City
0
60 km
0
30 miles
Delaware Bay
Stone Harbor
Wildwood
Cape May

Excursions

'ris dans la routine, les New-Yorkais ne quittent parfois pas la ville pendant des mois. Trop le monde, trop d'embouteillages et impossible de se déplacer sans voiture, se plaignent-ils ouvent. Faux ! Les environs immédiats de New York - Hudson Valley et les Catskills, les plages t les casinos du New Jersey, les Hamptons de Long Island, les domaines vinicoles ou encore 'hiladelphie – offrent de larges possibilités d'escapades, vers la mer, la ville ou la campagne. 'outes les sorties décrites dans ce chapitre peuvent s'effectuer avec les transports en commun en louant un vélo à l'arrivée par exemple, pour davantage de liberté). Si vous préférez louer une 'oiture, prévoyez votre excursion en semaine, vous serez sûr d'éviter les embouteillages.

'LAGES

\ussi surprenant que cela puisse paraître, les lages ne manquent pas autour de New York. .es plus proches (Coney Island, the Rockaways, ;ity Island), situées dans le périmètre de la ille, s'avèrent souvent bondées, bruyantes et ales. Mieux vaut s'éloigner un peu et gagner .ong Island pour découvrir **Jones Beach**, sorte de ille de sable, **Fire Island**, interdite à la circulation, **ong Beach**, à quelques minutes en train de Manattan ou encore les longues plages de sable lanc des très chics **Hamptons**.Enfin, sur le littoral u New Jersey vous attendent notamment **Sandy ook** et **Cape May**.

Coney Island (p. 140)

'IGNOBLES

i les domaines de Finger Lakes, tout au ord de l'État, produisent le meilleur vin e la région, ceux de Long Island jouissent 'une réputation croissante. L'extrémité est e Long Island compte plus d'une trentaine 'exploitations viticoles, en particulier sur la **orth Fork** et la **South Fork** (dans les **Hamptons**).

'ILLES ET CAMPAGNE

.a nature et les villages tranquilles sont plus proches de New York qu'on ne le pense énéralement. Ponctuée de nombreux petits bourgs, l'**Hudson Valley** compte en outre des emeures anciennes et des musées intéressants. Plus au nord, les **Catskills** s'agrémentent e charmants hameaux et permettent d'alterner randonnées et virées chez les antiquaires. ur Long Island, les **Hamptons** vous séduiront avec leurs rues pittoresques, leurs boutiques ixueuses et leurs restaurants haut de gamme (très courus des célébrités !). Vous pourrez ejoindre en ferry la **North Fork** de Long Island, version plus populaire des Hamptons, avec 'adorables B&B et de nombreux domaines vinicoles.

IISTOIRE

l suffit d'un court trajet en bus pour rejoindre le cœur historique du pays : **Philadelphie**, d'une iille plus humaine que New York, ne manque pas de charme ni de sites à visiter, tels que Liberty Bell, l'Independence Hall ou l'US Mint.

LONG ISLAND

La plus grande île des États-Unis (un peu plus de 190 km de long), Long Island, s'ouvre à l'ouest sur Brooklyn (comté de Kings) et Queens (comté de Queens). L'on pénètre ensuite dans le comté de Nassau, caractérisé par un habitat suburbain et d'immenses centres commerciaux. On établit souvent une nette distinction entre la côte sud et la côte nord, celle-ci étant la plus riche. À mesure que l'on poursuit vers l'est, le paysage s'aplatit et devient moins peuplé et rural dans le comté du Suffolk, qui comprend la pointe orientale de l'île. Ce comté englobe deux péninsules, désignées sous le nom de "Forks", les fourches, nord et sud, séparées par Peconic Bay. La South Fork, appelée aussi East End ou les Hamptons, reste la partie la plus visitée.

LES HAMPTONS

Ce qui était à l'origine un havre de paix loin de l'agitation urbaine pour les artistes, les musiciens et les écrivains s'est révélé au fil des ans une destination branchée et très prisée de la jet-set, des célébrités et des curieux. Il reste néanmoins encore quelques endroits préservés. Les plages et les quelques zones rurales qui subsistent méritent notamment une visite, que l'on peut associer à des activités de plein air, tels le kayak et la randonnée. On peut aussi décider de venir pour les boutiques et les restaurants haut de gamme, voire pour tenter d'apercevoir des personnalités célèbres (surtout l'été). Une précision toutefois : tout est absolument hors de prix et le moindre hôtel vous demandera largement plus de 200 $ pour une nuit, particulièrement en été, pleine saison touristique. Les prix diminuent un peu, de même que la fréquentation, un mois après le Labor Day. L'automne, période des récoltes et des vendanges, s'avère d'ailleurs la saison idéale pour visiter cette région, le temps demeurant encore très clément.

Les Hamptons désignent plusieurs villages (dont le nom comprend généralement le mot "Hampton"). Hampton Bays, Quogue et Westhampton, à l'ouest (ou "à l'ouest

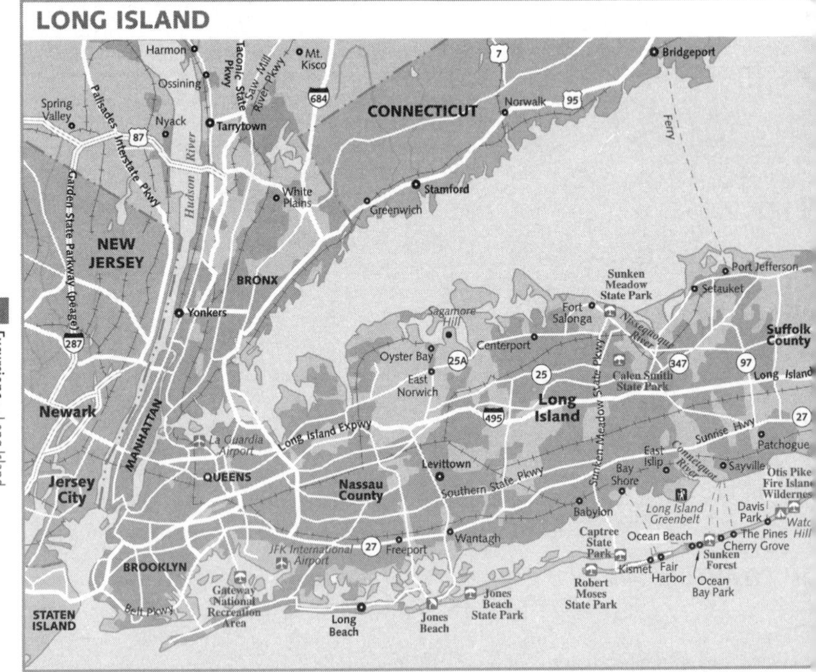

du canal" comme disent les habitants en parlant du Shinnecock Canal) restent plus tranquilles que les villages de l'est, qui commencent avec **Southampton**. Moins clinquant et plus traditionnel que ses voisins, il regroupe de grosses demeures anciennes, une Main Street où l'on est prié de respecter une certaine décence (tenue correcte exigée en ville par exemple) et de jolies plages. La **Chamber of Commerce office**, nichée entre des boutiques hors de prix et des restaurants relativement corrects, vous fournira plans et brochures. Des Amérindiens, les Shinnecocks, vivent dans une réserve dans la ville et tiennent le **Shinnecock Museum**, aux horaires irréguliers. Le **Parrish Art Museum** organise des expositions intéressantes (procurez-vous *The East Hampton Star* ou *The Southampton Press* pour la liste de toutes les expositions du moment). Enfin, pour vous restaurer sans vous ruiner, installez-vous devant les belles assiettes de pâtes aux boulettes de viande de **La Parmigiana**.

Plus à l'est, **Bridgehampton** rassemble boutiques et restaurants à la mode. Signalons aussi l'**Enclave Inn**, relativement bon marché et agréable qui se trouve à deux pas de la plage.

À une dizaine de kilomètres au nord, sur Peconic Bay, **Sag Harbor**, ancienne cité baleinière, recèle de belles demeures historiques et divers sites intéressants. Le **Windmill Information Center**, sur Long Wharf, à l'extrémité de Main Street, édite des brochures proposant des circuits pédestres dans la ville. Voyez en particulier le **Sag Harbor Whaling Museum**, flânez dans les ruelles et essayez quelques-uns des excellents restaurants. La boutique **Bike Hampton** loue des vélos et vend des cartes où sont représentées les pistes cyclables des environs. Dans une rue résidentielle paisible, le petit traiteur italien **Espresso** concocte de fabuleux sandwiches et desserts. Les sushis de **Sen** remportent également un franc succès. L'**American Hotel**, sur Main Street, compte 8 chambres luxueuses et un restaurant fréquenté par une clientèle huppée.

Depuis North Haven, à côté de Sag Harbor, un ferry conduit rapidement à la tranquille Shelter Island, occupée sur près d'un tiers par la **Mashomack Nature Preserve**, sillonnée de pistes cyclables et de sentiers de randonnée.

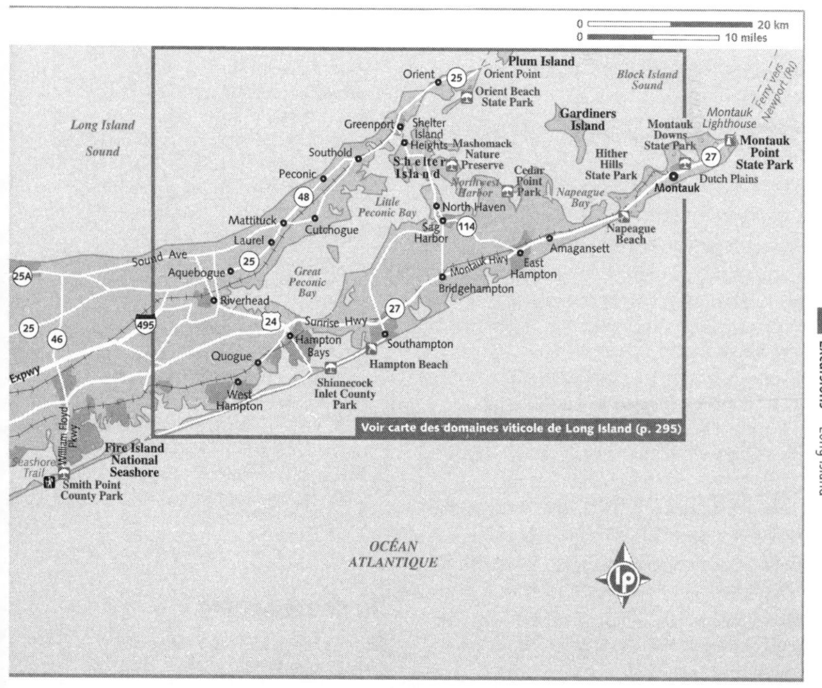

East Hampton est la station balnéaire la plus en vogue de Long Island. Arrêtez-vous au **Guild Hall** pour visiter l'exposition en cours ou assister à une conférence, puis marquez une pause chez **Babette's**, délicieux restaurant bio et essentiellement végétarien. Les excellents plats d'inspiration italienne de **Della Femina** et **Nick & Toni's** attirent également souvent nombre de célébrités. Belle demeure rénovée, la **Mill House Inn** comprend 8 chambres adorables (prix identiques toute l'année).

Plus rural et moins huppé que les autres Hamptons, **Montauk** rassemble des restaurants à des prix plus abordables et des bars animés tenus généralement par un personnel saisonnier d'étudiants. Descendez par exemple au **Memory Motel**, aujourd'hui un peu défraîchi mais relativement confortable, qui inspira à Mick Jagger la chanson du même nom. Ou alors, laissez-vous tenter par les soins de thalassothérapie proposé par le **Gurney's Inn Resort**, directement sur la plage. Enfin, ne manquez sous aucun prétexte les excellents sandwiches du **Lobster Roll ("Lunch")**, petits pains à hot dog garnis d'une délicieuse salade de langouste.

Montauk Point State Park, dominé par l'impressionnant phare de Montauk, occupe toute l'extrémité est de la South Fork. On peut camper sur le sable dans le **Hither Hills State Park** voisin ou gravir les **Walking Dunes**, qui s'élèvent à 25 m au-dessus du niveau de la mer. Il est également possible, pour planter sa tente, de gagner le **Cedar Point Park**, dans le quartier de Springs à East Hampton, du côté du paisible Northwest Harbor. Mieux vaut toutefois téléphoner au préalable car il affiche rapidement complet. Pratiquée de longue date à Montauk, la pêche demeure une activité très prisée. On peut facilement louer un bateau à la journée ou participer à une partie de pêche en mer (environ 30 $/pers la demi-journée). Le **Flying Cloud** du capitaine Fred E Bird est notamment particulièrement apprécié pour la pêche à la plie, de mai à septembre, et pour la pêche au bar, au *porgy* et au *striper*, de septembre à novembre.

Orientation et renseignements

Bike Hampton (☎ 631-725-7329 ; 36 Main St, Sag Harbor ; location de vélo, selon modèle, 25-40 $ /J)

Cedar Point Park (☎ 631-852-7620)

Flying Cloud (☎ 631-668-2026 ; 67 Mulford Ave, Montauk)

Guild Hall (☎ 631-324-0806 ; 158 Main St, East Hampton)

Hither Hills State Park (☎ 631-668-2554)

Mashomack Nature Preserve (☎ 631-749-1001)

Montauk Point State Park (☎ 631-668-3781)

Parrish Art Museum (☎ 631-283-2111 ; 25 Jobs Lane, Southampton ; adulte/senior et étudiant 5/3 $; 🕒 Memorial Day-14 sept lun-sam 11h-17h, dim 13h-17h, fermé mar-mer le reste de l'année)

Sag Harbor Whaling Museum (☎ 631-725-0770 ; Main St à hauteur de Garden St, Sag Harbor ; adulte/senior et étudiant 5/3 $; 🕒 17 mai-oct lun-sam 10h-17h, dim 13h-17h, oct-déc sam-dim 12h-16h ou sur rendez-vous)

Shinnecock Museum (☎ 631-287-4923 ; Montauk Hwy, Southampton ; entrée 5 $; 🕒 ven-dim 11h-16h)

Southampton Chamber of Commerce (☎ 631-283-0402 ; 76 Main St, Southampton ; 🕒 lun-ven 9h-17h)

Windmill Information Center (☎ 631-692-4664 ; Long Wharf à hauteur de Main St, Sag Harbor ; 🕒 sam-dim 9h-16h)

Transports

Distance depuis New York 161 km (East Hampton)
Direction Est
Temps de trajet 2 heures 15
Voiture Sortez de Manhattan par le Midtown Tunnel pour prendre l'Interstate 495/Long Island Expwy. Roulez pendant environ 1 heure 30 jusqu'à la sortie TK, qui débouche sur la TK East. Suivez-la sur 8 km, puis rejoignez la Montauk Highway/Rte 27, qui conduit à Southampton. Pour gagner les villes situées plus à l'est, poursuivez sur la Rte 27.
Bus Express grand luxe, le **Hampton Jitney** (☎ 800-936-0440 ; www.hamptonjitney.com ; aller/et retour 27/47 $) démarre de l'East Side de Manhattan – 86th St ; 40th St entre Lexington Ave et Third Ave ; 69th St ; 59th St à hauteur de Lexington Ave – et s'arrête dans les différents Hamptons de la Rte 27.
Train Le **Long Island Rail Road** (LIRR ; ☎ 718-217-5477 ; www.mta.nyc.ny.us/lirr ; aller simple 16 $) part de Penn Station à Manhattan et de Flatbush Ave Station à Brooklyn. Il passe à West Hampton, Southampton, Bridgehampton, East Hampton et Montauk.

Où se restaurer

Babette's (☎ 631-537-5377 ; 66 Newtown Lane, East Hampton ; plats 12-18 $)

Della Femina (☎ 631-329-6666 ; N Main St, East Hampton ; plats 18-30 $)

Espresso (☎ 631-725-4433 ; 184 Division St, Sag Harbor ; plats 7-11 $)

La Parmigiana (☎ 631-283-8030 ; 48 Hampton Rd, Southampton ; plats 11-18 $)

Lobster Roll ("Lunch") (☎ 631-267-3740 ; 1980 Montauk Hwy, Montauk ; plats 12-20 $)

Nick & Toni's (☎ 631-324-3550 ; 136 N Main St, East Hampton ; plats 18-30 $)

Sen (☎ 631-725-1774 ; 23 Main St, Sag Harbor ; plats 15-25 $)

Où dormir

American Hotel (☎ 631-725-3535 ; Main St, Sag Harbor ; ch 195-325 $)

Enclave Inn (☎ 631-537-0197 ; Montauk Hwy, Bridgehampton ; ch 99-349 $)

Gurney's Inn Resort (☎ 631-668-2345 ; 290 Old Montauk Hwy, Montauk ; s-d 190-380 $, ste 200-425 $)

Memory Motel (☎ 631-668-2702 ; 692 Montauk Hwy, Montauk ; ch 95-120 $)

Mill House Inn (☎ 631-324-9766 ; 31 N Main St, East Hampton ; ch à partir de 200 $)

LES VIGNOBLES DE LA NORTH FORK

En un peu plus de 25 ans, la viticulture s'est considérablement développée à Long Island pour devenir une activité prospère exploitant plus de 1 200 ha de terrain. L'immense majorité de la cinquantaine de domaines viticoles se situe à la pointe est de la North Fork. Un panneau vert marqué "wine trail" (route du vin) indique la Rte 25 à la sortie de Riverhead, au niveau de l'embranchement de la fourche. Si vous souhaitez également visiter les exploitations de la South Fork (**Duck Walk Vineyards** et **Wölffer Estate**), commencez par rejoindre les Hamptons, puis gagnez la North Fork en empruntant le ferry de Shelter Island (voir plus haut). L'on peut toutefois tout à fait choisir de se contenter de la North Fork, beaucoup plus paisible et à l'écart de l'agitation mondaine qui règne de l'autre côté. L'automne aux couleurs changeantes, saison des vendanges et de la récolte des citrouilles, est idéal pour découvrir la région. La plupart des exploitations restent

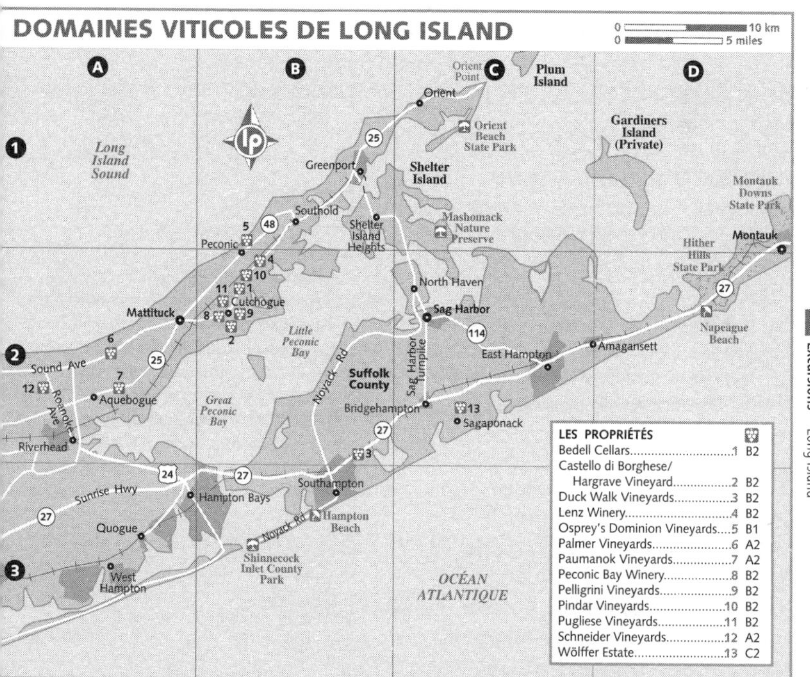

toutefois ouvertes toute l'année et certaines organisent des visites très complètes. Les domaines que nous citons ci-dessous proposent des dégustations (voir la carte p. 295) : **Bedell Cellars**, **Castello di Borghese/Hargrave Vineyard**, **Lenz Winery**, **Osprey's Dominion Vineyards**, **Palmer Vineyards**, **Paumanok Vineyards**, **Peconic Bay Winery**, **Pelligrini Vineyards**, **Pindar Vineyards**, **Pugliese Vineyards**, **Schneider Vineyards** et **Wölffer Estate**. Pour tout renseignement sur un domaine en particulier et pour vous procurer la carte de la route du vin, adressez-vous au **Long Island Wine Council**.

La North Fork ne se limite toutefois pas aux vignobles. Sympathique et plus abordable que les villages de la South Fork, **Greenport** foisonne de restaurants en plein-air, regroupés sur le port. Très couru et fréquenté par les touristes, **Claudio's** devient rapidement bruyant. Plus raffiné, **Aldo's** prépare une cuisine exquise et des biscuits maison réputés. Réservations indispensables. Passez à la **Greenport-Southold Chamber of Commerce** pour vous procurer cartes et renseignements et profitez-en pour faire un tour sur le vieux **manège** restauré, en bord de mer.

On peut pousser ensuite jusqu'à **Orient**, à quelque 5 km de l'arrivée des ferries Orient Point. Ce hameau du XVIIe siècle ne déborde pas d'activité, mais sa vieille poste en bois, ses maisons à bardeaux blancs, bien préservées, et ses auberges anciennes, retiendront votre attention. En vélo, longez l'Oyster Ponds, à l'est de Main Street, pour rejoindre la plage de l'**Orient Beach State Park**.

Les routes secondaires de la North Fork permettent de découvrir les fermes et les demeures rurales de la région. Si cette excursion vous semble trop longue pour une seule journée (c'est faisable, mais fatigant), vous trouverez sans peine un hôtel où passer la nuit. Citons notamment **Always In Bed & Breakfast**, élégant et confortable B&B dans la forêt de **Southold** et les **Quintessentials B&B Spa**, luxueuse bâtisse victorienne des années 1840 parfaitement mise en valeur dans un joli cadre fleuri qui offre des soins de thalassothérapie. Si vous préférez rentrer directement, nous vous conseillons de marquer une pause à **Riverhead**. Vous pourrez jeter un œil au **Tanger Outlet Center**, immense centre commercial avec notamment Banana Republic et Nautica, et visiter la **Polish Town**, petit quartier d'immigrants polonais regroupant boulangeries et restaurants traditionnels, tel le **Polonez Polish Russian Restaurant**.

Orientation et renseignements

Les exploitations viticoles ouvrent généralement tlj de 11h à 17h, 18h en été.

Bedell Cellars (☎ 631-734-7537 ; Cutchogue)

Carousel (Front St, Greenport ; entrée 1 $; 🕓 été 10h-22h, selon la météo le reste de l'année)

Castello di Borghese/Hargrave Vineyard (☎ 631-734-5158 ; Cutchogue)

Duck Walk Vineyards (☎ 631-726-7555 ; Southampton)

Greenport-Southold Chamber of Commerce (☎ 631-765-3161 ; www.greenportsoutholdchamber.org ; Rte 25, Southold ; 🕓 lun-ven 9h-16h)

Lenz Winery (☎ 631-734-6010 ; Peconic)

Long Island Wine Council (☎ 631-369-5887 ; www.liwines.com ; 104 Edwards Ave, Calverton)

Orient Beach State Park (☎ 631-323-3400)

Osprey's Dominion Vineyards (☎ 631-765-6188 ; Peconic)

Palmer Vineyards (☎ 631-722-9463 ; Riverhead)

Paumanok Vineyards (☎ 631-722-8800 ; Aquebogue)

Peconic Bay Winery (☎ 631-734-7361 ; Cutchogue)

Pelligrini Vineyards (☎ 631-734-4111 ; Cutchogue)

Pindar Vineyards (☎ 631-734-6200 ; Peconic)

Transports

Distance depuis New York City 161 km
Direction Est
Temps de trajet 2 heures 15
Voiture Sortez de Manhattan par le Midtown Tunnel pour prendre l'Interstate 495/Long Island Expwy. Suivez-la jusqu'au bout, à Riverhead, puis empruntez la route Rte 25, qui vous conduira vers l'est.
Bus Les bus de la compagnie **Sunrise Coach Lines** (☎ 800-527-7709 ; www.sunrisecoach.com ; aller simple 16 $) démarrent de 44th St à hauteur de Third Ave à Manhattan et marquent plusieurs arrêts sur la North Fork.

Train Sur la North Fork Line du **Long Island Rail Road** (LIRR ; ☎ 718-217-5477 ; www.mta.nyc.ny.us/lirr), les trains partent de Penn Station et de Brooklyn. Les billets, en vente aux guichets ou aux distributeurs automatiques, coûtent de 13 à 19 $ l'aller-retour.

Pugliese Vineyards (☎ 631-734-4057 ; Cutchogue)

Schneider Vineyards (☎ 631-727-3334 ; Riverhead)

Tanger Outlet Center (☎ 631-369-2732 ; 1770 W Main St, Riverhead)

Wölffer Estate (☎ 631-537-5106 ; Sagaponack)

Où se restaurer

Aldo's (☎ 631-477-1699 ; 103-105 Front St, Greenport ; plats 15-25 $)

Claudio's (☎ 631-477-0715 ; 111 Main St, Greenport ; plats 18-30 $; ⌚ mi-avr–1er jan)

Polonez Polish Russian Restaurant (☎ 631-369-8878 ; 123 W Main St, Riverhead ; plats 12-20 $)

Où se loger

Always In Bed & Breakfast (☎ 631-765-5344 ; 14580 Soundview Ave ; ch 135-150 $)

Quintessentials B&B Spa (☎ 631-477-9400 ; 8585 Main Rd, East Marion ; ch 175-275 $)

JONES BEACH

Les **Jones Beach State Parks** désignent 10 km de plage généralement très fréquentés, occupés selon les sections par des surfeurs, des familles, des gays, ou encore des naturistes. En plein été, la température de l'eau atteint facilement 21°C et la baignade est surveillée. On peut aussi piquer une tête dans l'une des deux grandes piscines aménagées sur place, jouer aux palets ou au basket, flâner sur les 3 km de la promenade en front de mer ou dans les marais voisins ou encore visiter le musée **Castles in the Sand** pour découvrir comment la création de Jones Beach dans les années 1940 a transformé Long Island. Les snack-bars des différentes sections de la plage vendent tous des hamburgers, des nachos, des glaces et d'autres collations de ce type. Face à l'océan, le **Boardwalk Restaurant** propose quant à lui du thon grillé et des poissons cuits à la vapeur à des prix assez élevés. Le soir, des barbecues sont organisés sur la plage, où le **Tommy Hilfiger Jones Beach Theater** organise des concerts en plein air.

Transports

Distance depuis New York 53 km
Direction Est
Temps de trajet 45 min
Voiture Sortez de Manhattan par le Midtown Tunnel pour prendre l'I-495/Long Island Expwy. Roulez jusqu'à la sortie TK, puis empruntez la Northern State Pkwy ou la Southern State Pkwy pour rejoindre la Wantagh Pkwy, qui vous conduira directement au Jones Beach State Park.
Train Le **Long Island Rail Road** (LIRR ; ☎ 718-217-5477 ; www.mta.nyc.ny.us/lirr ; aller-retour 14 $) propose des allers-retours de Penn Station et de Flatbush Ave Station, à Brooklyn, jusqu'à la gare de Freeport sur Long Island en moins de 40 min. De Memorial Day à Labor Day, une navette vous emmène ensuite à Jones Beach.

Orientation et renseignements

Castles in the Sand (☎ 516-785-1600 ; entrée 1 $; ⌚ Memorial Day–Labor Day sam-dim 10h-16h)

Jones Beach State Park (☎ 516-785-1600)

Tommy Hilfiger Jones Beach Theater (☎ 516-221-1000) Prix d'entrée et horaires sur demande.

Où se restaurer

Boardwalk Restaurant (☎ 516-785-2420 ; plats 10-15 $)

FIRE ISLAND

Cette langue de sable d'une cinquantaine de kilomètres parallèle à Long Island ne manque pas d'attraits. Bénéficiant d'un programme de protection, le **Fire Island National Seashore** est riche en dunes de sable, forêts et plages de sable blanc. Les randonneurs sont comblés par d'innombrables itinéraires et trouvent en chemin des campings, des auberges, des restaurants, une quinzaine de hameaux et deux villages. Ces derniers, interdits aux voitures, abritent surtout des maisons de vacances et des pubs généralement bondés. Sur les plages elles-mêmes, outre quelques moustiques, l'on aperçoit souvent des cerfs. Seul endroit de l'île accessible en voiture, le **Robert Moses State Park**, à l'extrémité ouest, offre de longues plages sablonneuses, fréquentées par une population plus calme que celle de Jones Beach. Le **Fire Island Lighthouse** renferme un musée historique. Un peu plus à l'est s'étend la plage naturiste.

C'est à l'est de l'île, dans les paisibles villages fermés à la circulation, que se situent les points les plus intéressants. Les petits bourgs de Davis Park, Fair Harbor, Kismet, Ocean Bay Park et Ocean Beach, généralement constitués de maisons d'été, comprennent tous quelques magasins, des bars, des restaurants et des night-clubs. Rappelons toutefois que pratiquement tout ferme environ 2 semaines après le Labor Day. On peut séjourner à l'**Ocean Beach Hotel** et faire appel au service de **South Bay Water Taxi** pour se déplacer entre les différents hameaux qui ont chacun leur population particulière. Ici des célibataires , là davantage de familles... Pour plus de détails, consultez le site www.fireisland.com. Deux stations balnéaires sont exclusivement réservées à la communauté homosexuelle, **Cherry Grove** et **the Pines**, avec néanmoins quelques différences. Le premier est ouvert aux hommes et aux femmes amateurs de plaisirs simples - les hamburgers, la bière, le naturisme -, tandis que le second s'est laissé annexer par des gays, généralement aisés et bodybuildés. Les soirées privées ou se déroulant au **Pines Pavilion**, le night-club local, sont souvent pimentées de substances illicites. Le bois qui sépare les deux hameaux sert fréquemment de lieu de rendez-vous. L'on peut facilement se rendre sur Fire Island pour une seule journée, mais il est particulièrement plaisant de s'y attarder, pour prendre le temps de flâner sur les sentiers qui serpentent entre les dunes et les habitations. Quelques suggestions d'hébergement : le **Belvedere**, réservé aux hommes, **Holly House** et **Grove Hotel** à Grove. Ce dernier abrite un night-club.

Transports

Distance depuis New York 96 km
Direction Est
Durée du trajet 2 heures (y compris la traversée en bateau)
Voiture Sortez de Manhattan par le Midtown Tunnel pour prendre l'I-495/Long Island Expwy. Pour rejoindre les ferries Sayville (pour Pines, Cherry Grove et Sunken Forest), quittez la voie express à la sortie 57 et prenez la Vets Memorial Highway. Tournez à droite dans Lakeland Ave et continuez jusqu'au bout (des panneaux indiquent les ferries). Pour le Davis Park Ferry, qui part de Patchogue (à destination de Watch Hill), empruntez la Long Island Expwy jusqu'à la sortie TK. Pour les ferries de Bay Shore (toutes les autres destinations de Fire Island), prenez la Long Island Expwy jusqu'à la sortie 30E, puis la Sagtikos Pkwy jusqu'à la sortie 42 sud et rejoignez le terminal de Fifth Ave sur Bay Shore. Sinon, le **Tommy's Taxi Service** (☎ 631-665-4800) peut vous prendre à Manhattan et vous conduire au ferry de Bay Shore moyennant 16 $. Pour vous rendre au Robert Moses State Park en voiture, quittez la Long Island Expwy à la sortie 53 et continuez vers le sud pour traverser la Moses Causeway.
Train Le **Long Island Rail Road** (LIRR ; ☎ 718-217-5477 ; www.mta.nyc.ny.us/lirr) s'arrête à Sayville et Bay Shore. L'été, correspondance assurée avec les navettes du **Fire Island Ferry Service** (☎ 631-665-3600 ; Bay Shore), **Sayville Ferry Service** (☎ 631-589-0810 ; Sayville) et **Davis Park Ferry** (☎ 631-475-1665, Davis Park). L'aller simple au départ de Manhattan et de Brooklyn revient à environ 12 $, l'aller-retour en ferry à environ 15 $.

Aucun restaurant ne mérite vraiment d'être cité, hormis deux adresses très fréquentées de Grove : **Rachel's/Jack's Place** pour sa vue sur l'océan et le **Cherry's Pit**, situé juste sur la baie.

Si vous préférez rester en pleine nature, vous apprécierez sans doute la **Sunken Forest**, une forêt vieille de 300 ans, dotée de son propre embarcadère (le Sailor's Haven). À l'extrémité est de l'île, les 500 ha de la réserve de **Otis Pike Fire Island Wilderness** abritent un camping au niveau de **Watch Hill** (réservations indispensables, jusqu'à un an à l'avance).

Orientation et renseignements

Cherry Grove (☎ 914-844-7490 ; www.cherrygrove.com)

Fire Island Information (www.fireisland.com)

Fire Island Lighthouse (☎ 631-681-4876)

Fire Island National Seashore (☎ 631-289-4810 ; www.nps.gov/fiis)

Otis Pike Fire Island Wilderness/Watch Hill (☎ 631-289-9336 ; emplacement 20 $)

Pines (www.fipines.com)

Pines Pavilion (☎ 631-597-6677 ; entrée 5-20 $)

Robert Moses State Park (☎ 631-669-0449 ; www.nysparks.state.ny.us)

South Bay Water Taxi (☎ 631-665-8885 ; www.southbaywatertaxi.com ; course 10-20 $)

Sunken Forest (☎ 631-289-4810)

Où se restaurer

Cherry's Pit (☎ 631-597-9736 ; plats 10-15 $)

Rachel's/Jack's Place (☎ 631-597-4174 ; plats 8-12 $)

Où se loger

Belvedere (☎ 631-597-6448 ; ch à partir de 200 $)

Grove Hotel (☎ 631-597-6600 ; ch 40-500 $, ste 80-500 $)

Holly House (☎ 631-597-6991 ; ch à partir de 200 $)

Ocean Beach Hotel (☎ 631-583-9600 ; ch 225 $)

LONG BEACH

Encore plus proche de New York que Jones Beach ou Fire Island, Long Beach permet de profiter des joies de la plage à moins d'une heure de la ville. Facilement accessible en train, elle est bien entretenue et compte nombre de boutiques et de restaurants à proximité de l'océan. On y voit beaucoup de surfeurs et autres branchés new-yorkais. Pour davantage de renseignements, adressez-vous à la **Long Beach Chamber of Commerce** et au bureau de la **City of Long Beach**.

Vous vous repérerez certainement sans difficulté car Long Beach n'est pas très étendue. Les surfeurs se retrouvent sur **Lincoln Beach**, à l'extrémité de Lincoln Blvd. Location de surfs et leçons auprès d'**Unsound Surf**. Cette petite plage fait face à une zone de hautes vagues. L'on peut sinon se baigner et se faire bronzer en toute tranquillité en de multiples endroits de part et d'autre de cette bande de sable. Juste derrière la plage commence un agréable quartier résidentiel comprenant de jolies petites baraques de plage et des maisons plus imposantes, occupées toute l'année. Ce quartier se prête bien à une balade à pied ou en vélo. La promenade qui longe la plage comporte aussi une piste cyclable. Location de vélos chez **Buddy's**.

Les environs de la plage foisonnent de bons restaurants. Laissez-vous guider par vos envies ou testez l'une des tables suivantes : **Baja California Grille**, qui sert une savoureuse cuisine mexicaine ; **San Remo Pizzeria** ou **Kitchen Off Pine Street**, parfait pour un repas décontracté avant de regagner New York. Les hôtels se limitent en revanche au tristounet **Long Beach Motor Inn**, à Island Park, non loin de là. Rappelons toutefois qu'il est vraiment très facile de rejoindre New York.

Transports

Distance depuis New York 48 km
Direction Est
Durée du trajet 45 min
Voiture Prenez la Grand Central Pkwy vers l'est pour rejoindre la Van Wyck Expwy, en direction de JFK Airport. Quittez-la à la sortie 1E pour rejoindre la Nassau Expwy, qui conduit à Long Beach.
Train Le **Long Island Rail Road** (LIRR ; ☎ 718-217-5477 ; www.mta.nyc.ny.us/lirr ; aller-retour 12 $) dessert directement Long Beach depuis Penn Station et Flatbush Ave à Brooklyn.

Orientation et renseignements

Buddy's (☎ 516-431-0804 ; 907 W Beech St ; vélo 15 $/3 heures)

City of Long Beach (☎ 516-431-1000 ; www.longbeachny.org ; 1 West Chester St ; lun-ven 9h-16h)

Lincoln Beach (☎ 516-431-1810)

Long Beach Chamber of Commerce (☎ 516-432-6000 ; 350 National Blvd; lun-ven 9h-16h)

Unsound Surf (☎ 516-889-1112 ; infos spécial surf ☎ 516-892-7972 ; 359 East Park Ave ; cours 50 $/heure)

Où se restaurer

Baja California Grille (☎ 516-889-5992 ; 1032 W Beech St ; plats 6-10 $)

Kitchen Off Pine Street (☎ 516-431-0033 ; 670 Long Beach Blvd ; plats 13-22 $)

San Remo Pizzeria (☎ 516-432-4038 ; 1085 W Beech St ; plats 2-6 $)

Où se loger

Long Beach Motor Inn (☎ 431-5900 ; 3915 Austin Blvd, Island Park ; ch 79 $)

UPSTATE NEW YORK

Au nord de New York, la campagne se couvre de collines boisées et de de villes construites le long de l'Hudson. En automne, les paysages se parent de somptueuses couleurs et beaucoup de citadins louent une voiture pour profiter de la nature.

HUDSON VALLEY

Les petites routes de la vallée de l'Hudson serpentent entre des fermes, des cottages victoriens, des vergers de pommiers et de vieilles demeures construites par la bourgeoisie new-yorkaise. L'**Hudson Valley Tourism** vous renseignera sur les événements et les manifestations de la région. Les peintres de l'école de l'Hudson River, exposés dans plusieurs musées des beaux-arts et municipaux, ont su capter le charme de ces paysages. L'automne est la saison idéale pour découvrir cette région, en voiture (plus pratique pour sillonner les environs) ou en train. Elle peut aussi se parcourir en vélo (Les mordus de cyclotourisme se procureront, en anglais, *Ride Guide: Mountain Biking in the NY Metro Area* de Joel Sendek, Anacus Press, ou *25 Mountain Bike Tours in the Hudson Valley* de Peter Kick, Backcountry Books). À cette période, la chaude palette des couleurs automnales et la cueillette des pommes et des citrouilles font d'une telle excursion un moment privilégié. L'exploitation familiale **Trapani's Blackberry Rose Farm**, à Milton, vend des produits frais ou cuisinés maison, des confitures et du cidre.

À l'ouest du fleuve, à environ 60 km au nord de New York, le **Harriman State Park** propose sur 115 km² des possibilités de baignade et de randonnées, un camping et un *visitor center.* À côté, le point culminant du **Bear Mountain State Park**, de 390 m de haut, offre une vue magnifique sur toute la campagne environnante. Les tours de Manhattan se dressent dans le lointain, au-delà du fleuve. Les plaisirs varient selon la saison : myriades de fleurs au printemps, randonnées en été, feuillage mordoré en automne et ski en hiver. Visitez le **Storm King Art Center**, à Mountainville, où sont exposées des sculptures avant-gardistes de Calder, Moore, Noguchi et d'autres artistes. Niché au pied des collines, il occupe un grand parc où la nature s'harmonise parfaitement bien avec l'art. Tout proche, le **B&B at Storm King Lodge** propose dans une demeure XIXe de jolies chambres décorées avec goût. Toutes sont équipées d'une sdb et d'une cheminée.

La ville principale de la rive est de l'Hudson, **Poughkeepsie** (puh-*kip*-see), accueille le collège d'art progressiste **Vassar**, qui était exclusivement réservé aux femmes jusqu'en 1969. Le **Francis Lehman Loeb Art Center** présente des œuvres des peintres de l'école de l'Hudson River et d'artistes contemporains. Adressez-vous au **Dutchess County Tourism Office** pour tout renseignement sur la région. Les chaînes de motels bon marché de la ville jalonnent la Rte 9, au sud de Mid-Hudson

Transports

Distance depuis New York 153 km (jusqu'à Hyde Park)
Direction Nord
Durée du trajet 1 heure 45
Voiture Quittez Manhattan par la Henry Hudson Pkwy, puis empruntez l'I-95 pour rejoindre Palisades Pkwy. Continuez jusqu'à la New York State Thruway et prenez alors la Rte 9W ou la Rte 9, les deux routes touristiques de la région. Plus rapide, la Taconic State Pkwy, qui part vers le nord depuis Ossining, passe par la plupart des villes et traverse des paysages magnifiques à l'automne.
Bus La compagnie Short Line Buses (☎ 212-736-4700 ; www.shortlinebus.com ; aller-retour 28 $) dessert régulièrement Hyde Park et Rhinebeck.
Train La ligne **Amtrak** (☎ 212-582-6875, 800-872-7245 ; www.amtrak.com) longe le fleuve et dessert plusieurs points de la rive est. Depuis New York, mieux vaut toutefois opter pour le **train de banlieue Metro-North** (☎ 212-532-4900, 800-638-7646 ; www.mnr.org ; aller simple heures creuses/heures de pointe 5,50-9,50 $), moins cher et plus pratique, qui part de Grand Central Terminal (prenez la "Hudson Line"). Les week-ends d'été et d'automne, Metro-North propose des forfaits touristiques comprenant le train et les transferts sur différents sites, comme Hyde Park et Vanderbilt Mansion.
Bateau La compagnie **NY Waterway** (☎ 800-533-3779 ; www.nywaterway.com ; plusieurs tarifs à partir de 40 $) organise des croisières sur l'Hudson, idéales pour découvrir tranquillement la région. Une journée complète permet de voir plusieurs châteaux et sites historiques.

Bridge. Pour une chambre plus pittoresque, optez plutôt pour la **Copper Penny Inn**, un B&B très bien tenu, aménagé dans une ancienne ferme de la fin du XIXe siècle.

Hyde Park est associé de longue date à la famille Roosevelt, qui joua un rôle majeur dans la région dès le XIXe siècle. Le **Franklin D Roosevelt Library & Museum** retrace la vie du président à l'origine du New Deal. Son épouse, Eleanor, aimait se retirer seule dans son cottage, **Val-Kill.** À 3 km au nord, sur la Rte 9, le spectaculaire **Vanderbilt Mansion** mêle plusieurs styles architecturaux et recèle nombre d'œuvres d'art. On peut acheter un **billet groupé** (☎ 800-967-2283 ; adulte 18 $) pour les trois sites. Réservations conseillées. D'autres châteaux émaillent la campagne environnante . Le Lyndhurst Castle, de style néo-go-

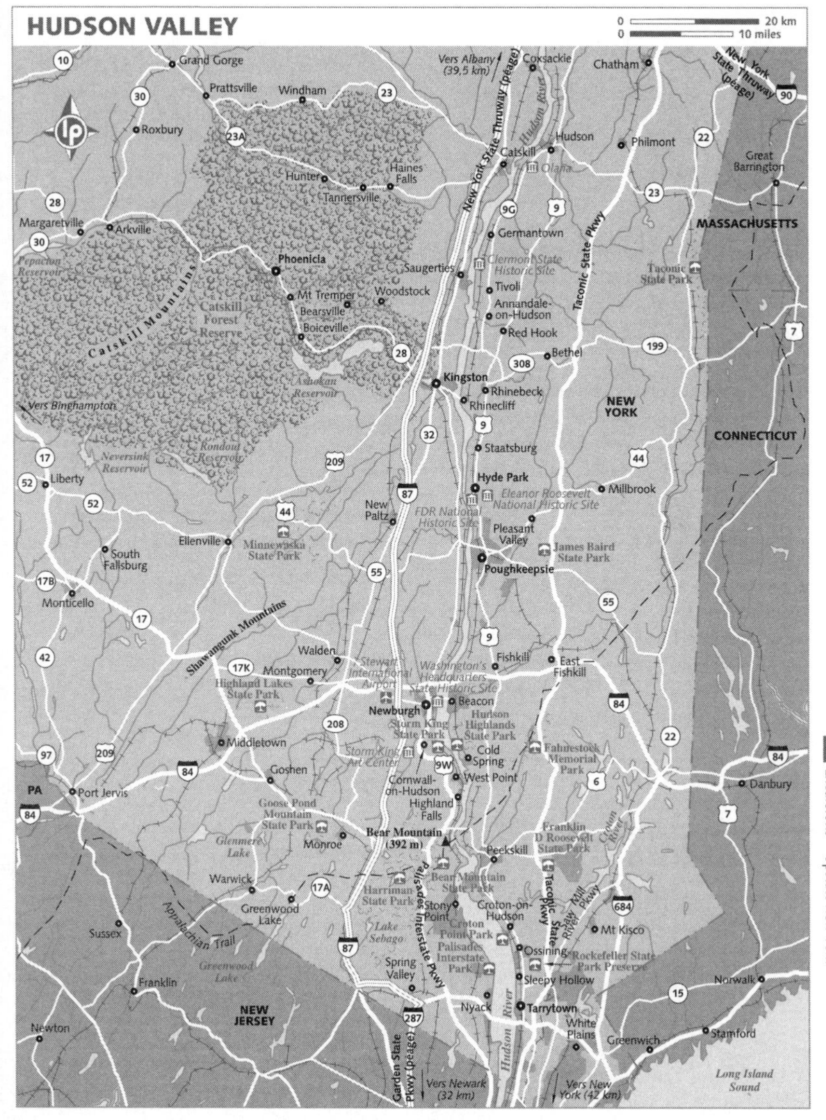

thique se trouve à Tarrytown, non loin de **Kykuit**, une propriété de la famille Rockefeller agrémentée de beaux jardins et d'anciens attelages. **Olana**, d'inspiration maure, édifié par le peintre de l'école de l'Hudson River Frederic Church, est à Hudson. **Springwood**, à Hyde Park, était la résidence où Roosevelt enfant passait ses vacances.

Signalons par ailleurs qu'un grand nombre de soldats américains ont fait leurs classes à l'United States Military Academy, créée ici en 1802, notamment US Grant, Douglas MacArthur et Dwight Eisenhower. Aujourd'hui, les apprentis-soldats vivent sur un campus de bâtiments en brique et en pierre grise. Pour tout renseignement, adressez-vous au **West Point Visitors Center**, qui se trouve à Highland Falls, à une centaine de mètres au sud de l'entrée Thayer Gate de l'académie militaire.

L'autre CIA

Très réputé, le **Culinary Institute of America** (☎ 800-285-4627 ; www.ciachef.edu) de Hyde Park forme les futurs chefs cuisiniers et régale les palais les plus fins. Les quatre restaurants tenus par des étudiants sont plutôt classiques et formels, mais le **St Andrew's Cafe** (☎ 845-471-6608 ; repas environ 30 $) s'avère plus décontracté et moins onéreux. Réservations obligatoires. Signalons par ailleurs les belles chambres de style campagnard de l'auberge **Village Square** (☎ 845-229-7141 ; 4159 Albany Post Rd ; ch 40-100 $), dans le même secteur.

Orientation et renseignements

Bear Mountain State Park (☎ 845-786-2701)

Dutchess County Tourism (☎ 800-445-3131 ; www.dutchesscountytourism.com ; 3 Neptune Rd, Poughkeepsie)

Franklin D Roosevelt Library & Museum (☎ 845-229-8114 ; www.fdrlibrary.marist.edu ; 511 Albany Post Rd/Rte 9, Hyde Park ; entrée 10 $; 🕑 9h-17h)

Harriman State Park (☎ 845-786-5003)

Trapani's Blackberry Rose Farm (☎ 845-795-5830 ; 1636 Rte 9W, Milton ; 🕑 9h-17h)

Hudson Valley Network (www.hvnet.com)

Hudson Valley Tourism (☎ 800-232-4782 ; www.hudsonvalley.org)

Kykuit (☎ 914-631-9491 ; Pocantico Hills, Tarrytown ; adulte/senior/enfant 22/20/18 $; 🕑 visites 9h45, 13h45, 15h)

Olana (☎ 518-828-0135 ; Rte 9G, Hudson)

Springwood (☎ 800-967-2283 ; Albany Post Rd, Hyde Park ; entrée 14 $; 🕑 9h-17h)

Storm King Art Center (☎ 845-534-3115 ; www.stormkingartcenter.org ; Old Pleasant Hill Rd, Mountainville ; entrée 9 $; 🕑 avr-nov)

Vassar/Francis Lehman Loeb Center (☎ 845-437-5632 ; Poughkeepsie ; entrée gratuite ; 🕑 mar-sam 10h-17h, dim 13h-17h)

Val-Kill (☎ 845-229-9115 ; www.nps.gov/elro ; Albany Post Rd, Hyde Park ; entrée 8 $; 🕑 mai-oct tlj, nov-avr jeu-lun 9h-17h)

Vanderbilt Mansion (☎ 800-967-2283 ; www.nps.gov/vama ; Rte 9, Hyde Park ; entrée 8 $; 🕑 9h-17h)

West Point Visitors Center (☎ 914-938-2638, Rte 9W, Highland Falls ; 🕑 9h-16h45)

Où se loger

B&B at Storm King Lodge (☎ 845-534-9421 ; Mountainville ; ch 150-175 $)

Copper Penny Inn (☎ 845-452-3045 ; Poughkeepsie ; ch 90-150 $)

LES CATSKILLS

Cette jolie région encore très boisée et parsemée de bourgades, de fermes et de villages touristiques séduit depuis quelque temps le petit monde new-yorkais de l'édition et des personnalités célèbres, lassé des mondanités tape-à-l'œil des Hamptons. Ils rachètent de vieilles maisons qu'ils transforment en résidence secondaire, mais le caractère rural de cette région demeure encore bien préservé. Les petites villes conservent tout leur cachet et les occasions de dénicher objets et meubles anciens abondent. En outre, le Catskill Forest Park, fondé en 1904, couvre 280 000 ha de forêts, de terrains privés et de villages pittoresques.

Au sud des Catskills, **Woodstock**, symbole de la période agitée que furent les années 60, reste associée au rejet de l'autorité, à la revendication d'un mode de vie plus libre et à l'émergence d'une nouvelle culture populaire. Elle n'a pas été épargnée par la mode et son charme originel se pare désormais de quelques atours très tendance. Fréquentée par des artistes depuis le début du XXe siècle, elle rassemble à la fois des hippies grisonnants et des fans des Phish arborant fièrement leurs dreadlocks. La **Woodstock Guild** vous renseignera sur le calendrier des événements artistiques et culturels à venir, tel le Woodstock Film Festival, qui attire chaque année en octobre des cinéphiles du monde entier. Le fameux festival de musique de 1969 s'est en fait déroulé à **Bethel**, à 65 km au sud-ouest. Une simple plaque commémore aujourd'hui cette manifestation. Deux autres concerts appelés également "Woodstock" eurent lieu depuis, dans les environs, à Saugerties (1994) et à Rome (1999). À quelques kilomètres de Woodstock, **Saugerties** est une petite ville du même style, avec sensiblement moins de galeries, de cafés et de restaurants. Ces derniers s'avèrent toutefois particulièrement remarquables, notamment le **Blue Mountain Bistro**, qui sert une excellente cuisine d'inspiration française méditerranéenne et des tapas à une clientèle sophistiquée et le **New World Home Cooking Co**, où l'on déguste des plats bio dans un décor original. Café branché, le **Heaven** propose boissons bio, soupes, sandwiches et d'inoubliables pâtisseries à des prix raisonnables.

Parmi les nombreuses auberges correctes des environs, deux se démarquent vraiment du style victorien qui caractérise la région. Meilleure option, la **Villa at Saugerties** et ses quatre chambres. Tenue par un jeune couple d'ex-citadins, cette villa ressemble davantage un hôtel moderne qu'à un B&B campagnard. Au centre de Woodstock, la **Twin Gables Guesthouse** offre des chambres joliment meublées, avec sdb commune. Les routards peuvent planter leur tente au **Rip Van Winkle Campground**, qui loue des emplacements bien entretenus à bon prix. La palme de l'originalité revient toutefois au **Saugerties Lighthouse**, un phare édifié en 1869 sur un îlot d'Esopus Creek. Le Saugerties Lighthouse Conservancy l'a transformé en B&B ouvert toute l'année. Les trois chambres, assez sommaires mais bien tenues, offrent bien évidemment une vue magnifique sur le fleuve. Traversée en bateau assurée.

Au sud de Saugerties, la Rte 28 file à l'ouest de Woodstock pour traverser les Catskills, longe l'Ashokan Reservoir et serpente dans les "French Catskills". Nombre de bons restaurants, de campings, d'hôtels bon marché et de jolies boutiques d'objets anciens jalonnent ce trajet. Sur le mont Tremper se dresse le **Kaatskill Kaleidoscope**, grand tube de 18 m de haut. Bien que très touristique, cette attraction n'est pas dénuée d'intérêt. Elle retrace certains aspects de l'histoire des États-Unis, sur fond de couleurs psychédéliques et d'incontournables feuilles de marijuana. À Arkville, on peut faire un tour dans un ancien train de la **Delaware and Ulster Rail Line**. Non loin de là, Fleischmanns organise tous les samedi soir une **vente aux enchères** où les habitants des environs s'arrachent vieux disques et meubles défraîchis. Pour la nuit, choisissez par exemple les chambres confortables du **River Run Bed & Breakfast**, décoré de beaux parquets de chêne et de vitraux.

En hiver, il faut pousser un peu plus au nord si l'on veut skier. Les Rtes 23 et 23A conduisent au **Hunter Mountain Ski Bowl**, une station de ski ouverte toute l'année, qui propose des pistes très pentues et un mur de 480 m de haut. À **Windham Mountain**, station voisine, les pistes sont moins raides.

Orientation et renseignements

Delaware and Ulster Rail Line (☎ 845-652-2821 ; www.durr.org ; Hwy 28, Arkville ; adulte/senior/enfant 10/8/6 $; ⏲ mai-août)

Hunter Mountain Ski Bowl (☎ 518-263-4223 ; www.huntermtn.com ; Hunter)

Kaatskill Kaleidoscope (☎ 888-303-3936 ; Mt Tremper ; adulte/enfant de moins de 12 ans 7 $/gratuit ; ⏲ dim-jeu 10h-17h, ven-lun 10h-19h)

Transports

Distance depuis New York 67 km (Saugerties)

Direction Nord

Durée du trajet 2 heures

Voiture Prenez la New York State Thruway (*via* la Henry Hudson Highway, au nord de Manhattan) ou l'I-87 jusqu'à la Rte 375 pour Woodstock, la Rte 32 pour Saugerties ou la Rte 28 pour d'autres villes plus au nord.

Bus La compagnie **Adirondack Trailways** (☎ 800-858-8555 ; aller-retour 45 $ en moyenne) assure des liaisons quotidiennes avec Kingston, à l'entrée des Catskills, Saugerties, Catskill, Hunter et Woodstock.

Windham Mountain (☎ 518-734-4300 ; www.skiwindham.com ; Windham)

Woodstock Guild (☎ 845-679-2079 ; www.woodstockguild.org ; Woodstock ; lun-ven 9h-17h)

Où se restaurer

Blue Mountain Bistro (☎ 845-679-8519 ; Glasco Tpke, Saugerties ; plats 15-25 $)

Heaven (☎ 914-679-0111 ; 17 Tinker St, Woodstock ; plats 2-5 $)

New World Home Cooking Co (☎ 845-246-0900 ; Rte 212, Woodstock ; plats 10-20 $)

Où se loger

Rip Van Winkle Campground (☎ 845-246-8334 ; Woodstock ; emplacement 24-28 $)

River Run Bed & Breakfast (☎ 845-254-4884 ; www.catskill.net/riverrun ; 882 Main St, Fleischmanns ; ch 75-165 $)

Saugerties Lighthouse (☎ 847-247-0656 ; www.saugertieslighthouse.com ; Saugerties ; ch 135-160 $)

Twin Gables Guesthouse (☎ 845-679-9479 ; 73 Tinker St, Woodstock ; s/d 59/69 $)

Villa at Saugerties (☎ 845-246-0682 ; www.thevillaatsaugerties.com ; 159 Fawn Rd, Saugerties ; ch 95-160 $)

NEW JERSEY

Le New Jersey fait l'objet de bien des moqueries. Tout particulièrement visés : ses innombrables zones commerciales, l'accent nasal de ses habitants et surtout, les industries très polluantes (et nauséabondes) du secteur de Jersey Turnpike. Il faut prendre le temps de quitter les autoroutes et savoir éviter les centres commerciaux pour découvrir les plus beaux côtés de la région. Le visiteur étonné découvre alors que le New Jersey est encore une contrée de forêts et de champs cultivés. Outre son immense parc boisé et ses superbes bâtisses victoriennes, il offre également près de 78 km de plages.

SANDY HOOK

Les 700 ha du parc naturel de Sandy Hook comprennent une plage de 4 km. À l'instar de Jones Beach sur Long Island, tout le secteur s'agrémente de longues et magnifiques étendues de sable. La **Sandy Hook Gateway National Recreation Area** abrite de surcroît le plus vieux phare du pays, la Maritime Holly Forest, excellent site d'observation des oiseaux (comme le pluvier, en voie de disparition) d'où il est possible, par temps clair, d'apercevoir les tours de Manhattan. Une plage naturiste et une plage gay (zone G), ainsi qu'un vaste réseau de pistes cyclables qui serpentent entre les dunes et les baraquements abandonnés du fort Hancock attirent aussi les visiteurs. Le **SeaStreak Ferry**, qui part de Lower Manhattan, peut vous déposer ici en 45 minutes. En vélo, vous pourrez ensuite rejoindre facilement différents points de la Jersey Shore, telles que les villes d'**Atlantic Highlands** et de **Highlands**. L'**Atlantic Highlands Chamber of Commerce** vous renseignera sur les différents hôtels et restaurants de la région.

Sur la plage, de nombreux stands vendent des snacks, du type hot-dogs et nachos. Pour un repas plus copieux, essayez le **Seagull's Nest**, qui sert des salades, des fruits de mer et des bières bien fraîches. Vous pouvez aussi opter pour les fruits de mer du **Harborside Grill** ou la cuisine française de l'**Indigo Moon**, tous deux à Atlantic Highlands. Tout proche de la plage, le **Sandy Hook Cottage**, tenu par des gays, loue des chambres décorées avec goût dans le style balnéaire. Demeure ancienne et romantique, le **Grand Lady By the Sea Bed and Breakfast** donne également sur la plage.

Transports

Distance depuis New York 72 km
Direction Ouest
Durée du trajet 1 heure
Voiture Prenez la Garden State Pkwy jusqu'à la sortie 117, puis la Rte 36 en direction de l'est pour gagner la plage.
Bus Les bus **New Jersey Transit** (☎ 973-762-5100 ; www.njtransit.com) vont de Port Authority à Red Bank, NJ. Empruntez ensuite le bus local M24, qui passe à Sandy Hook.
Ferry Le **SeaStreak Ferry** (☎ 732-872-2628 ; www.seastreak.com ; 2 First Ave, Atlantic Highlands ; aller/et retour19/34 $, transfert vélo aller simple 3 $) part de Pier 11 près de Wall St et d'un autre quai, près de E 34th St. C'est le mode de transport le plus agréable.

Orientation et renseignements

Atlantic Highlands Chamber of Commerce (☎ 732-872-8711 ; www.atlantichighlands.org ; ⌚ lun-ven 9h-16h)

Sandy Hook Gateway National Recreation Area (☎ 732-872-5970)

Où se restaurer

Harborside Grill (☎ 732-291-0066 ; 40 First Ave, Atlantic Highlands ; plats 8-14 $)

Indigo Moon (☎ 732-291-2433 ; 171 First Ave, Atlantic Highlands ; plats 12-25 $)

Seagull's Nest (☎ 732-872-0025 ; Sandy Hook Area D ; plats 5-10 $)

Où se loger

Grand Lady By the Sea Bed and Breakfast (☎ 732-708-1900 ; www.grandladybythesea.com ; 254 Rte 36, Highlands ; ch 100-150 $)

Sandy Hook Cottage (☎ 732-708-1923 ; www.sandyhookcottage.com ; 36 Navesink Ave, Highlands ; ch 100-200 $)

ATLANTIC CITY

Dès l'arrivée du train sur Absecon Island dans les années 1850, les citadins affluèrent rapidement pour profiter des immenses plages de sable blanc et de l'air marin. En 1900, une station balnéaire dotée de toutes les infrastructures nécessaires était née. Dans les années vingt, en pleine Prohibition, elle devint une plaque tournante du trafic d'alcool et des jeux d'argent. Après la Seconde Guerre mondiale et le développement des transports, d'autres destinations virent le jour et Atlantic City déclina rapidement. Aussi, en 1977, l'État décida d'autoriser l'ouverture des casinos afin de redynamiser la ville. Atlantic City (ou "AC" comme disent ses habitants) est devenue depuis l'une des stations touristiques les plus fréquentées du pays, avec 33 millions de visiteurs par an, qui ne dépensent pas moins de 4 milliards de dollars dans ses 12 casinos et multiples restaurants. Cette manne n'a pas atteint l'ensemble de la ville et dès que l'on s'éloigne du front de mer, les terrains vagues, les bars délabrés ou les entrepôts abandonnés sont légion. AC constitue néanmoins une étape intéressante sur la route de Cape May, ne serait-ce que par curiosité ! Si vous aimez les jeux, vous serez comblé par les quelque 1 000 tables de blackjack et les 30 000 machines à sous de la ville.

Comme à Las Vegas, les hôtels-casinos sont thématiques (de l'Extrême-Orient à la Rome antique), mais la reconstitution demeure ici beaucoup plus sommaire. Ils se ressemblent tous plus ou moins à l'intérieur, avec machines à sous, lumières clinquantes et buffets pantagruéliques. La concurrence que se livrent de grands promoteurs immobiliers, comme Donald Trump et Steve Wynn, tend toutefois à instaurer une certaine originalité. Ainsi, la toute dernière création de Boyd Gaming et MGM Mirage, le **Borgata Hotel Casino & Spa**, a mis la barre très haut, avec chambres grand luxe, thalassothérapie et restaurants cinq étoiles. Le prix d'une chambre dans l'un de ces hôtels varie d'un extrême à l'autre selon la saison : il s'échelonne de 50 $ en hiver à 400 $ en été. (Les établissements sans casino reviennent moins cher, tels le **Comfort Inn** ou l'**Holiday Inn Boardwalk**.)

Caesar's Atlantic City

Vous l'aurez compris, les hôtels-casinos sont la spécialité locale. Le plus au sud de la ville, l'**Atlantic City Hilton**, comprend plus de 500 chambres. Le **Bally's Park Place & Wild West Casino**, qui a absorbé le Dennis Hotel édifié

ATLANTIC CITY

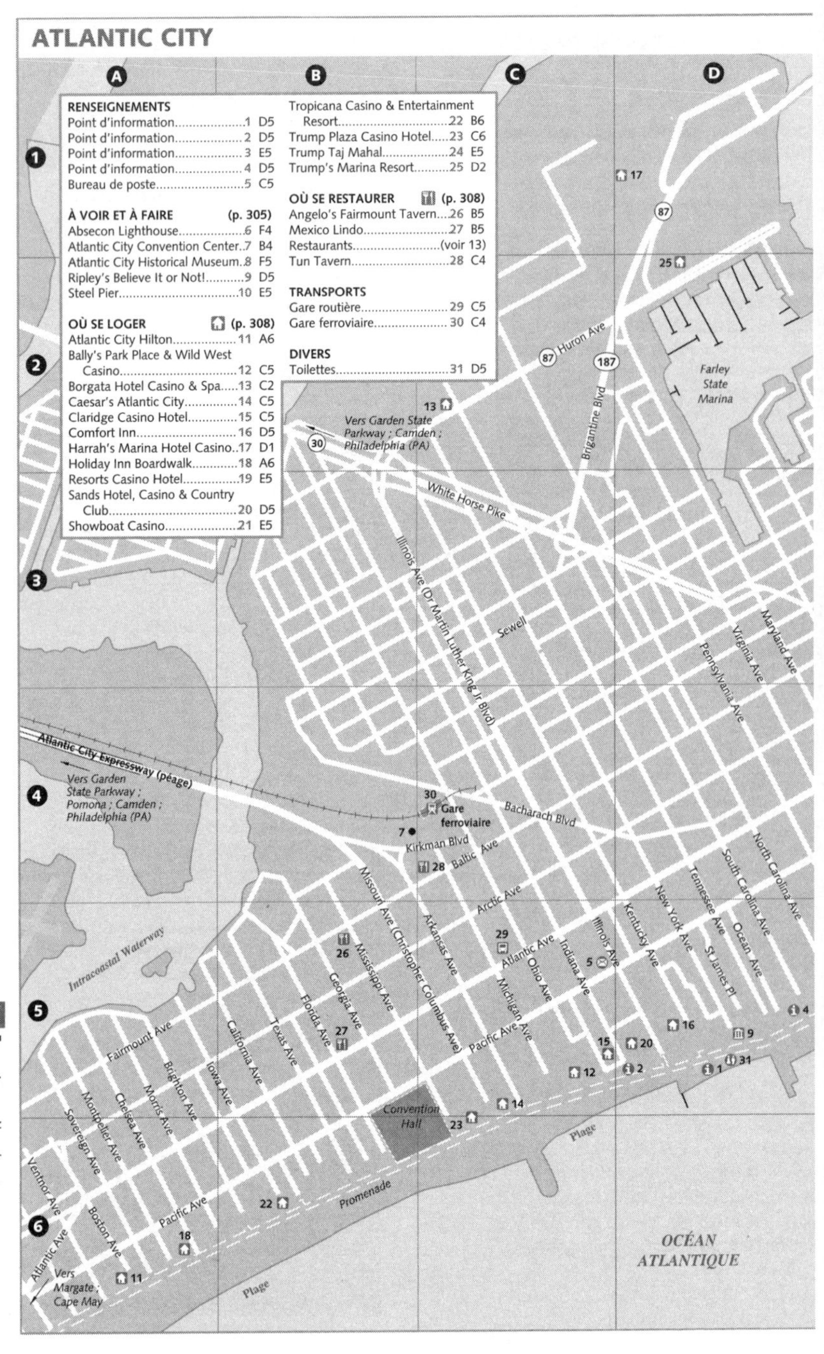

Excursions – New Jersey

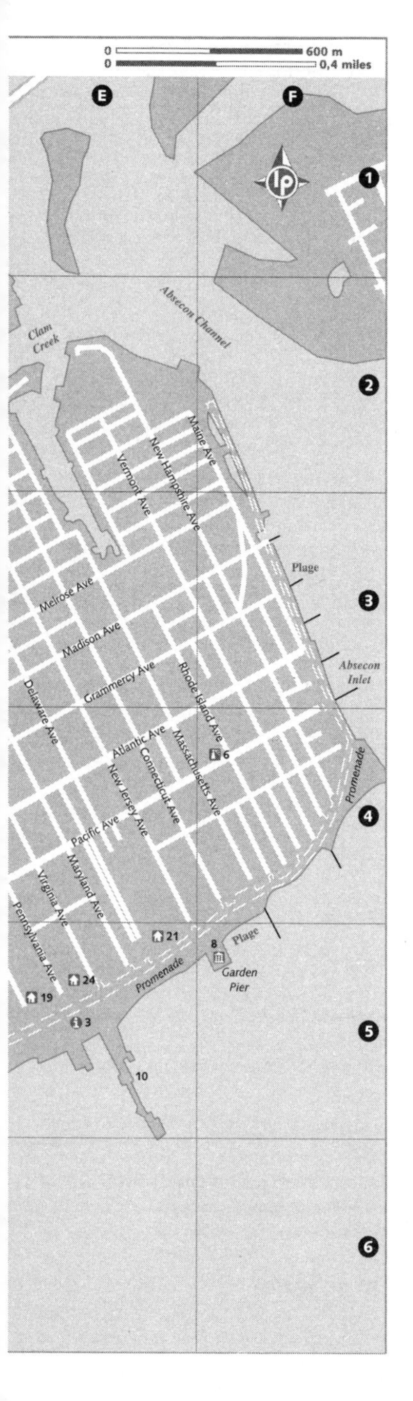

en 1860, offre quant à lui 1 200 chambres. Outre ses 1 000 chambres, le **Caesar's Atlantic City** propose également un restaurant Planet Hollywood, à côté des salles de jeux.

Apprécié des seniors, le **Claridge Casino Hotel**, entre Pacific Ave et la Boardwalk, possède un tapis roulant conduisant directement à l'entrée. Considéré comme le plus sympathique de la ville, le **Harrah's Marina Hotel Casino** emploie des croupiers tout disposés à initier les novices. Le **Resorts Casino Hotel**, bâtisse victorienne de 670 chambres, servit d'hôpital pendant la Seconde Guerre mondiale. Proche de la Boardwalk, **le Sands Hotel, Casino & Country Club**, sorte de gros cube de verre noir, est le plus ancien casino de la ville.

Transports

Distance depuis New York 210 km
Direction Sud
Durée du trajet 2 heures 15
Voiture Quittez Manhattan en traversant l'Hudson River (Holland Tunnel, Lincoln Tunnel ou George Washington Bridge). Empruntez la NJ Turnpike pour rejoindre la Garden State Pkwy et quittez l'autoroute à la sortie 38 pour Atlantic City. L'Atlantic City Expwy relie directement Atlantic City à Philadelphie. Les parkings des casinos reviennent à environ 2 $/j, mais sont gratuits si vous présentez un reçu de vos dépenses à l'intérieur.
Bus Des bus **Greyhound** (☎ 800-231-2222), **Academy** (☎ 800-442-7272) et **New Jersey Transit** (☎ 973-762-5100; www.njtransit.com) démarrent de Port Authority. L'aller-retour coûte environ 25 $. La **Gray Line** (☎ 212-397-2620) part de 900 Eighth Ave, entre W 53rd St et 54th St dans Midtown. Si vous vous rendez en bus juste devant leur porte, les casinos vous remboursent généralement le montant du trajet (en chips, pièces ou jetons). Trajet moins cher du lundi au jeudi.
Train La compagnie New Jersey Transit (☎ 973-762-5100 ; www.njtransit.com) ne desservant pas directement AC, il faut changer deux fois et dépenser deux fois plus qu'en bus. Depuis Penn Station, allez à Trenton, changez pour Philadelphie, puis prenez l'Atlantic City Line.
Avion L'**Atlantic City International Airport** (☎ 609-645-7895), sur Tilton Rd à Pomona, reçoit les compagnies qui travaillent avec les casinos. **Spirit Airlines** (☎ 800-772-7117) et **US Airways Express** (☎ 800-428-4322) assurent des liaisons avec Boston, Cleveland, Detroit, Newark, Philadelphie et plusieurs villes de Floride.

L'un des plus abordables, le **Showboat Casino** décoré comme un bateau, dispose de 700 chambres. Le gigantesque **Tropicana Casino & Entertainment Resort** renferme son propre parc d'attractions (Tivoli Pier), un casino et 1 020 chambres. Donald Trump détient le **Trump's Marina Resort**, dans le style Art déco, le **Trump Plaza Casino Hotel** et le **Trump Taj Mahal**, orné de neuf éléphants taillés dans le calcaire tandis que 70 minarets éclatants couronnent l'édifice. Ajoutons qu'on y sert un excellent buffet.

Tous les établissements proposent une multitude de divertissements, des concerts de ragtime ou de jazz dans les salons des hôtels et des spectacles comiques dans les auditoriums des casinos. Ils donnent généralement dans le kitsch le plus débridé, avec paillettes et plumes, ce qui peut, par là même, exciter la curiosité.

La ville offre également quelques distractions en dehors des casinos. La promenade en planches du front de mer, le **Boardwalk**, fut aménagé en 1870. On peut s'y balader à pied ou en **fauteuil à roulettes** (adulte 20 $). Visitez éventuellement l'**Atlantic City Historical Museum**, bien documenté. Le concours de Miss America, qui se déroule au mois de septembre dans le Convention Hall (doté d'un immense orgue composé de 33 000 tuyaux), continue de remporter un franc succès. Les manèges, les jeux de hasard et autres attractions de la **Steel Pier**, juste en face du Trump Taj Mahal, appartiennent aussi à Donald Trump. On y trouve également "le plus grand karting du South Jersey". Très touristique, le musée **Ripley's Believe It or Not** recèle toute une collection d'anecdotes et d'évènements bizarres et grotesques qui peuvent amuser les plus petits. Installé sous le grand tipi au milieu de l'Atlantic City Expwy, le **Visitor Information Center** vous informe sur les possibilités d'hébergement et distribue les cartes de la ville. Des kiosques d'information se trouvent également aux abords de la Boardwalk.

Édifié en 1857, l'**Absecon Lighthouse**, avec ses 51 m de haut, se targue d'être le phare le plus haut du New Jersey et le troisième du pays. Entièrement restauré (y compris les lentilles de Fresnel), il est ouvert aux visiteurs. Le panorama est époustouflant du haut de ses 228 marches.

Pour faire un repas digne de ce nom, mieux vaut éviter les casinos, hormis le Borgata. À quelques blocs de la Boardwalk, un peu à l'écart du front de mer, le **Mexico Lindo** est très prisé des Mexicains, et le restaurant familial italien **Angelo's Fairmount Tavern** demeure très apprécié. Jouxtant le Sheraton, la **Tun Tavern**, l'unique brasserie d'AC, comprend un jardin agréable où il fait bon savourer un hamburger accompagné d'une bière au coucher du soleil. Si vous êtes motorisé, allez goûter les excellents petits déjeuners et déjeuners de **Hannah G's**, à Ventnor ou les steaks et fruits de mer de **Maloney's**. Citons encore le **Ventura's Greenhouse Restaurant**, à Margate City, un italien très fréquenté.

Orientation et renseignements

Atlantic City Historical Museum (☎ 609-347-5839 ; www.acmuseum.org ; Garden Pier ; entrée gratuite ; 🕓 10h-16h)

Ripley's Believe It or Not (☎ 609-347-2001 ; New York Ave à hauteur de Boardwalk ; adulte/senior/enfant 11/9/7 $; 🕓 mai-août tlj 10h-22h, sept-avr lun-ven 11h-17h, sam-dim 10h-20h)

Visitor Information Center (☎ 609-449-7130 ; www.atlanticcitynj.com ; Garden State Pkwy ; 🕓 9h-16h)

Absecon Lighthouse (☎ 609-449-1360 ; angle Rhode Island Ave et Pacific Ave)

Où se restaurer

Angelo's Fairmount Tavern (☎ 609-344-2439 ; Mississippi Ave à hauteur de Fairmount Ave ; plats 12-20 $)

Hannah G's (☎ 609-823-1466 ; 7310 Ventnor Ave ; plats 4-12 $)

Maloney's (☎ 609-823-7858 ; 23 S Washington Ave ; plats 14-25 $)

Mexico Lindo (☎ 609-345-1880 ; 2435 Atlantic Ave ; plats 5-11 $)

Tun Tavern (☎ 609-347-7800 ; 2 Ocean Way ; plats 10-25 $)

Ventura's Greenhouse Restaurant (☎ 609-822-0140 ; 106 Benson Ave, Margate City ; plats 12-22 $)

Où se loger

Les prix de ces établissements peuvent varier de 65 à 400 $ la nuit, en fonction des manifestations en cours, de l'époque de l'année, des vacances, etc.

Atlantic City Hilton (☎ 609-340-7111 ; Boston Ave à hauteur du Boardwalk)

Bally's Park Place & Wild West Casino (☎ 609-340-2000 ; Park Place à hauteur du Boardwalk)

Borgata Hotel Casino & Spa (☎ 866-692-6742 ; One Borgata Way)

Caesar's Atlantic City (☎ 609-348-4411 ; Arkansas Ave à hauteur du Boardwalk)

Claridge Casino Hotel (☎ 609-340-3400 ; Indiana Ave)

Comfort Inn (☎ 609-348-4000 ; 154 Kentucky Ave)

Harrah's Marina Hotel Casino (☎ 609-441-5000 ; Brigantine Blvd)

Holiday Inn Boardwalk (☎ 609-348-2200 ; Boardwalk à hauteur de Chelsea Ave)

Resorts Casino Hotel (☎ 609-344-6000 ; North Carolina Ave à hauteur du Boardwalk)

Sands Hotel, Casino & Country Club (☎ 609-441-4000, 800-227-2637 ; Indiana Ave)

Showboat Casino (☎ 609-343-4000 ; Delaware Ave et Boardwalk)

Tropicana Casino & Entertainment Resort (☎ 609-340-4000 ; Iowa Ave à hauteur du Boardwalk)

Trump Plaza Casino Hotel (☎ 609-441-6000 ; Mississippi Ave à hauteur du Boardwalk)

Trump Taj Mahal (☎ 609-449-1000 ; 1000 Boardwalk)

Trump's Marina Resort (☎ 609-441-2000 ; Huron Ave)

CAPE MAY

À l'extrémité sud de l'État, Cape May, fondée en 1620, est la plus ancienne station balnéaire du pays. Mieux vaut éviter de venir en été car les touristes affluent en masse sur les plages, d'autant que le reste de la ville (surtout si l'on s'intéresse à l'architecture victorienne), peut se visiter en toute saison. La ville entière est classée depuis 1976 National Historic Landmark (ville historique). Outre son architecture caractéristique, ses hôtels (nombreux B&B dans des demeures anciennes) et ses restaurants, Cape May offre aux visiteurs une belle plage, un phare réputé, des boutiques d'objets anciens et de multiples possibilités de pratiquer la pêche et d'observer les baleines et les oiseaux. C'est l'unique endroit du New Jersey où l'on peut admirer le lever et le coucher du soleil sur la mer. La ville et ses environs séduit quantités de touristes américains, des familles venues de banlieues aux gays, particulièrement bien accueillis dans nombre d'auberges.

Transports

Distance depuis New York 241 km
Direction Sud
Durée du trajet 2 heures 45
Voiture Même chose que pour Atlantic City en continuant la Garden State Pkwy jusqu'au bout.
Bus La compagnie **New Jersey Transit** (☎ 973-762-5100 ; www.njtransit.com) assure les liaisons avec New York.

L'été constitue la haute saison touristique et la foule se presse sur les plages. L'on peut toutefois découvrir les petites pensions romantiques et les restaurants à toute autre époque de l'année et profiter alors tout à loisir des plages désertes. Le **Cape May Jazz Festival** se déroule deux fois par an. Quant au **Cape May Music Festival**, il offre des concerts de jazz et de musique classique en plein air. Pour tout renseignement sur les manifestations de Cape May, entrez au **Welcome Center.**

En été, les plages de sable blanc représentent l'attraction principale. Pour accéder à l'étroite **Cape May Beach**, il faut acheter son billet au poste de secours sur la promenade, à l'extrémité de Grant St. On peut se rendre sur **Cape May Point Beach** (gratuite) directement depuis le parking de Cape May Point State Park, près du phare. C'est depuis **Sunset Beach** (gratuite), à l'extrémité de Sunset Blvd, que l'on a une vue imprenable sur les couchers de soleil. C'est également là que les plus chanceux dénichent les fameux "diamants de Cape May", des cristaux de quartz d'une grande pureté, polis par les vagues. De mai à septembre, ne manquez pas la cérémonie du baisser du drapeau qui se déroule sur la plage. Le **Cape May Whale Watcher** promet qu'à chacune de ses excursions en mer, on peut apercevoir des baleines.

À deux pas de Lighthouse Ave, le **Cape May Point State Park** inclut 3 km de sentiers, ainsi que le fameux **Cape May Lighthouse.** Bâti en 1859, ce phare de 47 m de haut a récemment fait l'objet

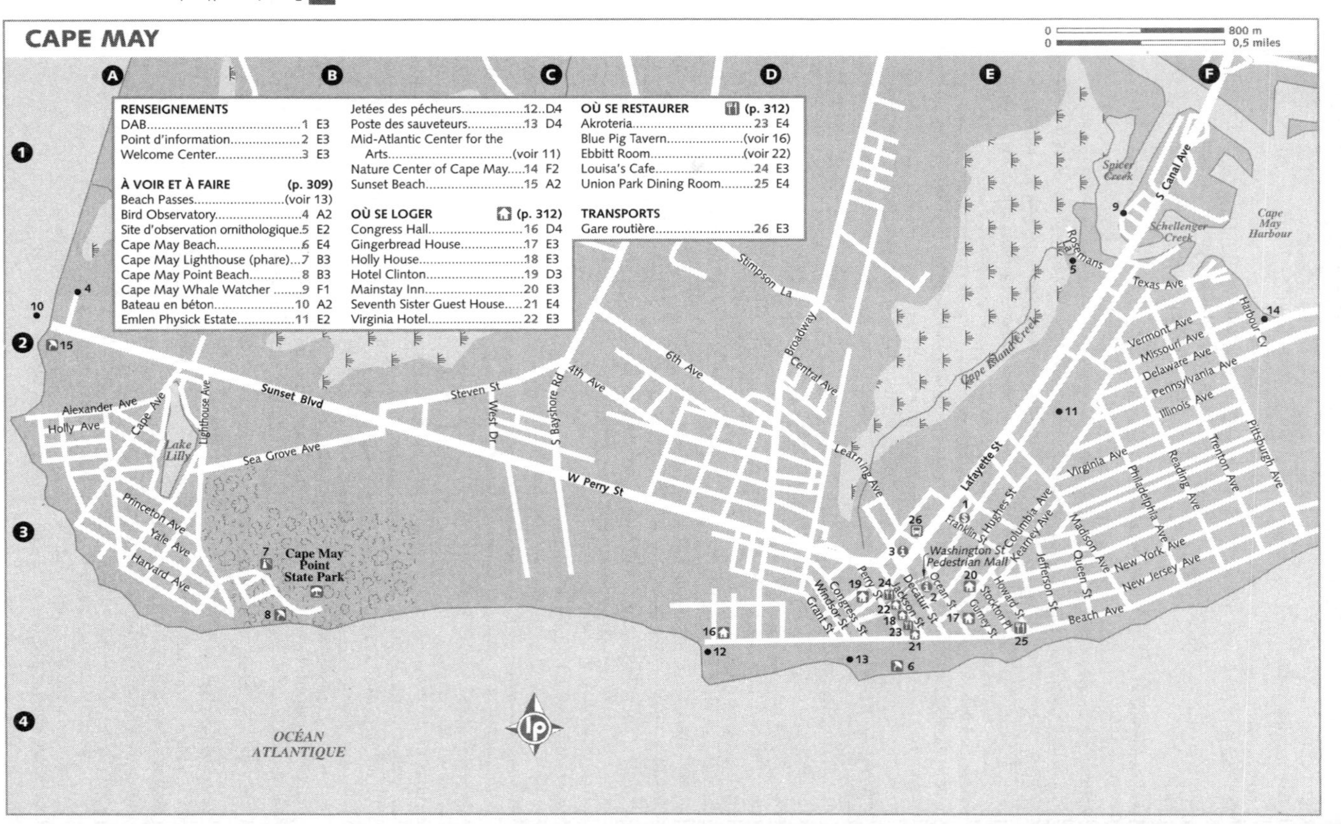
CAPE MAY
0 800 m
0 0,5 miles
RENSEIGNEMENTS
DAB....1 E3
Point d'information....2 E3
Welcome Center....3 E3
À VOIR ET À FAIRE (p. 309)
Beach Passes....(voir 13)
Bird Observatory....4 A2
Site d'observation ornithologique....5 E2
Cape May Beach....6 E4
Cape May Lighthouse (phare)....7 B3
Cape May Point Beach....8 B3
Cape May Whale Watcher....9 F1
Bateau en béton....10 A2
Emlen Physick Estate....11 E2
Jetées des pécheurs....12 D4
Poste des sauveteurs....13 D4
Mid-Atlantic Center for the Arts....(voir 11)
Nature Center of Cape May....14 F2
Sunset Beach....15 A2
OÙ SE LOGER (p. 312)
Congress Hall....16 D4
Gingerbread House....17 E3
Holly House....18 E3
Hotel Clinton....19 D3
Mainstay Inn....20 E3
Seventh Sister Guest House....21 E4
Virginia Hotel....22 E3
OÙ SE RESTAURER (p. 312)
Akroteria....23 E4
Blue Pig Tavern....(voir 16)
Ebbitt Room....(voir 22)
Louisa's Cafe....24 E3
Union Park Dining Room....25 E4
TRANSPORTS
Gare routière....26 E3
Spicer Creek
S Canal Ave
Cape May Harbour
Schellenger Creek
Rosemans La
Texas Ave
Harbour Cv
Vermont Ave
Missouri Ave
Delaware Ave
Pennsylvania Ave
Illinois Ave
Pittsburgh Ave
Trenton Ave
Reading Ave
Philadelphia Ave
Virginia Ave
Madison Ave
New York Ave
New Jersey Ave
Queen St
Jefferson St
Beach Ave
Kearney Ave
Columbia Ave
Hughes St
Franklin St
Lafayette St
Washington St Pedestrian Mall
Ocean St
Decatur St
Jackson St
Perry St
Congress St
Windsor St
Grant St
Howard St
Stockton Pl
Gurney St
Cape Island Creek
Learning Ave
Stimpson La
Broadway
Central Ave
6th Ave
4th Ave
S Bayshore Rd
West Dr
Steven St
W Perry St
Sunset Blvd
Sea Grove Ave
Lighthouse Ave
Lake Lilly
Cape Ave
Alexander Ave
Holly Ave
Princeton Ave
Yale Ave
Harvard Ave
Cape May Point State Park
OCÉAN ATLANTIQUE

d'une rénovation complète et son faisceau lumineux se repère désormais à 40 km à la ronde. L'été, on peut escalader ses 199 marches.

La péninsule de Cape May abrite chaque année des millions d'oiseaux migrateurs. Le **Cape May Bird Observatory** (☎ 609-898-2473), considéré par les spécialistes comme l'un des dix meilleurs sites d'observation du pays, assure des permanences téléphoniques pour informer les amateurs des derniers oiseaux aperçus. C'est en automne que l'on a le plus de chances de repérer quelques-unes des 400 espèces qui passent par la région, les faucons notamment. Cependant, passereaux et rapaces restent encore très nombreux de mars à mai. L'observatoire organise aussi des visites sur **Reed's Beach**, à 19 km au nord de Cape May, dans Delaware Bay, où les oiseaux marins migrateurs plongent dans la mer pour avaler les œufs déposés au mois de mai par des milliers de limules (crabes fer à cheval). Visitez également le **Nature Center of Cape May**, pourvu de plate-formes d'observation, suspendues au-dessus des marais et des plages.

En ville, l'**Emlen Physick Estate**, vaste bâtisse de 18 pièces édifiée en 1879, accueille à présent le **Mid-Atlantic Center for the Arts**, qui s'occupe d'organiser les visites des demeures anciennes de Cape May, du phare ou du village voisin de Cold Spring.

Pendant la Première Guerre mondiale on expérimenta la construction de navires en béton pour pallier une pénurie d'acier. L'*Atlantis*, composé d'une coque en béton, commença à naviguer en 1918, mais, endommagé huit ans plus tard par une tempête, il dériva jusqu'aux abords de la côte de Cape May Point. Une partie de la coque est exposée à quelques mètres de la côte, sur Sunset Beach, à l'extrémité de Sunset Blvd.

Il est possible de faire cette excursion en une seule journée, mais Cape May foisonne d'hébergement très agréables. Nombre d'établissements ferment hors saison, mais ceux qui restent ouverts pratiquent des prix avantageux. En saison, beaucoup exigent des séjours de deux à trois nuits minimum, en particulier en fin de semaine. L'**Hotel Clinton** reste l'option la plus intéressante pour les voyageurs à petit budget. Le très chic **Virginia Hotel** loue de magnifiques chambres à l'ancienne à des tarifs variant selon la saison. Tenu par les mêmes propriétaires, le **Congress Hall**, vaste et récemment rénové, propose plusieurs types de chambre à des prix différents et dispose d'un porche agrémenté de fauteuils, face à l'océan.

La ville compte par ailleurs une ribambelle de B&B. Essayez par exemple l'adorable **Gingerbread House**, demeure de 6 chambres dont le prix comprend un billet d'entrée à Cape May Beach, un petit déjeuner continental et, l'après-midi, un thé complet raffiné. Cottage édifié en 1890 et tenu par un ancien maire de la ville, l'**Holly House** fait partie des Seven Sisters, un groupe de sept maisons identiques, dont cinq se situent dans Jackson St. La **Seventh Sister Guest House** se tient quelques mètres plus loin. Enfin, la **Mainstay Inn**, qui à sa construction en 1872 abritait un club de jeux réservé aux hommes, offre désormais des chambres décorées d'opulents meubles en bois, toutes avec sdb. Petit déjeuner compris.

Les bons restaurants ne manquent pas non plus. Sur la plage, l'**Akroteria** sert divers sanswiches et petites collations. Le petit **Louisa's Café** remporte un succès constant avec ses spécialités, qui changent au gré des saisons. Décontractée, la **Blue Pig Tavern**, dans le Congress Hall, propose des plats comparables. Pour une cuisine plus recherchée, réservez une table à l'**Ebbitt Room** au Virginia Hotel ou à l'**Union Park Dining Room**, à l'Hotel Macomber.

Orientation et renseignements

Cape May Beach (☎ 609-884-9525 ; entrée j/sem 4/10 $)

Cape May Bird Observatory (☎ 609-861-0700 ; 701 East Lake Dr ; 🕑 9h-16h30)

Cape May Jazz Festival (☎ 609-884-7277 ; www.capemayjazz.com ; 🕑 avr et nov)

Cape May Lighthouse (☎ 609-884-2159 ; Lighthouse Ave)

Cape May Music Festival (☎ 609-884-5404 ; www.capemaymac.org ; 🕑 mi-mai–début juin)

Cape May Point State Park (☎ 609-884-2159 ; 707 E Lake Dr)

Cape May Whale Watcher (☎ 609-884-5445 ; www.capemaywhalewatcher.com, Miss Chris Marina, entre 2nd Ave et Wilson Dr ; adulte 23-30 $, enfant 12-18 $)

Emlen Physick Estate (☎ 609-884-5404 ; 1048 Washington St)

Mid-Atlantic Center for the Arts (☎ 609-884-5404, 800-275-4278 ; www.capemaymac.org ; 1048 Washington St)

Nature Center of Cape May
(☎ 609-898-8848 ; 1600 Delaware Ave ; entrée gratuite ; 🕓 été 9h-16h,
hiver 10h-13h, automne et printemps 10h-15h)

Welcome Center (www.capemayfun.com ;
405 Lafayette St; 🕓 9h-16h)

Où se restaurer

Akroteria (Beach Ave ; plats 2-6 $)

Louisa's Café
(☎ 609-884-5884 ; 104 Jackson St ;
plats 12-18 $)

Union Park Dining Room
(☎ 609-884-8811 ;
727 Beach Ave ; plats 18-30 $)

Où se loger

Congress Hall (☎ 609-884-8422 ; 251 Beach Ave ;
ch 80-400 $)

Gingerbread House (☎ 609-884-0211 ; 28 Gurney St ;
ch 98-260 $)

Holly House (☎ 609-884-7365 ; 20 Jackson St ;
ch à partir de 120 $)

Hotel Clinton (☎ 609-884-3993 ; 202 Perry St ;
ch 40-50 $)

Mainstay Inn (☎ 609-884-8690 ; 635 Columbia Ave ;
ch 115-295 $)

Seventh Sister Guest House (☎ 609-884-2280 ;
10 Jackson St ; ch à partir de 120 $)

Virginia Hotel (☎ 609-884-8690 ; 25 Jackson St ;
ch 80-365 $)

PHILADELPHIE

À deux heures à peine de New York, Philadelphie (Philly comme disent les Américains) offre l'occasion de découvrir une autre grande ville. Les amateurs d'histoire apprécieront tout particulièrement ses nombreux sites qui rappellent le passé des États-Unis. On peut facilement associer cette visite à une excursion à Atlantic City et Cape May.

William Penn fonda Philadelphie en 1682 en choisissant un plan en damier composé de larges avenues et de grandes places, largement repris ensuite dans de nombreuses villes américaines. Deuxième plus grande ville de l'Empire britannique (juste après Londres), Philadelphie synthétisa toutes les oppositions à la politique coloniale. Dès le début de la Révolution, elle devint la capitale de la nouvelle nation. Elle perdit son statut en 1790, détrônée par Washington, DC. Au début du XIXe siècle, New York imposa rapidement sa prééminence sur le plan culturel, commercial et industriel et Philadelphie ne regagna jamais sa gloire passée. Cependant, dans les années 70, les célébrations du bicentenaire du pays s'accompagnèrent d'un vaste programme de développement urbain dont elle continue encore à bénéficier à ce jour.

On se repère facilement à Philadelphie. La plupart des sites et des hébergements se situent à faible distance les uns des autres, à pied ou en bus. Les rues orientées est-ouest portent un nom, celles orientées nord-sud, un numéro, à l'exception de Broad St et Front St. Le quartier historique comprend l'Independence National Historic Park et Old City, à l'est du Delaware.

Si vous ne passez qu'une journée sur place, nous vous conseillons de suivre l'une des nombreuses visites guidées de la ville afin d'en profiter au mieux. **Philadelphia Trolley Works** organise des circuits en trolley de 90 min, très complets. On peut descendre à certains endroits, poursuivre un moment la visite à pied et reprendre le trolley un peu plus loin. La **76 Carriage Company** offre l'occasion unique de découvrir la ville en calèche. **Phlash** propose des visites libres d'une heure d'environ 25 sites. Elles s'effectuent dans des mini-bus flambant neufs, que l'on quitte et rejoint à sa guise. Vous disposez d'une carte avec des repères colorés afin que vous puissiez vous repérer. Si vous préférez vous passer des services d'une agence, arrêtez-vous tout d'abord à l'**Independence Visitors Center**. Tenu par le National Park Service, il vous remettra les plans et les brochures touristiques de la ville établies par le Philadelphia Official Visitors Guide. Tout proche, le **Philadelphia Convention & Visitors Bureau** vous renseignera sur le tourisme d'affaires, les divers circuits possibles, les hôtels et les possibilités de séjour.

En forme de L, l'**Independence National Historic Park** (actuellement en rénovation) et le secteur de Old City sont surnommés le "kilomètre carré historique de l'Amérique". La visite de ce quartier, qui s'apparente un peu à un retour dans le passé, vous permettra de mieux appréhender la ville. **Carpenters' Hall**, qui appartient à la Carpenter Company, représente la

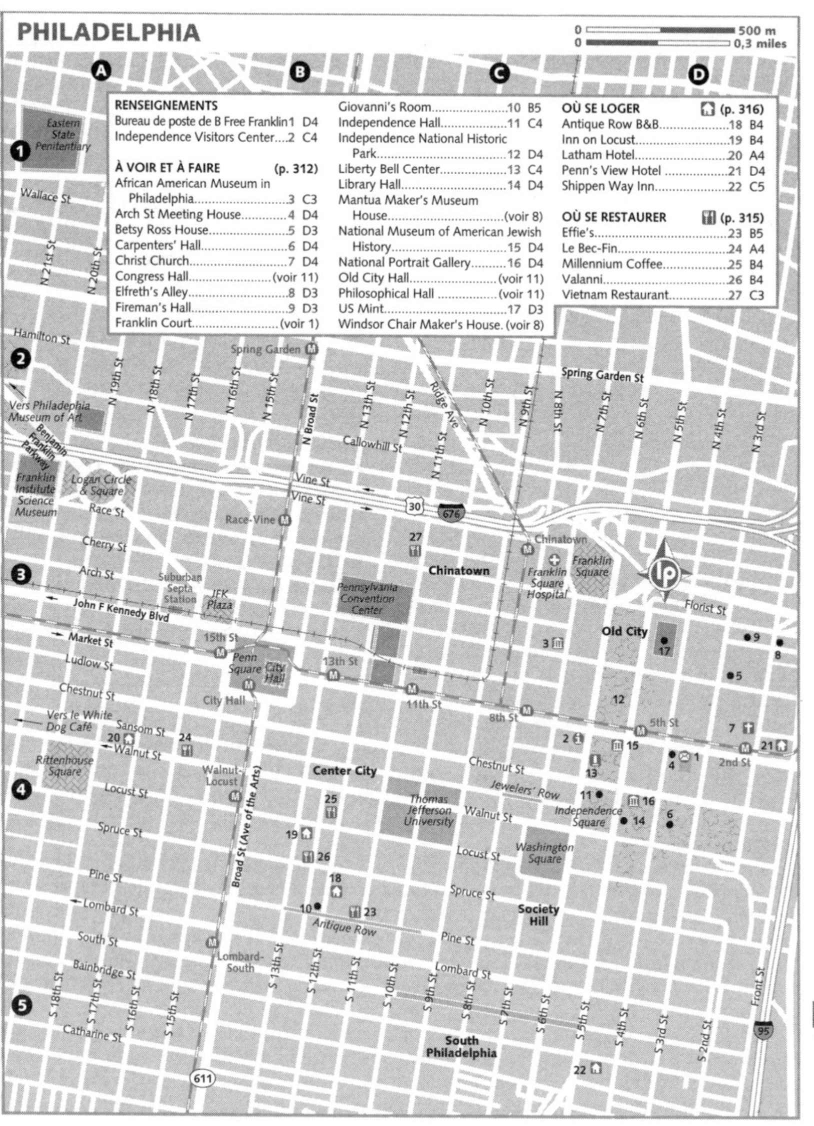

plus ancienne guilde marchande des États-Unis. Elle accueillit en 1774 le premier Congrès continental. La **National Portrait Gallery**, dans un bâtiment s'inspirant du Parthénon, renferme plusieurs portraits de personnages historiques peints par Charles Willson Peale. La **Library Hall** expose une copie de la Déclaration d'Indépendance écrite par Thomas Jefferson, ainsi que des éditions originales de *L'origine des espèces* de Darwin et des notes des explorateurs Lewis et Clark.

Principale attraction touristique de la ville, le **Liberty Bell Center** a été récemment déplacé dans un nouveau pavillon, au sein de l'Independence Park. Fondue à Londres et inaugurée lors de la première lecture publique de la Déclaration d'Indépendance, cette cloche massive de 936 kg devint pour les abolitionnistes le symbole de la liberté. Elle porte l'inscription

"Proclamez la liberté dans tout le pays et à tous ses habitants" (Lévitique 25/10). Ses nombreuses fêlures l'ont rendue inutilisable depuis 1846.

Ensemble de logements rénovés, le complexe **Franklin Court** comprend un musée en hommage aux inventions de Benjamin Franklin. Le courrier déposé au bureau de poste **B Free Franklin**, qui abrite un petit musée sur la poste américaine, se voit apposer un cachet spécial, imitant l'écriture de Franklin (qui fut tout à la fois homme politique, auteur, inventeur et facteur !). Lui-même et George Washington fréquentaient **Christ Church**, achevée en 1744.

Belle église anglicane construite par William Strickland, le **Greek Revival Philadelphia Exchange** abrita la première bourse du pays (1834). Le site est désormais fermé au public, mais il est encore possible d'admirer la façade.

Old City – et Society Hill –, délimités par Walnut, Vine, Front et 6th St, correspondent aux quartiers historiques de Philadelphie. Ils ont été réhabilités dans les années 1970 et nombre d'entrepôts ont alors été transformés en appartements, galeries et boutiques. Dans **Elfreth's Alley**, qui passe pour la plus ancienne rue des États-Unis, voyez les collections de mobilier ancien de la **Mantua Maker's Museum House**. Les fauteuils d'Independence Hall proviennent de la **Windsor Chair Maker's House**. **Fireman's Hall** rassemble les plus anciens camions de pompier du pays et retrace la manière dont Benjamin Franklin mit en place les premières équipes de volontaires. Betsy Griscom Ross (1752–1836) aurait cousu le tout premier drapeau américain dans ce qui est aujourd'hui la **Betsy Ross House**.

Transports

Distance depuis New York 161 km

Direction Sud-ouest

Durée du trajet 2 heures

Voiture Prenez le Lincoln Tunnel pour gagner la NJ Turnpike (I-95), puis la Rte 73 en direction de Philadelphia. Elle rejoint la I-295, puis la US-30, par le Ben Franklin Bridge. Empruntez enfin la I-676 et sortez à Philadelphia.

Bus Les compagnies **Greyhound** (☎ 800-229-9424) et **Capitol Trailways** (☎ 800-444-2877) desservent Philly au départ du terminal des bus de Port Authority. Le trajet dure 2 heures et l'aller simple revient à 25 $.

Train Avec **Amtrak** (☎ 212-582-6875, 800-872-7245 ; www.amtrak.com), deux possibilités au départ de Penn Station : le train rapide **Acela** (aller-retour 190 $; 1 heure), qui arrive à 30th St Station ou le **service omnibus** classique (aller-retour 96 $; 1 heure 30). Beaucoup moins cher, **New Jersey Transit** (☎ 973-762-5100 ; www.njtransit.com ; aller-retour 34 $) assure des liaisons régulières de Philly à Penn Station, avec un changement à Trenton.

Le **National Museum of American Jewish History** montre le rôle qu'a joué la communauté juive dans l'histoire des États-Unis. Pour des raisons de sécurité, les visites de l'**US Mint** sont désormais réservées essentiellement aux groupes de scolaires. Renseignez-vous sur une éventuelle réouverture à un public plus large. L'**Arch St Meeting House** représente la plus grande maison communautaire des Quaker aux États-Unis. Enfin, l'**African American Museum in Philadelphia** renferme des collections très intéressantes sur la culture et l'histoire des Noirs.

Signalons aux voyageurs homosexuels que le Philadelphia Convention and Visitors Bureau a lancé en 2004 une vaste campagne publicitaire à l'intention des gays, lesbiennes, bisexuels et transsexuels. "Get your history straight and your nightlife gay" (révisez votre histoire et appréciez nos soirées gays) proclamait le slogan. Bien que sans commune mesure avec ce qu'offre New York, la vie nocturne s'avère en effet assez animée à Philly. Très branché, le **Millennium Coffee** attire tous les beaux garçons de la ville et la librairie gay **Giovanni's Room**, sur Antique Row, mérite également une visite.

Si vous souhaitez passer la nuit sur place, sachez que vous devrez certainement vous loger dans l'une des multiples chaînes haut de gamme ou dans un B&B car la ville manque cruellement de petits hôtels de charme. Quelque peu désuet, le **Penn's View Hotel** loue des chambres meublées dans le style Chippendale, avec briques apparentes et cheminées, donnant sur le fleuve. Petit déjeuner continental compris. Plus chic, le **Latham Hotel** propose des chambres de style victorien. Demeure coloniale des années 1750, la **Shippen Way Inn** comprend 9 chambres équipées de lits douillets. Dans une sympathique atmosphère familiale, elle offre vin et fromage dans la cuisine. Les chambres de l'**Antique Row B&B** sont meublées à l'ancienne.

Excellents petits déjeuners dans l'Antique Row voisine. Proche des night-clubs gays, l'**Inn on Locust** s'adresse surtout à une clientèle d'affaires, certaines pièces pouvant se transformer en salles de réunion ou en bureaux. Les chambres situées sur le devant donnent sur une magnifique fresque murale.

En matière de gastronomie le choix est vaste et on compte de très bons restaurants à tout petits prix dans les quartiers de Chinatown et de South Street. Toujours bondé, le **Vietnam Restaurant** prépare d'authentiques plats vietnamiens, tels que rouleaux de printemps ou soupe aigre-douce de poisson aux vermicelles. Citons **Geno's** et **Pat's King of Steaks**, très prisés pour la spécialité incontournable de la région, les steaks au fromage.

Le marché couvert, **Reading Terminal Market**, vend un grand choix de produits, des fromages amish aux desserts thaïlandais, en passant par les falafels, les steaks au fromages, les salades composées, les sushis, le canard laqué et de bons plats mexicains. Pour nombre de gourmets, **Le Bec-Fin** se classe parmi les meilleurs restaurants du pays, avec cadre et service grand luxe et excellente cuisine française. Fréquenté surtout par des amateurs de théâtre de la cinquantaine en début de soirée, **Valanni** accueille un peu plus tard une clientèle essentiellement gay, qui apprécie également ses plats d'inspiration méditerranéenne. Enfin, **Effie's**, sur Antique Row, sert des spécialités grecques dans un décor intime.

Orientation et renseignements

Un seul numéro de téléphone pour vous renseigner sur les différents sites de l'Independence National Historic Park (INHP) (☎ 215-597-8974). Ces sites sont ouverts tous les jours de 9h à 17h, sauf mention contraire.

76 Carriage Company (☎ 215-923-8516 ; www.phillytour.com ; angle 6th St et Chestnut ; adulte 25-70 $)

African American Museum in Philadelphia (☎ 215-574-0380 ; www.aampmuseum.org ; 701 Arch St ; entrée 6 $; ⌚ jeu-dim 10h-17h, mar 10h30-17h, mer 10h30-19h)

Arch St Meeting House (320 Arch St ; don à l'entrée ; ⌚ fermé dim)

Bureau de poste B Free Franklin (☎ 215-592-1289 ; 316 Market St)

Betsy Ross House (☎ 215-686-1252 ; 239 Arch St ; don à l'entrée ; ⌚ 9h-17h)

Carpenters' Hall (INHP, entre Chestnut St et Walnut ; ⌚ fermé lun)

Christ Church (☎ 215-922-1695 ; 2nd St entre Market St et Arch St)

Fireman's Hall (☎ 215-923-1438 ; 147 N 2nd St)

Franklin Court (INHP, Market St entre S 3rd St et S 4th St)

Giovanni's Room (☎ 215-923-2960 ; 345 S 12th St)

Independence Hall/Congress Hall (INHP, Chestnut St entre S 5th St et S 6th St)

Independence National Historic Park (☎ 215-597-8974 ; www.nps.gov/inde)

Independence Visitors Center (☎ 215-965-7676 ; www.independencevisitorscenter.com ; 6th St entre Market St et Arch St ; ⌚ 8h30-17h)

Liberty Bell Center (INHP, 6th St entre Market St et Chestnut St)

Library Hall (INHP, S 5th entre Chestnut St et Walnut St)

Mantua Maker's Museum House (☎ 215-574-0560 ; entrée 2 $; ⌚ sam 10h-16h, dim 12h-16h)

National Museum of American Jewish History (☎ 215-923-3811 ; www.nmajh.org ; 55 N 5th St ; entrée libre ; ⌚ lun-jeu 10h-17h, ven 10h-15h, dim 12h-17h)

National Portrait Gallery (INHP, Chestnut St entre S 4th St et S 5th St)

Old City Hall/Philosophical Hall (INHP, Chestnut St entre S 5th St et S 6th St)

Philadelphia Trolley Works (☎ 215-925-8687 ; www.phillytour.com ; angle 6th St et Chestnut St ; adulte/enfant 20/5 $)

Phlash (☎ 215-474-5274 ; pass pour la journée 4 $)

US Mint (☎ 215-408-0114 ; INHP, entre 4th St et 5th St)

Windsor Chair Maker's House (☎ 215-574-0560 ; 126 Elfreth's Alley ; entrée 2 $; ⌚ sam 10h-16h, dim 12h-16h)

Où se restaurer

Effie's (☎ 215-592-8333 ; 1127 Pine St ; plats 12-15 $)

Geno's (☎ 215-389-0659 ; 1219 S 9th St ; plats 3-6 $)

Le Bec-Fin (☎ 215-567-1000 ; 1523 Walnut St ; menus 38-120 $)

Millennium Coffee (☎ 731-9798 ; 212 S 12th St ; plats 2-6 $)

Pat's King of Steaks (☎ 215-468-1546 ; 9th St à hauteur de Wahrton Ave et Passyunk Ave ; plats 3-7 $; 🕑 24h/24)

Reading Terminal Market (☎ 215-922-2317 ; www.readingterminalmarket.org ; 12th St et Arch St ; plats 2 $)

Valanni (☎ 215-790-9494 ; 1229 Spruce St ; plats 13-18 $)

Vietnam Restaurant (☎ 215-592-1163 ; 221 N 11th St ; plats 4-11 $)

Où se loger

Antique Row B&B (☎ 215-592-7802 ; www.antiquerowbnb.com ; 341 S 12th St ; ch 65-110 $)

Inn on Locust (☎ 215-985-1905 ; www.innonlocust.com ; 1234 Locust St ; ch 125-200 $)

Latham Hotel (☎ 215-563-7474 ; www.lathamhotel.com ; 135 S 17th St ; ch à partir de 109 $)

Penn's View Hotel (☎ 215-922-7600 ; www.pennsviewhotel.com ; Front & Market St ; ch à partir de 165 $)

Shippen Way Inn (☎ 215-627-7266 ; 416-418 Bainbridge St ; ch 80 $)

Carnet pratique

Carnet pratique

TRANSPORTS

AVION

Trois aéroports principaux desservent New York. Le plus grand, John F Kennedy International (JFK), se situe dans le *borough* du Queens, à une vingtaine de kilomètres de Midtown. Au nord-ouest de celui-ci, toujours dans le Queens, La Guardia Airport est à 13 km de Midtown. Enfin, Newark International Airport (EWR), de l'autre côté de l'Hudson, à Newark dans le New Jersey, est le moins proche, à 25 km de Midtown. Aucun des aéroports ne dispose de consignes à bagages.

Pour acheter un billet au meilleur prix, commencez vos recherches le plus tôt possible. Les offres les moins chères sont vendues plusieurs mois à l'avance. Dans certains cas, il peut également s'avérer intéressant de modifier ses dates de vols de quelques jours, d'arriver dans un aéroport différent ou d'accepter de faire une escale. Enfin, rappelons que le prix du billet augmente considérablement dès lors que le séjour dépasse les 30, 60 ou 90 jours.

La haute saison new-yorkaise s'étend de mi-juin à mi-septembre l'été et une semaine avant et après Noël. Février et mars et tout le mois d'octobre jusqu'à Thanksgiving (4e jeudi de novembre) sont considérés comme des périodes intermédiaires, pendant lesquelles les prix baissent légèrement. Réservez si possible vos billets sur Internet : nombre de sites offrent aujourd'hui des tarifs très attractifs et vous éviterez de surcroît l'attente au guichet. Voici les plus intéressants : **Orbitz** (www.orbitz.com), **Travelocity** (www.travelocity.com), **Cheap Tickets** (www.cheaptickets.com), **Expedia** (www.expedia.com), **Priceline** (www.priceline.com) et **Hotwire** (www.hotwire.com). La plupart des compagnies aériennes possèdent une agence à New York, à Manhattan ou dans l'un des aéroports. Bien qu'il ne soit généralement pas nécessaire de s'y rendre, vous trouverez facilement l'agence la plus proche de votre hôtel en appelant les renseignements au ☎ 800-555-1212 (gratuit) ou en consultant le site Internet de la compagnie.

Si vous suivez un itinéraire compliqué, n'hésitez pas à solliciter l'aide des agences de voyages. **Council Travel** (☎ 800-226-8624, réservations ☎ 212-254-2525 ; www.counciltravel.com) et **STA Travel** (☎ 800-777-0112, réservations ☎ 212-627-3111 ; www.statravel.com) proposent des tarifs très avantageux, en particulier pour les étudiants. Elles possèdent toutes deux de nombreux bureaux à Manhattan. La chaîne de la Côte Est **Liberty Travel** (☎ 888-271-1584 ; www.libertytravel.com) compte plus de trente agences en ville.

Compagnies aériennes

Compagnies aériennes présentes à New York :

Aer Lingus (plan p. 376 ; ☎ 888-474-7424 ; www.aerlingus.com ; 509 Madison Ave)

Aeromexico (plan p. 376 ; ☎ 212-754-2140, 800-237-6639 ; www.aeromexico.com ; 37 W 57th St)

Air Canada (plan p. 376 ; ☎ 888-247-2262 ; www.aircanada.ca ; 15 W 50th St)

Air France (plan p. 218 ; ☎ 212-830-4000, 800-237-2747 ; www.airfrance.com ; 120 W 56th St)

American Airlines (plan p. 376 ; ☎ 800-433-7300 ; www.aa.com ; 18 W 49th St)

British Airways (plan p. 376 ; ☎ 800-247-9297 ; www.british-airways.com ; 530 Fifth Ave)

Continental Airlines (plan p. 376 ; ☎ 212-319-9494, 800-525-0280 ; www.continental.com ; 100 E 42nd St)

Delta/Delta Song (plan p. 376 ; ☎ 800-221-1212 ; www.delta.com ; 100 E 42nd St)

KLM Royal Dutch Airlines (plan p. 376 ; ☎ 800-374-7747 ; www.klm.com ; 2nd fl, 100 E 42nd St)

Lufthansa (plan p. 376 ; ☎ 800-645-3880 ; www.lufthansa.com ; Suite 1421, 350 Fifth Ave)

Qantas Airways (plan p. 376 ; ☎ 800-227-4500 ; www.qantas.com ; 712 Fifth Ave)

Singapore Airlines (plan p. 376 ; ☎ 212-644-8801, 800-742-3333 ; www.singaporeair.com ; 55 E 59th St)

United Airlines (plan p. 376 ; ☎ 800-241-6522 ; www.ual.com ; 100 E 42nd St)

US Airways (plan p. 376 ; ☎ 800-428-4322 ; www.usairways.com ; 101 Park Ave)

Aéroports

Trois principaux aéroports desservent New York.

JFK INTERNATIONAL AIRPORT

Plan p. 378 ☎ 718-244-4444 ; www.panynj.gov

À l'est du Queens, cet aéroport reçoit des vols internationaux et accueille 35 millions de passagers par an. Bondé et en perpétuelle expansion, il s'est longtemps étendu sans véritable plan cohérent, mais fait l'objet d'une vaste rénovation qui devrait se terminer en 2005.

Quel que soit le mode de transport choisi, il faut prévoir un bon laps de temps pour rejoindre JFK. En taxi, il vous faudra débourser 45 $ et prendre votre mal en patience dans les embouteillages. À l'autre extrémité de la fourchette des tarifs, le train de Rockaway Beach, ligne A, ne vous coûtera que 2 $, mais rejoindre Midtown prendra au moins une heure. Arrivé en bout de ligne, on peut désormais prendre le AirTrain, qui dessert tous les terminaux moyennant 5 $. On peut aussi opter pour les navettes assurant la liaison avec Manhattan. Le **New York Airport Service Express Bus** (☎ 718-875-8200 ; aller simple 13 $, toutes les 15 min) va de JFK à Port Authority Bus Terminal, Penn Station et Grand Central Terminal. Sorte de taxi commun, **Super Shuttle Manhattan** (☎ 800-258-3826 ; aller simple 17-19 $) nécessite de réserver. Le véhicule vous prend ensuite à l'endroit et à l'horaire convenus.

LA GUARDIA AIRPORT

Plan p. 387 LGA ; ☎ 718-533-3400 ; www.panynj.gov

Plus petit et plus proche de Manhattan, La Guardia Airport est plus pratique que JFK en taxi, mais n'offre guère plus de facilités en transport en commun. Il faut prendre le métro (E, F, R, V, G) jusqu'à Jackson Heights, dans le Queens, puis le bus Q33, qui s'arrête à tous les terminaux (prévoir environ 30 min de trajet en bus). Comme pour JFK, des navettes desservent cet aéroport (comptez environ 5 $ de moins sur les distances les plus courtes).

NEWARK LIBERTY INTERNATIONAL AIRPORT

EWR ; ☎ 973-961-6000 ; www.panynj.gov

Bien organisé, cet aéroport présente de nombreux avantages pour les visiteurs arrivant de l'étranger, notamment une vaste salle d'immigration où les contrôles s'effectuent rapidement, et un système de monorail reliant les terminaux entre eux.

Les vols pour Newark restent encore généralement un peu moins chers, sans doute parce que l'on pense, à tort, que cet aéroport est moins facilement accessible que JFK. Il est, au contraire, aisé de gagner rapidement Manhattan en bus (voir les détails sur les navettes dans les rubriques sur JFK et La Guardia, ci-dessus) et avec le **New Jersey Transit** (p. 323), dont les trains s'arrêtent à l'aéroport, directement au niveau du monorail.

BATEAU

Peu de plaisanciers se rendent directement à New York et il existe peu de ports susceptibles d'accueillir des bateaux privés, à l'exception de ceux du World Financial Center et du 79th St Boathouse, dans l'Upper West Side.

Les navettes rapides de couleur jaune de la flotte **New York Water Taxi** (☎ 212-742-1969 ; www.nywatertaxi.com) desservent 11 pontons dans toute la ville, du nord de Brooklyn et Lower Manhattan à Chelsea et l'Upper East Side. Un trajet simple revient de 4 à 6 $ et le forfait 24 heures, qui permet d'emprunter les bateaux autant de fois qu'on le souhaite dans la journée, coûte 15 $. Encore relativement récent, ce service connaît régulièrement des interruptions. Aussi mieux vaut vous assurer des horaires des navettes par téléphone ou sur le site Internet avant de vous lancer. Le **Staten Island Ferry** (p. 151) assure quant à lui des liaisons permanentes et gratuites entre les terminaux de Lower Manhattan et de St George, sur Staten Island. Emprunté essentiellement par des gens qui vont travailler à Manhattan, il offre une vue magnifique sur le port.

Pour tout renseignement sur les circuits en bateau, reportez-vous p. 80.

BICYCLETTE

New York n'est sans doute pas la ville idéale pour les cyclistes, mais leur condition s'est néanmoins nettement améliorée ces dernières années, grâce notamment à la restauration des routes, à la création de nouvelles pistes cyclables (telle celle qui traverse Hudson Park et l'ouest de Manhattan) et aux campagnes d'information menées par les groupes de défense de l'environnement. **Transportation Alternatives** (plan p. 321 ; ☎ 212-629-8080 ; www.transalt.org ; 115 W 30th St) propose sur son site des cartes des pistes cyclables, finance la Bike Week NYC qui se déroule en mai et fournit toutes sortes de renseignements en rapport avec le vélo, en particulier sur les droits des cyclistes, les astuces anti-vols et la manière de voyager en transport en commun avec sa bicyclette.

Nombre de New-Yorkais hésitent toutefois à enfourcher leur vélo pour slalomer entre les taxis, camions, voitures et bus, même s'il existe quelques casse-cou, les coursiers notamment, qui n'hésitent pas à remonter des files entières de voitures, sans casque et parfois même sans freins ! On ne saurait trop recommander la prudence ! Portez un casque, choisissez un vélo aux pneus larges pour davantage de stabilité et restez toujours en alerte (pour éviter en particulier les ouvertures de portière inopinées). À moins de maîtriser parfaitement l'art du vélo en ville, restez plutôt sur les pistes cyclables de Central et Prospect Park, ainsi que le long de l'Hudson. Sachez que les vélos sont interdits sur les trottoirs. Pour attacher votre monture, choisissez le meilleur cadenas en U du marché ou les grosses chaînes métalliques à 100 $, les autres types d'anti-vols n'offrant aucune résistance.

Five Borough Bicycle Club (p. 241) parraine des excursions gratuites ou peu onéreuses le week-end dans les environs de la ville. Pour tout renseignement, rendez-vous au bureau du club, à l'**Hostelling International–New York** (plan p. 379). Le **New York Cycle Club** (p. 241) organise des excursions d'une journée ou plus et fournit également des guides de randonnées cyclistes établies par ses membres. Enfin, **Fast & Fabulous** (☎ 212-567-7160 ; www.fastnfab.org) propose à la communauté homosexuelle des circuits en vélo dans et autour de la ville.

On peut prendre le métro avec son vélo. Dans les trains de banlieue, accessibles uniquement en dehors des heures de pointe, il faut au préalable se procurer un ticket spécial vélo (gratuit) au guichet.

Location

La location d'une bicyclette revient à environ 30 $ par jour. Parmi les loueurs, citons : **Sixth Ave Bicycles** (plan p. 372 ; ☎ 212-255-5100 ; 545 Sixth Ave) ; **Manhattan Bicycle** (plan p. 376 ; ☎ 212-262-0111 ; 791 Ninth Ave entre 52nd et 53rd St), entre autres adresses ; **Central Park Bicycle Tours & Rentals** (plan p. 218 ; ☎ 212-541-8759 ; 2 Columbus Circle à hauteur de 59th et Broadway) et **Frank's Bike Shop** (plan p. 372 ; ☎ 212-533-6332 ; 533 Grand St), cette dernière boutique, située dans Lower East Side, pratiquant des prix bas assortis de bons conseils.

BUS

Nombre de New-Yorkais n'envisagent absolument pas d'emprunter les bus, jugés trop lents et pas assez fiables. Le service s'est pourtant considérablement amélioré. Les bus roulent désormais 24h/24 et leurs parcours évitent les voies où la circulation pose problème. Ils traversent la ville par les rues secondaires – 14th St, 23rd St, 34th St, 42nd St et 72nd St, ainsi que toutes les rues à double sens – et desservent Uptown et Downtown. Les arrêts, souvent abrités, sont distants de quelques blocs et tous pourvus d'un plan du trajet et des horaires. Sur la plupart des lignes, la fréquence de passage est élevée. Soulignons en outre que les bus offrent un formidable moyen de découvrir la ville et d'observer la population ! Ils s'avèrent toutefois vite bondés aux heures de pointe et avancent désespérément lentement en cas d'embouteillage. Autrement dit, si vous êtes pressé, optez pour le métro.

Le prix d'un trajet est identique à celui du métro, 2 $. On paie avec la Metrocard ou en donnant l'appoint, mais pas de billets. Les correspondances d'un bus à l'autre ou entre bus et métro sont gratuites, à condition d'être effectuées dans un intervalle de 2 heures. Elles sont enregistrées sur la Metrocard.

Tous les bus suburbains et longue distance partent et arrivent au **Port Authority Bus Terminal** (plan p. 376 ; ☎ 212-564-8484 ; 41st St à hauteur de Eighth Ave). Bien que ce terminal n'ait plus aussi mauvaise réputation qu'autrefois, mieux vaut rester vigilant, à l'égard notamment des personnes qui vous proposent de vous porter vos bagages contre quelques dollars. La compagnie **Greyhound** (☎ 800-231-2222 ; www.greyhound.com) relie New York à la plupart des grandes villes du pays. **Peter Pan Trailways** (☎ 800-343-9999 ; www.peterpanbus.com) dessert les grandes villes les plus proches et assure notamment un service express pour Boston (aller/et retour 32/64 $) avec réservation 7 j à l'avance. **Short Line** (☎ 212-736-4700 ; www.shortlinebus.com)

propose nombre de liaisons avec le nord du New Jersey et de l'État de New York. Enfin, **New Jersey Transit** (☎ 973-762-5100 ; www.njtransit.com) traverse tout le New Jersey et relie directement Atlantic City (aller simple 20 $ environ).

Pour se rendre à Boston, la meilleure compagnie reste néanmoins **Fung Wah** (plan p. 372 ; ☎ 212-925-8889 ; www.fungwahbus.com ; 139 Canal St à hauteur de Bowery). Elle effectue 10 trajets par jour de 7h à 22h, de 10 à 25 $ l'aller simple selon l'heure choisie. Pensez à réserver car cette compagnie, connue autrefois des seuls Chinois et étudiants, connaît aujourd'hui un large succès. Raison pour laquelle on trouve désormais plusieurs autres entreprises concurrentes dans le même secteur de Chinatown.

Transports alternatifs

Le stationnement est un cauchemar et les prix des voitures de location est prohibitif. Mais rien ne vous oblige à vous déplacer en métro et taxi. Pour vos trajets dans New York et ses environs, essayez ces modes de transport, moins conventionnels :

Airtrain (p. 319). Rejoindre les aéroports JFK et de Newark n'a jamais été aussi simple.

Fung Wah (ci-contre). Vingt dollars un aller simple en bus pour Boston ? c'est possible !

Taxi-bicyclette (p. 322). Traversez Times Square et Downtown en rickshaw.

Water Taxi (p. 319). Ses navette fluviales jaune et noire longent les quais de Manhattan et de Brooklyn.

Zipcar (p. 323). Une voiture est momentanément indispensable ? Voici un service de location de voiture à l'heure ou à la journée.

MÉTRO

Avant toute chose, il faut savoir repérer votre rame. À l'origine, les lignes, exploitées par des compagnies différentes, étaient désignées par le nom de ces sociétés, BMT et IND par exemple. Aujourd'hui, elles possèdent toutes une lettre ou un numéro. Plusieurs rames différentes circulent généralement sur la même voie. Par exemple, dans Manhattan, la ligne rouge correspond aux métros 1, 2, 3 et 9. Bien qu'ils suivent plus ou moins le même trajet, le 2 et le 3 finissent respectivement à Brooklyn et dans le Bronx. Il s'agit en outre de trains express (au nombre d'arrêts limité), alors que le 1 et le 9 sont omnibus (*locals*). Si vous demandez quel métro prendre pour aller à W 72 St, on vous répondra certainement "take the one-nine" ("prenez le 1-9"), même si le 2 et le 3 s'y rendent également. Il en va de même pour tous les métros, avec lettre ou numéro. Pas de panique toutefois ! Le plan est très facile à comprendre, en raison justement des différentes couleurs de lignes.

Mythique, bon marché (2 $), circulant 24h/24 et vieux d'un siècle, le métro newyorkais incarne l'exemple type du transport de masse qui fonctionne envers et contre tout. Ce réseau de plus de 1 000 km impressionne un peu au début, mais on apprend vite à en apprécier tous les avantages.

Exploité par la Metropolitan Transportation Authority (MTA), le métro new-yorkais (*subway*, ou plus familièrement, "the train") est le mode de transport le plus rapide et le plus fiable. Il s'avère en outre aujourd'hui beaucoup plus sûr et propre qu'autrefois. Des plans de poche sont disponibles à chaque station, et des plans grand format affichés sur les quais et dans les rames. Les visiteurs commettent fréquemment l'erreur de monter dans un train express avant de s'apercevoir qu'il ne s'arrête pas à la station où ils voulaient descendre. Le plan inclus dans cet ouvrage (p. 390) différencie les métros express des omnibus en représentant les arrêts des express avec un cercle noir et les autres avec un cercle blanc. Les surprises ne sont pas rares : un omnibus peut se transformer tout à coup en express, et inversement, généralement en raison d'interventions sur les voies (ou d'une urgence), car le réseau, ancien, subit constamment des réparations.

Pensez à bien vous tenir aux barres et aux mains courantes dans les rames car les secousses au démarrage et à l'arrivée peuvent être rudes !

Le métro s'est considérablement transformé et modernisé depuis cinq ans. Tout d'abord, les jetons ont cédé la place à la Metrocard jaune et bleue, que l'on achète et recharge dans les distributeurs automatiques des stations. Il en existe deux types : celle valable pour un seul trajet (permettant une correspondance métro-bus ou bus-bus dans une intervalle de 2 heures) et celle autorisant un nombre de trajets illimité. Des rames propres et flambant neuves ont remplacé les plus anciennes et les stations sont désormais annoncées par une voix enregistrée (on entend néanmoins toujours les voix plus typées des conducteurs sur certaines lignes). Enfin, le trajet de plusieurs lignes (notamment les N, R, W, B, D et M) a été récemment modifié afin de traverser de nouveau le Manhattan Bridge pour desservir Brooklyn, pour la première fois depuis de nombreuses années. Tous les plans ont été mis à jour, mais ces changements continuent souvent de dérouter les New-Yorkais eux-mêmes. Pour tout renseignement sur le métro, appelez le ☎ 718-330-1234 ou consultez le site www.mta.info.

Très attendu, le projet de construction d'une nouvelle ligne dans Second Ave (l'est de Manhattan reste encore très mal desservi) a suscité bien des débats. Si le calendrier est respecté, la première section ouvrira aux voyageurs en 2011.

TAXI

Prendre un taxi à New York correspond un peu à un rite de passage, surtout si votre chauffeur ("hack" en langage new-yorkais) roule à tombeau ouvert ! La plupart sont bien entretenus et ne reviennent pas cher, comparé aux autres métropoles.

Cela dit, la **Taxi & Limousine Commission** (TLC; ☎ 311), l'entreprise qui gère tous les taxis, a relevé ses tarifs en mai 2004 : la prise en charge se monte désormais à 2,50 $ (premier 5e de mile), on paie ensuite 40 c pour chaque 5e de mile supplémentaire ou toutes les 2 minutes en cas d'arrêt dans un embouteillage. S'ajoute un supplément de 1 $ aux heures de pointe (de 16h à 20h en semaine) et de 50 c la nuit (de 20h à 6h tous les jours). Il est désormais possible de payer par carte de crédit. Le pourboire est généralement compris entre 10 et 15% du prix de la course, moins si vous estimez ne pas avoir été bien traité. Dans ce cas, vous pouvez relever le numéro de permis du chauffeur et déposer une réclamation auprès de la TLC. Sachez que la Passenger's Bill of Rights vous autorise à demander au chauffeur de suivre un trajet précis, de ne pas fumer ou d'éteindre la radio. Le chauffeur lui-même n'a pas le droit de refuser de vous prendre au motif que la course ne lui convient pas : pour éviter ce genre de situation, montez dans la voiture et attendez que le taximètre soit enclenché avant d'annoncer votre destination.

Les taxis libres ont une lumière allumée sur le toit. Il s'avère particulièrement difficile d'en dénicher un par temps de pluie, aux heures de pointe et vers 16h, heure de rotation de service pour de nombreux chauffeurs.

Dans les boroughs périphériques, on recourt souvent aux services de voitures, qui sont en fait des taxis (noirs et non jaunes) qu'il faut appeler au préalable ou aller chercher à une station précise. Le prix de la course varie selon le quartier et la distance parcourue. Il doit être déterminé à l'avance car ces voitures ne possèdent pas de taximètres. Nous vous déconseillons vivement de monter dans une voiture s'arrêtant à votre hauteur pour vous proposer de vous déposer, même si à Brooklyn et dans le Queens, ces taxis sont très courants. Pour éviter les ennuis, mieux vaut les réserver au préalable auprès de leur compagnie.

TAXI-BICYCLETTE

Récemment arrivés à New York, ces taxis-bicyclettes, semblables à des rickshaws, sont essentiellement empruntés par les touristes. La course revient de 8 à 15 $, mais varie en fonction de la distance et du nombre de passagers. Les deux compagnies proposant ce service sont **Manhattan Rickshaw** (☎ 212-604-4729 ; www.manhattanrickshaw.com) et **PONY** (☎ 212-965-9334).

TRAIN

Penn Station (33rd St entre Seventh Ave et Eighth Ave) est la gare d'où partent les trains **Amtrak** (☎ 800-872-7245 ; www.amtrak.com), y compris le *Metroliner* et l'*Acela Express* à destination de Princeton, NJ, et Washington, DC. Le *Metroliner* est accessible uniquement sur réservation et l'*Acela* met moitié moins de temps qu'un train normal. Tous deux coûtent toutefois deux fois plus cher. Un aller simple classique pour Washington DC, revient à environ 72 $. Ce tarif varie cependant en fonction du jour et de l'heure du voyage. Contactez Amtrak pour tout renseignement sur les réductions possibles si vous envisagez de traverser les États-Unis en train par exemple (idée alléchante mais plutôt onéreuse). Penn Station ne possède pas de consignes à bagages.

Des milliers de trains de banlieue de la compagnie **Long Island Rail Road** (☎ 718-217-5477 ; www.mta.nyc.ny.us/lirr/) relient chaque jour Penn Station aux gares de Brooklyn, du Queens et des villes de Long Island, notamment les stations balnéaires de la North Fork et de la South Fork. La **New Jersey Transit** (☎ 973-762-5100 ; www.njtransit.com) dessert également la banlieue et la Jersey Shore, toujours au départ de Penn Station. La **New Jersey Path** (plan p. 370 ; ☎ 800-234-7284 ; www.pathrail.com) rallie des villes du nord du New Jersey, telles que Hoboken ou Newark. Les trains (2 $) suivent Sixth Ave et s'arrêtent sur 34th St, 23rd St, 14th St, 9th St et Christopher St, ainsi que sur le site récemment rouvert du World Trade Center.

Les seuls trains qui partent encore de Grand Central Terminal, Park Ave à hauteur de 42nd St, sont ceux de la **Metro-North Railroad** (☎ 212-532-4900 ; www.mnr.org), qui desservent les banlieues nord, le Connecticut et l'Hudson Valley.

VOITURE ET MOTO

Sauf nécessité absolue, mieux vaut éviter de conduire en ville : la circulation est dense, l'essence et les parkings coûtent cher. Une voiture pose donc plus de problèmes qu'elle n'en résout, d'autant que les transports en commun offrent de nombreuses facilités.

Conduite

Procurez-vous tout d'abord la carte Hagstrom des cinq boroughs (voir p. 325) et réglez votre radio sur 1010 WINS, qui fournit des informations sur la circulation.

Toujours embouteillés, les ponts et tunnels qui permettent d'accéder à la ville s'avèrent particulièrement pénibles à traverser. Se déplacer dans la ville elle-même est sinon relativement simple, la majeure partie de Manhattan (sauf le Village) suivant un plan en damier. Le trafic intense supprime de surcroît toute velléité de vitesse. Respectez bien les lois fédérales (interdiction de tourner à droite au feu rouge par exemple, contrairement au reste des États-Unis) et sachez également que la plupart des rues sont à sens unique.

Pour gagner New York en voiture, empruntez l'I-95, qui va du Maine à la Floride, et traverse la ville d'est en ouest sous le nom de Cross Bronx Expressway (véritable cauchemar pour les locaux !). Après New York, l'I-95 file vers le sud sous le nom de New Jersey Turnpike ou vers le nord, en devenant la Connecticut Turnpike. Par l'I-95, Boston se trouve à 312 km au nord, Philadelphie, à 167 km au sud et Washington DC, à 378 km au sud.

Dans le Connecticut et l'État de New York, la vitesse est limitée à 65 mph (miles par heure, environ 100 km/h) sur les autoroutes. Dans le New Jersey, elle est toujours limitée à 55 mph (environ 90 km/h), sauf sur certaines grandes routes.

Location

Louer une voiture revient très cher. Les offres promotionnelles concernant les week-ends sont rarement proposées par les agences de New York même. Si vous souhaitez louer une voiture pour quelques jours, pour une excursion en dehors de la ville par exemple, passez par une agence de voyages ou par Internet avant votre arrivée sur place. Sans réservation, comptez au moins 75 $ pour une voiture de catégorie moyenne (plus la taxe de 13,25%, les frais d'assurance, etc.), voire plus de 100 $. Vous pouvez aussi quitter Manhattan en transport en commun et louer la voiture dans l'un des boroughs périphériques ou dans le New Jersey, généralement plus abordables.

Pour louer un véhicule, munissez-vous de votre permis de conduire et d'une carte de crédit. Il n'est plus obligatoire d'être âgé de plus de 25 ans, mais les loueurs sont toujours autorisés à facturer davantage les jeunes conducteurs. Voici les agences de location les plus connues :

Avis (☎ 800-331-1212 ; www.avis.com)

Budget (☎ 800-527-0700 ; www.budget.com)

Dollar (☎ 800-800-4000 ; www.dollar.com)

Hertz (☎ 800-654-3131 ; www.hertz.com)

Solution intéressante, **Zipcar** (☎ 212-691-2884 ; www.zipcar.com) loue des voitures pour des déplacements de courte durée. La compagnie dispose d'un parc automobile disponible sur demande 24h/24, à l'heure ou à la journée. Le prix comprend l'essence, l'assurance et la place de parking où stationne la voiture. Il s'agit généralement d'une petite VW Bug. Les prix s'échelonnent de 8 à 12 $ du lundi au jeudi et de 8 à 16 $ du vendredi au dimanche, plus 40 ¢ par mile. Le tarif à la journée commence à 65 $. On peut utiliser ces services pendant une période d'essai de 60 jours, à l'issue de laquelle il faut devenir membre de Zipcar.

Parking

Trouver une place de parking, gratuite ou non, relève de la gageure. Les places gratuites dans les rues sont rares. En revanche, les parcmètres sont légion et la plupart des rues (est-ouest) et des avenues (nord-sud) n'offrent tout simplement aucune possibilité de stationnement. Si par hasard vous dénichez une place, vérifiez bien tous les panneaux alentour, l'autorisation de stationner donnée par l'un pouvant être annulée quelques mètres plus loin par un autre. Les conducteurs finissent généralement dans un parking, à environ 20 $ la journée. Certains pratiquent des prix moins élevés à condition d'arriver et de partir de bonne heure. Dans la mesure où les visiteurs conduisent très rarement à New York, nous n'avons pas indiqué les parkings des restaurants et hôtels dans cet ouvrage, mais la plupart offrent une petite réduction sur le prix du parking le plus proche.

RENSEIGNEMENTS PRATIQUES

AMBASSADES ET CONSULATS

À New York

Compte tenu de la présence des Nations unies, pratiquement tous les pays du monde sont représentés diplomatiquement à New York. Consultez les *Yellow Pages* à la rubrique "consulates" (*Pages jaunes*, sous "consulats") pour la liste complète. Voici les adresses des services consulaires francophones :

Belgique (☎ 212-586-5110 ; 1330 Sixth Ave)

Canada (plan p. 218 ; ☎ 212-596-1628 ; 🕒 www.canada-ny.org ; 1251 Sixth Ave ; 🕒 lun-ven 8h45-17h)

France (plan p. 379 ; ☎ 212-606-3680 ; www.consulfrance-newyork.org ; 934 Fifth Ave; 🕒 lun-ven 9h-13h)

Suisse (☎ 212-599-5700 ; 633 Third Ave)

En France

Site de l'ambassade des Etats-Unis en France
www.amb-usa.fr

Consulat à Paris (2, rue St Florentin, 75001 Paris ; ☎ 08 99 70 37 00, Courrier : 2, rue St Florentin -75382 Paris Cedex 08

Consulat à Marseille 12, bd Paul Peytral, 13286 Marseille Cedex 6 ; ☎ 04 91 54 92 01

ARGENT

Le dollar américain (familièrement appelé un "buck") est divisé en 100 cents (¢). Les pièces sont de 1 ¢ (penny), 5 ¢ (nickel), 10 ¢ (dime), 25 ¢ (quarter). La pièce de 50 ¢ (half-dollar) a pratiquement disparu. Pièce très rare, le dollar en or fut introduit début 2000. Elle représente Sacagawea, l'Indien qui guida les explorateurs Lewis et Clark au cours de leur expédition à travers l'Ouest américain. Certes, les nouvelles pièces font sensation, mais elles sont lourdes et leur tintement ne passe pas inaperçu. Ces pièces sont souvent rendues par les distributeurs de billets et de timbres. Les billets se présentent en coupures 1, 2, 5, 10, 20, 50 et 100 $.

Récemment, le trésor américain a redessiné les billets de 5, 10, 20, 50 et 100 $ pour faire échec aux faux-monnayeurs. Ils ont toujours cette affreuse couleur verte, mais les têtes des présidents sont devenues anormalement grosses, ce qui induit un effet comique.

Voir p. 28 les renseignements sur les prix de biens et de services particuliers. Pour connaître le taux de change (bien qu'il varie quotidiennement), on se reportera au tableau figurant sur l'intérieur de la couverture de ce livre.

Cartes bancaires

Les cartes de crédit sont acceptées dans la plupart des hôtels, restaurants, magasins et agences de location de voiture de New York. En fait, il vous sera difficile d'effectuer certaines transactions, tel que l'achat d'un billet de spectacle, sans une carte bancaire. En outre, elles sont pratiques en cas d'urgence.

Visa ou MasterCard sont les plus connues. Les endroits qui acceptent la Visa et la MasterCard accepteront également les cartes de débit, qui prélèvent directement vos achats sur votre compte chèque ou livret d'épargne. Vérifiez bien auprès de votre banque que votre carte de débit sera acceptée dans d'autres pays. Les cartes de débit des grandes banques commerciales sont souvent utilisables dans le monde entier.

En cas de perte ou de vol de votre carte, contactez immédiatement la société. Voici les numéros gratuits des principales sociétés de cartes de crédit :

American Express (☎ 800-528-4800)

Diners Club (☎ 800-234-6377)

Discover (☎ 800-347-2683)

MasterCard (☎ 800-826-2181)

Visa (☎ 800-336-8472)

Change

Les banques sont normalement ouvertes du lundi au vendredi de 9h à 16h. L'agence de Chinatown de la Chase Manhattan, à l'angle de Mott St et de Canal St, est ouverte tous les jours. Plusieurs autres banques de Canal St ouvrent à temps partiel pendant le week-end (voir p. 329).

Voici quelques adresses parmi une myriade d'autres possibilités :

American Express (plan p. 370 ; ☎ 212-421-8240, pour d'autres adresses ☎ 800-221-7282 ; World Financial Center, angle de West St et Vesey St ; 🕒 lun-ven 9h-17h). American Express est présent en de nombreux points de la ville. L'agence de **Times Square** (plan p. 218 ; ☎ 212-687-3700 ; 1185 Sixth Ave au niveau de 47th St) offre un service de change fiable, mais de longues files d'attente se forment l'après-midi.

Chase Manhattan Bank (plan p. 370 ; ☎ 212-552-2222 ; 1 Chase Manhattan Plaza au niveau de William St entre Liberty St et Pine St ; change 🕒 lun-ven 8h-15h30). La Chase offre un service de change sans commission. Elle possède une agence dans **Midtown** (plan p. 376 ; ☎ 800-242-7324 ; 349 Fifth Ave au niveau de 34th St ; change 🕒 lun-ven 8h-15h30), juste en face de l'Empire State Building.

Chequepoint (plan p. 376 ; ☎ 212-750-2400 ; 22 Central Park South entre Fifth Ave et Sixth Ave ; 🕒 lun-sam 8h-20h, dim 9h-20h).

Thomas Cook (plan p. 218 ; ☎ 212-265-6049 ; 1590 Broadway au niveau de 48th St ; 🕒 lun-sam 9h-19h, dim 9h-17h). Effectue des opérations de change en 8 points de la ville, dont l'agence de Times Square.

Chèques de voyage

Ils offrent une protection contre le vol et la perte. Les chèques émis par American Express et Thomas Cook sont acceptés à peu près partout, et ces deux organismes ont des politiques de remplacement efficaces. Il est essentiel de conserver les numéros des chèques et de noter ceux que vous avez utilisés, afin qu'ils puissent être remplacés en cas de perte. Conservez ces numéros séparément des chèques.

Munissez-vous de chèques de gros montants. C'est uniquement à la fin d'un voyage qu'on souhaite changer des petits chèques afin de ne pas rentrer avec trop de monnaie étrangère. Du fait du développement des DAB, les chèques de voyage sont de moins en moins utilisés, et vous pourriez sans doute vous en passer totalement.

Distributeurs automatiques de billets (DAB)

On trouvera des DAB à presque tous les coins de rue. Vous pouvez soit utiliser votre carte dans les banques – en général dotées d'une pièce isolée accessible 24h/24 renfermant jusqu'à une douzaine de distributeurs – soit avoir recours aux distributeurs qui se trouvent dans les delis, les restaurants, les bars et les épiceries, prélevant une commission pouvant aller jusqu'à 5 $ pour les banques étrangères dans certains endroits. La plupart des banques new-yorkaises sont affiliées au système du New York Cash Exchange (NYCE), et vous pouvez utiliser indifféremment les cartes des banques locales à tous les DAB, ou moyennant des frais supplémentaires si vous tirez de l'argent en dehors de votre système.

CARTES

Lonely Planet édite un plan de New York au format de poche, en vente chez les libraires. Vous pouvez vous procurer un plan gratuit de Downtown dans le hall de tout hôtel digne de ce nom et aux bornes de renseignements touristiques. Pour explorer la ville en profondeur, vous devrez vous munir d'un guide indicateur des rues des 5 boroughs, édité par le Long Island City, basé à Queens, qui publie aussi des plans très utiles de chacun des boroughs.

La plupart des stations de métro de Manhattan possèdent des "Passenger Information Centers" voisins des distributeurs de jetons, où vous trouverez un plan détaillé à grande échelle de la zone environnante, avec tous les centres d'intérêt clairement indiqués. Jetez-y un coup d'œil avant de sortir pour éviter de vous perdre. Vous obtiendrez des plans gratuits du métro et des bus auprès de l'employé du guichet du métro.

On peut acheter des cartes dans n'importe quelle librairie (**Barnes & Noble**, p. 261, possède le plus grand choix), ou directement chez **Hagstrom Map & Travel Center** (plan p. 370 ; ☎ 212-785-5343 ; 125 Maiden Lane). Hagstrom a une autre succursale dans **Lower Manhattan** (plan p. 376 ; ☎ 212-398-1222 ; 57 W 43rd St). **Flight 001** (p. 258) offre toute une gamme de sacs de voyage, de livres, d'étiquettes à bagages et autres objets de voyage ravissants et dernier cri.

CARTES DE RÉDUCTION

La **New York City Pass** (http://citypass.net), qui s'achète en ligne ou dans les grands sites touristiques de la ville (musées, sites historiques, etc.), permet de visiter six sites pour 48 $ (34 $ de 6 à 17 ans), contre 96,50 $ au prix fort ! La **New York Pass** (www.newyorkpass.com), vendue 49 $ sur Internet, donne accès à 40 grands sites (Empire State Building, Statue de la Liberté, musée Guggenheim, etc.) sur une journée complète et offre des réductions dans 25 magasins et restaurants. Il existe des cartes valables deux, trois ou sept jours. Vous pouvez vous les procurer directement à New York ou vous les faire envoyer chez vous avant votre départ.

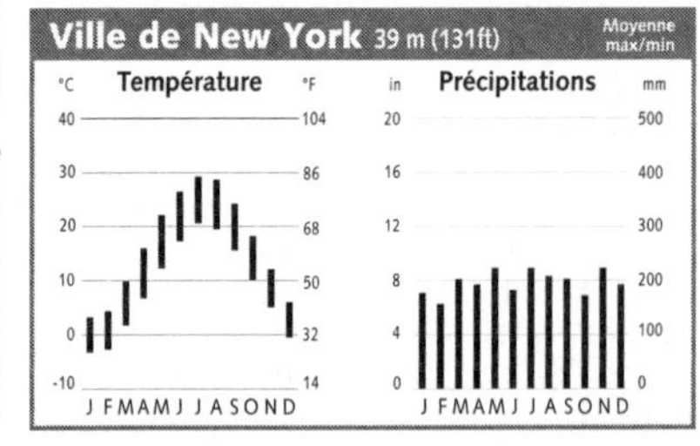

CLIMAT

Le printemps est fabuleux : les arbres se parent de fleurs rouges et roses illuminées par le soleil et les jours de pluie apportent un agréable sentiment de renouveau. Les températures peuvent rester fraîches en soirée (4°C début avril par exemple), mais elles atteignent facilement 15°C la journée, idéales donc pour se balader.

L'été peut être caniculaire, avec des températures parfois voisines de 37°C en juillet et août. Elles restent toutefois généralement comprises entre 21 et 26°C. Des orages très brefs éclatent de temps en temps.

Enfin, les hivers sont rigoureux. La grisaille s'installe parfois des jours durant, ponctuée quelquefois par des chutes de neige, qui forment rapidement un tapis boueux au sol. Les températures tombent fréquemment en-dessous de zéro en janvier. New York sous la neige ne manque pas de charme et invite à se replier dans des lieux chaleureux, pour une découverte très romantique de la ville.

COURS

New York foisonne d'universités, de collèges et d'écoles spécialisées qui permettent de bénéficier de tous les avantages offerts par la scène artistique, gastronomique et culturelle de la ville. Suivre une session de cours pendant votre visite vous donnera la possibilité de découvrir sous un autre angle la réalité new-yorkaise.

Cuisine

L'**Institute of Culinary Education** (plan p. 376 ; ☎ 212-847-0700 ; www.iceculinary.com ; 50 W 23rd St entre Fifth et Sixth Ave ; environ 75 $/cours) de Peter Kump propose des centaines de cours de cuisine sur des thèmes aussi variés que la fabrication du fromage ou les fricassées à l'asiatique. La plupart des cours se déroulent sur 3 heures, au cours d'une soirée, ce qui permet aux visiteurs de passage de participer.

Danse

Le **Stepping Out Studios** (plan p. 376 ; ☎ 646-742-9400 ; www.steppingoutstudios.com ; 37 W 26th St à hauteur de Sixth Ave ; cours découverte gratuit) offre un premier cours gratuit au début de chaque nouvelle session de swing, salsa et danses de salon, ainsi que des cours pour partenaires du même sexe dans le cadre de son programme OUTdancing. Pour danser la salsa, rendez-vous au club de musique **SOB's** (p. 234), où La Tropicana organise des **cours** d'une heure chaque lundi soir (5 $ le cours ; ⌚ 19h), avant la soirée dansante, qui commence à 21h.

Divers

La **Learning Annex** (plan p. 376 ; ☎ 212-371-0280 ; www.learningannex.com ; 16 W 53rd St entre Fifth et Sixth Ave ; cours 40-200 $) propose un très vaste choix de cours – feng shui, fabrication de savon, roller en ligne, immobilier, écriture de scénario, échecs ou comment tomber amoureux, par exemple. Ils se déroulent généralement sur une journée ou une soirée. La brochure du centre est souvent disponible gratuitement dans la rue.

Langues

Le **Language Learning Center** (plan p. 376 ; ☎ 212-684-6144 ; www.speakeasee.com ; 21 W 40th St entre Fifth et Sixth Ave ; 6,50 $/h) dispense des cours intensifs de conversation en groupe. On peut opter pour une simple session de 2 heures ou un stage de plusieurs jours.

DOUANE

Les douanes américaines autorisent toute personne de plus de 21 ans à entrer aux États-Unis avec 1 l d'alcool et 200 cigarettes détaxées (un paquet coûte en moyenne 7 $ à New York). Les ressortissants américains peuvent importer l'équivalent de 800 $ de cadeaux hors taxe, pour les ressortissants d'autres pays, la barre est fixée à 100 $. Il n'existe aucune restriction légale en matière de contrôle des changes, mais si vous emportez avec vous l'équivalent de plus de 10 000 $ en espèces, chèques de voyage, mandats-poste ou autres, il est obligatoire de le déclarer, au risque sinon d'encourir des tracasseries administratives. Pour être averti des changements (fréquents) en la matière, consultez le site www.customs.ustreas.gov/travel.

ELECTRICITÉ

Les États-Unis utilisent le 110 ou 115 volts, 60 Hz et des prises à 2 ou 3 fiches (2 fiches plates avec souvent une fiche de terre ronde). On peut acheter un adapteur dans les drugstores et les magasins de bricolage.

ENFANTS

Contrairement aux idées reçues, New York peut se révéler très agréable à visiter avec des enfants. Il paraît certes plus simple de venir en été pour profiter des nombreux parcs et des zoos, mais les activités d'intérieur ne manquent pas non plus. Musées (surtout ceux consacrés aux enfants), théâtres, cinémas, librairies, magasins de jouets, aquarium et même certains restaurants sont parfaits en famille. De même, préférez les quartiers plus aérés, où l'on peut se balader tranquillement, l'Upper West Side et Park Slope, à Brooklyn, et où les enfants pourront se défouler sans s'attirer des regards désapprobateurs.

Signalons tout de même que les escaliers du métro ne conviennent guère aux poussettes.

Reportez-vous à la rubrique *Spécial enfants* (p. xx) pour la liste des activités accessibles aux enfants. Vous pouvez aussi vous procurer le Lonely Planet *Travel With Children*.

Baby-sitting

La plupart des grands hôtels traditionnels offrent un service de baby-sitting, ou du moins peuvent vous recommander des baby-sitters. À défaut, contactez une agence spécialisée. Fondée en 1940, **Baby Sitters' Guild** (☎ 212-682-0227 ; www.babysittersguild.com) s'occupe tout spécialement des voyageurs résidant à l'hôtel avec des enfants et emploie une équipe de baby-sitters polyglottes. Tous sélectionnés avec soin, ils possèdent souvent une formation et une expérience en puériculture. Ils viennent sur place, avec jeux et travaux manuels.

HANDICAPÉS

La loi fédérale impose à tous les bâtiments et infrastructures administratifs d'être accessibles aux handicapés. Nous indiquons dans la liste des restaurants ceux qui accueillent facilement les fauteuils roulants. Pour davantage de renseignements, adressez-vous à l'**Office for People with Disabilities** (☎ 212-788-2830 ; ⌚ lun-ven

9h-17h). Citons également la **Society for Accessible Travel & Hospitality** (SATH ; plan p. 376 ; ☎ 212-447-7284 ; www.sath.org ; 347 Fifth Ave à hauteur de 34th St ; ⏲ 9h-17h) et l'**Hospital Audiences Inc** (☎ 212-575-7660 ; www.hospaud.org), dont le guide en ligne *Access for All* décrit précisément l'accessibilité de divers lieux et fournit des renseignements très utiles sur les différentes issues d'un bâtiment ou la hauteur des téléphones par exemple.

Bien que la situation évolue progressivement, New York reste problématique pour les handicapés. Les rues sont embouteillées et les trottoirs bondés, et l'agitation qui règne en permanence ne facilite pas les déplacements des personnes à mobilité réduite. Le métro se trouve sur des voies surélevées ou souterraines et compte très peu d'ascenseurs. Les bus sont en revanche tous équipés d'un monte-charge pour les fauteuils roulants et d'un espace réservé. Tous les cinémas et les théâtres de Broadway offrent aussi des places réservées. Dans les plus récents, elles se situent à l'avant de la salle, et non plus tout au fond. Pour tout renseignement sur l'accessibilité des rames de métro et des bus, appelez l'**Accessible Line** (☎ 718-596-8585). Voyager avec un compagnon valide facilite grandement les choses, et planifier à l'avance l'organisation des journées est également vivement recommandé.

HÉBERGEMENT

Le chapitre *Où se loger* (p. 274) répertorie les hôtels par ordre alphabétique et par quartier. Figurent en premier ceux des catégories moyenne et luxueuse, puis les établissements pour petit budget. Le prix moyen pour une chambre se monte à 275 $, avec quelques variations en fonction de la saison (moins cher en janvier et février, plus élevé en septembre et octobre). N'oubliez pas la taxe de 13,25% qui vient en supplément. Il s'avère néanmoins aisé de trouver une chambre pour petit budget (moins de 150 $ selon les critères new-yorkais), voire un lit à 50 $ dans une auberge de jeunesse. Des offres spéciales sont fréquemment proposées à tout moment de l'année, mais surtout sur les fins de semaine en plein cœur de l'été ou de l'hiver. En dehors de ces périodes, il peut se révéler difficile de réserver pour un simple week-end, les petits hôtels imposant un séjour de 3 nuits au minimum. Il faut en général libérer la chambre pour 11h et arriver à partir de 15h, mais ces horaires peuvent facilement être aménagés.

Sur les possibilités de trouver des chambres à prix cassé sur Internet, reportez-vous p. 274.

HEURE

New York est situé dans le fuseau horaire de l'Eastern Standard Time (EST) – soit un retard de 5 heures par rapport au Greenwich Mean Time (GMT), et une avance de 2 heures sur le Mountain Standard Time (le fuseau de Denver, Colorado), de 3 heures sur le Pacific Standard Time (fuseau de San Francisco et Los Angeles, Californie). Presque tous les États-Unis ont adopté le changement d'heure en été : avance d'une heure le premier dimanche d'avril et retard d'une heure le dernier samedi d'octobre. Pour avoir l'heure précise, appelez le ☎ 212-976-1616.

HEURES D'OUVERTURE

Les bureaux ouvrent en général de 9h à 17h du lundi au vendredi. Les magasins démarrent souvent plus tard, vers 10h ou 11h, voire 12h dans le Village, et ferment entre 19h et 21h. Les restaurants servent le petit déjeuner de 6h à 12h, le déjeuner jusqu'à 15h ou 16h, puis le dîner à partir de 17h (l'on dîne toutefois plutôt aux alentours de 20h). La plupart des magasins ouvrent les jours fériés (sauf à Noël), mais pas les banques, les écoles et les bureaux. Les banques restent ouvertes de 9h à 16h du lundi au vendredi, mais dans Chinatown, certaines ouvrent quelques heures le samedi. Nouvelle venue sur la place, Commerce Bank compte de nombreuses agences dans tout Manhattan, aux horaires très flexibles.

HOMOSEXUALITÉ

New York, lieu d'émergence du mouvement des droits des gays, se montre particulièrement conviviale avec les homosexuels. Depuis les émeutes de 1969 au **Stonewall Bar**, qui existe toujours d'ailleurs (p. 208), la tolérance des New-Yorkais à leur égard n'a cessé de s'améliorer. Les couples homosexuels peuvent se tenir la main et s'embrasser en public sans susciter de réaction pratiquement partout à

Bienvenue dans le gay New York

New York représente depuis longtemps l'un des principaux centres de la culture homosexuelle aux États-Unis. Deux grands quartiers, Chelsea et Greenwich Village, sont devenus dans la conscience populaire le symbole de la communauté gay, tandis la présence lesbienne est plus forte dans l'East Village et dans Park Slope, à Brooklyn. Les voyageurs homosexuels, hommes ou femmes, se sentiront néanmoins à l'aise pratiquement partout à New York, excepté peut-être dans certains quartiers conservateurs des boroughs périphériques.

La date charnière du mouvement de libération homosexuelle à New York est celle du 27 juin 1969 lorsque la police fit une descente musclée au **Stonewall Bar** (p. 208), dont les clients pleuraient la mort de Judy Garland, une idole de la communauté gay. Beaucoup s'insurgèrent contre ce coup de force, et 3 nuits d'émeutes s'ensuivirent. La rébellion de Stonewall, et d'autres manifestations, suscitèrent l'adoption en 1971 de la première loi interdisant toute discrimination fondée sur l'orientation sexuelle.

Actuellement, la **Lesbian, Gay, Bisexual & Transgender parade** (p. 17), qui se déroule le dernier week-end de juin, dans Fifth Ave, attire des visiteurs du monde entier, et New York est réputée pour être une grande destination gay et lesbienne.

Le **LGBT Community Center** (☎ 212-620-7310 ; www.gaycenter.org ; 208 W 13th St) rassemble plus de 300 organisations et propose salles de réunion, spectacles de danse, projections de films, lotos, conférences sur la famille, la santé, la jeunesse homosexuelle, etc. Les voyageurs peuvent y faire un tour à leur arrivée pour obtenir toutes sortes de renseignements utiles.

Pour la liste de tous les bars et clubs gays et lesbiens, procurez-vous *HX/Home Xtra*, *Next*, *Metrosource* et *Go*, distribués dans de nombreux bars et restaurants. Quelques sites Internet utiles : www.hx.com; www.gaycenter.org ; www.gaycitynews.com.

Manhattan et dans la plupart des boroughs périphériques. Ils vivent surtout à Chelsea, Park Slope à Brooklyn, dans l'East Village et le West Village, où se situe leur QG, le **Lesbian, Gay, Bisexual & Transgender Community Center** (LGBT ; plan p. 372 ; ☎ 212-620-7310 ; www.gaycenter.org ; 208 W 13th St entre Sixth et Seventh Ave), qui organise des centaines de réunions et d'événements hebdomadaires, proposent des services de conseils, renseigne les voyageurs et diffuse nombre de publications gays. Citons également le **New York City Gay & Lesbian Anti-Violence Project** (plan p. 376 ; hotline 24h/24 ☎ 212-714-1141 ; www.avp.org ; 240 W 35th St) qui enregistre les actes homophobes (interlocuteurs anglophones ou hispanophones) et offre un soutien et des conseils.

INTERNET

La connexion à Internet ne pose pas de problème à New York. On trouve même désormais des accès aux coins des rues (et dans les aéroports de la région), grâce à l'installation récente d'une trentaine de téléphones publics équipés de portails Internet. Les TCC Internet Phones, installés principalement dans Midtown, mais disséminés également dans l'East Village, Soho, Chinatown et le Upper East Side, coûtent 1 $ les 4 min, mais l'accès aux sites d'information sur New York est gratuit. Encore mieux, les téléphones sont compatibles sans-fil (dans un rayon de 300 m) permettant une connexion haut débit aux détenteurs d'ordinateurs portables compatibles.

La branche principale de la **New York Public Library** (plan p. 376 ; ☎ 212-930-0800 ; E 42nd St au niveau de Fifth Ave) offre une connexion Internet gratuite d'une demi-heure, mais, l'après-midi, il faut généralement attendre son tour. D'autres branches offrent le même accès gratuit mais, en principe, sans attente. Les points principaux de connexion WiFi gratuite, intéressants pour les détenteurs d'ordinateur portable, se trouvent à Bryant Park, Tompkins Square Park, Washington Square Park et à la Columbia University.

Dans les cybercafés, vous pouvez surfer moyennant un tarif horaire qui varie de 1 $ à 12 $, ou vous brancher pour une connexion WiFi gratuite. On peut essayer les adresses suivantes, toutes ayant leur ambiance particulière :

Ace Bar (plan p. 372 ; ☎ 212-979-8476 ; 531 E 5th St entre Ave A et Ave B) Offre branchements et connexion WiFi gratuite.

alt.coffee (plan p. 372 ; ☎ 212-529-2233 ; 139 Ave A ; 🕒 8h-tard dans la soirée) Ordinateurs et WiFi.

Big Cup (plan p. 372 ; ☎ 212-206-0059 ; 228 Eighth Ave entre 21st St et 22nd St) Ce café de Chelsea offre une connexion WiFi gratuite.

Cyberfeld's (plan p. 372 ; ☎ 212-647-8830 ; 20 E 13th St ; 🕑 lun-ven 8h-3h, sam-dim 12h-22h)

easyEverything (plan p. 218 ; ☎ 212-398-0724 ; 234 W 42nd St ; 🕑 24h/24) L'adresse la moins chère (1 $ de l'heure) et sans doute la plus grande capacité d'accueil.

LGBT Community Center (Centre social de la communauté lesbienne, gay, bisexuelle et transexuelle, plan p. 372 ; ☎ 212-620-7310 ; 208 W 13th St ; don suggéré de 3 $) Le cyber-center de ce centre social possède 15 ordinateurs en accès libre.

Net Zone (plan p. 376 ; ☎ 212-239-0770 ; 28 W 32nd St) Dans Koreatown. Connexion à 2 $ de l'heure, de 9h à 13h.

Time to Compute (plan p. 382 ; ☎ 212-722-5700 ; 2029 Fifth Ave au niveau de 125th St)

JOURNAUX ET MAGAZINES

Les périodiques sont légion, on n'en attendait pas moins de l'une des capitales mondiales des médias. En tête de file des quotidiens, le très sérieux *New York Times*, particulièrement épais (et cher) dans son édition dominicale (3 $). Il faut bien la journée entière et même la semaine aux New-Yorkais pour en faire le tour. Deux quotidiens tabloïds, le *New York Post* et le *New York Daily News*, occupent le créneau des titres à sensation et leurs vues sont plus conservatrices. Le *New York Newsday*, quant à lui, relancé récemment, mélange les styles. Deux nouveaux quotidiens gratuits *amNew York* et *Metro* cherchent à toucher un lectorat plus jeune. Les hebdomadaires *Village Voice* et *New York Press*, gratuits, proposent une vision alternative de l'actualité et de la vie culturelle. Les mensuels *New York Magazine* et *Paper*, et l'hebdomadaire *Time Out New York*, sont très représentatifs de la vie new-yorkaise. Pour plus de détails sur la presse locale, on lira p. 25.

JOURS FÉRIÉS

Voici la liste des principaux jours fériés et manifestations spéciales à New York. Les entreprises ferment souvent ces jours là et en raison de la forte affluence touristique, il peut s'avérer encore plus difficile de trouver un hôtel ou un restaurant. Reportez-vous p. 15 pour une liste plus détaillée.

Pâques	mi-avril
Memorial Day	fin mai
Gay Pride	dernier dimanche de juin
Independence Day	4 juillet
Labor Day	début septembre
Rosh Hashanah et **Yom Kippur**	de mi-septembre à mi-octobre
Halloween	31 octobre
Thanksgiving	fin novembre
Christmas Day	25 décembre
Boxing Day	26 décembre
New Year's Eve	31 décembre

POSTE

Les tarifs postaux augmentent régulièrement. Actuellement, l'envoi d'une lettre en service rapide à l'intérieur des États-Unis coûte 37 ¢ jusqu'à 1oz (28 g) (23 ¢ par once supplémentaire), et l'envoi d'une carte postale 23 ¢

Le courrier international par avion coûte 60 ¢ vers le Canada, pour une lettre de moins d'une once, 80 ¢ vers l'Europe, avec une surtaxe respectivement de 25 ¢ et 80 ¢ par demi-once (14 g) supplémentaire. Une carte postale vers l'étranger doit être affranchie à 50 ¢ vers le Canada et 70 ¢ vers l'Europe. Les aérogrammes coûtent 70 ¢ .

L'envoi d'un colis par avion aux États-Unis coûte 3,95 $ jusqu'à 2 lb (900 g), plus 1,25 $ par livre (450 g) supplémentaire, jusqu'à 7,70 $ pour 5 lb. Pour toute question concernant les envois postaux, appelez ☎ 800-275-8777 ou consultez le site Internet www.usps.com/welcome.htm.

La **General Post Office** de New York (plan p. 376 ; ☎ 212-967-8585 ; James A Foley Bldg, 380 W 33rd St au niveau de Eighth Ave ; 🕑 24h/24) peut vous aider pour toute question postale, de même que le bureau de poste au sous-sol du **Rockefeller Center** (plan p. 376 ; ☎ 212-265-3854 ; 610 Fifth Ave au niveau de 49th St ; 🕑 lun-ven 9h30-17h30).

La **Cooper Station post office** (plan p. 372 ; ☎ 212-254-1389 ; 93 Fourth Ave au niveau de 11th St ; 🕑 lun-mer et ven 8h-18h, jeu 8h-20h, sam 9h-16h) est la poste la plus importante du Village.

Des boutiques postales assurent un service d'envoi de courrier, telle la chaîne **Mailboxes Etc** (www.mbe.com), présente en plusieurs points de Manhattan (consultez le site Internet pour avoir la liste des adresses). Leur avantage : l'attente est minime et les agences sont nombreuses. Leur inconvénient : le prix.

POURBOIRES

Les pourboires sont de rigueur dans les restaurants, les bars et les grands hôtels, les taxis, et auprès des coiffeurs et des bagagistes. Au restaurant, les serveurs, rémunérés au-dessous du salaire minimum, comptent sur les pourboires pour gagner décemment leur vie. Il convient de laisser au moins 15% à moins que le service ait été déplorable, auquel cas un pourboire minime traduira votre insatisfaction. La plupart des New-Yorkais laissent carrément 20%, à moins de se contenter de doubler les 8,25% de taxes. Dans les bars, les serveurs s'attendent à recevoir 1 $ pour chaque boisson servie (dans les bars très populaires, la vieille coutume du quatrième verre gratuit est toujours respectée, et des pourboires décents contribuent à la maintenir). Ne laissez rien dans les fast-foods, les ventes à emporter ou les self-service où vous vous servez vous-mêmes.

Les chauffeurs de taxi comptent sur 10% et les coiffeurs 15%, si le service a donné satisfaction.

Les porteurs d'aéroport ou d'hôtel reçoivent 1 $ pour le premier bagage et 50 ¢ pour les suivants. Dans les hôtels de première catégorie et de luxe, l'habitude de laisser des pourboires a pris des proportions ridicules : portier, chasseur, voiturier, tout le monde attend son pourboire d'au moins 1 $ par service rendu, qui peut être tout simplement de vous ouvrir la porte du taxi.

(Les hommes d'affaires peuvent ainsi laisser 5 $ par jour au personnel de blanchisserie.)

PROBLÈMES JURIDIQUES

Si vous êtes arrêté, vous avez le droit de garder le silence. Il n'y a pas d'obligation légale de parler à un officier de police si vous n'en avez pas envie, d'autant plus que tout ce que vous pourriez dire "peut être et sera retenu contre vous", mais ne vous éloignez pas sans en avoir reçu l'autorisation. Toute personne arrêtée a le droit de passer un appel téléphonique. Si vous n'avez ni avocat ni membre de votre famille susceptible de vous aider, appelez votre consulat. La police vous communiquera son numéro sur votre demande.

Le bon vieux temps où l'on pouvait fumer un joint et boire en public à condition de "cacher" sa bière dans un sac en papier brun est révolu. Sous l'administration Giuliani, ces actes sont devenus des atteintes à la "qualité de la vie". Désormais, si vous faites la fête en public, c'est à vos risques et périls.

RADIO

À côté des stations commerciales de pop-music, New York dispose de quelques bonnes stations. Le *New York Times*, dans son édition du dimanche, publie un excellent guide des programmes. Voici quelques-unes des meilleures chaînes, toutes étant également diffusées sur Internet :

WBAI 99.5-FM (www.wbai.org). Branche locale de Pacifica Radio. Débats politiques et actualité sont traités sous un angle activiste, avec quelques émissions phares comme *Democracy Now!*

WFUV 90.7-FM (www.wfuv.org). La radio de la Fordham University diffuse de l'excellente musique indie – folk, rock et autres sons alternatifs – présentée par des DJ connaisseurs.

WLIB 1190-AM (www.airamericaradio.com). La nouvelle station d'Air America. Émissions 24h/24. Ses opinions plutôt démocrates contrastent avec le discours conservateur qui remplit les bandes AM.

WNYC 93.9-FM et **820-AM** (www.wnyc.org). Chaîne publique locale, affiliée à la NPR. Mélange de débats et d'interviews nationaux et locaux, avec de la musique classique en cours de journée sur la station FM.

WOR 710-AM (www.wor710.com). Émissions animées notamment par les experts locaux Joan Hamburg et Arthur Schwartz, qui donnent des idées de restaurants, de shopping et de voyages.

RENSEIGNEMENTS TOURISTIQUES

Office du tourisme à Paris

www.office-tourisme-usa.com/ infos@office-tourisme-usa.com ☎ 0 899 70 24 70 (1,35 euro/appel +0,35 euro/mn).

À New York

Les renseignements touristiques les plus fiables sont fournis soit sur Internet soit dans les agences et kiosques officiels à New York.

NYC & Company (plan p. 218 ; ☎ 212-484-1200 ; www.visitnyc.com ; 810 Seventh Ave entre 52nd St et 53rd St). Le service touristique officiel de la ville distribue des plans et toutes sortes de brochures très utiles dans ses trois agences. Le site web est très riche en renseignements : événements particuliers à venir, rabais divers, détails historiques croustillants et dernières infos sur la sécurité. `Les autres agences sont à **Lower Manhattan** (plan p. 370 ; City Hall Park au niveau de Broadway) et à **Harlem** (plan p. 382 ; 163 W 125th St au niveau d'Adam Clayton Powell Blvd).

Times Square Visitors Center (plan p. 218 ; ☎ 212-768-1569 ; www.timessquarebid.org ; Broadway entre 46th St et 47th St) Ce centre de renseignements géré par le Times Square Business Improvement District offre des brochures, des plans et des conseils en 10 langues différentes.

SÉCURITÉ

En 2003, New York a été classé par le FBI au rang de ville la plus sûre des États-Unis. Ceux qui y vivent ne seront pas surpris. Il n'y a plus guère de quartiers – à Manhattan, tout au moins – où l'on ne se sente pas en sécurité, quelle que soit l'heure du jour ou de la nuit. Ceci vaut également pour les stations de métro. Toutefois, les rues étant toujours pleines de gens désespérés et déséquilibrés, il vaut mieux prévenir que guérir. Là comme ailleurs, le bon sens est la règle de base : ne vous aventurez pas seul (et surtout seule), la nuit, dans un quartier inconnu et semi-désert. Ne sortez pas de gros billets dans la rue au vu de tout le monde, et laissez vos objets de valeur en lieu sûr.La plupart des hôtels et auberges de jeunesse possèdent un coffre où vous pouvez déposer votre argent. De même, laissez autant que possible les bijoux à la maison (d'une manière générale, éviter de voyager avec tout objet dont vous ne pourriez pas supporter, financièrement ou émotionnellement, la perte). Glissez quelque part votre argent de la journée, mais pas dans un sac à main ou une poche extérieure (par exemple, dans une ceinture spéciale, un soutien-gorge ou une chaussette). Une simple épingle à nourrice ou un fil de fer passés dans les pattes de la fermeture Éclair d'un sac à dos peut dissuader les voleurs.

SERVICES MÉDICAUX

La couverture des soins médicaux est l'un des grands problèmes des États-Unis du fait qu'il n'existe aucune loi fédérale garantissant la sécurité sociale pour tous, et les assurances santé sont extrêmement coûteuses. Les personnes vivant sous le seuil de pauvreté ont droit au service Medicaid, qui couvre un grand nombre de frais, et les personnes âgées peuvent avoir recours au Medicare, qui fonctionne de manière analogue. En tant que visiteur, vous devez savoir que tous les services d'urgences des hôpitaux sont tenus de recevoir les patients qu'ils puissent payer ou non. Cependant, si vous vous présentez sans assurance ou sans argent, vous serez condamné à attendre très longtemps, à moins que votre état soit très grave.

Les "pharmacies" de New York, ouvertes 24h/24, sont des magasins qui vendent un peu de tout et disposent d'un comptoir de vente de médicaments. Les principales chaînes sont Duane Reade et Rite Aid ; vous en verrez partout dans Manhattan.

Cliniques

Si vous êtes malade ou blessé, sans que votre état nécessite une intervention d'urgence, vous pouvez vous présenter aux services suivants :

Michael Callen-Audre Lorde Community Health Center (plan p. 372 ; ☎ 212-271-7200 ; www.callen-lorde.org ; 356 W 18th St entre Eighth Ave et Ninth Ave). Ce centre médical dédié à la communauté LGBT (lesbienne, gay, bisexuelle et transexuelle) et aux personnes séropositives ou malades du sida, soigne les patients quelles que soient leurs ressources.

New York County Medical Society (☎ 212-684-4670 ; www.nycms.org). Vous serez dirigé vers un médecin, en fonction du problème à traiter et de la langue parlée.

Planned Parenthood (plan p. 372 ; ☎ 212-965-7000 ; www.plannedparenthood.com ; 26 Bleecker St). Contrôle de naissance, test de dépistage de MST et soins gynécologiques.

Services d'urgence

On dénombre un très, très grand nombre d'hôpitaux, publics ou privés. Pour une liste complète, consultez l'annuaire. Voici 3 hôpitaux parmi les plus importants, dotés de services d'urgence :

Mount Sinai Hospital (plan p. 379 ; ☎ 212-241-6500 ; 1190 Fifth Ave au niveau de 100th St)

New York University Medical Center (plan p. 376 ; ☎ 212-263-5550 ; 462 First Ave près de 33rd St)

St Vincent's Medical Center (plan p. 372 ; ☎ 212-604-7000 ; 153 W 11th St au niveau de Greenwich Ave)

TAXES

Restaurants et commerces de détail n'incluent jamais les taxes dans les prix affichés. Attention, donc, à ne pas commander un plat du jour à 4,99 $ si vous avez 5 $ en poche. L'État de New York prélève une taxe à la vente de 7% sur tous les biens, la plupart des services et les plats cuisinés. La ville de New York y ajoute une taxe de 1,25%. En outre, plusieurs catégories de biens et services classés "de luxe", comme la location d'un véhicule ou le nettoyage à sec, supportent une taxe municipale supplémentaire de 5%, ce qui porte le taux de taxation à 13,25% dans ce dernier cas.

Les chambres d'hôtel de New York sont soumises à 13,25% de taxes auxquelles s'ajoute une taxe de séjour fixe de 2 $ par nuit. Malgré cela, ce régime est plus favorable que celui de l'ancienne taxe hôtelière. Les États-Unis n'ayant pas de TVA nationale, les visiteurs étrangers n'ont pas la possibilité d'acheter "en détaxe".

TÉLÉPHONE

Les numéros de téléphone des États-Unis commencent par un indicatif régional à 3 chiffres suivis par un numéro à 7 chiffres. Si vous passez un appel longue distance, il faut composer le 1 + l'indicatif régional + le numéro à 7 chiffres.

Pour joindre le service de l'annuaire local et national, composez le ☎ 411. Pour connaître un numéro à Manhattan depuis l'étranger, appelez le ☎ 1 + 212 + 555-1212. (Ces demandes sont facturées une minute d'appel longue distance). Pour toute demande ayant trait à la vie de la cité, vous pouvez maintenant appeler le ☎ 311 – si vous êtes dérangé par le bruit, si vous voulez joindre un élu local ou si vous avez une question sur une règle de stationnement, le recyclage des déchets ou l'aire la plus proche où promener le chien sans laisse. Le service fonctionne 24h/24 et vous met rapidement en relation avec le service municipal le mieux à même de vous répondre.

Si vous appelez New York de l'étranger, le code du pays est le 1. Pour appeler directement de New York vers l'étranger, composez d'abord le ☎ 011, puis le code du pays, puis l'indicatif régional, puis le numéro. (Pour connaître le code du pays, consultez l'annuaire ou composez le ☎ 411 et demandez une opératrice internationale.) Un délai de 45 secondes peut s'écouler avant que la sonnerie retentisse. Les tarifs internationaux varient selon le moment de la journée et la destination. Appelez l'opératrice (☎ 0) pour connaître les tarifs.

À New York, les numéros de Manhattan relèvent de l'indicatif régional 212 ou 646 (et 917 pour les téléphones portables et certaines sociétés), et ceux des boroughs périphériques du 718. Quel que soit l'endroit d'où vous appelez, même si c'est de l'autre côté de la rue, vous devez *toujours* composer d'abord l'indicatif régional.

Tous les numéros gratuits commencent par le préfixe 800, 877 ou 888. Certains numéros gratuits de sociétés ou de services publics ne fonctionnent qu'à l'intérieur d'une zone géographique limitée. La plupart, cependant, peuvent être appelés même de l'étranger – sachez néanmoins que vous serez connecté au prix d'une communication longue distance ordinaire, ce qui pourrait devenir onéreux si le numéro que vous appelez a l'habitude de mettre les usagers en attente pendant un certain temps.

Cartes téléphoniques

Pour les appels longue distance, les cartes de débit téléphoniques sont une excellente solution. Vous accédez au service *via* un numéro 800 gratuit. Elles ont une valeur de 5, 10, 20 ou 50 $ et sont en vente chez Western Union, auprès de distributeurs dans les aéroports et les gares, dans certains supermarchés et presque tous les delis. Les avantages des unes et des autres varient selon le pays appelé (ainsi New York Alliance est la meilleure pour le Brésil, et Payless pour l'Irlande). Les fournisseurs des cartes pourront vous renseigner avec précision. En général, les tarifs sont imbattables ; ainsi, avec une carte New York Alliance de 10 $, vous pourrez bavarder 10 heures avec votre correspondant à Rio.

Téléphones mobiles

Les "cell phones" comme on les appelle ici, ont envahi la ville. Les New-Yorkais raffolent de leurs nouveaux jouets, mais

Le New York francophone

La mission civilisatrice n'est toujours pas morte ! Si vous n'avez pas eu l'occasion d'ouïr les vedettes de la galaxie intellectuelle française chez vous, c'est peut-être parce qu'elles sont allées instruire et endoctriner les New-Yorkais. À la Maison française de la New York University (☎ (212) 998-8750), 16-Washington Mews, vous auriez pu – pendant les années fastes – écouter et voir Élisabeth Badinter, Roland Barthes, Jacques Derrida, Michel Foucault, Julia Kristeva, Emmanuel Le Roy Ladurie, Nathalie Sarraute ainsi que les hommes politiques Jacques Chirac, Pierre Mendès France, François Mitterrand, Valéry Giscard d'Estaing, Raymond Barre et beaucoup d'autres. Le cadre est intime.

La Maison française de la Columbia University (☎ (212) 854-4482), sur le campus, 515 W 116th Street, est la plus vieille institution du genre auprès d'une université américaine. Les deux maisons parrainent aussi des programmes de cinéma et des expositions d'art – si vous avez le mal du pays. L'entrée est toujours gratuite.

La French Institute/Alliance française (FIAF, ☎ (212) 355-6100), 22 E-60th-St, est principalement consacrée à l'instruction des Américains anglophones, mais le Florence Gould Hall (☎ (212) 355-6160), 55 E-59th-St, la salle de la FIAF, propose des programmes de cinéma, des concerts et d'autres manifestations qui vous rendront fier de votre francophonie.

Le site web consacré au New York francophone se trouve sur www.lehman.cuny.edu/depts/langlit/french/nycfranc.html. Parmi les liens intéressants que vous y trouverez, citons l'Association démocratique des Français à l'étranger, les Jeunes Francophiles de New York, la Société des professeurs français et francophones d'Amérique, et l'Upper North Side (le Canada francophone à New York).

vous n'en aurez pas vraiment besoin vu le nombre de téléphones publics. En outre, le service laisse encore beaucoup à désirer, avec de nombreux trous dans la couverture de la ville, ce qui provoque de fréquentes interruptions dans les conversations.

Téléphones publics

Il y a encore des téléphones publics dans les rues de New York. Toutefois, ne comptez pas tomber sur une cabine ressemblant à celle où Superman se change, à moins de découvrir l'une des dernières encore debout. L'une d'elles se trouve à l'angle de West End Ave et de 101st St dans le Upper West Side.

Pour se servir d'un téléphone public, vous pouvez soit introduire des pièces d'un quarter, soit utiliser une carte de débit ou de crédit téléphonique, soit passer un appel en PCV. Vous trouverez des milliers de téléphones dans les rues, tous affichant une tarification différente : sur beaucoup de téléphones Verizon, un appel local illimité coûte 50 ¢, tandis que d'autres font payer 25 ¢ les 3 min, et d'autres encore vous demanderont 1 $ pour appeler n'importe où aux États-Unis.

Attention, un appel longue distance avec une carte de crédit peut coûter très cher depuis certains postes (les compagnies téléphoniques longue distance ne sont pas toujours scrupuleuses). Enfin, bien que cela paraisse anodin, Park Ave est totalement dépourvue de téléphone public ; sur place, cela peut rendre fou.

TÉLÉVISION

Les New-Yorkais obsédés de pop-culture sont naturellement accros au petit écran. Les émissions les plus populaires, celles que l'on passe des heures à commenter, sont avant tout produites à New York : *Queer Eye For the Straight Guy* (Bravo Tuesdays), animée par une équipe de 5 gays fabuleux, les «Fab Five», opérant sur des hétéros le ravalement esthétique et cosmétique dont ils ont cruellement besoin, bat tous les records d'audience. Quelques chaînes locales méritent aussi un coup d'œil (on notera que le numéro de la chaîne varie selon le fournisseur de programme, Cablevision ou Time Warner pour le câble, Direct TV pour le satellite). Ce sont : New York 1, une chaîne d'informations locales d'une popularité constante, émettant 24h/24 sur Time Warner Cable channel 1 ; Metro TV (Cablevision 60 et Time Warner 70), affiliée au *New York Magazine*, très versée dans la mode, les rencontres amoureuses et la vie culturelle ; et la chaîne sportive locale, MSG network, qui transmet les matchs se déroulant au Madison Square Garden. Le câble diffuse également des dizaine de programmes amateurs locaux sur les chaînes

Public Access. Les plus (tristement) célèbres donnent dans la pornographie soft, entrelardée de strip-teases et d'annonces pour des hôtes/hôtesses de charme.

TOILETTES

Un problème dans cette ville... L'explosion de la population des SDF dans les années 1970 a provoqué la fermeture des toilettes du métro, et la plupart des commerçants refusent l'accès des toilettes aux non-clients. La ville a également abandonné l'idée d'installer des sanisettes à la parisienne (à l'exception du soldat solitaire du City Hall Park). Il reste néanmoins quelques toilettes publiques, dont celles de Grand Central Terminal, Penn Station et Port Authority Bus Terminal, ainsi que dans Battery Park, Tompkins Square Park, Washington Square Park et Columbus Park à Chinatown, sans oublier tous les WC éparpillés dans Central Park. Si vous êtes discret, les succursales des chaînes suivantes, réparties dans toute la ville, ont des toilettes facilement accessibles : Starbucks, McDonald's, Barnes & Noble, Kmart et Au Bon Pain.

TRAVAILLER À NEW-YORK

Pour travailler légalement aux États-Unis, vous avez besoin, en général, d'un permis de travail et d'un visa de travail. Pour demander le visa correct à l'ambassade américaine, vous devez d'abord obtenir un permis de travail auprès de l'Immigration and Naturalization Service (INS). Votre futur employeur doit remplir pour vous une demande d'autorisation de travailler auprès de l'INS ; aussi, votre première démarche consiste à trouver une société disposée à vous employer et à remplir tous les papiers nécessaires. Vous trouverez des renseignements détaillés sur le site Internet du **US Department of State** (www.travel.state.gov).

URGENCES

Centre anti-poison (☎ 800-222-1222)

Police, pompiers, urgence médicale (☎ 911)

VISAS

La réglementation est devenue plus stricte après le 11 septembre 2001 et les étrangers ayant besoin d'un visa pour voyager aux États-Unis doivent s'y prendre très longtemps à l'avance. Cependant, un programme dérogatoire réciproque permet à certains étrangers d'entrer aux États-Unis sans visa, pour un séjour de moins de 90 jours. C'est le cas pour les ressortissants belges, canadiens, français et suisses. Il faut cependant préciser que cette dérogation ne vaut qu'à la condition que les voyageurs soient munis d'un passeport sécurisé, à lecture optique (dit "modèle Delphine" en France). Il est donc conseillé de demander de manière anticipée l'attribution d'un passeport sécurisé pour se rendre aux Etats-Unis. Prévoyez un délai suffisant pour cette formalité.
Par ailleurs, les voyageurs doivent être en possession d'un billet aller-retour non remboursable aux États-Unis, et ne sont pas autorisés à prolonger leur séjour touristique au-delà de 90 jours.

Les ressortissants des pays soumis à l'obtention d'un visa pour entrer sur le territoire américain devront s'adresser à un consulat ou une ambassade des États-Unis. Dans la plupart des pays, cette démarche peut s'effectuer par courrier. Les demandeurs seront peut-être tenus de "fournir la preuve de raisons contraignantes" les obligeant à revenir dans leur pays. Du fait de cette exigence, ceux qui projettent de traverser d'autres pays avant d'entrer aux États-Unis ont intérêt à demander leur visa dans leur pays, avant de partir.

Le Non-Immigrant Visitors Visa est le visa le plus courant. Il se présente sous 2 formes, B1 pour les voyages d'affaires et B2 pour le tourisme ou les visites familiales et amicales. La période de validité du visa visiteur dépend de votre pays d'origine. La durée du séjour autorisé est fixée, en dernière instance, par les autorités de l'immigration du point d'entrée. Les non-Américains séropositifs doivent savoir qu'on peut leur refuser l'entrée aux États-Unis.

Enfin, sachez que les règles concernant la délivrance des visas sont susceptibles de changer à tout moment pour des raisons de sécurité. Pour connaître la situation du moment, vous pouvez consulter la **government's visa page** (www.unitedstatesvisas.gov), le **US Department of State** (www.travel.state.gov) et la **Travel Security Administration** (www.tsa.gov).

VOYAGER SEULE

Globalement, New York est une ville sûre pour les femmes qui voyagent seules, y compris les lesbiennes qui se sentiront, dans l'ensemble, bien accueillies. Si vous vous demandez si une rue ou un quartier présente un risque potentiel, renseignez-vous auprès de la réception de votre hôtel ou demandez conseil à **NYC & Company** (☎ 212-484-1200). Naturellement, les femmes elles-mêmes sont toujours la meilleure source d'information. Selon le quartier où vous vous trouvez, vous êtes susceptibles de faire l'objet de sifflements ou de "compliments" murmurés. Toute réponse vaut encouragement ; passez votre chemin, simplement. Enfin, si vous sortez en boîte de nuit ou si vous vous rendez le soir en un lieu distant, pensez à mettre de l'argent de côté pour rentrer en taxi. Si par malheur vous étiez victime d'une agression, appelez la **police** (☎ 911). Le **Violence Intervention Program** (☎ 212-360-5090) peut vous apporter soutien et assistance en anglais ou en espagnol.

Langue

Langue

Les mots américains – ceux ayant trait à l'informatique n'étant que les plus récents – ont envahi le vocabulaire français au point que les gardiens officiels de la langue ont tremblé pour son indépendance. En fait, la langue anglaise a été beaucoup plus infiltrée par le français que le français par cette dernière. Conséquence de la conquête de l'Angleterre par les Normands au XIe siècle, l'anglais dispose, en quelque sorte, de deux vocabulaires parallèles : l'un constitué de mots anglo-saxons, l'autre, de mots d'origine latine. Quand Hamlet, par exemple, tue le conseiller Polonius d'un coup de couteau, il dit : "I'll lug the guts into the neighbor room". S'il avait eu pitié des francophones, il aurait pu tout aussi bien dire : "I'll transport the cadaver into the adjacent chamber". C'est probablement cette dernière version qu'aurait utilisée l'écrivain américain Edgar Allan Poe dans la même situation, et c'est sans doute une des raisons pour lesquelles Baudelaire aimait et respectait Poe : il était intelligible.

Pourquoi, étant donné tous ces apports réciproques, francophones et anglophones ne se comprennent-ils pas mieux ? La raison en est que, au XXe siècle, les deux langues n'ont fait que s'effleurer. Pour chaque week-end adopté par les francophones, un "rendez vous" et un "savoir-faire" venaient colorer le discours anglophone. Quant au lexique d'origine latine que les Normands ont offert aux Anglais, les anglophones lui préfèrent, en général, le lexique anglo-saxon. Pourtant, s'il vous arrive, dans une conversation avec un New-Yorkais, de chercher un mot, n'hésitez jamais à essayer d'adapter un mot français ("adapter", par exemple, devient adapt).

Qu'en est-il de la prononciation new-yorkaise ? Si votre anglais est celui d'Oxford ou de la BBC, l'anglais new-yorkais vous semblera peut-être quelque peu étrange. Si, en revanche, vous puisez votre connaissance de la langue dans les sons et les rythmes des dialogues des films américains, il vous sera assez familier. Les accents hors normes sont d'ailleurs beaucoup moins fréquents à New York qu'à Londres.

Si votre anglais n'est plus qu'un lointain souvenir d'écolier, vous trouverez ci-après quelques mots et expressions qui pourront vous tirer d'affaire.

Étant donné la répartition des rues à New York, il vous sera extrêmement utile de connaître (si vous ne les connaissez pas déjà) les numéros ordinaux :

premier	*first (1st)*
deuxième	*second (2nd)*
troisième	*third (3rd)*
quatrième	*fourth (4th)*
cinquième	*fifth (5th)*
sixième	*sixth (6th)*
septième	*seventh (7th)*
huitième	*eighth (8th)*
neuvième	*ninth (9th)*
dixième	*tenth (10th)*
onzième	*eleventh (11th)*
douzième	*twelfth (12th)*

Pourriez-vous m'indiquez la direction de la 23e rue ?
Can you point me in the direction of Twenty-Third Street?

Savez-vous si cela se trouve dans la 6e avenue ou dans la 7e ?
Do you know if that's on Sixth Avenue or on Seventh?

Le 56e étage ? Vous plaisantez !
The fifty-sixth floor? You're joking!

Phrases utiles

Un peu moins vite, s'il vous plaît.	*Please, not so fast.*
Merci, c'est mieux.	*Thanks, that's better.*
Excusez-moi.	*Excuse me.*
Je vous demande pardon.	*I beg your pardon.*
Non, non, après vous	*No, after you.*
Je vous en prie ("avec plaisir").	*You're welcome ; please.*
C'est très gentil.	*That's very kind.*
J'adore vos chaussures (votre casquette, votre chapeau…).	*I love your your shoes (your baseball cap, your hat…).*

Où les avez-vous achetées ?	*Would you tell me where you bought them?*
Avez-vous quelque chose de moins cher ?	*Do you have something less expensive?*
... de meilleure qualité ?	*... of better quality?*
J'y réfléchirai.	*I'll think about it.*
J'ai changé d'avis.	*I've changed my mind.*
Cela ne vous regarde pas.	*It's none of your business.*
Mais je vous ai dit non.	*I said no.*
Je me tire.	*I'm outta (out of) here.*
Appelez-moi.	*Call me.*
Passez-moi un coup de fil.	*Give me a ring.*
Je préfère cette table-là, plus loin de la cuisine.	*I prefer the table over there, farther from the kitchen.*

QUELQUES QUESTIONS...

Petit, moyen ou grand ?	*Small, medium or large?*
Du lait ?	*Milk?*
À consommer sur place ou à emporter ?	*To eat here or take out?/ To stay or to go?*
Du pain blanc, noir ou complet ?	*White, rye, or whole wheat?*
Voulez-vous que je le réchauffe ?	*Want me to heat it up for you?*
Plus de café ?	*Freshen your cup?*
Vous désirez boire quelque chose ?	*Can I get you something to drink?*
236 Est ou 236 Ouest ?	*236 East or 236 West?*

QUELQUES RÉPONSES

C'est facile. Vous allez tout droit, oui, par là, dans ce sens-là. Au feu, vous tournez à gauche, vous continuez jusqu'à la prochaine rue puis vous tournez à droite, et vous y êtes !

That's easy. You go straight ahead,
yes, that way, in that direction.
At the traffic light, you turn right,
you keep going to the next corner,
then you turn left,
and there you are!

Jamais entendu parler.	*Never heard of it.*
Madame, j'ai vécu ici toute ma vie.	*Lady, I've lived here my whole life.*
Je regrette, je suis un peu perdu moi-même.	*Sorry, I'm a little lost myself.*
Je suis de l'Oklahoma.	*I'm from Oklahoma.*
Sans blague ? Tu te fous de moi ?	*You kiddin' me?*

DANS LA CONVERSATION

Non, merci, nous regardons seulement.
No, thanks, we're just looking.

Oui, on s'amuse beaucoup.
Yes, we're having a wonderful time.

C'est fabuleux ! Super ! Extraordinaire ! Cool !
It's fabulous! Great! Outta (out of) sight! Cool!

Oui, je comprends parfaitement.
Yes, I understand perfectly.

Je suis tout à fait d'accord.
I agree completely.

Je suis étudiant/étudiante.
I'm a student.

Je suis PDG d'une banque.
I'm a bank president.

Chez moi, je suis inspecteur de police.
Back home, I'm a police detective.

Non, c'est une démocratie comme la vôtre.
No, it's a democracy just like yours.

LES CHOSES DE LA VIE

Le lavabo (la baignoire) est bouché(e).
The sink (the bathtub) is stopped up.

La chasse d'eau n'arrête pas de couler.
The toilet won't stop running.

Je n'arrive pas à régler la climatisation.
I can't figure out how to regulate the air conditioning.

Avez-vous un oreiller hypoallergénique ?
Do you have a hypoallergenic pillow?

Pourriez-vous recommander quelque chose pour une rhume ?
Could you recommend something for a cold?

J'ai le nez qui coule.
My nose is running.

Mon mari a une mauvaise toux.
My husband has a bad cough.

Ma femme a mal à la gorge.
My wife has a sore throat.

Le tout French...

Nombre d'expressions américaines font intervenir le mot French. Mais d'où viennent-elles ? Vous ne manquerez pas d'interprétations quant à leur origine mais sans certitude aucune. Le sens, en revanche, ne pose aucun problème : par French fries entendez frites et, par French toast, comprenez une version moderne du pain perdu, accommodé de sirop d'érable. Si le French roll qualifie le pain rond, couramment utilisé pour les sandwiches, le French bread, cousin éloigné de la baguette, est, lui, souvent spongieux. On vous proposera aussi la French dressing pour votre salade, sauce légèrement sucrée et de couleur orange.

Mais attention, la touche française n'est pas l'apanage de la nourriture. En effet, le French twist désigne un chignon tandis que la French manicure décrit une façon particulière d'appliquer du vernis à ongles. Les French doors ? Des portes-fenêtres, évidemment. Une chose est sûre : le French dry-cleaner propose un nettoyage à sec selon une technique bien française. Enfin, si au milieu d'une conversation, on vous dit : excuse my French but... (excusez mon français, mais...), il s'agit là d'une façon précautionneuse d'annoncer que des propos désagréables ou légèrement grossiers vont suivre ! Rien de comparable avec le French kiss, le baiser, le vrai !

Zahia Hafs

Non, il n'est pas muet, mais il n'aime pas parler anglais.
No, he can speak all right. He just doesn't like to speak English.

Vous trouverez quelques expressions liées aux cocktails dans l'encadré "Le martini à la new-yorkaise" (*La cuisine new-yorkaise*).

LES JOURS DE LA SEMAINE

Monday lundi
Tuesday mardi
Wednesday mercredi
Thursday jeudi
Friday vendredi
Saturday samedi
Sunday dimanche

LES MOIS

January janvier
February février
March mars
April avril
May mai
June juin
July juillet
August août
September septembre
October octobre
November novembre
December décembre

LES COULEURS

red rouge
yellow jaune
blue bleu
green vert
black noir
white blanc

L'HEURE

1h45 (ou 13h45)
quarter of two/one forty-five
6h30 (ou 18h30)
six thirty/half past six
5 heures pile
five on the nose/on the dot

En coulisses

Les guides LONELY PLANET

Tout commence par un long voyage : en 1972, Tony et Maureen Wheeler rallient l'Australie après avoir traversé l'Europe et l'Asie. À l'époque, on ne disposait d'aucune information pratique pour mener à bien ce type d'aventure. Pour répondre à une demande croissante, ils rédigent le premier guide Lonely Planet, écrit sur le coin d'une table.

Depuis, Lonely Planet est devenue le plus grand éditeur indépendant de guide de voyage dans le monde et dispose de bureaux à Melbourne (Australie), Oakland (États-Unis) et Londres (Royaume-Uni).

La collection couvre désormais le monde entier et ne cesse de s'étoffer. L'information est aujourd'hui présentée sur différents supports, mais notre objectif reste constant : donner des clés au voyageur pour qu'il comprenne mieux les pays qu'il visite.

L'équipe de Lonely Planet est convaincue que les voyageurs peuvent avoir un impact positif sur les pays qu'ils visitent, pour peu qu'ils fassent preuve d'une attitude responsable. Depuis 1986, nous reversons un pourcentage de nos bénéfices à des actions humanitaires, à des campagnes en faveur des droits de l'homme et, plus récemment, à la défense de l'environnement.

À PROPOS DE CET OUVRAGE

Cette édition est l'œuvre de Beth Greenfield et Robert Reid. L'édition précédente (la troisième) avait été écrite par Conner Gorry, et les première et deuxième par David Ellis. Le chapitre *Histoire* est dû à la plume de Kathleen Hulser, et le chapitre *Architecture* à celle de Joyce Mendelsohn. Glenn Kenny a rédigé l'encadré sur la Musique à New York au XXIe siècle, et Katy McColl l'encadré sur New York dans le vent.

Cette édition française a été coordonnée par Maja Brion-Raphaël et Gudrun Fricke a réalisé la maquette. Merci à Christiane Mouttet pour sa précieuse contribution au texte, à Juliette Stephens qui a créé l'index d'une main experte, à Branka Grujic grande jongleuse de fichiers informatiques, à Zahia Hafs qui a rédigé l'encadré *Le tout French*...Sans oublier Emilie Esnaud qui prête tout son attention au courrier des lecteurs. Les cartes originales ont été créées par Joelexne Kowalski, Lachlan Ross et Alison Lyall et ont été adaptées en français par Gudrun Fricke. La couverture, conçue par James Hardy a été adaptée par Corinne Holtz. Jean-Noël Doan et Michel McLeod ont permis à ce transatlantique d'arriver à bon port. Merci également à Hélène Cody, Isabelle Lethiec et Sandrine Dupain qui, sans effectuer la traversée, ont eu à cœur de faciliter la manœuvre de l'équipage.
Many thanks à Debra Herman, à Melbourne, Claire Mercer et Ellie Comb à Londres.

Traduction : Frédérique Hélion-Guerrini, Dominique Lablanche et Géraldine Masson

Photographies de couverture Taxis, Andrew Shennan/Getty Images (en haut) ; Chrysler Building, Kim Grant/Lonely Planet Images (en bas) ; Base-ball au Yankee Stadium, Angus Oborn/Lonely Planet Images (dos).

Photographies à l'intérieur du guide par Angus Oborn/Lonely Planet Images, sauf les suivantes : p. 364 (#3) Juliet Coombe/Lonely Planet Images ; p. 364 (#2) Jon Davison/Lonely Planet Images ; p. 5 (#2), p. 8 (#2), p. 237 Esbin Anderson Photography/Lonely Planet Images ; p. 32, Greg Gawlowski/Lonely Planet Images ; p. 85, p. 102, p. 4 (#4), p.8 (#4), p. 133, p. 361 (#3),p. 200, p. 208, p. 216, p. 362 (#1), Kim Grant/Lonely Planet Images ; p.4 (#1) Curtis Martin/Lonely Planet Images ; p. 4 (#3) John Neubauer/Lonely Planet Images ; p. 6 (#1) Robert Reid/Lonely Planet Images ; p. 3 (#1),Neil Setchfield/Lonely Planet Images ; p. 5 (#4) Tom Smallman/Lonely Planet Images ; p.3 (#4) Michael Taylore/Lonely Planet Images ; p. 361 (#1), p. 366 (#1)

Vos réactions ?

Vos commentaires nous sont très précieux et nous permettent d'améliorer constamment nos guides. Notre équipe lit toutes vos lettres avec la plus grande attention. Nous ne pouvons pas répondre individuellement à tous ceux qui nous écrivent, mais vos commentaires sont transmis aux auteurs concernés. Tous les lecteurs qui prennent la peine de nous communiquer des informations sont remerciés dans l'édition suivante, et ceux qui nous fournissent les renseignements les plus utiles se voient offrir un guide.

Pour nous faire part de vos réactions et prendre connaissance de notre catalogue, de notre revue d'information et des mises à jour, consultez notre site web : **www.lonelyplanet.fr.**

Nous reprenons parfois des extraits de votre courrier pour les publier dans nos produits, guides ou sites web. Si vous ne souhaitez pas que vos commentaires soient repris ou que votre nom apparaisse, merci de nous le préciser. Pour connaître notre politique en matière de confidentialité, connectez-vous à notre site.

Bill Wassman/Lonely Planet Images ; p. 7 (#3) Eric Wheater/Lonely Planet Images ; p. 363 (#3) Corey Wise/Lonely Planet Images. Sauf mention contraire, le copyright de toutes les photos appartient à leur auteur. De nombreuses photos de ce guide sont disponibles auprès de Lonely Planet Images : www.lonelyplanetimages.com.

UN MOT DES AUTEURS

BETH GREENFIELD

Merci, chers parents, d'être si fiers. Un grand merci à papa qui m'a accompagnée dans mes déambulations à travers la ville, et m'a alimentée, et désolée pour le musée Roosevelt ! Merci Joe Angio de m'avoir donné le feu vert. Merci Robert Reid d'avoir partagé avec moi ta sagesse et ton humour. Merci Beatrice pour ton appartement. Merci Rod et Meade pour ces vacances à mi-parcours. Merci Kiki, ma partenaire dans la vie et les voyages, pour tes encouragements, tes mains qui guérissent et ton amour.

ROBERT REID

Une tonne de remerciements à Beth G. pour être formidable et ne pas crier après moi, à Jay C. pour le travail et l'énergie, et à Mai pour savoir comment répondre à mes (fréquentes) craintes de ne pas finir dans les temps. Merci également à Diana Dedic pour ses tuyaux de shopping, aux aimables bibliothécaires de la Brooklyn Public Library, aux delis qui vendent 4 (et non 3) barres à la figue pour 1 $ (on en trouvera un dans 42nd St juste à l'est de la bibliothèque centrale, si cela vous intéresse), à Dmitry Sedgwick, au club éternellement florissant Drinks on Alternating Tuesdays (DOAT), à Justin Flynn d'avoir corrigé l'œuvre, à Joelene Kowalski d'avoir pris en charge toute la partie des plans, et à ces innombrables New-Yorkais qui savent rendre service.

REMERCIEMENTS

Nous adressons nos remerciements pour l'autorisation de reproduction : New York City Subway Map c\c 2004 Metropolitan Transportation Authority.

NOS LECTEURS

De nombreux voyageurs ont utilisé la précédente édition et nous ont écrit en nous faisant part de leurs commentaires, conseils, recommandations et anecdotes. Qu'ils soient ici personnellement remerciés :

C Carle Michèle, Chlapowski Jacqueline, Cudel Audrey **D** Domenach Catherine **F** Fievez Nicolas, Fievez N **G** Genet Caroline **H** Humbert Emeraude **L** Lagadec Laurent, Lahaye Didier **M** Menardeau Sylvie, Moroz Nicolas **N** Nallard Olivier, Nemitz Michèle, Niemaz Pierre **P** Passet Frank, Poncet Gabriel **R** Rapp Sébastien, Remond Matthieu, Rochette Denis **S** Standaert Benoît.

Notes

Notes

Notes

Notes

Notes

Notes

Notes

Index

Voir aussi les index des chapitres, Où se loger (p. 355), Où se restaurer (p. 356), Où sortir (p. 356) et Shopping (p. 357), Sport (p. 358) ainsi que l'index des encadrés (p. 359).

Les références des cartes sont indiquées en **gras**.

Les références des cartes sont indiquées en **gras**.

S

Les références des cartes sont indiquées en **gras**.

T

U

V

W

Y

OÙ PRENDRE UN VERRE

OÙ SE LOGER

OÙ SE RESTAURER

Les références des cartes sont indiquées en **gras**.

OÙ SORTIR

SHOPPING

SPORT

Les références des cartes sont indiquées en **gras**.

ENCADRÉS

Art et culture

Gastronomie

Histoire

Société et quartiers

Vie pratique

***1** Canards laqués, Chinatown (p. 177)* ***2** Bagels (p. 59)*
***3** Hot-dog (p. 59)*

1 *Gramercy Park Hotel (p. 28*
2 *Peninsula (p. 284)*
3 *Waldorf-Astoria hotel (p.*

Cyclone (p. 141), Coney
d ***2*** *Kiosque TKTS (p. 117)*
rasse, Greenwich Village
9)

__1__ Smalls (p. 233) __2__ Times Square (p.116) __3__ Vazac's (p. 206)

lleurs, Chelsea Piers (p.240)
yaking (p.239),
*son River **3** Base-ball*
36), Yankee Stadium

1 *Prospect Park (p. 139)*
2 *joueurs d'échecs, Bryant P*
(p. 111) **3** *canotage à Centr*
Park (p. 117)

LÉGENDE DES CARTES

ROUTES

Autoroute payante
Autoroute
Nationale
Départementale
Cantonale
Petite route
En construction
Sentier
Sens unique
Voie non carrossable
Rue piétonne/escaliers
Tunnel
Promenade
Ruelle
Chemin

TRANSPORTS

Ferry
Metro
Voie ferrée
Voie ferrée souterraine

HYDROGRAPHIE

Rivière, ruisseau
Rivière intermittente
Marais
Eau

LIMITES ET FRONTIÈRES

Internationale
Provinciale
Régionale, Banlieu

TOPOGRAPHIE

Aéroport
Zone touristique
Plage, desert
Édifice, Featured
Édifice, Information
Édifice, Divers
Édifice, Transport
Cimetière
Forêt
Terre
Zone piétonne
Parc
Sports
Ville

POPULATION

CAPITALE (NATIONALE)
Ville importante
Petite ville
CAPITALE RÉGIONALE
Ville moyenne
Village

SYMBOLES

À voire/à faire
Plage
Stupa bouddhiste
Château
Église
Temple hindu
Mosquée
Synagogue
Monument
Musée, Gallery
Ruine
Piscine
Vignoble
Zoo, ornithologie

Où se restaurer
Restauration

Prendre un verre
Bars

Où sortir
Spectacles

Shopping
Magasins

Où se loger
Hôtels

Transports
Aéroport
Gare routière
Transports
Parking
Taxi
Départ de sentier

Renseignements
Banque, DAB
Ambassade/consulat
Hôpital
Informations
Cybercafé
Police
Poste
Téléphone
Toilettes

Géographie
Phare
Point de vue
Montagne, volcan
Park national
Col, canyon
Sens du courant

Note : tous les symboles ne sont pas utilisés dans cet ouvrage

Cartes et plans

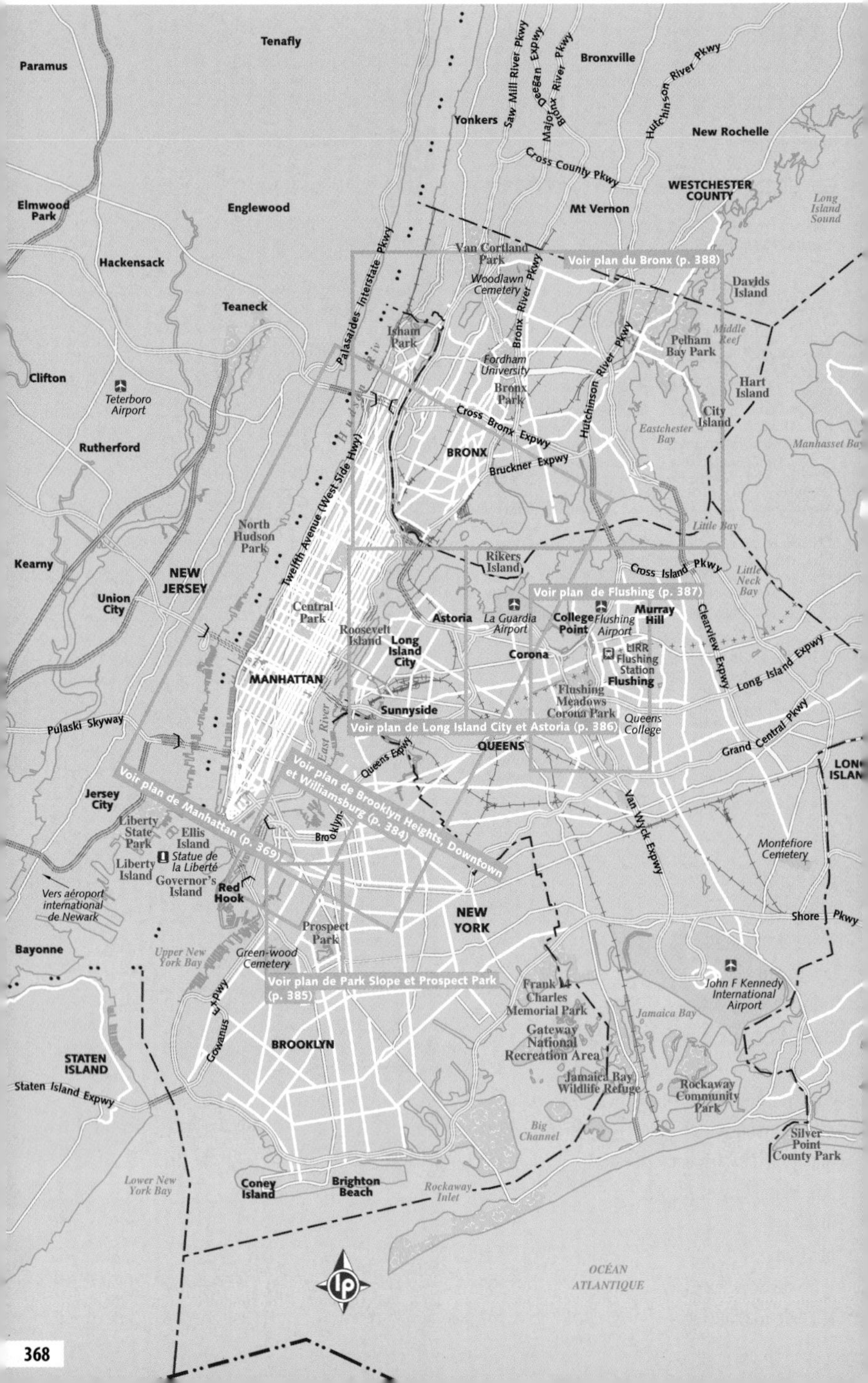

NEW YORK CITY

0 — 4 km
0 — 2 miles

Voir plan du Bronx (p. 388)
Voir plan de Flushing (p. 387)
Voir plan de Long Island City et Astoria (p. 386)
Voir plan de Manhattan (p. 369)
Voir plan de Brooklyn Heights, Downtown et Williamsburg (p. 384)
Voir plan de Park Slope et Prospect Park (p. 385)

Paramus
Tenafly
Bronxville
Yonkers
New Rochelle
Westchester County
Mt Vernon
Elmwood Park
Englewood
Hackensack
Teaneck
Clifton
Teterboro Airport
Rutherford
Kearny
New Jersey
Union City
North Hudson Park
Jersey City
Liberty State Park
Ellis Island
Statue de la Liberté
Liberty Island
Governor's Island
Red Hook
Vers aéroport international de Newark
Bayonne
Upper New York Bay
Green-wood Cemetery
Prospect Park
Brooklyn
Staten Island
Lower New York Bay
Coney Island
Brighton Beach
Rockaway Inlet
Océan Atlantique
Manhattan
Central Park
Roosevelt Island
Long Island City
Sunnyside
Astoria
La Guardia Airport
Rikers Island
College Point
Flushing Airport
Murray Hill
Corona
LIRR Flushing Station
Flushing
Flushing Meadows Corona Park
Queens College
Queens
New York
Bronx
Van Cortland Park
Woodlawn Cemetery
Isham Park
Fordham University
Bronx Park
Davids Island
Middle Reef
Pelham Bay Park
Hart Island
City Island
Eastchester Bay
Little Bay
Little Neck Bay
Long Island Sound
Manhasset Bay
Long Island
Montefiore Cemetery
John F Kennedy International Airport
Jamaica Bay
Frank Charles Memorial Park
Gateway National Recreation Area
Jamaica Bay Wildlife Refuge
Rockaway Community Park
Big Channel
Silver Point County Park
Saw Mill River Pkwy
Major Deegan Expwy
Bronx River Pkwy
Hutchinson River Pkwy
Cross County Pkwy
Palisades Interstate Pkwy
Cross Bronx Expwy
Bruckner Expwy
Twelfth Avenue (West Side Hwy)
Cross Island Pkwy
Clearview Expwy
Long Island Expwy
Grand Central Pkwy
Van Wyck Expwy
Shore Pkwy
Queens Expwy
Pulaski Skyway
Gowanus Expwy
Staten Island Expwy
East River
Hudson River

MANHATTAN

0 — 1 km
0 — 0,5 miles

Voir plan de Harlem (p. 382)
Voir plan du Bronx (p. 388)
Voir plan de Flushing (p. 387)
Voir plan d'Upper West Side et Upper East Side (p. 380)
Voir plan de Midtown Manhattan (p. 376)
Voir plan de Long Island City et Astoria (p. 386)
Voir plan de Downtown Manhattan (p. 372)
Voir plan de Brooklyn Heights, Downtown et Williamsburg (p. 384)
Voir plan de Lower Manhattan (p. 370)

George Washington Bridge
St Nicholas Ave
Washington Heights
3rd Ave
Boston Rd
Sound View Park
Hunts Point Produce Market
Hunts Point Meat Market
Bronx River
Macombs Dam Park
E 161st St
Franz Sigel Park
Prospect Ave
Amsterdam Ave
Trinity Cemetery
Jackie Robinson Park
E 149th St
Hunts Point
Bruckner Expressway
St Marys Park
Sugar Hill et Hamilton Heights
BRONX
Riverside Dr
Adam Clayton Powell Jr. Blvd
Lenox Ave (Malcolm X Boulevard)
St Nicholas Park
Rikers Island
Broadway
Harlem
Marcus Garvey Park
La Guardia Airport
Riverbank State Park
Manhattan Ave
Ward Island
Hell Gate
Bowery Bay
Spanish Harlem
Morningside Heights
Astoria
Grand Central Parkway
E 106th St
East River
Astoria Park
Ditmars Blvd
Astoria Blvd
Hudson River
Twelfth Ave (West Side Hwy)
Central Park
Mill Rock
Pot Cove
W 96th St
QUEENS
Upper West Side
Jacqueline Kennedy Onassis Reservoir
Upper East Side
FDR Dr
21st St
Steinway St
Northern Blvd
NEW JERSEY
NEW YORK
W 86th St
Hallets Cove
31st St
Columbus Ave
Central Park West
Fifth Ave
Madison Ave
Park Ave
Lexington Ave
E 79th St
York Ave
Broadway
Long Island City
34th Ave
Vernon Blvd
E 72nd St
Roosevelt Island
Queens Blvd
MANHATTAN
Queensbridge Park
Lincoln Center
Queensboro Bridge
39th St
48th St
New Calvary Cemetery
Ninth Ave
Eighth Ave
Thomson Ave
Sunnyside
Dutch Kill
Theater District
Grand Central Terminal
Nations unies
Calvary Cemetery
Long Island Expressw
Eleventh Ave
Port Authority Bus Terminal
Bryant Park
Midtown
Newtown Creek
Mc Guiness Blvd
Lincoln Tunnel
Garment District
Seventh Ave
Broadway
Park Ave South
First Ave
Grand Ave
Maspeth Creek
Penn Station
Bushwick Ave
Madison Square Park
E 23rd St
Chelsea
Gramercy
Stuyvesant Town
W 14th St
E 14th St
Northside
Flushing Ave
Greenwich Village
Fourth Ave
Tompkins Square Park
Ave C
Hoboken
Washington Square Park
East Village
Alphabet City
East River Park
Myrtle Ave
West St
West Village
Noho
E Houston St
Southside
Soho
Little Italy
Lower East Side
Williamsburg Bridge
Williamsburg
Broadway
Nostrand Ave
Union St
Malcolm X Blvd
Canal St
Holland Tunnel
Tribeca
West Broadway
Broadway
Centre St
Chinatown
South St Viaduct
Bedford Ave
Lafayette Ave
Vinegar Hill
Manhattan Bridge
Two Bridges
Brooklyn Naval Yard
Thompkins Park
Site du World Trade Center
City Hall Park
Dumbo
Brooklyn-Queens Expressway
BROOKLYN
Lower Manhattan
Brooklyn Bridge
Fort Greene Park
Clinton Hill
Fulton St
Tillary St
Parkes Cadman Plaza
Financial District
Water St
East River
Battery Park
Brooklyn Heights
Downtown Brooklyn
Flatbush
Crown Heights

LOWER MANHATTAN

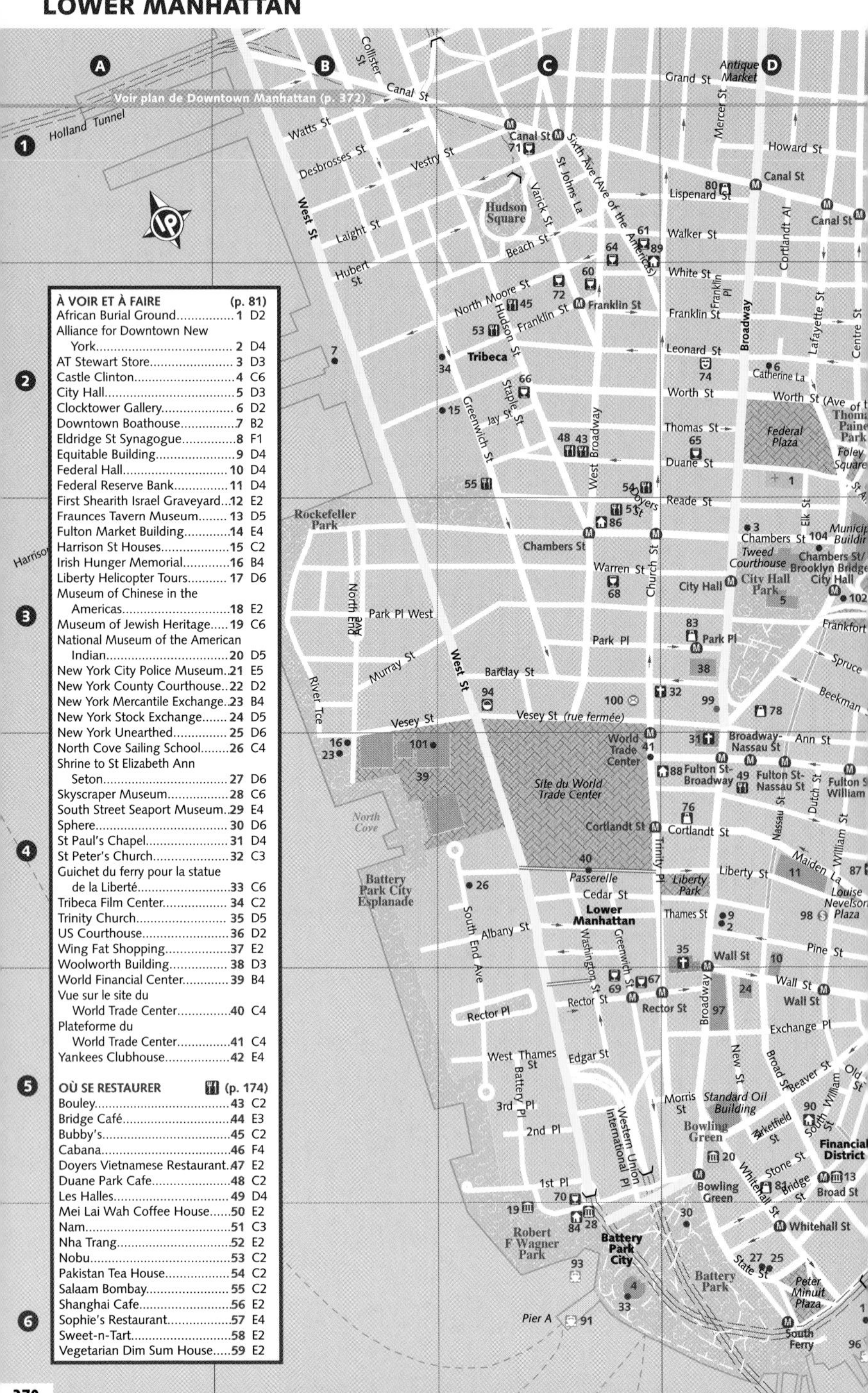

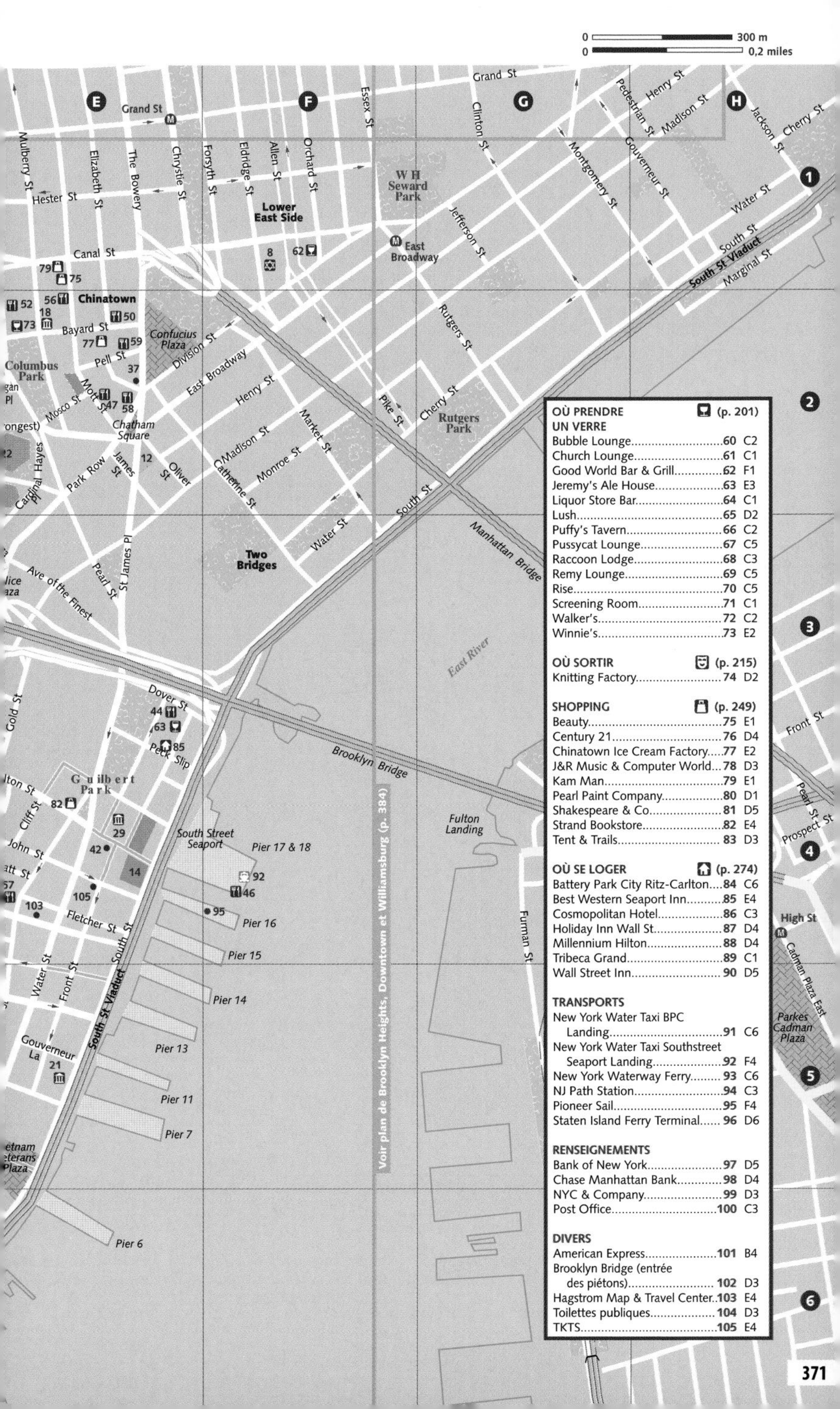
0 300 m
0 0,2 miles
E
F
G
H
1
2
3
4
5
6
Grand St
Henry St
Pedestrian St
Madison St
Jackson St
Cherry St
Essex St
Clinton St
Montgomery St
Gouverneur St
Water St
South St
South St Viaduct
Marginal St
Mulberry St
Elizabeth St
The Bowery
Chrystie St
Forsyth St
Eldridge St
Allen St
Orchard St
Hester St
Lower East Side
W H Seward Park
Jefferson St
East Broadway
Canal St
Chinatown
Bayard St
Pell St
Confucius Plaza
Division St
East Broadway
Henry St
Rutgers St
Columbus Park
Mott St
Mosco St
Chatham Square
Madison St
Market St
Pike St
Cherry St
Rutgers Park
Cardinal Hayes Pl
Park Row
James St
Oliver St
Catherine St
Monroe St
South St
Water St
Manhattan Bridge
St James Pl
Pearl St
Two Bridges
Ave of the Finest
East River
Gold St
Dover St
Peck Slip
Brooklyn Bridge
Front St
Guilbert Park
Cliff St
John St
South Street Seaport
Pier 17 & 18
Fulton Landing
Pearl St
Prospect St
Fletcher St
Pier 16
Pier 15
High St
Furman St
Cadman Plaza East
Water St
Front St
South St Viaduct
Pier 14
Parkes Cadman Plaza
Gouverneur La
Pier 13
Pier 11
Pier 7
Pier 6
Voir plan de Brooklyn Heights, Downtown et Williamsburg (p. 384)
OÙ PRENDRE UN VERRE (p. 201)
Bubble Lounge....60 C2
Church Lounge....61 C1
Good World Bar & Grill....62 F1
Jeremy's Ale House....63 E3
Liquor Store Bar....64 C1
Lush....65 D2
Puffy's Tavern....66 C2
Pussycat Lounge....67 C5
Raccoon Lodge....68 C3
Remy Lounge....69 C5
Rise....70 C5
Screening Room....71 C1
Walker's....72 C2
Winnie's....73 E2
OÙ SORTIR (p. 215)
Knitting Factory....74 D2
SHOPPING (p. 249)
Beauty....75 E1
Century 21....76 D4
Chinatown Ice Cream Factory....77 E2
J&R Music & Computer World....78 D3
Kam Man....79 E1
Pearl Paint Company....80 D1
Shakespeare & Co....81 D5
Strand Bookstore....82 E4
Tent & Trails....83 D3
OÙ SE LOGER (p. 274)
Battery Park City Ritz-Carlton....84 C6
Best Western Seaport Inn....85 E4
Cosmopolitan Hotel....86 C3
Holiday Inn Wall St....87 D4
Millennium Hilton....88 D4
Tribeca Grand....89 C1
Wall Street Inn....90 D5
TRANSPORTS
New York Water Taxi BPC Landing....91 C6
New York Water Taxi Southstreet Seaport Landing....92 F4
New York Waterway Ferry....93 C6
NJ Path Station....94 C3
Pioneer Sail....95 F4
Staten Island Ferry Terminal....96 D6
RENSEIGNEMENTS
Bank of New York....97 D5
Chase Manhattan Bank....98 D4
NYC & Company....99 D3
Post Office....100 C3
DIVERS
American Express....101 B4
Brooklyn Bridge (entrée des piétons)....102 D3
Hagstrom Map & Travel Center....103 E4
Toilettes publiques....104 D3
TKTS....105 E4

DOWNTOWN MANHATTAN

0 300 m
0 0,2 miles
23rd St
E 23rd St
24th St Park
Voir plan de Midtown Manhattan (p. 376)
E 22nd St
Peter Cooper Rd
Ave D
Ave C
E 21st St
Gramercy Park
Fifth Ave
E 20th St
FDR Dr
E 19th St
Park Ave South
Irving Pl
First Ave
20th St Loop
Gramercy
E 18th St
Ave C Loop
E 17th St
Stuyvesant Square
Rutherland Pl
ND Perlman Pl
Stuyvesant Town
John Murphy Park
E 16th St
First Ave Loop
Union Square
14th St Loop
E 15th St
14th St-Union Sq
3rd Ave
1st Ave
E 14th St
E 13th St
Third Ave
Second Ave
E 12th St
E 11th St
University Pl
East Village
E 10th St
Stuyvesant St
E 9th St
8th St NYU
Astor Pl
E 8th St
Tompkins Square Park
St Marks Pl
Voir plan de Brooklyn Heights, Down et Williamsburg (p. 384)
Washington Sq Mws
Astor Pl
Lafayette St
Fourth Ave
E 7th St
North
Washington Square Park
Washington Sq East
Mercer St
E 6th St
Ave A
Ave B
Ave C
E 5th St
New York University
E 4th St
Great Jones St
E 3rd St
Noho
Bond St
E 2nd St
Bleeker St
E 1st St
Attorney St
2nd Ave
E Houston St
Broadway-Lafayette St
Broadway
Pitt St
Stanton St
Lower East Side
West Broadway
Wooster St
Greene St
Prince St
Prince St
Nolita
The Bowery
Rivington St
Sarah D Roosevelt Parkway
Spring St
Spring St
Mulberry St
Mott St
Delancey St-Essex St
Williamsburg Bridge
Delancey St
Soho
Crosby St
Cleveland Pl
Bowery
Delancey St
Kenmare St
Forsyth St
Orchard St
Ludlow St
Essex St
Norfolk St
Suffolk St
Clinton St
Broome St
Ridge St
Broome St
Eldridge St
Allen St
Little Italy
Grand St
Grand St
Antique Market
Grand St
Mercer St
Lafayette St
Baxter St
Elizabeth St
Chrystie St
Howard St
W H Seward Park
Canal St
Canal St
Hester St
Lispenard St
Canal St
Canal St
Jefferson St
Division St
East Broadway
Walker St

DOWNTOWN MANHATTAN

À VOIR ET À FAIRE (p. 97)

6 & B Garden 1 H3
9th & C Garden 2 H3
Apple Store Soho 3 E5
Basketball Courts 4 D4
Bicycle Habitat 5 F5
Bikram Yoga NYC (voir 16)
Body Central 6 E3
Bowlmor Lanes 7 E2
Carmine Recreation Center 8 C4
Center for Cuban Studies 9 D1
Chelsea Market 10 B2
Chelsea Piers 11 A1
Christopher Street Pier 12 B4
Church of the Ascension 13 E3
Cuban Art Space (voir 9)
Dia Center for the Arts 14 A1
Essex Street Market 15 G5
Flatiron Building 16 E1
Forbes Collection 17 E2
Frank's Bike Shop 18 H6
General Theological Seminary 19 B1
Greenmarket Farmers' Market 20 E2
Grey Art Gallery 21 E3
Jivamukti 22 F4
Laughing Lotus 23 D1
Lower East Side Tenement Museum 24 G5
Merchant's House Museum 25 F4
National Arts Club 26 E1
New Museum of Contemporary Art 27 E5
New York City Fire Museum 28 D5
New York University 29 E4
Om Yoga Center 30 E2
Russian & Turkish Baths 31 G3
Theodore Roosevelt's Birthplace 32 E1

OÙ SE RESTAURER (p.181)

Amuse 33 D1
Angelica Kitchen 34 G2
B&H Dairy 35 F3
Babbo 36 D3
Balthazar 37 E5
Bar Pitti 38 D4
Ben's Famous Pizza 39 D5
Bereket 40 G4
Big Cup 41 C1
Bonobos 42 E1
City Bakery 43 D1
Counter 44 G3
Cube 63 45 H5
Da Gennaro 46 F6
Dawgs on Park 47 H3
Dean & Deluca 48 E3
Dean & Deluca 49 E5
Delicia 50 C3
Do Hwa 51 D4
Dos Caminos Soho 52 E4
Empire Diner 53 B1
Fanelli's Café 54 E5
Ferrara's Pasticceria 55 F6
Florent 56 B3
Food Bar 57 C1
French Roast 58 D3
Funky Broome 59 F6
Gaia 60 H3
Gourmet Garage 61 E6
Gramercy Tavern 62 E1
Gus's Pickles 63 G6
Hampton Chutney Co 64 F5
Hoomoos Asli 65 F5
Inoteca 66 G5
Jack's 67 D3
Japonica 68 E2
Katz's Deli 69 G4
Kossar's Bialystoker Kuchen Bakery 70 H6
Le Petit Aubeille 71 B2
Little Havana 72 D4
Lombardi's 73 F5
Manna Bento 74 E3
Ñ 75 E6
Paladar 76 G5
Paradou 77 B2
Patio Bar 78 F4
Peanut Butter & Co 79 D4
Pearl Oyster Bar 80 D4
Pellegrino's 81 F6
Pop Burger 82 B2
Porto Rico Importing Co 83 D4
Porto Rico Importing Co 84 D5
Porto Rico Importing Co 85 F3
Prune 86 G4
Public 87 F5
Republic 88 E2
Russ & Daughters 89 G4
Sanctuary 90 G4
SEA 91 F4
Second Ave Deli 92 F3
Snack 93 E5
Souen 94 D5
Suba 95 G5
Sueños 96 C2
Teany 97 G5
Terra 47 98 E2
Tsampa 99 F3
Two Boots 100 G4
Umberto's Clam House 101 F6
Union Square Café 102 E2
WD 50 103 H5
Yonah Shimmel Bakery 104 G4

OÙ PRENDRE UN VERRE (p. 204)

2A 105 G4
Ace Bar 106 H4
Adultworld 107 H5
Angel 108 G5
Angel's Share 109 F3
APT 110 B2
B Bar & Grill 111 F4
Bar 89 112 E5
Bar d'O 113 D4
Bar Veloce 114 F3
Barracuda 115 C1
Barramundi 116 G5
Blind Tiger Ale House 117 C4
Britti Caffé Bar 118 E5
Cafe Noir 119 D6
Cajun 120 C2
Chelsea Brewing Company 121 A1
Chez Es Saada 122 G4
Chibi's Bar 123 F5
Chumley's 124 C4
Circa Tabac 125 D6
Cock 126 G3
Corner Bistro 127 C3
Cowgirl/Bar K 128 C4
D.B.A 129 G4
Double Happiness 130 F6
Ear Inn 131 C6
Esperanto 132 H3
Fez Under Time Café 133 F4
Flute 134 E1
Green Table 135 B2
Happy Ending 136 G6
Hell 137 B3
Henrietta Hudson 138 C4
Holiday Cocktail Lounge 139 G3
Hudson Bar & Books 140 B3
Il Posto Accanto 141 H4
Live Bait 142 E1
Louis 143 H3
Lure 144 B2
Magician 145 H5
Mare Chiaro 146 F6
Marie's Crisis 147 C4
Marion's Continental Restaurant & Lounge 148 F4
Mars Bar 149 F4
Meow Mix 150 H4
Monster 151 C3
Odessa Café 152 G3
Old Town Bar & Grill 153 E1
Orchard Bar 154 G5
Other Room 155 B4
Patio Bar (voir 78)
Pete's Tavern 156 F1
Pravda 157 F5
Pressure (voir 7)
Puck Fair 158 F5
Rhone 159 B3
Rubyfruit 160 C4
Savoy 161 F5
SBNY 162 D2
Schiller's Liquor Bar 163 H5
Scratcher 164 F4
Serena 165 C1
Slide 166 F4
Stonewall Bar 167 D3
Suba (see 95)
Sweet & Vicious 168 F5
Swift Hibernian Lounge 169 F4
Uncle Ming's 170 H2
Urge 171 F4
Vazac's (7B's) 172 H3
Viceroy 173 C1
Wakiki Wally's 174 G4
Welcome to the Johnson's 175 H5
Whiskey Ward 176 G5
White Horse Tavern 177 C3
xl 178 B2

OÙ SORTIR (p. 215)

55 Bar 179 C3
Amato Opera Theater 180 F4
Angelika Film Center 181 E4
Anthology Film Archives 182 F4
Arlene Grocery 183 G5
Astor Place Theatre 184 F3
Avalon 185 D1
Back Fence 186 D4
Blue Note 187 D4
Bluestockings 188 G5
Boston Comedy Club 189 D4
Bowery Ballroom 190 F5
Bowery Poetry Club 191 F4
C-Note 192 H3
CBGB 193 F4
Chicago B.L.U.E.S 194 C2
Cielo 195 B2
Cinema Classics 196 G3
Clearview's Chelsea 197 C1
Comedy Cellar 198 D4
Continental 199 F3
Cornelia St Café 200 D4
Culture Project 201 F4
Dance Theater Workshop 202 B1
Danspace Project (voir 231)
Daryl Roth Theatre 203 E2
Deep 204 D1
Duplex Cabaret 205 C3
Film Forum 206 D5
Gotham Comedy Club 207 E1
Grace Church 208 F3
Irving Plaza 209 F2
Joe's Pub 210 F3
Joseph Papp Public Theater 211 F4
Joyce Theater 212 C1
KGB 213 F4
Kitchen 214 A1
Landmark Sunshine Cinemas 215 F4
Lotus 216 B2
Luna Lounge 217 G5
Mercury Lounge 218 G4
Museum of Modern Art Gramercy Theatre 219 E1
New York Theater Workshop 220 F4
Opaline 221 G4
Orpheum Theater 222 F3
Parkside Lounge 223 H4
Piano's 224 G5
PS 122 225 G3
Pyramid 226 G3
Roxy 227 A1
Sapphire 228 G4
Smalls 229 C3
SOB's 230 D5
St Mark's-in-the-Bowery 231 F3
Starlight Bar & Lounge 232 G3
Sweet Rhytmn 233 C4
Tonic 234 H5
Village Vanguard 235 C3

DOWNTOWN MANHATTAN

SHOPPING (p. 255)

A Cheng....236 G3
ABC Carpet & Home....237 E1
Academy Records & CDs....238 D1
Aedes de Venustas....239 D3
Alice Underground....240 E6
Amarcord....241 G3
Anna Sui....242 E5
Apple Store SoHo....243 E5
Atomic Passion....244 G3
Auto....245 B3
Barnes & Noble....246 E2
Barneys Co-op....247 C1
Barneys Co-Op....248 E5
Bleecker Bob's....249 D4
Books of Wonder....250 D1
Breakbeat Science....251 G4
Broadway Panhandler....252 E6
Calypso....253 F5
Camper....254 E5
Catherine....255 E5
Cheap Jack's Vintage Clothing...256 E2
Cobblestones....257 G3
Comme des Garçons....258 B1
Condomania....259 C3
Creative Visions/Gay Pleasures..260 C3
D&G....261 E5
Dave's New York....262 D2
Dinosaur Hill....263 F3
Doyle & Doyle....264 G4
East-West Books....265 E2
Emporio Armani....266 E5
Enchanted Forest....267 E5
Fabulous Fanny's....268 G3
Firestore....269 F5
Flight 001....270 C2
Footlight Records....271 F2
Forbidden Planet....272 E2
Funhouse....273 D3
Generation Records....274 E4
Good, The Bad & The Ugly....275 G3
Helmut Lang....276 E5
Hotel Venus....277 E5
Housing Works Thrift Shop....278 D2
INA (Men)....279 F5
INA (Women)....280 F5
Jack Spade....281 E5
Jeffrey New York....282 B2
John Fleuvog....283 F5
Jonathan Adler....284 E6
Kate Spade....285 E5
Kate's Paperie....286 E5
Kiehl's....287 F2
Kim's Video & Music....288 F3
Klein's of Monticello....289 G5
L'impasse....290 D3
Las Venus....291 G4
LeatherMan....292 C4
Loehmann's....293 C2
Love Saves the Day....294 F3
Ludlow Guitars....295 G4
Manhattan Portage....296 G3
Marc Jacobs....297 C3
Marc Jacobs (Bags & Accessories)....298 C3
Mary Adams....299 G5
Matt Umanov Guitars....300 D4
Matzo....301 H5
McNulty's Tea & Coffee Co, Inc....302 C4
Moss....303 E5
Oscar Wilde Memorial Bookshop....304 D3
Other Music....305 F4
Otto Tootsi Plohound....306 E1
Otto Tootsi Plohound....307 E5
Paragon Athletic Goods....308 E2
Partners & Crime....309 C2
Paul Frank Store....310 F5
Pearl River Mart....311 E6
Physical Graffiti....312 G3
Pickle Guys....313 G6
Pop Shop....314 F5
Prada Soho....315 E5
Printed Matter Inc....316 A1
Ralph Lauren....317 E5
Ralph Lauren....318 C3
Rebel Rebel....319 C4
Resurrection....320 F5
Revolution Books....321 D1
Scoop....322 E5
Screaming Mimi's....323 F4
Selia Yang....324 G3
Shakespeare & Co....325 E4
Sounds....326 F3
St Mark's Bookshop....327 F3
Strand Bookstore....328 E2
Susan Parrish Antiques....329 C3
Swiss Army....330 E5
Three Lives & Company....331 D3
Tokio 7....332 G3
Tokyo Joe....333 G3
Tower Records....334 E4
Toys in Babeland....335 G5
Toys In Babeland....336 E6
Traveler's Choice....337 E6
Triple 5 Soul....338 F5
Used Book Café....339 E5
Vice....340 F5
Village Chess Shop Ltd....341 E4
Village Comics....342 D4
Village X....343 F3
Virgin Megastore....344 E2
Vlada....345 G5
Yu....346 G5

OÙ SE LOGER

60 Thomspon....
Abingdon Guest House....
Chelsea Hotel....
Chelsea Inn....
Chelsea International Hostel....351 C1
Chelsea Lodge....352 B1
Chelsea Pines Inn....353 B2
Colonial House Inn....354 C1
East Village B&B....355 H3
Gramercy Park Hotel....356 F1
Hotel 17....357 F2
Hotel Gansevoort....358 B2
Howard Johnson Express Inn....359 G4
Incentra Village....360 C3
Inn at Irving Place....361 F2
Larchmont Hotel....362 D3
Maritime Hotel....363 B2
Mercer....364 E5
Off SoHo Suites....365 F5
Soho Grand Hotel....366 E6
Soho House....367 B2
St Marks Hotel....368 F3
Union Square Inn....369 F2
W New York - Union Square....370 E2
Washington Square Hotel....371 D3

TRANSPORTS

Fung Wah....372 G6
Manhattan Kayak Company....373 A2
New York Water Taxi W 23rd St landing....374 A1

RENSEIGNEMENTS

alt. coffee....375 G3
Cooper Station Post Office....376 F3
Cyberfeld's....377 E2
Lesbian & Gay Community Services Center....378 C2
Lower East Side Visitors Center....379 G6
Michael Callen-Audre Lourde Community Health Center....380 B1
Planned Parenthood....381 F4
St Vincent's Medical Center....382 C3

DIVERS

Alamo Sculpture....383 F3
Centre for Jewish History....384 E2
Council Travel....385 E3
Maccarone Inc....386 G6
Police Headquarters....387 F6
Rivington Arms....388 G5
Sixth Ave Bicycles....389 D2
STA Travel....390 D4
STA Travel....391 F3
Sculpture (sans titre) de Tom Otterness....392 C2
Village Copier....(voir 377)
White Columns....393 B2

side et Upper East Side (p. 380)

B C D

W 59th St
59th St-Columbus Circle
Columbus Circle
Central Park So
W 58th St
W 57th St
57th St
Carnegie Hall
W 56th St
48
Tenth Ave
Ninth Ave
Eighth Ave
W 55th St
55th St
W 54th St
Dewitt Clinton Park
W 53rd St
7th Ave
Twelfth Ave (West Side Hwy)
W 52nd St
W 51st St
Seventh Ave
2
W 50th St
50th St
Worldwide Plaza
W 49th St
49th St
W 48th St
W 47th St
47th St
Hell's Kitchen
Theater District
W 46th St
31
9
W 45th St
3
Eleventh Ave
W 44th St
Times Square
129
W 43rd St
123
5
42nd St
Pier 83
W 42nd St
125
Times Sq-42nd St
W 41st St
Port Authority Bus Terminal
Pier 81
W 40th St
Lincoln Tunnel
W 39th St
4
Broadway
W 38th St
Jacob Javits Convention Center
10
W 37th St
Garment District
W 36th St

Voir plan de Time Square et Theater District (p. 218)

35
W 35th St
153
128
34
W 34th St
34th St Penn Station
57
W 33rd St
Twelfth Ave (West Side Hwy)
W 33rd St
5
Poste centrale (GPO)
145
Madison Square Garden
51
Penn Station
W 32nd St
W 31st St
106
151
W 30th St
92
91
Eleventh Ave
Tenth Ave
Ninth Ave
Seventh Ave
W 29th St
47
Eighth Ave
W 28th St
28th St
42
37
Chelsea Park
W 27th St
W 27th St
43
54
W 26th St
6
W 25th St
67
12
London Terrace Gardens
W 24th St
45
26
49
23rd St
100
W 23rd St
West

0 400 m
0 0,2 miles
The Pond
E 60th St
59th St
E 59th St
W 58th St
E 58th St
57th St
E 57th St
E 56th St
E 55th St
E 54th St
E 53rd St
Lexington Av-51th St
E 52nd St
E 51st St
51st St
5th Ave
Madison Ave
Park Ave
Lexington Ave
Third Ave
Second Ave
First Ave
Sutton Pl
Radio City Music Hall
Rockefeller Center
Rockefeller Plaza
47th-50th
s-Rockefeller Center
E 50th St
E 49th St
E 48th St
Beekman Pl
Mitchell Pl
Franklin D. Roosevelt Dr
E 47th St
E 46th Ave
E 45th St
E 44th St
E 43rd St
E 42nd St
W 44th St
Vanderbilt Ave
Fifth Ave
Sixth Ave (Ave of the Americas)
Grand Central Terminal
Grand Central-42nd St
Midtown
5th Ave
42 St-
ryant Park
Nations unies
Tudor City Pl
Queens-Midtown Tunnel
Bryant Park
New York Public Library
E 41st St
E 40th St
E 39th St
E 38th Ave
E 37th Ave
E 36th Ave
E 35th St
Tunnel Exit St
Tunnel Entrance St
FDR Service Rd West
FDR Dr
St Gabriels Park
34th St-Herald Sq
erald
quare
E 34th St
33rd St
E 33rd St
Little Korea
E 32nd St
E 31st St
E 30th St
E 29th St
New York University Medical Center
East River
E 28th St
28th St
E 27th St
Mt Carmel Pl
E 26th St
E 25th St
E 24th St
E 23rd St
23rd St
Park Ave South
Madison Square Park
Flatiron District
Asser Levy Pl
24th St Park
Ave D

UPPER WEST SIDE ET UPPER EAST SIDE

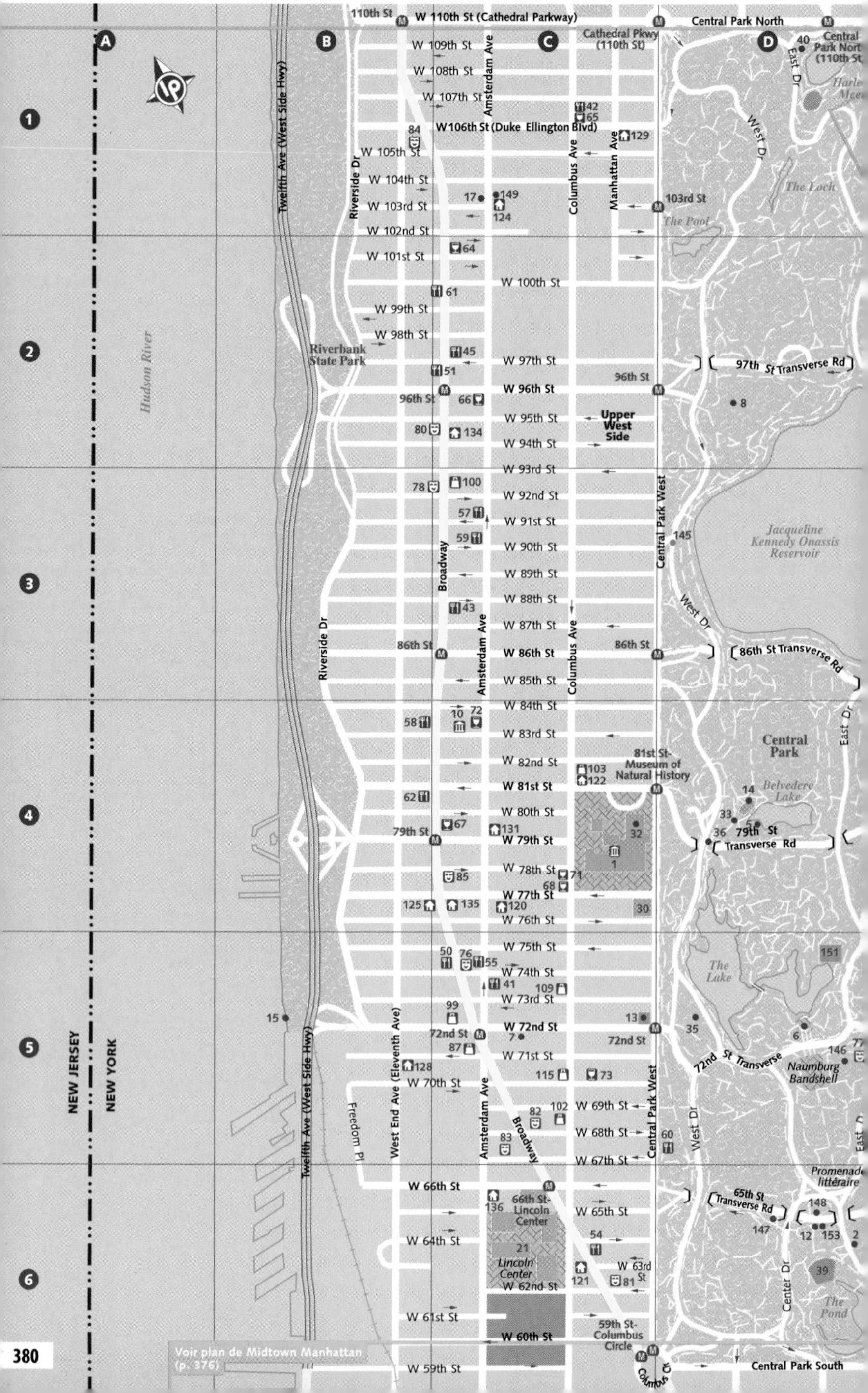

A B C D
1 2 3 4 5 6

110th St
W 110th St (Cathedral Parkway)
Central Park North
Cathedral Pkwy (110th St)
Central Park North (110th St)
40
East Dr
Harlem Meer
W 109th St
W 108th St
W 107th St
Amsterdam Ave
42
65
W 106th St (Duke Ellington Blvd)
84
129
W 105th St
Manhattan Ave
Columbus Ave
West Dr
Riverside Dr
W 104th St
Twelfth Ave (West Side Hwy)
17
149
124
W 103rd St
103rd St
The Loch
The Pool
W 102nd St
W 101st St
64
W 100th St
61
W 99th St
Hudson River
W 98th St
Riverbank State Park
45
W 97th St
97th St Transverse Rd
51
96th St
W 96th St
66
8
W 95th St
Upper West Side
80
134
W 94th St
W 93rd St
78
100
W 92nd St
57
W 91st St
Central Park West
145
59
W 90th St
Jacqueline Kennedy Onassis Reservoir
Broadway
W 89th St
W 88th St
43
W 87th St
86th St
W 86th St
86th St Transverse Rd
W 85th St
W 84th St
10
72
58
W 83rd St
Central Park
East Dr
W 82nd St
103
122
81st St-Museum of Natural History
W 81st St
62
14
Belvedere Lake
W 80th St
33
5
32
79th St
67
131
W 79th St
36
79th St Transverse Rd
1
W 78th St
85
71
68
W 77th St
125
135
120
30
W 76th St
W 75th St
151
50
76
55
The Lake
W 74th St
41
109
W 73rd St
99
15
13
W 72nd St
35
72nd St
7
72nd St
6
87
W 71st St
146
77
128
72nd St Transverse
Naumburg Bandshell
W 70th St
115
73
NEW JERSEY
NEW YORK
West End Ave (Eleventh Ave)
Twelfth Ave (West Side Hwy)
Freedom Pl
82
102
W 69th St
West Dr
East Dr
W 68th St
60
83
W 67th St
Promenade littéraire
W 66th St
136
66th St-Lincoln Center
W 65th St
65th St Transverse Rd
148
147
12
153
2
W 64th St
54
21
Lincoln Center
W 63rd St
121
81
W 62nd St
39
Center Dr
The Pond
W 61st St
59th St-Columbus Circle
W 60th St

Voir plan de Midtown Manhattan (p. 376)

W 59th St
Columbus Cir
Central Park South

0 500 m
0 0,3 miles
Voir plan de Harlem (p. 382)
Voir plan de Long Island City et Astoria (p. 386)
E
F
G
H
1
2
3
4
5
6
Upper East Side
Metropolitan Hospital
East River
Mill Rock Light Park
Mill Rock
Pot Cove
Hallets Cove
Carl Schurz Park
John Jay Park
Roosevelt Island
Rainey Park
Queensbridge Park
Rockefeller University
Roosevelt Island Bridge
Queensboro Bridge
59th St Bridge
Triborough Bridge
Franklin D. Roosevelt Dr
East End Ave
Fifth Ave
Madison Ave
Park Ave
Lexington Ave
Third Ave
Second Ave
First Ave
York Ave
Vernon Blvd
Main St
East Rd
E 110th St
E 96th St
E 86th St
E 79th St
E 72nd St
E 65th St
E 59th St
68th St-Hunter College
Lexington Ave

HARLEM

Voir plan du Bronx (p. 388)

A
B
C
D
1
2
3
4
5
6

W 164th St
W 163rd St
W 162nd St
163rd St-Amsterdam Av
W 161st St
W 160th St
W 159th St
W 158th St
157th St
W 157th St
W 156th St
W 155th St (Audubon Tce)
155th St
W 154th St
W 153rd St
W 152nd St
W 151st St
W 150th St
W 149th St
W 148th St
W 147th St
W 146th St
W 145th St
145th St
W 144th St
W 143rd St
W 142nd St
W 141st St
W 140th St
W 139th St
W 138th St
W 137th St
137th St-City College
W 136th St
W 135th St
135th St
W 134th St
W 133rd St
W 132nd St
W 131st St
W 130th St
W 129th St
W 128th St
W 127th St
W 126th St
125th St
W 125th St
W 124th St
W 123rd St
W 122nd St
W 121st St
W 120th St
W 119th St
W 118th St
W 117th St
W 116th St
116th St
W 115th St
W 114th St
W 113th St
W 112th St
W 111th St
110th St
W 110th St (Cathedral Pkwy)
Cathedral Pkwy (110th St)
Central Park North (110th St)

Fort Washington Ave
Riverside Dr
Edward M Morgan Pl
Amsterdam Ave
St Nicholas Ave
Jumel Tce
Summit Ave
Woodycrest Ave
Macombs Dam Bridge
Macombs Dam Park
Macombs Pl
Harlem River Dr
Harlem-148th St
St Nicholas Place
Edgecombe Ave
Bradhurst Ave
Frederick Douglass Blvd
Convent Ave
Hamilton Tce
Hamilton Pl
St Nicholas Tce
Twelfth Ave (West Side Hwy)
Adam Clayton Powell Jr Blvd
Lenox Ave (Malcolm X Blvd)
Riverside Dr East
Riverside Dr West
Claremont Ave
LaSalle St
Broadway
Morningside Dr
Morningside Ave
Manhattan Ave
Mt Morris Park West

Washington Heights
Trinity Cemetery
Jackie Robinson Park
Sugar Hill et Hamilton Heights
Riverbank State Park
Strivers' Row
St Nicholas Park
City College of New York
Hudson River
NEW YORK
NEW JERSEY
Harlem
Morningside Park
Columbia University
Morningside Heights

1 2 3 4 6 7 8 10 11 12 13 14 16 17 18 20 21 22 23 24 25 26 28 29 30 31 32 33 35 36 37 38 39 40 41 42 43 44 45 47 48 49 50 52 53 55 56

Voir plan d'Upper West Side et Upper East Side (p. 380)

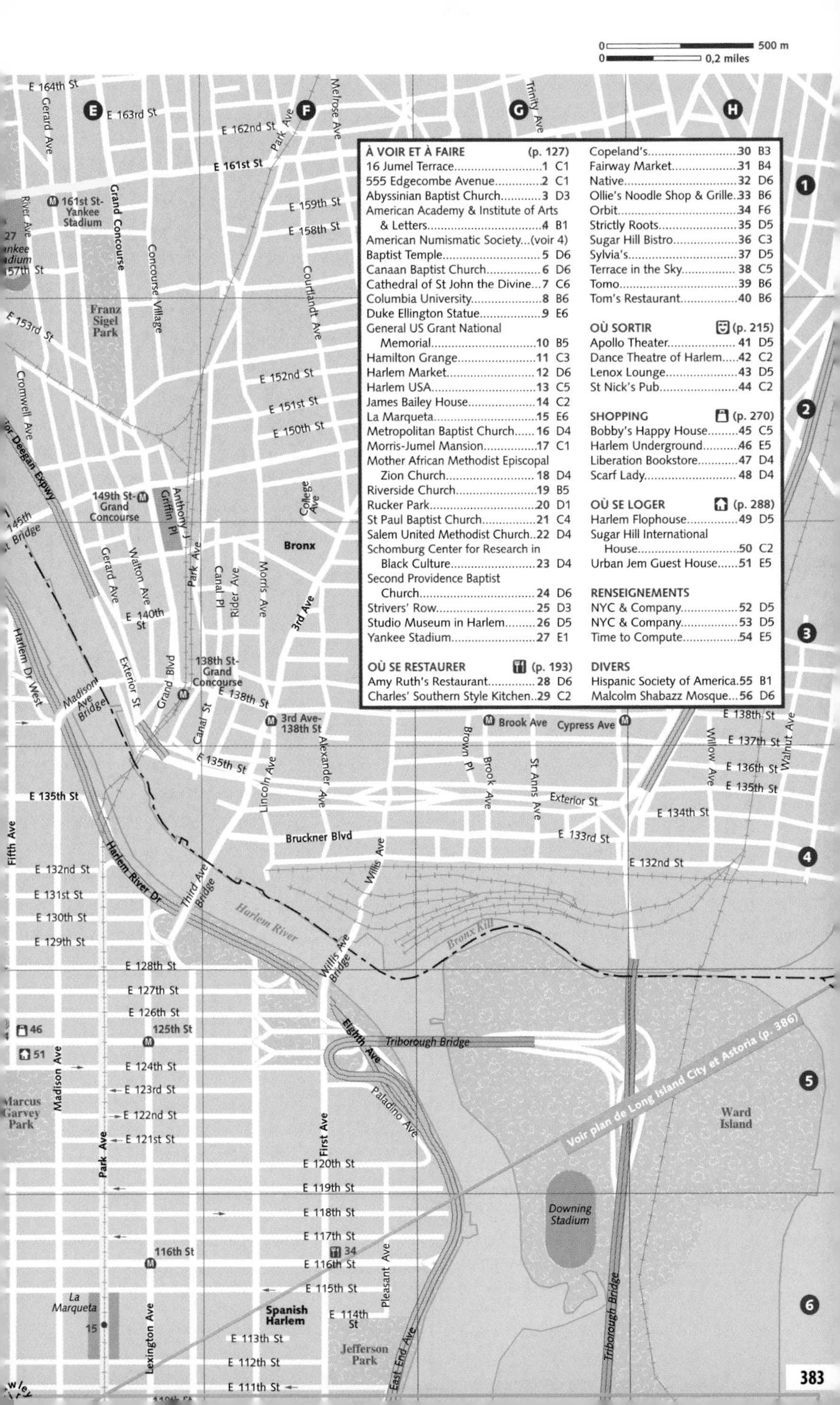

0 500 m
0 0,2 miles
À VOIR ET À FAIRE (p. 127)
16 Jumel Terrace 1 C1
555 Edgecombe Avenue 2 C1
Abyssinian Baptist Church 3 D3
American Academy & Institute of Arts & Letters 4 B1
American Numismatic Society (voir 4)
Baptist Temple 5 D6
Canaan Baptist Church 6 D6
Cathedral of St John the Divine 7 C6
Columbia University 8 B6
Duke Ellington Statue 9 E6
General US Grant National Memorial 10 B5
Hamilton Grange 11 C3
Harlem Market 12 D6
Harlem USA 13 C5
James Bailey House 14 C2
La Marqueta 15 E6
Metropolitan Baptist Church 16 D4
Morris-Jumel Mansion 17 C1
Mother African Methodist Episcopal Zion Church 18 D4
Riverside Church 19 B5
Rucker Park 20 D1
St Paul Baptist Church 21 C4
Salem United Methodist Church 22 D4
Schomburg Center for Research in Black Culture 23 D4
Second Providence Baptist Church 24 D6
Strivers' Row 25 D3
Studio Museum in Harlem 26 D5
Yankee Stadium 27 E1
OÙ SE RESTAURER (p. 193)
Amy Ruth's Restaurant 28 D6
Charles' Southern Style Kitchen 29 C2
Copeland's 30 B3
Fairway Market 31 B4
Native 32 D6
Ollie's Noodle Shop & Grille 33 B6
Orbit 34 F6
Strictly Roots 35 D5
Sugar Hill Bistro 36 C3
Sylvia's 37 D5
Terrace in the Sky 38 C5
Tomo 39 B6
Tom's Restaurant 40 B6
OÙ SORTIR (p. 215)
Apollo Theater 41 D5
Dance Theatre of Harlem 42 C2
Lenox Lounge 43 D5
St Nick's Pub 44 C2
SHOPPING (p. 270)
Bobby's Happy House 45 C5
Harlem Underground 46 E5
Liberation Bookstore 47 D4
Scarf Lady 48 D4
OÙ SE LOGER (p. 288)
Harlem Flophouse 49 D5
Sugar Hill International House 50 C2
Urban Jem Guest House 51 E5
RENSEIGNEMENTS
NYC & Company 52 D5
NYC & Company 53 D5
Time to Compute 54 E5
DIVERS
Hispanic Society of America 55 B1
Malcolm Shabazz Mosque 56 D6
Voir plan de Long Island City et Astoria (p. 386)
Bronx
Harlem River
Bronx Kill
Triborough Bridge
Ward Island
Downing Stadium
Spanish Harlem
Jefferson Park
Marcus Garvey Park
Franz Sigel Park
La Marqueta

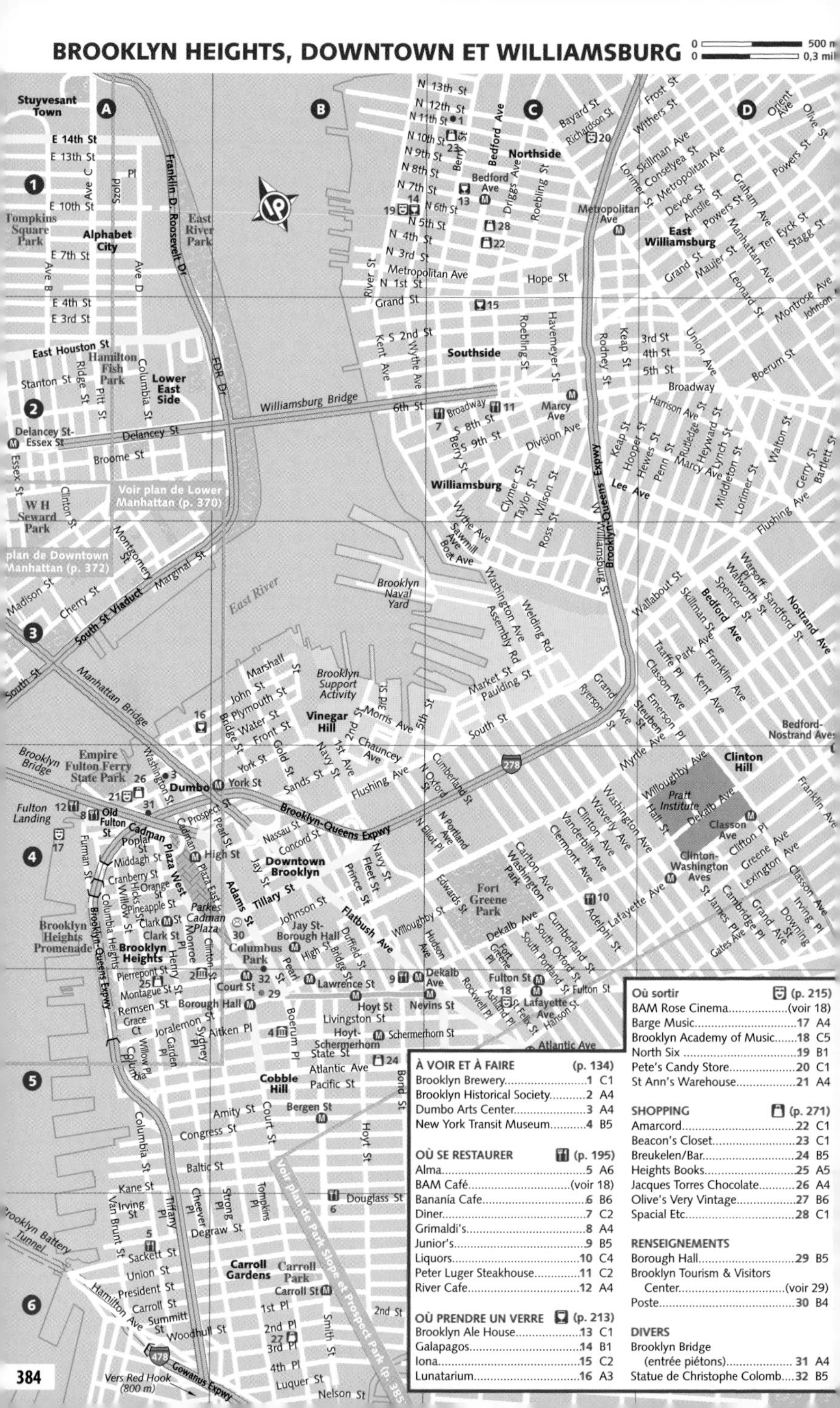
0 500 m
0 0,3 mile
Voir plan de Lower Manhattan (p. 370)
plan de Downtown Manhattan (p. 372)
Voir plan de Park Slope et Prospect Park (p. 385)
Vers Red Hook (800 m)
À VOIR ET À FAIRE (p. 134)
Brooklyn Brewery....1 C1
Brooklyn Historical Society....2 A4
Dumbo Arts Center....3 A4
New York Transit Museum....4 B5
OÙ SE RESTAURER (p. 195)
Alma....5 A6
BAM Café....(voir 18)
Banania Cafe....6 B6
Diner....7 C2
Grimaldi's....8 A4
Junior's....9 B5
Liquors....10 C4
Peter Luger Steakhouse....11 C2
River Cafe....12 A4
OÙ PRENDRE UN VERRE (p. 213)
Brooklyn Ale House....13 C1
Galapagos....14 B1
Iona....15 C2
Lunatarium....16 A3
OÙ SORTIR (p. 215)
BAM Rose Cinema....(voir 18)
Barge Music....17 A4
Brooklyn Academy of Music....18 C5
North Six....19 B1
Pete's Candy Store....20 C1
St Ann's Warehouse....21 A4
SHOPPING (p. 271)
Amarcord....22 C1
Beacon's Closet....23 C1
Breukelen/Bar....24 B5
Heights Books....25 A5
Jacques Torres Chocolate....26 A4
Olive's Very Vintage....27 B6
Spacial Etc....28 C1
RENSEIGNEMENTS
Borough Hall....29 B5
Brooklyn Tourism & Visitors Center....(voir 29)
Poste....30 B4
DIVERS
Brooklyn Bridge (entrée piétons)....31 A4
Statue de Christophe Colomb....32 B5

PARK SLOPE ET PROSPECT PARK
0 500 m
0 0,3 miles
Cobble Hill
Boerum Hill
Carroll Gardens
Gowanus
Park Slope
Windsor Terrace
Greenwood Heights
Green-Wood Cemetery
Prospect Heights
Institute Park
Brooklyn Botanic Garden
Prospect Park
Quaker Cemetery
Prospect Lake
Prospect Lefferts Gardens
Prospect Park South
Voir plan de Brooklyn Heights, Downtown et Williamsburg (p. 384)
Vers le Brooklyn Children's Museum 2,5 km
À VOIR ET À FAIRE (p. 138)
3rd Street Skate Co. 1 B3
Brooklyn Museum 2 D3
Brooklyn Public Library 3 D3
Carousel 4 D4
Kate Wollman Rink 5 D5
Lefferts Homestead Children's Historic House Museum 6 D4
Soldiers' & Sailors' Monument 7 C2
Zoo 8 D4
OÙ SE RESTAURER (p. 195)
Blue Ribbon Brooklyn 9 B2
Tom's Restaurant 10 D2
OÙ PRENDRE UN VERRE (p. 213)
Freddy's 11 C1
OÙ SORTIR (p. 215)
Excelsior 12 B3
Ginger's 13 B3
Southpaw 14 B2
Up Over Jazz Café 15 C2
SHOPPING (p. 272)
Beacon's Closet 16 B2
Eidolon 17 B2
RENSEIGNEMENTS
Audobon Center Boathouse 18 D4

LONG ISLAND CITY ET ASTORIA

0 — 600 m
0 — 0,4 miles

Voir plan du Bronx (p. 388)
Voir plan de Harlem (p. 382)
Voir plan d'Upper West Side et Upper East Side (p. 380)

À VOIR ET À FAIRE (p. 143)
American Museum of the Moving Image....1 C4
Astoria Pool....2 C2
Isamu Noguchi Garden Museum....3 B3
Museum for African Art....4 B5
PS1 Contemporary Art Center....5 A5
Socrates Sculpture Park....6 B3

OÙ SE RESTAURER (p. 197)
Uncle George....7 C4
Water's Edge....8 A5

OÙ PRENDRE UN VERRE (p. 214)
Bohemian Hall & Beer Garden....9 C3
Nixterides....10 D3

RENSEIGNEMENTS
Bureau de poste....11 D2
Bureau de poste....12 A5

DIVERS
CitiCorp....13 A5
Kaufman Astoria Studios....14 C4
Phare....15 B3

FLUSHING
0 700 m
0 0,4 miles
A
B
C
D
1
2
3
4
5
6
Flushing Bay
Flushing Airport
College Point
Murray Hill
Worlds Fair Marina
Shea Stadium
Willets Point-Shea Stadium
Flushing
Flushing-Main St
LIRR Flushing Station
Flushing Meadows Corona Park
Flushing Meadows Park
Queens Botanical Gardens
Kissena Corridor Park
Meadow Lake
Mount Hebron Cemetery
Queens College
Corona
103rd St-Corona Plaza
111th St
63rd Dr-Rego Park
67th Ave
Whitestone Expwy
Grand Central Pkwy
Van Wyck Expressway
Long Island Expwy
Horace Harding Expy
Northern Blvd
Astoria Blvd
Roosevelt Ave
Queens Blvd
Main St
College Point Blvd
Flushing Creek
À VOIR ET À FAIRE (p. 145)
Arthur Ashe Stadium 1 B4
Boathouse 2 B5
Flushing Council on Culture & the Arts 3 C2
Flushing Meadows Pitch & Putt 4 B3
Flushing Town Hall (voir 3)
Louis Armstrong House 5 A3
New York Hall of Science 6 B4
New York State Pavilion Towers 7 B4
Queens Museum of Art 8 B4
Shea Stadium 9 B3
Terrain de foot 10 B4
Terrain de foot 11 B4
Terrain de foot 12 B4
Spaghetti Park 13 A4
USTA National Tennis Center (voir 1)
Unisphere 14 B4
Wildlife Center 15 B4
World's Fair Ice Rink (voir 8)
OÙ SE RESTAURER (p. 197)
Kum Gang San 16 C2
Lemon Ice King of Corona 17 A4
OÙ SORTIR (p. 215)
Queens Theatre in the Park 18 B4
TRANSPORTS (p. 319)
La Guardia Airport 19 A2
RENSEIGNEMENTS
Poste de police 20 C3

A
B
C
D
1
2
3
4
5
6
Palasaides Interstate Pkwy
NEW JERSEY
NEW YORK
Hudson River
Henry Hudson Pkwy
W 247th St
Palisade Ave
Douglas Ave
W 239th St
Delafield Ave
W 246th St
11
Van Cortlandt Lake
Woodlawn Lake
Major Deegan Ser Rd
Woodlawn Cemetery
Woodlawn
Webster Ave
Bronx River Pkwy
South Riverdale
231st St
Independence Ave
Fairfield Ave
Arlington Ave
Netherland Ave
Ewen Park
Irwin Ave
Tibbett Ave
Corlear Ave
Kingsbridge Ave
Bailey Ave
Cannon Pl
Goulden Ave
Mosholu Pkwy
E 206th St
Williamsbridge Park
Gun Hill
Olinville Ave
Johnson Ave
W 230th St
Marble Hill-225st St
Harris Park
Paul Ave
Jerome Ave
E Mosholu Pkwy
Norwood-205th St
Hull Ave
Broadway
Hth Ave
W Kingsbridge Ter
Bedford Park Blvd-Lehman College
Villa Ave
Norwood
Burke Ave
Inwood Hill Park
Isham Park
Kingsbridge Heights
Bedford Park Blvd
E 201st St
Inwood-207th St
215th St
Tenth Ave
Kingsbridge Rd
Bedford Park
Marion Ave
Decatur Ave
Bronx Park Rd
5
W 207th St
Inwood
Sedgwick Ave
Fordham Hill Oval
St James Park
6
Briggs Ave
Bainbridge Ave
Bronx Park E
Barker Ave
Allerton Ave
4
Dyckman St
207th St
Riverbank State Park
W Fordham Rd
University Heights
Fordham Rd
Fordham Plaza
Fordham University
New York Botanical Garden
Dyckman St
Cedar Ave
Aqueduct Ave
183rd St
E 184th St
E 189th St
13
E Fordham Rd
Bronx Park
Pelham Pkwy
190th St
Bronx Community College
Grand Ave
Davidson Ave
Creston Ave
182nd-183rd Sts
E 187th St
7
Fordham
Cambreleng Ave
Crotona Ave
High Bridge Park
191st St
Loring Pl
Harrison Ave
Walton Ave
Ryer Ave
Bathgate Ave
Wade Square
Arthur Ave
Belmont Ave
Belmont
Bronx Park East
Burnside Ave
Morris Heights
Undercliff Ave
Tremont Ave
2
Harlem River Dr
181st St
176th St
E 176th St
Tremont
Clinton Ave
Mapes Ave
Crotona Pkwy
E 181st St
E 180th St
Bronx Park S
Victor St
175th St
174-175th Sts
E 175th St
Cross Bronx Expwy
Mt Eden Ave
E 173rd St
E 180th St
Bronx River Pkwy
Riverbank State Park
Riverside Dr
168th St-Washington Heights
Jerome Ave
Townsend Ave
Concourse
Selwyn Ave
Claremont Park
BRONX
W Farms Square Plaza
West Farms Sq-E Tremont St
West Farms
Twelfth Ave (West Side Hwy)
Major Deegan Expwy
Dr Martin L King Jr Blvd
High Bridge
Cromwell Ave
170th St
E 170th St
Clay Ave
Webster Ave
Crotona Park
Hylan Park
174th St
Cross Bronx Expwy
163rd St-Amsterdam Ave
Ogden Ave
Nelson Ave
Woodycrest Ave
Anderson Ave
167th St
Grand
Morris Ave
College Ave
Park Ave
Washington Ave
Claremont
Crotona Park
Boone Ave
Sheridan Expwy
Cross Bronx Serv Rd
157th St
John Mullaly Park
Sheridan Ave
Sherman Ave
Grant Ave
E 169th St
E 168th St
3rd Ave
Fulton Ave
Franklin Ave
Boston Rd
Hoe Ave
Bryant Ave
E 174th St
Harrod Ave
Croes Ave
Ftelely Ave
Trinity Cemetery
Washington Heights
1
E 167th St
E 166th St
Freeman St
E 172nd St
Morrison-Sound Views Aves
St Lawrence Ave
155th St
Concourse
E 164th St
Morrisania
Home St
Stebbins Ave
Simpson St
Southern Blvd
Elder Ave
Soundview
Sugar Hill et Hamilton Heights
St Nicholas Ave
Jackie Robinson Park
Macombs Dam Park
12
161st St-Yankee Stadium
E 161st St
E 162nd St
Intervale Ave
Whitlock Ave
Watson Ave
Amsterdam Ave
Harlem-148th St
River Ave
Gerard Ave
Union Ave
Prospect Ave
Simpson St
Bruckner Expwy
145th St
W145th St
Concourse Village
Voir plan de Harlem (p. 382)
Sound View Park
Noble Ave
Rosedale Ave
Walton Ave
Franz Sigel Park
Melrose Ave
Elton Ave
Melrose
E 160th St
Intervale Ave
Hunts Point Ave
Story Ave
St Nicholas Park
149th St-Grand Concourse
145th St
E 153rd St
Brook Ave
E 156th St
Prospect Ave
Seneca Ave
Clason Point
Metcalf Ave
Strivers' Row
E 151st St
E 150th St
Jackson Ave
Kelly St
Beck St
Longwood Ave
Whittier St
135th St
W135th St
Westchester Ave
3rd Ave-149th St
E 149th St
Longwood
Tinton Ave
Hunts Point Produce Market
Morningside Heights
135th St
138th St-Grand Concourse
Canal Pl
Rider Ave
E 147th St
E 146th St
St Marys Park
E 149th St
Fox St
Bruckner Blvd
Tiffany St
Faile St
Drake St
Hunts Point Ave
Hunts Point Terminal Market
125th St
Harlem
Alexander Ave
Willis Ave
E 141st St
St Anns Ave
E 143rd St-St Mary's St
Timpson Pl
Barry St
Casanova St
Drakes Park
E Bay Ave
Food Center Dr
Bronx River
3rd Ave-138th St
E 139th St
Brook Ave
Cypress Ave
Jackson Ave
Bruckner Expwy
Hunts Point
Manida St
Viele Ave
125th St
Fifth Ave
Harlem River
E 135th St
E 134th St
Ryawa Ave
Hunts Point Meat Market
Marcus Garvey Park
Madison Ave
125th St
Mott Haven
Cypress Ave
North Brother Island
116th St
Park Ave
Second Ave
E 132nd St
E 133rd St
Walnut Ave
Locust Ave
East River
W 116th St
First Ave
Port Morris
South Brother Island
116th St
Ward Island
Rikers Island

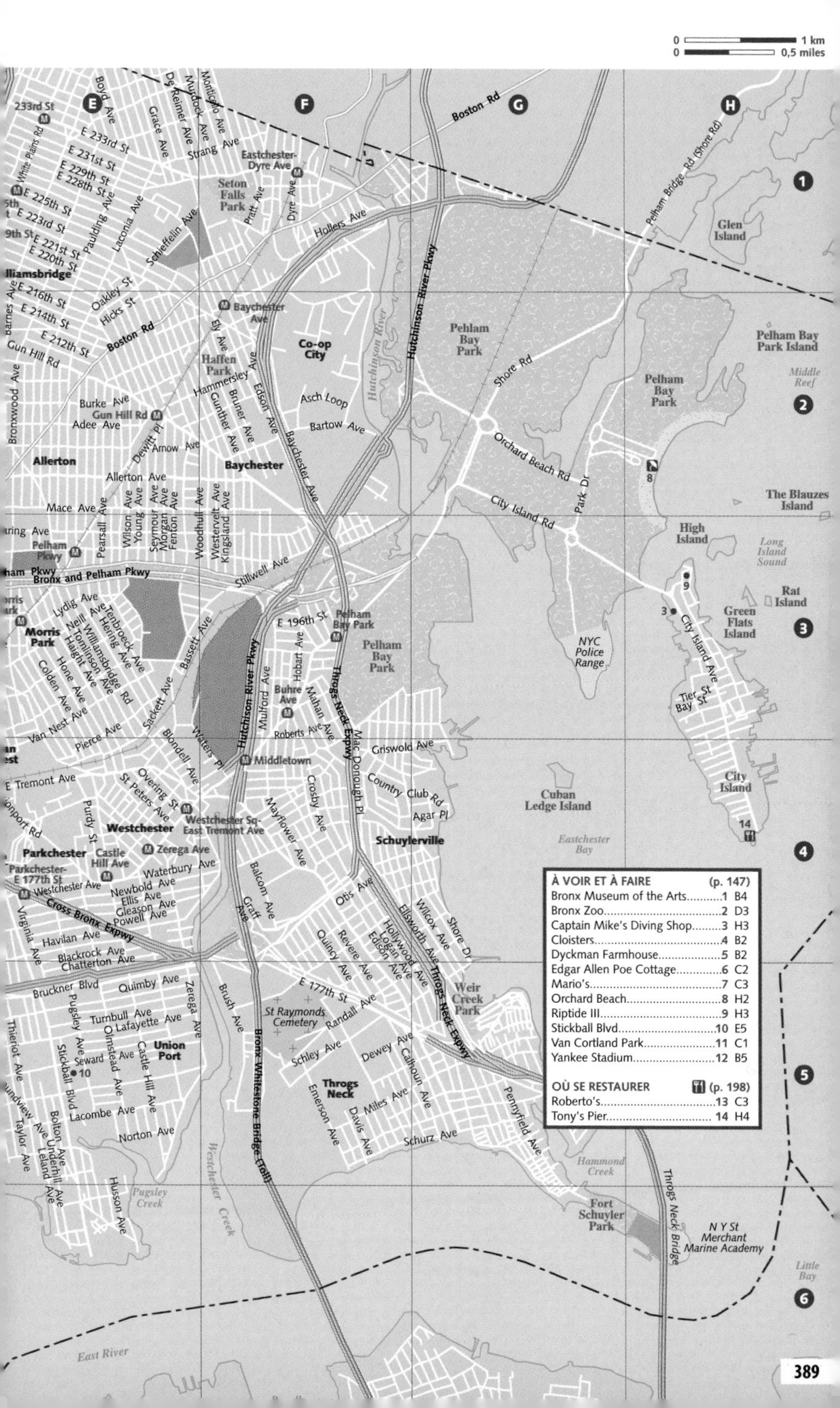

À VOIR ET À FAIRE	(p. 147)	
Bronx Museum of the Arts	1	B4
Bronx Zoo	2	D3
Captain Mike's Diving Shop	3	H3
Cloisters	4	B2
Dyckman Farmhouse	5	B2
Edgar Allen Poe Cottage	6	C2
Mario's	7	C3
Orchard Beach	8	H2
Riptide III	9	H3
Stickball Blvd	10	E5
Van Cortland Park	11	C1
Yankee Stadium	12	B5
OÙ SE RESTAURER	(p. 198)	
Roberto's	13	C3
Tony's Pier	14	H4

Metropolitan Transportation Authority

MTA New York City Subway

with bus, railroad, and ferry connections

Key

MTA New York City Transit
Subway in four boroughs, buses in five boroughs, and the MTA Staten Island Railway

The subway operates 24 hours a day, seven days a week, but not all lines operate at all times. For detailed information, consult Passenger Information Centers in stations or call our Travel Information Center (6AM to 10PM) at 718-330-1234. Non-English-speaking customers call 718-330-4847 (7AM to 7PM).

visit www.mta.info

To show service more clearly, geography on this map has been modified.
© 2004 Metropolitan Transportation Authority
Design: Michael Hertz Associates, NYC
May 2004

Part-time line extension
Local service only
All trains stop (local and express service)
Free subway transfer
Free out-of-system subway transfer (excluding single-ride ticket)
Station Name A-C
Police
Full time service
Part time service
Normal service
Additional express service
Terminal
Commuter rail service
Bus or AIRTRAIN to airport
Accessible station

THE BRONX

MANHATTAN

QUEENS

Long Island Sound

East River

Harlem River

Hudson River

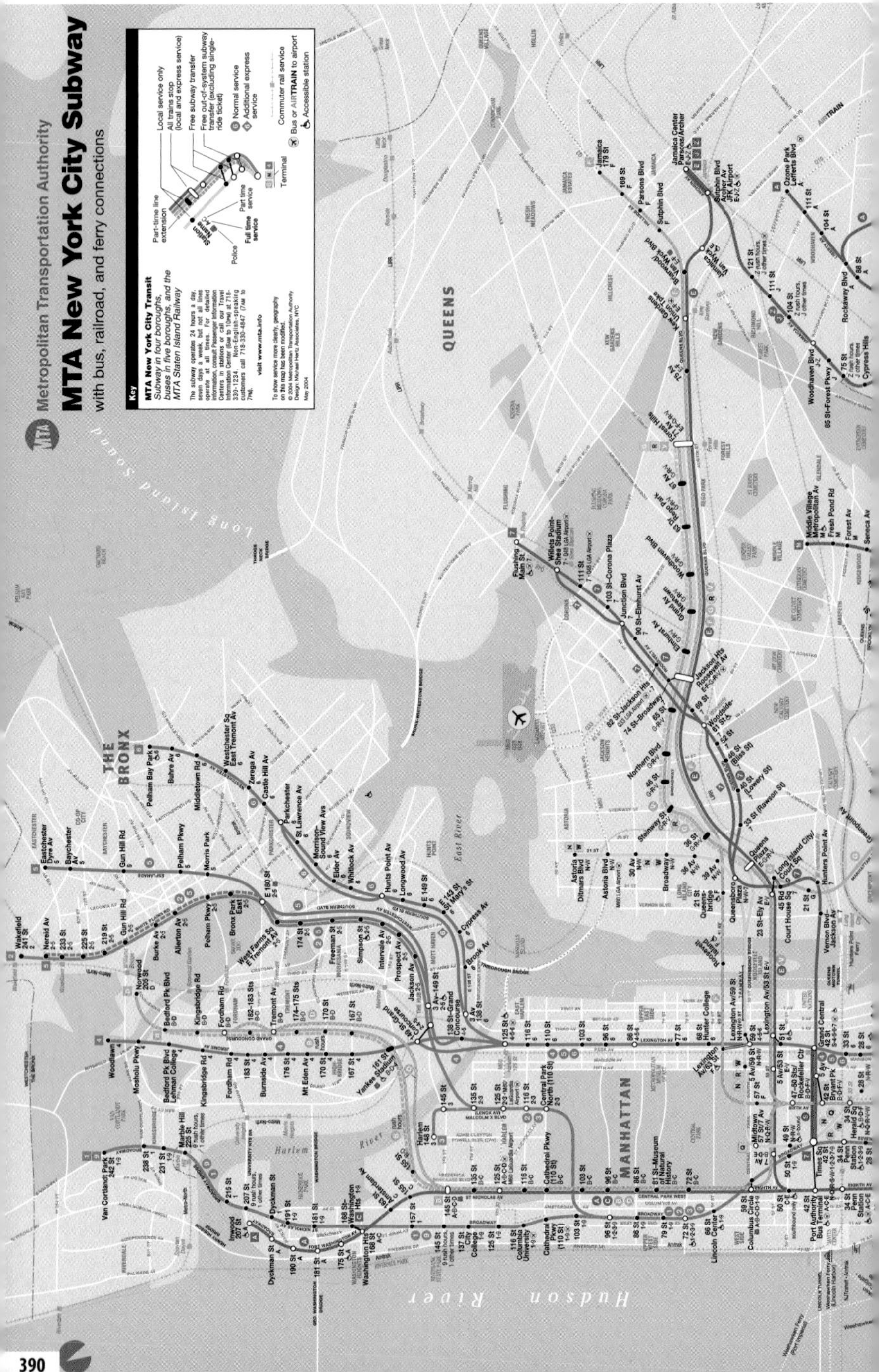

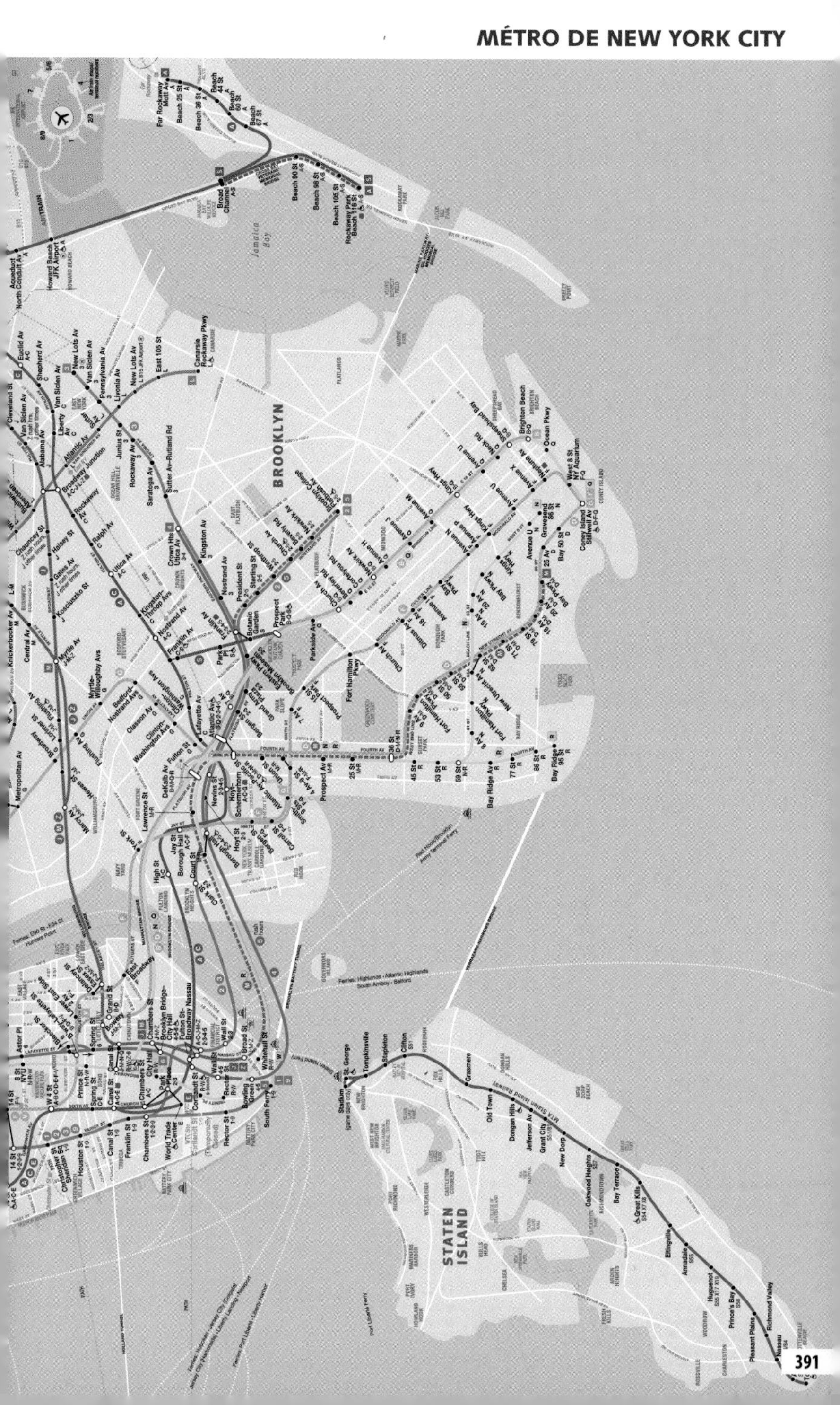
BROOKLYN
STATEN ISLAND
Jamaica Bay
Far Rockaway Mott Av
Beach 25 St
Beach 36 St
Beach 44 St
Beach 60 St
Beach 67 St
Broad Channel
Beach 90 St
Beach 98 St
Beach 105 St
Rockaway Park Beach 116 St
Howard Beach JFK Airport
Aqueduct North Conduit Av
Euclid Av
Shepherd Av
Van Siclen Av
New Lots Av
Pennsylvania Av
Livonia Av
East 105 St
Canarsie Rockaway Pkwy
Cleveland St
Liberty Av
Alabama Av
Atlantic Av
Broadway Junction
Junius St
Rockaway Av
Sutter Av-Rutland Rd
Saratoga Av
Chauncey St
Halsey St
Gates Av
Kosciuszko St
Ralph Av
Utica Av
Crown Hts Utica Av
Kingston Av
Nostrand Av
President St
Sterling St
Winthrop St
Church Av
Beverly Rd
Newkirk Av
Brooklyn College Flatbush Av
Knickerbocker Av
Central Av
Myrtle Av
Myrtle-Willoughby Avs
Bedford-Nostrand Avs
Kingston-Throop Avs
Classon Av
Clinton-Washington Avs
Franklin Av
Park Pl
Botanic Garden
Prospect Park
Parkside Av
Atlantic Av
Lafayette Av
Fulton St
DeKalb Av
Nevins St
Hoyt-Schermerhorn
Hoyt St
Borough Hall
Jay St
Court St
Clark St
High St
York St
Bergen St
Carroll St
Smith 9 Sts
Union St
Prospect Av
25 St
36 St
45 St
53 St
59 St
Bay Ridge Av
77 St
86 St
Bay Ridge 95 St
Fort Hamilton Pkwy
Church Av
Ditmas Av
Avenue I
Bay Pkwy
Avenue N
Avenue P
Kings Hwy
Avenue U
Avenue X
Neptune Av
West 8 St NY Aquarium
Ocean Pkwy
Brighton Beach
Sheepshead Bay
Neck Rd
Avenue M
Coney Island Stillwell Av
Gravesend 86 St
Bay 50 St
25 Av
20 Av
18 Av
79 St
71 St
62 St
New Utrecht Av
9 Av
Fort Hamilton Pkwy
Marcy Av
Hewes St
Lorimer St
Flushing Av
Broadway
Metropolitan Av
Lawrence St
Delancey St
Essex St
Grand St
East Broadway
Bowery
Spring St
Canal St
City Hall
Chambers St
Brooklyn Bridge-City Hall
Fulton St
Broadway Nassau
Wall St
Broad St
Whitehall St
South Ferry
Bowling Green
Rector St
Cortlandt St
World Trade Center
Park Place
Franklin St
Houston St
Christopher St Sheridan Sq
14 St
W 4 St
8 St NYU
Astor Pl
Prince St
St. George
Tompkinsville
Stapleton
Clifton
Grasmere
Old Town
Dongan Hills
Jefferson Av
Grant City
New Dorp
Oakwood Heights
Bay Terrace
Great Kills
Eltingville
Annadale
Huguenot
Prince's Bay
Pleasant Plains
Richmond Valley
Nassau
MTA Staten Island Railway
Red Hook/Brooklyn Army Terminal Ferry
Ferries: Highlands - Atlantic Highlands South Amboy - Belford
Port Liberte Ferry
AIRTRAIN

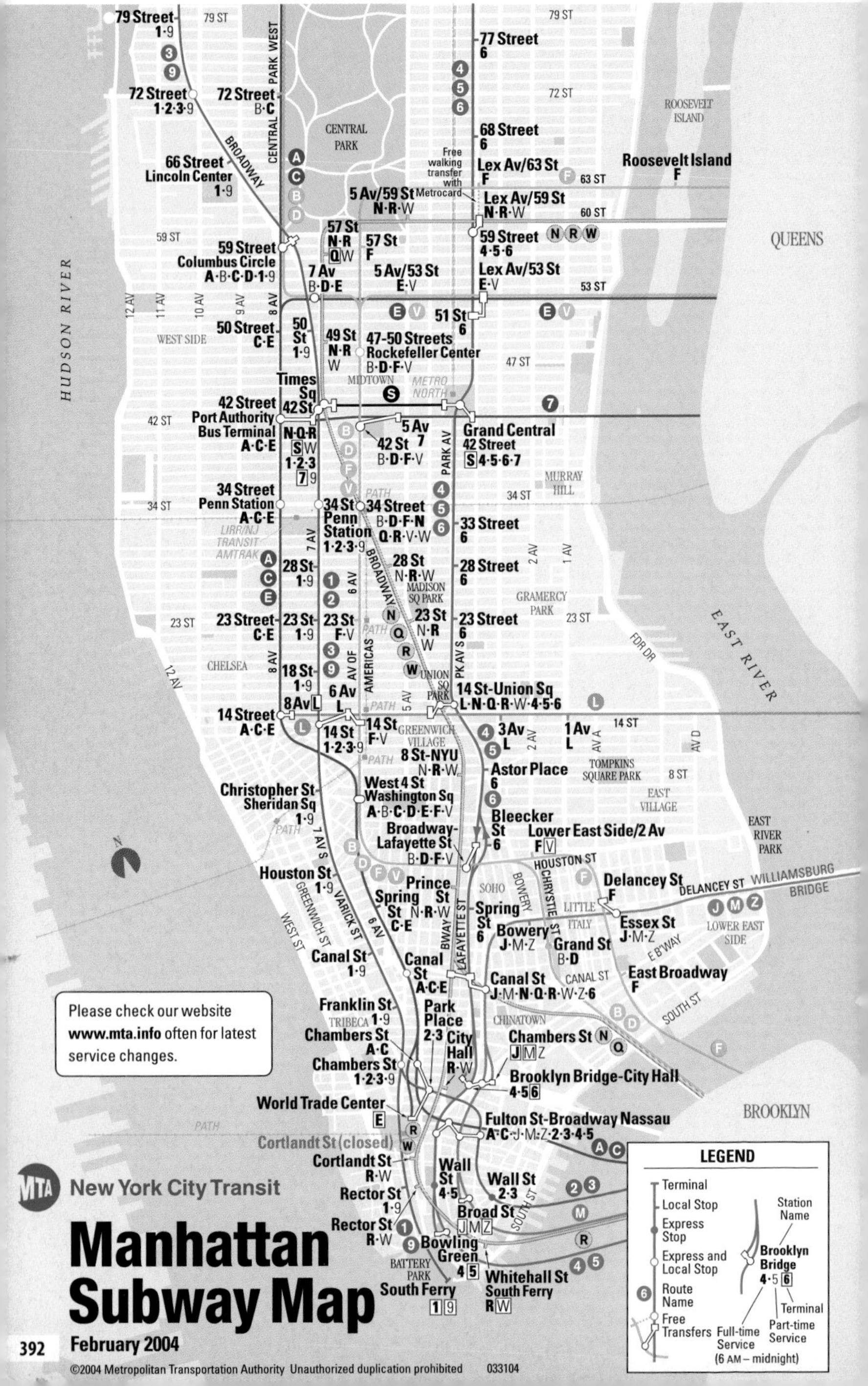

Please check our website **www.mta.info** often for latest service changes.

MTA New York City Transit

Manhattan Subway Map

February 2004

LEGEND

- Terminal
- Local Stop
- Express Stop
- Express and Local Stop
- 6 Route Name
- Free Transfers

Station Name: Brooklyn Bridge 4·5·6

Full-time Service (6 AM – midnight)

Part-time Service

Terminal